2nd Edition

내분비외과학

Textbook of
Endocrine Surgery

대한갑상선내분비외과학회 편찬

갑상선 · 부갑상선 · 부신 · 내분비췌장

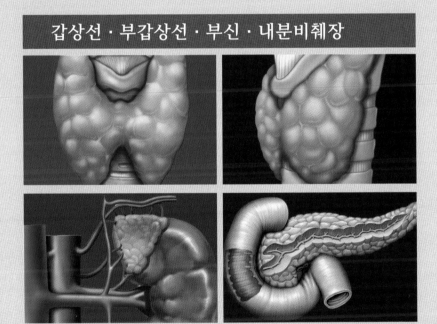

대한갑상선내분비외과학회

Textbook of Endocrine Surgery

내분비외과학

첫째판 1쇄 발행 | 2012년 1월 9일
둘째판 1쇄 인쇄 | 2018년 7월 25일
둘째판 1쇄 발행 | 2018년 7월 31일

지 은 이 대한갑상선내분비외과학회
발 행 인 장주연
출 판 기 획 이상훈
책 임 편 집 배혜주
편집디자인 조원배
표지디자인 김재욱
일 러 스 트 김경렬
제 작 담 당 신상현
발 행 처 군자출판사(주)
　　　　　등록 제4-139호(1991. 6. 24)
　　　　　본사 (10881) **파주출판단지** 경기도 파주시 회동길 338(서패동 474-1)
　　　　　전화 (031) 943-1888　　　팩스 (031) 955-9545
　　　　　홈페이지 | www.koonja.co.kr

ISBN 979-11-5955-337-0

정가 150,000원

2nd Edition

내분비외과학

Textbook of
Endocrine Surgery

발간사

대한갑상선내분비외과학회 회원 여러분.

2011년에 내분비외과학 교과서가 처음 창간된 후에 이번에 7년 만에 개정판을 내게 되어 자문위원님과 모든 회원님들과 함께 기쁘게 생각합니다. 보통은 5년 주기로 교과서가 새로 나와야 하나 이것이 지켜지지 못한 점 송구스럽게 생각합니다. 그래서 2016년 6월에 취임하면서 제일 먼저 새로운 교과서 편찬을 계획하여 이번에 제2판이 나왔습니다.

돌이켜 보면, 2017년 1년 동안에 SCI에 등재된 갑상선 내분비 학회지에 환자를 대상으로 한 논문이 전 세계에서 1301개였으며 이 중 한국에서 게재한 것이 125편으로 거의 10%에 육박하고 있습니다. 이는 한국이 갑상선 내분비 분야에서 활발하게 연구하고 있다는 증거이기도 합니다. 이는 우리가 내분비외과학 교과서를 새로 편찬해야 하는 당연한 이유이기도 했습니다.

그동안 많은 내분비관련 연구와 보고들로 인하여 시대의 흐름에 맞게 개정이 필요한 시점에 집필진께서 모든 관련 자료와 논문을 참고하시어 알찬 내용을 담아 주신데 대해 감사의 말씀 드립니다.

앞으로도 계속 주기적으로 개정판이 출판되어야 한다고 생각하고 저희의 뒤를 이으시는 집행부도 이런 사실을 꼭 기억하여 정기적인 교과서 편찬이 되게끔 부탁드립니다. 따라서 여러 회원님들께서도 관심을 가져 주시고 미약한 점이 있는 부분은 수시로 학회로 연락주시면 반영되도록 노력하겠습니다.

그리고 이 교과서가 많은 회원님들께서 진료하고 연구하고 후학을 양성하는데 많은 도움이 되시고 외과의사뿐만 아니라 의과대학생, 간호사, 관심을 가진 일반인 여러분에게도 도움이 되시길 기대합니다.

그동안 이 교과서 발간을 위해 여러모로 수고하신 박진우 교과서 편찬위원장님과 위원님들께 감사드리고 아무런 대가없이 순수한 열정으로 원고를 집필해주신 저자 분들과 군자출판사 관계자 분들께도 심심한 감사의 말씀을 올립니다.

2018년 6월
대한갑상선내분비외과학회
회 장 이 수 정
이사장 김 이 수

서 문

대한갑상선-내분비외과학회에서 내분비외과학 교과서를 처음 출간한 2011년은 급증한 갑상선암을어떻게 진단하고 치료하는 것이 바람직한가에 대한 논의가 활발하게 진행되던 시기였습니다. 우리말 교과서 편찬을 통해 다양한 전문가의 시각을 증거 중심의 객관적 기술로 선보여 외과의 뿐만 아니라 보다 전문적인 지식을 원하던 환자와 일반인에게도 많은 도움을 주었다고 자부합니다.내분비외과학 초판은 2013년 대한민국학술원 우수학술도서로 선정되기도 하였습니다.

이제 내분비외과학 개정판을 내놓는 시점에서 지난 7년간을 뒤돌아보면, 그 동안 갑상선-내분비외과 영역에서는 많은 변화들이 있었습니다. 개정판에는 이러한 변화의 배경과 임상적 의미를 싣고자 하였습니다. 가능한 증거중심의 기술이 되고, 우리의 경험이 많이 반영되도록 노력하였으나, 갑상선-내분비 질환의 특성상 높은 수준의 증거를 갖추기 어려운 부분이 있어 여전히 논란이 있는 주제들이 있습니다. 이런 경우 저자간에 같은 주제에 대해 서로 상반되는 기술이 있을 수 있지만, 가능한 다양한 견해를 전달하여 독자 여러분이 판단할 수 있도록 하였습니다.

개정판에는 특히 그 동안 항상 논란의 중심에 있었던 갑상선미세유두암의 진단과 치료에서 시도되고 있는 새로운 패러다임을 소개하고자 하였습니다. 그 동안 꾸준히 축적되어 온 갑상선미세유두암에 대한 새로운 증거를 제시하고, 앞으로의 과제에 대해 기술하였습니다. 빠른 속도로 발전하고 있는 세포유전학적, 분자생물학적 진단 방법의 발전과 임상적 활용에 대해서도 깊이 있게 다루고자 하였습니다. 최근 변화를 계속하고 있는 병기와 위험도 분류에 대하여도 그 배경과 증거 기반을 살펴보고 임상 적용에 도움이 되도록 하였습니다. 다양한 수술 접근 방법과 더불어 새로운 에너지 기반 수술기구를 소개하였고, 내분비악성종양의 수술 후 또는 절제 불가능한 경우 시행할 수 있는 새로운 분자표적치료에 대해서도 살펴보았습니다. 끝으로 우리나라 갑상선-내분비외과학의 역사를 살펴보고 정리하는 자리도 새로 마련하였습니다.

내분비외과학 교과서는 이 분야를 공부하는 의과대학 학생, 외과수련의, 내분비외과의에게 유익한 지침서가 되기를 바라며, 관련 타과 의료인과 일반인에게도 도움이 되기를 기대합니다. 개정판을 만들기 위해 많은 분들이 수고를 아끼지 않으셨지만, 여전히 부족함이 적지 않을 것 같아 염려스럽습니다. 독자 여러분의 너그러운 이해를 바랍니다.

끝으로 내분비외과학 교과서 개정을 결정하고 후원해주신 대한갑상선-내분비외과학회 이수정 회장님, 김이수 이사장님, 자문위원, 상임이사 여러분들께 감사드립니다. 바쁜 일정에도 기꺼이 저술에 참여해주신 저자 여러분과 실무 진행을 꼼꼼하게 살펴봐주신 교과서편찬위원회 여러분, 군자출판사의 관계자 여러분들께 깊은 감사를 드립니다.

2018년 6월
대한갑상선내분비외과학회 교과서편찬위원회 위원장 박 진 우

편찬위원

편찬 위원장

박 진 우　충북대학교 의과대학 외과

편찬 위원

구 도 훈　인제대학교 의과대학 외과　　　**이 규 언**　서울대학교 의과대학 외과
남 기 현　연세대학교 의과대학 외과　　　**정 진 향**　경북대학교 의과대학 외과
성 태 연　울산대학교 의과대학 외과　　　**조 진 성**　전남대학교 의과대학 외과
윤 현 조　전북대학교 의과대학 외과　　　**최 준 호**　성균관대학교 의과대학 외과
이 소 희　가톨릭대학교 의과대학 외과

편찬 간사

최 준 영　서울대학교 의과대학 외과

집필진

(가나다 순)

강경호	중앙대학교 의과대학 외과	김이수	한림대학교 의과대학 유방내분비외과
강상욱	연세대학교 의과대학 외과	김정수	가톨릭대학교 의과대학 외과
강선희	계명대학교 의과대학 외과	김정한	성균관대학교 의과대학 외과
강성준	연세대학교 의과대학 외과	김정훈	고신대학교 의과대학 외과
강수환	영남대학교 의과대학 외과	김제롱	충남대학교 의과대학 외과
강윤중	을지대학교 의과대학 외과	김지수	성균관대학교 의과대학 외과
곽진영	연세대학교 의과대학 영상의학과	김훈엽	고려대학교 의과대학 외과
구도훈	인제대학교 의과대학 외과	남기현	연세대학교 의과대학 외과
궁성수	충북대학교 의과대학 내과/핵의학과	문병인	이화여자대학교 의과대학 외과
권형주	이화여자대학교 의과대학 외과	민준원	단국대학교 의과대학 외과
김광식	제주대학교 의과대학 외과	박경식	건국대학교 의과대학 외과
김권천	조선대학교 의과대학 외과	박병관	성균관대학교 의과대학 영상의학과
김민주	고려대학교 의과대학 영상의학과	박성환	대구가톨릭대학교 의과대학 외과
김상효	인제대학교 의과대학 외과	박용래	성균관대학교 의과대학 외과
김석모	연세대학교 의과대학 외과	박원서	경희대학교 의과대학 외과
김성훈	동아대학교 의과대학 외과	박정수	연세대학교 의과대학 외과
김수진	서울대학교 의과대학 외과	박지영	경북대학교 의과대학 병리학교실
김연선	울산대학교 의과대학 외과	박진우	충북대학교 의과대학 외과
김완욱	경북대학교 의과대학 외과	박해린	차의과학대학교 강남차병원 외과
김우영	고려대학교 의과대학 외과	박희붕	박희붕 외과
김유석	조선대학교 의과대학 외과	배자성	가톨릭대학교 의과대학 외과

서영진	가톨릭대학교 의과대학 외과	이정희	정파종 외과
설지영	충남대학교 의과대학 외과	이준협	가천대학교 길병원 외과
성기영	가톨릭대학교 의과대학 외과	이초록	연세대학교 의과대학 외과
성태연	울산대학교 의과대학 외과	임치영	일산병원
소의영	아주대학교 의과대학 외과	장명철	단국대학교 의과대학 외과
손길수	고려대학교 의과대학 외과	장항석	연세대학교 의과대학 외과
송정윤	경희대학교 의과대학 외과	장호진	연세대학교 의과대학 외과
양정현	건국대학교 의과대학 외과	정기욱	울산대학교 의과대학 외과
오영륜	성균관대학교 의과대학 병리과	정성후	전북대학교 의과대학 외과
오영택	아주대학교 의과대학 방사선종양학과	정웅윤	연세대학교 의과대학 외과
유민영	충북대학교 핵의학과	정유승	가천대학교 의과대학 외과
유영범	건국대학교 의과대학 외과	정종길	여수전남병원 외과
윤대성	건양대학교 의과대학 외과	정종주	연세대학교 의과대학 외과
윤동섭	연세대학교 의과대학 외과	정진향	경북대학교 의과대학 외과
윤여규	윤여규 갑상선크리닉	정찬권	가톨릭대학교 서울성모병원 병리과
윤정한	전남대학교 의과대학 외과	정파종	정파종 외과
윤종호	연세대학교 원주의과대학 갑상선 내분비외과	조지형	계명대학교 의과대학 외과
윤지섭	성균관대학교 의과대학 외과	조진성	전남대학교 의과대학 외과
윤현조	전북대학교 의과대학 외과	천기정	서울대학교 의과대학 핵의학과
이광만	원광대학교 의과대학 외과	최영철	성균관대학교 의과대학 외과
이규언	서울대학교 의과대학 외과	최운정	원광대학교 의과대학 외과
이소희	가톨릭대학교 의과대학 외과	최정범	부산대학교 의과대학 외과
이수정	영남대학교 의과대학 외과	최준영	서울대학교 의과대학 외과
이영돈	가천대학교 길병원 외과	최준호	성균관대학교 의과대학 외과
이용상	연세대학교 의과대학 외과	최재혁	제주대학교 의과대학 외과
이잔디	연세대학교 의과대학 외과	홍석준	울산대학교 의과대학 외과
이재복	고려대학교 의과대학 외과	홍승모	울산대학교 의과대학 병리과
이정훈	아주대학교 의과대학 외과		

목차

PART 04 내분비췌장(Endocrine Pancreas)

내 분 비 외 과 학
TEXTBOOK OF ENDOCRINE SURGERY

PART

I

갑상선
Thyroid

개론

Introduction

SECTION

1

갑상선 수술과
한국 내분비외과의 역사
Historical Perspective

| 연세대학교 의과대학 외과 **박정수. 장항석**

외과는 아마도 가장 본능적인 자기방어의 목적으로 발생했을 것이다. 처음 수술이란 것이 시작된 것은 인류가 도구를 사용하는 법을 터득하면서부터였을 것이고, 이유는 부상을 입은 것을 치료하기 위해 시행되었을 것이라 짐작된다. 수술, 즉 외과는 그로부터 인류의 지혜가 발달해감에 따라 꾸준한 발전을 지속해 왔다. 하지만 언제나 거대한 장벽으로 존재하던 문제가 해결되기 전까지는 초보적인 수준을 벗어나기 힘들었다. 그 문제들은 바로 출혈, 통증, 그리고 감염이었다. 19세기에 이르러 이들의 문제를 해결하면서부터 외과는 비로소 위험한 '예술(art)' 정도로 여겨지던 수준을 벗어나 진정한 과학의 한 부류로 자리잡게 되고 인류의 질병을 직접적으로 해결할 수 있는 능력을 갖추게 되었다.[1]

Surgery라는 단어는 원래 Cheirourgia라는 고어에서 출발한 것인데, 그리스어로 손을 의미하는 cheir-와 작업을 의미하는 −ergon이 합쳐진 말이다. 한자어로 번역된 수술(手術)이라는 단어는 이 의미를 완벽하게 담은 절묘한 새 창조어였다. 앙부와즈 파레(Ambroise Pare)는 외과가 행하여야 하는 행위를 가장 적절하게 정의하였다. 그 내용은, 비정상적인 것을 제거하는 것, 정상적이지 않은 부분을 교정, 복원하는 것(이 내용은 가끔 탈구된 것을 복원하는 것이라고 해석되기도 한다. 그의 글에는 dislocation이란 단어를 사용했기 때문이다), 서로 뭉쳐진 것을 분리하는 것, 비정상적으로 분리된 것을 다시 합치는 일, 그리고 자연의 결함(선천성 기형 같은 것)을 교정하는 것이다.[2, 3]

내분비외과학의 역사는 다른 외과학 분야와 마찬가지로 근대 이후 일어난 눈부신 과학적 발전에 의해 획기적인 전환점에 도달하는 19세기 후반 전까지는 거의 발전이 미미한 수준이었다. 근대로부터 19세기에 이르는 시간은 의학사에 아주 중요한 시기로, 이 시대에 이르러서야 의학은 비로소 미신적인 요소를 벗어나 진정한 과학적 발전의 길로 들어서게 되었다. 이 시기의 발전을 주도한 것은 다른 과학분야와 마찬가지로 전 세기의 사회와 자연과학의 발전을 주도한 계몽주의 철학의 등장이었다. 또한 해부와 몸의 생리학적인 기능에 대한 발견 역시 이 발전의 동력이 되었다. 바로 이 시기에 내분비계통의 새로운 발견과 생리학적 지식의 진보가 급격히 이루어졌는데, 이 일을 직접적으로 주도한 것이 내분비계의 생리적 작용에 대한 연구와 갑상선, 부갑상선을 위시한 내분비계통의 수술, 즉 내분비외과학이었음은 부인할 수 없는 사실이다.[4]

중세가 끝나가면서 빛을 발하기 시작했던 중요한 발전을 이끈 외과학의 선구자들은 다음과 같다. 1363년 발표한 기드 솔리악(Guy de Chauliac)의 <대외과학(Chirugia Magna)>은 후대에도 큰 영향을 미친 저술로 17세기까지는 외과학 교과서의 표본으로 사용되었다. 또한 15세기에 발표된 로저리우스 살레르니타누스(Rogerius Salernitanus)의 <외과학(Chirugia)>는 현대 외과학의 초석으로 평가되고 있다.[3]

이런 발전이 꾸준히 이루어지고 있었음에도 불구하

고 당시의 외과의사는 내과의사의 하인이나 거칠고 더러운 허드렛 일을 담당하는 낮은 계급으로 평가되어 소위 '이발소 의사(Baber-surgeon)'로 취급받고 있었다. 하지만, 이런 분위기를 반전시킨 사건은 의외의 곳에서 발생되었다.

로마 외곽에서 고대 로마의 조각상인 '라오코온 상'이 발견되면서 유럽의 예술계는 폭풍을 맞은 듯한 충격에 휩싸이게 되었다. 당시의 예술은 겨우 신화나 성경의 내용을 담담한 모습과 어두운 색채로 표현하는 것이 머물러 있었는데, 이 조각상은 사람의 격동적인 움직임을 근육 하나하나까지 다 완벽하게 재현했으며, 심지어 슬픔과 절망에 찬 얼굴 모습까지 재현한 걸작이었다. 이 발견이 몰고 온 각성과 변화는 먼저 예술계의 변화를 이끌었지만 궁극적으로 인간의 모습을 제대로 알고자 하는 욕구는 바로 해부학의 발전으로 이어졌다. 위대한 화가이자 과학자였던 레오나르도 다빈치(Leonardo Da Vinci)의 해부도를 보면 생생한 근육의 움직임뿐만 아니라 그림이나 조각과는 상관이 없어 보이는 몸 속의 혈관과 장기들까지 세세하게 표현되어 있다. 이런 각성과 발전이야말로 르네상스 시기의 특징이라 할 수 있는데, 의학계에서도 이와 유사한 사건이 벌어졌다. 이탈리아 파두아 대학의 안드레아스 베살리우스(Andreas Besalius)는 과거 금과옥조처럼 신봉되어오던, 그러나 상당히 많은 오류를 가지고 있었던 갈레누스(Cladius Galenus)의 해부학 개념을 뛰어 넘어 정확한 신체 장기의 해부적 모습을 담은 <사람 몸 구조에 관하여(De humani corporis fabrica)>를 발표했다. 이것은 마치 코페르니쿠스가 지동설을 발표한 것과 비견할만한 일이었다. 의학계에서는 바로 이 사건이 권위주의에 굴복하여 단순한 답습으로 일관하던 전 시대의 종언을 고하는 역사적 계기가 되었다.[1]

이 시대에 또 하나의 획기적인 한 장면이 있었는데, 그것은 바로 앙브로와즈 파레(Ambroise Pare)의 등장이다. 프랑스 군의 군진 외과의사이던 그는 이전까지 아무런 비판 없이 시행되어오던 끓는 기름이나 달군 쇠를 이용한 상처 소작법이 오히려 상처를 악화시키고 전쟁에서 더 많은 젊은이를 죽음으로 몰아 넣는다는 것을 깨달고 상처를 치료할 수 있는 합리적인 방법을 제안하였으며, 혈관 결찰법을 기술하였다. 그는 또한 사혈의 폐해를 지적하며 무분별한 사혈에 반대하였다고 전해진다.[1, 3]

이런 일련의 발전을 통해 직접 상처와 환자를 살피고 환부를 치료하며 병원 원인을 직접적으로 파악하고 치료하는 경험을 쌓은 외과의사들이 이제는 더 이상 내과의 하수인이나 이발소 잡역부가 아닌, 당당한 과학자로서, 그리고 직접 치유를 담당하는 의사로 등장하게 되었다. 이제 외과는 내과와 어깨를 나란히 하는 학문으로 대접받게 되었으며, 질병을 직접 치료하고 그 원인을 찾기 위해 노력하면서 병리학과 생리학의 발전을 자극하고 주도하면서 의학의 중심에 서게 된 것이다. 이처럼 초기 근대의학의 발전과 현대의학으로 이행되어 가는 과정을 이끈 것이 바로 외과의사들이었다.[1, 3]

갑상선 수술의 역사 History of Thyroid Surgery

갑상선(thyroid gland)라는 말은 방패를 의미하는 그리스어에서 유래하였다. 이 단어를 처음 사용한 것은 토마스 와톤(Thoma Wharton)인데, 그는 1656년에 'Glandular thyroideis'라는 이름을 붙였다.[2] 갑상선이 비대해지면 명백하게 눈에 보이는 변화를 나타내게 되기 때문에 이 질병은 역사적 기록이나 고대 유럽의 조각품이나 아라비아, 인도의 작품에서도 거대 갑상선종의 증거가 남아 남아 있는 것을 볼 수 있다. 이런 증거들을 통해 아주 고대로부터 이 현상이 질병으로 인식되어 왔다는 것을 잘 알 수 있다. 서양에서는 이 질환을 struma (swallow gland), Bronchocele (cystic mass of neck), goiter (gutter: 목을 의미하는 라틴어) 등의 이름으로 불렀다. 처음 이 질환이 기록에 나타나는 것은 대략 BC 2700년 경 중국 문헌이었으며, 이를 치료하기 위한 여려가지 방법이 기술되어 있기는 하지만 대체적으로 불치병으로 인식되어 왔다. 서양의 문헌에서도 약 3500년 전부터 갑상선종에 대한 기록이 나오지만, 질식해서 죽어가는 사람들을

제외하고는 수술은 거의 시도되지 않았던 것으로 보인다.[1, 4]

최초의 갑상선 수술은 AD 1세기, 로마의 의사인 셀수스(Aurelius Cornelius Celsus)에 의해 이루어졌다고 기록되어 있는데, 그는 이 수술을 보고한 후에 뒤이어 "갑상선종을 제거하려는 시도는 아주 위험한 것"이라는 말을 남겼다. 갑상선 수술에 대한 기록은 아니지만 로마 시대의 유명한 의사인 갈레노(Galenos: Galen of Pregamum)는 부상을 입은 검투사들을 치료하면서 목에 상처를 입은 검투사가 말을 하지 못하고 숨쉬는 것을 힘들어 하는 것을 보고 반회후두신경의 존재를 발견하였다. 그 이후의 기록으로는 AD 500년경에 바그다드의 압둘 카산 켈레비스 아비스(Abdul Kasan Kelebis Aibs)가 갑상선종을 수술한 것으로 나와 있는데, 비록 대량의 출혈이 있었지만 환자가 죽지는 않았다고 하였다.[5]

11세기가 되자 코르도바 지역에 있던 무어인 외과의사인 알부카시스(Albucasis)가 그가 직접 개발한 수술 도구를 이용해 갑상선 수술을 시행하였다. 그는 고대로부터 이어져 내려오던 그리스-로마의 의과학적 지식에다 그만의 독창적인 아이디어를 접목하여 외과 술기의 발전을 이룩하였으며, 그가 개발한 수술 장비들은 현대의 수준과 비교해도 손색이 없을 정도였다. 그는 산과, 안과, 이과의 수술도 개발하여 현대 외과학의 아버지로 추앙을 받고 있다. 그의 이러한 업적은 중세시대 동안 단절되었던 과학 문명의 전통이 '문명의 요람'이라고 불리는 이슬람에 보존, 발전되어오다 르네상스 이후에 유럽에 전파되면서 다시금 꽃피우게 되는 다른 분야와 마찬가지로 현대 의학과 외과학의 발전에 가장 중요한 기초가 되었다.[1, 3]

12세기에는 이탈리아의 살레르노 그룹의 외과의사들이 갑상선종을 수술했다는 기록이 있는데, 당시 그들이 주로 사용한 방법은 Seton을 이용한 결찰법이었고, 불에 달군 쇠꼬챙이를 이용한 소작법도 사용했던 것으로 알려졌다. 그리고 해초를 복용시키는 방법도 함께 사용한 것으로 보인다. 하지만 이 방법은 대체로 성공적이지 못해서, 일부를 제외하고는 출혈과 패혈증으로 사망했다고 기록되었다.[6]

갑상선종에 대해 갑상선 부분절제를 시도한 것은 아마도 1791년도의 프랑스의 피에르 조셉 드살트(Pierre Joseph Desault)가 처음이었을 것이다. 그 이전에는 이런 수술이 성공한 적이 거의 없었음이 분명하다.[7] 참고로, 문헌 기록에는 1850년 이전까지 약 70건의 갑상선 수술이 이루어졌는데, 수술 사망률이 41%에 이르렀다고 한다. 이들 사망의 대부분은 감염으로 인한 것이었고, 출혈 역시 중요한 원인이었다. 몇몇 기록에는 자세한 수술 과정이 기술되어 있는데, 마취나 출혈을 막을 수 있는 기구가 개발되기 전의 갑상선 수술은 외과의사에게나 환자에게나 정말 끔찍한 일이었고 그 결과 또한 비극적이었기 때문에, 1850년도에 프랑스 의학회에서는 갑상선 수술을 공식적으로 금지했을 정도였다. 당시의 전설적인 외과의사이던 로버트 리스턴(Robert Liston)은 마취가 없던 시절에 빠른 수술만이 환자의 생명을 보장할 수 있었던 환경에서 가장 두각을 내던 외과의사로, 소위 '영국에서 가장 빠른 나이프'라는 별명으로 불렸던 의사였다. 그러나 이렇게 뛰어난 실력을 갖춘 그도 1846년에 이런 기록을 남겼다.

"갑상선을 산 사람의 몸에서 떼어내려는 시도는 죽음을 무릅쓰지 않고는 결코 할 수 없는 일이다. 이런 수술은 결코 시행되어서는 안 된다."[4, 6]

1866년에 역시 당대에 가장 뛰어난 외과의사인 비엔나의 사무엘 그로스(Samuel D. Gross)도 유사한 말을 하였다.

"갑상선 선종(비대증)이 사람의 생명을 구할 수 있을 것인가? 이제까지의 의학적 경험에 의하면 대답은 명확하다. 결코 불가능한 것이다! 어리석게도 외과의사가 이것을 시도한다면 모든 단계, 단계마다 심각한 위험을 만날 것이고, 그가 휘두르는 칼은 어마어마한 양의 출혈로 뒤덮일 것이다. …중략… 정직하고 생각이 올바른 외과의사라면 결코 이 수술을 시도하지 않을 것이다."[1, 8, 9]

이처럼 갑상선 수술은 19세기 후반이 되기 전까지는 걸음마 단계를 벗어나지 못했다. 1811년에 해초를 태우면 요오드를 얻을 수 있다는 방법을 알게 된 후부터 갑상선종에 대한 약물치료가 일부 가능해졌지만, 성공적인 치료를 위해서는 결정적인 무언가가 더 필요했다. 1846년에는 에테르를 이용한 마취법이 발명되었고, 1867년에 무균법의 개념이 정립되었으며, 1870년에 이르자 효과적인 동맥(혈관)겸자(artery forceps)가 개발되었다. 이제 이전 시대에 중대한 범죄라고까지 생각되던 갑상선이 새로운 국면을 맞게 되었다.[1-4]

내분비 외과학의 역사를 방대한 자료를 바탕으로 자세하고도 명확하게 기록한 윌리엄 할스테드(William Halsted)는 375개의 레퍼런스와 166페이지에 이르는 그의 유명한 저술인 <The operative story of goiter>에서 갑상선 수술은 1873년에서 1883년까지의 10년동안 이전 시대 전체에 걸쳐 발전해 온 것보다 더 위대한 진보가 일어났다고 하였으며, 그 이후로도 이보다 더 큰 발전은 이룩되기 어려울 것이라고 하였다. 그리고 그는, "갑상선종의 수술은 빌로스와 코커에 의해, 그리고 그 외 다른 기관의 몇몇 사람들에 의해 거의 완벽에 가깝게 완성되었다. 단지 아주 사소한 문제만 남았을 뿐이다." 라고 말하였다.[7, 10]

그의 기술에서 나온 것처럼 갑상선 수술의 서막을 연 것은 테오도르 코커(Emil Theodor Kocher)의 성공이었다. 그는 스위스에서 태어났으며, 베른 대학을 졸업한 후 당시 명성이 드높던 랑겐벡(Lagnenbeck)과 빌로스(Billroth) 아래에서 수련을 쌓은 후 베른 대학에서 일생 동안 몸담았다. 그는 1872년에 31세의 나이로 베른 대학의 교수가 된 후 약 40년 이상의 기간 동안 지속적인 술기 개발과 성공적인 갑상선 수술의 결과를 발표함으로써 갑상선 수술의 초석을 완성할 수 있었다. 첫 10년 동안 그는 101례의 수술을 시행하여 약 12.8%의 사망률을 경험했으며, 이후 1889년까지 이르자 추가적인 250례의 수술에서는 사망률이 2.4%까지 감소하였다. 1895년에는 사망률이 겨우 1% 남짓이었고, 1989년에 이르자 이것은 0.2% 이하가 되었다. 그가 사망하기 불과 몇 주 전인 1917년에는 스위스 외과 학회에서 그가 일생 동안 시행한 5,000례에 가까운 수술에서 전체 사망률이 0.5%에 불과했다고 보고하였다.[2, 11]

그러나 그의 성공에도 어두운 일면이 있었다. 그는 1883년에 발표한 역사적인 논문에서 갑상선 전절제 후에 발생한 불행한 사건을 보고함으로써 갑상선이 이전에 알려진 것과 같이 기능이 없거나 목을 보기 좋게 하거나 보호하는 기능을 하는 것이 아니라 생리학적으로 중요하며 생명에 꼭 필요한 역할을 한다는 것을 세상에 알렸다. 그는 이 논문에서 당시 그가 수술했던 마리 리첼이라는 11살짜리 소녀에 대해 보고했는데, 갑상선 전 절제술 후 인격적으로 변화가 오고 그의 건강한 자매들과 달리 흉하고 바보가 되어 버렸다고 개탄하였다. 그와 그의 동료들은 그 변화가 왜 생겼는지 알 수 없었는데, 때마침 제네바에서 일하던 자크 르베르댕(Jacque Reverdin)이 자신에게도 갑상선 전 절제술 이후 동일한 증상을 보이는 두명의 환자가 있다는 것을 발표하고 나서야 그 소녀에게 무슨 일이 있었는지 알게 되었다고 한다. 자크 르베르댕은 갑상선을 전 절제한 환자들이 체온이 떨어지고 신체기능이 둔해지며 비만해지고 지능까지 떨어지는 이 증상을 크레티니즘(cretinism)이라고 명명했다. 이 사건 직후 코커는 갑상선 전 절제술을 받은 그의 환자를 전수 조사했는데, 34명의 환자들 중 다시 검사를 하러 온 사람들은 18명이었고, 그들 중 16명에서 갑상선 기능저하의 증상이 있었다고 하였다. 그들은 대부분 심각한 증상을 보이고 있었기 때문에, 그리고 일부에서는 치명적이기까지 했기 때문에 코커는 다시는 갑상선 전 절제술을 시행하지 않았다고 한다. 그런데 신기한 점은, 이들 18명 환자들 중에 테타니(tetany) 증상을 보이는 환자는 단 한명에 불과하였다는 것이다. 그리고 이것은 당시 코커보다 더 많은 갑상선 수술을 하고 있었던 빌로스의 수술과 현격한 차이를 보이는 것이었다. 당시 빌로스의 환자들 중에서는 점액수종(myxedema)에 빠지는 환자는 별로 없었던 반면, 테타니의 빈도는 훨씬 높았기 때문이었다.[1, 11, 12]

이들 두 사람의 수술을 다 경험할 수 있었던 할스테드는 이에 대해 이런 해석을 내 놓았다. 비교적 꼼꼼하고 정교하며 출혈이 거의 없는 수술을 했던 코커는 갑상선 조직을 완벽하게 들어내면서도 주변 구조를 다치지 않도록 노력했던 반면, 담대하며 자신이 수술을 잘한다는 것을 자랑하고 싶어했던 빌로스는 피가 나건 말건 아랑곳하지 않고 빠른 수술을 추구했기 때문에 주변의 구조가 보존되는 데 거의 신경을 쓰지 않았고, 갑상선 조직을 일부 남기는 수술을 했다고 한다. 따라서 빌로스의 수술에서는 기능저하증은 드물었던 반면 테타니가 더 많았다는 것이다.[1, 13]

할스테드는 코커의 업적을 다음과 같이 정리하였다. 첫째, 갑상선 전절제는 갑상선 기능저하증을 발생시킨다는 것을 발견한 것, 둘째, 그의 동료인 랑겔한스(Langerhans)와 함께 갑상선암을 연구한 것, 셋째, 갑상선 수술을 완성시킨 것, 넷째, 그레이브스병을 위시한 갑상선 기능항진증에 대한 수술적 치료 발전을 도운 것, 다섯째, 이식된 조직에서 발생하는 그레이브스병의 발견, 여섯째, 갑상선엽 절제 전 동맥 결찰의 가치를 증명한 것, 일곱번째, 갑상선종 환자들에 대한 무분별한 요오드 투여의 위험성을 발견한 것들이다. 나중에 테오도르 코커는 이러한 공을 인정받아 1909년에 노벨상을 수상하였다. 그의 수상 이유에 대해서는 "갑상선에 대한 생리학, 병리학 그리고 외과학적인 업적" 때문이라고 했으며, 그는 오로지 임상적인 공적만으로 노벨상을 수상한 유일한 외과의사가 되었다.[1, 4, 10, 13]

비록 갑상선 수술에 대한 거의 모든 공적과 관심이 코커에게 집중되었지만 테오도르 빌로스(Christian Albert Theodor Billroth) 또한 갑상선 수술에 지대한 공헌을 하였다. 그는 19세기를 풍미한 가장 뛰어난 외과의사였다. 그는 독일에서 태어나 베를린 의과대학을 졸업한 후 버나드 폰 랑겐벡(Bernard von Langenbeck)의 조수가 되었다. 1860년에 31세가 된 그는 취리히 대학의 교수가 되었는데, 당시 이 지역은 갑상선종의 발생이 가장 높은 엔데믹 지역이었다. 따라서 그는 질식 직전의 거대 갑상선종에 대한 수술을 용기 있게 시작할 수 있었다. 하지만 초기 6년 반 동안 시행한 20례의 갑상선 수술에서 8명이 사망하였는데, 이들 중 7명은 패혈증으로, 1명은 출혈로 사망하였다. 그리고 살아남은 사람들 중에서도 30%가 넘는 사람들이 목소리와 연하기능까지 상실되었

다. 무려 40%에 이르는 사망률과 30%가 넘는 부작용 발생으로 인해 크게 위축된 빌로스는 무려 10년간이나 이 수술을 하지 않고 포기하게 되었다. 당시 빌로스의 수술 솜씨는 가히 세계 제일이었다. 하지만 다른 수술에서 눈부신 성취를 올리고 있던 빌로스조차 이런 실패를 경험하게 된 데에는 그만한 이유가 있었다. 당시 마취도 제대로 되지 않은 상태에서 고통속에 몸부림치는 사람들을 붙들고 피가 솟구치고 유혈이 낭자한 수술을 하는 것은 결코 쉬운 일이 아니었을 것이 분명하기 때문이다.[1, 10, 13]

그가 비엔나 대학으로 자리를 옮기고 난 이후 경험도 쌓이고 마취와 무균법의 발달과 혈관 겸자의 개발이 이루어지면서 그는 다시 갑상선종에 대한 수술을 시작했다. 이 시점부터 그의 수술 성과는 눈부신 발전을 보였으며, 그는 갑상선 수술에 지대한 영향을 끼치게 되었다. 이윽고 1880년대가 되자 그는 갑상선 수술을 가장 많이 했으며 세계에서 가장 많은 경험을 보유한 외과의사가 되었다. 그는 갑상선 수술뿐만 아니라 다양한 수술의 발전에 지대한 공헌을 하였으며 그가 길러낸 제자와 그 그룹이 외과학의 발전을 주도했기 때문에 지금도 '빌로스 계보(Billroth Tree)'라는 유명한 말이 남아 있을 정도로 수많은 외과학 분과의 학파와 학자들의 선조로 인정되고 있다.[10]

그가 갑상선 외과에 미친 영향 중 가장 큰 것은 뛰어난 제자들을 길러낸 것이다. 그의 영향을 받아 갑상선 외과학 발전에 공헌한 사람들은 뵐퍼(Anton Wölfer), 미쿨릭츠(Johann von Mikulicz), 아이셀스버그(Anton von Eiselsburg), 해커(von Hacker), 그리고 슐로퍼(Schloffer) 등이다. 이들 중에서 뵐퍼는 갑상선 수술 후 나타나는 테타니를 정확하게 기술하였으며, 아이셀스버그는 뵐퍼의 연구를 이어받아 테타니가 갑상선 수술 중 부갑상선 제거 때문에 발생하기도 하지만, 수술 중 혈관 손상에 의해 생기기도 한다는 것을 발견하였다.[10, 13]

빌로스의 제자들 중 가장 뛰어난 업적을 남긴 사람은 아마도 미쿨릭츠일 것이다. 그전까지 적출(extirpation) 혹은 절제(excision)라는 개념만 존재하던 갑상선 수술

에 처음으로 협부 절개(resection of isthmus)이라는 개념을 정립한 그는, 갑상선 조직을 절개하면서도 적절한 조직 결찰을 활용하여 출혈을 줄일 수 있다는 것을 발견하여 출혈에 대한 걱정 없이 갑상선 부분절제술이 가능하다는 것을 밝혔다. 그는 이를 통해 현대의 편측 혹은 양측의 아전절제술의 기초를 확립하였다.[4, 5, 10, 13]

19세기가 끝나고 새로운 세기가 시작되면서 갑상선종 수술의 문제들은 거의 대부분 극복되었다. 수술로 인한 직접 사망률이 획기적으로 개선되었고, 수술 후 중요한 부작용이었던 점액수종의 원인이 밝혀졌고, 테타니의 문제도 개선되어 나가기 시작했다. 이제 남은 것은 갑상선 기능항진증이었다. 이 문제의 해결에 결정적인 역할을 한 것이 미국의 외과의사들이었다. 유럽, 특히 독일, 스위스, 오스트리아의 뛰어난 외과의사들이 열정적으로 리스터의 무균법을 받아들이고 수술 도구의 개선에 대한 꾸준한 노력을 경주했던 반면 이런 개념을 받아들이는데도 미흡했던 미국의 외과는 거의 25년이나 뒤쳐져 있었다. 기록에 의하면 1890년 이전에 시행된 갑상선 수술 중 단 한 건도 무균법을 도입한 것이 없었다고 한다.[7, 10]

이런 분위기에서 윌리엄 할스테드(William Stewart Halsted)는 적극적으로 무균법과 지혈 겸자(hemostat)의 도입을 주장하여 미국 갑상선수술의 변혁을 주도하였다. 그는 1914년에 500례의 그레이브스병 환자 수술을 보고하였으며, 그 당시 그를 따라올 수 있는 사람은 아무도 없었다. 또한 그는 수술용 장갑을 처음으로 도입한 것으로도 유명하다. 외과학 영역에서 그의 업적은 헤아릴 수 없을 정도로 많지만, 특히 갑상선 수술이 끼친 중요한 영향은 다음과 같다.

첫째, 정교한 해부적, 생리적 지식과 원칙을 바탕으로 하여 갑상선 수술의 표준을 정립하였다. 둘째, 부갑상선 이식술의 기념비적인 실험을 시행하였다. 셋째, 지금도 사용되는, 그의 이름을 붙인 정교한 지혈 겸자를 개발하여 상용화 시켰다. 넷째, 견인기와 수술용 칼, 동맥류 봉합용 바늘, 견인기 등을 비롯한 많은 독창적인 수술 장비를 새로이 개발하였다. 다섯째, 국소 마취제의 처

음으로 사용하여 다양한 부작용을 줄일 수 있음을 밝혔다. 그리고 마지막으로 <The operative story of Goiter>를 출간한 일이다.[10]

미국의 외과의사들 중에서 기억할만한 사람들은 다음과 같다. 갑상선 기능성 질환을 연구한 것으로 유명한 헨리 플러머(Henry Plummer)를 내과 카운터 파트로 둔 찰스 메이요(Charles William Mayo)는 그의 환경에 걸맞게 가장 많은 그레이브스 병 환자를 수술하였고, 그의 수술 사망률은 4%에 불과하였다. 하지만, 플러머가 그레이브스 병 환자의 수술전 조치로 요오드의 유용성을 입증한 1923년 이후 수술 사망률은 더 획기적으로 개선되어 1% 미만으로 줄었다. 그는 역시 유영했던 그의 동생과 더불어 Mayo Clinic을 설립하였다. 클리블랜드의 조지 크릴(George Washinton Crile)은 오늘날 사용되고 있는 두경부암의 광범위 곽청술(Radical extirpation)이라는 수술법을 확립했으며, 1906년에 광범위 곽청술로 치료된 132례의 두경부암을 보고하였다.[9] 라헤이(Frank Howard Lahey)는 반회후두신경을 정교하게 보존할 수 있은 기법을 포함한 갑상선 수술에 대한 술기를 개발하여 현대 갑상선 수술의 전형을 완성하고 그 전파에 큰 공을 세웠는데, 그는 스스로 개발한 정교한 수술법을 이용해 1953년 사망하기까지 10,000례에 가까운 수술을 시행하였고, 그의 기관에서는 20세기 말까지 가장 많은 갑상선 수술을 하고 불과 0.1% 미만에 불과한 사망률을 보였다.[1, 10]

여명의 시대와 한국 내분비외과학의 태동

본 내용은 <장항석. 대한 갑상선내분비외과학의 역사 (Korean History of Thyroid and Endocrine Surgery). 대한 갑상선내분비학회 20년사 2017 pp12-16>에서 인용[13]

한국은 1882년 고종이 서양의 여러 국가들과 수교를 시작한 이래 기독교 선교회에서 파견되어 온 서양 선교의

사들에 의해 최초로 서양의학이 소개되었다. 처음에는 서양의사들의 신기한 솜씨를 귀신의 농간쯤으로 여겼던 민중들의 관심을 끌게 된 것은, 갑신정변 때 크게 다친 민영익을 미국공사관부의 의사 알렌(Horace Newton Allen 1858-1932)이 외과적 처치로 치료하게 되면서부터이다. 그 공로를 인정받아 1885년에 연세대학교 의과대학의 전신인 제중원을 설립하게 되면서 비로소 한국에 현대의학이 시작되었다고 인정된다. 물론, 이보다 앞서 1876년 병자수호조약이 체결된 후 1년 뒤에 일본인 거류민을 위해 일본해군이 부산에 제생의원을 설립하였으나 이 기관에서는 일본인들만을 치료했기 때문에 한국에서 서양의료가 시작된 기원으로 보지는 않는다.

이후 일제강점기와 광복, 그리고 연이은 한국전쟁으로 혼란기에서도 한국 의학은 꾸준한 성장을 이루어 왔다. 여러 분야들 중에서도 특히 외과학은 눈부신 발전을 이루게 되었다. 특히 각 지역별로 설립된 의과대학을 중심으로 꾸준한 연구와 수술의 발전이 이루어졌다.

하지만 과거 문헌을 살펴 보아도 1980년대 초까지는 내분비외과학의 발전이 크게 눈에 띄지는 않는다. 세계 의학을 주도하던 미국과 유럽에서도 1980년이 되어서야 비로소 미국 내분비외과학회(American Association of Endocrine Surgeons: AAES)가 설립된 것을 보면 이전의 외과학 발전을 주도하던 대가들의 역할에도 불구하고 내분비외과학이 홀로 완전한 한 의학 분야로 독립을 하기는 그리 쉬운 일이 아니었음을 알 수 있다. 당시 학회를 주도했던 사람들은 미시간대학의 노먼 톰슨, 하버드의 블레이크 캐디, 샌프란시스코 UCSF의 올리브 베어와 올로 클라크, 시카고 대학의 에드윈 카플란 등이다. 이들은 뒤이어 세계 내분비외과학회(International Association of Endocrine Surgeons: IAES)를 설립하는데 이 일에는 올로 클라크가 주도적인 역할을 하였다.

아시아에서는 일본이 가장 먼저 발전하기 시작했다. 1960년대에 벌써 내분비외과학이 독립되고 갑상선 수술이 전문화되었다. 이 발전에는 노구치가 지대한 공헌을 했는데, 벳부에 설립된 노구치 병원은 지금도 갑상선 전문 병원으로 명성이 자자하며 제4대째 노구치가 원장으로 취임하여 100년에 달하는 역사를 자랑하고 있다. 이 병원에서 수련을 쌓은 의사들이 독립하여 세운 병원이 고베의 쿠마 병원, 도쿄의 이토 병원 등인데 이 병원들 역시 일본의 갑상선학을 주도하고 있다. 일본의 갑상선 연구회를 주도하고 설립한 사람들은 동경여자대학의 후지모토 교수를 주축으로 한 학자들이었다. 1968년에 갑상선 연구회가 발족된 것에 비해 내분비외과학회는 훨씬 뒤에 설립되었으며, 지금도 이들 두 학회는 이 분야를 주도하는 양대 산맥으로 공존하고 있다.

대만은 한국과 비슷한 시기에 발전을 시작하였는데, 전임 IAES 회장인 첸센 리 교수가 제 1세대로 활동하였고, 지금은 한국, 일본과 더불어 아시아 내분비외과학회의 리더그룹을 형성하고 있다.

한국에서는 내과가 먼저 갑상선학 분야에 관심을 가지고 연구회를 발족하게 되었는데, 한국 갑상선학의 시작점은 1957년 서울대 내과 이문호 교수가 독일에서 방사성 동위원소의 의학적 이용에 대한 연수를 마치고 돌아온 것으로 보고 있다. 대한 갑상선 연구회는 1977년 이문호, 고창순 교수 등이 주축이 되어 설립하였으며, 지금은 모학회로 되어 있는 대한 내분비학회보다 역사가 오랜 것이다.

당시의 외과의사는 세부 전공이 따로 없이 오히려 pan-surgeon, almighty surgeon이란 것에 자부심을 느끼고 있었던 까닭에 내분비외과학 분야의 발전은 상대적으로 늦어지게 되었다. 내과가 이 분야의 학술적인 토대를 다지고 있던 1980년대에 이르러서야 여러 가지 다른 분야를 전공하던 몇몇 교수들이 큰 뜻을 가지고 이 새로운 분야에 매진함으로써 비로소 한국의 내분비외과학이 설립될 수 있었다. 이는 첫 발걸음을 내딛기 시작했던 세계 내분비외과학회와 비슷한 시기에 함께 발전이 시작된 것이다.

한국 내분비외과학은 1982년에 연세대학의 박정수 교수가 미국 휴스턴의 MD Anderson Cancer Center (MDACC), 뉴욕의 Memorial Sloan Kettering Cancer Center (MSKCC)에서 두경부, 내분비외과학을 연수하고 돌아온 것에서부터 시작되었다고 말할 수 있다. 비슷한 시기에 인제대 김상효 교수 역시 MSKCC에서 연수를 하였고, 서울대 오승근 교수 역시 미국에서 연수하고 1984년 귀국하였다. 이들 뿐만 아니라 전주예수병원의 설대위 박사(David John Seel)가 미국 MSKCC에서 두경부외과학을 전공하고 한국전쟁 직후에 한국으로 와서 처음으로 두경부외과를 시작한 후 그의 지도를 받은 사람들이 있었으며, 비슷한 시기에 여러 대학의 학자들이 외국과 한국에서 수련받고 공부하여 내분비외과학의 태동을 기초하게 되었다. 그들은 경북대 이영하 교수, 카톨릭대 김진 교수, 전남대 제갈영종 교수, 경희대 고석환 교수, 부산대 한군택 교수 등이다. 그 뒤를 이은 세대로는 연세대 강성준 교수, 서울대 윤여규 교수, 한양대 정파종 교수, 고려대 배정원 교수, 울산대 홍석준 교수, 영남대 이수정 교수, 가천대 이영돈 교수, 아주대 소의영 교수 등이 있다.

REFERENCES

1. Knot Haeger. The illustrated history of surgery. 1988, AB Nordbok Gothenburg, Sweden
2. Awais Shuja. History of thyroid surgery. Professional Med J. 2008; 15(2); 295-7
3. Harold Ellis. A history of surgery. 2001, Chapter 13, pp199-205
4. AE Giddings. The history of thyroidectomy. J R Soc Med 1998. 91:3-6
5. 오승근. 갑상선 수술의 역사 대한 내분비외과학 교과서
6. Cristian M. Slough, Rhian Johns. History of thyroid and parathyroid surgery. Philadelphia. Elsevier Science. 2003.
7. Halsted WS. The operative story of goiter. Johns Hopkins Hosp Re. 1920: 19:169
8. Liston R. Lectures on the operations of surgery and on diseases and accidents requiring operation with numerous additions by Thomas Mutter. Philadelpia. 1846, p318
9. Gross SD. A system of surgery. 4th ed. Vol 2 Philadelpia, H.C. Lea. 1886.p394
10. Becker WF. Presidential address: Pioneers in thyroid surgery. Ann Sur 1977. 185(5): 493-504
11. Kocher T. Uber Kropfextirpation und ihre Folgen. Arch fur Klinische Chirugie. 1883. 29: 254
12. GW Crile. An autobiography. Grace Crile. 2nd ed. 2 vol. Philadelphia, J.B. Lippincott Co 1947
13. 장항석. 대한 갑상선내분비외과학의 역사. 대한 갑상선내분비학회 20년사. 2017, pp12-16

갑상선의 발생
Embryology and Anatomy

| 연세대학교 의과대학 외과　**이용상**

1. 갑상선의 발생학 Embryology of the thyroid gland

갑상선은 원시소화관과 신경릉의 2가지로부터 기원한다. 갑상선의 전구 조직아(tissue bud)는 인두기저의 정중 게실(midline diverticulum)로부터 발생하는데, 이 조직은 태아 3주에 원시소화관으로부터 팽출되며 내배엽 기원의 세포들로 구성된다. 이 세포 조직의 주된 부분은 경부로 하강하여 두엽을 가진 고형기관으로 발달한다. 갑상선 전구 조직아가 인두에 부착되었던 부분은 구강(buccal cavity) 안의 맹장공(foramen cecum)이며, 갑상선 하강으로 인해 남게 되는 상피배열의 관상구조는 갑상설관(thyroglossal duct)이 된다. 갑상설관은 일반적으로 태아 6주째에 흡수되어 소실된다. 이 구조의 가장 원위부 말단에 남게 되는 잔여조직이 때로는 그대로 유지되어 성인의 갑상선에서 피라미드엽(pyramidal lobe)이 된다.[1] 발생 4~7주에 원시 갑상선 조직은 설골의 뒷쪽으로 하강하기 시작하여, 성인의 기도 앞 부위에 위치하게 된다(그림 2-1). 갑상선여포(follicle)는 태아 8주경 측부엽이 발달함에 따라서 처음으로 또렷해지며,[1] 태아 11주경 태아의 길이가 약 6 cm일 때 교질(colloid)을 생성하기 시작한다. 태아 3개월째 여포세포들은 요오드 흡수를 시작하고 갑상선호르몬을 처음으로 분비하기 시작한다.[2]

칼시토닌을 분비하는 C 세포는 4번째 인두궁(pharyngeal pouch)에서 생성되어 신경릉(neural crest)으로부터 갑상선의 측부엽으로 이동하여, 태아 4주경에 중앙의 갑상선 원기(analage)와 결합한다.

성인에서 C 세포들은 갑상선엽의 상부, 중부 영역에 제한적으로 존재하며, 일반적으로 후면과 정중면에 위치한다. C 세포들은 성인의 갑상선에서 내배엽 기원이 아닌 유일한 구성요소들이다.

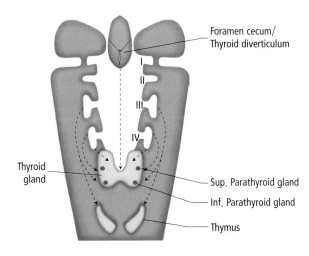

그림 2-1 │ 갑상선과 부갑상선의 발생 모식도

2. 발생과정의 이상 Developmental abnormalities

1) 갑상설관 낭종 Thyroglossal duct cyst and sinus

갑상설관 낭종은 경부에서 가장 흔하게 접하게 되는 변이이다. 태아 5주경, 갑상설관의 세포내강이 융합되기 시작하며, 태아 6주경에는 완전히 소실된다. 드물게, 갑상설관의 전부 혹은 일부가 남게 되는데, 이 낭종들은 거의 모두 정중선에 위치하며 혀의 기저부로부터 흉골 상부 절흔까지 어느 위치에서나 발견될 수 있으나, 약 80%에서 설골의 직하방에서 쉽게 발견된다.

이학적 검사에서 흔히 정중선상의 종괴로 나타나거나 종괴 내부에 국소적인 감염이 발생할 때 알 수 있다. 만성적인 감염이 있거나 배액이 되는 갑상설관 낭종은 만성적인 누공이 될 수 있다. 이러한 이유로, 갑상설관 낭종은 잠재적인 감염의 가능성을 고려하여 진단됨과 동시에 외과적인 치료를 필요로 한다. 수술시에는 설골을 지나 맹장공까지 최대한 노출시켜야 한다. 갑상설관은 흔히 설골의 중앙부위를 아래로 지나기 때문에 설골의 중심부를 절제할 필요가 있다. 가끔은 유두암(papillary cancer)이 갑상설관내의 갑상선 조직으로부터 발생할 수 있으므로 갑상설관이 지나는 경로의 완전한 제거가 필요하다. 갑상설관낭종의 치료는 낭종의 절제와 재발을 줄이기 위한 설골 중앙부의 광범위 절제를 포함하는 "Sistrunk operation"이다.[3]

2) 설갑상선 Lingual thyroid

정중부의 갑상선 원기가 정상적인 발생과정과는 달리 하강하지 않고 멈춘 경우를 설갑상선(lingual thyroid)이라 부른다. 설갑상선은 부검의 약 10%에서 발견된다.[4]

설갑상선의 약 70%에서 이것이 체내의 유일한 갑상선 조직일 가능성이 있으며, 대부분에서 정상적인 갑상선의 기능을 가지지 못한다.[5]

설갑상선이 비대해질 경우 기도의 폐쇄, 연하곤란, 출혈 등을 유발할 수 있다. 대부분의 설갑상선은 갑상선호르몬의 투여로 비대를 억제할 수 있으나, 호르몬 투여에 반응하지 않는 경우에는 방사성요오드 치료가 대안이 될 수 있다.

3) 이소성 갑상선 Ectopic thyroid

정상 갑상선 조직은 식도, 기도, 그리고 전종격동을 포함하는 경부의 중앙 구획에 어디든지 존재할 수 있다(그림 2-2).

예전에는 측경부에서 발견된 갑상선 조직은 측경부 이소성 갑상선(lateral aberrant thyroid) 조직으로 불렸고 발생학적 변이의 일종으로 인식되었으나, 현재는 경부의 혈관들 주위의 것들을 포함하여 측경부에서 발견되는 모든 갑상선 조직은 분화갑상선암의 전이로 생각되고 있다.

그 외에도, 흔하지는 않으나 갑상선의 형성 부전이 있을 수 있는데, 좌측엽에서 흔하게 발생한다.[4]

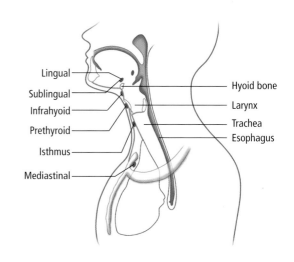

그림 2-2 | 경부의 정중부에 이소성 갑상선이 잘생기는 부위들

3. 해부적 구조 Surgical anatomy of the thyroid gland

성인의 갑상선 조직은 갈색을 띠고 있으며, 띠근육(strap muscle)의 뒤쪽에 위치하고 있다. 성인에서 정상 갑상선의 무게는 약 15~25 g이지만, 몸무게나 요오드 섭취에 따라서 다를 수는 있다.

정상적으로 발달된 갑상선은 갑상연골(thyroid carti-lage) 가까이에 있으며 후두와 기관의 연결부위의 전방과 측방에 걸쳐서 존재하는 두 개의 엽으로 이루어진 기관이다. 이 위치에서 갑상선은 후두와 상부기관 직경의 약 75%를 둘러싸고 있다. 두개의 엽은 협부(isthmus)에 의해 정중선에서 연결되며, 협부는 윤상연골(cricoid car-tilage)의 바로 전방이나 약간 하방에 위치하며, 2, 3, 4번 기도고리(tracheal ring)과 접해있다. 각각의 엽은 길이 약 4 cm, 너비 약 2 cm, 그리고, 두께 약 2~3 cm의 크기이며, 협부는 너비 약 2 cm, 높이 약 2 cm, 그리고 2~6 mm의 두께를 가진다.[2]

갑상선의 상극은 하인두수축근 옆에, sternothyroid 근의 뒤에 위치한다. 갑상선의 하극은 5번째 또는 6번째 기도고리까지 뻗어 있다.

피라미드엽은 갑상설관의 가장 원위부에서 나타나며, 협부의 정중선에서 설골까지 뻗어있으며, 갑상선 수술시에 약 50%에서 발견된다. 띠근육은 갑상선의 앞쪽에 위치하며 ansa cervicalis (ansa hypoglossi) 신경이 분포한다.

갑상선은 기관을 감싸고 있는 근막의 일부분인 얇은 결체조직 층으로 둘러싸여 있으며, 앞으로는 띠근육이, 옆으로는 흉쇄유돌근(sternocleidomastoid muscle)이 감싸고 있다. 갑상선을 둘러싸고 있는 근막은 갑상선의 피막(capsule)과 다르며 수술 도중 피막으로부터 쉽게 분리된다. 이 근막은 갑상선의 후, 측방에서 갑상선 피막과 합쳐져서 지지 조직을 형성하는데, 이 인대는 Berry 인대(ligament of Berry)라고 불린다.[6] Berry 인대는 윤상연골에 단단히 붙어 있으며 되돌이후두신경과의 관계 때문에 외과적으로 매우 중요한 구조이다.

4. 혈액 공급 Blood supply

갑상선의 동맥 분포는 2종류 4개의 주요한 동맥으로 이루어져 있으며, 위쪽에 2개, 아래쪽에 2개가 있다. 외경동맥의 첫 번째 가지인 상갑상선동맥은 총경동맥이 둘로 갈라진 부분 바로 위에서 분지한다. 분지된 후 갑상선 엽의 끝부분에서 앞쪽과 뒤쪽 가지로 분지되어 갑상선에 분포하는데, 안쪽으로 하인두수축근의 표면까지 내려와 갑상선의 상극에서 실질로 들어간다.[2] 이 동맥은 상후두신경의 내측으로 주행하므로, 동맥을 결찰하기 위해서는 이 신경과 분리시켜야 한다.

하갑상선동맥은 갑상경동맥(thyrocervical trunk)에서 기원한다. 이 동맥은 경동맥초(carotid sheath) 밑에서 목으로 올라가고, 안쪽으로 구부러져 갑상선의 뒤쪽으로 들어간다. 갑상선의 아래쪽 경계에는 직접적인 동맥의 분포가 없고 이 부분의 혈관 구조는 대부분 정맥이다. 최하갑상선동맥(thyroidea ima artery)은 보통 무명동맥(inominate artery)이나 대동맥에서 직접 나오며, 5% 이하의 환자에서 볼 수 있다. 최하갑상선동맥은 갑성선 협부로 직접 들어가거나, 가끔 하갑상선동맥 분지가 분명하지 않은 경우에 그 역할을 대신한다.[2,5]

하갑상선동맥은 중요한 해부적 의미를 가진다. 되돌이후두신경이 후두로 들어가기 전 1 cm 이내에서 하갑상선동맥과 바로 인접해 있으며, 하갑상선동맥의 전면이나 후면으로 주행하게 된다. 이 주변에서는 주의 깊은 해부가 필수적이며, 되돌이후두신경의 위치에 대해 정확히 파악하기 전까지는 하갑상선동맥을 결찰하거나 처리해서는 안 된다. 뿐만 아니라, 하갑상동맥이 대개 상, 하부갑상선에 모두 혈액을 공급하므로, 하갑상선동맥을 분리할 때 주의를 요하고 분리한 후에도 부갑상선에 대해 주의 깊은 관찰이 필요하다(그림 2-3).

갑상선에 분포하는 정맥은 상·중·하갑상선정맥 3가지이며, 내경정맥이나 무명정맥으로 들어간다. 상갑상선정맥은 상갑상선동맥에 밀접해 있으며, 총경동맥이 분지되는 위치에서 내경정맥으로 들어간다. 중갑상선정맥은 환자의 반 이상에서 존재하며 외측으로 주행하여

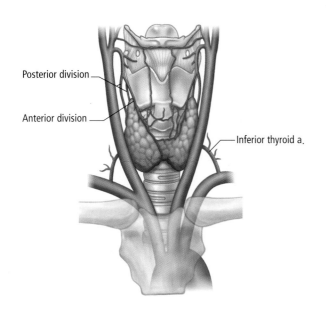

그림 2-3 | 갑상선의 동맥 분포

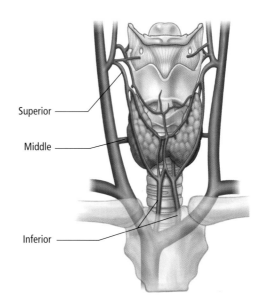

그림 2-4 | 갑상선의 정맥 분포

내경정맥으로 들어간다. 하갑상선정맥은 보통 2~3개이고 갑상선의 하극에서 곧장 무명정맥이나 완두정맥(brachiocephalic vein)으로 들어가며, 가끔은 흉선 미부(tail of thymus)로 내려가기도 한다(그림 2-4).

5. 신경

1) 되돌이후두신경 Recurrent laryngeal nerve

되돌이후두신경은 기관의 양쪽에서 올라가며 후두로 들어가기 직전에 Berry 인대의 바로 옆을 지난다. 되돌이후두신경에는 많은 중요한 변이가 존재한다. 약 25%의 환자에서 되돌이후두신경은 후두로 들어갈 때 Berry 인대를 통과한다.

우측에서 되돌이후두신경은 쇄골하동맥 부위에서 미주신경과 분리되어 쇄골하동맥의 후방을 통과하여 기관의 측방에서 기관식도구(tracheoesophageal groove)를

따라서 올라간다. 우측 되돌이후두신경은 흔히 갑상선의 하부 경계부위에서는 기관식도구에서 1 cm 이내 또는 기관식도구 내에서 관찰된다. 그러나 갑상선의 중간 부위에서는 되돌이후두신경이 기관식도구 내에서 주행한다. 이 위치에서 신경은 첫째 또는 두 번째 기관연골 고리로 들어갈 때 하나, 둘 또는 그 이상의 분지로 나뉠 수 있으며, 가장 중요한 분지는 윤상갑상근(cricothyroid muscle)의 전방 또는 후방에서 발견된다. 드물게 우측 되돌이후두신경이 미주신경에서 분지한 후 곧장 정중 방향으로 주행하여 후두에 도달하는 nonrecurrent laryngeal nerve가 보이기는 하는데, 0.5~1.5%가량에서 나타나며, 이러한 변이가 있는 경우에는 혈관 기형이 동반되는 경우가 흔하다.[7] 극히 드물지만 recurrent와 nonrecurrent 후두신경이 우측에 동시에 나타나기도 한다. 이 경우, 일반적으로 두 신경이 갑상선의 하부경계 아래 위치에서 합쳐진다.[8]

좌측에서 되돌이후두신경은 신경이 대동맥궁을 지날 때 미주신경에서 분리된다. 분리된 후 아래쪽으로 대동맥을 감고 내측방향으로 주행한 뒤 후두방향으로 올라가 갑상선 하부경계 부에서 기관식도구로 들어간다. 양

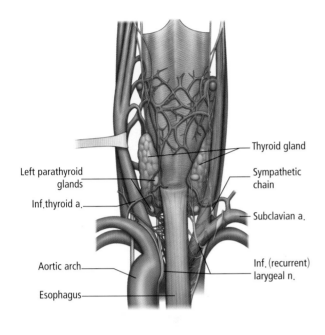

Left parathyroid glands

Inf.thyroid a.

Aortic arch

Esophagus

Thyroid gland

Sympathetic chain

Subclavian a.

Inf. (recurrent) larygeal n.

그림 2-5 | 되돌이후두신경의 주행

리가 나올 수 있다. 만일 성대가 외전된 위치에서 마비된 채로 남아있고 닫히지 않는다면 목소리의 심한 손상이 나타나며 효과적인 기침반응도 이루어지지 않는다. 양측 되돌이후두신경이 손상된 경우, 목소리의 완전한 소실이나 기도폐쇄가 나타나 응급 기관삽관술과 기관절개술이 필요할 수도 있다. 때로는 양측 손상으로 성대가 외전된 위치에 고정되어 공기의 소통은 가능할 수 있지만 기침반응이 효과적이지 못하여 상기도의 감염을 초래할 수 있다.[8]

2) 상후두신경 Superior laryngeal nerve

상후두신경은 두개골 기저부에서 미주신경에서 분리되어, 내경동맥 주행을 따라 갑상선의 상극(superior pole)을 향해 내려간다. 이 신경은 설골각(hyoid cornu) 높이에서 2개로 분지하여, 굵은 안쪽 가지(internal branch)는 갑상설골막으로 들어가서 후두에 분포하며 성문상(supraglottis)과 이상동(pyriform sinus) 부위의 감각을 담당한다.[9] 가는 바깥쪽 가지(external branch)는 하인두수축근의 외측을 따라 보통 상갑상선동맥의 전, 내측으로 내려간다. 이 신경은 보통 상갑상선동맥이 갑상선 피막으로 들어가기 전 1 cm 이내에서 내측으로 주행하여 윤상갑상근으로 들어간다.[10] 바깥쪽 가지는 갑상선 상극에서 이미 하인두근의 근막으로 들어가 있어 잘 보이지 않기 때문에, 상후두신경은 갑상선 상극의 혈관들을 너무 위쪽에서 결찰했을 때 손상될 위험이 있다.[11] 바깥쪽 가지가 손상되면 음질과 음량에 심각한 영향을 줄 수 있다. 이 신경의 손상이 비록 임상적으로 되돌이후두신경의 손상만큼 심각한 것은 아니지만, 직업상 좋은 목소리를 필요로 하는 사람들에게는 큰 문제가 될 수 있다. 그래서, 이 신경을 오페라 가수에서 Amelita Galla Curci 또는 "high note" 신경이라고 부른다. 이 신경이 손상되면 고음을 내기가 힘들어지며, 오랫동안 말을 했을 때 쉽게 피로를 느끼게 된다.[8]

측 되돌이후두신경은 모두 후두에 들어가기 전 2.5 cm 이내부터는 기관식도구 내에 존재한다. 이 신경들은 하갑상선동맥의 동맥 분지의 아래쪽 또는 뒤쪽을 지나서 윤상갑상근의 하연에 있는 윤상갑상연골의 부위에서 후두로 들어간다. 여기서 신경은 상부갑상선(superior parathyroid gland)과 하부갑상선동맥 및 갑상선의 가장 뒤쪽 면에 매우 가깝게 부착된다. 이 신경은 윤상갑상근 아래에 부착되어 있으며 무리하게 절개할 때 긴장력을 받는 위치에 있기 때문에 이 부위를 박리할 때는 세심한 주의를 요한다(그림 2-5).

되돌이후두신경이 후두로 들어가기 전에 여러 분지로 나뉘기도 한다. 이러한 경우에는 하나만이 운동신경이고 그 외에는 감각신경이다.

되돌이후두신경의 운동 기능은 성대를 정중선으로부터 외전시키는 것이며, 손상 시 동측의 성대마비가 유발된다. 이러한 손상으로 인해 편측 성대가 정중부에 남아있거나 정중부의 측부로 외전된 채 고정된다. 반대측의 성대가 마비된 쪽의 성대까지 도달하여 닫힐 수 있는 경우에는 약간 약해졌다 할지라도 비교적 정상적인 목소

6. 림프 조직 Lymphatic System

갑상선과 근처의 구조는 풍부한 림프조직을 가지고 있어서 갑상선에서 거의 모든 방향으로 배액이 된다. 갑상선 내에서 림프 통로는 갑상선 피막 바로 밑으로 지나가고, 갑상선 협부를 통해 엽끼리 연결된다. 갑상선 내 림프의 흐름은 갑상선 근처의 구조와 연결되며 수많은 림프 통로를 통해 주변의 림프절로 연결된다. 갑상선 주변 림프절은 갑상선 협부의 바로 위쪽 기관 앞 림프절(pretracheal nodes), 기관 옆 림프절(paratracheal nodes), 기관식도구 림프절(tracheoesophageal groove nodes), 전상종격동의 림프절(anterior superior mediastinal nodes), 상, 중, 하경정맥 림프절(superior, middle, inferior jugular nodes), 후인두 림프절(retropharyngeal nodes), 식도 림프절(esophageal nodes) 등이 존재한다. 보통 중앙경부 림프절은 양쪽 경동맥초 사이의 림프절을 의미하며, 경동맥초 바깥의 림프절은 측경부 림프절이라 한다.

광범위 침습된 갑상선암의 경우에 바깥쪽으로는 후경삼각내의 림프절로 전이될 수 있으며, 상악하 삼각(submaxillary triangle) 내의 림프절로도 전이될 가능성이 있다. 갑상선유두암은 흔히 주변 림프조직으로 전이한다. 갑상선수질암 역시 림프절 전이가 잘 되며, 보통 중앙구획으로 전이된다.

REFERENCES

1. Gray SW, Skandalakis JE, Akin JT. Embryological considerations of thyroid surgery: developmental anatomy of the thyroid, parathyroids and the recurrent laryngeal nerve. Am Surg 1976;42(9):621-8.
2. Hoyes AD, Kershaw DR. Anatomy and development of the thyroid gland. Ear Nose Throat J 1985;64(10):318-32.
3. Dedivitis RA, Camargo DL, Peixoto GL, et al. Thyroglossal duct cyst: a review of 55 cases. J Am Coll Surg 2002;194(3):274-7.
4. Moore KL, Persaud TVN. The pharyngeal(branchial apparatus). In: The developing human: clinically oriented embryology. 6th edition. Philadelphia: WB Saunders;1998. p. 230-3.
5. Hollinshead WH. Anatomy of the endocrine glands. Surg Clin North Am 1952;39:1115-40.
6. Lai SY, Mandel SJ, Weber RS. Management of thyroid neoplasms. In: Cummings otolaryngology: head and neck surgery. 4th edition. Philadelphia: Mosby; 2005.p. 2687~718, Chapter 119.
7. Toniato A, Mazzarotto R, Piotto A, Bernante P, Pagetta C, Pelizzo MR. Identification of the nonrecurrent laryngeal nerve during thyroid surgery: 20-year experience. World J Surg 2004;28(7):659-61.
8. Hartl DM, Travagli JP, Leboulleux S, Baudin E, Brasnu DF, Schlumberger M. Clinical review: Current concepts in the management of unilateral recurrent laryngeal nerve paralysis after thyroid surgery. J Clin Endocrinol Metab 2005;90(5):3084-8.
9. Janfaza P, Nadol JB, Fabian RL, et al. Surgical anatomy of the head and neck. Philadelphia: Lippincott Williams & Wilkins; 2001.
10. Ozlugedik S, Acar HI, Apaydin N, Tekdemir I, Elhan A, Comert A. Surgical anatomy of the external branch of the superior laryngeal nerve. Clin Anat 2007;20(4):387-91.
11. Morton RP, Whitfield P, Al-Ali S. Anatomical and surgical considerations of the external branch of the superior laryngeal nerve: a systematic review. Clin Otolaryngol 2006;31(5):368-74.

갑상선의 생리
Physiology

| 전북대학교 의과대학 외과 **윤현조**

갑상선은 생리학적으로 갑상선호르몬과 칼시토닌, 두 가지 호르몬을 합성하는 역할을 담당한다. 갑상선호르몬은 갑상선 여포세포(follicular cell)에서 합성되며, 칼시토닌은 여포곁C세포(parafollicular C cell)에서 합성된다. 본 장에서는 각 호르몬들의 합성, 분비, 대사와 작용에 대해 살펴보려 한다.

1. 갑상선호르몬의 생리
Physiology of thyroid hormone

1) 갑상선호르몬의 합성과 분비

갑상선의 대부분을 구성하는 직육면체 모양의 여포세포는 한 겹의 공 모양으로 배열하여 여포(follicle)를 형성한다. 여포는 100~300 μm의 크기로 갑상선호르몬을 합성하는 기본 단위이며, 그 내부에 콜로이드 형태로 갑상선호르몬을 저장한다. 콜로이드와 면한 여포세포의 안쪽 면을 첨막(apical membrane), 여러 모세혈관들과 접해 있는 바깥 면을 기저막(basal membrane)이라고 부른다(그림 3-1). 갑상선호르몬의 합성과 분비는 에너지를 필요로 하는 여러 단계를 거치는 복잡한 과정이라고 할 수 있지만, 간단히 말하면 갑상선호르몬의 전구물질인 티로글로불린(thyroglobulin, Tg)과 요오드를 원료로 하여 갑상

선과산화효소(thyroperoxidase, TPO)의 촉매작용으로 인해 합성된다.

(1) 여포세포의 요오드 흡수 Active iodide transport

요오드는 갑상선호르몬의 원료가 되는 물질이다. 요오드는 주로 해조류, 패류, 우유, 계란, 천일염으로 조리된 음식이나 식수를 통해 체내에 들어오지만, 아미오다론(amiodarone), 진해제와 같은 다양한 약물에 포함되어 있으며, 특히 영상검사에 쓰이는 조영제에 다량 함유되어 있다. 요오드의 섭취는 성인에 있어서 하루 150 μg이 권장되나 전 세계적으로 지역에 따라 매우 편차가 심하며, 요오드 섭취의 부족이나 과잉은 갑상선질환과 관련이 있다. 요오드 섭취가 부족하면 갑상선종(goiter), 갑상선기능저하증, 크레틴증(cretinism)과 함께 갑상선여포암의 발생과 관련이 있다.[1,2] 주로 서태평양, 동남아시아, 아프리카 지역에서 흔하며, 이러한 지역에서는 요오드 섭취를 높이기 위해 소금, 빵, 식수에 요오드를 첨가하는 방법 등을 도입하고 있다. 특히 산모의 요오드 섭취 부족은 태아의 지능, 신체 발달을 심각하게 저해시키는 크레틴증을 초래하므로 우선적인 요오드 공급의 대상이다.[3] 이와 반대로 우리나라와 일본과 같이 많은 해조류 섭취로 인해 요오드를 과다 섭취하는 지역에서는 그레이브스병, 하시모토 갑상선염과 같은 자가면역갑상선질환과 더불어 갑상선유두암의 발병율이 높다.[2,3,4]

음식물로 섭취된 요오드는 위장관을 통해 흡수되어,

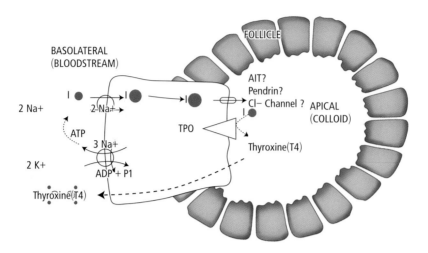

그림 3-1 | 갑상선 여포 세포에서 요오드 운반과 갑상선 호르몬 합성 경로

갑상선 여포는 콜로이드를 둘러싼 상피 세포 층으로 구성된다. Sodium Iodide Symporter (Na+/I⁻ symporter, NIS)에 의해 매개되는 요오드의 능동적인 운반은 Na+/K+ ATPase에 의해 만들어진 Na+ 이온의 전위차에 의해 유도된다. 콜로이드 쪽으로 들어온 요오드는 thyroid peroxidase가 촉매작용을 하여 티로글로불린(Tg)과의 공유 결합을 통해 유기화된다. 점선은 요오드화된 Tg가 내포작용(endocytosis)후 가수분해되어 갑상선 호르몬으로 분비되는 것을 나타낸다.

세포외액에서 기존의 갑상선호르몬이 분해되어 만들어진 요오드와 합쳐진다. 이 중 10% 이하만 세포외액에 남고, 90% 이상은 갑상선호르몬 또는 요오드화된 아미노산의 형태로 갑상선에 저장된다.[5] 세포외액의 요오드는 주로 신장으로 배설되며 소량은 피부나 침 또는 호기(expired ari)를 통해 배출된다. 혈액 등 세포외액과 여포세포의 기저막 사이에는 상당한 전위차가 있으므로 세포외액의 요오드가 여포세포 내로 들어오기 위해서는 에너지를 사용하는 능동적인 수송(active transport)이 이루어져야 하는데, 이는 여포세포의 기저막에 존재하는 Sodium Iodide Symporter (Na⁺/I⁻ symporter, NIS)에 의해 실행된다. NIS는 세포막에 존재하는 운반 당단백으로 주로 갑상선 여포세포에 존재하여 두 개의 Na⁺ 이온과 함께 한 개의 I⁻을 능동적으로 흡수한다. NIS는 갑상선의 여포세포 외에 타액선, 위장관 점막, 유방, 흉선, 누선 등에도 소량이 존재하여 요오드의 능동적 운반에 관여한다.[6] NIS의 발현은 혈중 갑상선자극호르몬(thyroid stimulating hormone, TSH)의 농도가 높을수록, 여포세포 내의 요오드 농도가 낮을수록 증가한다. NIS 유전자의

돌연변이는 선천성 갑상선기능저하증과 관련이 있다.

(2) 요오드의 산화 및 유기화 Oxidation and organification

요오드가 NIS에 의해 기저막을 통해 여포세포 내로 운반된 후에는 여포세포 내에서 전위차에 의해 수동적으로 첨막 쪽으로 급속히 이동하고, 첨막에 존재하는 당단백인 TPO가 촉매작용을 하여 산화(oxidation)된다. 산화된 요오드는 여포세포의 첨막과 여포 내 콜로이드의 경계면에서 Tg의 tyrosyl residue와 공유결합을 이루어 두 종류의 요오드티로신(iodotyrosine), 즉 monoiodotyrosine (MIT)과 diiodotyrosine (DIT)을 형성하는데, 이 과정을 유기화(organification)라고 한다. 갑상선호르몬의 전구물질인 Tg는 갑상선에서만 유일하게 합성되며, 여포세포의 세포질그물(endoplasmic reticulum)에서 합성되어 첨막쪽으로 이동한다. Tg 합성의 결함은 일반적으로 중등도 내지 심한 갑상선기능저하증을 일으킨다. 요오드가 여포세포의 첨막을 통과하여 콜로이드 내로 운반되는 과정은 Cl⁻과 I⁻의 운반체인 pendrin이라는 단백질이 관여하는 것으로 알려져 있다.[7]

(3) 티로글로불린의 요오드티로신끼리의 짝짓기
Coupling of iodotyrosine

두 개의 요오드티로신이 서로 결합하여 한 개의 요오드티로닌(iodothyronine)을 형성하는데 이를 짝짓기결합(coupling)이라고 하며 이 역시 TPO의 촉매 하에 일어난다. 이 때 MIT와 DIT가 결합하면 triiodothyronine (T_3)이 되고, DIT끼리 결합하면 thyroxine (T_4)이 만들어진다. 요오드가 충분한 경우에는 T_4가 T_3에 비해 13~15배 많이 합성되며, T_4의 일부는 여포세포 내에서 탈요오드효소(deiodinase)에 의해 탈요오드가 일어나 T_3 혹은 비활성형인 reverse T_3 (rT_3)로 전환되며 혈액으로 분비되는 T_4와 T_3의 비는 약 10:1 정도이다.

(4) 티로글로불린의 단백분해 및 호르몬 방출
Proteolysis and release

합성된 갑상선호르몬(T_3, T_4)은 Tg와 결합된 상태로 여포 내에서 콜로이드 상태로 저장된다. 갑상선은 매우 많은 양의 갑상선호르몬을 저장할 수 있어서, 수 주 동안 새로운 합성 없이 갑상선기능을 유지할 수 있다.[5] 갑상선호르몬의 분비는 몇 가지 단계를 거쳐서 이루어진다. 먼저 여포세포가 첨막에서 여포 내의 콜로이드를 포음(pinocytosis)하여 여포세포 내에 Tg와 결합된 갑상선호르몬을 포함한 여포(vesicle)들을 형성한다. 여포세포 내에 존재하는 리소솜(lysosome)은 여포들과 융합하여 효소로 가수분해 함으로써 요오드티로닌(T_3, T_4)과 요오드티로신(MIT, DIT)이 Tg와 분리된다. Tg와 분리된 요오드티로닌은 기저막을 통해 혈액 내로 분비되며, 요오드티로신은 대부분 여포세포 내에서 탈요오드화(deiodination)되며, 분리된 요오드는 새로운 갑상선호르몬의 합성에 재이용된다. 분리된 Tg는 매우 소량만이 여포세포를 빠져나가 혈액 내로 분비되는데, 민감한 검사법을 사용하면 정상인에서 소량의 Tg를 검출할 수 있다.

(5) 갑상선호르몬 합성 이상으로 인한 선천성 갑상선 기능저하증

선천성 갑상선기능저하증의 가장 흔한 원인은 요오드 결핍이지만, 요오드 섭취가 부족하지 않은 나라에서도 3,500명 중 한 명의 빈도로 나타나는 가장 흔한 선천성 내분비질환이다. 대부분은 갑상선의 발달과 이동(migration)의 이상이 원인이 되지만, 15~20%에서는 갑상선호르몬 합성의 결함으로 인해 발생한다. 즉, 갑상선호르몬 합성 과정에 필수적으로 작용하는 NIS, Tg, TPO 그리고 pendrin 등의 단백질을 합성하는 유전자들 중 어느 하나에서 돌연변이를 일으키더라도 선천성 갑상선기능저하증을 초래하게 된다. 돌연변이를 일으킨 유전자에 따라 갑상선종의 유무, 혈청 Tg의 농도, 유리 T_3/T_4의 비율 등의 임상상이 다양하게 나타난다. 그 중 요오드를 여포세포의 첨막을 통과하여 여포 내 콜로이드로 운반하는 역할을 하는 것으로 알려진 pendrin이라는 단백질을 코딩하는 유전자에 돌연변이가 있는 경우 선천성 갑상선종과 선천성 감음난청(perceptive hearing loss)을 특징으로 하는 Pendred 증후군을 유발하며, 이 유전자는 염색체 7번에 위치함이 밝혀졌고, 상염색체 열성으로 유전된다.[8]

2) 갑상선호르몬의 운반

갑상선에서 혈액으로 분비된 갑상선호르몬은 거의 모두 결합단백과 결합된 상태로 존재하여, T4의 경우 0.03%, T3는 0.3%만이 유리 호르몬 상태로 혈액 내에 존재한다. 단백질과 결합된 형태의 갑상선호르몬은 유리 호르몬이 대사되어 혈중에서 사라지면, 재빨리 결합단백질로부터 분리되어 유리 호르몬형태로 변한다. 그러므로 이 결합단백들은 유리 갑상선호르몬을 일정한 농도로 유지할 수 있는 완충(buffer)작용을 한다고 할 수 있다. 또 결합단백들은 갑상선호르몬의 반감기와도 관련이 있는데, 결합단백들과 친화력이 높은 T4의 반감기가 7일 정도인데 반해, 상대적으로 친화력이 낮은 T3의 반감기는 8~12시간에 불과하다.[9] 갑상선호르몬 결합단백은 thyroxine binding globulin (TBG), transthyretin (TTR), 알부민이 대표적이다.

TBG는 간에서 합성되는 당단백으로 혈중 갑상선호

르몬의 3/4과 결합하고 있는 주요 결합단백이다. 결합단백 중 갑상선호르몬과 친화력도 가장 높으며, T4에 대한 친화력이 T3보다 수십 배 높다. 친화력이 높지만 필요시에는 매우 효과적으로 해리되어 유리 호르몬으로 변한다. 임신과 같이 에스트로겐의 농도가 높아지거나 간질환이 있는 경우 TBG의 대사가 느려지므로 TBG의 농도는 증가하여 총 갑상선호르몬 농도가 높게 측정되나, 유리 갑상선호르몬의 농도는 변화가 없으므로 갑상선 기능에는 영향이 없다.[10] 갑상선호르몬은 지방 친화성(lipophilic)이고 수동적 확산(passive diffusion)을 통해 세포로 이동하지만, 특히 운반체가 세포내 갑상선호르몬 농도를 조절할 수도 있다.

Transthyretin (TTR)은 과거에 thyroxine-binding prealbumin이라고도 불렸으며, 혈청 총 T4의 15~20%와 결합한다. 갑상선호르몬과의 친화력은 TBG보다 약하여, 필요시에 더 빨리 유리된다. 알부민은 양은 가장 많으나, 갑상선호르몬과의 친화력은 가장 낮아서 혈청 총 T4의 5~10%와 결합한다.

갑상선기능항진증에서 효소의 활성이 높아지고, 기능저하증에서 활성이 감소한다.

이러한 조직에 따른 탈요오드효소 분포의 차이는 장기에 따라 조직특이적인 갑상선호르몬의 작용을 가능하게 한다. T4를 T3로 변환시키는 5'탈요오드효소 외에 제3형 5'탈요오드효소(5'DIII)가 있는데, 이 효소는 T4의 안쪽 페놀 고리에 부착되어 있는 5위치의 요오드를 떼어내어 T4를 생물학적 활성이 없는 rT3로 변환시키는 역할을 한다. 이 효소는 또한 T3를 diiodothyronine (T2)으로 변환시키기도 하며 태반과 중추신경계에서 발견된다. 기아(starvation)나 심각한 외상, 또는 여러 전신질환 등의 상황에서 제1형 5'탈요오드효소의 활성이 감소하고, 제3형 5'탈요오드효소의 활성이 증가되어 혈중의 T3의 농도가 감소하고 rT3의 농도는 증가할 수 있는데, 이를 비갑상선질환(nonthyroidal illness) 혹은 euthyroid sick syndrome이라고 부른다. 이때 갑상선호르몬의 투여는 이화작용을 증가시켜 해로울 수 있으며, 전신상태가 호전되면 갑상선 기능도 회복된다.[12]

3) 갑상선호르몬의 대사

혈중 갑상선호르몬의 대부분은 T4이며, 이는 전량이 갑상선에서 분비된 것이다. 이에 반해 T3는 10~20%만이 갑상선에서 분비된 것이고 나머지는 말초혈액이나 조직에서 T4로부터 전환된 것이다. T3는 양이 적은데 반해 생물학적 활성도는 T4보다 3~4배 정도 강하다. 갑상선호르몬은 여러 경로로 대사되어 담도 또는 신장을 통해서 배설된다. 갑상선호르몬의 대사는 대부분 탈요오드화(deiodination)에 의해 일어난다. 이 과정은 조직의 특성에 따라 두 가지 종류의 탈요오드효소(deiodinase, DI)에 의해서 진행된다. 제1형 5'탈요오드효소(5'DI)는 주로 간, 신장, 갑상선에 존재하고, 제2형 5'탈요오드효소(5'DII)는 중추신경계, 뇌하수체, 태반, 갈색지방조직, 심근 및 골격근, 갑상선에 존재한다.[11] 말초 혈액에서의 T_3 변환은 주로 제1형 5'탈요오드효소에 의해서 일어나며,

4) 갑상선호르몬의 작용

갑상선호르몬은 주로 T3가 핵 내에 있는 특이 수용체와 결합함으로써 작용을 나타낸다. 세포 내에서 작용하는 T3는 소량만이 갑상선에서 분비된 것이고, 대부분은 5'탈요오드효소에 의해 T4로부터 전환된 것이다. 세포 내에서 T3는 핵에 존재하는 갑상선호르몬수용체(thyroid hormone receptor, TR)와 결합한다. 갑상선호르몬수용체는 스테로이드 호르몬, retinoic acid, 비타민 D의 수용체들과 마찬가지로 스테로이드 호르몬수용체 superfamily 중 하나로, T3와 결합하는 리간드 결합 영역, 핵 내의 표적 유전자와 결합하는 DNA 결합 영역(C-terminal), 경첩(hinge) 영역, 유전자 발현을 조절하는 아미노종단(N-terminal) 영역으로 구성되어 있다. 갑상선호르몬수용체는 TRα-1,2, TRβ-1,2 네 개의 동종형(isoform)이 존재하며, 서로 다른 부위에서 다양한 역할을 수행한다. 성인에

서 TRα1은 심근, 골격근, 지방에 많고 TRβ1과 2는 뇌하수체와 간에 많다. 이 중 TRβ2는 시상하부와 뇌하수체에서 특이적으로 발현되어 T3의 음성 되먹임(negative-feedback) 기전에 관여한다. TRα2는 갑상선호르몬 작용의 억제 기능을 할 수 있지만 정확한 기능은 아직 알려져 있지 않다. 갑상선호르몬수용체가 결합하는 DNA 부위는 각 호르몬수용체마다 다른데, 이 부위를 갑상선호르몬 반응요소(thyroid hormone response element, TRE)라고 한다. T3와 결합한 갑상선호르몬수용체는 TRE를 통해 RNA 전사(transcription)를 활성화 혹은 억제시켜 갑상선 호르몬의 작용을 실행하게 된다. 갑상선호르몬수용체는 단량체(monomer), 동형이합체(homodimer) 혹은 retinoid X receptor (RXR), retinoic acid receptor (RAR) 등 다른 핵단백과 결합된 이형이합체(heterodimer)의 형태로 TRE와 결합한다. 단량체, 동형이합체의 형태보다 이형이합체, 특히 RXR과 결합한 상태에서 TRE와의 결합이 가장 안정되고, 활성도 가장 높은 것으로 알려져 있다.[13]

T4는 직접 작용을 하기 보단, T3로 전환하여 작용을 나타내므로 일종의 전호르몬(prohormone)으로 생각된다. 그러나 실험적으로 갑상선호르몬이 핵 내의 수용체에 결합되는 것을 차단시키더라도 갑상선호르몬의 기능이 일부 나타나며, 갑상선호르몬에 의해 즉각적으로 나타나는 작용도 있으므로, 갑상선호르몬이 핵 내의 TR과 결합하는 경로 외에 세포막, 세포질, 미토콘드리아 등 다른 부위를 통해서도 작용하는 것으로 생각되며,[14,15] T4가 이러한 경로들을 통해 생물학적 작용을 일부 나타낸다는 주장도 있다.[16]

5) 갑상선호르몬의 조절

갑상선호르몬의 합성과 분비는 시상하부-뇌하수체-갑상선 축(hypothalamic-pituitary-thyroid axis)의 음성되먹임 기전에 의해 조절을 받는다(그림 3-2). 이 중 핵심적인 역할을 하는 것은 갑상선자극호르몬(thyroid stimulating

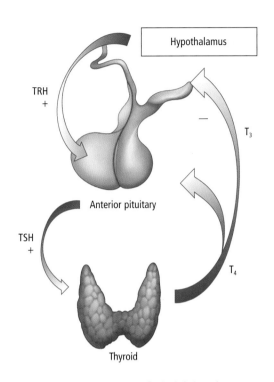

그림 3-2 | **갑상선 호르몬 생산의 음성 되먹임 조절**
TRH, thyroitropin-releasing hormone; TSH, thyroid-stimulating hormone; T3, triiodothyronine; T4, thyroxine

hormone, TSH, thyrotropin)이며, TSH는 말초혈액의 갑상선호르몬과 시상하부에서 분비되는 갑상선자극호르몬 분비호르몬(thyrotropin releasing hormone, TRH)에 의해 조절된다. 갑상선기능은 시상하부-뇌하수체-갑상선 축 외에 요오드의 자가조절에 의해서 조절된다.

(1) 시상하부-뇌하수체-갑상선 축
Hypothalamic-pituitary-thyroid axis

TSH는 갑상선기능의 주된 조절인자이다. TSH의 농도가 상승된 경우에는 갑상선이 비대해지고, 혈관분포가 발달하게 되며, 반대인 경우에는 갑상선의 위축을 초래한다. TSH는 α-아단위(subunit)와 β-아단위가 비공유결합으로 연결된 당단백이다. TSH의 α-아단위의 펩타이드 구조는 황체형성호르몬(luteinizing hormone, LH), 난포자극호르몬(follicle stimulating hormone, FSH), 사람융모성 성선자극호르몬(human chorionic gonadotropin, hCG)의 α-아단위의 구조와 동일하지만, β-아단위의 구조가 서로 달라서 각 호르몬의 생물학적 기능을 결정한다. TSH의 β-아단위는 뇌하수체 전엽의 갑상선자극세포(thyrotroph)에서만 생산되며, 단독으로는 갑상선자극 기능을 수행하지 못하고, α-아단위와 결합하여 fructose, galactose 등에 의해 적절한 당화가 이루어져야만 생물학적 활성을 가질 수 있다. TSH의 갑상선자극 작용은 여포세포막에 존재하는 TSH 수용체에 TSH가 결합하여 시작되며, adenylate cyclase (AC)와 phospholipase C (PLC), 두 가지 신호전달경로(signal transduction pathway)를 활성화시킴으로써 갑상선자극 작용을 나타낸다. TSH 수용체는 G protein-coupled receptor (GPCR)로 TSH와 결합하면 GDP가 GTP로 대치되면서 AC를 활성화 시켜 2차 전령(second messenger)인 cAMP를 만들고, cAMP는 protein kinase A (PKA)를 활성화시켜서 thyroid transcription factor-1,2 (TTF-1,2)를 인산화하여 여포세포를 자극한다.[17] 또, TSH는 PLC를 활성화하여 phosphatidylinositol-4,5-bisphosphate (PIP2)의 가수분해를 촉진한다. PLC를 통한 효과는 서서히 나타나며, 여포세포 자극효과는 AC를 통한 경로가 10배 이상 강한 것으로 알려져 있다. TSH는 뇌하수체 전엽에서 분비되며 TRH에 의해서 합성과 분비가 자극되고, T3에 의해서 억제된다.

TRH는 시상하부의 방실곁핵(paraventricular nucleus)에서 생성되어 시상하부-뇌하수체 문맥총(portal plexus)로 분비되어 뇌하수체에 전달된다. TRH는 뇌하수체의 TSH 분비세포에 있는 세포막 수용체와 결합한다. TRH 수용체는 여포세포의 TSH 수용체와 마찬가지로 G protein-coupled receptor로 PLC를 활성화하여 갑상선자극세포 내로 칼슘의 유입을 증가시켜 TSH의 합성과 분비를 촉진한다. TRH 분비 자체는 말초 갑상선호르몬의 음성되먹임 기전으로 조절된다. TSH의 자극으로 혈중의 갑상선호르몬이 증가하면, 갑상선호르몬이 뇌하수체의 갑상선자극세포에서 TSH의 합성과 분비를 억제시켜 음성되먹임 기전을 가동한다. 이때도 역시 T3가

작용하게 되는데, 혈중에서 흡수되었거나 혹은 뇌척수액에서 제2형 5'탈요오드효소에 의해 T4로부터 변환된 T3는 뇌하수체의 갑상선자극세포의 핵 내의 T3 수용체와 결합한다. 이 때 갑상선자극세포의 TSH-β 아단위를 코딩하는 유전자에 TRE와 매우 유사한 부위가 있는데, 이 TRE-like 서열이 T3 수용체가 결합하는 부위로 추정된다.[18] T3는 뇌하수체의 갑상선자극세포 표면의 TRH 수용체의 숫자를 감소시키거나, 시상하부의 TRH 분비를 직접 억제시킴으로써 TSH를 억제시키기도 한다. 그 외에 TSH는 여러 생리학적인 요인들의 영향을 받기도 하는데, 소마토스타틴, 도파민, 스테로이드호르몬, 기아, 중한 비갑상선질환 등은 TSH를 억제하는 작용을 한다. 반면에 카테콜아민과 hCG는 TSH를 자극한다. 또, 갑상선에는 직접적으로 아드레날린성 신경분포(adrenergic innervations)을 가지고 있으므로, 교감신경 자극 시 갑상선호르몬의 분비가 증가하게 된다.

(2) 갑상선 기능의 자가조절

갑상선은 갑상선호르몬의 저장량을 자체의 자가조절 기전(autoregulatory mechanism)에 의해 조절할 수 있다. 자가조절은 주로 요오드의 경우 섭취량에 의해 결정되는 혈장 내 요오드의 농도에 따라 이루어지게 된다. 말하자면, 요오드 섭취가 지나치게 많으면 여포세포의 요오드의 흡수를 억제하고, 부족하면 요오드의 운반과 여포세포의 요오드 흡수를 증가시킴으로써 일정한 갑상선기능을 유지하도록 하며, 이는 시상하부-뇌하수체-갑상선 축과 상관없이 일어난다. 특히 다량의 요오드를 투여할 때 Tg의 tyrosyl 기와 요오드가 결합되는 유기화 과정을 억제시키는데 이를 Wolf-Chaikoff 효과라고 한다.[19] 이러한 효과는 1~2주간 지속되다가, 그 이후에는 유기화된 요오드의 양이 오히려 증가하는 Wolf-Chaikoff 효과의 탈출현상(escape phenomenon)이 일어난다. 과량의 요오드는 여포세포로부터 저장된 갑상선호르몬의 분비를 억제한다. 요오드의 섭취가 만성적으로 감소된 경우에는 T4보다 요오드를 적게 소비하면서도 생물학적 활성이 높은 T3의 상대적 비율이 높아진다.

2. 칼시토닌의 생리 Physiology of calcitonin

1) 칼시토닌의 합성과 분비

발생학적으로 갑상선은 원시인두(primitive pharynx)에서 기원한 중앙 원기(median anlagen)와 제4,5 인두주머니(pharyngeal pouch)로부터 나온 갑상선 외측 원기(lateral anlagen)가 합쳐져서 생성된다. 중앙 원기에서는 여포세포가, 외측 원기에서는 신경 능선(neural crest)에서 기원한 여포곁C세포가 존재하며 배아 40~50일경에 두 원기가 합일화되면서 두 종류의 세포들도 섞이게 된다. 이 C 세포에서 칼시토닌이라는 호르몬이 합성, 분비된다. 칼시토닌의 작용은 주로 골흡수(bone resorption)를 억제하여 혈중 칼슘의 농도를 낮추는 것인데, 혈중 칼슘이 상승하면 칼시토닌 분비가 증가한다. 또한 칼슘이나 pentagastrin을 주입하거나 알코올에 의해 칼시토닌의 분비를 자극할 수 있다. 칼시토닌은 C 세포 기원인 갑상선수질암의 암표지자로 진단과 추적검사에서 유용하게 이용될 수 있다.

2) 칼시토닌의 작용

칼시토닌은 주로 파골세포의 표면에 존재하는 특이 수용체와 결합함으로써 파골세포의 골흡수를 억제하는 작용을 한다.[20] 이 수용체들은 신장 상피세포, 신경 조직, 그리고 림프구에서도 발견된다. 그러나 칼시토닌은 생리적인 상황에서는 혈중 칼슘 농도에 거의 영향을 주지 못한다. 심지어 갑상선수질암 환자에서 칼시토닌이 정상의 수 천 배까지 상승되더라도 저칼슘혈증이 나타나는 일은 거의 없으며, 이와 반대로 갑상선 전절제술을 시행 받아 모든 C 세포가 제거된 환자에서도 칼슘 대사는 정상으로 유지된다.

REFERENCES

1. Boyages SC. Clinical review 49: Iodine deficiency disorders. J Clin Endocrinol Metab 1993;77:587-91.

2. LiVolsi VA, Asa SL. The demise of follicular carcinoma of the thyroid gland. Thyroid 1994;4:233-6.

3. Laurence P. What are we aiming at? [Editorial]. J Clin Endocrinol Metab 1994:17.

4. Braverman LE. Iodine and the thyroid: 33 years of study. Thyroid 1994;4:351-6.

5. Larsen PR, Ingbar SH. The thyroid gland. In: Wilson DJ, Foster DW, eds. Williams Textbook of Endocrinology, 8th ed. Philadelphia, PA: WB Saunders; 1992:357.

6. Dohan O, De La Vieja, Paroder V, Riedel C, Artani M, Reed M, Ginter CS, Carrasco N. The sodium/iodide symporter (NIS): characterization, regulation, and medical significance. Endocr Rev 2003;24:48-77.

7. Gillam MP, Sidhaye AR, Lee EJ, Rutishauser J, Stephan CW, Kopp P. Functional characterization of pendrin in a polarized cell system. Evidence for pendrin-mediated apical iodide efflux. J Biol Chem 2004;279:13004-10.

8. Everett LA, Glaser B, Beck JC, Buchs A, Heyman M, Adawi F et al. Pendred syndrome is caused by mutation in a putative sulphate transporter gene (PDS). Nature Genet 1997;17:411-22.

9. Refetoff S, Nicoloff JT. Thyroid hormone transport and metabolism. In De Groot LJ, editor: Endocrinology, ed 3, vol 1, Philadelphia, 2000, Lippincott Williams & Wilkins.

10. Refetoff S, Fang VS, Marshall JS. Studies on human thyroxine binding globulin (TBG). J Clin Invest 1975;56:177-87.

11. Freake HC, Mooradian AD, Schwartz HL, Oppenheimer JH. Stereospecific transport of triiodothyronine to cytoplasm and nucleus in GH1 cells. Mol Cell Endocrinol 1986;44:25.

12. Stathatos N, Levetan C, Burman KD, Wartofsky L. The controversy of the treatment of critically ill patients with thyroid hormone. Best Pract Res Clin Endocrinol Metab 2001;15:465-78.

13. Taurog AM. thyroid iodine metabolism. In: Braverman LE, ed. Werner & Ingboar's The thyroid: a fundamental and clinical text. 8 ed. Philadelphia: Lippincott Williams & Wilkins; 2000.

14. Bassett JH, Harvey CB, Williams GR. Mechanisms of thyroid hormone receptor-specific nuclear and extra nuclear actions. Mol Cell Endocrinol 2003;213:1-11.

15. Shibusawa N, Hashimoto K, Nikrodhanond AA, et al. Thyroid hormone action in the absence of thyroid hormone receptor DNA-binding in vivo. J Clin Invest 2003;112:588-97.

16. Oppenheimer JH, Schwartz HL, Strait KA. The molecular basis of thyroid hormone actions. In: Braverman LE, Utiger RD (des), Werner and Ingbar's The Thyroid. 7th ed. Philadelphia, Lippincott-Raven, 1996, p162.

17. Wess J. Mutational analysis of muscarinic acetylcholine receptors: Structural basis of ligand/receptor/G protein interactions. Life Sci 1993;53:1447.

18. Darling DS, Burnside J, Chin WW. Binding of thyroid hormone re-

ceptors to the rat thyrotropin ~b gene. Mol Endocrinol 1989;3:1359-68.

19. Wolff J. Physiological aspects of iodide excess in relation to radiation protection. J Mol Med 1980;4:151.

20. Takahashi N, Akatsu T, Sasaki T, et al. Induction of calcitonin receptors by 1-α,25-dihydroxyvitamin D in osteoclast-like multinucleated cells formed from mouse bone marrow cells. Endocrinology 1988;123:1504.

갑상선 결절의 평가

Evaluation of Thyroid Nodules

원광대학교 의과대학 외과 **이광만**

CHAPTER

04

갑상선 결절은 임상에서 가장 흔히 접하는 질환 중 하나로 전체 인구의 약 5%가 갑상선에 촉진 가능한 결절을 가지고 있다. 또 최근에는 고해상도의 초음파검사가 건강검진에 이용되면서 갑상선 결절의 진단이 크게 증가하고 있다. 갑상선 결절은 보통 환자 자신이나 의사의 촉진에 의해서 발견된 후 초음파와 같은 영상의학 검사로 확인하는 것이 일반적인데 근래 여러가지 목적으로 경부 초음파검사와 경부 및 흉부 CT를 촬영하는 일이 늘어나면서 예기치 않게 갑상선에 결절이 발견되는 경우가 증가하고 있다. 이렇게 발견된 결절을 갑상선 우연종(incidentaloma)이라 한다. 또 최근 종양 환자의 병기결정과 전이 추적검사에 ^{18}FDG-PET 전신스캔이 널리 이용되면서 갑상선에서 우연히 발견되는 ^{18}FDG-PET-양성 결절에 대한 보고들이 증가하고 있다.[1-3]

갑상선 결절의 유병률은 결절을 진단하는 방법에 따라서 차이가 있는데, 촉진으로는 전체 인구의 3~7%에서 갑상선 결절이 발견되는 것으로 보고되고 있다.[4-7] 그러나 실제 갑상선 결절의 유병률은 이보다 훨씬 높다. 외국의 부검 통계에 의하면 이전에 갑상선 병력이 없는 사람들의 부검에서 갑상선 결절이 발견되는 빈도는 35~65%에 이르며,[8-11] 이로 미루어 볼 때 성인에서 갑상선 결절의 유병률은 약 50% 정도로 추정되고 있다. 이 결과는 초음파를 이용한 갑상선 선별검사에서도 유사하게 나타난다. 일반인이나 건강검진 수진자를 대상으로 초음파검사를 했을 때 갑상선에 결절이 발견되는 빈도

는 20~67%이며,[12,13] 결절의 유병률은 나이가 증가할수록 증가하여 50대에는 약 50%에 이르는 것으로 보고되었다.[14] 국내에서 조사된 갑상선 결절의 유병률도 이와 비슷하다. 대부분 건강검진 수진자들을 대상으로 한 초음파검사 결과로 임 등[15]은 1,300명 중 38%에서 결절을 발견하였고, 석 등[6]은 7,440명 중 41%에서, 김 등[16]은 4,832명 중 22%에서 결절을 발견하였으며, 가장 최근에 전국 10개 대학병원 및 종합병원에서 건강검진을 위해 내원한 성인 2,575명을 대상으로 조사한 결과 갑상선 결절의 유병률은 59%였고 이 중 64%가 직경 1 cm 이하의 결절이었다.[17] 갑상선 결절의 유병률은 조사 대상에 따라서도 차이가 난다. 갑상선 결절은 여성에서 더 많으며, 나이가 고령일수록, 요오드 결핍지역에서, 그리고 방사선 피폭 지역에서 빈도가 증가한다.

이처럼 갑상선 결절은 매우 흔하고 대부분은 양성 결절이지만, 그럼에도 불구하고 5~10%에 이르는 악성 가능성 때문에 늘 주의가 필요하다.[18] 갑상선 암의 대부분을 차지하는 유두암은 성장속도가 느리고 예후가 매우 양호하지만 드물게 작은 크기의 암이 주변 장기를 침범하고 전이를 일으켜 때로는 사망에 이르게 하기도 한다. 따라서 결절의 악성 여부를 정확히 평가하는 것은 대단히 중요한 일이다.

갑상선 결절 중 크기가 1 cm 이상인 결절이 일차적으로 평가의 대상이 되나 1 cm 이하일지라도 초음파검사에서 의심 소견을 보이는 경우와 목 림프절이 커진 경

우, 두경부 외부방사선치료의 과거력이 있을 때, 직계가족에 갑상선 암의 가족력이 있을 때는 세심한 검사를 필요로 한다. 또한 다발성 결절의 악성 위험도가 단일 결절과 같은지에 대해서는 논란이 있으나 단일 결절에 비해서 결코 낮지 않다는 연구 결과가 있으므로[19] 모든 결절들을 각각 평가해야 한다.

갑상선 결절에 대한 검사로는 문진과 신체검사, 혈액검사, 영상의학적 검사, 핵의학 스캔 및 세포조직학적 검사 등이 있다.

1. 문진과 신체 검사

갑상선에 결절이 발견되면 철저한 문진과 신체검사가 필수적이다. 문진시 주의해야 할 악성과 관련된 소견으로는 어릴 때 외부방사선치료의 과거력, 갑상선암의 가족력 혹은 갑상선 암 증후군(Cowden 증후군 등)의 가족력, 청소년기 이전에 방사선 낙진 노출, 결절의 빠른 크기 변화, 목소리의 변화 등이 있고, 신체검사에서 암을 시사하는 소견으로는 결절의 경도와 주변 조직에 고정되었는지 여부, 동측 목 림프절의 비대 등이 있다. 그 외에 환자의 나이와 성별도 암 발생 위험도와 관련을 갖는다.

갑상선 결절은 대부분 자각증상이 없다. 그러나 결절이 큰 경우에는 호흡곤란, 쌕쌕거림, 기침, 연하곤란과 같은 증상을 유발할 수 있다. 통증을 일으키는 경우는 드물지만 결절 내에 출혈이 있거나 급성 갑상선염의 경우에는 통증이 있을 수 있다. 또한 수질암에서도 둔한 통증이나 불편감을 호소할 수 있다. 쉰 목소리는 암에 의한 되돌이후두신경의 침범을 의심해야 한다. 주기적인 검사에서 결절의 크기가 빠르게 자란다면 악성의 가능성이 높다. 그러나 양성에서도 결절 내부에 출혈이 있거나 낭성 변성이 있을 때는 결절이 빠르게 커질 수 있고 또 대부분의 갑상선 암은 성장 속도가 매우 느리므로 성장 속도만으로 양성과 악성을 구별할 수는 없다.

갑상선 결절의 악성 위험은 환자의 나이에 따라 조금씩 차이가 있다. 이미 기술한 바와 같이 연령이 증가할수록 갑상선 결절의 유병률은 증가하는데 20세 미만 청소년과 60세 이상 노인에서 발견된 결절은 악성 가능성이 상대적으로 높다. 특히 12세 이하의 소아에 발생한 결절은 악성 위험이 2배 증가한다. 또 남자에 발생한 결절이 여자에 비해서 악성 가능성이 높다. 지역적인 요인도 암 발생에 영향을 미치는데 갑상선유두암은 요오드가 풍부한 지역에 많고 여포암은 요오드 결핍이 있는 풍토병 갑상선종 지역에 호발한다.

외부 방사선 조사는 갑상선유두암과 밀접한 관련이 있는데 어릴 때 경부에 방사선조사의 과거력이 있는 경우에는 갑상선 결절의 약 33%(20~50%)가 악성인 것으로 보고되었다.[20] 갑상선 암의 가족력이 있는 경우는 갑상선수질암 및 비수질암의 위험도가 증가한다. 갑상선수질암은 약 25%에서 가족력을 가지는데 다발내분비선종양 2형(MEN2A, MEN2B)과 가족성 수질암의 두 유형이 있다. 그 밖에 Cowden 증후군, Werner 증후군, 가족성선종폴립증(familial adenomatous polyposis), 모세관확장실조와 같은 가족성 질환의 가족력이 있는 경우 갑상선유두암과 여포암의 발생률이 증가한다.

갑상선의 촉진은 환자의 뒷쪽에서 양 손을 이용하여 시행한다. 촉진시에는 갑상연골 하방에서 만져지는 윤상연골(cricoid cartilage)의 바로 아래에 갑상선의 협부가 위치하므로 윤상연골을 중심으로 갑상선 양 엽을 촉진한다. 또한 주변의 목 림프절이 커져 있는지도 반드시 확인해야 한다. 촉진시 환자에게 물이나 침을 삼키게 하면 갑상선 결절과 갑상선 외부의 종물을 감별하는데 도움이 된다. 결절이 단단하고 주위에 고정되어 있는 경우, 동측의 목 림프절이 커져있는 경우에는 악성을 시사한다. 촉진시 윤상연골 상방의 피라미드엽과 Delphian 림프절도 반드시 진찰해 보아야 한다.

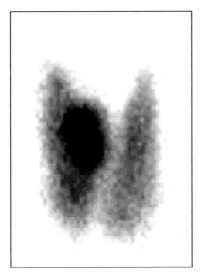

그림 4-1 | ^{99}mTc 갑상선 스캔: 열결절 (hot nodule) 소견

혈청 갑상선글로불린(Tg) 검사는 결절을 평가하는데는 도움이 되지 않으며 갑상선 분화암 수술 후에 암의 재발 및 전이를 검사하는 선별검사로서 유용하다.

혈청 칼시토닌 검사는 갑상선수질암의 진단에 반드시 필요한 검사이나 모든 갑상선 결절 환자에서 칼시토닌 검사를 해야할 것인지는 논란이 있다. 갑상선 결절 환자에서 일상적인 칼시토닌 검사를 시행한다면 수질암이나 C 세포 증식증을 조기에 진단할 수 있고 그 결과 환자의 생존율을 높일 수 있지만, 검사의 민감도를 높이기 위하여 pentagastrin을 투여해야 하는 경우가 많고, 수질암의 발생 빈도가 낮기 때문에 비용효과 측면에서 아직 널리 이용되고 있지는 않다. 단 수질암이 의심되거나 수질암의 가족력이 있는 경우에는 칼시토닌 검사가 반드시 필요하며, 이 때 만약 칼시토닌 치가 정상이라면 칼슘 혹은 pentagastrin 자극 검사가 필요하다.

2. 검사실 검사

암을 포함하여 대부분의 갑상선 결절에서 갑상선 기능은 정상이므로 갑상선 기능검사는 결절을 평가하는데 도움이 되지 않는다. 그러나 과기능결절(hyperfunctioning nodule) 혹은 열결절인 경우는 악성 가능성이 약 1%로 매우 낮기 때문에 선별을 위하여 혈청 TSH 검사를 가장 먼저 시행한다. 특히 결절의 크기가 1 cm 이상일 때와 ^{18}FDG-PET에서 갑상선에 국소 혹은 미만성의 섭취증가가 보일 때에는 반드시 혈청 TSH 검사가 필요하다. 검사 결과 혈청 TSH가 정상 이하이거나 정상 범위일지라도 낮은 정상범위라면 갑상선 스캔을 시행하여 결절의 기능 여부를 확인해야 한다. 혈청 TSH가 정상이거나 정상보다 증가해 있다면 바로 초음파검사를 시행하여 세침흡인세포검사(FNA) 여부를 결정한다(그림 4-1). 특히 TSH가 증가한 경우에는 반드시 초음파검사를 시행하여 FNA가 필요한지 검토해야 한다. 그 이유는 하시모토 갑상선염이 있는 갑상선에 발생한 결절의 악성 위험은 정상 갑상선과 같거나 약간 더 높기 때문이다.[21]

3. 동위원소 스캔

^{131}I, ^{123}I, 및 ^{99}mTC를 이용한 갑상선 스캔은 혈청 TSH가 감소한 경우 결절의 기능 여부를 평가하기 위하여 필요하며, 그레이브스병, 하시모토 갑상선염과 같은 질환을 감별하기 위하여 필요하다(그림 4-1).

4. 영상의학 검사

초음파검사는 갑상선에 결절이 만져지거나 결절이 의심되는 경우와 다결절 갑상선종, CT나 MRI, ^{18}FDG-PET에서 결절이 발견된 경우 등 모든 갑상선 결절에서 필수적인 검사이다. 최근 고해상도 초음파 기기는 7~13 MHz의 고주파 탐촉자를 사용하여 직경 2 mm의 작은 결절까지 확인 가능하므로 부가적 결절을 발견할 수 있고 결절의 정확한 위치 및 크기와 내부구조를 확인할 수 있으며 특히 낭종이 혼합된 결절에서 정확한 FNA를 유도할 수 있다. 그러나 악성 진단에 특이도가 낮고 결절의 기능을 알 수 없으며 시술자-의존적인 검사 방법이어서 객관성이 떨어진다는 제한점도 있다.

초음파검사를 할 때는 결절의 크기와 모양, 경계, 에코, 내부 구성물, 석회화 유무, 주위 구조물 침범 유무와 림프절의 형태를 자세히 살펴야 한다. 대한신경두경부 영상의학회 갑상선연구회[22]에서는 ① 가로보다 세로가 긴 모양(taller than wide), ② 침상 혹은 불규칙한 경계(spiculated or irregular margin), ③ 현저한 저에코 결절(markedly hypoechoic nodule), ④ 미세석회화(micro-calcification), 혹은 거대 석회화(macrocalcification) 등을 악성 소견으로 분류하여 이 중 하나만 해당하여도 악성 의심 결절로 분류하여 FNA를 권고하였다. 이런 소견을 참조로 할 때 갑상선 초음파검사의 암 진단 정확도는 74~78%로 보고되고 있다.

CT와 MRI는 갑상선 결절에 대한 정규적인 검사로는 이용되지 않으나 결절의 크기가 큰 경우와 갑상선 결절의 흉강내 확장이 의심되는 경우, 흉골하 종물의 검사에 유용하다.

5. 세침흡인세포검사
Fine Needle Aspiration Cytology; FNA

FNA는 초음파검사와 함께 갑상선 결절에 대한 검사 중 가장 중요한 검사이다. 결절이 만져질 때에는 반대편 손으로 결절을 고정한 상태에서 시행하며(그림 4-2), 결절이 촉지되지 않거나 낭종이 혼합된 결절에서는 초음파 유도하에 시행하여야 정확한 검체를 얻을 수 있다. FNA는 콜로이드 선종, 갑상선염, 유두암, 수질암 및 역형성 암의 진단에는 정확도가 높으나, 여포종양에서 양성과 악성을 감별하는 것은 FNA로는 불가능하다. 검사가 가능한 결절의 크기에 대해서는 일반적으로 결절의 크기가 0.5 cm 이상 되어야 만족스러운 검체를 얻을 수 있고

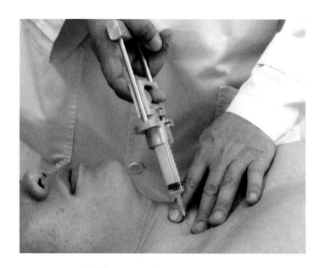

그림 4-2 │ 미세침흡인 세포검사(fine needle aspiration cytology, FNA)

그 이하인 경우는 기술적으로 어렵기 때문에 0.5 cm 이상인 결절에 대해서 검사를 하도록 권고하고 있지만 이보다 더 작은 경우에도 검체를 얻을 수 있다면 적극적으로 시행하기도 한다.

FNA의 결과는 ① 양성(benign) 60~80%, ② 미결정형(indeterminate) 혹은 여포종양(follicular neoplasm) 15~30%, ③ 악성의심(suspicious) 10%, ④ 악성(malig-nant) 5%, ⑤ 비진단적(nondiagnostic) 5~15% 등으로 분류한다(그림 4-3). FNA의 결과가 '양성'으로 나온 경우에는 결절의 크기가 커서 수술이 필요한 경우를 제외하고는 추가적 검사나 치료 없이 추적관찰만으로 충분하며 '악성' 혹은 '악성의심'으로 판독된 경우에는 갑상선엽절제술 혹은 전절제술이 필요하다.

FNA 결과가 '미결정형' 혹은 '여포종양'으로 나온 경우에는 좀 더 복잡하다. 이 경우 악성 위험은 20~30% 가까이 되고 암 진단은 수술 후 검체에서 종양의 피막침범 혹은 혈관침범 유무를 확인해야 가능하다. 따라서 이 경우 수술을 권유하는 것이 바람직하며, 단 초음파검사에 악성 소견이 없고 갑상선 스캔에서 기능성 결절 혹은 열결절일 때에는 악성 가능성이 낮으므로 수술하지 않고 6개월 간격으로 추적관찰할 수도 있다. 2009년 미국 갑상선협회(American Thyroid Association)의 수정된 권

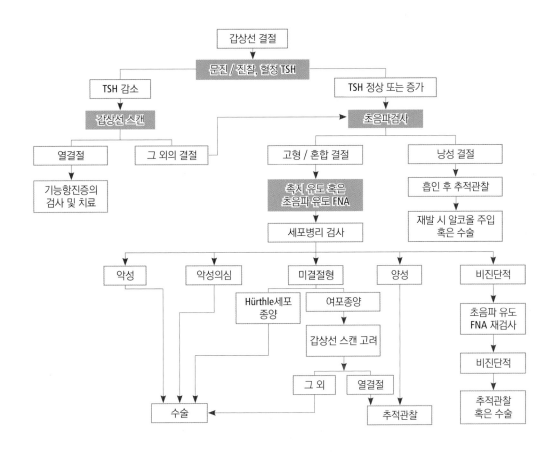

그림 4-3 | **갑상선 결절의 평가**

고안[23]에서도 미결정형의 세포진단을 받은 경우 과기 능성 결절(hyperfunctioning nodule)인 경우를 제외하고는 수술을 권유하였다. Hürthle 세포 종양의 경우는 바로 수술을 시행한다. 또 여포 병변 중 여포종양의 진단 기준에 미흡하거나 의심이 있는 경우는 FNA를 다시 시행해야 한다. 한편 FNA 결과 중 미결정형으로 나온 경우 가장 치료결정이 어려우므로 진단의 정확성을 높이기 위한 방편으로 galectin-3, cytokeratin, BRAF, Ras, RET/PTC 등과 같은 분자 표지자(molecular markers)에 대한 연구가 활발히 진행되고 있다. 최근 이에 대한 몇몇 전향적 연구에서 좋은 결과들이 보고되고 있어서[24-27] 향후 이런 표지자 혹은 표지자의 조합이 치료방향을 결정하는데 도움을 줄 수 있을 것으로 기대되고 있다. 최근에는 미결정형에서 ^{18}FDG-PET을 이용하여 악성

위험도를 평가하는 연구가 시도되고 있는데 ^{18}FDG-PET은 민감도는 높으나 특이도가 낮은 단점이 있어 아직 널리 이용되고 있지는 못하다.

FNA 결과 '비진단적' 혹은 '부적합 검체'는 흡인물이 대부분 액체 혹은 혈액인 경우와 검체를 도말, 건조하는 과정에 오류가 있는 경우이며 이 때는 재검사가 필요하다. FNA의 정확도를 높이기 위해서는 적절한 검체의 획득과 경험있는 세포병리의사가 필요하다. FNA의 진단 정확도는 보고자 마다 차이가 있으나 95% 정도로 매우 높으며 위음성율과 위양성율은 각각 약 3%(1~6%)와 약 1%로 보고되고 있다. FNA의 장점으로는 비용이 저렴하고 합병증이나 통증이 거의 없으며 필요시에는 쉽게 재검사를 할 수 있다는 점이다.

다발성 결절의 악성 위험은 단일 결절의 경우와 동일

하므로 검사 방법과 치료원칙도 단일 결절과 같다. 초음파검사에서 의심스러운 결절은 선별적으로 FNA가 필요하며 TSH가 정상 이하이거나 낮은 정상범위일 때는 갑상선스캔을 시행하여 비기능결절인 경우에 FNA가 필요하다. 만약 모든 결절이 유사한 형태이고 악성위험이 없다면 가장 크기가 큰 결절에 대해서 FNA를 시행한다.

6. 소아의 갑상선 결절

소아에서는 갑상선 결절이 성인에 비하여 드물다. 한 연구에서 11~18세의 소아를 대상으로 갑상선 결절의 유병률을 조사한 결과 2%에서 촉지 가능한 결절이 발견

되었다.[28] 소아의 갑상선 결절의 악성 가능성은 성인과 유사하거나 성인보다 약간 높다고 알려져 있으며 결절에 대한 검사도 성인과 동일한 원칙을 따른다.

7. 임신 여성의 갑상선 결절

임신 여성의 갑상선 결절에 대한 검사는 동위원소 스캔이 금기라는 것 외에는 일반적인 경우와 동일하다. 초음파검사를 시행하여 의심스러운 결절에 대해서는 FNA가 필요하며, 혈청 TSH가 낮은 경우는 분만과 수유가 끝날 때까지 기다렸다가 갑상선 스캔을 시행하여 비기능결절인 경우에 FNA를 시행할 수도 있다.

REFERENCES

1. Kang KW, Kim SK, Kang HS, Lee ES, Sim JS, Lee IG, et al. Prevalence and Risk of Cancer of Focal Thyroid Incidentaloma Identified by 18F-Fluorodeoxyglucose Positron Emission Tomography for Metastasis Evaluation and Cancer Screening in Healthy Subjects. Clin Endocrinol Metab 2003;88:4100-4.

2. Kim TY, MD, Kim WB, Ryu JS, Gong GY, Hong SJ, Shong YK. 18F-Fluorodeoxyglucose Uptake in Thyroid from Positron Emission Tomogram(PET) for Evaluation in Cancer Patients: High Prevalence of Malignancy in Thyroid PET Incidentaloma. Laryngoscope 2005;115:1074-8.

3. Crippa F, Alessi A, Gerali A, Bombardieri E. FDG-PET in thyroid cancer. Tumori 2003;89:540-3.

4. Dean DS, Gharib H. Epidemiology of thyroid nodules. Best Pract Res Clin Endocrinol Metab. 2008;22(6):901-11.

5. Tunbridge WMG, Evered DC, Hall R, Appleton D, Brewis M, Clark F, et al. The spectrum of thyroid disease in a community: The Whickham Survey. Clin Endocrinol(Oxf) 1977;7:481~93.

6. Suk JH, Kim TY, Kim MK, Kim WB, Kim HK, Jeon SH, et al. Prevalence of Ultrasonographically-Detected Thyroid Nodules in Adults without Previous History of Thyroid Disease. J Korean Endocrinol 2006;21(5):389-93.

7. Vander JB, Gaston EA, Dawber TR. The significance of nontoxic thyroid nodules. Ann Intern Med 1968;69:537-40.

8. Lang W, Borrusch H, Bauer L. Occult carcinomas of the thyroid: Evaluation of 1,020 sequential autopsies. Am J Clin Pathol 1988;90(1):72-6.

9. Mitselou A, Vougiouklakis T, Peschos D, Dallas P, Agnantis NJ. Occult thyroid carcinoma. A study of 160 autopsy cases. The first report for the region of Epirus-Greece. Anti cancer Res 2002;22(1A):427-32.

10. Martinez-Tello FJ, Martinez-Cabruja R, Fernandez-Martin J, Lasso-Oria C, Ballestin-Carcavilla C. Occult carcinoma of the thyroid. A systematic autopsy study from Spain of two series performed with two different methods. Cancer 1993;71(12):4022-9.

11. Bondeson L, Ljungberg O. Occult thyroid carcinoma at autopsy in Malmö, Sweden. Cancer 1981;47(2):319-23.

12. Tan GH, Gharib H. Thyroid incidentalomas: Management approaches to nonpalpable nodules discovered incidentally on thyroid imaging. Ann Intern Med 1997;126: 226-31.

13. Pinchera A. Thyroid incidentalomas. Horm Res 2007;68(Suppl 5):199-201.

14. Ezzat S, Sarti DA, Cain DR, Braunstein GD. Thyroid incidentalomas. Prevalence by palpation and ultrasonography. Arch Intern Med 1994;154:1838-40.

15. Yim CH, Oh HJ, Chung HY, Han KO, Jang HC, Yoon HK, et al. Prevalence of thyroid nodules detected by ultrasonography in women attending health check-ups. J Korean Endocrinol 2002;17:183-8.

16. Kim WJ, Kim JH, Park DW, Lee CB, Park YS, Kim DS, et al. Prevalence of thyroid nodules detected by ultrasonography in adults for health check-ups and analysis of fine needle aspiration cytology. J Korean Endocrinol 2008;23(6):413-9.

17. Kim SH, Jung SL, Moon WJ, Park MS, Kim YS, Lee HJ, et al. The prevalence of thyroid nodules and thyroid cancers in the Koreans: The nationwide data analysis of thyroid ultrasonography in 2004. J Korean Thyroid Assoc 2009;2(1):33-7.

18. Hegedus L. Clinical practice. The thyroid nodule. N Engl J Med 2004;351:1764-71.

19. Marqusee E, Benson CB, Frates MC, Doubilet PM, Larsen PR, Cibas ES, et al. Usefulness of ultrasonography in the management of nodular thyroid disease. Ann Intern Med 2000;1339:696-700.

20. Favus MJ, Schneider AB, Stachura ME, Arnold JE, Ryo UY, Pinsky SM, et al. Thyroid cancer occurring as a late consequence of head-and-neck irradiation. Evaluation of 1,056 patients. N Engl J Med 1976;294:1019-25.

21. Repplinger D, Bargren A, Zhang YW, Adler JT, Haymart M, Chen H. Is Hashimoto's thyroiditis a risk factor for papillary thyroid cancer? J Surg Res 2008;150:49-52.

22. Thyroid Study Group of the Korean Society of Neuroradiology and Head and Neck Radiology(KSNHNR). Thyroid gland: Imaging diagnosis and intervention. 1st ed. Seoul, Korea: Ilchokak; 2008.

23. Cooper DS, Doherty GM, Haugen BR, Kloos RT, Lee SL, Mandel SJ, et al. Revised American Thyroid Association Management Guidelines for Patients with Thyroid Nodules and Differentiated Thyroid Cancer. Thyroid 2009;19(11):1-48.

24. Bartolazzi A, Orlandi F, Saggiorato E, Volante M, Arecco F, Rossetto R, et al. Italian Thyroid Cancer Study Group(ITCSG). Galectin-3-expression analysis in the surgical selection of follicular thyroid nodules with indeterminate fine-needle aspiration cytology: a prospective multicentre study. Lancet Oncol 2008;9:543-9.

25. Nikiforov YE, Nikiforov YE, Steward DL, Robinson-Smith TM, Haugen BR, Klopper JP, et al. Molecular testing for mutations in improving the fine-needle aspiration diagnosis of thyroid nodules. J Clin Endocrinol Metab 2009;94:2092-8.

26. Franco C, Martı́nez V, Allamand JP, Medina F, Glasinovic A, Osorio M, et al. Molecular markers in thyroid fine-needle aspiration biopsy: a prospective study. Appl Immunohistochem Mol Morphol 2009;17:211-5.

27. Kim HS, Cho CH, Jung ED, Yoon HD, Bae JY, Shon HS. Diagnostic utility of Galectin-3 in the US-guided fine needle aspiration cytology of thyroid nodules. J Korean Thyroid Assoc 2008;1(2):123-8.

28. Rallison ML, Dobyns BM, Keating FR Jr, Rall JE, Tyler FH. Thyroid nodularity in children. JAMA 1975;233:1069-72.

갑상선 초음파검사
Ultrasonography of the Thyroid

| 차의과학대학교 강남차병원 외과 **박해린**

갑상선초음파는 정상 갑상선과 병적갑상선의 구조를 확인하는데 있어서 보는데 가장 흔히 사용되는 유용하고 안전하며 효율적인 방법으s로 미국 갑상선협회(American thyroid association) 등 여러 권위 있는 단체에 의해 갑상선 질환을 진단하고 치료하는 가이드라인으로 인식되고 있다. 초음파는 갑상선절제술 후 전이를 확인하는 목적이외에는 섬광조영술(Scintiscanning)의 사용이 필요 없어지는 결과를 가져다 주었으며 높은 감수성과 특이성으로 임상의사와 외과의사들에게 갑상선 결절이 악성인가의 여부를 판단하는 데 있어서 결정적인 단서를 제공해 주고 있다.[1]

과거에는 갑상선을 영상화 하기 위해서는 방사성요오드를 축적하고 대사하는 섬광조영술이 필요하였으나 초음파의 출현 이후 고해상도의 이미지, 실제 갑상선 크기의 계측이 가능한 점, 저렴함, 간단함, 방사선 동위원소의 노출이 없다는 점 등의 장점으로 대다수의 환자들에게 핵의학적 촬영을 대체하여 시행되고 있다. CT, MRI, PET과 같은 다른 영상기법은 초음파보다 가격이 비싸고 작은 병변부위를 발견하는데 있어서 효율적이지는 못하지만 임상적 문제를 초음파로 완전하게 도출하기가 불충분할 경우 선택적으로 사용되고 있다.[2]

많은 갑상선 전문의들은 신체진찰시 촉진의 감수성과 정확성을 높이고 잠재적인, 비 촉지성 갑상선 이상병변을 찾아내기 위해 일상적으로 초음파를 사용하는 것을 지지한다.[1]

실제로, 미국의 의사들은 촉진에 대한 확실성이 의문시 될 때 이에 대한 보완으로 초음파를 자주 사용한다. 그러나 초음파를 잘 잘 보기 위해서는 많은 시간과 경험이 필요하며 장비의 질도 중요하다는 점을 이해해야 한다. 섣부른 검사나 정교하지 않은 기계로 시행된 불완전한 검사나 잘못된 판독은 때때로 엄청난 비극을 초래할 수 있다. 따라서, 병원이나 의원에서 진료시 행해지는 초음파는 충분한 경험을 가진 전문가에 의해 시행되어야 하며 지속적인 연구, 연습, 훈련을 통해 정확도를 더 높이도록 노력하여야 한다.

초음파검사가 갑상선병변의 성질에 대한 매우 중요하고 임상적으로 중요한 단서들을 제공해주긴 하지만 아직 양성과 악성병변을 확실하게 구분하는데는 한계가 있다.

갑상선 초음파검사의 장점으로는
① 갑상선 부위의 목 구조를 정확하게 이미지화 할 수 있다.
② 학생들과 임상의사들에게 갑상선 촉진을 배울 수 있게 해 준다.
③ 신체진찰상의 애매한 소견을 설명 가능하게 한다.
④ 경과관찰 또는 치료중인 환자의 결절이나 림프절, 갑상선종 등의 크기를 비교하고 평가할 수 있게 한다.
⑤ 외부방사선치료에 노출된 환자들의 비 촉지성 갑상선 병변을 찾아내는데 도움이 된다.
⑥ 악성 가능성에 대한 매우 중요하고 임상적으로 유용

한 단서를 제공한다.

⑦ 복잡성 결절의 고형부분을 확인할 수 있게 한다.

⑧ 결절의 미세침 흡인 생검술을 가능하게 한다.

⑨ 수술 후 갑상선 암의 재발을 확인할 수 있다.

⑩ 갑상선암 환자들에게 갑상선 암이나 림프절병증의 재발에 대한 초기 단서를 제공한다.

⑪ 갑상선염의 진단에 도움이 된다.

⑫ 항갑상선제와 같은 약물치료 중인 환자들의 관리법을 개선하는 데 도움이 된다.

⑬ 정확하게 병변부위에 약물을 주사하거나 고주파치료 하는 것을 가능하게 한다.

⑭ 자궁내 태아의 갑상선 크기, 균질도, 혈관분포 등을 파악할 수 있다.

⑮ 신생아 갑상선의 크기와 위치를 면밀히 파악할 수 있다.

⑯ 역학조사중인 갑상선의 선별검사를 가능하게 한다.

1. 초음파검사의 적응증
Clinical indications for ultrasound

경부 초음파검사의 적응증은 다음과 같다:

1) 갑상선

- 갑상선 결절 및 질환의 유무 평가, 크기와 위치, 초음파적 특성 평가
- 고형 및 낭성 병변의 감별
- 갑상선 악성 결절의 감별
- 동반된 다른 질환의 확인(림프절 질환, 부갑상선 질환 등)
- 갑상선 종대의 흉골 하 또는 상부로의 확장 및 종대에 의한 기관 편위 확인
- 갑상선 결절 및 질환의 추적 검사

- 미만성 갑상선 질환의 상태 평가(하시모토 갑상선염, 그레이브스병 등)
- 갑상선암 수술 후 재발 평가(잔여 갑상선, 림프절 전이 및 재발)
- 수술 시 절개 위치 계획

2) 부갑상선

- 부갑상선 선종 또는 증식증의 병변 평가 및 위치 결정
- 동반 질환의 확인(림프절 질환, 갑상선 질환 등)
- 수술 시 절개 위치 계획

3) 림프절

- 병적 또는 양성 림프절의 유무 및 위치 확인
- 동반 질환의 확인(갑상선 질환, 부갑상선 질환 등)
- 수술 시 절개 위치 계획

4) 중재적 시술

- 갑상선 결절, 부갑상선 질환, 또는 림프절에 대한 초음파 유도하 세침흡인세포검사
- 갑상선 결절 또는 림프절에 대한 초음파 유도하 중심 침생검
- 초음파 유도하 중재적 치료(고주파치료, 에탄올 주입 등)

2. 정상 해부적 구조 Normal anatomy

정확하고 유용한 경부 초음파검사를 위해서는 경부의 수많은 구조물에 대한 해부와 발생 가능한 질병에 대한 총체적인 지식이 요구된다. 다행히 경부의 중요 구조물

은 표재성으로 위치하므로 고주파 탐촉자를 이용하여 쉽게 접근하고 확인할 수 있다.

경부는 크게 중앙 경부와 외측 경부로 구분한다. 중앙 경부는 척추주변근육(paraspinous muscle)의 앞쪽, 양측 경동맥 사이에 위치하며, 측경부는 척추주변근육과 목갈비근(scalene muscle)의 앞쪽, 양측 경동맥의 외측에 해당한다.

1) 중앙 경부 Central neck compartment

중앙 경부에는 갑상선, 기도, 식도, 부갑상선과 중앙 경부림프절이 포함된다. 갑상선은 띠근육(복장목뿔근, 어깨목뿔근, 복장방패근)의 뒤쪽에 위치하며, 내측으로 기도와 접해 있다. 협부는 첫 번째에서 세 번째 기도륜(tracheal ring)에 걸쳐 기도 앞쪽에 위치한다. 갑상선의 양측으로 경동맥이 위치하며 경장근(longus colli muscle)과 부갑상선이 갑상선 후방에 위치해 있다. 식도는 대개 갑상선 좌엽의 후방에 위치해 있다.

대부분의 부갑상선은 갑상선 후면에 위치하고 있지만 13~20% 정도는 이소성으로 위치한다. 상 부갑상선은 정상적으로 기관식도고랑 근처 갑상선의 후내측에, 반회 후두신경과 하갑상동맥이 교차하는 부위보다 두부쪽에 위치한다. 이소성 상 부갑상선은 기관식도고랑 하부에서 흔히 발견되나 드물게 종격동이나 갑상선 내, 또는 발생시 하강하지 않고 경부 위쪽에 존재할 수도 있다. 배아의 발생 후 하강으로 인해 하 부갑상선의 위치는 좀 더 다양하게 나타나지만, 주로 갑상선 하극 근처에 위치한다. 이 외에도 이소성으로 갑상선흉선인대, 경동맥초, 종격동이나 갑상선 내 또는 발생시 하강하지 않고 경부 위쪽에도 드물게 존재할 수 있다.[4]

level 6과 7의 중앙 경부림프절은 전후두 림프절(협부 상부 경계와 설골 사이의 기관지 앞쪽에 위치하며 종종 Delphian 림프절이라 불림), 전기관 림프절(무명동맥과 갑상선 협부의 하부 경계 사이 기관 전면부에 위치)과 기관 주위 림프절(기도와 경동맥의 내측 사이)이 포함된다.

2) 외측 경부 Lateral neck compartment

외측 경부림프절은 다섯 Level로 구분한다. Level 1은 하악골과 설골, 두힘살근(digastric muscle)의 후배로 경계 지어진다. Level 2, 3, 4는 복장목뿔근의 외측 경계와 흉쇄유돌근의 후방에 위치하며 경동맥초를 둘러싸고 있다. 설골의 상부는 level 2(상부 경정맥), 설골과 윤상연골 사이는 level 3(중간 경정맥), 그리고 윤상연골 하부는 level 4(하부 경정맥)로 구분된다. Level 5, 후방 삼각형은 흉쇄유돌근과 승모근으로 둘러싸인 부위이다.

3. 정상 초음파검사 소견
Normal appearance of ultrasound

목의 앞부분은 표준 그레이스케일 초음파를 통해 잘 이미지화된다. 갑상선은 높은 요오드 함유도 때문에 다른 인접한 구조물보다 고 에코소견을 보인다. 정상 갑상선은 기도의 전면과 측면에 표재성으로 위치한 불투명 유리 모양(ground glass appearance)의 균질한 에코를 가진 장기로 주변의 띠근육이나 흉쇄유돌근보다 다소 높은 에코를 보인다. 이것은 상대적으로 저에코인 기도와 경동맥 사이의 위치를 횡단으로 스캐닝하면 식별할 수 있다. 기도는 공기로 차 있기 때문에 음향 에너지를 전달하지 않는다. 따라서 기도 전방 경계의 뒤쪽으로 특유의 검은 빈 공간이 생기고, 이러한 후방 음영은 경부의 중앙, 후방 구조물을 식별하기 어렵게 만든다. 실시간 초음파검사 시, 경동맥은 박동성으로 식별할 수 있고, 경정맥은 탐촉자로 누르면 쉽게 압박된다. 일반적으로는 정상적인 부갑상선은 초음파에서 보이지 않으며 부갑상선이 비대해져 있을 경우에는 보일 수도 있다. 부갑상선에는 요오드가 없기 때문에 갑상선 조직보다 초음파에서 저에코로 나타난다. 식도는 흔히 기도 음영의 좌측, 갑상선 좌엽의 후내방에 위치한다. 식도는 횡단면에서 고에코의 중앙부와 저에코의 주변부의 황소눈과 같은 형태

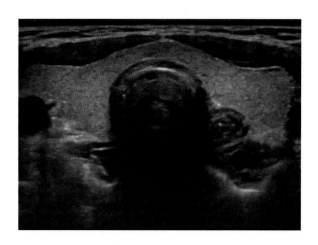

그림 5-1 | 식도의 초음파 소견
황소눈과 같은 형태

(bulls-eye appearance)(그림 5-1)를 띠며, 연하 시에 식도의 연동 운동으로 인한 형태의 변화를 관찰할 수 있다. 정상 경부 림프절은 크기가 작아 초음파에 잘 보이지 않으며 양성 림프절 종대의 경우에는 내부에 고에코의 지방문(fatty hilum)과 균질한 에코, 그리고 가로로 더 넓은 형태를 띤다.[5]

갑상선의 각각의 엽은 부드러운 구형의 윤곽을 가지며 높이는 3~4 cm, 폭은 1~1.5 cm, 깊이는 1 cm을 넘지 않으며 협부의 두께는 0.4~0.6 cm이다. 갑상선엽의 너비와 두께는 가로 스캔으로 측정할 수 있는 반면, 길이는 세로 스캔으로 측정할 수 있다. 여성에서는 각 갑상선의 상극은 갑상 연골의 높이에서 볼 수 있으며 남성에서는 더 낮은 높이에서 볼 수 있다. 갑상선엽의 너비는 가로 스캔에서 기도 모서리를 통과하는 가상의 수직선으로부터 갑상선 가장 외측까지의 최대 거리를 측정한다. 두께는 가로 스캔에서 갑상선 중앙 부위 가장 두꺼운 부분을 수직으로 측정한다. 세로 스캔에서 갑상선 길이는 상극부터 하극까지 최대 길이를 측정한다. 갑상선의 부피(mL)는 (너비 × 두께 × 길이)/6로 계산하며 전체 부피는 협부가 두꺼워져 있는 경우를 제외하고는 좌엽과 우엽의 합으로 계산한다. 좌, 우엽의 비대칭은 정상 범주이며 대개 좌엽이 좀 더 작다. 일엽무형성증(hemia-genesis)은 정상의 양성 변이로, 2,500명 중 1명의 빈도로 발생하며 무형성증의 95%는 좌엽에 발생한다고 한다. 신경은 일반적으로 보이지 않는다. 하지만 해부에 대한 정확한 이해가 있으면 그레이스케일 초음파와 도플러 이미지를 통해 신경혈관다발이 존재하는가의 여부를 확인할 수 있다.

4. 초음파검사 방법 Scanning techniques

검사의 정확도와 재현성을 높이기 위해서는 실시간 스캐닝을 정례적인 순서로 실시해야 한다. 초음파검사는 환자가 등을 대고 누운 상태에서 어깨 밑에 베개를 받혀 목을 젖힌 자세로 시행한다. 가로 스캔과 세로 스캔에서 중앙 경부와 외측 경부를 순서대로 체계적으로 검사하여야 한다. 탐촉자의 모양과 크기 및 주파수의 선택은 환자의 체형과 초음파검사의 적응증에 따라 선택한다. 선형(linear) 탐촉자는 곡선형(curved) 탐촉자에서 관찰되는 공간 왜곡이 없는 영상을 얻을 수 있으나 탐촉자의 크기에 따라 얻어지는 영상의 크기가 결정된다. 경부 초음파검사를 위해서는 3.5~5 cm 길이의 선형 탐촉자가 적당하다. 작은 곡선형 탐촉자는 복장뼈자루(manubrium)와 쇄골 주위 하부 목의 구조를 검사하는데 유용하다. 고주파수의 탐촉자는 표재성 조직에 대한 해상도는 좋지만 투과력이 얕다. 경부 초음파검사는 주로 고주파수 탐촉자를 사용하며 7.5~14 MHz 범위를 지닌 가변주파수 탐촉자가 유용하다. 비만 환자나 깊이 위치한 경부 구조물을 검사할 때는 저주파수를 사용할 수도 있다.

경부 초음파의 통상적인 검사 방법은 다음과 같다.[6]

먼저 갑상선과 윤상연골(cricoid cartilage)을 확인하기 위해 목을 촉진한다. 탐촉자를 갑상선과 윤상연골 사이 목의 중심에 가로로 놓는다. 검사를 시행하는 동안 일관된 영상을 얻기 위해서는 탐촉자를 피부와 직각되게 놓고 기관과 수직 또는 수평을 유지해야 한다. 갑상선 협부가 확인될 때까지 탐촉자를 아래로 내려가며 스캔한다. 협부의 크기와 결절 유무를 확인한다. 다음으로 우측

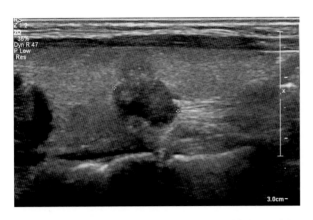

그림 5-2 | 주변조직에 비해 결절의 저에코성 소견을 볼 수 있다. 갑상선암

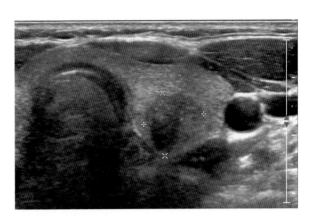

그림 5-3 | 미세석회화 소견 갑상선암

중앙 경부에서 우엽 상극의 위치를 확인하고 아래로 내려가며 갑상선 우엽을 스캔한다. 갑상선엽의 크기와 내부 에코 및 결절 유무를 확인한다. 동반된 림프절 종대와 부갑상선 질환도 동시에 확인한다. 갑상선엽의 너비와 두께를 앞서 설명한 방식으로 측정한다. 이후 탐촉자를 세로로 돌려 경동맥을 확인하고 내측으로 움직여가며 가로 스캔과 동일하게 갑상선엽의 크기, 내부 에코 및 결절의 유무와 동반된 림프절 종대와 부갑상선 질환의 여부를 확인한다. 갑상선의 길이도 앞서 설명한 방식으로 측정한다. 갑상선 좌엽도 같은 방법으로 스캔한다. 좌엽 검사 시에 후내방에 위치한 식도를 확인할 수 있다. 그런 다음 탐촉자를 우측 외측 경부의 상부, Level 2 위치에 놓고 경동맥과 경정맥을 확인한다. 탐촉자를 쇄골 방향으로 천천히 스캔해 내려가며 림프절 종대나 다른 질환의 여부를 확인한다. 이후 탐촉자를 경동맥과 평행하게 세로로 돌려 외측으로 움직이며 병변의 유무를 확인한다. 동일한 방법으로 좌측 외측 경부도 스캔한다.

1) 갑상선 결절의 초음파검사

갑상선은 갑상선 결절을 진단하는 데 가장 많이 사용된다. 초음파는 결절이 작아서 만져지지 않더라도 파악이 가능하다. 초음파는 악성이 의심되는 결절들을 비침습

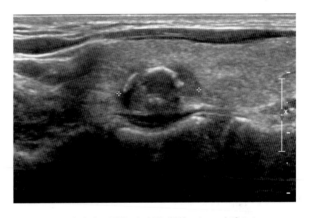

그림 5-4 | 결절의 표면을 따라 존재하는 rim calcification 갑상선암

적으로 파악할 수 있는 높은 감수성과 특이적인 기술이다. 또한, 초음파는 결절의 세침흡인 세포검사의 임상적 가치를 높이는데 사용될 수 있다.

초음파검사 단독으로는 갑상선 결절이 양성인지 악성인지 정확하게 판명할 수 없지만 임상의사들이 악성여부를 분류하는데 강력한 단서를 제공한다(표 5-1, 표 5-2). 결절이 악성인지를 알려주는 믿을만한 지표로는 암에서 가끔 보이는 혈관침습 소견이다. 그 외로는 초음파 에코정도(echo-density), 석회화, 가장자리의 왜곡(distortion of the rim), 혈관신생(vascularity) 등이 악성 혹은 양성의 진단에서 나타나는 특징적인 차이점이다.[7,8,9,10] 이들 중 하나의 초음파 소견만으로는 갑상

선 암 진단을 위해 시행되는 세침검사의 적응증으로 채택하기에는 부족하며 여러 개의 특징적 소견 즉 미세석회화, 키가 큰 형태, 불규칙한 표면, 탄력이 없는 것 등의 소견이 같이 동반되어야 악성의 가능성이 높다고 판단할 수 있다.

(1) 에코성 Echogenicity

갑상선 암은 주변 갑상선 정상조직과 대조적으로 저에코성을 보인다(그림 5-2). 초음파상 악성보다 더 흔히 발견되는 양성 결절도 저에코성인 경우가 많기 때문에 이것이 암을 구별하는 유용한 소견이라고 볼 수는 없지만 고에코성 결절인 경우에는 암일 가능성이 거의 없기 때문에 세침검사를 하지 않도록 권유되고 있다.[11]

(2) 석회화 Calcifications

미세석회화(microcalcification)의 존재가 바로 진단적의미를 갖지는 않지만 양성보다는 악성에서 더 자주 보이는 특징이다. 사종체(psammoma body)를 나타내는 미세석회화는 갑상선 암 환자에서 95.2%의 특이도를 보이나 59.3%의 낮은 민감도로 인해 정확도가 83.8% 정도라고 보고되고 있다. B-flow 초음파는 미세석회화를 감지하는데 탁월한 능력을 보이며 사진상 반짝거리는(twinkling) 것처럼 보일 수 있다(그림 5-3). 그러나, 크고 거친 석회

화나 결절의 표면을 따라 존재하는 석회화(rim calcification)는(그림 5-4) 모든 종류의 결절에서 흔히 볼 수 있는 소견이며 이전의 출혈이나 퇴행성 변화를 반영하기도 한다. 따라서 일부 암은 만성적이고 퇴행성 변화를 겪기 때문에 종괴의 말초 또는 내부에 크고 거친 석회화를 내포할 수 있다. 따라서, 오진을 피하기 위해서는 크고 거칠거나 달걀 껍질모양의 석회화 소견을 보이는 결절에서도 세침흡인세포검사를 시행하는 것이 필요할 수 있다. 한 연구결과를 보면 석회화는 갑상선암의 54%, 다결절성 갑상선종의 40%, 단일결절성 갑상선종의 14%, 여포선종의 12%에서 나타났다. 또한 40세 미만 환자의 단일 결절에서 석회화가 동반될 경우 악성종양일 확률이 40세 이상보다 높아 상대위험도가 3.8 대 2.5로 나왔다고 하였다.[8]

(3) 무리 Halo

양성이나 악성 종양 모두에서 결절 주변에 무리가 보일 수도 있는데 이는 초음파에 반향되지 않는 결절 주변의 음향경계면(interface)이 있다는 것을 암시한다(그림 5-5). 이것은 결절과 주변 갑상선이 다른 형태의 조직이라는 것을 암시하며 특히 무리의 말초부분이 흐릿한 모습(blurred appearance)을 보이면 더욱 암을 의심할 수 있다고 보고되고 있다.[8,12]

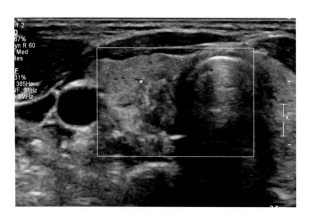

그림 5-5 | 결절주변의 무리(halo) 소견
갑상선암

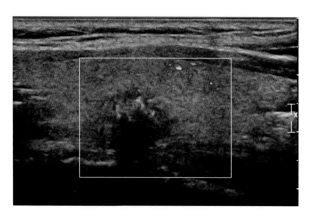

그림 5-6 | 불명확하고 불규칙한 결절의 경계
갑상선암

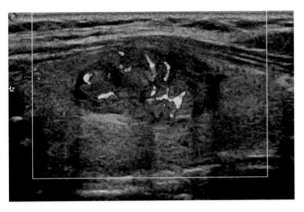

그림 5-7 | 결절의 중앙부분에 증가되어 있는 혈류 흐름 소견
갑상선암

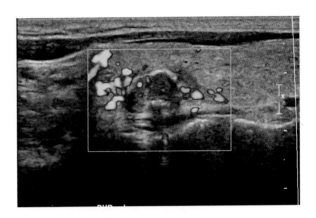

그림 5-8 | 결절 주변부에서 보이는 혈관 생성

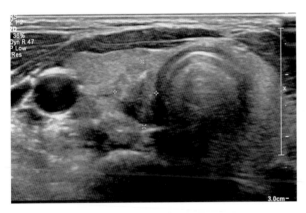

그림 5-9 | 키가 큰 형태의 결절(taller than wide)
갑상선암

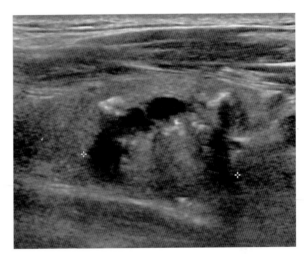

그림 5-10 | 결절의 대부분이 고형부분이며 낭포성공간이 한쪽으로 치우쳐 있는 소견
갑상선암

(4) 결절 경계 Nodule border

결절의 불명확하고 불규칙한 경계(그림 5-6)와 악성의 가능성, 유두암의 공격적인 특성에 대한 많은 연구가 진행되었다.[7] 한 연구에 의하면 155명의 갑상선암 환자 중 불명확한 경계를 보이는 경우가 21.5%였는데 이들은 경계가 분명한 결절을 보이는 환자에 비해 무병생존기간이 짧았으며 이러한 이유는 측경부 림프절 전이와 직접적으로 관련이 있다고 보고하였다.

(5) 혈류역학적 특성 Hemodynamic characteristics

결절 중앙부분에 혈액흐름(blood flow)이 증가하는 소견(그림 5-7)은 결절 주변부에서 보이는 혈관생성(그림 5-8)

보다 암일 가능성이 높다. 높은 해상도를 가진 도플러 초음파로 결절의 혈류역학적 특성을 분석하는 것은 수술 전 진단적 가치를 높이는데 도움이 되며 혈류 속도계(velocimetric) 분석결과 혈류속도는 선종보다 암에서 상당히 높게 나타나는 것으로 보고되고 있다.[13]

(6) 모양 Shape

일부 암은 한 면으로 자라 공 모양이 아닌 키가 큰 길죽한 모양을 띄는 경향이 있다. 그러므로 키가 큰(taller than wide) 형태를 가진 결절(그림 5-9)의 경우 악성을 의심해야 한다.

(7) 낭포성 공간 Cystic space

큰 양성 또는 악성 결절의 경우에는 출혈이나 낭종성 퇴행성 변화가 나타나는 경향이 있다. 낭종성의 갑상선 결절이 암과 관련이 있을 가능성이 있는 소견으로는 결절의 50% 이상이 고형 조직인 점, 낭포성 공간이 한쪽으로 치우쳐 있는 점(eccentricity), 미세석회화가 있는 점 등이다(그림 5-10).

초음파 소견은 세침흡인세포검사에서 "의심"이라는 결과가 나왔을 때 치료방법을 결정하는데 영향을 미친다는 점에서 의미가 있다. 한 연구결과를 보면 세침흡인세포검사에서 유두암이 의심되는 갑상선 결절을 가진 303명을 수술하였는데 수술 전 초음파검사의 양성 예측도는 94.9%, 음성 예측도는 80.9%였다고 보고하였다.

보고서 작성 예시

12-MHz 회색조 초음파를 이용하여 경부 초음파를 수행함. 갑상선 우엽의 크기는 5 × 2.5 × 4 cm, 좌엽의 크기는 5.2 × 3 × 3 cm, 협부의 두께는 0.3 cm, 우엽 상극에 1.5 × 1 × 1 cm의 결절이 확인됨. 결절의 특성은 저에코, 규칙적인 모양, 혈류 증가 없음, 석회화 소견 없음. 커져 있는 부갑상선 없음. 중앙 및 외측 경부에 림프절 종대 없음.

---

2) 부갑상선 선종 Parathyroid adenoma

부갑상선 질환에 대한 초음파검사는 반드시 검사실 검사가 선행되어야 한다. 부갑상선 기능 검사 확인을 통해 초음파검사의 위양성 결과를 줄일 수 있다. 일반적으로 정상 부갑상선은 초음파에서 보이지 않으나 부갑상선 기능항진증의 임상 소견이 있는 경우 초음파검사가 병변의 위치 결정에 도움을 줄 수 있다. 전형적인 부갑상선 선종은 세로축을 따라 눈물방울 모양을 하고 있으

표 5-1 | 갑상선 암의 가능성을 높이는 초음파 특징

1. 저에코성(hypoechoic)
2. 미세석회화(microcalcification)
3. 중심 혈관신생(central vascularity)
4. 불규칙한 주변부(irregular margins)
5. 불완전한 무리(incomplete halo)
6. 키가 크다 > 넓다(tall > wide)
7. 결절이 커지고 있다는 증거 (documented enlargement of a nodule)

표 5-2 | 갑상선 암의 가능성이 낮은 초음파 특징

1. 고 에코성(hyperechoic) (그림 5-11)
2. 크고 거친 석회화(수질암 제외)(Large, coarse calcifications)
3. 주변부 혈관생성(peripheral vascularity)
4. 중심 혈관생성이 없음(no hypervascular center)
5. 스펀지양 모습(spongiform appearance) (그림 5-12)
6. 혜성꼬리 모양의 그림자(Comet-tail shadowing)

며 저에코를 띤다. 도플러 검사에서 선종 내 혈관 줄기가 확인되나 종대된 림프절과는 달리 지방문은 관찰되지 않는다. 부갑상선 선종의 위치 결정을 위한 초음파검사는 검사자의 숙련도에 따라 다르지만 60~90%의 민감도를 보인다고 보고되고 있다. 목의 위치를 다시 잡거나 목의 중심부에 부드러운 압력을 가하면 이소성 부갑상선을 확인하는 데 도움이 된다. 부갑상선은 초음파검사만으로는 진단에 한계가 있으므로 병변의 위치를 좀 더 파악할 수 있는 다른 영상 검사의 도움이 필요할 수 있다. 부갑상선암은 매우 드물지만, 크기가 2 cm 이상이거나 주위 조직으로의 침습 또는 불규칙한 경계를 보이는 경우 의심해 볼 수 있다. 병변이 부갑상선 선종인지 다른 병변(즉, 갑상선 결절이나 림프절)인지 초음파로 구분

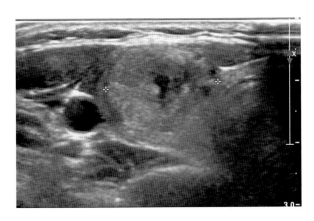

그림 5-11 | 고에코 결절 소견
갑상선 선종

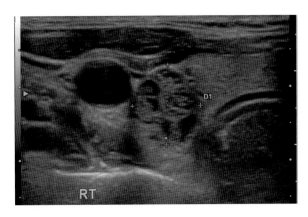

그림 5-12 | 스폰지 상 결절 소견
갑상선 양성 종양

하기 어려운 경우는 세침흡인세포검사를 통해 세척액의
부갑상선 호르몬 수치를 검사하여 확인한다.[4,6]

3) 림프절병 Lymphadenopathy

갑상선 결절과 마찬가지로, 경부 림프절의 전이 또는 악
성을 시사하는 특이한 초음파 소견들이 있다. 낭종성 변
화, 고에코, 주변부 혈류 증가, 지방문의 소실, 너비와 두
께의 비가 1보다 큰 경우 등의 소견이 있는 경우 악성을
의심할 수 있다(그림 5-13). 림프절 전이 의심 소견이 있
을 경우 악성 유무를 확인하기 위해 즉각적인 세침흡인
생검을 시행해야 한다.

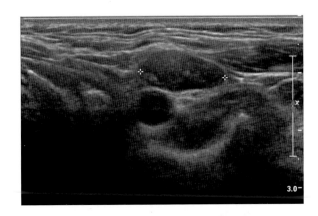

그림 5-13 | 측경부 림프절 전이

5. 초음파 유도하 시술 Ultrasound guided procedures

초음파는 경피적 시술의 안정성과 진단의 정확도를 높
이기 위해 사용될 수 있다. 초음파 유도하 세침흡인생검
의 가장 큰 장점은 정확한 바늘의 위치를 확인할 수 있
다는 것이다. 검사자가 경동맥과 경정맥의 손상의 위험
을 피해 목표하는 병변에 정확하게 바늘을 위치시킬 수
있다. 바늘을 삽입하는 방법은 탐촉자에 평행하게 넣는

방법과 탐촉자에 수직으로 넣는 방법이 있다. 대부분의
숙련된 검사자는 평행하게 삽입하는 방법을 선호하는데
이는 병변까지 바늘이 들어가는 전체 과정을 추적할 수
있기 때문이다. 갑상선 결절은 매우 흔한 질환으로 여러
권고안에서 생검의 적응에 대한 기준을 제시하고 있다.
흔히 인용되는 미국갑상선학회의 진료권고안은 표 5-3,
5-4에 상세히 기술하였다.

초음파 유도하 세침흡인생검을 시행하기 전에, 반드
시 출혈이나 약물에 관한 기왕력을 조사한 후 생검에 대
한 동의를 얻어야 한다. 진단 초음파검사와 마찬가지
로 환자가 등을 대고 누운 자세에서 어깨 밑에 작은 베
개를 받쳐 목이 살짝 젖혀지도록 한다. 이상적인 자세는

표 5-3 | 갑상선 결절의 진단을 위해 세침흡인세포검사가 추천되는 경우: 미국갑상선학회의 진료권고안

Thyroid nodule diagnostic FNA is recommended for:

- A) Nodules > 1 cm in greatest dimension with high suspicion sonographic pattern
  - Strong recommendation, Moderate-quality evidence
- B) Nodules > 1 cm in greatest dimension with intermediate suspicion sonographic
  - Strong recommendation, Low-quality evidence
- C) Nodules > 1.5 cm in greatest dimension with low suspicion sonographic pattern
  - Week recommendation, Low-quality evidence

Thyroid nodule diagnostic FNA may be considered for:

- D) Nodules > 2 cm in greatest dimension with very low suspicion sonographic pattern
  (e.g – Spongiform). Observation without FNA is also a reasonable option
  - Week recommendation, Moderate-quality evidence

Thyroid nodule diagnostic FNA is not required for:

- E) Nodules that do not meet the above criteria.
  - Strong recommendation, Moderate-quality evidence
- F) Nodules that are purely cystic
  - Strong recommendation, Moderate-quality evidence

검사자, 병변, 초음파의 스크린이 일렬로 늘어서 검사자가 가장 인체공학적인 접근을 할 수 있도록 하는 형태이다. 일반적으로 국소마취는 시행하지 않는다. 세포검사를 위해서는 유리 슬라이드, 세포 고정액, 10 cc 주사기와 23~27게이지의 바늘을 준비한다. 검사자는 바늘을 삽입하기 전에 바늘이 삽입될 부위의 피부를 눌러봄으로써 바늘의 궤적을 미리 감지할 수 있다.

탐촉자에 평행하게 바늘을 삽입할 때는 가로 스캔에서 탐촉자의 좁은 축의 중심에 맞추어 바늘을 삽입한 후 바늘의 궤적을 실시간으로 확인한다(그림 5-14). 이 방법은 병변과 바늘의 위치를 좀 더 잘 확인할 수 있다는 점에서 매우 추천할 만하다.

탐촉자에 수직으로 바늘을 삽입할 경우에는 세로 스캔으로 검사할 병변의 위치를 확인하고 탐촉자의 긴 축의 중간 지점에서 병변으로 바늘을 삽입한다. 이 방법은 바늘의 끝만 관찰되므로 바늘을 병변에 삽입하는 과정은 확인할 수 없어 주의를 요한다.

병변 내에 바늘의 위치를 확인한 후 주사기를 당겨

표 5-4 | 갑상선 결절의 초음파 패턴에 따른 악성 위험과 세침흡인세포검사 추천: 미국갑상선학회의 진료권고안

초음파 패턴	초음파 소견	악성 위험	FNA 시행크기(최대 장경)
High suspicion	Solid hypoechoic codule or solid hypoechoic component of a partially cystic codule with one or more of the following features: irregular margins (infiltrative, microlobulated), microcalcification, taller than wide shape, rim calcifications with small extrusive soft tissue component, evidence of extrathyroidal extension	> 70~90%*	Recommend FNA at > 1 cm
Intermediate suspicion	Hypoechoic solid nodule with smooth margins without microcalcifications, extrathyroidal extension, or taller than wide shape	10~20%	Recommend FNA at > 1 cm
Low suspicion	Isoechoic or hyperechoic solid nodule, or partially cystic nodule with eccentric solid areas, without microcalcification, irregular margin or extrathyroidal extension, or taller than wide shape	5~10%	Recommend FNA at > 1.5 cm
Very low suspicion	Spongiform or partially cystic nodules without any of the sonographic features described in low, intermediate or high suspicion patterns	< 3%	Consider FNA at > 2 cm Observation without FNA is also a reasonable option
Benign	Purely cystic nodules (no solid component)	< 1%	No biopsy**

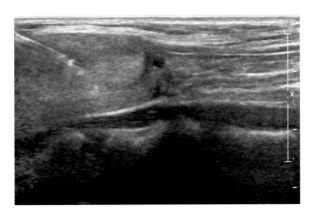

그림 5-14 | 갑상선 결절에 대한 세침흡인검사 중 실시간으로 바늘의 궤적을 확인한다.

음압을 가하고 바늘을 부드럽게 움직여가며 흡인한다. 주사기에 흡인물이 보이면 음압을 풀고 바늘을 뺀다. 주사기에서 바늘을 빼고 공기를 약간 넣은 후 바늘을 다시 연결하여 흡인물을 유리 슬라이드 위에 뿌린다. 슬라이드는 즉시 고정하여야 한다. 고정이 늦어져 공기 중 건조되면 인공물이 생겨 판독이 어려워질 수 있다.

REFERENCES

1. Blum M.Evaluation of Thyroid Function; Sonography, Computed Tomography and Magnetic Resonance Imaging. In: Becker KL, ed. Principles and Practice of Endocrinology and Metabolism. Philadelphia, Pa.: Lippincott Co.; 1990:289-93.

2. Ishigaki S, Shimamoto K, Satake H, Sawaki A, Itoh S, Ikeda M, Ishigaki T, Imai T 2004 Multi-slice CT of thyroid nodules: comparison with ultrasonography. Radiat Med 22:346.

3. Butch RJ, Simeone JF, Mueller PR 1985 Thyroid and parathyroid ultrasonography. Radiol Clin North Am 23:57.

4. Leopold GR 1980 Ultrasonography of superficially located structures. Radiol Clin North Am 18:161.

5. Clark KJ, Cronan JJ, Scola FH 1995 Color Doppler sonography: anatomic and physiologic assessment of the thyroid. J Clin Ultrasound 23:215.

6. Foley WD.Color doppler flow imaging. Boston: Andover Medical Publishers; 1991.

7. Shapiro RS 2003 Panoramic ultrasound of the thyroid. Thyroid 13:177.

8. Simeone JF, Daniels GH, Mueller PR, Maloof F, vanSonnenberg E, Hall DA, O'Connell RS, Ferrucci JT, Jr., Wittenberg J 1982 High-resolution real-time sonography of the thyroid. Radiology 145:431.

9. Cappelli C, Castellano M, Pirola I, Cumetti D, Agosti B, Gandossi E, Agabiti Rosei E 2007 The predictive value of ultrasound findings in the management of thyroid nodules. Qjm 100:2964.

10. Moon WJ, Jung SL, Lee JH, Na DG, Baek JH, Lee YH, Kim J, Kim HS, Byun JS, Lee DH, Thyroid Study Group KSoN, Head, Neck R 2008 Benign and malignant thyroid nodules: US differentiation–multicenter retrospective study. Radiology 247:76265.

11. Scheible W, Leopold GR, Woo VL, Gosink BB 1979 High-resolution real-time ultrasonography of thyroid nodules. Radiology 133:413.

12. Solbiati L, Cioffi V, Ballarati E 1992 Ultrasonography of the neck. Radiol Clin North Am 133:413.

13. Yoon DY, Lee JW, Chang SK, Choi CS, Yun EJ, Seo YL, Kim KH, Hwang HS 2007 Peripheral calcification in thyroid nodules: ultrasonographic features and prediction of malignancy. J Ultrasound Med 26:1349.

14. Solivetti FM, Bacaro D, Cecconi P, Baldelli R, Marandino F 2004 Small hyperechogenic nodules in thyroiditis: usefulness of cytological characterization. J Exp Clin Cancer Res 23:43370.

15. Kakkos SK, Scopa CD, Chalmoukis AK, Karachalios DA, Spiliotis JD, Harkoftakis JG, Karavias DD, Androulakis JA, Vagenakis AG 2000 Relative risk of cancer in sonographically detected thyroid nodules with calcifications. J Clin Ultrasound 28:34772.

16. Propper RA, Skolnick ML, Weinstein BJ, Dekker A 1980 The nonspecificity of the thyroid halo sign. J Clin Ultrasound 8:12974.

17. Ito Y, Amino N, Yokozawa T, Ota H, Ohshita M, Murata N, Morita S, Kobayashi K, Miyauchi A 2007 Ultrasonographic evaluation of thyroid nodules in 900 patients: comparison among ultrasonographic, cytological, and histological findings. Thyroid 17:1269.

18. Kim JY,Jung SL,Kim MK,Kim TJ,Byun JY. 2015. Differentiation of benign and malignant thyroid nodules based on the proportion of sponge-like areas on ultrasonography: imaging-pathologic correlation.Ultrasonography.Apr 23: [Epub ahead of print].

갑상선 핵의학 영상진단

Nuclear Imaging of the Thyroid Gland

┃ 충북대학교 의과대학 내분비내과/핵의학과 **궁성수**

갑상선의 생리 연구 및 치료는 1937년 [131]I이 발견 된 이후, 갑상선 핵의학과 그 발전을 함께 해왔다. [99m]Tc 이 발견된 이후, 갑상선 질환의 진료에 널리 이용되었으며, 1958년 Anger의 감마카메라가 개발되면서, 방사성의약품의 전신적 분포를 영상화 할 수 있게 되면서 갑상선암의 영상진단과 방사성요오드 치료가 활성화되었다.

최근에는 영상기술들의 발달로 방사성 의약품을 통한 기능적 정보와 해부적 정보를 동시에 제공해주는 SPECT/CT와 PET/CT의 이용이 늘고 있다. 본 챕터에서는 갑상선환자에서 현재 사용되고 있는 핵의학적 영상법을 살펴보고, 임상 응용을 알아보고자 하였다.

1. 갑상선스캔에 사용되는 방사성핵종

1) 방사성요오드

갑상선스캔에 사용하는 방사성요오드는 ^{131}I, ^{123}I, [124]I 등이 있다. 방사성요오드는 갑상선세포의 Sodium Iodide Symporter (NIS)를 통해 능동적으로 유입되며, 갑상선 호르몬 합성에 사용된다. 이러한 특성을 이용하여 방사성요오드는 갑상선 기능 평가에 널리 사용되어 왔다.[1]

분화된 갑상선암은 일정 부분 갑상선세포의 특성을 유지하고 있으며, 정상 갑상선 세포와 같이 방사성요오드는 갑상선암세포 내로 유입된다. 이런 갑상선암세포의 특성을 이용하여 방사성요오드는 분화된 갑상선암의 영상 진단과 치료에 이용되고 있다.[2]

(1) [131]I은 갑상선 질환의 진단과 그레이브스병 및 분화된 갑상선암 환자의 치료와 암 재발 진단을 위해 전통적으로 널리 쓰이고 있는 방사성요오드이다. 원자로에서 생산되며, 비교적 값이 싼 편으로, 감마선과 베타선을 모두 방출하며 반감기는 8.1일이다. 주 감마선이 비교적 높은 에너지인 364 keV으로 산란 현상이 많이 발생하여 영상의 질이 떨어진다는 단점이 있으며, 진단적 목적으로 사용할 경우 베타선에 의한 갑상선암세포의 "기절현상"이 보고되어 최소량을 사용할 것을 권고하고 있다.[3] 갑상선 세포의 생리학적 변화를 잘 반영하는 장점이 있지만 긴 반감기와 강한 방사능 등의 물리적 특성에 따른 제약이 있다.

(2) [123]I은 싸이클로트론에서 생산되며, [131]I 보다 생산 비용이 비싼 방사성요오드이다. 주 감마선 에너지가 159 keV로 영상의 질이 좋고, 반감기가 13.3시간으로 영상검사에 적절한 핵종이다. 또한 베타선을 방출하지 않아, 기절현상을 일으킬 위험이 낮은 장점이 있다. 이러한 이유로 최근 진단목적의 스캔에서 [123]I 이용이 증가하는 추세이다.

(3) [124]I는 PET용 방사성 핵종으로 감마에너지가 511

keV이고, 반감기가 4.18일이다. [124]I PET 혹은 PET/CT는 [131]I 혹은 [123]I을 이용한 감마스캔에 비해 높은 공간해상력과 민감도를 가지고 있어, 갑상선암의 재발 진단에서, [124]I을 이용한 PET의 사용에 대한 임상연구가 활발히 진행 중이다. 또한, [124]I는 정량적 평가가 가능하여 [131]I 혹은 [123]I으로 할 수 없었던 요오드 동역학(Iodine kinetics)에 대한 정량적 분석을 가능하게 해주며, CT를 이용하여 해당 병변의 부피를 계산할 수 있어서, 향후 방사성요오드 용량 결정을 위한 방사선량분석에 사용될 수 있을 것으로 생각된다.

2) [99m]Tc-과산화테크네슘 ^{99m}Tc-pertechnetate

[99m]Tc-과산화테크네슘은 Sodium Iodide Symporter (NIS)에 의하여 갑상선 세포 내로 포획이 되는 영상추적자로 주 감마에너지가 140 keV이고, 반감기가 6시간으로 영상을 촬영하기에 적절한 물리적인 특성을 갖고 있어 갑상선 질환의 감별 진단에 널리 이용되고 있다. 그러나, 방사성 요오드와 같이 유기화되지 않고 비교적 빨리 다시 배출 되기 때문에 갑상선암 재발진단을 위한 전신스캔용 추적자로는 적당하지 않다.

3) [18]FDG-PET/CT

[18]F은 PET용 방사성 핵종으로 감마에너지가 511 keV이고, 반감기가 110분이다. 일반적으로 여러 암종의 진료와 관련하여 병기 결정, 재발 진단 등에 많이 이용되고 되고 있다. 그 결과 [18]FDG-PET/CT 검사에서 갑상선우연종이 드물지 않게 발견되고 있으며, 갑상선암의 진료에서 전이 진단 및 예후 판정에서 방사성요오드전신스캔에 상호 보완적인 역할이 있다.

2. 체내 갑상선기능검사 Thyroid Function Test

1) 방사성요오드섭취율 radioactive iodine uptake; RAIU

요오드가 갑상선세포에 섭취되는 대사기능의 활성도를 반영하는 지표로 갑상선의 전반적인 기능상태를 직접적으로 알아보는 검사이다. 주로 갑상선 중독증의 감별 진단을 위해 시행되며, 갑상선기능항진증에서 방사성 요오드의 치료 용량 계산을 위해서도 시행된다. 아급성 갑상선염, 무통성갑상선염의 진단, 전반적인 갑상선기능상태파악 등에도 사용된다.

소량의 방사성요오드를 경구 투여하고 24시간 후에 갑상선의 방사능치를 측정하여 방사성요오드섭취율을 구하게 된다. 정상인에서 갑상선 방사능치는 방사성요오드 투여 후 점차적으로 증가하여 12~24시간에 평형을 이룬다. 대부분의 경우 24시간 방사성요오드섭취율를 구하지만 4시간 값을 구하거나, 혹은 4시간, 24시간 방사성요오드섭취율를 모두 구하는 경우가 있다.[4]

우선 검사실의 배경 방사능치를 확인한 후, 정량의 방사성 요오드의 카운트를 표준 거리에서 측정한다. 표준 분당 계수 측정 후 정량의 방사성 요오드를 환자에게 투여 후 적절한 시간 간격으로 환자 목 앞쪽에서 카운트를 측정 하게 되며, 대퇴부의 카운트를 함께 재어서 배경 방사능치를 보정한다.

방사성요오드섭취율(%) = (목의분당계수 - 대퇴부의분당계수)
/ 표준분당계수 x 100

방사성요오드섭취율의 정상 범위는 4~6시간에 약 4~15%이며 24시간에 10~30% 정도이나, 복용하는 약물 및 식사로 섭취하는 요오드의 양에 따라 다양한 값을 보인다. 또한 TSH 투여, 갑상선 호르몬이나 항갑상선제 사용, 아급성 갑상선염의 급성기 및 회복기등에서도 방사성요오드섭취율이 변화할 수 있으므로 주의가 필요하다.

갑상선기능항진증 환자의 일부에서는 방사성요오드

가 비교적 빨리 갑상선호르몬 생성에 이용된 후 혈액에 방출되어, 조기 섭취율은 높지만, 24시간 섭취율은 정상 범위로 감소될 수 있다. 이 경우 2, 4, 6시간 섭취율 측정이 도움이 된다. 프로브를 사용하는 경우에는 소량의 ^{131}I (5~20 uCi)를 이용하나, scan이 필요한 경우에는 ^{123}I의 스캔 용량(400 uCi)을 이용하여 시행한다.

2) ^{99m}Tc-과산화테크네슘 갑상선 섭취율 검사

^{99m}Tc-과산화테크네슘을 정맥주사하고 20분 후에 목과 대퇴부에서 방사성요오드섭취율 검사와 같은방법으로 방사능을 계측하고 계산한다. 정상값은 1.7~4% 범위에 있다. 방사성요오드섭취율 검사에 비하여 방사능 피폭이 작고, 20~30분 만에 간편하게 시행할 수 있는 장점이 있다. 그러나, 요오드의 유기화 과정을 반영하지 못해 방사성요오드섭취율에 비해 정확성이 떨어지는 단점이 있다.

3) 과염소산방출시험 Perchlorate discharge test

요오드의 유기화 과정 장애를 확인하는 검사이다. 공복 상태에서 20 uCi의 ^{131}I을 경구 투여하고 2시간 뒤에 방사성요오드섭취율을 측정한 뒤, KClO4- 1 g을 경구 투여 한 다음 30분 간격으로 방사성요오드섭취율을 측정하여 15% 이상 감소되면 요오드의 유기화 과정에 장애가 있는 것으로 판독한다. 하시모토 갑상선염, 갑상선 과산화효소 결핍에 의한 선천성갑상선종, 항갑상선제 투여 중인 경우 등에서 양성으로 나타난다.

4) T3 억제시험 T3-Suppression test

이 검사는 뇌하수체-갑상선 축의 이상 여부를 알아보는 검사법으로, 경도의 갑상선기능항진증 진단, 갑상선기능항진증의 치료 후에 관한 여부 판정에 이용되었다.

기저치로 갑상선의 방사성요오드섭취율 검사하고 이어서 T3 75~100 µg/day를 7~10일간 경구 투여한 후 다시 요오드 섭취율을 측정하여 양자를 비교한다. 정상에서는 T3 투여 후 요오드 섭취율이 투여 전에 비하여 50-60% 이상 감소하나, 자율기능성 갑상선에서는 억제되지 않는다. 그러나, 검사 방법이 복잡하고 정확한 TSH 측정법이 개발됨에 따라 TSH 측정이나 TRH 자극시험으로 대체되고 있다.

3. 갑상선스캔

^{131}I, ^{123}I 및 ^{99m}Tc-과산화테크네슘이 사용된다. 임상적으로는 ^{99m}Tc 발생기로부터 쉽게 구할 수 있고, 해상도가 좋은 영상을 얻을 수 있으며, 비교적 저렴한 ^{99m}Tc-과산화테크네슘의 사용이 가장 많다. 고해상도 영상을 촬영하기 위하여 바늘구멍조준기를 사용하며, 병변 위치의 정확한 확인을 위해 사위면을 촬영하기도 한다. ^{99m}Tc-과산화테크네슘은 유기화 과정을 거치는 요오드와는 달리 세포 내 섭취가 된 후, 비교적 빠른 시간에 다시 배출되므로, 종양의 전이 혹은 재발 소견을 평가하기 위한 진단법으로는 적당하지 않다. ^{99m}Tc-과산화테크네슘 스캔에서도 갑상선 암의 림프절과 폐 전이 병소에서 섭취가 증가되는 증례는 있었으나, 방사선 요오드 치료 후 전신스캔과 비교하여 낮은 진단성능이 보고되어, 갑상선 암이나, 수술 후의 전이 병소를 확인하기 위해서는 반드시 ^{123}I 혹은 ^{131}I scan을 시행하여야 한다.

대한갑상선학회에서는 갑상선 결절이 발견되었을 때, TSH 레벨이 정상보다 낮으면, 갑상선 스캔을 시행 할 것을 권고하고 있다.[3]

1) 방법

^{131}I 50~100 µCi를 경구투여하고 24시간 후에 촬영한

다. ^{99m}Tc-과산화테크네슘을 사용하는 경우는 5~10 mCi를 정맥주사하고 10~20분 뒤에 바늘구멍조준기(Pinhole collimator)가 달린 감마카메라로 촬영한다. 바늘구멍조준기를 쓰면 조준기와 갑상선의 거리에 따라 갑상선영상의 크기가 변하기 때문에 마커를 이용하기도 한다. 타액에 있는 ^{99m}Tc-과산화테크네슘 때문에 갑상선 추체엽의 구별이 어려운 경우에는 물을 마시게 하여 식도 내의 타액을 내려가게 한 뒤 재촬영을 한다. 이소성갑상선을 찾는 경우에는 혀 밑에서 종격동까지 스캔범위를 넓혀서 시행한다. 스캔을 시행하기 전에 목을 촉진하여 갑상선을 확인하고, 스캔 소견과 비교하여 판독 하는 것이 좋다.

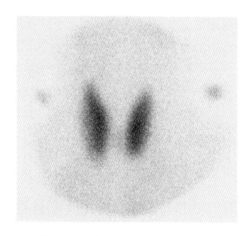

그림 6-1 | 정상 갑상선스캔

2) 갑상선스캔의 적응증

    A. 갑상선중독증/기능항진증 감별진단
    B. 갑상선 결절의 기능평가
    C. 갑상선염의 경과관찰
    D. 이소성 갑상선 진단
    E. 흉골하종양의 감별진단
    F. 선천성 갑상선기능저하증의 감별진단

3) 정상스캔소견

갑상선 스캔을 체계적으로 해석하려면 갑상선 크기와 섭취 및 국소 이상을 차례로 확인해야 한다. 크기는 마커 및 바늘구멍조준기의 배율을 이용해 추정할 수 있지만, 입체적 구조의 2차원적인 스캔의 촬영 특성상 정확한 측정에는 제한이 있다. 환자 병력, 갑상선 기능검사, 촉진, 초음파검사 및 요오드 섭취율 검사를 고려하여 해석해야 한다. 정상 갑상선은 경계가 뚜렷하고 균등한 방사능 섭취를 보인다. 외측경계는 직선이거나 볼록하다. 오목한 경우에는 외인성병변의 가능성을 고려한다. 내측으로 협부에 의하여 다른 쪽 엽과 연결된다(그림 6-1). 침샘은 ^{99m}Tc-과산화테크네슘 스캔에서 정상소견으로 관

찰나, ¹²³I 스캔의 4시간 영상에서는 washout 되어 잘 관찰되지 않는다.

4) 비정상 갑상선스캔소견

(1) 갑상선 결절

갑상선 결절의 기능평가와 결절의 다발성 여부를 감별하기 위하여 갑상선스캔을 시행한다. 결절은 방사능 섭취 양상에 따라 냉, 온, 열결절로 나뉜다. 갑상선 결절은 상당히 흔하여 부검상 약 50%에서 발견된다는 보고가 있으며 약 4%에서 촉진된다. 나이가 들면서 결절이 많아지고 여자에서 더 흔하게 발견된다.

① 냉결절

갑상선 결절 내 방사능 섭취가 없거나 현저히 감소되어 있는 경우(그림 6-2)로 원인은 낭종성변성, 양성종양, 악성종양, 갑상선염, 갑상선의 섬유화 또는 석회화, 선종양 갑상선종 등이다.

    냉결절의 경우 15~25%에서 갑상선암이 발견된다. 작은 냉결절이 주위 정상 갑상선조직에 가려서 온결절로 오인되는 경우에는 사위면으로 스캔을 하면 냉결절을 찾을 수 있다.

그림 6-2 | 갑상선 냉결절

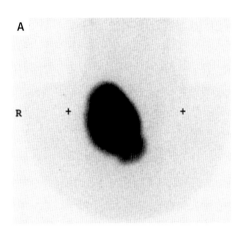

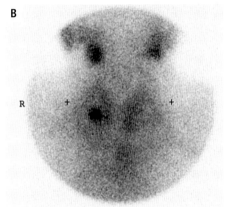

그림 6-3 | **A. 열결절 및 B. 온결절**

② 온결절 및 열결절

정상 갑상선조직에 비해 결절부위의 방사능섭취가 상대적으로 증가한 경우를 열결절 혹은 온결절이라고 한다. 방사능섭취가 결절에만 국한되고 정상조직은 섭취가 억제된 경우에는 열결절(그림 6-3A)이라고 하고, 정상조직에 정상적인 섭취가 있는 경우에는 온결절(그림 6-3B)이라 한다.

온결절 및 열결절이 확인 되었을 경우, 결절이 자율적으로 갑상선호르몬을 생산하는지를 확인하는 것은 치료방침을 결정하는데 중요하다. 자율기능성결절인 경우 대부분 선종 등의 양성종양이며 악성의 가능성이 매우 낮다. 열결절의 1~2%, 온결절의 4%에서 갑상선암이 발견 되는 것으로 알려져 있다.

자율기능성결절여부를 구분하기 위하여 다음 두 가지 방법을 사용할 수 있다. 첫째, 결절이 결절 외 정상 갑상선 조직 내 방사능 섭취를 동반하는 경우에는 T3 억제시험을 시행한다. T3 75~100 μg/day를 7~10일간 투여 후 재 스캔을 하여 정상 조직 내 방사능섭취가 억제되고 결절 내 방사능섭취에는 변화가 없는 경우 자율기능성 결절로 진단한다. 만약 T3 억제시험에 결절과 정상조직 내 방사능섭취가 모두 억제되면 대상성 비후로 진단한다. 둘째, 열결절이 결절 외 정상 조직 내 방사능섭취를 동반하지 않은 경우에는 TSH를 근육주사하고 갑

상선스캔을 다시 하여 정상조직의 섭취가 회복되는 것으로 자율기능성 결절임을 확인할 수 있다. 그러나 이러한 검사는 번거롭거나 고가의 TSH를 사용해야 하므로 TRH 자극검사 및 갑상선 초음파검사로 대체되고 있다. TRH 자극 검사에서 정상적인 TSH 증가 반응을 보이지 않으면 자율기능성결절로 진단할 수 있다.

갑상선 결절 중 일부는 요오드 유기화 과정에 장애가 있어 ^{99m}Tc-과산화테크네슘 스캔에는 열결절로 보이지만 방사성요오드스캔에는 냉결절로 보이는 경우가 있다. 요오드를 섭취할 수는 있으나 유기화 할 수 없어 결절에서 다시 혈액으로 요오드가 빠져나가기 때문에 일어나는 현상이다. 열결절의 정확한 진단을 위해서는, 반드시 방사성요오드스캔으로 유기화 과정을 확인하는 것이 필요하다.

(2) 갑상선기능항진증/중독증

임상적으로 갑상선기능항진증 및 중독증을 보이는 환자에서는 갑상선스캔과 갑상선요오드섭취율을 측정하는 것이 감별진단과 치료에 중요한 역할을 한다.

그레이브스병에서 갑상선 스캔은 필수적이진 않으나, 감별 진단을 위하여 시행한다. 스캔 소견은 비대해진 갑상선에 미만성 섭취 증가를 보인다(그림 6-4). 또한 요오드섭취율을 측정하여 방사성요오드 치료 시에 그 용량을 결정하는 데에 쓰기도 한다.

독성다결절성갑상선종을 가진 환자는 스캔상 균일하지 않은 섭취양상을 보이며 여러 개의 열결절이 나타난

다(그림 6-5).

임상적으로 갑상선중독증을 보이나 갑상선스캔에서 갑상선 섭취가 낮으면 아급성갑상선염등과 같이 갑상선세포 파괴로 인한 갑상선중독증 혹은 아미오다론(Amiodarone) 투여와 관련된 갑상선중독증 등을 의심할 수 있다.

(3) 갑상선기능저하증

갑상선스캔에서 갑상선섭취가 감소한 경우 갑상선기능저하증을 의심하게 되나 체내 요오드의 증가나, 갑상선염, 항갑상선제 치료, 갑상선호르몬치료등 에서도 섭취 감소가 나타날 수 있으므로 진단에 주의를 요한다. 선천성갑상선기능저하증의 진단에 있어서 갑상선조직의 존재를 확인하는데 갑상선스캔이 사용될 수 있다.

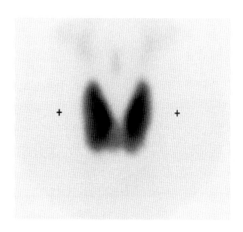

그림 6-4 | 그레이브스병

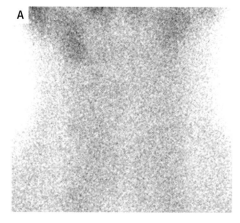

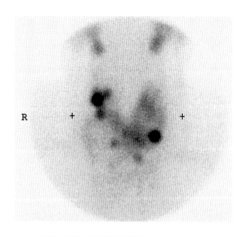

그림 6-5 | 독성 다발성 갑상선 결절

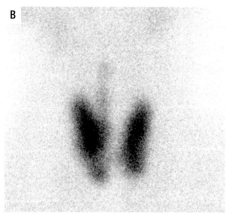

그림 6-6 | 아급성갑상선염의 급성기(A)와 6주 후 회복기(B) 갑상선 스캔 소견

(4) 갑상선염

갑상선염은 급성, 아급성, 만성으로 나눌 수 있다. 급성 갑상선염은 세균이나 바이러스에 의하여 생기고 때로 농양이 되어 냉결절로 보이기도 한다. 아급성 갑상선염은 상기도 감염 후에 나타나며 초기에 압통이 있는 갑상선종을 보인다. 스캔소견은 시기에 따라 다양하여 급성기에는 갑상선이 보이지 않고 요오드섭취율이 현저히 떨어진다. 회복기에는 갑상선내 방사능섭취가 점차 증가되며 요오드섭취율도 정상 혹은 그 이상으로 증가한다(그림 6-6).

일부 환자에서는 처음에 한쪽만 침범하였다가(그림 6-7A), 수 일 또는 수 주 후에 반대쪽 엽도 침범하는 경우(creeping type, 그림 6-7B)가 있다. 3~6개월 후 회복되면서 스캔도 정상(그림 6-7C)으로 된다.

무통성갑상선염과 산후갑상선염의 스캔소견은 아급성갑상선염과 유사한 경과를 밟는다(그림 6-8).

임상적으로 만성갑상선염이 가장 흔하며, 하시모토 갑상선염이 대표적이다. 스캔소견은 갑상선이 크고 섭취가 감소되어 있거나 불균등하여 울퉁불퉁한 모양을 보인다(그림 6-9). 때로 냉결절을 보이기도 하고 갑상선이 위축되어 갑상선 형성부전과 유사하게 보이기도 한다. 비교적 짧은 시간에 갑상선기능저하증으로 진행된 경우

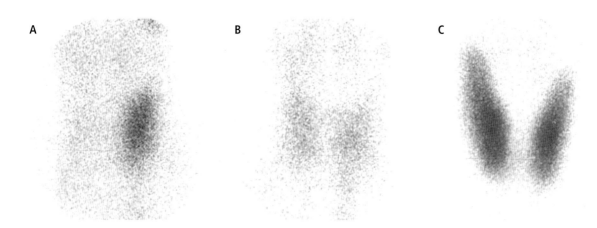

그림 6-7 | Creeping type 아급성갑상선염의 시간에 따른 변화

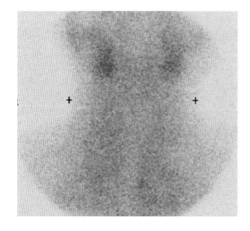

그림 6-8 | 산후갑상선염

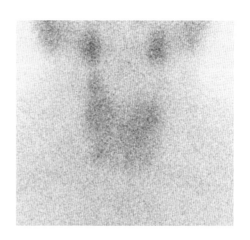

그림 6-9 | 하시모토 갑상선염

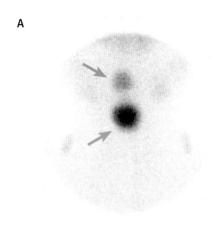

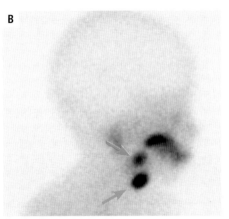

그림 6-10 │ 이소성갑상선종. 전면영상(A) 및 측면영상(B)에서 설하(파란색화살표) 및 전후두(초록색 화살표)의 이소성갑상선종이 관찰된다.

에는 갑상선 내 섭취가 증가되고 분포도 균일하여 그레이브스병 스캔소견과 비슷한 경우가 있다. 이는 상승된 TSH 자극에 반응할 수 있는 조직이 충분함을 시사한다.

(5) 이소성 갑상선

이소성 갑상선으로는 설갑상선, 종격동갑상선, 난소갑상선종이 있다.

갑상선은 태생기에 혀의 기저부에서 발생하여 아래로 내려오는데 선천적인 이상으로 혀의 기저부에 남아 있는 경우를 설갑상선이라고 하며 이때 스캔상 혀의 기저부에 방사능섭취가 나타난다(그림 6-10).

종격동갑상선종은 갑상선종이 상부 종격동으로 내려온 것으로 흉부 방사선에서 종격동 종양으로 우연히 발견되는 경우가 많다. 스캔상 상부종격동에 방사능섭취가 발견되며 갑상선과 연결되어 나타난다. 종격동 갑상선종의 진단을 위해서는 흉곽조직과 흉골에 의한 방사능감쇠를 고려하여 감마선에너지가 큰 ^{131}I 스캔을 시행하는 것이 좋다.

4. 방사성 요오드 전신스캔

1) 시행방법 및 해석

방사성요오드 치료나 진단스캔을 시행하기 전에 종양의 방사성요오드 섭취 증가를 위한 TSH 자극이 필요하며, 약 1~2주간의 저요오드 식이(하루 50ug 미만)가 권장된다. 내인성 TSH 자극을 위해서는 환자는 레보티록신(L-T4)를 3~4주간 중단하거나, 2~3주간 L-삼요오드티로닌(LT3)로 변경하여 사용한 후 최소한 2주간 중단한다.[18-26] 유전자재조합 인간 TSH (rhTSH)를 사용할 경우 0.9 mg을 2일 간 근육 주사한다.

방사성요오드 치료 혹은 진단스캔의 준비에서 TSH를 30 mIU/L 이상으로 유지하는 것이 일반적인 목표이다.[27] 현재로서는 장기적인 결과에 영향을 미치는 적절한 TSH 농도는 불확실하나, 임상적으로는 TSH가 30 mIU/L 이 상으로 상승되는 것을 목표로 하고 있다.

설문을 통해 평가한 삶의 질은 L-T4나 L-T3의 중단보다는 rhTSH를 사용한 경우에 더 좋았으나,[29] 잔여갑상선 제거 성공률은 비슷하였다. 현재로서는 장기적인 결과에 영향을 미치는 적절한 TSH 농도는 불확실하나, 임상적으로는 TSH가 30 mIU/L 이상으로 상승되는 것을 목표로 하고 있다.

진단적 전신스캔 촬영에는 방사성 요오드 ^{131}I (2-4 mCi) 혹은 ^{123}I (10-30 mCi)를 사용하여 시행한다. ^{123}I은

^{131}I에 비하여 방사선피폭량이 적고 해상도가 좋은 영상을 얻을 수 있어 선호된다. ^{123}I은 상대적으로 짧은 반감기(13시간)로 인해 6~48시간 영상을 획득 하며, 보통의 경우 24시간에 영상을 얻는 것이 적절하다. ^{131}I은 반감기가 8일로 표적/주위조직섭취비율(target to background ratio)의 최적화를 위해 ^{131}I를 경구 투약 후 24~72시간 이후에 찍는 경우가 많다. ^{131}I 치료 후 전신 스캔은 진단적 전신스캔과 같은 방법으로 방사성요오드 투여 후 3~7일 사이에 시행한다. 방사성요오드 치료 후 1주일에 촬영한 영상이 환자의 예후와 부가적 검사가 필요한 환자를 감별하는데 도움을 준다는 보고가 있다.[4]

(1) 소견 및 해석

정상적으로 타액선, 위, 대장, 신장, 흉선, 유방 및 방광 등의 장기에 집적될 수 있으며, 감염이나 염증 병소에도 섭취가 되어 위양성으로 나타날 수 있으므로 판독에 주의를 요한다. 평면 스캔에서는 생리적인 섭취 및 타액과 소변에 의한 오염이 병적 섭취로 오인 될 수 있다.[30] 갑상선암의 전이는 주로 목 주위의 림프절이나 폐나 뼈에 흔하다. 평면스캔은 해부적 해상도가 낮아 예민도가 낮은 제한점이 있으며, 진단적 방사성요오드 전신스캔에서 비정상적인 섭취 소견이 관찰되면, 치료 방침의 결정을 위해 SPECT 혹은 CT와 같은 다른 영상기술을 이용하여 섭취 증가 부위를 국소화시키는 것이 향후 치료방향 결정에 도움을 준다.

임상적으로 갑상선암 병변이 의심되나, 진단적 방사성요오드 전신스캔에서 비정상적인 섭취 소견이 관찰되지 않을 경우엔 혈관조영제나 Amiodarone과 같은 요오드를 함유한 약제에 의해 방사성요오드의 섭취가 영향을 받았는 지를 조사하여야 하며, 검사 전 부적절한 준비로 인해 TSH 의 상승이 부족하였는가를 확인하여야 한다.[31]

방사성요오드 치료 후 전신스캔에서, 간의 미만성 섭취증가는 자주 관찰되며, 이러한 소견은 잔여 갑상선 조직에 의해 생성된 방사성요오드가 표지된 티록신에 의한 것으로 여겨진다. 그러나, 성공적인 잔여 갑상선제거술을 시행한 환자에서는 방사성요오드 전신스캔에서 미

만성 간섭취만 관찰되는 경우에는 국소적으로 섭취가 관찰되진 않지만 요오드섭취 기능이 보존된 암세포가 남아 있는 것을 암시하므로, 주의 깊은 추적 관찰이 필요하다.[32]

방사성요오드 전신스캔은 특히 폐전이의 발견에 높은 민감도를 나타낸다.[33] 갑상선암은 속립성 폐전이가 흔하며 흉부 X-선 검사에선 관찰되지 않는 경우가 많다. 심지어 흉부 CT에서 병소가 관찰되지 않고 방사성요오드 전신스캔에선 미만성의 높은 폐섭취를 보이는 경우도 있다. 이런 방사성요오드전신스캔에서만 관찰되는 전이의 경우 방사성요오드치료에 반응이 좋으며, CT 등 다른 영상검사에서 관찰되는 경우보다 좋은 예후를 보인다.[34] 폐전이는 방사성요오드 치료 전 진단 스캔에서 관찰되지 않다가 치료 후 전신 스캔에서 관찰되는 경우도 있다.[14,31] 여성 환자의 경우 미만성 폐섭취는 전면 영상에서 유방의 생리적 섭취와 구별이 모호한 경우가 있으며, 이런 경우 측면 영상이 도움이 된다.

뼈는 여포성 갑상선암에서 전이가 잘 발생하는 부위 중 하나로서, 전신 영상검사가 필요하며 방사성요오드 전신스캔은 이러한 목적에 잘 부합하는 검사이다. 방사성요오드를 이용한 전신스캔에서 뼈전이가 의심되는 소견이 관찰되면 정확한 해부적 위치 판단을 위해 CT같은 영상검사나 추가 SPECT 검사가 필요하다.

(2) ^{123}I 혹은 ^{131}I SPECT/CT

진단적 전신스캔 혹은 치료 후의 전신스캔에서 ^{131}I SPECT/CT의 역할에 대한 여러 연구들이 보고 되었다. SPECT/CT는 방사능요오드 섭취 부위에 대한 정확한 해부적 정보를 제공함으로써 생리적인 섭취와 갑상선암에 의한 병적 섭취를 구별하는 데 도움을 줄 뿐만 아니라, 모호한 병소의 정확한 국소화를 통해 분화 갑상선암 환자에서 ^{131}I 스캔의 진단적 정확도를 향상 시킨다 (그림 6-11).

예를 들어 평면영상에서 흔히 관찰되는 종격동의 섭취가 관찰될 때 SPECT/CT를 시행하면, 생리적인 섭취 (식도 분비물, 위식도역류, 위식도 탈장, 흉선, 기관 혹은 기관

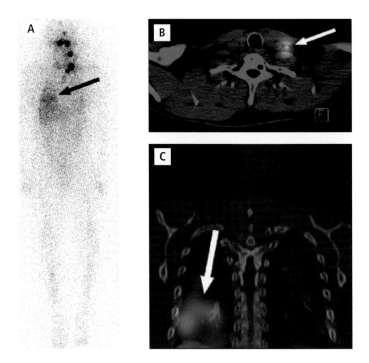

그림 6-11 │ 갑상선암의 목 림프절과 폐전이가 있는 환자의 갑상선 요오드 스캔(A)과 SPECT/CT(B,C) 소견

지의 분비물 및 유방조직 섭취)와 병적 섭취(종격동의 림프절 전이, 폐 혹은 뼈전이)를 구분하여 진단에 도움을 주며, 치료방향 결정에 영향을 미치게 된다.[35] 또한 갑상선제거술 후 131I 전신스캔에선 잘 구별되지 않는 잔여갑상선과 경부림프절 전이를 구분하여 치료 방침을 세우는 데에 도움을 줄 수 있다.[36] 앞선 연구에 의하면 SPECT/CT는 방사성요오드 치료 후 스캔이나 진단적 전신 스캔과 비교하여 진단 정확도를 21~73.9% 정도 상승시키며,[37] 35~47%의 환자에서 치료방침 변화에 영향을 주었고, 약 20%의 환자에서 불필요한 치료를 피할 수 있게 하였다. 치료 후 방사성요오드 전신스캔과 비교하여 SPECT/CT가 57%의 환자에서 진단에 도움이 되었으며, 환자의 치료 방침결정에 영향을 미친다고 보고된 바가 있다.[38] 또한, CT를 통한 감소 보정(attenuation correction)을 통해 치료 목표의 크기를 측정하고 방사성요오드 섭취정도를 계산하여 보다 정확한 방사성요오드 용량 결정에 도움을 주게 되었다.[39] 치료 후 전신스캔에

서도 SPECT/CT 를 같이 시행하는 것이 전이 병소의 국소화에 도움이 되는 것으로 권고하고 있다.

2) 진단적 방사성 요오드 스캔

123I 혹은 131I 진단적 전신스캔은 잘 분화된 갑상선 암의 수술 후 방사성요오드 치료 전 잔여 갑상선 조직 평가 및 전이 병소 확인, 치료 후의 추적 관찰 중에 전이 여부를 확인하기 위하여 시행한다. 기존 연구에 의하면, 갑상선전절제술을 시행한 환자에서, 131I 치료 전에 방사성요오드 진단 스캔(123I 혹은 131I, SPECT/CT와 같이 혹은 단독)을 시행하면, 25~53%의 환자에서 질병 상태, 잔여갑상선 섭취, 방사성요오드를 섭취하는 잔존질병의 존재 등에 대한 유용한 정보를 제공하여, 치료방침 결정에 도움을 줄 수 있음이 보고 된 바 있으나,[5-7] 임상적으로는 추가적인 잔여 갑상선제거 수술결정에 미치는 영향이

적고, 잔여 갑상선 조직의 [131]I에 의한 기절효과(stunning)의 가능성이 있어 치료 전 전신스캔을 시행하지 않는 경향이 있다.

기절 효과란, [131]I의 베타선으로 인해 잔류 갑상선 조직 혹은 분화암이 요오드를 섭취할 수 있는 능력을 일시적으로 잃는 것을 뜻한다. 대한갑상선학회에서는 검사를 시행할 경우에는 베타선을 내지 않는 [123]I (1.5-3 mCi)을 사용하거나, 1~3 mCi의 저용량 [131]I을 사용하여, 기절효과가 생기지 않도록 하고 방사성요오드 치료를 하는 것이 적절하다고 권고하고 있다.[3-8]

진단적 방사성요오드 스캔은 무증상 환자에서 갑상선글로불린 수치가 지속적으로 상승하는 경우 외에도 갑상선글로불린항체가 양성이어서 혈청 갑상선글로불린 측정 결과가 위음성의 가능성이 높은 경우에도 진단적 효용성이 있다.

대한갑상선학회 권고안에서는 저위험군 및 위험성이 낮은 중간 위험군 환자에서는 치료에 대한 완전반응을 보인 경우(갑상선호르몬을 복용하면서 측정한 혈청 갑상선글로불린이 검출되지 않고, 갑상선글로불린항체 음성이며, 경부초음파검사 결과가 음성) 추적관찰 중에 진단적 방사성요오드 전신스캔을 일률적으로 시행할 필요는 없는 것으로 권고 하고 있다.[3,9-12]

방사성요오드 잔여갑상선제거술 또는 보조치료를 받은 후, 치료 후 전신스캔에서 잔존병변의 위험이 높은 고위험군 및 위험성이 높은 중간 위험군 환자에서는 보조적인 방사성요오드 치료를 시행하고, 6~12개월 경과한 후에 [123]I 또는 저용량의 [131]I 진단적 전신스캔이 유용할 수 있다고 권고하고 있다. 이때, 전신스캔에서 섭취를 보이는 환자에서 종양의 방사성요오드 섭취와 비특이적 섭취를 구별하거나, 섭취 부위의 위치를 정확하게 판단하기 위하여 SPECT/CT 영상을 찍는 것이 도움이 된다.

3) 방사성 요오드 치료 후 전신스캔

치료 용량의 [131]I (100~270 mCi) 투여는 갑상선전절제술

후 잔여조직 제거나 잔여갑상선암, 재발 및 전이 병소 치료를 위해 투여된다. [131]I 치료 후 전신스캔은 방사성요오드 투여 후 3~7일 사이에 시행한다. 진단적 전신스캔과 비교하여 치료 후의 전신스캔에서는 10~26%의 전이 병소가 추가로 발견될 수 있기 때문에 반드시 시행해야 한다.[13,14] 이러한 새로운 병변은 경부, 폐, 종격동에서 가장 흔하게 발견되었고, 약 10%의 환자에서 병기에 영향을 주거나 9~15%에서 치료 방침에 영향을 준 것으로 보고되었다.[15-17]

5. 갑상선 질환과 [18]FDG-PET/CT

1) [18]FDG-PET/CT 스캔에서 발견되는 갑상선 우연종 및 미만성 섭취증가

전체 [18]FDG-PET/CT 검사를 시행한 환자 중 1-2%에서 갑상선 국소 섭취 소견이, 2% 정도의 환자에서 미만 섭취 소견이 발견된다.[40,41] 갑상선에 국소 섭취 소견을 보이는 경우 임상적으로 갑상선 결절과 일치하는 경우가 많으므로 결절의 특성을 확인하기 위해 초음파검사가 권고되며, 크기가 0.5~1 cm 이상일 경우 추가적인 임상 검사와 세침흡인세포검사가 권고된다.[3] 갑상선질환 진단이 아닌 다른 목적으로 시행한 [18]FDG-PET/CT 검사에서 갑상선 결절의 [18]FDG-PET/CT 섭취 증가가 우연히 발견되는 경우 갑상선우연종(incidentaloma)이라고 하며, 일반인을 대상으로 한 갑상선초음파검사에서 갑상선 결절이 60%까지 발견되는 것을 고려하면 [18]FDG-PET/CT 갑상선우연종의 빈도는 낮은 편이다. [18]FDG-PET/CT에서 발견한 갑상선우연종은 35% 내외에서 갑상선암으로 확인되고 있다.[42,43] [18]FDG-PET/CT 갑상선우연종의 FDG 섭취가 강할수록 갑상선암의 가능성이 많으나 악성 결절이 경미한 섭취를 보일 수도 있고(그림 6-12A) 양성 결절이 강한 섭취를 보일 수도 있

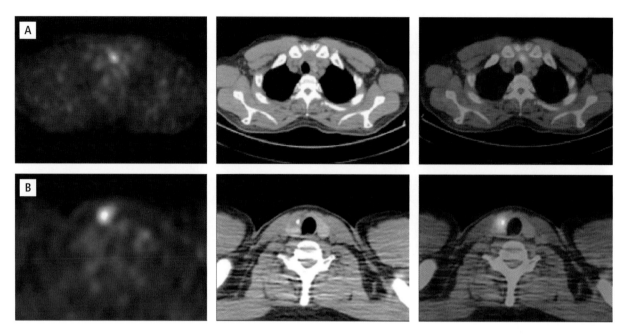

그림 6-12 | FDG 섭취가 낮은 갑상선암의 ^{18}FDG-PET/CT 소견(A)과 FDG 섭취가 높은 양성 갑상선 결절의 ^{18}FDG-PET/CT 소견(B)

어(그림 6-12B), 일반적으로 섭취 강도 만으로는 악성과 양성 결절을 감별하기는 어렵다.[44]

^{18}FDG-PET/CT 검사에서 갑상선이 미만성 섭취를 보이는 경우에는 그레이브스병, 하시모토 갑상선염과 같은 자가면역성 질환에 의한 경우가 많으며, 드물게는 림프종이 원인일 수 있다. ^{18}FDG-PET/CT에서 미만성 섭취(diffuse uptake)를 보이면서 초음파 및 임상검사에서 만성 림프구성 갑상선염에 합당한 소견을 보이는 경우에는 추가적인 영상 검사나 세침흡인세포검사는 추천되지 않는다.[3]

2) 갑상선암의 전이평가에서 ^{18}FDG-PET/CT의 의의

혈청 갑상선글로불린이 높아서 재발이 강력히 의심되나 방사성요오드스캔에서 재발부위가 보이지 않는 경우에 ^{18}FDG-PET/CT 검사를 고려해볼 수 있다(그림 6-13).[49] 임상적으로 갑상선암의 재발 및 전이 진단에 사용되는

혈청 갑상선글로불린의 민감도는 90% 이상으로 높은데 비해 방사성요오드 스캔은 30~50%에서 음성으로 나타난다. 이렇게 진단적 방사성요오드 전신스캔의 예민도가 낮은 원인으로는 재발암이 작아 방사성요오드섭취가 낮은 경우와 재발암이 갑상선 글로불린은 만들 수 있으나 요오드 섭취능력을 잃어버린 경우, 체내 요오드풀이 증가된 경우 등이 있다. 갑상선암세포에서 요오드와 포도당 섭취능은 반비례하는 경향이 있다. 분화도가 나빠짐에 따라 갑상선암세포가 방사성요오드 섭취능을 잃어서 요오드스캔이 음성인 경우, 이에 반비례하여 FDG 섭취능은 점차 증가하는 flip-flop 현상(그림 6-14)이 나타나게 된다.

갑상선암세포가 보다 침습적인 성향을 보일 때 포도당 대사가 증가하며, 요오드섭취능은 감소하여 방사성요오드 스캔상 섭취부위가 잘 관찰되지 않고, ^{18}FDG-PET/CT에서 포도당대사 증가 병소로 관찰되게 된다. 그와 반대로 요오드섭취능을 유지하고 있는 분화된 갑상선암에서 ^{18}FDG-PET/CT의 병소발견능은 감소한다. 전이를 동반한 갑상선분화암 환자에서 ^{18}FDG-PET/CT

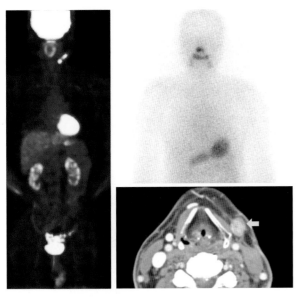

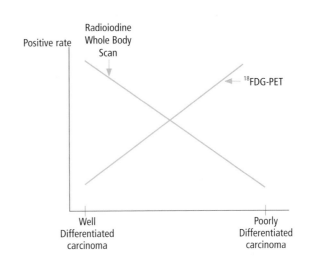

그림 6-13 │ 요오드스캔에서 이상소견이 보이지 않지만(B), 갑상선 글로불린 수치가 높아서 재발의 의심된 환자의 ^{18}FDG-PET 에서 보이는 경부림프절 전이소견(A) 및 조영 증강 CT 소견(C)

그림 6-14 │ 방사성 요오드와 FDG 의 Flip-Flop 현상

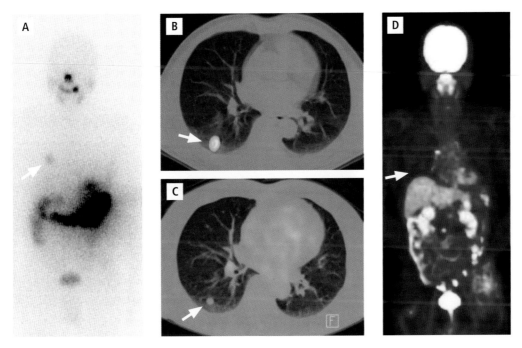

그림 6-15 │ 요오드 스캔(A), 및 SPECT/CT(B)에서 증가 된 요오드 섭취를 보이나, ^{18}FDG-PET/CT 에서 낮은 FDG 섭취능을 보이는 폐전이 소견(C, D)

가 섭취되는 것은 방사성요오드 치료 반응에 대한 중요한 음성 예측 인자이고, 낮은 생존율을 예측하는 독립적 인 인자가 된다(그림 6-15).[50,51]

혈청 갑상선글로불린 값이 10 ng/ml 이상으로 높

고 ^{131}I 전신스캔이 음성인 781명의 환자를 대상으로 한 25개 임상연구의 메타분석 결과 ^{131}I 전신스캔 음성인 환자에서 ^{18}FDG-PET/CT의 민감도는 83%(50-100%), 특이도는 84%(42-100%)였으며,[52] Makeieff 등의 연구에서는 약 50%의 환자에서 병소 확인과 수술에 의한 치료가 가능하였다.[53]

재발 병변이 경부에 있는 경우에는 초음파검사의 진단적 예민도가 높아 큰 도움이 되지만, 초음파검사가 어려운 인후두부 혹은 쇄골후방 부위의 전이병소는 ^{18}FDG-PET/CT의 민감도가 더 높다.[54] 그러나, 위양성의 가능성이 ~39%으로 높기 때문에, 수술적 치료를 고려하는 작은 병변의 경우에는 치료 전에 세침흡인생검술 및 흡인액의 갑상선글로불린 측정을 통해 확진하는 것이 필수적이다.

그 외의 적응증으로는 i) 저분화(poorly differentiated) 갑상선암 또는 침습성 Hürthle 세포암의 초기 병기 결정의 일환으로, 특히 영상 검사에서 다른 병변의 증거가 있거나 혈청 갑상선글로불린(또는 갑상선글로불린항체) 치가 상승된 경우, ii) 전이병소가 있는 환자에서 병변을 확인하거나, 급속한 병의 진행이나 암에 의한 사망의 위험이 높은 환자에서 예후를 예측하고자 하는 경우, iii) 전이성 또는 국소 침습성병변의 전신 또는 국소 치료 후 치료 반응을 평가하는 경우 등이 있다(3).

^{18}FDG-PET/CT의 민감도에 영향을 미치는 인자들 중 종양의 분화도와 크기가 중요하며, TSH 자극 정도도 일부 영향을 미쳤다. 또한, PET/CT 검사는 혈청 갑상선글로불린 농도가 높을수록(>10 ng/ml) 재발 병변의 진단 민감도가 높고, 10 ng/ml 이하인 경우에는 10%~30%로 낮다.[53]]

그러나 혈청 갑상선글로불린 값이 낮더라도 분화도가 나빠 갑상선글로불린을 생산하지 못하는 종양이거나 갑상선글로불린 항체가 양성이라서 갑상선글로불린 측정값이 정확하지 못한 경우에는 ^{18}FDG-PET/CT 검사가 도움을 줄 수 있다.

rhTSH을 사용하거나 갑상선호르몬 투여를 중단하여 혈청 TSH 농도를 증가시키면 갑상선 암세포의 당 대사와 GLUT1 발현이 증가하여 ^{18}FDG-PET/CT 스캔의 진단 민감도를 약간 높일 수 있고, 6~9%에서 치료 방침을 바꿀 수 있다는 보고가 있다.[54] 그러나 아직까지 TSH 자극 상태에서 시행한 ^{18}FDG-PET/CT 검사가 환자의 예후를 향상시킨다는 증거는 부족하다.

3) 미세침흡인생검술 결과가 비정형인 갑상선 결절에서의 ^{18}FDG-PET/CT의 의의

비정형세포는 갑상선 결절에서 미세침흡인생검술 시행 후 여포종양 의심, 악성 의심, 혹은 악성으로 진단하기에는 불완전한 세포의 구조적 혹은 핵 모양의 이형성을 보일 때 진단된다. Bethesda system에서 비정형을 7% 이내의 제한된 범위에서 사용하도록 권장하였으나 이후 연구 결과에 의하면 전체 갑상선 결절의 1~27%가 비정형으로 진단되며, 이 중 악성종양은 6~48%(평균 16%)로 보고 되었다.[45,46]

최근 발표된 연구들을 대상으로 한 메타분석 결과에 의하면, 세포검사 결과가 비정형으로 나온 결절이 있는 환자들을 대상으로 시행한 ^{18}FDG-PET/CT 스캔의 갑상선 암에 대한 민감도와 특이도는 각각 89%와 55%, 양성 예측률과 음성 예측률은 각각 41% 및 93%로 확인되었다. 이는 비정형세포에서 악성 여부를 확인하기 위한 유전자 검사인 167 gene expression classifier (GEC) 와 비슷한 성적이며(민감도 90%, 특이도 53%), Vriens D 등의 연구에 의하면 비용효율적인 면에서는 ^{18}FDG-PET/CT 스캔이 비정형결절에서 진단 목적의 수술이나 167 GEC, 돌연변이 검사보다 더 효율적이었다.[47]

그러나 ^{18}FDG-PET/CT와 갑상선 초음파검사를 전향적으로 비교한 연구에서는 비정형결절이 있는 환자에서 ^{18}FDG-PET/CT를 시행하여 얻을 수 있는 추가 이득이 없어,[48] 세포 검사가 비정형인 갑상선 결절의 감별을 위해서 ^{18}FDG-PET/CT를 시행하는 것은 권고되지 않는다.[3]

REFERENCES

1. Rosenberg IN. Evaluation of thyroid function. N Engl J Med. 1972;286(17):924-7.

2. Sherman SI. Thyroid carcinoma. Lancet. 2003;361(9356):501-11.

3. Yi KH, Lee EK, Kang H-C, Koh Y, Kim SW, Kim IJ, et al. 2016 revised Korean thyroid association management guidelines for patients with thyroid nodules and thyroid cancer. International Journal of Thyroidology. 2016;9(2):59-126.

4. Wong KT, Choi FP, Lee YY, Ahuja AT. Current role of radionuclide imaging in differentiated thyroid cancer. Cancer Imaging. 2008;8:159-62.

5. Avram AM, Fig LM, Frey KA, Gross MD, Wong KK. Preablation 131-I scans with SPECT/CT in postoperative thyroid cancer patients: what is the impact on staging? The Journal of Clinical Endocrinology & Metabolism. 2013;98(3):1163-71.

6. Chen M-K, Yasrebi M, Samii J, Staib LH, Doddamane I, Cheng DW. The utility of I-123 pretherapy scan in I-131 radioiodine therapy for thyroid cancer. Thyroid. 2012;22(3):304-9.

7. Van Nostrand D, Aiken M, Atkins F, Moreau S, Garcia C, Acio E, et al. The utility of radioiodine scans prior to iodine 131 ablation in patients with well-differentiated thyroid cancer. Thyroid. 2009;19(8):849-55.

8. Gerard SK, Cavalieri RR. I-123 diagnostic thyroid tumor whole-body scanning with imaging at 6, 24, and 48 hours. Clinical nuclear medicine. 2002;27(1):1-8.

9. Pacini F, Capezzone M, Elisei R, Ceccarelli C, Taddei D, Pinchera A. Diagnostic 131-iodine whole-body scan may be avoided in thyroid cancer patients who have undetectable stimulated serum Tg levels after initial treatment. The Journal of Clinical Endocrinology & Metabolism. 2002;87(4):1499-501.

10. Mazzaferri EL, Robbins RJ, Spencer C, Braverman L, Pacini F, Wartofsky L, et al. A consensus report of the role of serum thyroglobulin as a monitoring method for low-risk patients with papillary thyroid carcinoma. The Journal of Clinical Endocrinology & Metabolism. 2003;88(4):1433-41.

11. Torlontano M, Crocetti U, D'Aloiso L, Bonfitto N, Di Giorgio A, Modoni S, et al. Serum thyroglobulin and 131I whole body scan after recombinant human TSH stimulation in the follow-up of low-risk patients with differentiated thyroid cancer. European Journal of Endocrinology. 2003;148(1):19-24.

12. Schlumberger M, Berg G, Cohen O, Duntas L, Jamar F, Jarzab B, et al. Follow-up of low-risk patients with differentiated thyroid carcinoma: a European perspective. European Journal of Endocrinology. 2004;150(2):105-12.

13. Pacini F, Lippi F, Formica N, Elisei R, Anelli S, Ceccarelli C, et al. Therapeutic doses of iodine-131 reveal undiagnosed metastases in thyroid cancer patients with detectable serum thyroglobulin levels. Journal of nuclear medicine: official publication, Society of Nuclear Medicine. 1987;28(12):1888-91.

14. Schlumberger M, Mancusi F, Baudin E, Pacini F. 131I therapy for elevated thyroglobulin levels. Thyroid. 1997;7(2):273-6.

15. Sherman SI, Tielens ET, Sostre S, Wharam Jr M, Ladenson PW. Clinical utility of posttreatment radioiodine scans in the management of patients with thyroid carcinoma. The Journal of Clinical Endocrinology & Metabolism. 1994;78(3):629-34.

16. atourechi V, Hay ID, Mullan BP, Wiseman GA, Eghbali-Fatourechi GZ, Thorson LM, et al. Are posttherapy radioiodine scans informative and do they influence subsequent therapy of patients with differentiated thyroid cancer? Thyroid. 2000;10(7):573-7.

17. Rosário PWS, Barroso ÁL, Rezende LL, Padrão EL, Fagundes TA, Penna GC, et al. Post I-131 therapy scanning in patients with thyroid carcinoma metastases: an unnecessary cost or a relevant contribution? Clinical nuclear medicine. 2004;29(12):795-8.

18. Hershman JM, Edwards CL. Serum thyrotropin (TSH) levels after thyroid ablation compared with TSH levels after exogenous bovine TSH: implications for 131I treatment of thyroid carcinoma. The Journal of Clinical Endocrinology & Metabolism. 1972;34(5):814-8.

19. Hilts S, Hellman D, Anderson J, Woolfenden J, Van Antwerp J, Patton D. Serial TSH determination after T3 withdrawal or thyroidectomy in the therapy of thyroid carcinoma. Journal of Nuclear Medicine. 1979;20(9):928-32.

20. Goldman JM, Line BR, Aamodt RL, Robbins J. Influence of triiodothyronine withdrawal time on 131I uptake postthyroidectomy for thyroid cancer. The Journal of Clinical Endocrinology & Metabolism. 1980;50(4):734-9.

21. Schneider AB, Line BR, Goldman JM, Robbins J. Sequential serum thyroglobulin determinations, 131I scans, and 131I uptakes after triiodothyronine withdrawal in patients with thyroid cancer. The Journal of Clinical Endocrinology & Metabolism. 1981;53(6):1199-206.

22. Maxon HR, Thomas SR, Hertzberg VS, Kereiakes JG, Chen I-W, Sperling MI, et al. Relation between effective radiation dose and outcome of radioiodine therapy for thyroid cancer. New England Journal of Medicine. 1983;309(16):937-41.

23. Liel Y. Preparation for radioactive iodine administration in differentiated thyroid cancer patients. Clinical endocrinology. 2002;57(4):523-7.

24. Sánchez R, Espinosa-de-los-Monteros AL, Mendoza V, Brea E, Hernández I, Sosa E, et al. Adequate thyroid-stimulating hormone levels after levothyroxine discontinuation in the follow-up of patients with well-differentiated thyroid carcinoma. Archives of medical research. 2002;33(5):478-81.

25. Grigsby PW, Siegel BA, Bekker S, Clutter WE, Moley JF. Preparation of patients with thyroid cancer for 131I scintigraphy or therapy by 1–3 weeks of thyroxine discontinuation. Journal of Nuclear Medicine. 2004;45(4):567-70.

26. Serhal DI, Nasrallah MP, Arafah BM. Rapid rise in serum thyrotropin concentrations after thyroidectomy or withdrawal of suppressive thyroxine therapy in preparation for radioactive iodine administration to patients with differentiated thyroid cancer. The Journal of Clinical Endocrinology & Metabolism. 2004;89(7):3285-9.

27. Edmonds C, Hayes S, Kermode J, Thompson B. Measurement of serum TSH and thyroid hormones in the management of treatment of thyroid carcinoma with radioiodine. The British journal of radiology. 1977;50(599):799-807.

28. Torres MS, Ramirez L, Simkin PH, Braverman LE, Emerson CH. Effect of various doses of recombinant human thyrotropin on the thyroid radioactive iodine uptake and serum levels of thyroid hormones and thyroglobulin in normal subjects. The Journal of Clinical Endocrinology & Metabolism. 2001;86(4):1660-4.

29. Lee J, Yun MJ, Nam KH, Chung WY, Soh E-Y, Park CS. Quality of life and effectiveness comparisons of thyroxine withdrawal, triiodothyronine withdrawal, and recombinant thyroid-stimulating hormone administration for low-dose radioiodine remnant abla-

tion of differentiated thyroid carcinoma. Thyroid. 2010;20(2):173-9.

30. Shapiro B, Rufini V, Jarwan A, Geatti O, Kearfott KJ, Fig LM, et al., editors. Artifacts, anatomical and physiological variants, and unrelated diseases that might cause false-positive whole-body 131-I scans in patients with thyroid cancer. Seminars in nuclear medicine; 2000: Elsevier.

31. Mazzaferri EL, Kloos RT. Current approaches to primary therapy for papillary and follicular thyroid cancer. The Journal of Clinical Endocrinology & Metabolism. 2001;86(4):1447-63.

32. Chung J-K, Lee YJ, Jeong JM, Lee DS. Clinical significance of hepatic visualization on iodine-131 whole-body scan in patients with thyroid carcinoma. The Journal of Nuclear Medicine. 1997;38(8):1191.

33. Küçük ÖN, Gültekin SS, Aras G, Ibis E. Radioiodine whole-body scans, thyroglobulin levels, 99mTc-MIBI scans and computed tomography: results in patients with lung metastases from differentiated thyroid cancer. Nuclear medicine communications. 2006;27(3):261-6.

34. Hindié E, Mellière D, Lange F, Hallaj I, de Labriolle-Vaylet C, Jean-guillaume C, et al. Functioning pulmonary metastases of thyroid cancer: does radioiodine influence the prognosis? European journal of nuclear medicine and molecular imaging. 2003;30(7):974-81.

35. Haveman JW, Phan HT, Links TP, Jager PL, Plukker J. Implications of mediastinal uptake of 131I with regard to surgery in patients with differentiated thyroid carcinoma. Cancer. 2005;103(1):59-67.

36. Wong KK, Zarzhevsky N, Cahill JM, Frey KA, Avram AM. Incremental value of diagnostic 131I SPECT/CT fusion imaging in the evaluation of differentiated thyroid carcinoma. American journal of roentgenology. 2008;191(6):1785-94.

37. Spanu A, Solinas ME, Chessa F, Sanna D, Nuvoli S, Madeddu G. 131I SPECT/CT in the follow-up of differentiated thyroid carcinoma: incremental value versus planar imaging. Journal of Nuclear Medicine. 2009;50(2):184-90.

38. Tharp K, Israel O, Hausmann J, Bettman L, Martin W, Daitzchman M, et al. Impact of 131I-SPECT/CT images obtained with an integrated system in the follow-up of patients with thyroid carcinoma. European journal of nuclear medicine and molecular imaging. 2004;31(10):1435-42.

39. Patel CN, Chowdhury FU, Scarsbrook AF. Clinical utility of hybrid SPECT-CT in endocrine neoplasia. American Journal of Roentgenology. 2008;190(3):815-24.

40. Nishimori H, Tabah R, Hickeson M, How J. Incidental thyroid "PETomas": clinical significance and novel description of the self-resolving variant of focal FDG-PET thyroid uptake. Canadian Journal of Surgery. 2011;54(2):83.

41. Soelberg KK, Bonnema SJ, Brix TH, Hegedüs L. Risk of malignancy in thyroid incidentalomas detected by 18F-fluorodeoxyglucose positron emission tomography: a systematic review. Thyroid. 2012;22(9):918-25.

42. Are C, Hsu JF, Ghossein RA, Schoder H, Shah JP, Shaha AR. Histological aggressiveness of fluorodeoxyglucose positron-emission tomogram (FDG-PET)-detected incidental thyroid carcinomas. Annals of surgical oncology. 2007;14(11):3210-5.

43. Bogsrud TV, Karantanis D, Nathan MA, Mullan BP, Wiseman GA, Collins DA, et al. The value of quantifying 18FDG uptake in thyroid nodules found incidentally on whole-body PET–CT. Nuclear medicine communications. 2007;28(5):373-81.

44. Kim JM, Ryu J-S, Kim TY, Kim WB, Kwon GY, Gong G, et al. 18F-fluorodeoxyglucose positron emission tomography does not predict malignancy in thyroid nodules cytologically diagnosed as follicular neoplasm. The Journal of Clinical Endocrinology & Metabolism. 2007;92(5):1630-4.

45. Ohori NP, Schoedel KE. Variability in the atypia of undetermined significance/follicular lesion of undetermined significance diagnosis in the Bethesda System for Reporting Thyroid Cytopathology: sources and recommendations. Acta cytologica. 2011;55(6):492-8.

46. Bongiovanni M, Crippa S, Baloch Z, Piana S, Spitale A, Pagni F, et al. Comparison of 5-tiered and 6-tiered diagnostic systems for the reporting of thyroid cytopathology. Cancer cytopathology. 2012;120(2):117-25.

47. Vriens D, Adang E, Netea-Maier R, Smit J, de Wilt J, Oyen W, et al. Cost-effectiveness of FDG-PET/CT for cytologically indeterminate thyroid nodules: a decision analytic approach. The Journal of Clinical Endocrinology & Metabolism. 2014;99(9):3263-74.

48. Deandreis D, Al Ghuzlan A, Auperin A, Vielh P, Caillou B, Chami L, et al. Is 18F-fluorodeoxyglucose–PET/CT useful for the presurgical characterization of thyroid nodules with indeterminate fine needle aspiration cytology? Thyroid. 2012;22(2):165-72.

49. Feine U. Fluor-18-deoxyglucose positron emission tomography in differentiated thyroid cancer. European journal of endocrinology. 1998;138(5):492-6.

50. Robbins RJ, Wan Q, Grewal RK, Reibke R, Gonen M, Strauss HW, et al. Real-time prognosis for metastatic thyroid carcinoma based on 2-[18F] fluoro-2-deoxy-D-glucose-positron emission tomography scanning. The Journal of Clinical Endocrinology & Metabolism. 2006;91(2):498-505.

51. Deandreis D, Al Ghuzlan A, Leboulleux S, Lacroix L, Garsi JP, Talbot M, et al. Do histological, immunohistochemical, and metabolic (radioiodine and fluorodeoxyglucose uptakes) patterns of metastatic thyroid cancer correlate with patient outcome? Endocrine-related cancer. 2011;18(1):159-69.

52. Leboulleux S, Schroeder PR, Schlumberger M, Ladenson PW. The role of PET in follow-up of patients treated for differentiated epithelial thyroid cancers. Nature Clinical Practice Endocrinology & Metabolism. 2007;3(2):112-21.

53. Makeieff M, Burcia V, Raingeard I, Eberlé M, Cartier C, Garrel R, et al. Positron emission tomography–computed tomography evaluation for recurrent differentiated thyroid carcinoma. European annals of otorhinolaryngology, head and neck diseases. 2012;129(5):251-6.

54. Leboulleux S, Schroeder P, Busaidy N, Auperin A, Corone C, Jacene H, et al. Assessment of the incremental value of recombinant thyrotropin stimulation before 2-[18F]-Fluoro-2-deoxy-D-glucose positron emission tomography/computed tomography imaging to localize residual differentiated thyroid cancer. The Journal of Clinical Endocrinology & Metabolism. 2009;94(4):1310-6.

55. 대한갑상선내분비외과학회, 내분비외과학, 군자출판사. 2011;46-55

갑상선 세침흡인세포검사의 실제
Fine-needle Aspiration Biopsy of the Thyroid Gland

┃ 박희봉 외과 **박희봉**

갑상선 세침흡인세포검사는 간단하게 갑상선 종양으로부터 세포를 얻어서 병리 검사를 하여 진단하는 매우 중요한 검사 방법이다. 갑상선은 피부에서 가까운 곳에 위치하여 주사바늘을 이용해 쉽게 세포를 채취하여 세포검사를 시행할 수 있다. 갑상선 종괴가 만져지면 직접적으로 종괴를 만지면서 종괴에서 세포 검사를 할 수 있으나, 최근에는 초음파 장비의 많은 보급과 경험이 축적되어 만져지는 종괴라도 초음파를 보면서 종양을 정확히 확인하면서 세침흡인세포검사를 하게 된다. 이렇게 하면 괴사되거나 액상 부위를 피하여 종괴를 대표할 수 있는 부위에서 세포를 많이 얻을 수 있어서 진단률을 높일 수 있다.[12] 또한 기관과 혈관 등을 피해서 세침흡인술을 할 수 있어서 합병증도 줄일 수 있다.

1. 세침흡인세포검사의 원리

세침흡인세포검사는 23G 이하의 가는 주사 바늘을 이용하여 종괴를 찌르고, 음압을 건 상태에서 여러 번 바늘을 왕복 운동을 하여 바늘 끝의 날카로운 칼날을 이용하여 종괴의 세포들이 주사바늘 내로 잘려서 빨려 들어 오거나 끼어 있게 만든 후, 음압을 풀고 바늘을 몸에서 빼낸 후, 이 세포들을 슬라이드에 뿌리고 밀어서 세포들이 슬라이드 위에 퍼지게 만든 다음, 고정하고 적절한 염색

후 판독하여 갑상선의 병변들을 세포병리학적으로 판단하는 방법이다.

최근에는 액상세포검사법이 널리 이용되는데 세포를 특수 고정액에 바늘과 주사기를 씻어서 더 많은 세포를 모으고 혈액과 점액질을 제거하고 세포들만으로 자동화된 방법으로 슬라이드를 만든다. 슬라이드를 도말하는 과정이 없어 쉬우며 기존의 방법보다 정확도가 높다.[3,4]

2. 세침흡인세포검사의 적응증

암을 조기 발견하는 것은 모든 암에서 완치에 이르는 가장 좋은 방법이다. 그러나 갑상선암은 좋은 예후, 특히 0.5 cm 또는 1 cm 이하의 암의 경우 예후가 좋아서 수술을 하지 않고 관찰하는 경우 진행이 느리다는 연구 결과가 있다[5]. 이런 영향으로 최근 갑상선 암의 과잉진단이 문제가 된다는 주장에 의해서 1 cm 이하의 종양에 대해서 세침흡입생검을 권하지 않는 미국 갑상선학회의 권고안이 있고,[6] 초음파에서 암이 의심되더라도 5 mm 이하의 종양에서는 세침흡인세포검사에 의한 진단을 보류하자는 주장이 대두되고 있다. 이는 문제가 되지 않을 수 있는 작은 유두암의 진단이 오히려 환자에게 불안만 주고 실질적인 도움이 되지 않을 수 있다는 주장이다.

그러나 이런 환자들 중의 일부에서 관찰 기간 동안에 암이 진행되거나 림프절에 전이가 일어나는 경우도 있으며,[7] 종양이 1 cm 이하에서 진단되면 대부분 갑상선 전절제술 대신 단엽절제술이 시행될 수 있는 장점이 있어서[8] 조기 진단의 장단점에 대해서 환자와 충분히 상의할 필요가 있다. 1 cm 이하의 유두암에서도 림프절 전이가 33%로 보고한 논문도 있어서 크기만으로 암의 경중을 판단하는 것은 어려운 점도 고려하여야 한다.[9] 암이 의심되는 경우 종양의 위치도 중요한데 갑상선 피막의 근처이거나 기관 주위, 그리고 되돌이 후두신경 근처인 경우도 암의 크기가 작더라도 진행될 경우의 단점이 고민될 수 있다. 그러나 5 mm 이하의 작은 종양은 세침흡인세포검사의 경험이 적은 의사의 경우 정확하게 종양의 중앙에서 검체를 제대로 얻기가 어려워서 진단이 제대로 이루어지지 않을 수도 있다.

일반적인 갑상선 종괴의 세포검사 적응증은 다음과 같다.

① 악성 또는 의심 병변의 확인
② 양성 병변의 비수술적요법 (알코올 경화요법, 고주파소작술 등) 시행 전 병리진단의 확보
③ 염증성 병변의 구별
④ 낭액이나 혈종의 흡인
⑤ 림프절 병변 (전이 등)의 평가
⑥ 갑상선이나 림프절에서 여러 가지 분자생물학적 시료의 채취

3. 금기증

세침흡입생검을 하기 위한 자세를 취하기 어렵거나 심한 기침 등으로 자세를 유지하기 힘든 경우를 제외하고는 일반적으로 금기증은 없다. 가는 바늘을 사용하기 때문에 항응고 치료를 받고 있는 환자에서도 시행할 수 있다. 그러나 이 경우 반복적인 여러 번의 생검은 피하는 것이 출혈이나 혈종을 예방할 수 있다.

4. 합병증

국소적인 감염, 혈종, 국소적 통증과 혈관미주신경 반사에 의한 일시적 증상이 있을 수 있다. 이외는 기관이나 굵은 혈관, 식도를 찔러서 생기는 합병증과 되돌이 후두신경을 손상하는 경우 등이 보고되고 있으나 매우 드물다.[10]

5. 세침흡인세포검사의 실제

세침흡인세포검사는 외래에 시행할 수도 있고 초음파실에서 시행될 수도 있는 간단한 검사이다. 종양이 다발성인 경우 악성은 5~13.7%로 다양하게 보고되고 있는데 단독결절과 비슷하다.[11-14] 초음파에서 비슷한 패턴을 보이는 경우 가장 큰 종양에 대해서 세포검사를 진행한다.[15] 그러나 크기가 작더라도 암이 의심되는 경우는 추가적인 세포검사를 시행해야 한다.[16]

외과적 무균 처치술에 익숙해야 하고, 영상의학적 해부학에 익숙하여야 하며, 많은 연습을 통해서 신속하고 안전하고 정확성을 높이도록 꾸준히 노력하여야 한다.

1) 준비

① 환자에게 시술의 목적과 과정을 자세히 설명하고 시술 동의를 얻는다.
② 시술 전 위험평가로 상기도 감염, 심폐질환, 출혈성향, 만성질환, 항응고제 투여 여부 등에 대해서 알아보고 적절한 조치를 취한다.
③ 시술에 필요한 슬라이드나 세포 수집 튜브에 환자의 번호, 이름과 부위 등을 기록하고 검사의뢰서에 필요한 사항과 병리의사에 도움이 될만한 임상 정보를 기록한다.
④ 알코올 고정액이나 액상세포검사 고정액을 미리 준비하고 세포 채취 후 곧바로 도말이나 세포 고정이

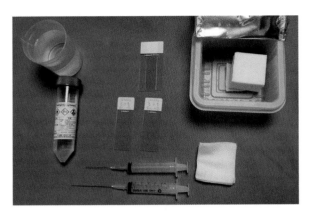

그림 7-1 | 주사기와 바늘, 알코올 스왑, 슬라이드, 알코올 고정액, 액상검사용 고정액

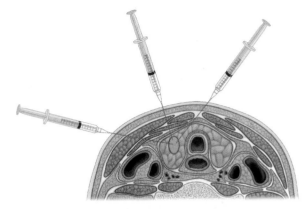

그림 7-2 | 종양의 위치에 따라서 대부분 협부를 통한 방법이 가장 안전하고 쉬우나 경우에 따라서 외측에서 진입하거나 수직으로 접근해야 하는 경우도 있다.

될 수 있도록 준비한다(그림 7-1).

⑤ 환자를 바로 누운 자세로 눕히고 목을 뒤로 젖히게 하고 필요한 경우 베개를 어깨에 괴어 목이 신전되게 한다.

⑥ 초음파검사로 병변을 확인하고 필요한 경우 도플러 검사로 혈관의 위치를 확인한다.

⑦ 국소마취는 대부분 필요하지 않으나 필요한 경우 리도카인 젤을 30분 전 도포하거나 국소마취제를 주사할 수 있다.

⑧ 익숙해지고 바늘이 초음파 프로브에 닿지 않게 시술할 수 있다면 소독은 알코올 스펀지나 스왑을 사용하면 된다. 익숙하지 않은 경우 초음파 프로브를 소독비닐에 씌우고 소독포로 검사부위를 소독하고 멸균 장갑을 끼고 시행할 수 있다. 일반적으로 베타딘에 의한 소독은 필요하지 않다.

⑨ 알코올이나 베타딘이 초음파 프로브의 렌즈에 묻게 되면 장기적으로 프로브의 렌즈에 손상을 가져오므로 프로브를 얇은 랩으로 감싸는 것이 프로브를 보호할 수 있는 방법이다.

2) 바늘의 삽입과 세포 채취

① 시술 중 환자에게 자세를 유지하고 침을 삼키거나

소리를 내지 말도록 주의를 주고, 호흡은 참지 말고 얇게 계속 유지하도록 한다.

② 바늘의 삽입 방향은 초음파 상에서 바늘의 전 길이가 확인 될 수 있도록 프로브의 한쪽 끝에서 삽입하는 것이 좋으며 어쩔 수 없는 경우 프로브의 가운데에서 수직으로 종괴를 찌를 수 있다(그림 7-2).

③ 주사기는 5 ml 또는 10 ml의 주사기를 이용하고 주사 바늘은 23G 이하의 바늘을 사용하고 보통 바늘길이는 3~6 cm 길이를 사용한다. 대부분 초음파 유도하에 시행하므로 짧지 않은 것이 좋다. 굵은 바늘이 조직을 더 많이 얻을 수 있으나 출혈의 위험이 많을 수 있다.[17]

④ 바늘의 끝이 종괴에 도달한 후에 주사기의 음압을 유지한 상태에서 종괴를 바늘로 여러 번 찌른다. 가능하면 방향을 약간씩 다르게 하여 세포가 충분히 바늘 내로 들어오게 한다.

⑤ 주사기 내의 음압은 기구를 이용할 수도 있지만 그냥 손으로 주사기에 1~2 ml 정도의 음압을 형성해도 충분하다. 음압을 너무 많이 걸면 혈관의 분포가 많은 갑상선에서 오히려 피가 많이 섞여 나오게 되어 진단이 더 어려울 수 있다.

⑥ 낭성 부분이 있어서 흡입되는 액체가 있으면 그 것을 충분히 뽑아낸 후 다시 바늘을 삽입하여 고형 부

분에서 세포가 많이 채취될 수 있도록 한다. 신선혈액이 분출되는 경우에는 주사기를 바로 뽑고 압박 지혈한다.

⑦ 석회화 현상이 있는 병변은 석화화 되지 않은 종괴의 부분에서 검체를 채취한다.

⑧ 섬유화가 심하여 단단한 병변은 바늘이 밀리지 않도록 강하고 빠르게 바늘을 움직여서 세포를 채취한다.

⑨ 검체는 여러 번 채취할 수 있으나 좋은 검체는 보통 첫 한 두번에 얻게 된다. 출혈이 있으면 좋은 슬라이드가 되지 않으며 꼭 바늘의 주사기 입구에 혈액이 보이지 않아도 충분이 세포가 바늘 내에 있을 것으로 예상되면 중단해도 된다.

3) 도말과 고정

① 얻은 시료는 슬라이드에 도말하여 고정액(95% 에탄올이나 분사 고정액)으로 처리하고, 액상세포검사를 위해서는 특별한 고정액에 세포를 모아서 병리과로 보낸다.

② 유리 슬라이드에 도말할 때는 슬라이드에 검체를 올리고 다른 한 장의 슬라이드를 겹치게 한 다음 옆으로 밀어서 도말한다. 또는 다른 한 장의 유리판으로 가볍게 눌러 퍼트린 후 다시 유리판을 떼어내는 방식으로 할 수도 있다.

③ 액상 성분이 많을 때는 슬라이드에 거즈 등으로 물기를 흡수시킨 후 나머지 세포들만 눌러서 도말할 수 있다.

④ 액상세포검사에서는 세포를 고정액 속에 뿌린 후 용액을 주사기로 여러 번 빨아들인 후 배출하는 방법으로 최대한 세포들이 용액에 들어가도록 한다.

4) 시술 후 환자 관리

① 시료 채취를 마치면 천자 부위를 곧바로 알코올 스펀지나 거즈로 눌러 지혈하고 베개를 어깨에서 빼고 환자를 편안하게 눕힌다.

② 채취 도중이나 직후에 미주신경반사로 인한 허탈에 빠지는 경우가 드물게 있다. 이때는 환자를 안심시키고 안정시키면 곧 좋아진다.

③ 시술 부위를 손으로 약하게 5~10분간 문지르지 말고 압박하도록 하는 것이 좋다. 출혈이 있는 경우는 드물며, 지연 출혈도 드물다. 30분 정도 관찰 후 문제가 없으면 귀가시키면 된다.

④ 항생제나 진통제는 대부분 필요 없으며, 통증이 심하면 소염진통제를 복용하게 한다.

⑤ 출혈 성형이 있거나 동맥을 건드린 경우 갑상선 내 또는 주변에서 출혈이 있을 수 있으나 대부분 압박으로 지혈되고 수술이 필요한 경우는 극히 드물다.

⑥ 항응고제를 투여 받거나 출혈 성향이 있는 환자에게는 보다 가는 바늘로 한 번에 세침흡인세포검사를 끝내도록 노력하고 더 오랫동안 잘 압박한다.

⑦ 드레싱 등의 상처 보호 조치는 필요하지 않다.

6. 시술의 평가

갑상선의 세포흡입생검의 병리학적 보고는 대부분 Bethesda 분류로 보고된다.[18]

1) 부적절한 시료 Nondiagnositc or Unsatisfactory

혈액으로 인해 세포들이 가려지거나 너무 두껍게 도말되어서 세포를 자세히 볼 수 없거나 고정이 빨리 되지 않아서 건조왜곡(drying arrifact)되어 있거나 판단을 위한 여포세포의 수가 부적절하게 적을 경우로 2~20%를 차지하는데 이상적으로는 10%를 넘지 않도록 하면 좋다. 악성의 가능성은 1~4%로 다시 세포검사를 해서 이중 50~88%가 진단이 되지만 일부분은 다시 같은 결과가 나오며 필요한 경우 종양 절제술을 해야 하고 이 경우 악성이 나오는 경우 10%로 보고된다.

2) 양성 Benign

세침흡입 검사가 가장 도움이 되는 경우로 60~70%가 여기에 해당하며 이 경우 필요하지 않은 수술을 피할 수 있다. 선종양결절(adenomatoid nodule), 콜로이드(colloid nodule), 림프구성 염증(하시모도 갑상선염), 육아종성(아급성) 갑상선염(subacute thyroiditis) 등이 이에 해당된다. 그러나 악성종양일 가능성이 0~3% 있어서 6~18개월 주기로 임상적 또는 초음파검사로 추적한다. 종양의 크기가 증가하거나 암이 의심되는 소견이 나타나면 추가적인 세침흡인세포검사를 시행해야 한다.

3) 미결정성 비정형 Atypia of Undetermined Significance, AUS 또는 미결정성 여포 병변 Follicular Lesion of Undetermined Significance, FLUS

3~6% 정도가 여기에 속하는데 다양한 경우들이 포함되며 양성, 악성의심 또는 악성에 해당되지 않는 경우에 해당되는데 판독 결과가 높은 비율로 이 범주에 든다면 과장되게 판독되는 것이다. 임상적으로 평가하고 대부분 재검사를 시행하는데 20%는 다시 AUS로 보고될 수 있다. 임상의사가 추적 관찰하는 경우가 많아서 정확히는 알 수 없으나 선택된 경우 수술을 시행한 경우에서 20~25%의 악성을 보고 하고 있다. 그러나 전체적으로는 5~15%정도로 생각되고 있다.

4) 여포종양 또는 여포종양의심
Follicular neoplasm or Suspicious for a follicular neoplasm

갑상선 결절의 평가에서 세침흡인세포검사가 진단적인 경우가 많으나, 여포종양의 경우에는 선별검사의 역할을 한다. 여포종양 또는 여포종양의심으로 세포진단되는 경우에는 진단적 수술, 대개 엽절제술이 필요하다. 대부분은 여포선종, 선종성 결절 등의 양성결절로 진단되지만 대략 15-30%에서 악성으로 진단된다. 악성의 경우, 대부분은 여포암이나 유두암의 여포변이이다.

5) 악성의심 Suspicious for Malignancy

대부분의 갑상선 유두암(Papillary thyroid carcinoma, PTC)의 경우 세포검사로 확신있게 진단된다. 그러나 부분적으로만 PTC가 있거나 부분적으로 종양이 채취되어 적은 수의 비정상적인 세포가 나와서 악성이 의심되지만 암으로 판정하기 어려운 경우에 해당된다. 수술 후 악성으로 나올 경우가 60~75% 되어 갑성선의 단엽절제술 또는 전절제술이 필요하다. 갑상선 수질암(medullary carcinoma) 또는 림프암(lymphoma)에서도 같은 원칙이 적용된다.

6) 악성 Malignant

세포학적으로 악성이라고 판단할 근거가 있으면 악성이라고 판정한다. 대략적으로 갑상선 세포검사에서 3~7%에 해당되며 대부분 수술적으로 제거해야 하나 전이성 종양, 비호지킨림프종(non-Hodgkin lymphoma) 미분화암은 예외이다. 악성으로 보고된 경우 암으로 확정되는 경우는 97%에서 99%이다.

종양의 평가는 병리학적 보고서만 의존해서는 안되고 임상성 특성과 초음파 등 영상검사 결과를 종합하여 재검사나 추적 관찰 또는 수술을 결정해야 한다. 또한 충분히 좋은 슬라이드를 얻기 위해서는 초음파검사와 세침흡인세포검사가 숙달되도록 노력하고 그리고 병리의사와의 소통에 많은 노력을 기울이는 것이 중요하다.

7. 세침흡인세포검사와 분자생물학적 검사

림프절 암의 전이가 의심되는 경우 림프절에서 세침흡입생검을 시행할 수 있고 또한 갑상선단백(Thyroglobulin)을 측정하면 갑상선 전이암의 진단율을 높일 수 있다.[19] 갑상선의 수질암이 의심되는 경우 세침흡입한 바늘을 식염수로 씻어서 칼시토닌을 측정하는 것이 도움이 된다.[20] 갑상선 세포검사에서 암이 의심되는 경우 세침흡인세포검사와 함께 종양의 조직에서 BRAF mutation 검사를 하는 것이 암의 진단률을 높일 수 있다.[21-23]

REFERENCES

1. Danese D, Sciacchitano S, Farsetti a, Andreoli M, Pontecorvi a. Diagnostic accuracy of conventional versus sonography-guided fine-needle aspiration biopsy of thyroid nodules. Thyroid. 1998;8(1):15-21. doi:10.1089/thy.1998.8.15.

2. Braga M, Cavalcanti TC, Collaço LM, Graf H. Efficacy of ultrasound-guided fine-needle aspiration biopsy in the diagnosis of complex thyroid nodules. J Clin Endocrinol Metab. 2001;86(9):4089-91. doi:10.1210/jcem.86.9.7824.

3. Saleh HA, Hammoud J, Zakaria R, Khan AZ. Comparison of Thin-Prep and cell block preparation for the evaluation of Thyroid epithelial lesions on fine needle aspiration biopsy. Cytojournal. 2008;5:3. doi:10.1186/1742-6413-5-3.

4. Keyhani E, Sharghi SA, Amini R, et al. Liquid base cytology in evaluation of thyroid nodules. J Diabetes Metab Disord. 2014;13(1):82. doi:10.1186/s40200-014-0082-5.

5. Ito Y, Miyauchi A, Inoue H, et al. An observational trial for papillary thyroid microcarcinoma in Japanese patients. World J Surg. 2010;34(1):28-35. doi:10.1007/s00268-009-0303-0.

6. Haugen BR, Alexander EK, Bible KC, et al. 2015 American Thyroid Association Management Guidelines for Adult Patients with Thyroid Nodules and Differentiated Thyroid Cancer: The American Thyroid Association Guidelines Task Force on Thyroid Nodules and Differentiated Thyroid Cancer. Thyroid. 2016;26(1):1-133. doi:10.1089/thy.2015.0020.

7. Ito Y, Uruno T, Nakano K, et al. An observation trial without surgical treatment in patients with papillary microcarcinoma of the thyroid. Thyroid. 2003;13(4):381-7. doi:10.1089/105072503321669875.

8. Lee YS, Chang H-S, Park CS. Changing trends in the management of well-differentiated thyroid carcinoma in Korea. Endocr J. 2016;63(6):515-21. doi:10.1507/endocrj.EJ15-0635.

9. Lee YS, Lim H, Chang H-S, Park CS. Papillary thyroid microcarcinomas are different from latent papillary thyroid carcinomas at autopsy. J Korean Med Sci. 2014;29(5):676-9. doi:10.3346/jkms.2014.29.5.676.

10. Baloch ZW, LiVolsi VA. Fine-needle aspiration of thyroid nodules: past, present, and future. Endocr Pract. 10(3):234-41. doi:10.4158/EP.10.3.234.

11. Tollin SR, Mery GM, Jelveh N, et al. The use of fine-needle aspiration biopsy under ultrasound guidance to assess the risk of malignancy in patients with a multinodular goiter. Thyroid. 2000;10(3):235-41. doi:10.1089/thy.2000.10.235.

12. Papini E, Guglielmi R, Bianchini A, et al. Risk of malignancy in nonpalpable thyroid nodules: predictive value of ultrasound and color-Doppler features. J Clin Endocrinol Metab. 2002;87(5):1941-6. doi:10.1210/jcem.87.5.8504.

13. Marqusee E, Benson CB, Frates MC, et al. Usefulness of ultrasonography in the management of nodular thyroid disease. Ann Intern Med. 2000;133(9):696-700. Available at: http://www.ncbi.nlm.nih.gov/pubmed/11074902. Accessed December 31, 2016.

14. Gandolfi PP, Frisina A, Raffa M, et al. The incidence of thyroid carcinoma in multinodular goiter: retrospective analysis. Acta Biomed. 2004;75(2):114-7. Available at: http://www.ncbi.nlm.nih.gov/pubmed/15481700. Accessed December 31, 2016.

15. Cooper DS, Doherty GM, Haugen BR, et al. Revised American Thyroid Association management guidelines for patients with thyroid nodules and differentiated thyroid cancer. Thyroid. 2009;19(11):1167-214. doi:10.1089/thy.2009.0110.

16. Zeppa P, Benincasa G, Lucariello A, Palombini L. Association of different pathologic processes of the thyroid gland in fine needle aspiration samples. Acta Cytol. 45(3):347-52. Available at: http://www.ncbi.nlm.nih.gov/pubmed/11393065. Accessed December 31, 2016.

17. Ucler R, Kaya C, Çuhacı N, et al. THYROID NODULES WITH 2 PRIOR INADEQUATE FINE-NEEDLE ASPIRATION RESULTS: EFFECT OF INCREASING THE DIAMETER OF THE NEEDLE. Endocr Pract. 2015;21(6):595-603. doi:10.4158/EP14482.OR.

18. Cibas ES, Ali SZ. The Bethesda System for Reporting Thyroid Cytopathology. Thyroid. 2009;19(11):1159-65. doi:10.1089/thy.2009.0274.

19. Uruno T, Miyauchi A, Shimizu K, et al. Usefulness of thyroglobulin measurement in fine-needle aspiration biopsy specimens for diagnosing cervical lymph node metastasis in patients with papillary thyroid cancer. World J Surg. 2005;29:483-485. doi:10.1007/s00268-004-7701-0.

20. de Crea C, Raffaelli M, Maccora D, et al. Calcitonin measurement in fine-needle aspirate washouts vs. cytologic examination for diagnosis of primary or metastatic medullary thyroid carcinoma. Acta Otorhinolaryngol Ital organo Uff della Soc Ital di Otorinolaringol e Chir Cerv-facc. 2014;34(6):399-405. Available at: http://www.pubmedcentral.nih.gov/articlerender.fcgi?artid=4346997&tool=pmcentrez&rendertype=abstract.

21. Nam SY, Han B-K, Ko EY, et al. BRAF V600E mutation analysis of thyroid nodules needle aspirates in relation to their ultrasongraphic classification: a potential guide for selection of samples for molecular analysis. Thyroid. 2010;20(3):273-9. doi:10.1089/thy.2009.0226.

22. Kim SW, Lee JI, Kim J-W, et al. BRAFV600E mutation analysis in fine-needle aspiration cytology specimens for evaluation of thyroid nodule: a large series in a BRAFV600E-prevalent population. J Clin Endocrinol Metab. 2010;95(8):3693-700. doi:10.1210/jc.2009-2795.

23. Chung K, Yang SK, Lee GK, et al. Detection of BRAFV600E mutation on fine needle aspiration specimens of thyroid nodule refines cyto-pathology diagnosis, especially in BRAF600E mutation-prevalent area. Clin Endocrinol (Oxf). 2006;65(5):660-6. doi:10.1111/j.1365-2265.2006.02646.x.

갑상선의 병리
Thyroid Cyto-Pathology

┃ 성균관대학교 의과대학 병리과   **오영륜**

1. 선천성 성장이상 및 기형

1) 갑상선 발육부전, 무형성 및 형성이상

갑상선 원기의 성장이 전혀 이루어지지 않은 것으로 갑상선 조직 전체가 없는 갑상선 무형성과 갑상선엽 중에서 하나의 엽이 성장하지 않은 형성이상이 있다.

2) 이소성 갑상선 Ectopic thyroid

갑상선 원기가 강하하는 통로를 따라 어느 곳에서든지 관찰될 수 있으나 주로 혀의 기저부에서 흔히 발생하며 대부분 정상 갑상선과 혀 기저부 사이에 있다. 때로는 종격동의 아래쪽, 후두, 기도 및 림프절에서도 관찰된다. 림프절내 이소성 갑상선은 육안으로는 관찰되지 않으며 주로는 경정맥 근처의 림프절에서 관찰되며 이 경우 전이성 유두암과의 감별이 필요하다.

3) 갑상설관낭 Thyroglossal duct cyst

갑상선의 낭성 병변은 크게 갑상선여포기원의 낭과 비여포기원의 낭으로 나눌 수 있다. 갑상설관낭은 갑상설관의 잔여물에서 낭이 생성된 것으로 설골 부위의 중앙선에서 가장 많이 관찰된다. 임상적으로 가장 흔한 기형이고 다른 악성 종양과의 감별이 필요하며 드물게 유두암이 발생한다. 세포학적 소견으로는 주로 혈철소함유대식세포나 포말큰대식세포들이 혈액이나 콜로이드에 섞여 나오는 경우가 대부분이며 여포세포(follicular cells)가 관찰되는 경우는 매우 드물다.

2. 갑상선종

1) 미만성 비중독성 갑상선종
Diffuse nontoxic goiter

결절 형성없이 미만성으로 전 갑상선을 침범하며 커진 여포들이 교질로 가득 찬 경우 콜로이드 갑상선 종대(colloid goiter)라고 한다. 이 병은 진행과정에 따라 비후성 단계(hyperplastic stage)와 콜로이드 퇴화(colloid involution) 단계를 거친다. 갑상선은 광범위, 대칭적으로 중등도로 커지며 드물게 100 내지 150 g까지 커지기도 한다. 조직학적으로 여포는 밀집된 원주형 세포들로 형성되고 이들 세포들은 내강 내로 쌓이면서 돌출되기도 한다. 이러한 변화는 병변 내에서 균일하지 않고 어떤 여포는 심하게 확장되어 있고 나머지는 작은 채로 있기도

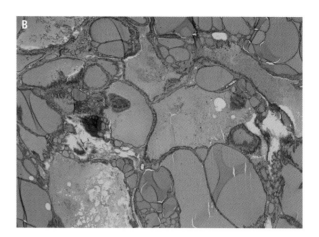

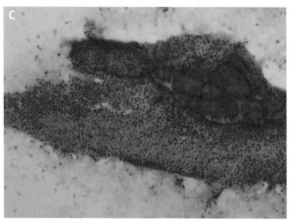

그림 8-1 | 다결절성 갑상선 종대
A. 육안소견상 절단면에서 점액성 콜로이드를 함유한 불규칙한 결절이 보이며 낭성변화와 섬유화가 동반되어 있다. B. 콜로이드로 가득찬 다양한 크기의 여포들과 일부는 여포 내강 내로 자라 유두상 봉우리를 형성하는 것이 관찰된다(H&E, ×40). C. 세침흡인세포검사에서 여포세포들은 대부분 평평한 판 모양을 형성하는 대여포 형태로 풍부한 콜로이드와 함께 관찰된다(H&E, ×200).

한다. 퇴화 단계에서는 여포들은 커지면서 콜로이드를 많이 함유하게 된다.

관찰된다. 수술 전 치료는 Graves 병의 조직학적 소견을 변화시킨다.

2) 미만성 독성 갑상선종 Graves disease

광범위 독성 갑상선 종대는 과기능성 미만성 비후성 갑상선 종대에 의한 갑상선기능항진증과 안질환 및 피부질환이 동반되는 증후군에 국한하여 사용하고 있다. 갑상선은 대개 대칭적으로 커지며 단면은 부드럽고 마치 정상 근육과 같은 고기 모양을 띤다. 조직학적으로 가장 큰 특징은 여포세포의 증식과 비후이며 이들 세포는 종종 여포 내강 내로 자라 유두상 봉우리를 형성하고 여포 내 콜로이드의 가장자리는 가리비 모양-장식을 보인다. 기질내 림프구의 증가와 국소적으로 큰 림프 여포가

3) 다결절성 갑상선종 Multinodular goiter

광범위 갑상선 종대가 시간이 지남에 따라 증식과 퇴화를 거듭함에 따라 불규칙하게 커지는데 이를 다결절성 갑상선 종대라고 부른다. 갑상선은 다소엽성을 띠며 불규칙하게 비대칭형으로 커지고 절단면상 갈색의 점액성 콜로이드를 함유한 불규칙한 결절을 보이며 오래된 병변은 출혈, 섬유화, 석회화 및 낭성 변화를 보인다(그림 8-1A). 조직학적으로는 콜로이드로 가득 찬 여포 또는 작은 비후성 여포들로 구성된 결절로 되어 있다(그림 8-1B).

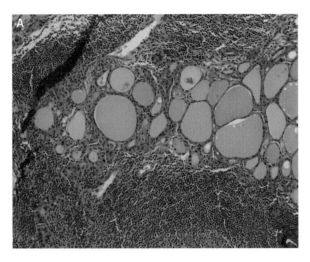

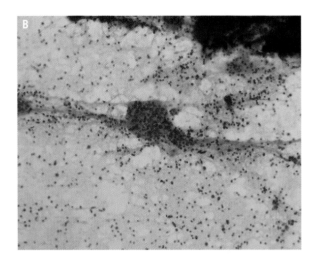

그림 8-2 | 하시모토 갑상선염
A. 조직학적 소견: 갑상선 실질이 소림프구, 형질세포 및 림프여포의 광범위한 침윤으로 대치되어 있고 이들 사이에 위축된 갑상선 여포 혹은 세포질이 풍부하며 호산성으로 보이는 여포세포(Hürthle 세포)가 관찰된다(H&E, ×200). **B.** 세포학적 소견: 주로 호산성 여포세포가 림프구, 형질세포 등과 뒤섞인 모습을 보인다(H&E, ×200).

세포학적 소견

세침흡인세포검사(Fine Needle Aspiration)에서 보이는 세포학적 소견은 조직의 특징과 일치한다. 비후성 단계에서는 세포 밀도가 높고 여포세포는 대부분 평평한 판 모양을 보이는 대여포(macrofollicular) 모양으로 콜로이드와 함께 배열된다(그림 8-1C). 활성화 상태의 결절은 종종 가지를 내는 유두돌기를 형성하는 경우가 있어 유두암과의 감별이 필요한 경우가 있으나 세포들의 핵은 작고 세포질은 다소 풍부하며 균일하게 배열되어 있으며 거친 염색질을 갖고 있어 구분이 가능하다. 일부의 여포세포는 크고 비정상적인 핵과 공포를 가진 다소 많은 양의 세포질을 가지고 있다. 콜로이드 퇴화단계에는 세침흡인세포검사의 대부분이 풍부한 콜로이드로 이루어져 있으며 다양한 크기의 여포세포들이 큰여포형태로 배열되어 있는 게 특징이다. 오래된 병변으로 변성이 심해 낭성 변화를 일으킨 경우는 세침흡인세포검사에서 조직구들만이 혈성 또는 콜로이드 배경하에 보이며 여포세포는 거의 보이지 않아 진단적이지 못할 수 있다. 대부분의 경우는 진단이 용이하나 간혹 변성이 심한 경우에는 여포세포들이나 낭성벽을 이루는 세포들이 비정형적

으로 보이며 유두암에서 전형적으로 관찰되는 핵내 고랑(nuclear groove)과 위봉입체(pseudoinclusion)가 관찰되기도 해 진단의 어려움이 있다.

3. 갑상선염

1) 하시모토 갑상선염 Hashimoto thyroiditis

하시모토 갑상선염은 요오드 섭취가 충분한 지역에서 갑상선기능저하증을 일으키는 가장 흔한 원인으로 자가면역 반응에 의한 갑상선의 파괴에 의한 병변이다. 주로 여성에서 발병하며 여성대 남성의 비는 10:1이고 호발 연령은 30~50세이다. 갑상선이 보통 광범위하게 커지나 때로는 국소적으로 커지기도 한다. 갑상선 피막은 주변과의 유착이 없고 단면은 회갈색을 띠며 단단하고 결절성을 띠기도 한다. 조직학적으로 갑상선 실질은 소림프구, 형질세포 및 림프여포 등의 광범위한 침윤으로 대치

되어 있고 이들 사이에는 위축된 갑상선여포가 남아있거나 Hürthle 세포라 불리는 세포질이 풍부하며 호산성인 여포 세포들도 관찰된다(그림 8-2A). 그 외에 섬유화가 동반되는데 드물게 광범위한 섬유화 때문에 갑상선이 위축되어 작아지는 경우도 있지만 갑상선 피막의 범위를 넘지 않으며 이것이 리델 갑상선염과 구별되는 점이다.

세포학적 소견

대부분 세포밀도가 높고 주된 세포성분은 호산성 여포세포와 성숙한 림프구이며 이 외에도 형질세포, 여포세포, 대식세포 및 다핵거대세포들이 관찰된다(그림 8-2B). 호산성 여포세포는 종종 핵이 커지고 비정형성을 보이며 핵내 고랑과 위봉입체를 종종 보여 유두암과의 감별이 어려운 경우도 있다. 또한 여포세포나 호산성 여포세포가 증식된 경우는 여포종양과 감별이 어렵고 림프구의 침윤이 심한 경우는 림프종과의 감별이 힘들다.

2) 아급성 육아종성 갑상선염
Subacute granulomatous thyroiditis

De Quervain 갑상선염으로도 불리우는 이 병변은 3~6:1의 비로 주로 여성에 호발하는 질환으로 호발 연령의 평균은 40대이다. 원인은 확실하지는 않으나 대부분의 환자에서 갑상선염이 병발하기 전에 상기도 감염, 유행 귀밑샘염, 간염, 폐렴을 앓았던 병력이 있고, 발열과 동통이 동반되며 수개월내에 자연 치유되는 임상경과 등으로 보아 바이러스 감염일 가능성이 크다. 갑상선은 한쪽 또는 양쪽이 약간 또는 2배까지 커지며 단단해지고 단면은 연황색을 띤다. 조직학적 소견은 병의 진행에 따라 차이가 있는데 초기의 활동성 염증기에는 미소농양을 형성하는 호중구의 침윤으로 여포세포는 대부분이 파괴되며 차츰 염증세포들은 림프구, 조직구 및 형질세포로 대치되고 콜로이드 주변부로 다핵성 거대세포가

형성된다. 후기에는 섬유아세포의 증식과 섬유화가 일어난다.

세포학적 소견

다핵성 거대세포가 특징적으로 나타나며 상피모양 조직구, 만성염증세포 및 변성된 여포세포들이 보인다. 간혹 하시모토 갑상선염과의 감별을 요하며 호산성 여포세포와 형질세포의 유무가 감별에 도움을 준다.

3) 아급성 림프구성 갑상선염
Subacute lymphocytic thyroiditis

아급성 림프구성 갑상선염은 갑상선기능항진증을 일으키는 드문 원인 중의 하나로 임상적으로 동통이 동반되지 않기 때문에 무통성갑상선염으로 불려진다. 어느 나이에서나 발생할 수 있으나 주로 분만 후 여성에게 잘 생긴다. 이 질환은 바이러스 감염이나 자가면역과의 관계가 확실하지 않은 것으로 알려져 왔으나 최근에는 면역매개로 발생하는 자가면역질환설이 우세하다. 갑상선은 약간 대칭적으로 커진 것 외에는 육안적으로 정상이고 조직학적으로는 소림프구의 침윤과 여포의 파괴가 특징이며 하시모토 갑상선염에서 보이는 형질세포나 림프여포는 뚜렷하지 않다.

4) 리델 갑상선염 Riedel thyroiditis

비교적 드문 갑상선염으로 원인은 알려져 있지 않으나 자가면역질환이 의심된다. 갑상선이 섬유조직으로 대치되어 있고 주변조직과의 유착이 심해 침윤성 섬유성 갑상선염이라고 한다. 여성에게서 5:1의 비율로 많이 발생하고 50대에 호발한다. 촉진 상 매우 단단하여 악성 종양으로 오인되기도 한다. 세포학적 검사를 시행한 경우 소량의 섬유조직과 염증세포만이 관찰된다.

4. 양성 종양

1) 여포선종 Follicular adenoma

대부분의 여포선종은 주변 실질과 잘 분리된 단독 결절로 나타나며 섬유성 피막을 갖고 있는 것이 특징이다(그림 8-3). 보통 직경은 1~3 cm 정도이고, 단면상 완벽한 섬유성 피막을 형성하며 주변 갑상선 조직을 압박한다. 조직학적 유형에 따라 색깔이 다양하며 큰 병변의 경우 다결절성 갑상선 종대와 마찬가지로 출혈, 섬유

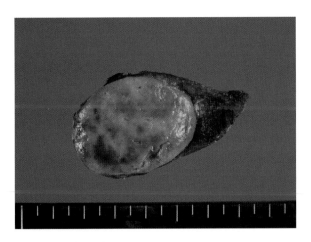

그림 8-3 | **여포종양**
주변 실질과 얇은 피막으로 잘 분리된 단독종괴로 나타난다.

화, 석회화 및 낭성 변화를 보인다. 피막의 완전함 유무가 분화가 좋은 여포 암종과의 감별 시 중요하다. 조직학적으로는 여포를 이루는 세포는 균일한 모양을 하며 여포 형성과 여포 내 콜로이드의 양에 따라 대여포(macrofollicular), 소여포(microfollicular), 배아성 혹은 육주성(embryonal, trabecular) 및 Hürthle 세포 선종(Hürthle cell adenoma) 등 다양한 유형으로 나뉜다.

세포학적 소견

세포밀도가 높고 주로 소여포모양으로 배열되어 있으며 육주모양과 밀집된 삼차원 구조를 이루며 콜로이드는 적은양으로 진하게 뭉쳐 관찰된다. 간혹 대여포 여포종양이거나 낭성 변화를 보이는 경우는 세침흡인세포검사에서 다결절성 갑상선 종대와 감별이 어려운 경우가 있다. 반대로 활성화가 높은 세포충실성 다결절성 갑상선 종대의 경우 세포학적 소견이 유사해 감별진단이 어렵다.

2) 유리질 소주형 종양 Hyalinizing trabecular tumor

유리질 소주형 종양은 선종과 암종을 모두 포함하나 거의 대부분이 선종이다. 유리질 소주형 선종은 피막이 잘 형성되어 있으나 암종은 피막과 혈관침윤을 보인다(그림 8-4A). 최근에는 이 종양의 30~60%에서 RET/PTC 유

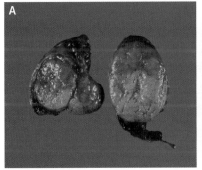
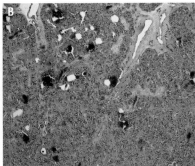
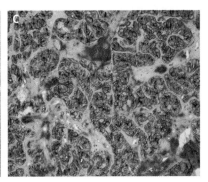

그림 8-4 | **유리질 소주형 종양**
A. 육안 소견상 피막을 잘 형성하고 있는 탄탄한 종괴가 관찰된다. **B.** 조직소견상 다각형, 난원형 또는 방추형 세포들이 소주형 배열을 하고 있으며 기질의 유리화를 관찰할 수 있다. 보라색의 사종체가 다수 관찰되어 유두암과의 감별이 필요하다. **C.** MIB1 면역조직화학검사에서 종양의 세포질막이 강하게 염색된다.

전자 재배열이 발견되어 유두암의 한 유형으로 거론되고 있다. 이 종양은 다각형, 난원형 또는 방추형의 세포들이 소주형 배열을 하는 성장양상과 기질의 유리질화를 특징으로 한다. 그러나 이 종양은 세포학적으로 핵내고랑, 위봉입체, 그리고 사종체(psammoma body) 등이 관찰되어 유두암과의 감별이 필요하다(그림 8-4B). 또한 조직학적으로는 심한 유리질 섬유화가 아밀로이드로 오인될 수 있어 수질암과도 감별이 필요하다. 이러한 조직학적 특징으로 세침흡인세포검사나 동결절편검사에서 종종 유두암이나 수질암으로 진단된다. MIB1 면역조직화학검사에 세포질막이 강하게 염색되는 것이 특징으로 진단에 유용하다(그림 8-4C). 유두암에서 흔한 BRAF 돌연변이는 관찰되지 않는다.

3) 기타 양성 종양

갑상선의 고립성 결절 중에 낭종으로 판명되는 경우가 있는데 대부분은 여포상 선종의 낭성 병변으로, 나머지는 다결절성 갑상선 종대의 낭성병변으로 인한 경우가 많다. 그 외에 유피낭(dermoid cyst), 지방종, 혈관종 및 기형종이 있다.

5. 악성 종양

갑상선의 악성 종양은 전체 악성 종양의 1.5% 가량을 차지하며 주요 유형으로 유두상(papillary), 여포상(follicular), 수질성(medullary) 및 역형성(anaplastic) 암종으로 나눌 수 있다.

1) 유두암 Papillary carcinoma

갑상선암의 85% 이상을 차지하는 가장 흔한 유형으로

방사선 조사와 밀접한 관계가 있으며 RET/PTC 유전자 재배열과 BRAF 돌연변이가 증명되고 있다. 유두암은 한개 또는 다발성 병변으로 나타나며 비교적 경계가 불분명한 종괴로 발견된다(그림 8-5A). 병변은 심한 석회화와 섬유화를 동반하기도 하고 종종 낭성 변화를 보이기도 한다. 단면은 과립성이며 때때로 육안적으로 유두상 모양을 관찰할 수 있다. 종괴의 크기는 다른 이유로 갑상선을 절제 후에 우연히 발견되는 미소 크기에서부터 다양한 크기를 보인다. 직경 1.0 cm 미만의 미세 종양은 유두상 미세 암종(papillary microcarcinoma)이라고 부른다. 유두암은 다발성으로 발생하는 경우가 많으며 대부분 피막 형성이 없거나 불충분하고 주변으로의 침윤이 있는 경우가 흔하다. 또한 국소 림프절의 전이가 환자의 5~20%에서 있으며 경부림프절 종대가 첫 증상으로 발견되는 경우도 드물지 않다. 조직학적으로 섬유조직과 혈관으로 이루어진 중심부를 종양세포가 덮고 있으면서 나뭇가지처럼 자라는 모양이 특징적이며 종양세포의 핵은 대부분에서 젖빛 유리(ground glass) 또는 비어 있는 모양을 보인다(그림 8-5B). 핵내 위봉입체와 핵내고랑이 존재하며 사종체도 특징적인 소견이다(그림 8-5C). 전형적인 유두암(usual papillary carcinoma) 외에 여포 유두암(follicular variant of papillary carcinoma), 광범위 경화변이(diffuse sclerosing variant), 키큰세포변이(tall cell variant), 원주세포변이(columnar cell variant), 고형성형(solid variant), 체모양-오디모양변이(cribriform-morular variant) 및 호산성과립세포변이(oncocytic variant) 등이 존재한다.

(1) 여포변이 유두암 Follicular variant of papillary carcinoma
가장 흔한 유형으로 유두암의 9~23%를 차지하며 전체에서 또는 거의 대부분의 경우에서 여포모양으로 배열되어 있다. 여포를 형성하는 종양세포들의 핵은 전형적인 유두암의 양상을 보이나 때에 따라서는 그 정도가 미미해 여포종양이나 다결절성 갑상선 종대와의 감별이 어려운 경우도 종종 있다(그림 8-5D). 세포학적 소견도 유두상 소견은 전혀 보이지 않고 주로 여포 모양으로 배

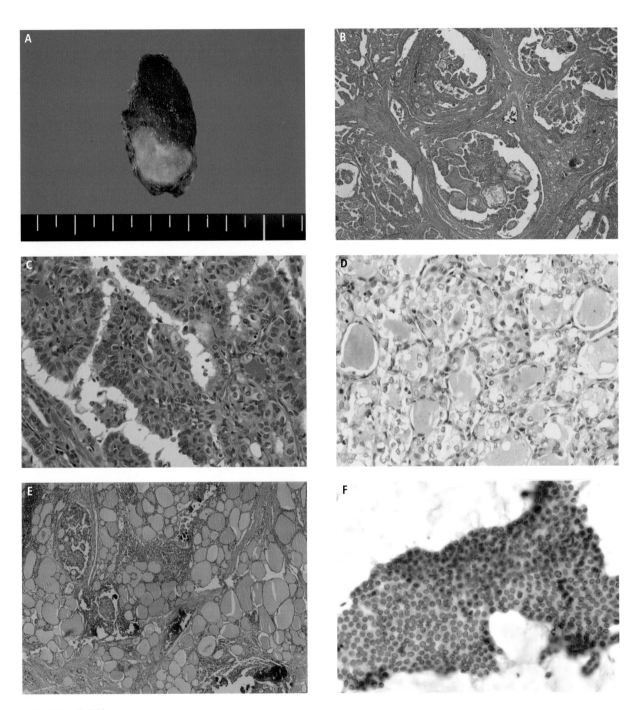

그림 8-5 | 유두암

A. 육안 소견상 경계가 불분명한 종괴가 관찰된다. 석회화와 섬유화를 동반하고 있다. **B.** 조직 소견에서 섬유조직과 혈관으로 이루어진 중심부를 종양세포가 덮고 있으면서 나뭇가지처럼 자라는 모양이 특징적이다(H&E, ×40). **C.** 고배율상 종양세포의 핵은 대부분에서 젖빛 유리 또는 비어있는 모양을 보이며 핵내 위봉입체와 고랑을 관찰할 수 있다(H&E, ×400). **D.** 여포 유두암: 거의 대부분 여포모양으로 배열되어 있으나 여포를 형성하는 종양세포의 핵은 전형적인 유두암의 양상을 보인다(H&E, ×200). **E.** 광범위 경화형: 주변조직의 섬유화, 풍부한 사종체와 림프구 침윤을 특징적으로 관찰할 수 있다(H&E, ×40). **F.** 세포학적 검사로 전형적인 유두암의 핵소견인 미세하고 잘 퍼진 핵질과 위봉입체 및 핵내고랑이 자주 관찰된다(H&E, ×400).

열되어 있기 때문에 유두암의 진단을 내리기 힘든 경우가 많다. 또한 BRAF 돌연변이의 빈도가 약 13%로 전형적인 유두암보다 낮기 때문에 세침흡인세포검사 진단 시 도움을 받기 힘들다.

여포 유두암은 종양 피막의 존재 유무와 주변 갑상선으로의 침윤에 따라 피막형성여포변이(encapsulated follicular variant)와 침윤성여포변이(infiltrative follicular variant)로 구분할 수 있다. 피막형성여포변이는 림프절 전이가 상대적으로 낮고 특히 종양 피막이나 혈관 침윤이 없는 비침습 피막형성여포변이는 예후가 아주 좋은 것으로 알려져 있다.

(2) 광범위 경화변이 Diffuse sclerosing variant

젊은 여성 환자에서 주로 많이 발생하며 작은 크기의 유두암이 갑상선 전체 또는 한쪽 엽을 광범위하게 침범하며 조직학적으로 섬유화, 풍부한 사종체, 편평상피화생 및 림프구 침윤이 동반된다(그림 8-5E). 또한 종양세포들의 갑상선실질 내 림프관으로의 침윤이 광범위하게 보이며 주변 림프절 전이가 빈번하게 보인다.

(3) 키큰세포변이 Tall cell variant

종양세포의 키가 너비보다 2~3배 정도 크며 이러한 세포들이 전체 종양의 50%를 넘는 경우 키큰세포변이라 부른다. 주로 고령층에서 발생하며 발견 당시 크기가 크고 갑상선 주변으로의 침범이 있어 예후가 나쁘다.

(4) 원주세포변이 Columnar cell variant

종양세포의 핵이 길쭉하며 핵염색질이 전형적인 유두암과는 달리 거칠고 진해 전이된 림프절에서 세침흡인세포검사검사를 한 경우 유두암이 아닌 다른 장기의 선암종으로 오인될 수 있다.

(5) 고형성형 Solid variant

주로 방사선 치료를 받은 소아에서 나타나는 유형으로 종양세포들은 주로 고형성 판을 이룬다. 분화가 나쁜 저분화성 암종과 유사한 조직배열 형태를 보이므로 감별

이 요구되나 전형적인 유두암의 핵 모양을 가진다는 점이 특징이다.

(6) 체모양-오디모양 변이 Cribriform-morular variant

유두암의 0.2%를 차지하는 굉장히 드문 유형으로 APC 유전자의 돌연변이와 연관성이 있다. 대부분 가족성대장폴립증 또는 가드너증후군 환자에서 생기고 이런 환자들의 경우 대장암의 가능성이 있다. 주로 16~30세의 젊은 여성에게서 호발하며 예후는 전형적인 유두암과 같다. 한 개 또는 여러 개의 경계가 좋은 종양으로 나타나며 조직학적 소견은 유두형, 체모양, 방추형, 고형성 또는 편평상피모양등 다양한 구조를 가진다. ß-catenin 면역조직화학염색에 종양세포의 핵과 세포질이 진하게 염색되는 것이 특징이다.

(7) 호산성과립세포변이 Oncocytic variant

핵은 전형적인 유두암에서 보이는 소견들을 가지나 호산성과립의 세포질을 보이는 유형이다. 주된 구조는 유두상 양상을 보이나 여포모양이나 고형성 성장을 보이기도 한다. 세침흡인세포검사에서 Hürthle 세포 종양과의 감별이 필요하다.

세포학적 소견

전형적인 유두암의 경우 세포 밀도가 높고 유두상 군집이나 방향성이 없는 밀집된 단층 또는 중첩된 판으로 구성된다. 유두암의 진단에는 핵이 중요한 소견인데 크고 타원형의 구조를 가지며 미세하고 잘 퍼지는 핵질과 한쪽으로 치우친 작은 핵인을 관찰할 수 있고 위봉입체나 핵내 고랑을 보이는 것이 특징이다(그림 8-5F). 그 이외의 소견으로 동심원을 그리는 석회화 물질인 사종체가 관찰된다. 가장 흔한 아형인 여포 유두암은 전형적인 유두암에서 볼 수 있는 핵의 특징을 관찰할 수 있으나 그 소견이 전형적인 유두암보다 미약하게 나타나는 경우가 많고 주로 여포모양으로 배열되어 있어 여포종양과의 감별이 어렵다. 광범위 경화형은 림프구 침윤, 풍부한 사종체와 편평상피화생을 관찰할 수 있다. 그러나 이런

다양한 유형들은 그 특징이 세침흡인세포검사에서 뚜렷하게 보이지 않을 수 있고 또한 전형적인 유두암에서도 관찰 가능한 소견이므로 세포학적으로는 구분하기는 어렵고 조직학적으로 그 유형들을 정확하게 구분할 수 있다. 간혹 세침흡인세포검사에서 세포의 미묘한 변화만 있을 경우 BRAF 돌연변이 검사를 통해 진단하는데 도움을 받을 수 있다. 세침흡인세포검사진단의 정확도는 90~95%이고 거짓음성률은 약 5% 미만이다. 거짓음성을 보이는 경우는 유두암이 낭성변화를 보여 종양 세포가 거의 없고 피 또는 콜로이드에 대식세포만 있거나 심한 섬유증식이나 두껍게 섬유화 또는 석회화된 피막이 있어 세포의 채취가 어려운 경우이다.

2) 여포암 Follicular carcinoma

여포암은 갑상선암 중 두 번째로 흔한 암종으로 유두암보다 고령의 여성에서 더 많이 발생하는 것으로 알려져 있고 그 예후가 더 나쁜 것으로 되어있다. 여포암은 피막형성이 잘되어 있거나 광범위한 침윤성 소견을 보인다(그림 8-6A). 이중 피막형성이 잘되어 있는 경우에는 여포종양과 육안적으로 감별하기 어려운데 이를 미세침습성 여포암(minimally invasive follicular carcinoma)이라 부른다. 여포암과 여포선종과의 감별에서 가장 중요한 것은 종양조직의 피막 또는 혈관 침윤이 있다는 점이다(그림 8-6B, C). 이러한 피막 또는 혈관 침윤을 보기 위해서는 종양과 주변부의 광범위한 조직학적 검사가 필요하기 때문에 세포학적 검사나 동결절편 검사만으로는 정확한 진단이 불가능하다. 또한 세침흡인세포검사검사 후 보일 수 있는 반응성 병변으로 피막 또는 혈관 침윤과 유사한 소견이 있을 수 있어 진단이 어려운 경우도 간혹 있다. 미세침습성 여포암에서는 혈관침윤이 있는 경우가 피막침윤만 있는 경우보다 예후가 나쁘며 특히 혈관침윤이 4개 이상인 경우는 이하인 경우보다 높은 치사율을 보인다. 큰 병변의 경우는 종양 피막을 뚫고 주변 갑상선과 경부조직으로 광범위하게 침범하는 소견을

보이는데 이를 광범위 침습성 여포암(widely invasive follicular carcinoma)이라 하며 이 경우 혈관 침범이 빈번하다. 혈관전이를 주로 하여 원격장기에 전이를 일으키지만 림프관이나 림프절 전이는 드물다. 여포암의 아형으로 Hürthle 세포와 투명세포 아형(clear cell variant) 등이 있다. 드물게 종양의 괴사와 세포밀도가 과도하게 높으면서 유사분열이 자주 관찰되나 피막이나 혈관 침윤은 발견되지 않은 경우 비정형 여포종양(atypical follicular adenoma)이라는 진단을 하기도 하나 대부분의 경우는 양성과 유사한 임상경과를 보이는 것으로 보고되고 있다.

세포학적 소견
균일한 세포로 구성되어 있는 작은 여포가 다수 관찰된다(그림 8-6D). 일부 세포는 세포질이 많고 과립상이며 붉은 Hürthle 세포로만 구성되어 있기도 한다. 어떤 형태든 유두암의 핵 소견은 없어야 한다. 세침흡인세포검사에서 보이는 핵 소견이 여포암과 유두암을 감별하는데는 도움이 되지만 여포종양과 여포암의 구분에는 도움이 되지 않는다. 이 구분은 수술 후 얻은 검체를 광범위하게 조사하여 종양조직의 피막과 혈관의 침윤이 있는 지를 밝힘으로 가능하다.

3) 수질암 Medullary carcinoma

수질암은 갑상선 선방에 있는 C 세포, 즉 부여포세포(parafollicular cell)로부터 발생하며 약 80~90%에서 칼시토닌(calcitonin)을 분비한다. 이 종양은 80%에서는 산발성으로 발생하고 나머지는 다발성 내분비 선종증(multiple endocrine neoplasm)의 일환으로 발생한다. 후자의 경우 최근 RET 원형 종양유전자와의 관련성이 제기되고 있다. 수질암은 한 개 또는 다발성으로 양쪽 엽을 침윤하는 두 가지 육안적 양상을 보이는데 가족성인 경우 다발성 및 양측으로 발병하는게 흔하다. 종양은 단단하고 크기가 큰 경우 괴사와 출혈을 보이며 갑

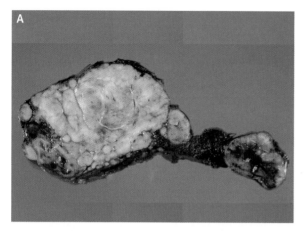

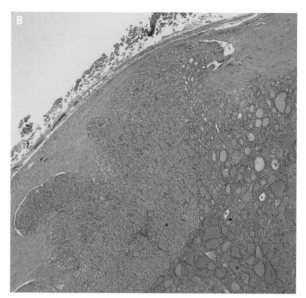

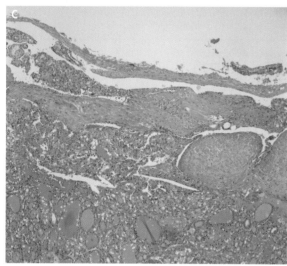

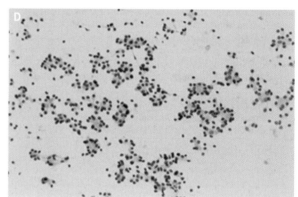

그림 8-6 │ 여포암

A. 다양한 크기의 여러 개의 경계가 좋지 않은 종괴가 피막을 뚫고 주변조직으로 광범위하게 침범하고 있다. B. 조직소견상 피막 침범이 관찰된다. 종양세포는 주로 여포를 이루고 있으며 여포종양과 형태학적으로 감별하는 것은 불가능하다(H&E, ×40). C. 종양의 피막 내 혈관 침범이 관찰된다(H&E, ×200). D. 세포학적으로 유두암의 핵 소견이 관찰되지 않는 여포세포들이 작은 여포를 다수 이루며 균일하게 분포되어 있다(PAP, ×200).

상선 피막을 넘어서 침범하는 양상을 보인다. 조직학적으로 난원형, 다각형 및 방추형 세포들이 소(nest), 육주(trabecula) 및 여포를 형성하며 성장하고 이들 사이에 아밀로이드가 침착된 섬유성 간질이 있다(그림 8-7A). 세포의 핵은 과염색성을 띠며 미세과립상이고 종종 위봉입체가 관찰된다. 세포질은 과립상으로 풍부하며 칼시토닌 면역조직화학검사에 양성으로 염색된다. 가족성인 경우 종양 주변부에 C세포 증식이 보인다.

세포학적 소견

다양한 크기의 난원형, 다각형 및 방추형의 핵들이 주로 낱개로 흩어져 관찰된다(그림 8-7B). 핵이 한 쪽으로 밀려있거나 다핵 세포도 종종 관찰되며 일부에서는 무세포성 아밀로이드 침착이 관찰된다. 수질암은 여러 모양의 세포를 관찰할 수 있기에 갑상선 종대, 여포종양 및 역형성 암종 등 감별해야 할 병변이 매우 다양하다. 또한 위봉입체가 자주 보이기 때문에 유두암으로 진단되는 경우도 종종 있으며 군집을 형성하지 않고 종양세포

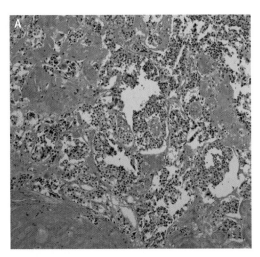 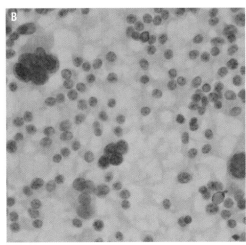

그림 8-7 | 수질암

A. 조직 소견상 종양은 난원형, 다각형 및 방추형 세포들이 소, 육주 혹은 여포를 형성하며 성장하고 이들 사이에 아밀로이드가 침착된 섬유성 간질이 특징적이다(H&E, ×100). **B.** 난원형의 크고 작은 세포들이 낱개로 흩어져 관찰된다. 핵은 과염색성을 띠고 미세과립상이고 위봉입체가 관찰된다(H&E, ×400).

들이 낱개로 흩어져 보인다는 점에서 Hürthle 세포 종양이나 림프종과 감별해야 한다. Hürthle 세포 종양은 뚜렷한 핵인이 관찰된다는 점이 감별에 도움을 줄 수 있다. 따라서 세침흡인세포검사에서 보이는 세포만으로 감별이 어려워서 위음성이 많기 때문에 수질암이 의심될 때에는 환자의 혈청에서 칼시토닌을 조사하는 것이 수질암을 진단하는데 도움이 된다.

4) 저분화암 Poorly differentiated carcinoma

갑상선여포 기원의 악성도가 분화가 좋은 유두암 또는 여포암과 분화가 아주 나쁜 역형성 암종의 중간 정도의 종양으로 종종 인슐라 암종(insular carcinoma)으로 불리운다. 전체 암종의 1% 미만으로 드물며 이미 존재해 있던 유두암이나 여포암에서 생기는 경우와 바로 분화도 나쁜 암종으로 생성되는 두 가지 기전이 있다. 유두암에서 자주 발견되는 BRAF 돌연변이가 저분화성 암종의 15%에서 보고되어 있으며 대부분의 BRAF 양성 저분화성 암종은 유두암 특히 긴세포변이를 함유하고 있다. 종

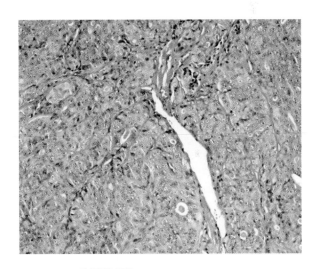

그림 8-8 | 저분화성 암종

조직 소견상 종양세포는 유두암의 핵모양을 잃고 분화가 나쁘며 뚜렷한 핵소체를 보인다(H&E, ×200).

양의 주된 조직학적 소견은 고형성/육주형/인슐라 형태로 자라나며 전형적인 유두암의 핵모양이 소실되며 종양 괴사나 유사분열이 고배율에서 3개 이상 관찰된다(그림 8-8).

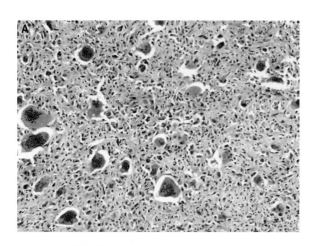
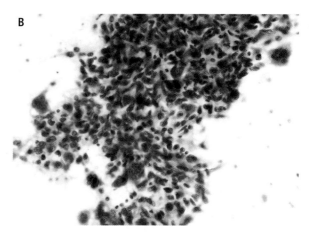

그림 8-9 │ 역형성암

A. 조직 소견상 종양세포는 주로 다형성의 거대 세포로 이루어져 있다(H&E, ×100). **B.** 세포 소견상 주로는 방추형 모양의 세포로 이루어져 있으며 다형성의 거대 세포 역시 관찰된다(H&E, ×400).

5) 역형성암 Anaplastic carcinoma

역형성암은 악성도가 아주 높고 사망률이 100%에 이르는 종괴로 전체 갑상선 종양의 1~2%를 차지한다. 환자의 평균 나이는 65세로 다른 암보다 고령에서 발생하고 발견 당시 갑상선뿐 아니라 주변조직까지 침윤하여 큰 종괴를 형성하는게 특징이다. 환자의 약 50%에서는 다결정성 갑상선 종대가 있고, 20%에서는 분화가 좋은 갑상선암으로 진단받았던 병력이 있고, 나머지 20~30%는 역형성암진단 당시에 분화 좋은 갑상선암이 같이 발견된다. 조직학적으로 세가지 유형이 있는데 크고 다형성의 거대 세포로 이루어진 유형(giant cell type), 방추형 모양의 세포들로 이루어져 육종의 형태를 보이는 방추세포 유형(spindle cell type) 및 소세포암을 닮은 종양세포로 이루어진 소세포 유형(small cell type)으로 나누기도 하지만 대부분 여러 유형이 혼재되어 나타난다(그림 8-9A).

세포학적 소견

다핵거대세포를 포함한 다형성의 거대세포 또는 육종 모양을 보이는 방추형 세포 등을 포함하여 심한 역형성 세포로 구성되며 괴사를 동반한다(그림 8-9B). 또한 비정상적 형태의 유사분열도 관찰된다. 전이성암이나 원발성 육종과의 감별을 요하며 임상적인 소견이 도움이 된다.

6) 림프종 Lymphoma

50~80세의 여성에서 더 많이 발생하며 전체 림프종의 2%를 차지한다. 50~75%가 미만성 거대 B세포 림프종이므로 세침흡인세포검사에서 진단 가능하다. 두 번째로 흔한 림프종은 점막연관림프종(mucosa-associated lymphoid tissue lymphoma)이며 이는 주로 하시모토 갑상선염에서 생긴다. 하시모토 갑상선염에서는 크고 작은 다양한 림프구가 보이는 반면 점막연관림프종은 작거나 중간크기의 림프구로만 구성되어 있다.

세포학적 소견

크고 비정상적인 미성숙한 림프구가 주로 관찰되며 점막연관림프종의 경우 하시모토 갑상선염과의 감별이 어려울 수 있으며 유세포검사가 도움을 줄 수 있다.

REFERENCES

1. Clark DP, Faquin WC. Thyroid Cytopathology. Springer; 2010.
2. DeLellis RA, Lloyd RV, Heitz PU, et al., eds. WHO Classification of Tumours. Pathology and Genetics of Tumours of Endocrine Organs. Lyon: IARC Press; 2004.
3. Kini SR. Thyroid Cytopathology. Philadelphia:Lippincott Williams & Wilkins; 2015.
4. Maitra A. The endocrine system. In: Kumar V, Abbas AK, Fausto N, Aster JC, editors. Robbins and Cotran Pathologic Basis of Disease. 8th ed. Philadelphia: Saunders; 2015. P1082-100.
5. Nikiforov YE, biddinger PW, Thompson LDR. Diagnostic Pathology and Molecular Genetics of the Thyroid: A Comprehensive Guide for Practicing Thyroid Pathology. 2nd ed. Philadelphia:Lippincott Williams & Wilkins; 2012.

양성갑상선 질환

Benign Thyroid Disease

SECTION

2

갑상선염
Thyroiditis

┃ 영남대학교 의과대학 외과 **강수환**

갑상선염은 급성 세균성 감염으로부터 만성 자가면역성까지 다양한 염증 질환을 통칭하는 것으로, 갑상선염의 분류는 일반적으로 병리 소견과 그 경과의 기간에 따라 급성, 아급성, 만성으로 구분한다. 급성 갑상선염은 세균감염에 의한 화농성 염증이 생긴 경우이며, 아급성 갑상선염에는 통증을 동반하는 아급성 육아종성 갑상선염과 무통성인 만성 림프구성 갑상선염이 있으며, 만성 갑상선염에는 만성 림프구성 갑상선염, 만성 위축성 갑상선염 및 만성 섬유성 갑상선염이 있다. 유병률은 만성 림프구성 갑상선염인 하시모토 갑상선염이 제일 많으며, 표 9-1과 같은 순서로 분류할 수 있다. 급성, 아급성, 만성 갑상선염의 임상적 특징 및 치료에 대해서 서로 비교하며 알아본다(표 9-2).[1-2]

표 9-1 ┃ 갑상선염의 유병률에 따른 분류

하시모토 갑상선염	아급성 육아종성 갑상선염
아급성 림프구성 갑상선염	급성 화농성 갑상선염
무통성갑상선염	섬유성 갑상선염
산후갑상선염	(리델 갑상선염)

균 작용을 지닌 요오드가 풍부하기 때문이다.[3]

1. 급성 갑상선염

급성 갑상선염은 갑상선 질환의 약 1%를 차지하는 매우 드문 질환으로 1897년 Bauchet가 처음 보고한 이후 국내외에서 드물게 보고되어 있다. 급성 화농성 갑상선염이 드물게 발생하는 이유는 세균 감염에 대해 내성이 강한 갑상선의 구조적 특성 때문인데, 이는 갑상선이 피막(capsule)에 의해 둘러싸여 있어 다른 기관과 분리되어 있고, 혈혈관 분포가 많고 림프 배출이 잘 되며, 항 세

1) 임상증상

소아에서 흔하고, 종종 상기도 감염이나 중이염 후 발생한다. 턱이나 귀로 방사되는 심한 경부통증, 발열, 연하곤란 및 발적, dysphonia 등을 호소한다.

2) 원인

대부분 세균에 의하며, 원인균으로서 황색 포도상구균이 가장 흔하고, 특히 소아의 경우는 Group A β-hemolytic streptococcus가 약 70%를 차지한다.[4] 그 외 원인세균으로 *E.coli*, Pseudomonas aeruginosa, Haemophilus influenza, Eikenella corrodens, Corynebacterium 등이 있고, 드물지만 Mycobacteria, Salmonella, Aspergillus, Actinomycoses 등도 원인이 될

표 9-2 | 각종 갑상선염의 임상상

	급성갑상선염	아급성갑상선염	무통성갑상선염	하시모토 갑상선염	리델 갑상선염
발생연령	소아(20~40)	20~60	모든 연령(30~40)	모든연령 (주로 30~50)	30~60
여자:남자	1:1	5:1	2:1(산발성)	8~9:1	3~4:1
원인	세균감염	바이러스(?)	자가면역	자가면역	모른다
병리소견	농양형성	육아종성, 거세포	림프구침윤	림프구침윤, 섬유화, 배중심	심한 섬유화
결절양상	통증, 일과성	통증, 일과성	무통성, 지속성	무통성, 지속성	무통성, 지속성
열감,무력증	있다. 피부발적 흔하다	있다. 피부발적 드물다	없다	없다	없다
갑상선항체	없다	없다, 일과성의 저역가	지속적인 높은 역가	지속적인 높은 역가	대부분 양성
갑상선기능	대부분 정상	기능저하, 기능항진 또는 모두	기능저하, 기능항진 또는 모두	기능저하, 정상	대부분 정상
ESR	증가	증가	정상	정상	정상
24시간RAIU	정상	< 5%	< 5%	다양	정상, 감소
재발	Pyriform siuns fistula있을 때	드물다	임신시	종종 있다	종종 있다
영구적갑상선 기능저하	드물다	때때로	일반적	종종 있다	때때로

수 있다.[5] 감염경로는 명확히 밝혀지지 않는 경우가 많지만 알려진 감염 경로로는 (1) 주위 염증의 혈행성 또는 림프관을 통한 전파, (2) 소아에서 흔한 폐색되지 않은 pyriformis sinus fistula나 갑상설관 낭종으로부터 직접적인 전파, (3) 갑상선의 관통손상으로 인한 전파 (4) AIDS환자나 혈액종양환자의 항암화학요법 중 면역억제 상태인 경우 등이 있고, 이를 통해 주위 경부조직으로부터 감염이 확산되어 생기는 것으로 알려져 있다.[6] 특히 pyriformis sinus fistula와 같은 선천성 갑상선 이상은 왼쪽에서 많아 급성 화농성 갑상선염의 90%가 왼쪽에서 발생하는 것으로 알려져 있다.

3) 검사소견 및 진단

급성 화농성 갑상선염의 검사소견으로 백혈구 증가가 57~73%에서 관찰되나, 혐기성 세균 감염시에는 정상 백혈구 수를 보일 수도 있다. 혈구 침강 속도(ESR) 상승과 반응 단백(CRP)이 증가하며, 갑상선기능 검사는 급성기에 갑상선의 염증으로 인한 T4의 유출로 경도의 항진 소견을 보일 수 있으나, 대개는 정상인데 이는 대개의 급성 화농성 갑상선염의 경우는 갑상선의 파괴가 심하지 않기 때문이다.

갑상선 동위원소검사에서 90% 이상에서 냉소(cold area)로 나타나며 저하된 섭취율(uptake)이 관찰된다(그림 9-1). 방사선학적 검사로서 단순 경부 촬영으로 기관 편

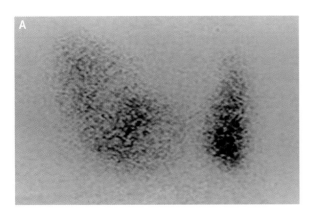 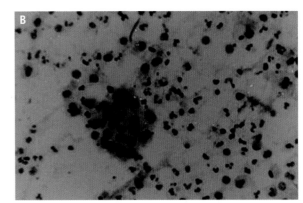

그림 9-1 │ 급성갑상선염의 동위원소검사(A)와 조직사진(B)

표 9-3 │ 동통을 동반한 전경부 종괴의 감별진단

갑상선 병변	갑상선 외 병변
• Subacute granulomatous thyroiditis • Acute suppurative thyroiditis • Acute hemorrhage into a cyst • Acute hemorrhage into a benign or malignant nodule • Rapidly enlarging thyroid carcinoma • Painful Hashimoto's thyroiditis • Radiation thyroiditis	• Infected thyroglossal duct cyst • Infected branchial cleft cyst • Infected cystic hygroma • Cervical adenitis • Cellulitis of the anterior neck • Globus hystericus (no mass palpable)

From Farwell AP, Braverman LE: Otolaryngol Clin North Am 29:541, 1996; and Farwell AP. Infectious thyroiditis. In: Braverman LE, Utiger RD, eds. Werner & Ingbar's the thyroid: a fundamental and clinical text. ed 8. Philadelphia, 2000, Lippincott Williams & Wikins.

위(tracheal deviation)를, 식도 조영술로 pyriformis sinus fistula 볼 수 있거나 초음파와 전산화 단층 촬영으로 농양 및 농양주위의 구조 관찰에 도움이 된다.

확진은 갑상선 농양으로부터 세침흡인을 시행하여 그람염색과 세균배양으로 진단한다. 감별진단으로는 경부 종괴와 감염 등인데 아급성 갑상선염, 하시모토 갑상선염, 갑상선 결절, 이소성 갑상선 조직, 갑상설루 감염, 경부 선염(adenitis), 박리성 후인두 농양 등이다(표 9-3). 특히 아급성 갑상선염과는 감별이 어려운데 발열, 백혈구 증가와 주로 좌측부위에 호발하는 종창 및 갑상선기능 검사상 정상의 소견은 갑상선 농양을 강력히 의심할 수 있다.

4) 치료

필요시 절개배농을 실시하고, 적절한 항생제를 투여하면 된다. 드물지만, 진단과 치료가 늦어질 경우, 전신패혈증, 기도파열, 식도파열, 경정맥혈전증, 후두연골염, 교감신경총마비 등의 합병증이 생길 수 있다.[7]

2. 아급성 갑상선염

아급성 갑상선염은 통증이 있거나 없는 형태로 나뉠 수 있다. 통증을 동반한 아급성 육아종성 갑상선염을 흔히 아급성 갑상선염이라 하고, 아급성 림프구성 갑상선염은 무통성갑상선염 또는 산후갑상선염이라고 불린다. 이 두 질환은 병인이나 조직학적 소견이 달라 다른 질환이지만, 갑상선기능 변화는 두 질환에서 유사하게 나타나므로, 한 범주에서 다루어진다.

1) 아급성 육아종성 갑상선염

아급성 갑상선염은 통증을 동반한 갑상선염의 제일 흔한 형태이다. 그러나, 갑상선중독증을 나타내는 질환 중 진단 시 감별해야 할 그레이브스병에 비해 발병률은 현저히 적은데, 우리나라에서는 갑상선중독증의 약 3% 정도를 차지한다(표 9-4). 30~40대에 잘 생기며, 소아나 노인에서는 드물고, 남자보다 여자에서 잘 생긴다. 바이러스 감염이 아급성 갑상선염의 원인으로 생각되며, 초봄과 늦여름에 계절적으로 발생하는 경향이 있고, 때로는 특정한 바이러스질환의(홍역 볼거리 독감) 유행에 동반되어 나타나기도 하며, 통상적으로 수주 내지 수개월의 경과를 거쳐서 자연 회복된다.[8] 또한, 주조직적합항원 HLA-B35가 아급성 갑상선염에서 바이러스에 대한 면역반응을 조장시켜 발병을 유도할 가능성이 보고되고 있는데, 이로서 유전적 성향도 중요한 원인 중의 하나로 생각될 수 있다.[9]

(1) 임상증상

특징적인 증상으로는 갑상선의 통증 및 압통인데, 갑상선의 통증은 음식을 씹거나 삼킬 때 혹은 기침을 하거나 목을 돌릴 때 심해지며, 또한 통증은 병이 있는 쪽의 턱이나 귀로 뻗치게 되고 가끔 귀의 통증이 주 증상일 수도 있다. 반면, 가끔 아무런 증상이 없이 갑상선이 커져 있는 환자에서 조직검사 후에 발견되는 경우도 있다. 약 50%에서 증상이 나타나기 수일 혹은 수주 전에 감기를 앓았던 병력이 있으며, 근육통 피로감 등이 전구 증상으로 나타나기도 한다. 대부분의 환자는 열이 있고, 약 반수에서 갑상선중독증의 임상증상이 있는데 이는 염증으

표 9-4 | 갑상선중독증의 원인별 빈도

병명	빈도
그레이브스병	1,295명(94.1%)
아급성 갑상선염	39명(2.8%)
무통성갑상선염	35명(2.5%)
독성 결절	7명(0.5%)
계	1,376명(100%)

서울대학교병원 통계(1990~1993)

로 갑상선세포의 파괴가 일어나 저장되어 있던 갑상선호르몬이 방출되기 때문이다. 진찰 시 압통을 호소하고, 병변부위는 딱딱하여 갑상선암으로 오인할 수도 있다.

(2) 진단

검사실 소견은 병기에 따라 다르게 나타난다. 급성기에는 갑상선여포세포의 파괴로 호르몬이 방출되므로 T3 증가, TSH 감소, FT4 증가되나, 그레이브스병에 비해서는 상승정도가 낮다. TSH 수용체 항체는 10~20%에서 양성이나 대부분 음성이다. 가장 특이적인 소견으로 ESR, RAIU, 혈청 Tg가 있는데, ESR은 100 mm/hr 이상으로 현저하게 증가되고, RAIU는 2% 이하로 감소되며, 혈청 Tg는 상승한다. ESR이 정상이고, RAIU가 5% 이상이며 혈청 Tg가 정상수치라면 아급성갑상선염을 배재할 수 있다.[10] 병의 회복기에는 대부분의 검사실 소견이 정상수치로 돌아온다. 악성종양과의 감별 및 확진을 위해 세침흡인세포검사를 시행하면 multinucleated ginat cell이 관찰된다. 초음파검사 시 특징적인 저음영부위를 관찰할 수 있어 이를 활용하면 진단에 도움이 된다(그림 9-2).

(3) 치료

특이한 치료법은 없으며, 증상에 따라 치료한다. 2~4 gm/day의 아스피린이나 비스테로이드성 항염제등을 염증이 사라질 때까지 사용한다. 그러나 대부분 아스피린에 반응이 없어 단기간의 스테로이드 치료를 하는데, prednisolone 30~40 mg/day 용량으로 시작하여 임상

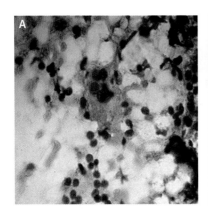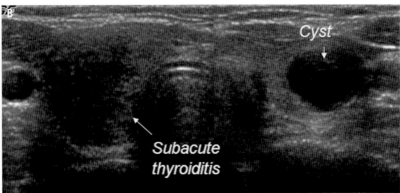

그림 9-2 │ 아급성갑상선염의 조직사진(**A**)과 초음파사진(**B**)

경과에 따라 용량을 줄여 투여하다 4~6주 후 투여를 중단한다. 급성기에는 교감신경 항진증을 억제하기 위해 베타 차단제를 투여하여도 좋으며, 갑상선기능저하기에는 갑상선호르몬을 약 3개월 정도 투여한다.

(4) 예후
질환은 일반적으로 4단계로 진행된다.[11] 첫 번째, 갑상선호르몬의 방출 때문에 일어나는 갑상선기능항진, 두 번째, 정상갑상선단계, 세 번째 단계인 갑상선저하가 20~30%의 환자에서 일어나고 90% 환자가 정상갑상선 상태로 돌아온다. 갑상선중독증은 대개 1~3개월 지속되면서 자연히 소실되고 이후 갑상선기능저하증이 나타나 1~3개월간 지속된다.

이러한 경과는 부신피질호르몬을 투여하면 현저히 단축된다. 아주 드물게 영구적인 갑상선기능저하증이 발생하는 수도 있으나 대부분은 자연히 회복된다. 그리고 일단 회복된 후에는 재발이 없는 것으로 알려져 있으나, 드물게 재발한 경우도 관찰할 수 있다.

2) 무통성갑상선염

일과성 갑상선기능항진증을 동반하는 무통성갑상선염은 1975년에 확인되었는데, 현재는 빈도가 감소되었으며 주로 출산 후에 발생하나(산후갑상선염), 출산과 관계 없이 발생하는 수도 있다(일과성, 산발 갑상선염). 출산 후에 발생하는 이 질환의 빈도는 매우 높아 전체 산모의 2~10%에서 발생하나 출산과 관계없이 발생하는 경우의 빈도는 잘 알려져 있지 않다. 병리소견이 아급성(육아종성) 갑상선염과 달리 림프구 침윤이 현저하고, 대부분에서 갑상선 항체가 검출되며, 다양한 자가면역질환과 연관이 있기 때문에, 하시모토 갑상선염과 유사한 면이 많다.[12-13] 하지만 병의 경과는 아급성 갑상선염의 임상 경과와 유사하다.

(1) 임상증상
무통성갑상선염은 임상 경과가 아급성갑상선염과 비슷하여 초기의 갑상선 중독시기를 지나 기능저하시기를 거쳐 자연 회복되는 경과를 취하지만, 아급성 갑상선염 때 나타나는 통증이나 압통은 나타나지 않는다. 갑상선중독증의 시기를 지나 갑상선기능저하증 시기를 거쳐 회복되는 전형적인 경과를 밟는 경우는 약 30% 정도에서만 나타나고, 뚜렷한 갑상선중독시기를 거치지 않고 단지 갑상선기능저하증으로 나타나기도 한다. 그러나 뚜렷한 갑상선중독증의 시기를 거치지 않고 단지 최초 발병시에 갑상선기능저하만으로 증상이 나타난 경우는 하시모토 갑상선염에 의한 갑상선기능저하증과의 감별이 실제로 불가능하다.

관련된 유전자로는 아급성 갑상선염이 HLA-B35와 연관이 있는 것과 달리, HLA-DR3,-DR4,DR-5와 연관이 있다.[14-15]

산후갑상선염의 경우 자가면역성 질환의 증거가 더욱 뚜렷한데, anti-TPO Ab와 밀접한 관계가 있다. 임신 초기에 anti-TPO Ab가 양성이면 산후갑상선염이 발생할 확률은 30~52%로 보고되고 있다.[16]

(2) 진단

갑상선기능검사에서 항진증 소견을 보이면서 Anti-TPO Ab 양성인 경우가 흔하여 그레이브스병과 감별을 요한다. 그레이브스병과는 치료 및 예후가 완전히 다르기 때문이다. 두 질환의 감별에는 TSH 수용체 항체 측정과 RAIU 또는 갑상선스캔이 결정적 역할을 하는데, TSH 수용체 항체는 대개 음성이며, RAIU도 감소하므로 감별진단에 도움이 된다(표 9-5). 단 모유 수유 시에 방사선 동위원소검사가 금기이므로 주의를 요한다.[17] 갑상선 종에서 잡음이 청취되는 경우에는 그레이브스병으로 진단할 수 있기 때문에, 청진기를 이용하여 경동맥의 잡음(bruit) 유무를 파악하는 것과 Doppler 초음파를 이용하여 갑상선의 혈관분포 상태를 관찰하는 것이 도움이 된다.

(3) 치료

특별한 치료는 없으며, 갑상선호르몬의 합성이 증가된 것이 아니기 때문에 초기에 Graves 병으로 오인하여 항갑상선제를 투여하는 실수를 범하지 않아야 한다. 중독증 증상이 있을 경우 베타 차단제를 일시적으로 투여하고 기능저하증 시기에는 갑상선호르몬을 약 6개월 정도 투여한다. 수술은 거의 필요하지 않다.

(4) 예후

많은 환자에서 출산 후 6주에서 3개월 사이에 1~2개월 정도 지속되는 일시적인 갑상선기능항진증을 보이며 대개 자연적으로 회복되는데 증상은 일반적인 갑상선기능항진증 보다는 약하게 나타난다. 가끔 갑상선기능저하

표 9-5 | 아급성 갑상선염과 Graves 병과 감별

	아급성 갑상선염	무통성 갑상선염	Graves 병
통증, 압통	있음	없음	없음
상기도 감염 병력	있음	없음	없음
안구증상	없음	없음	있음
적혈구 침강속도	증가	정상	정상
갑상선 자가항체	대개 음성	++	+++
Pathology	giant cell		
RAIU	감소	감소	증가
초기 T3, T4	증가	증가	증가
TSH 수용체 항체	음성	음성	95% 이상 양성

증이 6개월 이상 지속될 수가 있는데 이때는 영구적인 갑상선기능저하증으로 생각한다. 출산 후에 발생한 무통성갑상선염은 다음 출산 시에 재발하는 것이 통상적이므로, 다음 출산 후 면밀한 관찰을 요하지만 다음 출산을 금할 필요는 없으며, 환자의 약 반수는 결국 영구적인 갑상선기능저하증으로 발전하므로 1~2년 간격으로 검사를 시행하여야 한다.

3. 만성 갑상선염

림프구성 갑상선염은 1912년 하시모토에 의해 'struma lymphomatosa-a transfomation of thyroid tissue to lymphoid tisseu'라는 용어로 처음 기술되었다.[18] 하시모토 갑상선염은 가장 흔한 갑상선의 염증성 질환이며, 갑상선기능저하증의 가장 많은 원인이다. 전 인구의 약 2%가 이 병을 가지고 있으며 이 중 약 95%가 여성이다. 어느 연령에서 발생할 수 있으나 특히 30~50대에 많으며 원인은 정확하게 밝혀지지 않았지만 유전적인 요소

와 환경적인 요소의 상호작용에 의한 것이라고 생각하고 있다.

1) 원인 및 병인, 병리

하시모토 갑상선염은 림프구가 갑상선 항원에 감작되어, 이들 항원에 대한 자가항체를 생산하는 질환으로 이해되고 있다. 나타나는 자가항체로는 3개의 주요항체, 항Tg항체(60%), 항TPO항체(95%), TSH수용체차단항체(60%)와 드물게 나타나는 항sodium/iodine symporter 항체가 있다. 자연살해세포에 의한 자멸사(apoptosis) 또한 하시모토 갑상선염의 병인과정에 관여하는데, 이러한 원인으로 갑상선 조직이 파괴되고 갑상선호르몬 생성이 감소되므로 TSH가 증가한다. 초기에는 증가된 TSH에 의해 갑산선종이 일어나 호르몬생성이 보충되지만, 지속적인 파괴로 갑상선기능저하증이 발생할 수 있다.

육안적 검사에서 갑상선은 전반적으로 약간 커지고 창백하고 회색깔의 과립성, 결절성의 단단한 단면을 가진다. 현미경적 소견으로는 샘은 전반적으로 작은 림프구와 형질세포로 침윤되어 있고 가끔 잘 발달된 배중심(germinal center)을 볼 수 있다. 여포강은 위축되고 콜로이드는 없거나 양이 매우 적으며, 간질성 결합조직은 증가되어 있고, 상피세포는 호산성 염색의 특징을 나타내는 Hürthle 또는 Askanazy세포로 이루어져 있다(그림 9-3).

2) 증상

하시모토 갑상선염의 증상은 매우 다양하여 아무 증상이 없이 우연히 다른 검사 중 발견되는 경우도 있고, 갑상선종 외에는 아무런 증상을 느끼지 못하다가 의사나 다른 사람에 의해서 발견되는 수도 많으며, 갑상선기능

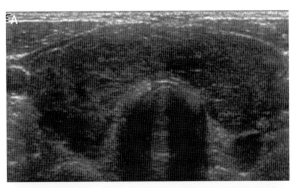
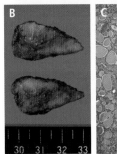
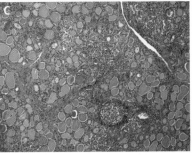

그림 9-3 │ **하시모토 갑상선염의 초음파사진(A) 및 육안적 사진 (B), 조직 사진(C)**

저하증의 증상은 약 1/3에서 나타난다. 이학적 검사상 단단하면서 분엽화되어 촉지되는 미만성 갑산선종이 보이며, 좌우 어느 한쪽만 커지는 경우도 있으며, 오래되면 혹처럼 단단하게 만져지기도 한다. 특히 추체엽이 종종 만져진다.

3) 진단

진찰 시 갑상선이 미만성으로 커져있고, TSH상승과 갑상선자가항체가 높은 수치로 나타나면 진단할 수 있다. 고형결절이 있거나, 갑자기 커지는 갑산선종에서 세침흡인검사를 시행할 수 있다. 만성갑상선염의 경과를 관찰하는 도중에 갑상선종이 갑자기 커질 경우에는 악성 림프종이 병발한 경우를 고려하여야 하며, 진단을 위해 초음파검사와 조직검사를 시행하여야 한다. 갑상선 림프종은 흔하지 않지만, 만성 자가면역 갑상선염의 가장

불길한 합병증으로 알려져 있다. 이는 갑상선염이 없는 대조군보다 발병률이 80배 높으며, 최근 연구에 의하면 림프종이 하시모토 갑상선염으로부터 발병할 수 있다고 발표하였다.[19]

4) 치료

갑상선기능저하증이 동반된 경우에는 TSH 수치 정상을 목표로 반드시 갑상선호르몬을 투여한다. subclinical hypothyroidism (T4정상, TSH↑)의 경우에선 논란 중에 있다. 특별히 고지혈증이나 고혈압같은 심혈관계질환의 위험인자를 가진 중년의 환자나 임산부에서는 치료를 권고하고 있다. 또한 갑상선종이 심한 경우에는 갑상선호르몬을 6개월 정도 투여해보는 것이 좋다. 악성이 의심되거나 압박 증상을 일으키는 갑상선종, 미용적 변이가 있을 때는 수술을 고려한다.

5) 예후

하시모토 갑상선염은 일차갑상선기능저하증의 가장 큰 원인이지만, 기능저하증에 빠지는 경우는 약 1/3 정도이며, 일단 기능저하증에 빠지면 회복이 안 된다고 알려져 있으나, 명확히 설명할 수 없는 기전이지만 일부에서는 치료 후 혹은 저절로 갑상선기능이 정상으로 회복되기도 한다.

4. 리델 갑상선염

리델 갑상선염은 Riedel's struma나 침윤성 섬유성 갑상선염으로 알려진 매우 드문 갑상선염이다. 갑상선 실질 혹은 일부가 섬유성 조직으로 대체되어 있고 주변 조직까지 침윤하는 것이 특징이다.

1) 원인 및 병인, 병리

이 질환의 병인은 논란중이지만, 자가면역질환을 가진 환자에서 발생되는 것으로 보고되고 있다. 이는 림프구 침윤의 소견과 스테로이드 치료에 반응하는 것으로 보아 원발성 자가면역이 원인임을 추측케 한다. 또한, 리델 갑상선염은 종격동, 후복막, 안와주위, 후안와의 섬유증과 경화성 담관염 등과 같은 다른 국소 경화증후군과 관련이 있는데, 이를 바탕으로 원발성 경화 질환일 것으로 생각하기도 한다.

2) 증상

30~60대 여성에서 많이 발생하며, 전형적으로 무통성의 딱딱한 결절이 전경부에서 만져지며, 점차 크기가 커지면서 연하곤란, 호흡곤란, 쉰목소리 등의 압박증상을 유발할 수 있다. 갑상선과 주위 조직이 점차 섬유화되면서 갑상선기능저하증, 부갑상선기능저하증의 증상도 나타날 수 있다.

3) 진단

단단하고 섬유화 되어 있기 때문에 세침흡인검사같은 경피적 조직검사로는 진단이 어렵고, 수술을 통한 조직검사로 진단이 가능하다.

4) 치료

수술이 주된 치료 방법이다. 수술의 목적은 갑상선 협부를 넓게 절제하여 압박증상을 개선하고, 조직검사로 확진하는데 있다. 수술시 주변 조직과의 경계가 불분명하기 때문에 광범위한 절제는 추천되지 않는다.

갑상선기능저하증이 있는 경우는 갑상선호르몬을 투

여하며, 압박증상 등 증상이 남아있는 경우 당류코르티
코이드, methotrexate, tamoxifen을 투여해서 효과가 있
었다는 보고가 있다.[22]

REFERENCES

1. Hamburger JI: The various presentation of thyroiditis: diagnostic consideration, Ann Intern Med 104:219, 1986.

2. Hopwood NJ, Kelch RP: Thyroid masses: approach to diagnosis and management in childhood and adolescence, Pediatr Rev 14:481, 1993.

3. Farwell AP. Infectious thyroiditis. In: Braverman LE, Utiger RD, eds. Werner & Ingbar's the thyroid: a fundamental and clinical text. 8th ed. pp. 1044-1050, Philadelphia, Lippincott Williams & Wikins, 2000.

4. Brook I: Microbiology and management of acute suppurative thyroiditis in children. Int J Pediatr Otorhinolaryngol 67:447, 2003.

5. Berger SA, Zonszein J, Villamena P, Mittman N. Infectious diseases of the thyroid gland. Rev Infect Dis 1983;5:108.

6. Hazard JB. Thyroiditis: A review. Am J Clin Pathol 1955;25:289.

7. Boyd CM, Esclamado RM, Telian SA. Impaired vocal cord mobility in the setting of acute suppurative thyroiditis. Head Neck 1997;19:235.

8. Fatourechi V, Aniszewski JP, Fatourechi GZ, Atkinson EJ, Jacobsen SJ: Clinical features and outcome of subacute thyroiditis in an incidence cohort: Olmsted County, Minnesota, study. J Clin Endocrinol Metab 88:2100-2105, 2003.

9. Nyulassy S, Hnilica P, Buc M, et al. Subacute(de Quervain's)thyroiditis: Association with HLA-Bw35 antigen and abnormalities of the complement system, immunoglobulins, and other serum proteins, J Clin Endocrinol Metab 1977;45:270.

10. Singer PA. Thyroiditis: Acute, subacute, and chronic. Med Clin North Am 1991;75:61.

11. Volpe R. The management of subacute(de Quervain's)thyroiditis. Thryoid 1993;3:253.

12. Pearce EN, Farwell AP, Braverman LE: Thyroiditis. N Engl J Med 348:2646-2655, 2003.

13. Volpe R. Is silent thyroiditis an autoimmune diease? Arch Intern Med 1988;148:1907.

14. Farid NR, Hawe BS, Walfish PG. Increased frequency of HLA-DR3 and 5 in the syndromes of painless thyroiditis with transient thyrotoxicosis: Evidence for an autoimmune aetiology. Clin Endocrinol(Oxf) 1983;19:699.

15. Jamsson R, Safwenberg J, Dahlberg PA. Influence of the HLA-DR4 antigen and iodine status on the development of autoimmune postpartum thyroiditis. J Clin Endocrinol Metab 1985;60:168.

16. Lazarus JH: Prediction of postpartum thyroiditis. Eur J Endocrinol 139:12-13, 1998.

17. Kendall-Taylor P: Investigation of thyrotoxicosis. Clin Endocrinolol(Oxf) 42:309-313, 1995.

18. Hashimoto Z. Zur Kenntniss der lymphomatosen veranderung der schilddruse(struma lymphomatosa). Arch Klin Chir 1912;97:219.

19. Moshynska O, Saxena A: Clonal relationship between Hashimoto's thyroiditis and thyroid lymphoma. J Clin Pathol 61:438. 2008.

20. Lee SL, Ananthakrishnan S: Riedel's thyroiditis. In UpToDate. Edited by: Rose BE. Waltham, MA: UpToDate; 2008.

21. Rosai J: Rosai and Ackerman's Surgical pathology, 9th edition, Philadelpia, Elsevier Saunders, 2004, 523.

22. Biondi B, Cooper DS: The clinical significance of subclinical thyroid dysfunction. Endocr Rev 29:76, 2008.

비중독성 갑상선종
Nontoxic Goiter

I 정파종 외과 **정파종**

갑상선종(goiter)은 갑상선의 전반적 혹은 국소적 비대 (enlargement)를 의미하며, 라틴어로 인후(throat)를 뜻 하는 "gutter"에서 유래되었지만,[1] "비대"에 대한 정량 적 정의는 명확하지 않다. 갑상선 정상기능의 변화를 초 래하는 내인성 결핍과 외부 요인에 대응해 적합한 호 르몬분비를 유지하기 위한 갑상선의 적응기전(adaptive mechanism)과 관련이 있다. 하시모토갑상선염, 그레이브 스병, 종양(갑상선암, 림프종 등), 약물 및 영양소(리튬, 요 오드 등) 등이 병인으로, 유전, 환경, 식이, 내분비 그리고 기타의 여러 인자가 복합적으로 작용하여 발생한다.

갑상선종은 형태에 따라 미만성(diffuse)과 결절성 (nodular)으로 분류하며, 역학적 요인에 따라서는, 요오 드(iodine)의 섭취가 충분한 지역에서 발생하는 산발성 (sporadic)과 경도 혹은 중증도의 요오드결핍이 있는 지 역에서 발생하는 지역성(endemic)으로 나눈다. 지역성 갑상선종(endemic goiter)은 만성 요오드결핍이 있는 지 역인구의 5~10% 이상에서 갑상선종이 발생하는 경우 로 정의하며, 대개 사춘기 이전, 어린 나이에서 발생한 다. 이에 비해 산발성 갑상선종은 늦은 연령에서 천천히 발생한다.[2] 위치에 따라 경부, 흉골하, 종격동 갑상선종 으로 나누기도 한다. 그리고 갑상선호르몬의 기능이상 여부에 따라 중독성(toxic)과 비중독성(nontoxic)으로 구 분할 수 있다. 비중독성 갑상선종(nontoxic goiter)은 갑상 선기능이상과 염증성 병변이 없는, 악성이 아닌 갑상선 종을 의미한다.[3]

1. 병인 Etiology

예전에는 비중독성 갑상선종의 주된 병인을 요오드결핍 으로 인한 지속적인 갑상선자극호르몬(thyroid stimulat- ing hormone ; TSH)의 증가로 생각했다. 갑상선자극호르 몬에 의해 세포증식이 일어나 갑상선이 비대되면, 대개 사춘기 이전에 비중독성 미만성 갑상선종(nontoxic dif- fuse goiter, NDG)이 발생하고, 이후 연령이 증가하면서 다발성 결절이 생겨 비중독성 결절성 갑상선종(nontoxic nodular goiter, NNG)으로 진행한다는 것이다. 그러나 요 오드결핍이 없는 경우에도 비중독성 미만성 갑상선종 이 발생한다. 그리고 비중독성 갑상선종 환자의 갑상선 자극호르몬 농도는 대부분 정상이기 때문에 이로 인한 갑상선 성장은 일시적인 것으로 생각되며, 갑상선종 환 자에서 레보티록신(levothyroxine ; LT4)을 투여하여 갑상 선자극호르몬을 정상 이하로 낮추어도 성장이 억제되지 않는 것을 보면 갑상선자극호르몬 외에도 갑상선종 성 장에 관여하는 인자가 있다는 것을 알 수 있다. 비중독 성 갑상선종은 여포세포(follicular cell)의 증식과 결절 생 성을 유도하는 내인성 요인과 이를 증폭시킬 수 있는 여 러 추가적인 요인이 결합된 결과이다(표 10-1).[4]

가장 흔한 원인은 요오드결핍으로, 요오드는 티록신 (thyroxine ; T4)과 삼요오드티로닌(triiodothyronine ; T3) 합 성에 필수적이다. 성인의 1일 요오드 필요량은 100~200 µg이며, 갑상선은 정상적으로 하루에 약 65 µg의 요오

표 10-1 | 비중독성 갑상선종의 원인과 작용 및 기전

원인	작용 및 기전
요오드결핍	갑상선자극호르몬(thyroid stimulating hormone; TSH) 증가로 갑상선 비대

갑상선종 발생인자(goitrogenic agent)
  식품
    양배추, 카사바(티오시안염)
    바바수코코넛
    해조류(요오드과다섭취)
  약품 및 화학물질
    리치움(lithium), 아미오다론(amiodarone), 켈프(kelp), 프로필티오우라실(propylthiouracil; PTU), 메티마졸(me-thimazole), 디곡신(digoxin), 페놀(phenol) 등
	요오드섭취 저해
	과산화효소(peroxidase) 작용 차단
	삼요오드티로닌(T3), 티록신(T4) 합성 저해
	
	갑상선호르몬의 생산, 분비, 전달, 대사, 제거 등의 과정에 관여

갑상선호르몬합성효소의 유전적 결함	갑상선호르몬합성장애(요오드섭취장애, 과산화효소결핍, 요오드티로신연결장애, 탈요오드효소장애)

드를 호르몬 형태로 분비한다. 음식물의 정확한 요오드 함량은 측정하기 어렵기 때문에, 적절한 공급 여부는 소변을 통한 요오드 배출량으로 측정한다. 요오드가 풍부한 지역에서 소변 내 요오드는 리터당 100 μg 이상이며, 심각한 요오드 결핍시에는 리터당 20 μg 미만, 중증도는 24~49 μg, 경도는 50~99 μg 정도가 배출된다. 한국에서 보고된 경우는 없지만 중앙아시아와 남미의 산간지방, 중앙아프리카, 뉴기니, 그리고 중국의 일부 지역에서 지역성 갑상선종이 전통적으로 발생하였고, 최근 요오드 첨가 식품이 보급되면서 많이 감소하였지만 아직도 보고되고 있다.

요오드섭취가 충분한 경우에도 유전적 요인과 환경적 요인, 그리고 갑상선세포 자체의 이질성(heterogene-ity)과 자율성(autonomy) 등에 의해 갑상선종이 발생한다. 원인은 명확하지 않지만, 산발성 갑상선종(sporadic goiter)의 발생률은 여성에서 남성보다 5~10배 정도 높다. 갑상선질환에 대한 성별 감수성(susceptibility)의 차이가 존재하거나 스테로이드호르몬의 일종인 성호르몬이 직접적으로 갑상선종 성장을 촉진하는 것으로 추정된다. 요오드결핍 지역에서는 임신 시 갑상선종과 결절 발생이 증가한다. 자궁평활근종(uterine fibroid)이 갑상선 결절의 위험을 두 배 정도 증가시킨다는 보고도 있는데,

이는 에스트로겐의 영향이거나 다른 생리, 병리학적 기전에 의한 것으로 생각된다. 경구피임약과 갑상선종의 관련성 역시 성호르몬의 영향일 것으로 추정된다.

흡연은 비중독성 결절성 갑상선종 발생의 명확한 환경적 요인으로 밝혀져 있으며, 특히 중증도의 요오드결핍 지역에서 그 영향이 크다. 담배의 성분 중 티오시안산염(thiocyanate)은 프로필티오우라실(propylthiouracil; PTU) 혹은 메티마졸(methimazole)처럼 갑상선세포의 기저막에서 요오드 섭취에 관여하는 소디움요오드동반수송체(sodium iodide symporter; NIS 또는 solute carrier family 5, member 5; SLC5A5)의 작용을 방해한다.[5]

식품에 함유된 성분이 갑상선종 발생인자(goitrogenic agent)로 작용하기도 한다. 카사바와 양배추에 포함된 티오시안산염은 요오드섭취율을 낮춰 갑상선종을 유발한다. 바바수코코넛의 소비량이 많은 브라질의 경우 갑상선종의 발생량이 높다. 바바수코코넛의 껍질과 가공품인 가루에 있는 성분이 프로필티오우라실처럼 작용하여, 과산화효소(peroxidase)의 작용을 차단하기 때문이다. 이러한 효과는 요오드 결핍 시 더 강력하게 나타난다.

역설적으로 요오드 과다섭취는 식품에 포함된 갑상선종 발생인자 중 가장 흔한 원인이다. 요오드가 함유된 해조류의 섭취량이 많은 일본 북부 군도(홋카이도, 삿

포로 등)에 대한 연구에 따르면, 갑상선글로불린(thyro-globulin)의 티로신잔기(tyrosine residue)에 과잉 요오드가 결합하여 삼요오드티로닌(T3)과 티록신(T4)의 합성을 저해한다는 것이다. 월프차이코프효과(Wolff-Chaikoff effect)라는 이와 같은 저해작용으로 갑상선호르몬의 수치가 감소되면, 갑상선자극호르몬이 증가하고 갑상선종이 발생하게 된다. 이 연구에서 해조류를 제한한 식사를 한 경우, 갑상선종의 발생이 현저하게 감소했다.

리치움(lithium), 아미오다론(amiodarone), 켈프(kelp) 등의 약제도 갑상선종을 유발할 수 있다. 리치움의 장기 복용은 갑상선호르몬 분비를 저해해 갑상선종과 갑상선기능저하증을 유발한다. 리치움을 복용한 200명의 양극성장애(bipolar disorder) 환자에서 갑상선종(40%)과 갑상선기능저하증(20%)의 발생이 보고되었다.[6]

이외에도 프로필티오우라실, 메티마졸, 디곡신(di-goxin), 페놀(phenol) 등 여러 화학물질과 약품이 갑상선호르몬의 생산과 분비, 전달, 대사, 부착, 활동 및 제거 과정에 관여해 호르몬의 항상성(homeostasis)과 갑상선 기능에 영향을 미쳐, 갑상선종의 발생을 초래할 수 있다. 반면 스타틴(statin)은 갑상선에서 세포증식을 억제하고, 세포사멸(apoptosis) 전구체로 작용하여 갑상선종 진행을 차단한다. 알코올이 갑상선종과 결절의 발생을 낮춘다는 보고도 있으나 근거는 미비하다.[7]

갑상선호르몬합성장애는 요오드섭취장애, 과산화효소(glutathion peroxidase)결핍, 요오드티로신연결장애, 탈요오드효소장애 등이 있으며, 합성효소의 유전적 결함에 의해 발생할 수 있다. 이러한 결함이 절대적인 결핍을 나타내면 선천성 갑상선기능저하증(크레틴병)을 일으키게 되며, 부분적인 결핍 시에는(특히 중증도의 요오드 부족이 있는 경우), 비중독성 갑상선종의 중요한 발생요인이 된다. 앞서 언급한 여러 갑상선종 발생인자와 함께 유전적 결함이 있는 경우, 요오드 섭취가 충분하더라도 갑상선종은 발생할 수 있다. 갑상선종의 명확한 가족력이 있는 환자에서 충분한 요오드섭취에도 불구하고 청소년기에 비중독성 미만성 갑상선종이 발생한다면, 유전적 감수성이 높음을 시사한다. 산발성 갑상선종을 가

진 부모에서 태어난 아이가 사춘기에 갑상선종이 발생할 확률은 갑상선종이 없는 부모에서 태어난 아이보다 높다. 또한 일란성 쌍둥이(monozygotic twin)에서 비중독성 미만성 갑상선종이 함께 발생하는 확률이 이란성 쌍둥이(dizygotic twin)보다 높은 것 역시 유전적 소인(pre-disposition)의 중요성을 보여주는 결과이다. 유전적 결함의 정도와 요오드섭취 상태에 따라 임상적인 증상과 갑상선종의 정도는 차이가 있을 수 있다.

따라서 비중독성 갑상선종은 유전적, 환경적, 식이적, 내분비적 그리고 기타 다른 인자가 복합적으로 작용하여 발생한다.

2. 병태생리 Pathophysiology

요오드는 갑상선과 신장을 통해 혈액에서 제거되며, 요오드의 신청소율은 거의 일정하지만 갑상선청소율(또는 섭취율)은 요오드섭취량에 따라 차이를 보인다. 요오드 공급이 충분한 경우 갑상선섭취율은 흡수된 요오드의 10% 미만이다. 요오드결핍 시에는 요오드 농도를 유지하기 위해 내인성 자동조절기전(intrinsic autoregulation mechanism)과 갑상선자극호르몬 작용으로 갑상선섭취율이 높아진다. 그러나 갑상선의 청소율이 높아지더라도 요오드결핍 지역에서는 절대적 섭취량이 적기 때문에 이러한 보상작용은 완벽할 수 없다. 또한 시간이 지나면서 미만성에서 결절성으로 갑상선종의 형태가 변화하면서 보상과 적응력도 감소하게 된다.[3]

요오드와 과산화수소(hydrogen peroxide; H_2O_2)는 갑상선호르몬 합성의 보조기질(cosubstrate)로 작용하며, 갑상선자극호르몬에 의해 결합한다. 따라서 요오드 농도와 갑상선기능은 과산화수소 농도에 영향을 준다. 과산화수소는 정상 세포기능을 방해하고 손상을 줄 수 있는 반응성산소군(reactive oxygen species; ROS)과 유리산소기(oxygen free radical)의 주요 공급원이다. 갑상선 여포세포에는 이와 같은 산화스트레스(oxidative stress)에 대

한 방어기전으로 글루타치온 과산화효소(glutathion per-oxidase)와 같은 항산화효소가 존재한다. 항산화방어가 효과적이지 못할 경우 DNA, 여포세포 단백질, 지방 등에 과산화손상을 줄 수 있다. 갑상선기능증가로 갑상선자극호르몬이 낮거나, 요오드 섭취량이 부족한 경우 과산화수소의 농도는 높아지고 결과적으로 DNA손상이나 체성돌연변이(somatic mutation)가 발생할 수 있다.[8]

비중독성 갑상선종은 여포세포의 분열과 증식에서 시작된다. 선천적인 호르몬합성의 이상, 만성 요오드결핍, 갑상선종 발생인자 등의 유전, 내분비, 환경적 요인에 의한 갑상선호르몬 결핍은 분열의 시작을 자극하고 촉진한다. 갑상선자극호르몬은 대표적인 생체 내 갑상선의 기능과 성장 자극원이다. 비중독성 갑상선종은 미만성 갑상선종(diffuse goiter)에서 시작하여 결절성 갑상선종(nodular goiter)으로 진행된다. 초기 미만성 갑상선종에서 여포의 수는 증가하지만 현미경적 형태 변화는 없다. 세포의 증식과 기능적 활성화는 세포의 재생기능을 저해하고 갑상선의 정상 생리작용에 영향을 주는 돌연변이 발생을 초래한다. DNA 손상과 돌연변이가 갑상선 성장을 억제하는 부위에 발생하거나 성장촉진인자의 발현을 자극할 수 있고, 이로 인해 갑상선의 성장이 가속된다.[2]

갑상선자극호르몬 및 갑상선성장자극인자(growth promoting factor; IGF-1, EGF, FGF 등)에 대한 세포마다 서로 다른 감수성(sensitivity)으로 인해, 예민하게 반응하는 일부 세포(특히 돌연변이가 일어난 세포)가 활발하게 분열하게 된다.[9] 이와 같은 세포의 이질성(heterogeneity)은 결절성 갑상선종 발생의 주요 추진력이 된다. 증식능력이 큰 세포들이 한 영역에 국한하여 지속적으로 자기자극(self-stimulation)에 의해 분열, 성장하면서 결절성 형질전환(nodular transformation)을 보인다. 이러한 전환이 다발성으로 나타나는 것이 다결절성 갑상선종이다. 따라서 갑상선종에서 결절의 빈도는 환자의 연령 및 갑상선종의 기간과 비례하는 경향을 보인다. 다결절성 갑상선종 환자는 미만성 또는 단일 결절성 갑상선종 환자보다 대부분 나이가 많고 갑상선 부피는 크며 갑상선자극호르몬은 낮은 경향을 보인다.

이러한 변화 과정에서 일부 여포는 요오드대사 및 호르몬합성에 있어서 갑상선자극호르몬에 비의존적인 자율성(autonomy)을 갖게 되고 각각의 결절은 요오드의 섭취율과 기능면에서 다양성을 보인다(자율성갑상선 결절, autonomous thyroid nodule). 이후 무증상성 갑상선기능항진증(subclinical hyperthyroidism)을 거쳐 증상성 갑상선기능항진증(clinical hyperthyroidism)으로 발전되기도 한다.[10] 결론적으로 비중독성 갑상선종의 발병기전은 미만성 여포 비대, 국소적 결절성 증식, 그리고 기능적 자율성 획득의 과정으로 설명할 수 있다.

비중독성 갑상선종의 자연경과는 다양하며 예측하기 어렵다. 갑상선종의 부피와 결절 정도는 시간이 지나면서 증가하는데 보통 느리게 진행한다. 때로는 급속한 성장으로 출혈성 또는 낭종성 변화를 보이거나, 드물지만 위축성 변화를 일으키기도 한다. 형태적 변화와 더불어 갑상선기능에도 변화가 생길 수 있으며, 갑상선기능항진증이 관찰되는 경우가 종종 있고 그보다는 적지만 갑상선기능저하증이 동반되기도 한다. 대개는 장시간 지속적으로 낮은 갑상선자극호르몬 수치와 정상적인 티록신(thyroxine; T4)과 삼요드티로닌(triiodothyronine; T3) 수치를 보이는, 무증상성 갑상선기능항진증으로 시작한다. 이는 갑상선종 성장에 따른 자동적인 갑상선호르몬의 증가와 관련이 있다. 비중독성 갑상선종에서 중독성 갑상선종으로 진행하는 비율이나 시간은 명확하지 않다. Elte 등에 의한 종단연구(longitudinal study)에 따르면 비중독성 결절성 환자의 9~10%에서 7~12년 이내에 갑상선기능항진증이 발생했다고 보고하고 있다.[10]

3. 진단

비중독성 갑상선종의 진단은 임상증상과 병력, 혈액검사, 영상검사, 조직검사 등의 소견을 종합해 판단하며 하시모토갑상선염, 양성 혹은 악성종양 등과 감별해야 한다.

1) 임상증상과 진찰

비중독성 갑상선종 환자의 대부분은 갑상선종이 서서히 진행하여 증상이 없는 경우가 많다. 그러나 갑상선종이 진행하여 흉골후방(retrosternal) 혹은 종격동(mediastinal) 상부로 확장되면 경부구조물(기도, 대정맥, 되돌이후두신경)을 압박하여 관련 증상이 나타날 수 있다.[11] 경부의 압박감, 호흡곤란, 천명(stridor), 기침, 안면울혈 등의 압박증상은 갑상선종의 병태생리 및 연령에 따른 척추전위(vertebral listhesis), 골다공증과 같은 경추(cervical spine)의 변화 때문에 40~50대 환자에서 주로 관찰된다.

갑상선종이 흉골후방으로 확장되면 경정맥, 상대정맥, 쇄골하정맥 등이 압박될 수 있고 이로 인해 얼굴이 붉어지고 경부 및 상부 흉곽의 정맥이 확장된다. 양팔을 머리 위로 올리면(Pemberton's maneuver) 갑상선종이 흉곽입구로 이동하면서 이러한 증상은 더 심화되어 경부정맥의 확장, 안면울혈(congestion), 청색증이 관찰되고 기도의 압력상승으로 인해 천명(stridor)이 들리고 호흡곤란이 유발될 수 있다. 이러한 증상은 수면 시 자세 변화에 의해서도 발생할 수 있다. 드물지만 성대마비, 횡경막신경마비, 식도 압박 및 경부교감신경절 압박으로 인한 호너증후군(Horner's syndrome)이 나타날 수도 있다.

갑상선기능은 대개 정상이지만 갑상선기능항진증이나 드물게 저하증이 나타나기도 한다. 비중독성 갑상선종에서 관찰되는 갑상선기능항진증은 자율성 결절의 발달에 의한 것으로 대개 서서히 진행된다. 따라서 주로 노년층에서 관찰되며 부정맥, 특히 심방세동이 초기증상으로 흔하다.

갑상선종이 급격히 성장하고 증상이 발생할 경우 악성화의 가능성도 고려해야 한다.[12] 비중독성 갑상선종의 악성위험도는 명확하지 않다. 최근의 가이드라인은 다발성 결절의 악성 위험도 평가를 단일 결절의 평가와 동일하게 하도록 권고한다. 비중독성 갑상선종에서 악성 결절의 발생은 4~17%로 다양하게 보고되고 있다. 높은 발생률은 환자의 선택오차(selection bias)와 수술 중 우연히 발견된 유두암이 포함된 결과로 생각되며, 실제

갑상선암의 빈도는 5~10% 정도이다.[13] 비중독성 갑상선종에서 악성 위험도는 어린 연령과 노년층에서 높다. 소아기에 전리방사선(ionizing radiation)의 경부 노출력이 있는 경우 갑상선암 발생률이 증가한다. 급격히 자라는 병변의 경우 대부분 출혈이나 낭종형성이 원인이지만, 갑상선림프종 및 악성화의 가능성도 있으므로 초음파검사와 조직검사로 반드시 감별해야 한다.

환자 진찰 시 갑상선종의 크기와 경도, 대칭성, 결절성, 동통 여부, 주변 구조물과의 유착성, 림프절 비대 등이 있는지를 파악하고 갑상선종으로 인한 압박증상과 합병증의 여부를 확인해야 한다. 임상진찰과 함께 갑상선종이나 갑상선암의 가족력, 지역성 갑상선종 발생지역에서의 거주력, 갑상선종 발생인자에 대한 노출력, 기저질환 등 환자의 병력청취도 중요하다.

2) 혈액학적 검사

중독성 갑상선종과 구별하기 위해 가장 일반적으로 시행하는 검사는 갑상선호르몬검사이다. 비중독성 갑상선종에서 갑상선기능은 대부분 정상이지만 자율성 결절형성으로 일부에서 무증상성 혹은 증상성 갑상선기능항진증이 관찰되는 경우도 있다. 항TPO항체, 항Tg항체 양성은 자가면역성 갑상선질환을 시사하므로, 필요시 이를 확인하기 위해 시행한다. 갑상선글로블린(Tg) 수치의 증가는 결절성 갑상선종 크기와 관련이 있을 수는 있지만 진단과 관련하여 추가적 의미는 아직까지 없다.[4]

3) 영상검사

임상진찰은 갑상선종 진단에 필수적인 초기 검사이지만, 진찰소견만으로 갑상선종을 판단하기에는 한계가 있다. 특히 갑상선종이 흉골후방이나 종격동에 위치해 있을 경우 더 어렵다. 따라서 임상증상과 관련하여 적합한 영상검사를 시행하여야 한다.

초음파검사는 방사선조사와 환자의 불편감 없이 갑상선과 주변 구조물의 고해상도 영상을 제공한다는 장점 때문에 광범위한 갑상선질환에서 사용된다.[14] 결절의 유무 및 특징(크기, 위치, 경계, 미세석회, 출혈, 낭종 등)과 관련된 정보를 제공하고 조직학적 검사시 정확한 검체 채취를 가능케 하여, 갑상선종에서 일상추적검사로 초음파검사를 가장 많이 사용한다. 그러나 초음파검사는 검사자 의존적이라 검사결과에 차이가 존재할 수 있고, 흉골후방과 종격동에 위치한 갑상선종의 파악에는 제한이 있다.

신티그래피(scintigraphy)는 결절의 기능상태를 판단하는데 도움을 주지만 결절의 부피와 형태적 특징의 파악에는 부적합하다. 비중독성 갑상선종에서 신티그래피의 결과는 다양하게 나타난다. 일부에서 열결절로 나타나지만 대개는 불균질한(heterogenous) 분포를 보인다.

컴퓨터단층촬영(computed tomography; CT)과 자기공명영상(magnetic resonance imaging; MRI)은 고해상도의 삼차원영상을 제공한다. 그러나 고용량의 전리방사선 때문에 일상적으로 시행하지는 않으며, 흉골후방이나 종격동 갑상선종이 의심될 때와 방사성요오드(radioiodine) 치료 후 부피 감소를 파악할 때 사용한다.[15] 단 컴퓨터단층촬영 시 요오드화조영제를 사용하면 갑상선중독증이 유발될 수 있으므로 제한해야 한다(Jod-Basedow phenomenon). 갑상선종 환자의 폐기능검사에서 흉곽외 기도폐쇄(extrathoracic airway obstruction)가 있거나, 단순흉부방사선검사에서 기도의 편위(deviation)가 관찰되는 경우, 흉골후방 혹은 종격동 갑상선종의 가능성이 있으므로 추가적인 영상검사를 시행해야 한다.

4) 조직검사

갑상선에서 흔히 사용하는 조직검사 방법인 세침흡인생검(fine needle aspiration biopsy)은 결절의 직접적이고 정확한 세포 정보를 주지만, 비중독성 갑상선종을 진단하기 위한 일상검사로 시행하지는 않는다. 임상소견과 초음파검사에서 결절의 악성 의심 소견이 있는 경우, 혹은 의심스러운 림프절종대가 있는 경우 시행하는 것을 권고한다.[13] 갑상선림프종이 의심되는 경우 정확한 진단을 위해 중심부바늘생검(core needle biopsy)이 필요할 수 있다.[16] 조직검사 결과가 양성이라도 종양이 급격히 성장하거나 특이한 결절성 경화(induration), 주변 구조물에 유착소견, 성대마비, 경부림프절종대 등의 악성 의심 소견이 있을 때에는 반복적인 검사를 고려할 수 있다.

4. 치료

비중독성 갑상선종은 대부분 수십 년에 걸쳐 서서히 진행하고, 증상이 없는 경우가 많아서 반드시 치료가 필요하지는 않다. 따라서 무증상의 환자에서 임상진찰과 검사에서 비중독성 갑상선종이 확인된 경우 임상적관찰(clinical observation)을 고려할 수 있다. 정규적으로 진찰과 갑상선호르몬 측정을 하고, 필요시 초음파검사를 시행한다. 갑상선암이 의심되는 소견이 초음파검사에서 관찰되는 경우 조직검사를 통한 감별이 필요하다. 흉골후방, 종격동 갑상선종은 컴퓨터단층촬영이나 자기공명영상을 고려할 수 있다.

갑상선기능이상이 있다면 이를 교정해야 하고, 갑상선종의 크기가 증가하거나 이로 인한 압박, 폐쇄 증상이 있고 미용적 문제가 된다면 임상진찰 및 영상검사로 확인하여 치료여부를 결정해야 한다. 약물치료, 고주파절제술 및 수술의 장점과 위험도를 비교하여 적합한 방법을 결정해야 한다(표 10-2).

1) 요오드

만약 요오드결핍으로 갑상선자극호르몬 증가 및 자극에 의해 갑상선종이 발생한 경우라면 요오드공급은 적합한 치료가 될 수 있다.[17] 그러나 그 외의 갑상선종에서 일

표 10-2 │ 비중독성 갑상선종의 치료방법

치료법	작용 및 부작용	적응증	비고
경과관찰		서서히 진행, 증상이 없는 경우	정규적 진찰, 갑상선호르몬 측정, 필요시 초음파검사
요오드	• 요오드 공급으로 갑상선자극호르몬 억제	요오드결핍이 원인인 경우	
티록신(T4)	• 갑상선자극호르몬을 억제하여 갑상선종의 크기를 줄임 • 갑상선중독증, 골소실, 부정맥 등의 부작용	갑상선자극호르몬이 증가되어 있는 경우	
방사성요오드	• 효과가 서서히 나타남 • 갑상선기능항진증(그레이브스병), 갑상선기능저하증, 갑상선염, 갑상선부종 등의 부작용	수술 후 재발, 노인 환자, 수술 위험도가 높은 경우, 작은 갑상선종	방사성요오드섭취율을 높이기 위해 재조합인간갑상선자극호르몬(rhTSH) 전처치
고주파절제술	• 단일결절의 직접적, 비수술적 최소침습치료법 • 통증, 신경손상, 결절파열, 출혈, 농양, 화상 등의 합병증	결절의 출혈, 낭종형성 등으로 국소적 부피 증가 및 증상 발생, 미용적 문제가 될 경우	치료 전 반드시 조직검사를 시행해 양성임을 확인
수술	• 증상을 빠르게 해소, 병리학적 결과 확인 가능 • 수술합병증	심한 압박증상, 큰 갑상선종, 빠른 효과가 필요하거나 약물치료에 반응 없는 경우	갑상선종 범위, 수술합병증, 갑상선종 재발을 고려해 엽절제술, 아전절제술, 전절제술 중 결정

괄적인 요오드치료는 추천하지 않는다.

2) 티록신

티록신 복용으로 갑상선자극호르몬을 억제하여 갑상선종의 크기를 줄이는 방법으로 효과는 갑상선자극호르몬 억제 정도에 따라 달라진다. 지역성 갑상선종이나 갑상선자극호르몬이 증가되어 있는 초기 비중독성 미만성 갑상선종의 경우 효과적일 수 있다.[18] 그러나 결절성 갑상선종 환자의 대부분은 갑상선자극호르몬이 정상으로 이 시기의 갑상선 비대는 여러 다른 성장인자에 의할 수 있어서, 티록신치료에 대해서는 의견이 분분하다. 게다가 기능적 자율성이 생긴 경우 티록신은 갑상선중독증을 유발할 수 있고 골소실, 부정맥 및 심혈관질환 등의 문제가 발생할 수 있다.[19] 비중독성 결절성 갑상선종 환자의 상당수인 노년층에서 부작용의 발생 가능성은 더 높다.

티록신 투여는 6개월 이상 지속적으로 하고, 효과가 없거나 부작용 발생 시 중단한다. 갑상선자극호르몬 억제는 정상범위의 하단이나 그보다 약간 낮은 정도로 유지하여 부작용을 최소화하는 것이 좋다. 치료효과가 있었던 경우에서 호르몬 중단 후 갑상선종의 크기가 다시 증가하는 경우도 있다. 비중독성 산발성 갑상선종 환자의 티록신 치료 효과에 대한 연구에서, 9개월간 티록신 투여 후 58%의 환자에서 약 25% 정도의 부피감소를 보였다. 그러나 치료를 중단하자 부피는 다시 증가하여, 9개월 후 원래의 크기가 되었다.[20] 결론적으로 비중독성 갑상선종의 치료 목적으로 티록신 복용은 일부의 비중독성 갑상선종에서 부피감소를 기대할 수 있지만 부작용으로 인해 점차 사용이 줄고 있다.

3) 방사성요오드

방사성요오드치료는 수술이 불가능하거나 수술 위험

도가 높은 환자에서 적응증이 된다. 치료 후 갑상선 부피는 첫 해에 30~40%, 그리고 4년에 50~60% 정도로 점진적 감소를 보인다.[21] 갑상선종에 의한 압박증상은 2~4개월 후 호전을 보인다.[22] 치료의 제한점은 방사성동위원소의 누적과 갑상선종에서 결절 이외의 부분에 대한 억제효과이다. 이러한 문제를 해결하기 위한 재조합인간갑상선자극호르몬(recombinant human TSH; rhTSH)의 전처치는 방사성요오드섭취율(radioiodine uptake; RAIU)을 높여 방사성동위원소 사용량을 낮추는데 효과적이다.[23,24] 치료에 따른 부작용의 양상은 단독요법과 재조합인간갑상선자극호르몬 병합요법에서 비슷하게 나타난다. 치료 수개월 후 약 5% 정도의 환자에서 자가면역성 갑상선기능항진증(그레이브스병)이 발생할 수 있다.[25] 조직의 파괴로 다량의 항원이 방출되면서 나타나는 것으로 추정되며, 치료 전 항TPO항체가 높은 환자에서 발생률이 높다.[26] 갑상선기능저하증은 치료 5년 후 20~50%에서 발생하고 갑상선종이 다시 커지는 경우도 있다.[27] 갑상선염, 갑상선부종, 심혈관증상 등이 나타날 수 있지만, 대개 일시적이며 스테로이드와 베타차단제 사용으로 호전될 수 있다. 방사성요오드치료가 갑상선암의 위험도를 증가시킨다는 보고도 있다. 부작용의 정도는 재조합인간갑상선자극호르몬 사용량과 관련이 있으며, 방사성요오드 효과를 최대화하면서 부작용을 줄일 수 있는 적정 용량은 0.03~0.1 mg 정도이다.[23]

4) 고주파절제술

최근에는 비중독성 결절성 갑상선종 환자에서 단일결절에 대한 고주파절제술(radiofrequency ablation; RFA)의 부피감소와 성장억제 효과가 입증되어 시행하기도 한다.[28] 비수술적 최소침습치료법(minimal invasive therapy)인 고주파절제술은 갑상선 외에도 간, 신장, 폐 등 광범위한 분야의 종양에서 사용되고 있다. 비중독성 갑상선종에서 약물치료에 효과가 없거나 수술위험도가 높

은 경우와 결절의 출혈과 낭종형성 등으로 국소적인 부피 증가 및 압박증상이 발생하고 미용적 문제가 될 경우 고주파절제술을 고려할 수 있다. 치료 전 반드시 결절의 조직검사를 시행하여 양성으로 진단된 경우에만 시행하고, 조직검사 결과가 양성이라도 초음파상 악성 의심 소견을 보일 때는 고주파절제술을 권고하지 않는다.[29]

고주파절제술 후 결절의 부피감소는 수개월에서 수년에 걸쳐 나타나며, 치료 1개월 후 33~58%, 6개월 후 51~92%까지 감소하는 것으로 보고되고 있다. 치료를 시행한 대부분의 환자에서 압박증상과 미용적 문제의 호전을 보인다. 통증은 가장 흔한 합병증이며 귀, 턱, 어깨, 흉부로 방사통이 발생될 수 있으나 대개 일시적이며 저절로 호전되거나 경구용 진통제를 복용하는 것으로 해결된다. 신경손상, 결절파열, 출혈, 농양, 화상 등의 합병증도 보고되지만 발생률은 매우 낮다. 고주파절제술은 부피의 증가와 증상을 유발하는 단일결절에 대한 직접적인 비침습적 치료가 가능하다는 장점이 있지만 전체적, 즉각적인 갑상선종의 부피감소는 기대하기 어렵다. 불완전한 치료시 결절의 지속적인 부피증가가 있을 수 있고 다발성 결절에서 나머지 결절에 대한 지속적인 감시가 필요하다는 문제점도 있다.[30,31]

5) 수술

수술은 증상을 빠르게 해소하고 병리학적 결과를 확인할 수 있다는 장점이 있다. 또한 약물치료로 인한 부작용과 합병증을 피할 수 있다. 치료가 필요한 비중독성 미만성 갑상선종의 경우, 수술보다는 약물적 치료를 우선한다.[32] 수술은 주로 비중독성 결절성 갑상선종에서 고려하고, 절제범위에 따라 엽절제술(lobectomy), 아전절제술(subtotal thyroidectomy), 전절제술(total thyroidectomy)로 구분할 수 있다. 일측성 갑상선종은 반대쪽 갑상선종 재발은 낮고(약 2%), 갑상선기능 유지(약 73% 정도)가 가능할 수 있다는 이유로 엽절제술을 고려할 수 있다. 엽절제술 후 티록신치료는 갑상선기능저하가 발

생하는 경우에만 시행하고, 갑상선종의 재발예방을 위한 투여는 하지 않는다.

양측성 갑상선종은 아전절제술과 전절제술을 시행하지만, 적합한 수술방법에 대해서는 논란이 있다.[33,34] 수술방법의 선택 시 고려하는 것은 부갑상선기능저하, 되돌이후두신경 손상 등의 합병증과 10~20% 정도에서 발생하는 갑상선종 재발이다.[35] 아전절제는 2~4 g 정도의 조직을 남기기 때문에 전절제에 비해 합병증 발생 가능성이 낮다는 이유로 선호된다.[36] 반면 전절제를 추천하는 경우는 수술술기의 발달로 합병증의 발생이 아전절제술과 비슷한 수준이 되었고, 재수술의 가능성은 낮기 때문이다. 아전절제의 경우 남은 조직에서 갑상선종 재발이나 갑상선암 발생(약 3.5%)으로 재수술이 필요할 수 있는데, 재수술시 합병증의 위험은 매우 증가한다.[37] 아전절제술과 전절제술 후 매일 1.4~2.2 μg/kg의 티록신 공급이 필요하다.[38]

흉골하, 종격동 갑상선종의 부피는 점차 증가하여 주변구조물의 압박증상을 유발할 수 있으며, 크기와 증상 및 미용적 이유로 치료가 필요한 경우 약물치료의 효과는 적고 느리기 때문에, 대개 근본적이고 빠른 증상의 완화를 위해 수술적 치료를 선호한다. 대개 경부절개로 수술이 가능하지만, 10~30% 정도에서는 흉골절개술

(sternotomy) 혹은 개흉술(thoracotomy)이 필요하여 합병증의 발생률도 높아진다.[39,40]

요약하면, 비중독성 갑상선종은 대부분 무증상으로 임상적관찰이 가능하지만, 증상이 있거나 크기의 증가가 지속되는 경우 약물치료, 고주파절제술 혹은 수술을 고려한다. 환자의 상황에 따라 여러 치료의 장단점을 비교해 상의 후 결정해야 한다.

비중독성 미만성 갑상선종의 경우 수술보다는 약물적 치료를 우선한다. 비중독성 결절성 갑상선종은 나이에 따라 증가해 노년층에 많기 때문에 환자의 연령과 기저질환 및 치료에 따르는 부작용까지 고려해 치료방법을 결정해야 한다. 수술 후 재발한 경우나 노인환자, 수술위험도가 높은 경우에는 방사성요오드치료를 선호한다. 영상 및 조직검사상 단일 양성결절이 국소증상이나 미용적 문제를 유발하면 고주파절제술을 고려할 수 있다. 반면 약물치료에 반응이 없거나 갑상선종의 부피가 크거나(>100 cm³), 심한 압박증상이 있고, 증상의 빠른 해결이 필요한 경우에는 수술을 시행한다. 젊은 연령의 환자에서는 약물치료 후 재발과 암발생 등을 이유로 수술적 치료를 우선하는 편이다. 흉골하, 종격동 갑상선종의 경우도 주변 혈관과 기도 등을 자극하여 압박증상이 나타날 가능성이 많아 수술적 치료를 선호한다.

REFERENCES

1. Pulli RS, Coniglio JU. Surgical management of the substernal thyroid gland. Laryngoscope 1998;108:358-61.
2. Studer H, Peter HJ, Gerber H. Natural heterogeneity of thyroid cells: the basis for understanding thyroid function and nodular goiter growth. Endocr Rev 1989;10:125-35.
3. Knobel M. Etiopathology, clinical features, and treatment of diffuse and multinodular nontoxic goiters. J Endocrinol Invest 2016;39:357-73.
4. Hegedus L, Bonnema SJ, Bennedbaek FN. Management of simple nodular goiter: current status and future perspectives. Endocr Rev 2003;24:102-32.
5. Brix TH, Hansen PS, Kyvik KO, et al. Cigarette smoking and risk of clinically overt thyroid disease: a population-based twin case-control study. Arch Intern Med 2000;160:661-6.
6. Lazarus JH. Lithium and thyroid. Best Pract Res Clin Endocrinol Metab 2009;23:723-33.
7. Cappelli C, Castellano M, Pirola I, et al. Reduced thyroid volume and nodularity in dyslipidaemic patients on statin treatment. Clin Endocrinol (Oxf) 2008;68:16-21.
8. Krohn K, Fuhrer D, Bayer Y, et al. Molecular pathogenesis of euthyroid and toxic multinodular goiter. Endocr Rev 2005;26:504-24.
9. Thompson SD, Franklyn JA, Watkinson JC, et al. Fibroblast growth factors 1 and 2 and fibroblast growth factor receptor 1 are elevated in thyroid hyperplasia. J Clin Endocrinol Metab 1998;83:1336-41.
10. Elte JW, Bussemaker JK, Haak A. The natural history of euthyroid multinodular goitre. Postgrad Med J 1990;66:186-90.
11. van Doorn LG, Kranendonk SE. Partial unilateral phrenic nerve paralysis caused by a large intrathoracic goitre. Neth J Med 1996;48:216-9.
12. Pelizzo MR, Bernante P, Toniato A, et al. Frequency of thyroid

carcinoma in a recent series of 539 consecutive thyroidectomies for multinodular goiter. Tumori 1997;83:653-5.

13. Belfiore A, La Rosa GL, La Porta GA, et al. Cancer risk in patients with cold thyroid nodules: relevance of iodine intake, sex, age, and multinodularity. Am J Med 1992;93:363-9.

14. Camargo RY, Tomimori EK, Knobel M, et al. Preoperative assessment of thyroid nodules: role of ultrasonography and fine needle aspiration biopsy followed by cytology. Clinics (Sao Paulo) 2007;62:411-8.

15. Bahn RS, Castro MR. Approach to the patient with nontoxic multinodular goiter. J Clin Endocrinol Metab 2011;96:1202-12.

16. Kwak JY, Kim EK, Ko KH, et al. Primary thyroid lymphoma: role of ultrasound-guided needle biopsy. J Ultrasound Med 2007;26:1761-5.

17. Hintze G, Kobberling J. Treatment of iodine deficiency goiter with iodine, levothyroxine or a combination of both. Thyroidology 1992;4:37-40.

18. Diehl LA, Garcia V, Bonnema SJ, et al. Management of the nontoxic multinodular goiter in Latin America: comparison with North America and Europe, an electronic survey. J Clin Endocrinol Metab 2005;90:117-23.

19. Glueck CJ, Streicher P. Cardiovascular and medical ramifications of treatment of subclinical hypothyroidism. Curr Atheroscler Rep 2003;5:73-7.

20. Berghout A, Wiersinga WM, Drexhage HA, et al. Comparison of placebo with L-thyroxine alone or with carbimazole for treatment of sporadic non-toxic goiter. Lancet 1990;336:193-7.

21. Bonnema SJ, Hegedus L. Radioiodine therapy in benign thyroid diseases: effects, side effects, and factors affecting therapeutic outcome. Endocr Rev 2012;33:920-80.

22. Bonnema SJ, Bertelsen H, Mortensen J, et al. The feasibility of high dose iodine 131 treatment as an alternative to surgery in patients with a very large goiter: effect on thyroid function and size and pulmonary function. J Clin Endocrinol Metab 1999;84:3636-41.

23. Bonnema SJ, Fast S, Hegedus L. The role of radioiodine therapy in benign nodular goitre. Best Pract Res Clin Endocrinol Metab 2014;28:619-31.

24. Medeiros-Neto G, Marui S, Knobel M. An outline concerning the potential use of recombinant human thyrotropin for improving radioiodine therapy of multinodular goiter. Endocrine 2008;33:109-17.

25. Huysmans AK, Hermus RM, Edelbroek MA, et al. Autoimmune hyperthyroidism occurring late after radioiodine treatment for volume reduction of large multinodular goiters. Thyroid 1997;7:535-9.

26. Nygaard B, Knudsen JH, Hegedus L, et al. Thyrotropin receptor antibodies and Graves' disease, a side-effect of 131I treatment in patients with nontoxic goiter. J Clin Endocrinol Metab 1997;82:2926-30.

27. Nygaard B, Hegedus L, Gervil M, et al. Radioiodine treatment of multinodular non-toxic goitre. BMJ 1993;307:828-32.

28. Spiezia S, Garberoglio R, Milone F, et al. Thyroid nodules and related symptoms are stably controlled two years after radiofrequency thermal ablation. Thyroid 2009;19:219-25.

29. Na DG, Lee JH, Jung SL, et al. Radiofrequency ablation of benign thyroid nodules and recurrent thyroid cancers: consensus statement and recommendations. Korean J Radiol 2012;13:117-25.

30. Wong KP, Lang BH. Use of radiofrequency ablation in benign thyroid nodules: a literature review and updates. Int J Endocrinol 2013;2013:428363.

31. Baek JH, Kim YS, Lee D, et al. Benign predominantly solid thyroid nodules: prospective study of efficacy of sonographically guided radiofrequency ablation versus control condition. AJR Am J Roentgenol 2010;194:1137-42.

32. Samuels MH. Evaluation and treatment of sporadic nontoxic goiter--some answers and more questions. J Clin Endocrinol Metab 2001;86:994-7.

33. Agarwal G, Aggarwal V. Is total thyroidectomy the surgical procedure of choice for benign multinodular goiter? An evidence-based review. World J Surg 2008;32:1313-24.

34. Moalem J, Suh I, Duh QY. Treatment and prevention of recurrence of multinodular goiter: an evidence-based review of the literature. World J Surg 2008;32:1301-12.

35. Rojdmark J, Jarhult J. High long term recurrence rate after subtotal thyroidectomy for nodular goitre. Eur J Surg 1995;161:725-7.

36. Mattioli FP, Torre GC, Borgonovo G, et al. [Surgical treatment of multinodular goiter]. Ann Ital Chir 1996;67:341-5.

37. Thomusch O, Machens A, Sekulla C, et al. Multivariate analysis of risk factors for postoperative complications in benign goiter surgery: prospective multicenter study in Germany. World J Surg 2000;24:1335-41.

38. Baehr KM, Lyden E, Treude K, et al. Levothyroxine dose following thyroidectomy is affected by more than just body weight. Laryngoscope 2012;122:834-8.

39. Mercante G, Gabrielli E, Pedroni C, et al. CT cross-sectional imaging classification system for substernal goiter based on risk factors for an extracervical surgical approach. Head Neck 2011;33:792-9.

40. Pieracci FM, Fahey TJ, 3rd. Substernal thyroidectomy is associated with increased morbidity and mortality as compared with conventional cervical thyroidectomy. J Am Coll Surg 2007;205:1-7.

갑상선기능항진증의 수술적 치료

Hyperthyroidism; Surgical management

| 가톨릭대학교 의과대학 외과 **김정수**

갑상선 질환의 수술적 치료는 Kocher에 의해서 비약적으로 발전하였으며 그는 이 일로 인해 1909년 노벨상을 수상하였다. 이러한 수술법은 갑상선기능항진증을 나타낼 수 있는 그레이브스병(Graves' disease), 독성 다결절 갑상선종(toxic multinodular goiter)에도 적용되었다. 갑상선기능항진증에 대한 수술은 역사적으로 20세기 초에는 다단계로 수술이 이루어졌다. 이른바 갑상선동맥을 일차로 결찰한 후 이차적으로 갑상선 일엽절제술 시행하였고 이후 증상이 호전이 없거나 재발된 경우에는 삼차 수술을 시행하였다. Frank Hartley (New York, USA, 1905)과 Thomas Dunhill(1876-1957)는 이러한 방법을 탈피하여 일엽절제술 및 반대측 아전절제술을 시행하였으며[1,2] 1920년대 Mayo clinic에서는 수술 전 요오드요법을 통하여 Wolff-Chaikoff 효과로서 수술 시 Thyroid storm의 위험을 낮추어서 수술 전후 사망률을 5%에서 1%로 낮추었다.[3,4] 1940년대 방사성 요오드치료와 항갑상선제의 등장으로 갑상선기능항진증 환자에게 획기적 치료발전이 나타나게 된다. 이러한 치료방법의 전환으로 현재에는 갑상선기능항진증을 치료하는 내과적 치료, 동위원소 치료 등 여러 가지 방법 중에 수술적 치료는 가장 적게 사용되는 방법이다. 그러나 수술이 꼭 필요한 경우가 있으며 갑상선암 수술과는 달리 갑상선기능항진증 수술 시에는 여러 전처치가 반드시 필요하기 때문에 수술을 담당하는 외과의들은 갑상선의 생리를 이해하고 갑상선기능항진증 환자들에 대한 수술 전 평

가를 명확히 하고, 수술 후 생길 수 있는 합병증을 최소화하는 데 노력해야 한다.

1. 수술 전 평가

갑상선기능항진증의 대표적인 질환은 그레이브스병이다. 그러나 이 외에도 갑상선염, amiodarone 같은 약물 등 여러 가지 질환이 있을 수 있으므로 먼저 진단을 명확히 해야 한다. 갑상선기능항진증을 평가하는 데 있어가장 중요한 것은 갑상선기능 측정이다. 이를 통하여 갑상선기능항진증을 유발하는 여러 가지 원인을 감별할 수 있다. 갑상선기능측정에서 가장 중요한 것은 티록신(T4), 삼요오드티로닌(T3) 및 갑상선자극호르몬(TSH)이다. 일반적인 갑상선기능항진증에서는 티록신 및 삼요오드티로닌 수치가 증가하고 갑상선자극호르몬 수치가 감소한다. 무증상갑상선기능항진증의 경우에는 티록신 및 삼요오드티로닌 수치는 정상이고 갑상선자극호르몬 수치가 낮게 된다. 갑상선기능항진증이 갑상선기능검사에서 확진된 후에는 갑상선기능항진증의 원인을 파악하는 것이 중요하다. 대부분의 갑상선기능항진증의 원인은 그레이브스병이 가장 흔하고 그 외에 독성 다결절 갑상선종이나 독성 갑상선종 등이 있다. 이들 질환들은 갑상선기능검사 소견이 대체로 비슷하기 때문에 갑상선기

능항진증에 대한 약물 투여 전에 갑상선 스캔 검사를 통하여 감별할 수 있다. 또한 갑상선 자가항체 중 갑상선 자극호르몬수용체 항체가 증가한 경우 그레이브스병으로 진단할 수 있으며 다른 원인과 감별할 때 효과적이다. 갑상선초음파는 갑상선 종양을 평가하는데 가장 효과적인 방법이다. 갑상선기능항진증에 대한 수술 전에 갑상선 초음파를 시행함으로써 갑상선 종양을 찾고 또 결과에 따라 수술범위가 달라질 수 있다. 특히 갑상선기능항진증과 갑상선암과 같이 동반되어 있는 경우가 있기 때문에 종양의 성질에 따라 세침흡인검사 시행 후 수술을 시행할 수도 있다. 컴퓨터단층촬영(CT)은 갑상선기능항진증 수술에 있어 일반적으로 시행하는 검사는 아니지만 갑상선의 크기가 너무 커서 그 정도를 알기 위해서 시행하거나 기도, 식도 등 갑상선주위에 주요 기관들을 압박하는 증상이 의심될 경우에 시행할 수 있다.

2. 수술 전 준비

갑상선기능항진증 수술 전 준비는 수술 중 혹은 수술 후 발생할 수 있는 갑상선 급성발작(thyroid storm)을 예방하고 갑상선의 혈관분포정도를 감소시켜 수술을 좀 더 용이하게 하기 위한 목적이다.

1) Thionamide

갑상선기능항진증의 수술 전 준비는 1940년에 Astwood에 의해 처음 소개되었다.[5] 이 약제를 thionamide로 분류하였는데 오늘날 가장 안전하고 오랜 기간 사용되어 온 약제이다. Thionamide는 근본적으로 갑상선호르몬인 티록신(T4), 삼요오드티로닌(T3)의 합성을 억제하는 물질이다.[6] Thionamide에는 크게 3가지 약제가 있는데 propylthiouracil (PTU), methimazole (MMI) 그리고

carbimazole이다. 미국에서는 주로 PTU와 MMI를 사용하며 유럽에서는 carbimazole을 많이 사용한다.[7] 수술 전 정상갑상선기능상태를 만들기 위해 이들 약제를 수 주일 이상 복용해야 한다. MMI가 PTU보다 좀 더 선호되는데 이는 반감기가 3~5시간으로 길며 하루에 한 번 정도만 투여해도 충분하며 일부 연구에서는 효과도 더 좋으며 부작용도 적다는 보고가 있다.[6,8] 그러나 임신부에 대하여는 MMI의 부작용사례로 인하여 PTU를 선호하게 된다. 이들 약제에 의한 부작용은 두 약제에서 대개 비슷하다. 경미한 부작용으로는 발진, 두드러기, 관절통 그리고 발열 등이 있을 수 있으며 약 1~5% 정도에서 나타난다.[7] 가장 중요하고 위험한 합병증은 무과립구증(agranulocytosis)이다. 이는 약 0.1~0.3%에서 나타날 수 있으며 MMI에서 생기는 경우는 투여량과 관계 있고 PTU의 경우에는 투여량과 관계 없으며 투여 후 어느 시기에서도 발생할 수 있다. 따라서 부작용 발생 즉시 투여를 중지해야 한다.[6] 갑상선기능항진증의 증상은 보통 투여 후 6주 안에 증상이 호전되고 갑상선기능이 정상으로 회복되어 수술 시 갑상선 급성발작을 피할 수 있다.[9]

2) 베타 차단제 β-blocker

베타 차단제가 갑상선기능항진증 환자에서 처음 소개된 것은 1964년이다.[10] 베타 차단제는 갑상선기능항진증의 증상을 줄이는 목적으로 투여 되는데 특히 심혈관계에 관련된 증상 즉 빈맥, 떨림, 내열성, 불안 등과 관계가 있다. 또한 propranolol은 고용량으로 투여할 경우 말초에서 티록신이 삼요오드티로닌으로 변환하는 것을 차단해주는 것으로 알려져 있다.[11] Propranolol은 반감기가 매우 짧기 때문에 하루에 여러 번 투여해야 한다. 특히 수술 전에는 하루에 3~4번 투여해야 하고 수술 전 3~4시간 안에 투여해야 하며[12] 만일 이 시간 안에 투여되지 않았을 경우 갑상선기능항진이 더 악화될 수 있

다. 수술 후에는 T4와 T3가 3~4일 후에 정상으로 돌아오기 때문에 베타 차단제를 적어도 수술 후 3~4일 정도는 유지해야 한다.[13] 일부에서는 수술 후 2주 동안 유지해야 한다고 하는 경우도 있다.[7] 경구 베타 차단제로 증상이 좋아지지 않을 경우에는 정맥제제로 주어야 하는데 이 경우는 대부분의 환자들이 빠른 효과가 필요하기 때문에 metoprolol[14]이나 esmolol[15,16]을 투여할 수 있다. Propranolol의 필요량은 약 하루 40 mg에서 320 mg 정도이다.[7]

3) Iodine

Iodine은 요오드의 산화와 organification의 억제를 통하여 T4와 T3의 합성을 저해시킨다. 이를 Wolff-Chaikov effect라고 불리는데 이 효과는 iodine 투여 후 24시간 안에 나타나고 약 10일쯤 효과가 극대화 된다.[17,18] 따라서 너무 iodine을 너무 오래 쓰는 경우 갑상선기능항진증을 악화시킬 수 있다.[19] 이러한 갑상선호르몬 억제 효과 외에 또 하나의 이점은 갑상선의 혈관 분포를 감소시키는 것이다.[20,21] 그러나 아직 그 효과에 대해서는 이견이 있는 것이 사실이다.[22-24] Iodine은 단독으로 쓰는 경우도 있지만 thionamide나 혹은 베타 차단제와 같이 쓰는 경우가 더 흔하다. 수술 전에 쓰이는 iodine은 SSKI (potassium iodide, 35~50 mg iodide per drop) 혹은 Lugol's solution (iodine plus potassium iodide, 8 mg of iodine per drop)이다. 각기 쓰이는 용량은 SSKI는 하루 3번 1방울씩 매일 투여하며 Lugol's solution은 하루 3번 3~5방울씩 수술 전 8~10일 전부터 매일 사용한다.[7] 또 이들 iodine은 수술 전 까지만 사용하고 수술 후에는 사용하지 않는다. Lugol's solution은 그레이브스병 환자를 수술하기 전에 사용하며 독성 다결절 갑상선종 환자에서는 갑상선중독증을 더욱 악화시킬 수 있기 때문에 사용하지 말아야 한다.[25]

4) 기타 다른 약제

Thionamide, 베타 차단제, iodine 외에 이들 약으로 조절되지 않는 갑상선기능항진증에서 여러 약들이 사용될 수 있다. 여기에는 lithium carbonate, reserpine, guanethidine 그리고 glucocorticoid 등이 있다. Lithium은 갑상선기능항진증 치료에 사용되어 왔으나[26] 그 부작용으로 인해 사용이 제한되어 왔다. Lithium은 처음에는 6시간마다 300 mg 투여 후 혈청 lithium 레벨치 1 mEq/L 이하로 유지될 수 있도록 조절하여야 한다.[27] Guanethidine과 reserpine은 베타 차단제가 사용되기 전에 갑상선기능항진증 치료에 사용되었으나 지금은 베타 차단제를 쓸 수 없는 경우에만 사용되고 있다. Guanethidine은 6시간마다 30~40 mg씩 경구투여하며 resepine은 4시간마다 2.5~5 mg씩 근육투여 한다.[27] Dexamethasone 그리고 hydrocortisone은 T4에서 T3로의 전환을 감소시키며 갑상선 급성발작을 치료하는 데 사용된다.[27] 이들 스테로이드 제제는 수술 후 72시간 후에 점차 감량하여 중지한다.[7]

3. 수술

1) 수술 적응증

갑상선기능항진증에 있어 수술의 적응증은 악성 갑상선 종양이 같이 동반된 경우, 항갑상선제로 치료되지 않는 임신부, 임신을 원하는 여성, 호흡곤란 등 압박증상이 있는 경우, 방사선요오드 치료에 거부감을 갖는 환자 등이 있다.[28,29] 이외에도 큰 갑상선종이 동반되거나, 심한 안구병증이 있을 때, 항갑상선제에 순응도가 떨어질 때, 어린이에서도 수술을 고려할 수 있다. 갑상선기능항진증 환자에서 수술의 이점은 신속하게 기능항진을 없앨 수 있으며, 방사선 요오드치료 후 나타날 수 있는 부작용을 피할 수 있고 또 조직학적 검사를 위한 조직을 제공한다는 점이다. 이외에도 즉시 임신이 가능하며, 안구병증이 있는 환자에서 스테로이드 사용을 피할 수 있는 이점이 있다. 수술의 불리한 점은 갑상선이 완전히 제거되지 않았을 경우 갑상선기능항진증이 재발할 수 있다. 갑상선전절제술이나 근전절제술을 시행한 경우 재발은 피할 수 있으나 갑상선기능저하증이 발생하여 평생 지속적으로 갑상선호르몬제제를 복용하여야 한다. 이외에도 일반적인 갑상선 수술의 합병증인 저칼슘혈증, 되돌이후두신경손상, 경부 반흔 등이 나타날 수 있다.

2) 그레이브스병의 수술법

현재까지 그레이브스병에 대한 수술방법은 학자들마다 주장하는 바가 달라 뚜렷이 정해진 것은 없으나 대체로 3가지로 나눌 수 있다. 첫째 갑상선 전절제술, 둘째 양측 갑상선아전절제술, 셋째로 갑상선일엽절제술과 반대측 갑상선아전절제술(Hartley-Dunhill procedure)이다. 이렇듯 그레이브스병의 수술범위 결정은 다양한 임상적 상황에서 각 수술법에 대한 득과 실을 잘 살펴보아야 하며 수술 전 충분한 환자와의 토론을 통하여 개개인에게 가장 적절한 치료법을 선택할 수 있도록 노력해야 하겠다.

(1) 갑상선전절제술 대 갑상선아전절제술 혹은 갑상선일엽절제술과 반대측 갑상선아전절제술

먼저 수술을 정의하자면 갑상선전절제술은 전체 갑상선을 제거하는 것이고, 갑상선아전절제술은 양측에 각각 2 g 이하의 갑상선 조직을 남기는 것이고, 갑상선일엽절제술 과 반대측 갑상선아전절제술(Hartley-Dunhill procedure)은 한쪽 갑상선에 4 g 이하의 갑상선조직을 남기는 것이다.[30]

Palit[31] 등은 35개 논문에서 7,241명의 환자를 대상으로 한 메타분석에서 영구 반회귀 후두신경손상은 갑상선전절제술후 0.9%, 갑상선아전절제술후 0.7%로 보고하였고 영구 부갑상선기능저하증은 갑상선전절제술

후 1.6%, 갑상선아전절제술 후 1.0%로 보고하였다. 이들 모두 통계학적인 의의는 없었다. 갑상선전절제술을 받은 환자에서는 재발은 없었으며 아전절제술을 시행받은 환자는 7.9%에서 재발을 나타냈다. 이를 토대로 갑상선전절제술이 비교적 안전하게 시행할 수 있는 방법이라 하였다. Witte[32] 등은 전향적 무작위대조시험에서 일시적인 저칼슘혈증은 갑상선전절제술 군에서 높았지만 장기간 추적검사에서는 모든 합병증에서 통계적으로 유의한 차이는 없었다. 그 외에 다른 후향적 연구에서도 갑상선전절제술과 근전절제술이 수술 후 합병증 발생에 있어 차이가 없음을 나타냈다.[33] 이러한 결과를 볼 때 갑상선기능항진증 특히 그레이브스병에서는 갑상선전절제술이 선호된다고 하겠다. 이외에 Andaker[30] 등은 양측 갑상선아전절제술과 갑상선일엽절제술과 반대측 갑상선아전절제술을 전향적 무작위대조시험으로 비교 분석하였는데 결과에서의 차이는 없었지만 재발했을 경우 남아 있는 한쪽 갑상선만 제거하면 되므로 갑상선일엽절제술과 반대측갑상선아전절제술을 선호하였다. 또 Chi[34] 등은 위와 동일한 전향적 무작위대조시험에서 갑상선일엽절제술과 반대측갑상선아전절제술이 갑상선기능항진의 재발률이 통계적으로 유의하게 낮음을 증명하였다.

갑상선전절제술은 비교적 낮은 합병증의 비율로 그레이브스병의 치료로 시행될 수 있음이 증명되었다. 그러나 필연적으로 수술 후 갑상선기능저하가 동반되므로 지속적으로 갑상선호르몬을 복용해야 한다. 따라서 수술의 목적이 정상갑상선기능의 회복이 목적이라면 갑상선아전절제술을 시행할 수 있다. 갑상선아전절제술을 시행할 때에는 몇 가지 주의사항이 있다. 첫째, 갑상선기능항진증이 재발할 수 있는데 약 5~20% 정도 보고되고 있으며[31,34-36] 대부분 남아 있는 갑상선의 크기에 따라 다를 수 있다. 둘째, 갑상선기능저하증이 생길 수 있는데 장기간 추적기간 동안 약 70%까지 발생할 수 있는 것으로 알려져 있다.[29] 갑상선기능저하증은 남아 있는 갑상선조직의 양과 관련이 있다고 알려져 있는데 정상 갑상선기능을 유지하기 위해서는 일반적으로 4~7 g

정도의 조직을 남기는 것이 가장 적당하다고 알려져 있다.[37] 그러나 환자 개개인에 남겨놓은 조직양에 따라 갑상선기능저하증을 나타내는 것이 다를 수 있는데 남은 조직량 외에도 남은 조직의 불충분한 혈액공급으로 갑상선기능저하증을 생길 수 있고 일부 그레이브스병에서 림프구침윤과 같은 갑상선염과 같이 동반된 경우 갑상선기능저하증이 나타날 수 있을 것으로 생각된다. 따라서 수술 전에 수술 후 남을 갑상선 조직의 양과 갑상선기능문제에 관하여 환자와 충분한 토론을 거친 후 수술을 결정해야 할 것으로 생각된다.

(2) 내시경갑상선절제술 및 로봇갑상선절제술

그레이브스병에 대한 내시경 수술 및 로봇 수술은 국내외에서 이미 시행되고 있는 수술로 해외에서는 Yama-moto[38]과 Sasaki[39] 등이 내시경을 이용한 그레이브스병의 갑상선아전절제술에 대한 보고가 있었으며 모두 기존 수술 방법과 비슷한 결과를 나타냈다. 2000년대 들면서 내시경 수술에서 더 나아가 로봇을 이용한 수술을 개발하여 국내에서도 박[40] 등이 액와부 절개를 이용한 로봇 수술을 보고하였으며 기존의 절개법과 비교하여 수술 시간은 길었으나(171.29분 대 89.44분) 입원기간은 3.0일 대 3.78일로서 더 단축되었다고 하였다. 또한 권[41] 등도 양측 액와부, 유륜접근법(Bilateral axillo-breast approach)로서 30명의 그레이브스병 환자에서 박 등과 비슷한 수술 시간을 보고하였으며 수술 후 일시적 부갑상선기능저하증(43.3%), 일시적 회귀신경손상(13.3%)을 보고하였으며 최근에는 경험이 축적되면서 수술 후 부작용은 점차 감소되고 있는 실정이다.

(3) 독성 다결절 갑상선종

독성 갑상선 다결절의 수술도 그레이브스병과 마찬가지로 갑상선전절제술, 갑상선아전절제술, 그리고 갑상선일엽절제술 과 반대측 갑상선아전절제술(Hartley-Dunhill procedure)을 시행할 수 있다. 갑상선아전절제술을 주장하는 그룹은 수술 후 갑상선종의 재발을 막기 위해 티록신 투여가 필요하기 때문에 남아 있는 갑상선 조직의 양이 문제가 되지 않아 아전절제술만으로도 충분하다고 주장하며 또한 아전절제술 보다는 갑상선일엽절제술과 반대측 갑상선아전절제술(Hartley-Dunhill procedure)이 더 우수하다고 보고하고 있다.[42] 그러나 Mittendorf[43] 등은 남아 있는 갑상선 조직 양에 따라 갑상선기능항진증이 재발하거나 갑상선기능저하증이 발생할 수 있으므로 갑상선전절제술 시행하는 것을 추천하고 있다. Alimo-glu[44] 등은 갑상선전절제술, 갑상선근전절제술 그리고 갑상선아전절제술을 비교하여 합병증의 빈도에서 차이가 없고 아전절제술군에서 갑상선기능항진증의 재발을 보고하여 갑상선전절제술 혹은 갑상선근전절제술이 독성 갑상선 다결절의 수술로서 더 우수하다고 하였다.

(4) 독성 갑상선 단결절의 수술

독성 갑상선종은 독성 다결절의 병인이나 임상 양상도 다르며 전체 갑상선기능항진증을 나타내는 원인의 5~15%를 차지한다. 단일성 독성 갑상선종의 수술은 수술 전 검사에서 갑상선암의 위험도가 없는 경우 갑상선일엽절제술이 추천되고 있다.[37,42]

4. 갑상선기능항진증과 갑상선 종괴

갑상선기능항진증 특히 그레이브스병에서의 촉지되는 갑상선 종괴의 유병률은 일반인들보다 약 3배 정도 높다고 알려져 있다.[45] Dobyns[46] 등은 그레이브스 환자에서 약 15.8%의 촉지되는 갑상선 종괴의 유병률을 보고하였다. 이 중 갑상선암과 그레이브스병의 연관성을 살펴보면 그레이브스병으로 수술을 시행한 환자중 우연히 조직검사에서 갑상선암이 발견된 확률은 0~9.8% 정도로 다양하게 알려져 있다.[35,46-48] 이러한 차이점에 대해서는 아직 밝혀진 원인은 없으며 유전학적, 인종적, 환경적 등 다양한 원인이 있을 것으로 생각된다. 또한 대부분의 연구가 후향적 연구이므로 그레이브스병으로 수술한 환자에 대한 선택적 오류가 있을 것으로 보인다.

그레이브스 환자에 있어 임상적으로 갑상선종괴가 있을 경우 암의 확률은 2.3%에서 45.8%로 매우 다양하게 보고되고 있다.[46,47,49,50] 반면에 일반적으로 임상적으로 갑상선 종괴가 있을 경우 약 5% 정도에서 암의 확률을 보고하는 것으로 볼 때 상대적으로 높은 빈도로 암이 나타난다고 볼 수 있다.

갑상선기능항진증과 갑상선암이 같이 있을 경우에 환자의 예후와의 관계에 대해서는 여러 방면의 보고가 있다. 몇몇 연구에서는 갑상선기능항진증과 갑상선암이 같이 있는 경우에서 국소침범을 잘하고 림프절 전이 및 원격전이가 더 잘 일어나는 공격적인 성향을 가진다고 보고하였다.[47,51,52] 그러나 대부분의 다른 연구에서는 갑상선기능항진증과 갑상선암이 동시에 존재할 경우 기존 갑상선암과 예후에 차이가 없다는 결론이다.[53-56] 이러한 차이점은 아마도 기존 예후인자들과 연관관계 등 선택적 오류에 의해 발생하는 것으로 생각된다. 현재까지는 갑상선기능항진증과 갑상선암과의 예후와의 관계는 없다는 것이 중론이다.[57]

REFERENCES

1. Dunhill T. Remarks on partial thyroidectomy, with special reference to exophthalmic goitre and observations on 113 operations under local anaesthesia. BMJ 1909;1:1222.

2. Hartley F. Thyroidectomy for exophthalmic goiter. Ann Surg 1909;42:33.

3. Plummer HS. The value of iodine in exophthalmic goitre. Collect Pap Mayo Clin 1923;15:565-576.

4. Plummer HS. Results of administering iodine to patients having exophthalmic goiter. JAMA 1923;80:1955.

5. Astwood EB, Landmark article May 8, 1943: Treatment of hyperthyroidism with thiourea and thiouracil. By E.B. Astwood. JAMA 1984;251:1743-6.

6. Cooper DS, Antithyroid drugs. N Engl J Med 2005;352:905-17.

7. Langley RW, Burch HB, Perioperative management of the thyrotoxic patient. Endocrinol Metab Clin North Am 2003;32:519-34.

8. Nakamura H, Noh JY, Itoh K, Fukata S, Miyauchi A, Hamada N, Comparison of methimazole and propylthiouracil in patients with hyperthyroidism caused by Graves' disease. J Clin Endocrinol Metab 2007;92:2157-62.

9. Chen H, Pre-operative management of patients with Graves' disease. Surgery 2008;143:292-3.

10. Shanks RG, Hadden DR, Lowe DC, McDevitt DG, Montgomery DA, Controlled trial of propranolol in thyrotoxicosis. Lancet 1969;1:993-4.

11. Cooper DS, Daniels GH, Ladenson PW, Ridgway EC, Hyperthyroxinemia in patients treated with high-dose propranolol. Am J Med 1982;73:867-71.

12. oft AD, Irvine WJ, Sinclair I, McIntosh D, Seth J, Cameron EH, Thyroid function after surgical treatment of thyrotoxicosis. A report of 100 cases treated with propranolol before operation. N Engl J Med 1978;298:643-7.

13. Toft AD, Irvine WJ, McIntosh D, MacLeod DA, Seth J, Cameron EH, et al., Propranolol in the treatment of thyrotoxicosis by subtotal thyroidectomy. J Clin Endocrinol Metab 1976;43:1312-6.

14. Adlerberth A, Stenstrom G, Hasselgren PO, The selective beta 1-blocking agent metoprolol compared with antithyroid drug and thyroxine as preoperative treatment of patients with hyperthyroidism. Results from a prospective, randomized study. Ann Surg 1987;205:182-8.

15. Thorne AC, Bedford RF, Esmolol for perioperative management of thyrotoxic goiter. Anesthesiology 1989;71:291-4.

16. Vijayakumar HR, Thomas WO, Ferrara JJ, Peri-operative management of severe thyrotoxicosis with esmolol. Anaesthesia 1989;44:406-8.

17. Wolff J, Chaikoff IL, et al., The temporary nature of the inhibitory action of excess iodine on organic iodine synthesis in the normal thyroid. Endocrinology 1949;45:504-13, illust.

18. Wartofsky L, Ransil BJ, Ingbar SH, Inhibition by iodine of the release of thyroxine from the thyroid glands of patients with thyrotoxicosis. J Clin Invest 1970;49:78-86.

19. Vagenakis AG, Braverman LE, Adverse effects of iodides on thyroid function. Med Clin North Am 1975;59:1075-88.

20. Marigold JH, Morgan AK, Earle DJ, Young AE, Croft DN, Lugol's iodine: its effect on thyroid blood flow in patients with thyrotoxicosis. Br J Surg 1985;72:45-7.

21. Pearce EN, Diagnosis and management of thyrotoxicosis. BMJ 2006;332:1369-73.

22. Chang DC, Wheeler MH, Woodcock JP, Curley I, Lazarus JR, Fung H, et al., The effect of preoperative Lugol's iodine on thyroid blood flow in patients with Graves' hyperthyroidism. Surgery 1987;102:1055-61.

23. Kaur S, Parr JH, Ramsay ID, Hennebry TM, Jarvis KJ, Lester E, Effect of preoperative iodine in patients with Graves' disease controlled with antithyroid drugs and thyroxine. Ann R Coll Surg Engl 1988;70:123-7.

24. Ansaldo GL, Pretolesi F, Varaldo E, Meola C, Minuto M, Borgonovo G, et al., Doppler evaluation of intrathyroid arterial resistances during preoperative treatment with Lugol's iodide solution in patients with diffuse toxic goiter. J Am Coll Surg 2000;191:607-12.

25. Siegel RD, Lee SL, Toxic nodular goiter. Toxic adenoma and toxic multinodular goiter. Endocrinol Metab Clin North Am 1998;27:151-68.

26. Lazarus JH, Richards AR, Addison GM, Owen GM, Treatment of thyrotoxicosis with lithium carbonate. Lancet 1974;2:1160-3.

27. Burch HB, Wartofsky L, Life-threatening thyrotoxicosis. Thyroid

storm. Endocrinol Metab Clin North Am 1993;22:263-77.

28. Alsanea O, Clark OH, Treatment of Graves' disease: the advantages of surgery. Endocrinol Metab Clin North Am 2000;29:321-37.

29. Stalberg P, Svensson A, Hessman O, Akerstrom G, Hellman P, Surgical treatment of Graves' disease: evidence-based approach. World J Surg 2008;32:1269-77.

30. Andaker L, Johansson K, Smeds S, Lennquist S, Surgery for hyperthyroidism: hemithyroidectomy plus contralateral resection or bilateral resection? A prospective randomized study of postoperative complications and long-term results. World J Surg 1992;16:765-9.

31. Palit TK, Miller CC, 3rd, Miltenburg DM, The efficacy of thyroidectomy for Graves' disease: A meta-analysis. J Surg Res 2000;90:161-5.

32. Witte J, Goretzki PE, Dotzenrath C, Simon D, Felis P, Neubauer M, et al., Surgery for Graves' disease: total versus subtotal thyroidectomy-results of a prospective randomized trial. World J Surg 2000;24:1303-11.

33. Ku C, Lo C, Chan W, Kung AW, Lam KS, Total thyroidectomy replaces subtotal thyroidectomy as the preferred surgical treatment for Graves' disease. ANZ journal of surgery 2005;75:528-31.

34. Chi SY, Hsei KC, Sheen-Chen SM, Chou FF, A prospective randomized comparison of bilateral subtotal thyroidectomy versus unilateral total and contralateral subtotal thyroidectomy for graves' disease. World J Surg 2005;29:160-3.

35. Miccoli P, Vitti P, Rago T, Iacconi P, Bartalena L, Bogazzi F, et al., Surgical treatment of Graves' disease: subtotal or total thyroidectomy? Surgery 1996;120:1020-4; discussion 1024-5.

36. Winsa B, Rastad J, Akerstrom G, Johansson H, Westermark K, Karlsson FA, Retrospective evaluation of subtotal and total thyroidectomy in Graves' disease with and without endocrine ophthalmopathy. Eur J Endocrinol 1995;132:406-12.

37. Boger MS, Perrier ND, Advantages and disadvantages of surgical therapy and optimal extent of thyroidectomy for the treatment of hyperthyroidism. Surg Clin North Am 2004;84:849-74.

38. Yamamoto M, Sasaki A, Asahi H, Shimada Y, Sato N, Nakajima J, et al., Endoscopic subtotal thyroidectomy for patients with Graves' disease. Surg Today 2001;31:1-4.

39. Sasaki A, Nitta H, Otsuka K, Obuchi T, Kurihara H, Wakabayashi G, Endoscopic subtotal thyroidectomy: the procedure of choice for Graves' disease? World J Surg 2009;33:67-71.

40. Park JH, Lee CR, Park S, Jeong JS, Kang SW, Jeong JJ, et al..Initial experience with robotic gasless transaxillary thyroidectomy for the management of graves disease: comparison of conventional open versus robotic thyroidectomy. Surg Laparosc Endosc Percutan Tech 2013;23(5):173-7.

41. Kwon H, Koo DH, Choi YJ, Kim E, Youn YK. Bilateral axillo-breast approach robotic thyroidectomy for Graves'disease: an initial experience in a single institute. World J Surg 2013;37(7):1576-81.

42. Lal G CO, Thyroid, parathyroid and adrenal, in Principles of surgery, A.D. Brunicardi FC, Billiar TR, Dunn DL, Hunter JG, Pollock RE, Editor, McGraw-Hill: New York. p. 1395-470.

43. Mittendorf EA, McHenry CR, Thyroidectomy for selected patients with thyrotoxicosis. Arch Otolaryngol Head Neck Surg 2001;127:61-5.

44. Alimoglu O, Akdag M, Sahin M, Korkut C, Okan I, Kurtulmus N, Comparison of surgical techniques for treatment of benign toxic multinodular goiter. World J Surg 2005;29:921-4.

45. Belfiore A, Russo D, Vigneri R, Filetti S, Graves' disease, thyroid nodules and thyroid cancer. Clin Endocrinol (Oxf) 2001;55:711-8.

46. Dobyns BM, Sheline GE, Workman JB, Tompkins EA, McConahey WM, Becker DV, Malignant and benign neoplasms of the thyroid in patients treated for hyperthyroidism: a report of the cooperative thyrotoxicosis therapy follow-up study. J Clin Endocrinol Metab 1974;38:976-98.

47. Belfiore A, Garofalo MR, Giuffrida D, Runello F, Filetti S, Fiumara A, et al., Increased aggressiveness of thyroid cancer in patients with Graves' disease. J Clin Endocrinol Metab 1990;70:830-5.

48. Rieger R, Pimpl W, Money S, Rettenbacher L, Galvan G, Hyperthyroidism and concurrent thyroid malignancies. Surgery 1989;106:6-10.

49. Cantalamessa L, Baldini M, Orsatti A, Meroni L, Amodei V, Castagnone D, Thyroid nodules in Graves disease and the risk of thyroid carcinoma. Arch Intern Med 1999;159:1705-8.

50. Kraimps JL, Bouin-Pineau MH, Mathonnet M, De Calan L, Ronceray J, Visset J, et al., Multicentre study of thyroid nodules in patients with Graves' disease. Br J Surg 2000;87:1111-3.

51. Behar R, Arganini M, Wu TC, McCormick M, Straus FH, 2nd, DeGroot LJ, et al., Graves' disease and thyroid cancer. Surgery 1986;100:1121-7.

52. Ozaki O, Ito K, Kobayashi K, Toshima K, Iwasaki H, Yashiro T, Thyroid carcinoma in Graves' disease. World J Surg 1990;14:437-40; discussion 440-1.

53. Ahuja S, Ernst H, Hyperthyroidism and thyroid carcinoma. Acta Endocrinol (Copenh) 1991;124:146-51.

54. Hales IB, McElduff A, Crummer P, Clifton-Bligh P, Delbridge L, Hoschl R, et al., Does Graves' disease or thyrotoxicosis affect the prognosis of thyroid cancer. J Clin Endocrinol Metab 1992;75:886-9.

55. Pacini F, Elisei R, Di Coscio GC, Anelli S, Macchia E, Concetti R, et al., Thyroid carcinoma in thyrotoxic patients treated by surgery. J Endocrinol Invest 1988;11:107-12.

56. Yeo PP, Wang KW, Sinniah R, Aw TC, Chang CH, Sethi VK, et al., Thyrotoxicosis and thyroid cancer. Aust N Z J Med 1982;12:589-93.

57. Belfiore A, Russo D, Vigneri R, Filetti S, Graves' disease, thyroid nodules and thyroid cancer. Clinical endocrinology 2001;55:711-8.

갑상선기능저하증
Hypothyroidism

CHAPTER
12

계명대학교 의과대학 외과 **강선희**

1. 정의 및 분류

일차성 갑상선기능저하증은 갑상선에 병이 생겨 갑상선 호르몬 생산이 부족한 경우이다. 그 외 뇌하수체의 병변으로 갑상선 자극호르몬(Thyroid stimulating hormone, TSH)의 분비가 감소되어 이차적으로 갑상선호르몬 분비가 결핍되는 경우를 뇌하수체성 갑상선기능저하증, 시상하부에서 갑상선자극호르몬 분비호르몬(Thyrotrophine releasing hormone, TRH) 분비가 감소하여 갑상선기능저하증이 초래되는 경우를 시상하부성 갑상선기능저하증이라고 한다. 이 두 가지 경우를 모두 중추성 갑상선기능저하증이라고 한다. 본문에서는 일차성 갑상선기능저하증에 대해서 알아보고자 한다.

2. 원인

전세계적으로 보면 갑상선기능저하증의 가장 흔한 원인은 요오드결핍이다. 그러나 우리나라와 같이 요오드의 섭취가 풍부한 나라에서는 하시모토 병과 같은 자가면역성 갑상선염과 갑상선기능 항진증의 치료 중에 발생하는 갑상선기능저하증 또는 종양으로 인해 갑상선 절제술이 흔한 원인이 된다.[1] 그 외 출산 후 갑상선염(postpartum thyroiditis)에 의한 갑상선기능저하증, 약제

(ex. Amiodarone, Lithium, phenytoin etc)에 의한 갑상선기능저하증이 있다.[2]

3. 임상소견

전통적인 갑상선 호르몬 결핍증의 증상은 전신에 발생하는 점액성 부종과 눈 주위 및 손 발 등에 피부를 눌러도 들어가지 않는, 비함요성 부종이 있다.[3]

건조한 피부, 얼굴 부종, 잘 빠지는 머리카락, 피곤함, 추위에 예민함, 변비, 목소리 변화 등의 증상으로 나타날 수 있으나 증상으로 진단하기에는 매우 어렵다. 심각한 갑상선기능저하증은 수면호흡곤란, 유방의 젖분비, 손목터널 증후군으로 나타나기도 한다.

심한 갑상선기능저하증에서는 심낭삼출로 심장비대 및 청진음의 감소소견이 나타나며, 최대 폐활량 및 폐확산능이 감소된다. 식욕이 감소되는데도 불구하고 체중이 증가하며 장 운동이 감소되고 변비가 오며 경우에 따라서는 복통 및 구토가 생길 수 있다.

갑상선 호르몬 결핍의 정도와 결핍이 발생하는 속도에 따라서 다양하게 나타난다. 하시모토 갑상선염에 의한 갑상선기능저하증은 증상이 경미하지만 갑상선절제술 후 갑상선 호르몬 보충을 갑자기 중단한 경우에는 증상이 뚜렷하게 나타난다.

4. 진단

혈청 TSH를 측정하는 것이 가장 예민한 방법이다. 혈청 TSH가 증가되었으면 일차성 갑상선기능저하증으로 진단할 수 있다. 불현성 갑상선기능저하증(subclinical hypothyroidism)은 혈청 TSH가 정상 범위의 경계(upper limit)를 보이고 free T4는 정상을 유지하는 경우이다. 이는 시상하부 뇌하수체 갑상선 축은 정상이며 갑상선에 특별한 병적 상태는 아니다. 그러나 혈청 TSH가 10 mIU/L 이상이며 free T4가 정상 이하라면 현성(overt) 갑상선기능저하증으로 진단한다.[4] 혈청 TSH가 저하 또는 정상인 경우에는 유리 T4를 측정해서 감소되었으면 중추성 갑상선기능저하증 혹은 비갑상선 질환을 감별해야 한다.

일차성 갑상선기능저하증의 원인 감별은 임상적으로 갑상선종(goiter) 유무, 병력, 갑상선 자가항체 유무로 판별한다. 갑상선종이 있는 경우 항TPO 항체(anti TPO antibody)가 양성이면 하시모토 갑상선염, 무통성 혹은 산후갑상선염의 회복기를 감별해야 한다.

무증상의 일반 대중에서 갑상선기능에 대해서 선별검사하는 것은 각 국가마다 권고안에서 차이를 보여준다. 미국 내과학회[5]에서는 50세 여성의 경우에는 TSH 선별검사를 권고하고 있으며 미국 갑상선학회[4]는 35세 이상의 여성뿐만 아니라 남성에서도 TSH 선별 검사를 권고하고, 매 5년마다 시행하도록 하였다.[6] 그러나 영국[7]에서는 TSH 선별검사는 비합리적(unjustified)으로 규정하고 있으며, 미국 예방의학회[8]에서도 선별검사는 불충분한 근거로 권유하지 않는다. Surks 등[9]은 195편의 영문 논문을 분석한 결과 TSH 선별 검사에 대한 근거는 없다고 주장하였다.

5. 치료

1) 뚜렷한 일차성 갑상선기능저하증

생물학적 활성 T3는 T4가 말초에서 전환된다는 사실이 1970년에 증명됨으로써, 갑상선기능저하증의 치료는 L-thyroxine monotherapy (L-T4)가 중심이 된다. 다른 합병 질환이 없는 젊은 환자는 L-T4를 1.6 μg/kg을 일시에 투여한다.[10] 6주 후에 혈청 TSH를 측정하고 그 결과에 따라서 TSH 농도가 정상 범위에 도달할 때까지 L-T4 용량을 조절한다. 일반적으로 혈청 TSH 농도가 0.5~2.0 mIU/L 범위로 유지되도록 한다. TSH가 5 mIU/L 이상이면 L-T4를 12.5~25 μg 증량을 하며, 0.5 mIU/L 이하라면 12.5~25 μg 감량을 한다. 혈청 TSH 농도가 정상 범위에 도달하면 3개월 후에 다시 측정해 보고 이후에는 매년 측정한다.[3]

임산부에서는 목표 TSH를 다르게 권고한다. 미국 갑상선협회 권고안에서는 임신 1기에는 0.1~2.5 mIU/L, 2기에는 0.2~3.0 mIU/L, 3기에는 0.3~3.0 mIU/L를 목표 TSH로 제시하고 있다.[4] L-T4 용량은 임신 전 투여량의 약 30% 정도 증량하여 투약하며, 임신 중기까지는 4주마다, 이후에는 26~32주 사이에 적어도 한 번 갑상선호르몬검사를 시행하여 용량을 조절한다.[2,4]

2) 일과성 갑상선기능 저하증

아급성 갑상선염, 무통성갑상선염 및 산후갑상선염은 회복기 중에 일과성의 갑상선기능저하증이 나타날 수 있다. 대부분 경미하지만 일부에서는 증상이 나타나고 상당 기간 지속된다. 따라서 갑상선기능저하증의 증상이 있고, 특히 혈청 TSH 농도가 20 mIU/L 이상인 경우에는 L-T4를 투여함이 좋다. L-T4를 1일 50~75μg/day 투여하며 혈청 TSH 농도를 1.5~3.0 mIU/L로 유지하도록 용량을 조절한다. 3~6개월 후에 L-T4를 감량하면서

중단한다.[3]

6. 불현성 갑상선기능저하증
Subclinical hypothyroidism

1) 불현성 갑상선기능저하증

불현성 갑상선기능저하증(subclinical hypothyroidism)은 혈청 갑상선 호르몬이 정상 범위에 있으나, TSH가 정상범위보다 증가된 상태로 정의되며 무증상 갑상선기능저하증이라고도 불린다. 이에 대한 치료는 과진단, 과치료의 주장과 현성 갑상선기능저하증으로의 이행을 막는다[11]는 조기 치료의 입장이 맞서고 있으나, 대규모 무작위 연구자료는 없는 상태다. TSH 증가 정도에 따라 TSH ≥10 mIU/L 이상인 경우는 조기에 치료를 시작하는 것이 좋다는 비교적 일관된 의견이 있다. 논란의 중심은 TSH가 4.5~10 mIU/L 사이에 있는 불현성 갑상선기능저하증 환자에서 치료 여부를 결정하는 것이다. 현성 갑상선기능저하증으로 진행할 위험성이 있는 환자를 선별하는 것이 중요한데, TSH와 항TPO 항체(anti TPO antibody) 존재 유무가 가장 큰 영향을 준다. TSH 10 mIU/L 미만인 경우에는 자연적으로 정상화되는 경우가 56%이며, TSH 증가를 보이고 항TPO 항체(anti TPO antibody)가 존재한다면 갑상선에 기저질환이 있다고 판단하고 치료를 시작하는 것을 권유한다. 초음파 소견으로 만성 갑상선염의 소견을 보이는 경우도 참고해 볼 수 있다. 또한 명백한 갑상선종이 있는 불현성 갑상선기능저하증 환자에 환자들은 증가된 TSH가 갑상선종을 악화시키므로 조기에 치료를 시작하는 것이 좋다.[12]

2) 임신과 불현성 갑상선기능저하증

임신 중이거나 임신의 가능성이 높은 여성에서 TSH 증가는 적극적인 치료를 권유한다. 이는 TSH가 증가되어 있을 때 태아의 성장 저해 및 신경 심리학적 합병증(neuropsycological complication)이 보고되었기 때문이다.[13] 자가면역갑상선질환에 의한 불임과 유산위험의 증가도 알려져 있으므로 이런 임상적인 문제를 갖고 있는 여성의 불현성 갑상선기능저하증은 치료를 고려해야 한다.

전향적으로 이루어진 객관적인 연구가 없어 명확한 증거는 없으나 L-T4의 치료가 임신 여성에게 도움을 주며, 임신 후반기로 갈수록 L-T4의 용량은 증가할 수 있다. 그러므로 규칙적으로 혈청 TSH를 추적하여 농도를 조절할 필요가 있다.[11]

3) 치료

정상범위 이상의 TSH를 보이는 환자에서는 한번 더 TSH 측정하여 그 사실을 확인한다. TSH가 계속 높다면 원인 진단을 위한 항TPO 항체(anti TPO antibody) 검사를 시행하고 저밀도콜레스테롤 등 심혈관 질환의 위험 요인을 분석한다. TSH가 10 mIU/L 이상이거나 치료가 도움이 될 수 있는 임상적 소견을 보이는 TSH 4.5~10 mIU/L 범위의 불현성 갑상선기능저하증 환자에서의 치료는 갑상선호르몬(L-T4)을 투여하는 것이다. T3를 병용하는 것은 도움이 되지 않으며 일반적인 현성 갑상선기능저하증 보다 그 치료용량이 적으며 대개 50~75 µg/day로 충분하다.[4] 고령 혹은 관상동맥질환이 있는 경우 12.5~25 µg/day 저용량으로 시작하는 것이 심혈관계 부작용을 피할 수 있다. TSH 4.0~8.0 mIU/L라면 L-T4를 25 µg/day, TSH 8~12 mIU/L라면 50 µg, TSH > 12 mIU/L라면 75 µg을 권고한다.[14] 치료 시작 후 6~8주 경 TSH를 측정하여 용량의 적절성을 평가하며 젊은 환자군에서 그 목표는 0.3~3 mIU/L이나 고령의 환자에서는 좀 더 높은 TSH치를 목표로 한다. 어떠한 경우든 TSH가 정상범위 이하로 억제되는 과치료는 피해야 한다. 갑상선호르몬제를 복용중인 환자의 20%에서 TSH가 억제되어 있다는 역학적인 보고는 상기할 만하다. TSH

가 목표 치에 도달하면 6개월 후 추적검사를 시행하고 목표치에 있다면 매년 TSH를 시행하여 치료의 적절성을 평가한다.

REFERENCES

1. Gi Hyeon Seo , Jae Hoon Chung. Incidence and Prevalence of Overt Hypothyroidism and Causative Diseases in Korea as Determined Using Claims Data Provided by the Health Insurance Review and Assessment Service. Endocrinol Metab 2015;30:246-51.

2. 박경혜, 이은직. 갑상선 약물 치료의 최신 지견. J Korean Med Assoc 2012;55:1207-14.

3. 조보연. 임상 갑상선학, 제2판. 고려의학. 제16장. 갑상선기능 저하증;2005:409-34.

4. Garber JR, Cobin RH, Gharib H, Hennessey JV, Klein I, Mechanick JI, Pessah-Pollack R, Singer PA, Woeber KA; American Association Of Clinical Endocrinologists And American Thyroid Association Taskforce On Hypothyroidism In Adults. Clinical practice guidelines for hypothyroidism in adults: cosponsored by the American Association of Clinical Endocrinologists and the American Thyroid Association. Thyroid 2012;22(12):1200-35.

5. Helfand M, Redfern CC. Clinical guideline, part2. Screening for thyroid disease: an update. American College of Physicians. Ann Intern Med 1998;129:144-58.

6. Ladenson PW, Singer PA, Ain KB, Bagchi N, Bigos ST, Levy EG, Smith SA, Daniels GH, Cohen HD American Thyroid Association guidelines for detection of thyroid dysfunction. Arch InternMed 2000;160:1573-75.

7. Vanderpump MP, Ahlquist JA, Franklyn JA, Clayton RN. Consensus statement for good practice and audit measures in the management of hypothyroidism and hyperthyroidism. The Research Unit of the Royal College of Physicians of London, the Endocrinology and Diabetes Committee of the Royal College of Physicians of London, and the Society for Endocrinology. BMJ 1996;313:539-44.

8. Helfand M. Screening for subclinical thyroid dysfunction in non-pregnant adults: a summary of the evidence for the U.S. Preventive Services Task Force. Ann Intern Med 2004;140:128-141.

9. Surks MI, Ortiz E, Daniels GH, Sawin CT, Col NF, Cobin RH, Franklyn JA, Hershman JM, Burman KD, Denke MA, Gorman C, Cooper RS, Weissman NJ. Subclinical thyroid disease: scientific review and guidelines for diagnosis and management. JAMA 2004;291:228-38.

10. Hennessey JV, Evaul JE, Tseng YC, Burman KD, Wartofsky L. L-thyroxine dosage: a reevaluation of therapy with contemporary preparations. Ann Intern Med 1986;105:11-5.

11. 조영석, 송민호. 갑상선기능 저하증의 치료. Korean Journal of Medicine 2005;69:119-21.

12. 강호철. 불현성 갑상선기능 저하증의 치료. J Korean Thyroid Assoc 2009;2:93-7.

13. Haddow JE, Palomaki GE, Allan WC et al. Maternal thyroid deficiency during pregnancy and subsequent neuropsychological development of the child. N Engl J Med 1999;341:549-55.

14. Teixeira PF, Reuters VS, Ferreira MM, Almeida CP,Reis FA, Melo BA, Buescu A, Costa AJ, Vaisman M. 2008 Treatment of subclinical hypothyroidism reduces atherogenic lipid levels in a placebo-controlled double-blind clinical trial. Horm Metab Res 2008;40:50-5.

갑상선 질환의 응급 상황
Thyroid Emergencies

| 대구가톨릭대학교 의과대학 외과　**박성환**

1. 갑상선 질환의 응급 상황

갑상선 질환에 의한 응급 상황은 갑상선 중독증의 극심한 형태인 갑상선 중독발증과 점액부종 혼수가 있다. 이러한 상황들은 두 경우 모두 빠른 진단과 적절한 치료가 이루어지지 않으면 치명적인 결과를 초래할 수 있어서 각별한 주의가 필요하다.

2. 갑상선 중독발증

1) 병태 생리와 원인

갑상선 중독발증은 갑상선 중독증 환자의 1~2% 정도에서 나타나며 갑상선 호르몬 과다 분비에 의한 신진 대사 항진과 여러 신체 기관들의 심각한 기능 부전이 동반된 상태이다.[1,2] 갑상선 중독발증은 적절하게 치료받지 못한 갑상선 중독증 및 기능 항진증 환자에서 감염, 수술, 외상, 마취, 임신중독, 항암제 또는 슈도에페드린 등의 약물 투여, 그리고 방사선 요오드 치료 또는 항갑상선제 투여 중단 후에 흔히 발생하며 당뇨병, 뇌혈관 질환 및 심혈관 질환에 동반되는 경우도 있다.[1,2,3,4,5]

2) 임상 증상과 소견

갑상선 중독발증은 모든 연령층에서 나타나지만 청소년과 청년기에 가장 흔하다. 증상은 갑작스러운 고열, 발한, 빈맥, 고혈압, 호흡곤란, 심장세동, 부정맥, 심부전 등으로 나타나며 오심, 구토, 설사, 복통, 간비대증, 황달 등의 위장관 증상과 함께 정서 불안, 안절부절, 떨림, 흥분, 혼수 등의 신경 증상이 동반되며 탈수, 전해질 이상, 저혈압, 의식 저하 및 혼수 등이 나타날 수 있다.[1,2,7]

3) 진단

갑상선 중독발증의 진단은 발열은 물론 심혈관계, 중추신경계 및 위장관계의 증상과 소견으로 임상적 판단에 따라 이루어져야 한다.[1,6] 흔히 심부전에 의한 심장비대와 폐부종이 나타날 수 있으며 갑상선 비대증, 경부 잡음과 떨림, 안구돌출 등이 자주 동반되며 또한 백혈구 증가와 간기능 이상, 부신 기능 부전도 흔하다. 갑상선 중독발증에서 혈청 유리 T4의 증가가 특징적이나 TSH를 포함한 유리 또는 전체 T4, T3의 혈중 증감은 그 원인에 따라 다양하게 나타날 수 있다.

　갑상선 중독발증과 감별하여야 하는 질환은 심한 불안 및 정신질환, 심한 발열, 울혈성 심장병, 섬망, 당뇨성 혼수, 임신중독증, 패혈증, 열사병, 뇌염, 갈색세포종 및 약물 중독 등이다.

4) 치료

갑상선 중독발증의 치료는 임상적 판단에 기초하여 지체 없이 이루어져야 한다. 즉 항갑상선제의 투여로 과도한 혈중 갑상선 호르몬에 의한 부작용을 억제하고 신체 장기 기능을 정상화하며 이와 함께 갑상선 중독발증의 유발 요인을 해소하는 것이 필요하다. 또한 체온을 낮추기 위한 물리적 처치와 함께 아스피린 제제를 제외한 아세타미노펜 해열제의 투여, 기도 확보와 산소 공급, 수액 공급과 전해질 이상 교정, 심장 기능의 정상화와 심장 박동 및 심폐 기능 이상 반응에 대한 감시 등 환자 상태 전반에 대한 종합적인 처치가 필요하다.

(1) 항갑상선제 투여

Propylthiouracil (PTU)은 갑상선 호르몬 생성을 억제하고 T4가 T3로 변환되는 것을 감소시킨다. PTU는 200 mg씩 4시간 마다 경구, 비위장 튜브 또는 직장으로 투여하며 약리적 효과는 경구 투여 1시간 후부터 나타난다. Methimazole (MMI)은 PTU에 과민반응이 있는 경우나 소아에서 주로 사용하며, 성인의 경우 4시간마다 20 mg씩 투여한다.[8]

항갑상선제 선택은 최근 PTU 투여에 따른 간독성과 함께 1일 1회 투여가 가능한 MMI/CMZ가 PTU보다 더욱 널리 사용되고 있다. 미국 갑상선학회 권고안은 임신 1기, 갑상선 중독발증, thionamide에 부작용이 있었던 환자를 제외하고는 MMI와 CMZ 사용을 권유하고 있다.[9]

요오드제제는 대량 투여한 경우 갑상선 호르몬 생성과 분비를 억제하는 효과가 있으나 항갑상선제 투여 전에 사용되는 경우에는 갑상선 호르몬 생성을 자극하거나 이미 형성된 갑상선 호르몬의 유출을 초래할 수 있다. 따라서 NaI는 12시간마다 500~1,000 mg씩 정맥 투여할 수 있으나 PTU 투여 1시간 지난 후 사용해야 한다.

Lugol 용액은 6시간마다 8 drop씩, Saturated solution of potassium iodide는 6시간마다 5 drop씩 투여할 수 있다.

Lithium은 항갑상선제나 요오드제제에 과민 반응이 있는 경우에 사용하며 6시간마다 300 mg씩 투여한다. 혈장분리반출술과 Cholestyramine 투여는 항갑상선제와 함께 갑상선 호르몬 혈중 농도를 감소시키는 목적으로 사용할 수 있다.[6,8]

(2) 아드레날린계 부작용 차단

베타 차단제인 propranolol은 심혈관계 효과와 함께 T4의 T3 전환을 억제하여 20~80 mg씩 하루 4~6회 경구 투여할 수 있으며, 정맥 투여의 경우에는 우선 0.5~1 mg 투여 후 EKG 변화와 환자 상태를 확인한 후 심박수를 고려하여 15분 간격으로 1~2 mg씩 투여할 수 있다. Esmolol은 우선 250~500 μg 투여한 후 환자 상태에 따라 분당 50~100 μg씩 투여할 수 있다. Propranolol을 사용할 수 없는 경우에 사용할 수 있는 다른 베타 차단제로는 atenolol, metoprolol, esmolol 등이 있다.[6,8]

(3) 과다 갑상선 호르몬의 전신 반응 억제

체온을 낮추기 위해서는 알코올 솜, 얼음, cooling blanket을 사용하며 해열제는 아세타미노펜을 투여한다. 또한 급격한 체온 하강에 따른 오한을 줄이기 위해서는 meperidine이 도움이 되며, 심혈관계 안정과 울혈설 심부전에는 digoxin과 이뇨제를 사용한다.[1]

Hydrocortisone은 부신 호르몬 결핍증 예방과 T4의 T3변환 감소를 위해 우선 300 mg 투여한 후 8시간마다 100 mg씩 사용한다. Hydrocortisone 대신 Dexamethasone의 사용도 가능하다.[2,6]

(4) 유발 인자 해소

갑상선 중독발증의 가장 흔한 유발인자는 감염이며 그 외의 다른 요인에 대한 검사와 처치가 필요하다.[2,6] 그러나 갑상선 중독발증의 25~43%에서는 유발 인자를 확인할 수 없는 경우가 있다. 또한 갑상선 중독발증의 상태가 호전되면 항갑상선제와 propranolol을 투여하면서 방사성 요오드 투여 또는 갑상선 절제술 등의 갑상선기능항진증에 대한 근원적인 치료를 고려한다.[6]. 최근 갑상선 중독발증의 외과적 절제를 위한 내과적 준비 치료에 실패한 경우, 갑상선 동맥색전술을 적용하여 중독발증을 안정화시킨 후 갑상선 절제술을 시행하는 방법에 대한 연구도 진행되고 있다.[10,11]

5) 예후 및 예방

갑상선 중독발증은 적절한 처치가 이루어지면 보통 24시간 이내에 임상적인 호전이 나타난다. 그러나 갑상선 중독발증의 사망률은 20~30%에 이르기 때문에 평소에 갑상선기능항진증의 적절한 치료와 지속적인 감시를 통한 갑상선 중독발증의 예방이 중요하다.[3] 고령과 중추 신경계 이상 증상 동반 등이 사망률을 높이는 요소가 된다.[12,13]

3. 점액부종 혼수

점액 부종 혼수는 갑상선기능저하증을 가진 환자에서 특정 유발요인에 의해 심한 갑상선기능저하와 함께 극심한 신체기능저하를 나타내는 상태이며 치명적인 결과를 초래할 수 있는 갑상선 응급 질환이다.

1) 병태 생리와 원인

점액부종 혼수는 갑상선기능저하증을 가진 노인에서 오랫동안 적절한 치료를 받지 않은 경우 감염, 외상, 수술, 뇌혈관 질환, 심근 경색, 추위 노출 및 약물 중독 등의 유발 요인이 있는 경우 주로 발생하며 의식 장애, 저체온증 및 심한 심폐 기능 저하를 동반한다.

2) 임상 증상과 소견

임상 증상은 무기력, 변비, 우울, 의식 혼탁, 발작, 혼수 등이며 체온 저하, 호흡 감소, 서맥, 복부 팽만 및 심낭 삼출 등이 자주 나타난다. 또한 지혈부전에 따른 출혈성 경향, 건조하고 차가운 피부, 연부 조직 피하 부종, 탈모, 창백, 무표정, 안면 부종, 큰혀증, 인후 부종, 갑상선 비대증, 저혈압, 저혈당, 전해질 이상 등이 흔하며, 혈청 크레아틴 포스포키나제의 증가와 저나트륨혈증도 자주 동반한다.

3) 진단

병력과 증상으로 임상적 진단이 가능하며 혈액 검사에서 갑상선 호르몬 결핍을 확인 할 수 있다. 신장 기능 저하나 부신 기능 저하증, 저혈당 등의 잘 동반되며 감별 진단하여야 하는 질환들은 울혈성 심부전, 간성 혼수, 뇌혈관 질환, 저체온증, 패혈증, 치매 등이 있다.

4) 치료

임상적으로 점액부종 혼수로 추정되는 경우에는 즉각적이고 집중적인 치료가 필요하다. 점액부종 혼수의 치료는 우선 심혈관계 및 호흡 기능을 회복시키고 다량의 갑상선 호르몬 투여로 신진 대사 기능을 호전시키며 점액부종 혼수의 유발 요인을 해소하고 동반 질환을 치료하여야 한다.

(1) 심혈관계 및 호흡 기능 회복
집중적인 심혈관계 기능 감시와 함께 호흡 감소로 인한 과도한 혈중 이산화탄소 누적과 저호흡성 산혈증을 해소하여야 한다. 특히 이산화탄소 누적에 대한 호흡중추 반응의 저하가 호흡 부전의 주된 원인이기 때문에 산소 공급은 물론 인공 호흡기 사용이 필요한 경우가 많다.

또한 저혈량에 의한 저혈압의 경우에는 갑상선 호르몬 투여와 함께 수액, 수혈 및 혈압상승제 투여가 필요하며 울혈성 심부전의 경우에는 digoxin과 이뇨제를 사용한다.[14]

(2) 대량의 갑상선 호르몬 투여

점액부종 혼수의 경우 소화관 기능 저하로 인한 흡수 장애를 고려하여 갑상선 호르몬 공급은 정맥 투여로 시작한다. T4는 호르몬 작용 과정이 점진적이어서 부작용이 적으나 T3로 전환되어 효과가 나타나는 시점이 늦어지는 단점이 있으며, T3는 T4 투여보다 작용이 직접적이고 빠르지만 부정맥 등 호르몬 대량 투여 부작용이 더 많이 나타날 위험이 있다. 따라서 환자 상태에 따라 T4와 T3의 사용을 선택하거나 T4와 T3를 함께 사용하는 방법이 권장되기도 한다.[1]

T4만을 사용하는 경우에는 우선 levothyroxine 300~500 μg을 투여한 후 혈중 갑상선 호르몬 농도 상승 정도를 주시하면서 매일 50~100 μg 투여를 유지한다. 그 후 환자의 의식 상태 등이 호전되면 경구용 levothyroxine으로 바꾸어 투여한다. Liothyroxine (T3)만 투여할 경우에는 제1일에는 8시간마다 25 μg을 정맥 투여하고 제2일부터는 12.5 μg씩 주사하며 환자 의식이 호전되면 경구 투여한다. Levothyroxine과 Liothyroxine을 함께 사용하는 경우에는 제1일에는 Levothyroxine 200~300 μg을 우선 정맥 주사하고 제2일에는 Levothyroxine 100 μg을 투여하며 제3일부터는 매일 Levothyroxine 50 μg을 주사한다. Liothyroxine은 매일 8시간마다 10 μg을 투여하며 환자가 의식을 회복하면 투약을 중단한다.[1,14,15,16,17] 다만 어느 경우에나 갑상선 호르몬 대량 투여를 위해서는 계속적인 심전도 감시가 필요하며 심박동 이상 등 심장 기능의 변화에 주의하여야 한다. 또한 국내에서 주사용 T4, T3의 확보가 어려운 경우 동일한 용량의 경구용 T4, T3를 nasogastric tube로 투여

할 수 있으나 점액부종 혼수 상태에서 갑상선 호르몬의 장관내 흡수 속도가 저하되어 정확한 투여 용량의 예측이 어렵다.

(3) 신진 대사 기능 회복을 위한 처치

체온 저하의 경우 보온과 체온 상승을 위한 조치가 필요하며, 저나트륨혈증과 저혈당의 경우 과도한 수분 저류에 주의하면서 고나트륨수액 및 포도당액을 투여한다. Dopamine 등의 혈압 상승제 사용에는 심장 기능 이상에 대해 주의하여야 한다.[14,16,17]

(4) 유발 요인 해소 및 동반 질환 치료

감염의 경우 항생제 투여가 필요하며 또한 심혈관계, 뇌중추계 및 위장관계 동반 질환에 대한 치료도 필요하다.

(5) 기타 보조적 치료

점액부종 혼수에 의한 장마비는 갑상선 호르몬 투여 후에는 호전된다. 또한 갑상선기능 저하의 경우 부신 기능 저하가 흔히 동반되기 때문에 8시간마다 hydrocortisone 100 mg을 정맥 투여한다.

5) 점액부종 혼수의 예후와 예방

점액부종 혼수의 사망률은 20~50% 정도이며 저체온증과 저혈압이 심한 경우에는 예후가 불량하다. 또한 높은 연령, 대량의 갑상선 호르몬 투여 및 심혈관계 합병증이 동반된 경우에도 사망률이 높아진다.[14,15] 점액부종 혼수로 인한 치명적인 결과를 줄이기 위해서는 빠른 진단과 치료가 중요하며 또한 평소 갑상선기능 저하증의 적절한 관리로 점액부종 혼수의 발생을 줄이는 것이 필요하다.

REFERENCES

1. Orlo H. Clark, Quan-Yang Duh, Electron Kebebew. Textbook of endocrine surgery, 2nd edition. Elsevier Saunders 2005;216-22.

2. Lewis E. Braverman, Robert D. Utiger. The thyroid (Werner and Ingbar's): a fundamental and clinical text. 6th edition, Lippincott Williams & Wilkins 871-77.

3. Hirvonen EA, Niskanen LK, Niskanen MM. Thyroid storm prior to induction of anaesthesia. Anaesthesia 2004;59(10):1020-2.

4. Kadmon PM, Noto RB, Boney CM, et al. Thyroid storm in a child following radioactiveiodine(RAI) therapy : a consequence of RAI versus withdrawal of antithyroid medication. J Clin Endocrinol Metab 2001;86(5):1865-7.

5. Alkhuja S, Pyram R, Odeyemi O. In the eye of the storm : iodinated contrast medium induced thyroid storm presenting as cardiopulmonary arrest. Heart Lung 2013;42(4):267-9.

6. Bindu Nayak, Kenneth Burman. Thyrotoxicosis and thyroid storm. Endocrino Metab Clin N Am 2006;35:663-86.

7. 조보연. 갑상선 중독발증(임상갑상선학). 고려의학 197-201.

8. Madhusmita Misra, Abhay Singhal, Deborah E Campbell. Thyroid Storm. eMedicine Jan 5, 2010.

9. Bahn Chair RS, Burch HB, Cooper DS, et al. American Thyroid Associ-ation; American Association of Clinical Endocrinologists. Hyperthyroidism and other causes of thyrotoxicosis: management guidelines of the American Thyroid Association and American Association of Clinical Endocrinologists. Thyroid 2011;21:593-646.

10. Rohr A, Kovaleski A, Hill J, Johnson P. Thyroid Embolization as an Adjunctive Therapy in a Patient with Thyroid Storm. J Vasc Interv Radiol 2016;27:449-51.

11. Marek Dedecjus, Jozef Tazbir, Zbighiew Kauzel, et als. Evaluation of selective embolization of thyroid arteries (SETA) as a preresective treatment in selected cases of toxic goiter. Thyroid Res. 2009;2(1):1-7.

12. Ono Y, Ono S, Yasunaga H, et al. Factors Associated With Mortality of Thyroid Storm : Analysis Using a National Inpatient Database in Japan. Medicine (Baltimore) 2016;95(7):e2848.

13. Swee du S, Chng CL, Lim A. Clinical characteristics and outcome of thyroid storm: a case series and review of neuropsychiatric derangements in thyrotoxicosis. Endocr Pract 2015;21(2):182-9.

14. Leonard Wartofsky. Myxedema coma. Endocrino Metab Clin N Am 2006;35:687-98.

15. Lewis E. Braverman, Robert D. Utiger. The thyroid (Werner and Ingbar's): a fundamental and clinical text. 6th edition, Lippincott Williams & Wilkins 1084-91.

16. Erik D Schrage. Hypothyroidism and myxedema coma. emedicine Dec 10, 2009.

17. 조보연. 점액수종 혼수(임상갑상선학). 고려의학 247-9.

갑상선 종양

Thyroid Neoplasia

SECTION

3

갑상선 종양의 발병 기전

Molecular Pathogenesis of Thyroid Neoplasia

| 충북대학교 의과대학 외과 **박진우**

갑상선에 발생하는 종양은 양성인 경우가 대부분이며, 여포선종이 대표적이다. 갑상선 악성 종양의 기원은 전이암을 제외하면 크게 여포세포와 여포곁세포로 나눌 수 있는데, 특히 여포 기원 갑상선암은 분화도에 따라 고분화암, 저분화암, 역형성암으로 구분할 수 있다. 여포곁세포에서는 갑상선 수질암이 기원한다. 이 외에도 상피세포가 아닌 다른 세포 기원으로는 림프종, 육종 등이 드물게 발생할 수 있다. 갑상선 종양은 같은 기관에서 기원하였지만, 병리학적으로나 임상적으로 매우 상이한 집단이다. 이런 다양성의 원인에 대한 궁금증은 최근 눈부시게 발전한 유전학적, 분자생물학적 연구 방법을 통해 많이 해소되었지만, 아직도 규명해야 할 부분이 남아 있다. 갑상선 종양 역시 다른 종양과 마찬 가지로 원종양유전자의 활성화와 종양어제유전자의 비활성화에 의해 주로 발생한다. 돌연변이, 염색체재배열 등의 직접적인 유전자 변화뿐만 아니라 후생학적 변화(epigenetic change)나 micro-RNA 조절장애, 유전적 다형성과 환경적 요인의 상호작용 등의 다양한 요인에 의해 종양이 발생할 수 있다. 이런 갑상선 종양의 발생과 진행에 대한 이해는 진단과 치료, 예후 추정 등에도 많은 도움을 줄 수 있다.[1] 현재 가장 널리 받아들여지고 있는 갑상선 종양의 발병 모델은 갑상선세포가 유전적 변이를 축적해 가면서 점차 고유의 분화된 기능을 소실해 간다는 다단계암화모델(multistep carcinonogenesis model)이다. 최근 일부에서는 종양줄기세포설도 제안하고 있다.

1. 여포선종의 발생

여포선종은 여포의 크기, 세포 밀도, 세포학적 특성에 따라 세분될 수 있는데, 정상 여포 크기의 선종 일부에서 자동능을 보인다. 이들 기능 항진을 보이는 여포선종의 대부분에서 TSH 수용체(TSHR)나 G alpha s (gsp)의 활성 돌연변이를 관찰할 수 있다.[2] 이런 돌연변이는 G 단백을 활성화 상태로 잡아두어 cyclic adenosine monophosphate (cAMP) 생성을 촉진해 지속적으로 세포를 자극하게 된다. TSHR 활성화 돌연변이는 갑상선암보다는 양성 여포선종의 성장에 주로 관여하며, gsp 돌연변이는 양성과 악성 종양 모두에서 관찰되는데 주로 자동능을 가진 여포선종에서 나타난다. 냉결절을 보이는 경우에는 자동능을 갖는 선종에 비해 TSHR나 gsp와 같은 분화 관련 유전자의 돌연변이가 거의 나타나지 않으며, 약 20%에서 원종양유전자인 *RAS* 돌연변이를 관찰할 수 있고, 단클론일 가능성이 많다.[3] *RAS* 돌연변이 역시 양성과 악성 모두에서 나타나는데, 요오드 결핍 지역에서는 상대적으로 발생 빈도가 적다.

갑상선암에서도 암 전구병변이 있는지는 논란의 여지가 많은데, 여포선종을 절제하면, 재발이나 전이가 발견되지 않는다고 해서, 이 종양이 악성화의 가능성이 없다고 단정할 수는 없다. 왜냐하면 치료적 절제를 통해 계속해서 유전적 변이를 축적하고 침습과 전이를 보일 기회를 빼앗았기 때문일지도 모르기 때문이다. 이런 의

미로 악성화미결정종양(tumor of undefined malignancy)이라는 용어를 적용하기도 한다. 실제로 여포선종과 여포암의 유전적 변이를 비교해보면 많은 부분에서 유사성을 가지고 있으며, 이런 이유로 세포학적 진단으로는 양성과 악성의 감별이 힘들다.

2. 여포기원 갑상선암의 발생

여포기원의 분화갑상선암에는 유두암, 여포암, 휘틀세포암이 포함되는데, 이들의 발생과 관련된 주요 유전자 이상으로는 BRAF, RAS의 점돌연변이와 RET/PTC, PAX8/PPARγ 염색체재배열 등이 있다.[4] 저분화갑상선암과 역형성암은 분화갑상선암의 탈분화가 더욱 진행된 형태로 생각한다.

1) 갑상선유두암

여러 가지 유전적 변이가 유두암에서 발견되는데, 대표적인 것으로는 염색체재배열에 의한 RET, TRK 유전자의 변이와 BRAF, RAS의 돌연변이 등이다. 일반적으로 염색체재배열은 방사선 노출과 연관이 있다. 이들 유전자는 모두 성장인자나 세포 표면 수용체의 신호전달에 관여하는 mitogen activated protein kinase (MAPK) 경로에 작용한다.[5] 갑상선유두암의 거의 70% 정도에서 이들 유전자 변이가 관찰되며, 대개는 같은 종양에서 중복되어 나타나지 않는다.[6] 갑상선유두암의 유전적 변이 패턴은 시대에 따라 변하고 있는 것으로 보고되는데, 최근 시행된 한 체계적 문헌 고찰에서는 특히 BRAF 돌연변이의 빈도는 증가하고, RET/PTC 염색체재배열의 빈도는 감소하는 추세를 보여주었다.[7]

(1) BRAF

RAF 단백은 serine/threonine protein kinases의 일종으로 MAPK 경로를 통한 신호전달에 관여하여 세포증식, 분화, 사멸에 중요한 역할을 한다. 포유류에서는 ARAF, BRAF, CRAF의 세 가지(isoform)가 존재한다. BRAF의 발현은 갑상선여포세포를 포함한 혈액세포, 신경세포, 고환 등에서 높으며, 다른 형에 비해 MAPK 경로를 활성화시키는 능력이 강하다. BRAF의 돌연변이는 흑색종의 약 2/3에서 발견되며, 대장암, 난소암 등에서도 일부 보고되는데 갑상선유두암에서는 약 40~70%에서 발견되어 가장 흔한 유전적 변이이다.[8] 가장 흔한 돌연변이 형태는 1799번 염기가 thymidine에서 adenine으로 변환되어 valine이 glutamate으로 바뀌는(V600E) 것이다. 그 외 아주 드문 형태로 K601E 돌연변이와 AKAP9/BRAF 재배열 등이 보고된다.[9,10] 일반적으로 BRAF 돌연변이는 방사선 조사에 의해 발생하는 갑상선유두암에서는 흔하지 않지만, AKAP9/BRAF 재배열은 체르노빌 사고 후 5~6년째 발생한 종양의 약 11%에서 발견되었다.[10] BRAF 돌연변이는 형질전환쥐에서 갑상선유두암을 유발하고, 그 발현의 정도에 비례하여 조직학적 악성도가 증가한다.[11] BRAF 돌연변이는 전형적인 유두암뿐 아니라 유두암 변이(tall cell, oncocytic variant)에서도 발견되며, 갑상선미세유두암 에서도 흔히 발견된다. 그러나, 여포변이에서는 드물게 나타난다.[8] 현재 여포종양이나 다른 양성 병변에서 BRAF 돌연변이가 발견되었다는 보고는 없다. BRAF 돌연변이는 저분화갑상선암의 약 15%에서, 역형성암의 상당수에서 관찰되는데, BRAF 돌연변이가 있는 유두암이 역형성암으로 진행하였다는 것을 보여주는 좋은 근거가 된다.[12] 일부 이견이 있지만, Xing 등의 연구 결과에서 BRAF 돌연변이는 암의 갑상선외 침윤, 림프절 전이, 진행된 병기(3, 4기)와 유의한 상관 관계가 있었으며, 병기가 1, 2기인 저위험군에서 재발을 예측하는 독립적 인자였다.[13]

(2) RET/PTC

RET 원종양유전자는 10번 염색체에 위치하며, tyrosine 수용체를 부호화한다. tyrosine 수용체는 배위자 결합부위인 세포외 부분과, 세포막 부분, 그리고 세포 내 부분으로 구성되어 있다. *RET*은 여러 인자의 복잡한 상호 작용에 의해 활성화되는데, glial cell line-derived neurotrotrophic factors (GDNF)와 GDNF family receptors alpha (GFRα)가 대표적이다. 이들 배위자가 결합하면 수용체 합체가 일어나고, tyrosine residue의 인산화가 일어나면서 세포내 신호전달이 시작된다. *RET*은 말초신경의 발생과 성숙에 중요한 역할을 하며, 장신경총(enteric plexus) 신경세포의 생존(Hirschsprung's disease)과 신장의 발생에도 중요한 역할을 한다. *PTC* 종양유전자는 NIH3T3 세포의 형태를 바꾸는 원인으로 발견되었는데,[14] *RET/PTC* 재배열은 *RET* 유전자 이상의 한 형태로 tyrosine kinase domain을 부호화하는 *RET*의 3' 부분이 여포세포의 다른 정상유전자 5' 부분과 재배열되어 생긴다.[15] *RET/PTC*가 갑상선유두암 발생의 초기 과정이라는 근거로는 갑상선 미세암 또는 잠복암에서도 발현되며,[16] 인체 정상 갑상선 세포에서 *RET/PTC1*을 과발현시키면 갑상선유두암의 진단적 특성을 갖는 핵의 변화를 유도하고,[17] *RET/PTC* 형질전환쥐는 갑상선유두암과 유사한 종양을 발생시키며 p53 돌연변이와 같은 다른 유전자 이상이 수반되면 원격전이가 일어난다는 것이다.[18,19] *RET/PTC* 염색체재배열 양성률은 검사 방법이나, 지역에 따라 차이를 보이지만, 갑상선유두암의 약 30~40%에서 발견되어 두 번째로 흔한 유전적 변이이다. 현재 10여 가지 이상의 유형이 보고되어 있는데, *RET/PTC1* (60~70%), *RET/PTC3* (20~30%)가 가장 흔하며 이 둘이 90% 이상을 차지한다.[6,20] *RET/PTC1*은 전형적인 갑상선유두암과, 미세갑상선암, 미만성 경화성 변이에서 더 흔하고, *RET/PTC3*는 고형변이에서 흔히 발견된다.[20,21] 일반적으로 여포변이에서는 *RET/PTC* 염색체재배열이 드물다. *RET/PTC* 염색체재배열은 특히 소아(40~70%)와 방사선 조사와 연관(50~80%)되어 흔히 발견되는데, 체르노빌 원전 사고 후 소아에서 발생한 갑상선암에서는 *RET/PTC3*가 가장 흔한 유형이었다.[22] *RET/PTC* 양성인 경우는 전형적으로 연령대가 낮고, 전형적인 유두상 구조를 보이며, 림프절 전이의 빈도가 높은 경향이 있다.[23]

(3) RAS

*RAS*는 *H-RAS*, *K-RAS*, *N-RAS*의 세 종류가 있고, 각각의 돌연변이가 여러 종양에서 관찰된다. 갑상선암에서는 주로 여포종양 즉 여포암과 여포선종에서 주로 발견되며, 전형적인 갑상선유두암에서는 10% 미만으로 드물게 관찰되는 반면 갑상선유두암의 여포변이에서는 비교적 흔히 관찰된다.[24]

Di Cristofaro 등의 연구에 의하면 *BRAF*, *RET/PTC*, *RAS* 유전자 변이의 빈도가 전형적인 갑상선유두암에서 각각 30%, 45%, 0%인데 반해, 여포변이의 경우에는 각각 7.6%, 41.7%, 25%로 현저한 차이를 보였다.[25] 이런 사실은 *RAS* 돌연변이가 여포모양의 분화를 유도하며, *RET*의 활성화가 유두암의 핵형을 유도하지만 유두상 구조를 만들지는 못한다는 추정을 가능하게 한다. 갑상선유두암의 여포변이는 임상적으로 전형적인 유두암에 가까운 경과를 보이지만, 유전적으로는 여포종양에 가깝다.

(4) TRK

Neurotrophic receptor-tyrosine kinase 1 (*NTRK1*) 유전자는 1번 염색체에 위치하며, 신경성장인자에 대한 수용체를 부호화한다. *NTRK1*은 염색체재배열에 의해 활성화되는데, *RET*보다는 훨씬 드물어서 체르노빌 원전 사고 후 발생한 유두암의 약 3%에서 발견된다.[26] *NTRK1*은 시험관 내 조작으로는 세포의 암화를 유도하지 못하지만, 형질전환쥐에서는 갑상선암을 유발하며, p27 발현 억제를 병행하면 보다 조기에 암화가 진행된다.[27]

(5) TERT 촉진자

텔로머레이스(telomerase)의 활성이 증가되면 텔로미어(telomere) 단축이 방지되는데, 분화갑상선암의 진행된 병기와 갑상선 피막외 침범 등과 관련이 있는 것으로 보고되어 종양의 진행과 연관되어 있는 것으로 추정되어 왔다.[28] 최근 텔로머레이스의 돌연변이가 새롭게 주목받고 있는데, 텔로머레이스의 촉매 부분인 TERT (telomerase reverse transcriptase)의 촉진자에 발생한 돌연변이로 C228T, C250T의 유형이 가장 흔하게 보고된다.[29] 갑상선암에서도 2013년 Liu 등[30]이 TERT 촉진자 돌연변이를 처음 보고하면서 활발한 연구가 진행되고 있다. 최근의 한 메타분석에 의하면 TERT 촉진자 돌연변이는 일반적인 분화갑상선암에서도 드물지 않게 관찰할 수 있으며, 고령, 큰 종양, 갑상선 피막외 침범, 혈관 침윤 등과 연관되어 있고, 특히 원격전이와 진행된 병기와 연관이 있었다. 그러나 이런 연관은 TERT 촉진자 돌연변이가 단독으로 존재할 때는 찾아보기 어려우며, BRAF 돌연변이와 동반되었을 때 뚜렷하게 관찰할 수 있었다.[31]

(6) 후생학적 변화 Epigenetic changes

메틸화나 아세틸화 같은 후생학적 변화는 유전자를 변형시키지 않으면서 그 발현을 제어할 수 있다. 실제로 많은 갑상선암에서 종양 억제 유전자나, 갑상선 분화 관련 유전자의 발현이 이런 원인으로 억제되어 있는 것이 관찰된다. 분화갑상선암에서 TSH 수용체의 촉진자나 갑상선 세포를 통한 요오드 이동과 관련된 sodium/iodide symportor (NIS), PDS 유전자의 과메틸화가 빈번히 보고되고 있으며, 종양 억제 효과를 나타내는 RAS association domain family 1, splicing isoform A (RASSF1A)의 과메틸화도 빈번히 보고된다.[32] 그러나 이런 후생학적 변화를 일으키는 근본 원인에 대해서는 아직 잘 알려져 있지 않다.

(7) Micro-RNA 조절 장애

Micro-RNA (miRNA)는 19~23 뉴클레오티드로 된 비부호화 RNA로 유전자 발현을 제어하는 역할을 한다.[33] 최근 miRNA가 세포 분화, 발생, 성장과 자멸사 등에 중요한 역할을 한다는 것이 알려지면서, 갑상선암을 포함한 여러 종양에서 그 발현 조절에 이상이 있음이 보고되었지만 정확한 기전은 아직 잘 규명되어 있지 않다. 갑상선유두암에서 miRNA의 이상 발현에 대한 연구는 다수가 있지만, 소수의 miRNA만이 공통적인 소견을

보여주고 있다. 갑상선유두암에서 가장 흔히 발현 증가를 보이는 경우로는 miR-146b, -221, -222, -181b 등이 있다. miRNA의 이상 발현은 특정 유전자의 발현과 밀접한 관계를 가지는데, miR-221은 BRAF 돌연변이가 있는 경우 과발현되며, miR-221, -222의 경우에는 p27 발현의 감소, miR-146b는 RARγ 발현의 감소, miR-181b는 CYLD 발현의 감소와 연관되어 있는 것으로 보고된다.[34]

2) 갑상선여포암

WHO 분류에 의하면 갑상선여포암은 여포세포에서 기원하여 여포세포 분화를 갖는 상피암으로 유두암의 핵형을 갖지 않는 경우로 정의된다. 여포암은 최소침습암과 광범위침습암으로 대별할 수 있다. 휘틀세포암(oncocytic or Hürthle cell)은 휘틀세포가 종양의 75% 이상을 차지해야 진단할 수 있는데, 2004년 WHO분류에서는 여포암의 일종으로 분류하고 있다. 그러나 임상적 특성이나, 유전적 차이를 들어 별도로 분류하는 경우도 많아 아직 논란의 여지가 있다. 여포암의 약 80%는 RAS 돌연변이나 PAX8/PPARγ 재배열을 보이는 데 중복되어 나타나는 경우는 예외적이다. Nikiforova 등의 보고에 의하면 전형적인 여포암에서 RAS 돌연변이와 PAX8/PPARγ 염색체재배열의 빈도는 각각 49%, 35%였고 두 가지를 모두 보인 경우가 3%였다.[35]

(1) RAS

RAS 단백은 guanosine diphosphate (GDP)에 결합되어 있는데 활성화되면 guanosine triphosphate (GTP)와 결합하여, MAPK와 phosphatidylinositol-3 kinase (PI3K)/Akt 신호전달계를 활성화시킨다. 정상적으로는 활성화된 RASGTP 단백이 GTPase에 의해 빠르게 불활성화되어야 하지만, 돌연변이가 생기면 GTP에 대한 친화력이 증가하거나, GTPase 기능을 억제해 계속해서 활성화 상태를 유지하게 된다. H-RAS, K-RAS, N-RAS의 돌

연변이는 여포종양의 약 50%(여포암의 40~50%, 여포선종의 20~40%)에서 발견되는데, Nikiforova 등의 연구에 의하면 *RAS* 돌연변이를 보이는 여포암의 약 82%에서 *N-RAS*의 돌연변이가, 18%에서 *H-RAS*의 돌연변이가 관찰되며, 빈도는 조금 줄어들지만, 여포선종에서도 같은 돌연변이가 관찰된다.[35] 이외에도 *RAS* 돌연변이는 휘틀세포종양에서 낮은 빈도로 나타날 수 있고, 선종성 결절이나 갑상선종에서도 나타날 수 있다.[36] 따라서 *RAS* 돌연변이는 여포종양의 악성 감별에 도움이 되지 못한다. *RAS* 돌연변이와 더불어 gsp 돌연변이가 같이 발생하는 경우에는 좀 더 공격적 성향을 가지는 것으로 보고된다.[37]

(2) PAX8/PPARγ

PAX8/PPARγ 유전자는 t(2;3)(q13;p25) 염색체재배열의 결과로 *PAX8*과 *PPARγ* 유전자가 이상 접합하면서 생긴다. *PAX8*은 갑상선 고유의 전사인자로 sodium-iodide symporter, 티로글로불린, TSH 수용체 발현 등 여포세포의 분화에 중요한 역할을 하며,[38] *PPARγ*는 지방세포의 분화와 인슐린 감수성 증가에 관여하는데 최근에는 종양의 발생과 연관되어 활발히 연구되고 있다.[39] *PAX8/PPARγ* 재배열은 처음 보고될 때만 해도 여포암 고유의 유전자 변이로 생각되었지만,[40] 후속 연구를 통해 다른 병변에서도 발견되며, 방사선 조사와 관련이 있음이 밝혀졌다.[41] *PAX8/PPARγ* 재배열은 여포암의 30~40%에서 관찰되며, 여포선종과 유두암의 여포변이에서는 약 10%, 휘틀세포암에서는 약 2%의 빈도를 보이고, 전형적인 갑상선유두암이나, 역형성암에서는 보고되지 않는다.[41] *PAX8/PPARγ* 재배열이 양성종양인 여포선종에서도 관찰되어, 이것이 암화에 직접 관여하는지가 의문시되기도 하지만, 선종-암종의 진행을 상정한다면 그 진행에 중요한 역할을 할 것으로 여겨지며, 여포암의 특성을 나타내게 하는 초기과정으로 생각된다. 시험관 내 실험에서 *PAX8/PPARγ* 융합 단백은 세포 성장을 촉진하고 세포자멸사을 억제하지만, 동물실험에서 단독으로 종양발생을 유도하지는 못한다.[42,43] 따라서

PAX8/PPARγ 재배열이 여포암의 발생에 어떻게 영향을 주는지와 다른 요인과 어떤 상호 관계를 가지는지에 대한 추가의 연구가 필요한 실정이다. *PAX8/PPARγ* 재배열을 보이는 여포암은 젊은 연령, 작은 크기, 특정 조직학적 유형(a solid/nested growth pattern), 혈관침윤 등과 연관되어 나타나는 경향이 있다.[41,44]

(3) PI3K-AKT 신호 전달계

PI3K/Akt 신호전달계는 세포 성장과 증식, 생존 및 종양 발생에 중요한 역할을 하는데, *RAS*에 의해 활성화되며, 종양억제 유전자인 *PTEN*이 조절에 관여한다. *PTEN*의 배아세포 돌연변이가 있는 Cowden 증후군에서 갑상선암의 발병이 증가하고, *PTEN*(-)/*Akt1*(-) 쥐에서 갑상선암 발병이 줄어드는 것으로 보아 PI3K/AKT 신호전달계가 갑상선암 발생에 중요한 역할을 수행함을 알 수 있다.[45,46] *PI3K* 유전자의 돌연변이나 *PTEN* 돌연변이는 주로 역형성암에서 나타나지만, 분화갑상선암에서도 나타난다. *PTEN* 발현 억제는 촉진자 메틸화, 점돌연변이, 이형접합성소실 등에 의해 나타나며 여포암의 20~30%에서 보이고, *PI3K* 돌연변이와 *PIK3CA* 증폭은 여포암의 각각 10%, 29%에서 관찰된다.[47]

(4) Micro-RNA 조절장애

갑상선유두암과 비교할 때, 여포종양에서의 miRNA의 조절 장애에 대한 연구는 제한적이다. Nikiforova 등[48]의 보고에 의하면 가장 발현이 높은 miRNA 유형은 전형적인 여포암에서는 miR-187, -155, -221, -222, -224인 반면에, 양성 여포선종에서는 miR-190, -205, -210, -224, -328, -339, -342로 차이를 보인다. 이런 miRNA 발현 증가는 증식성 결절에서는 관찰되지 않는다. Weber 등[49]은 여포암과 여포선종에서 miR-192, -197, -328, -346 등의 발현에 차이를 보였고, 시험관 내 실험에서도 miR-197, -346의 과발현이 세포 성장을 촉진하며, 이를 억제하면 FTC133 세포 성장을 억제하는 것을 보고하였다. 또 miR-197와 miR-346은 각각 *ACVR1*, *TSPAN3* 와 *EFEMP2*, *CFLAR* 유전자와 연관

이 있고 실제로 이들 유전자를 이용하여 여포암의 87%를 정확하게 가려낼 수 있었다.

3) 갑상선휘틀세포암

휘틀세포암은 여포암의 변이로 분류되지만, 전형적인 유두암과 비슷한 빈도의 *BRAF* 돌연변이와 *RET/PTC* 염색체재배열을 보이며, 여포종양과는 달리 *RAS* 돌연변이나 *PAX8/PPARγ* 재배열의 빈도가 매우 낮다.[50] 휘틀세포에는 특징적으로 미토콘드리아 DNA (mtDNA)의 탈락 또는 돌연변이가 흔히 관찰되는데, 그 의미는 아직 잘 밝혀져 있지 않다.[51] mtDNA sequencing에서 Complex I (NADH-ubiquinone oxidoreductase) subunits의 돌연변이가 53%에서 발견되며, Complex I의 기능과 세포사에 중요한 역할을 하는 *GRIM*-19 유전자 돌연변이가 15%에서 발견된다.[52] 일부 갑상선암에서 핵형원종양유전자인 *c-myc*, *c-fos* 등이 과발현되고, 이런 과발현이 종양의 공격성과 연관이 있다는 보고가 있는데, 휘틀세포암에서 *N-myc* 발현의 증가가 갖는 의미는 아직 불명확하다.[53] 휘틀세포종양에서 micro-RNA의 조절 장애에 관한 연구는 많지 않은데, Nikiforova 등[48]은 휘틀세포암에서는 miR-183, -187, -197, -221, -222, -339가, 양성 휘틀세포선종에서는 miR-31, -183, -203, -221, -224, -339의 발현이 높았다고 보고하였다. 한편 최근 microarray를 이용한 한 연구에서 miR-885-5p의 발현이 휘틀세포암에서 매우 증가되어 있는 반면 전형적인 여포암에서는 발현 증가를 보이지 않는 것이 관찰되어 그 역할에 관심이 모아지고 있다.[54]

4) 저분화암과 역형성암

저분화갑상선암은 1983년 Sakamoto 등[55]이 사용한 용어로 진단 기준에 대한 논란이 계속되어 오다가, 처음으로 2004년 WHO 분류에 의해 독립적인 임상조직학적

실체로 인정 받고, 용어의 통일과 진단 기준이 수립되었지만, 실제임상에서 적용하기에는 여전히 어려운 것이 사실이다. 저분화갑상선암은 여포세포로의 분화 증거가 제한적인 경우를 말하는데, 형태학적으로나 임상적 예후로나 분화갑상선암과 역형성암의 중간 정도를 차지한다. 역형성암은 처음부터(de novo) 또는 기존의 분화갑상선암에서 탈분화를 통해 발생할 수 있다. 탈분화를 통해 발생하는 경우 분화갑상선암의 유전자 이상을 그대로 나타낼 수 있겠는데, 실제로 저분화암에는 *RET, RAS, BRAF* 유전자 이상이 각각 13%, 46~55%, 12~17% 발견되며, 역형성암에서는 *RAS, BRAF, PIK3CA, PTEN* 유전자 이상이 각각 6~52%, 25~29%, 16%, 14% 정도에서 발견된다.[47,56,57] 한편 일반적인 분화암과는 달리 저분화암이나 역형성암에서는 *p53* 돌연변이가 각각 17~38%, 67~88% *CTNNB1* 돌연변이가 각각 25%, 66%의 높은 빈도로 관찰된다.[58,59] 최근 연구에서는 저분화갑상선암에서 *AKT1* 종양유전자의 돌연변이가 관찰되었는데, *BRAF* 돌연변이와 연관이 많으나 *PIK3CA* 돌연변이와는 무관해 보인다.[60] 저분화 또는 역형성 갑상선암의 발병은 *BRAF*와 *RAS* 돌연변이가 선행하고 여기에 p53과 *CTNNB1* 돌연변이가 추가되어 발생하는 것으로 추정된다. p53은 세포주기를 조절하고 유전자 손상을 회복하는데 중요한 역할을 한다. 실제로 *RET/PTC* 형질전환쥐에서 p53 기능을 정지시키면 갑상선암의 역형성 전환과 침습성 증가가 나타난다.[61] *CTNNB1* 유전자는 ß-catenin을 부호화 하는데, 이 단백질은 cadherin과 반응하여 세포부착에 중요한 역할을 하고, Wnt 신호전달계에 관여한다. Garcia-Rostan 등[59]은 *CTNNB1* 코돈 3 돌연변이와 ß-catenin의 핵 내 위치가 저분화암에서 각각 25%, 21.4%, 역형성암에서는 각각 65.5%, 48.3%에서 발견된다고 보고하였다. 저분화암과 역형선암에서도 제한적이기는 하지만, micro-RNA 조절 장애에 대한 연구가 보고되고 있다. 저분화암에서는 miR-183-3p의 발현 증가와 miR-150, -23b의 발현 감소가 관찰되는데, 후자의 경우 각각 상피간엽이행(epithelial-mesenchymal-transition, EMT) 전사인자인 *ZEB1*과 *SRC*

종양유전자에 작용하며, 나쁜 예후와 연관되어 있는 것으로 보고된다. 역형성암에서는 miR-200 계열과 miR-30 계열의 micro-RNA 발현이 특징적으로 감소되어 있는데, 전자의 경우에는 상피간엽이행 전사인자인 *ZEB1*, *ZEB2* 후자는 *SMAD2*에 작용하는 것으로 보고된다. 반면 miR-17-92 cluster의 발현은 역형성암에서 증가되어 관찰되는데, 종양억제유전자 *PTEN*에 작용하는 것으로 보고된다.[34]

5) 가족성비수질성갑상선암

여포기원의 분화갑상선암은 유전성 경향이 강한데, 스웨덴의 가족암 데이터베이스에 의하면 일반적인 암의 가족성 발생 위험은 2배 정도인데 비해 갑상선암은 6.6배로 상당히 높다.[62] 가족성비수질성갑상선암은 환자의 일차친척, 즉 부모, 형제 자매 또는 자녀 중 한 명 이상에서 여포 기원의 갑상선암이 발생하면 진단할 수 있는데, 분화갑상선암의 약 5% 정도에서 발생한다. 이는 다발내분비선종양 2형처럼 동일한 유전자의 변이에 의해 발생하기 보다는 다양한 유전적 결함을 지닌 질병의 조합이거나 공통된 유전적 소인 위에 다른 유전자 변이가 추가되거나, 환경적 요인이 가미되어 발생하는 것으로 추정한다. 가족성비수질성갑상선암은 상염색체 우성 유전을 하지만, 불완전 투과(penetrance)를 보인다. 넓은 의미에서 가족성 선종성 용종증, Cowden 증후군, Carney complex type 1 등과 같은 암 증후군의 일환으로 발생하는 경우도 포함시킬 수 있으나, 좁은 의미로는 비수질성 갑상선암이 주로 표현되는 가족성 암 발생을 의미한다.[63] 암증후군의 일환으로 갑상선암이 발생하는 경우에는 각각의 원인 유전자가 잘 알려져 있다.[63] 가족성 선종성 용종증의 경우 *APC* 유전자 배아돌연변이가 원인이며, 약 1~2%의 환자에서 갑상선유두암의 일종인 cribriform-morular 변이를 나타낸다. 낮은 빈도로 보아 이것이 직접 갑상선암을 발생시키기보다는 암발생 감수성을 증가시킬 것으로 추정된다. Cowden 증후군

의 경우 *PTEN*의 배아돌연변이가 원인이며, 갑상선유두암, 여포암을 나타낼 수 있고, Carney complex type 1은 여포암 발생과 연관이 있고 protein kinase receptor 1A (*PRKAR1A*)의 조절부를 부호하는 유전자 배아돌연변이가 원인이다. Werner 증후군의 경우 *WRN* 유전자가 원인인데 여포암과 역형성암의 발생빈도가 높다. 갑상선암의 발생이 주가 되는 가족성비수질성갑상선암의 경우, 현재 몇 군데 유전자 부위가 원인 유전자 후보군으로 연구되고 있는데, 대표적인 것들로 염색체 14q31에 위치한 *MNG1*, 19q13.2에 위치한 *TCO*, 1q21에 위치한 *fPTC/PRN*, 2q21에 위치한 *NMTC1*, 8p23.1 – p22에 위치한 *FTEN*, 9q22.33에 위치한 *FOXE1* 등이 있다.[64] 다른 한편으로는 개인의 유전적 다형성이 환경적 요인과의 상호 작용으로 암 발생에 영향을 줄 수 있다는 증거들이 제시되고 있는데, Adjadj 등은 분화갑상선암의 위험이 *GSTM1-null/GSTT1-null* 유전자형, homozygous *P53 72Pro allele*, pre-miRNA-146a의 GC heterozygous state를 갖는 경우에 높다고 보고하였다.[65]

3. 여포곁세포 기원 분화갑상선암의 발생

1) 갑상선수질암

수질암은 여포곁세포(C 세포)에서 유래한 암으로 *RET* 돌연변이가 원인이다. 종양유전자 *RET* (REarranged during Transfection)은 21개 엑손으로 구성되어 있고, 염색체 10q11.2에 위치하고, tyrosine kinase 수용체를 부호화한다. 정상상태에서 이 수용체에 glial-derived neurotrophic factor (GDNF)계 배위자가 결합하면 세포 내 MAPK 신호 전달을 거쳐 세포성장과 생존에 영향을 미친다. *RET* 돌연변이가 발생하면 배위자 결합과 무관하게 신호 전달이 지속되어 종양이 발생한다.[66] 코돈 634 돌연변이 *RET*을 갖는 형질전환쥐를 이용한 실험에서

보면, C세포증식증이 선행하고 곧 이어 다발성 수질암이 발생하는 것을 관찰할 수 있다.[67] 산발 수질암의 경우에는, 약 70~75%에서 *RET*의 체성 돌연변이를 보이며 대부분 코돈 918에 발생하지만 드물게 다른 곳에서도 발생할 수 있다.[68]

2) 다발내분비선종양

수질암의 약 25~30%는 유전될 수 있으며, 다발내분비선종양(multiple endocrine neoplasia; MEN2A, MEN2B) 또는 가족성 수질암(familial medullary thyroid carcinomas, FMTC)의 일환으로 나타난다. 이들 중 MEN2A가 약 70~80%로 가장 흔하고, MEN2B가 5%, 가족성 수질암이 10~20%를 차지한다. 유전형의 95% 이상에서 *RET*의 배아돌연변이가 발견되며, 전형적으로 C세포증식증이 선행된다. *RET* 종양유전자는 돌연변이를 통해 기능을 잃기도 하고 얻기도 하는데, Hirschsprung 병은 기능 소실의 예이고, MEN 2는 기능 획득의 예이다. *RET* 유전자의 활성화 기전은 다발내분비선종양의 종류에 따라 차이를 나타낸다. MEN 2A의 경우에는 수용체 합체에 의해 활성화되며 엑손 10의 코돈 609, 611, 618, 620 또는 엑손 11의 코돈 630, 634에서 cysteine의 치환을 통해 이루어지는데, 가장 흔한 돌연변이 장소는 코돈 634(85%)이다. 반면 MEN 2B의 경우에는 ret kinase 촉매부위 즉 세포 내 영역에 돌연변이가 발생한다. 대부분 새로 생긴 돌연변이로 가족력이 없으며, 가장 공격적인 형태로 유아에서 수질암이 발생할 수 있다. 가장 흔한 돌연변이 장소는 코돈 918이다. 가족성 수질암의 경우에는 cysteine이 풍부한 부위 전반에 걸쳐 고르게 분포하는 경향이 있는데, 엑손 10의 코돈 609, 618, 620에서 cysteine의 치환이 일어날수 있고, 이 외에도 엑손 13의 코돈 768, 790, 791, 엑손 14의 코돈 804, 844, 엑손 15의 코돈 891에 돌연변이가 발생할 수 있다.[69] 유전형 수질암에서는 유전형과 표현형의 상관관계가 비교적 많이 연구되어 있다. 현재 유전형으로 표현형을 완전히 예측

하는 것은 불가능하지만, 일부 유전자형의 경우 예상되는 위험도에 따라 예방적 수술의 시기를 결정하는 데 도움을 주고 있다.[70]

4. 일차 갑상선 림프종 Primary thyroid lymphoma

일차 갑상선 림프종은 드문 질환으로 악성 림프종의 다양한 스펙트럼을 보여준다. Thieblemont 등[71]은 diffuse large B cell lymphoma, MALT lymphoma, follicular lymphoma, Burkitt's lymphoma, small lymphocytic lymphoma, Hodgkin's disease 등의 아형이 있음을 보고하였다. 갑상선에는 림프조직이 없지만, 하시모토 갑상선염과 같은 만성 자가면역 갑상선염에서 만성적인 항원 자극에 의해 면역세포 증식이 일어나고 조직학적으로 a mucosa-associated lymphoid tissue (MALT)와 유사한 소견을 보이게 되며, 뒤이어 체성 돌연변이와 클론 증식을 통해 결국 림프종이 발생한다고 추정한다.[72]

5. 줄기세포 가설

오랫동안 갑상선암의 발생은 다단계암화모델로 설명되어왔다. 분화된 갑상선 세포가 다단계의 유전적 변이를 축적하면서 탈분화의 과정을 거쳐 결국 가장 치명적인 역형성암에 이른다는 가설이다. 최근 암 줄기세포의 개념이 소개되고 실제로 여러 암에서 그 존재가 확인되면서 갑상선암 발생의 줄기세포 가설이 새롭게 관심을 끌고 있다. 다단계암화모델의 제한점으로는 갑상선암의 대부분은 증식이 활발하지 않아 여러 단계의 유전적 변이를 축적하기가 쉽지 않으며, 분화암에서 역형성암으로 진행하면서 분화암의 유전적 변이가 오히려 감소하고, 가장 흔한 유두암의 경우 전암 병변이 아직 발

견되지 않았다는 점 등이었다. 이에 Takano 등[73]은 분화가 종료된 갑상선 세포가 아닌, 남아 있는 배아 갑상선 세포가 갑상선암의 기원이라는 가설을 주장하였다. Takano 등은 태아 단백인 oncofetal fibronectin의 발현이 유두암과 역형성암에 국한되며 trefoil factor 3 (TFF3)의 발현은 정상 갑상선 세포나 여포종양 특히 여포선종에서만 발현되는 것을 근거로 갑상선암의 진행을 여포암, 유두암, 역형성암의 순으로 추정하였고, 탈분화가 아닌 종양 줄기 세포의 분화 정도에 따라 발현의 차

이를 보인다고 하였다. 다른 가설로는 종양 줄기 세포가 줄기 세포 또는 전구세포(progenitor cell)에서 기원하거나 탈분화된 갑상선 성숙 세포에서 기원한다는 것이다.[74] 암줄기세포 가설이 매우 흥미롭고 설득력이 있으며 진단이나 치료에 미칠 영향이 매우 클 것으로 예상되지만, 실제로 절제된 조직 표본에서 갑상선암 줄기세포를 보고한 경우는 아직 없다.

REFERENCES

1. Park JW, Clark OH. Molecular classification of thyroid tumors. In Clark OH (ed): Textbook of Endocrine Surgery, 3rd ed. Philadelphia, The health sciences publisher, 2016. p. 515.
2. Russo D, Arturi F, Wicker R, Chazenbalk GD, Schlumberger M, DuVillard JA, et al. Genetic alterations in thyroid hyperfunctioning adenomas. J Clin Endocrinol Metab 1995;80:1347-51.
3. Krohn K, Paschke R. Somatic mutations in thyroid nodular disease. Mol Genet Metab 2002;75(3):202-8.
4. Nikiforova MN, Nikiforov YE. Molecular Diagnostics and Predictors in Thyroid Cancer. Thyroid 2009:19(12):1-11.
5. Delellis RA. Pathology and Genetics of Thyroid Carcinoma. J Surg Oncol 2006;94:662-9.
6. Greco A, Borrello MG, Miranda C, Degl'innocenti D, Pierotti MA. Molecular pathology of differentiated thyroid cancer. Q J Nucl Med Mol Imaging 2009;53(5):440-53.
7. Vuong HG, Altibi AM, Abdelhamid AH, Ngoc PU, Quan VD, Tantawi MY, et al. The changing characteristics and molecular profiles of papillary thyroid carcinoma over time: a systematic review. Oncotarget 2016;25. doi: 10.18632/oncotarget.12885. [Epub ahead of print]]
8. Xing M. BRAF mutation in thyroid cancer. Endocr Relat Cancer 2005;12:245-62.
9. Chiosea S, Nikiforova M, Zuo H, Ogilvie J, Gandhi M, Seethala RR, et al. A novel complex BRAF mutation detected in a solid variant of papillary thyroid carcinoma. Endocr Pathol 2009;20:122-6.
10. Ciampi R, Knauf JA, Kerler R, Gandhi M, Zhu Z, Nikiforova MN, et al. Oncogenic AKAP9-BRAF fusion is a novel mechanism of MAPK pathway activation in thyroid cancer. J Clin Invest 2005;115:94-101.
11. Knauf JA, Ma X, Smith EP, Zhang L, Mitsutake N, Liao XH, et al. Targeted expression of BRAFV600E in thyroid cells of transgenic mice results in papillary thyroid cancers that undergo dedifferentiation. Cancer Res 2005;65(10):4238-45.
12. Nikiforova MN, Kimura ET, Gandhi M, Biddinger PW, Knauf JA, Basolo F, et al. BRAF mutations in thyroid tumors are restricted to papillary carcinomas and anaplastic or poorly differentiated carcinomas arising from papillary carcinomas. J Endocrinol

Metab 2003;88:5399-404.
13. Xing M, Westra WH, Tufano RP, Cohen Y, Rosenbaum E, Rhoden KJ, et al.: BRAF mutation predicts a poorer clinical prognosis for papillary thyroid cancer. J Clin Endocrinol Metab 2005;90:6373-9.
14. Fusco A, Grieco M, Santoro M, Berlingieri MT, Pilotti S, Pierotti MA, et al. A new oncogene in human papillary carcinomas and their lymph nodal metastases. Nature 1987;328:170-2.
15. Grieco M, Santoro M, Berlingieri MT, Melillo RM, Donghi R, Bongarzone I, et al. PTC is a novel rearranged form of the ret protooncogene and is frequently detected in vivo in human papillary thyroid carcinomas. Cell 1990;60:557-63.
16. Viglietto G, Chiappetta G, Martinez-Tello FJ, Fukunaga FH, Tallini G, Rigopoulou D, et al. RET/PTC oncogene activation is an early event in thyroid carcinogenesis. Oncogene 1995;11 (6):1207-10.
17. Fischer AH, Bond JA, Taysavang P, Battles OE, Wynford-Thomas D. Papillary thyroid carcinoma oncogene (RET/PTC) alters the nuclear envelope and chromatin structure. Am J Pathol 1998;153:1443-50.
18. Jhiang SM, Sagartz JE, Tong Q, Parker-Thornburg J, Capen CC, Cho JY, et al. Targeted expression of the ret/PTC1 oncogene induces papillary thyroid carcinomas. Endocrinology 1996;137 (1):375-8.
19. Santoro M, Chiappetta G, Cerrato A, Salvatore D, Zhang L, Manzo G, et al. Development of thyroid papillary carcinomas secondary to tissue specific expression of the RET/PTC1 oncogene in transgene mice. Oncogene 1996;12:1821-6.
20. Nikiforov Y. RET/PTC rearrangement in thyroid tumors. Endoc Pathol 2002;13:3-16.
21. Adeniran AJ, Zhu Z, Gandhi M, Steward DL, Fidler JP, Giordano TJ, et al. Correlation between genetic alterations and microscopic features, clinical manifestations and prognostic characteristics of thyroid papillary carcinomas. Am J Surg Pathol 2006;30:216-22.
22. Nikiforov YE, Rowland JM, Bove KE, Monforte-Munoz H, Fagin JA. Distinct pattern of ret oncogene rearrangements in morphological variants of radiation-induced and sporadic thyroid papillary carcinomas in children. Cancer Res 1997;57:1690-4.

23. Adeniran AJ, Zhu Z, Gandhi M, Steward DL, Fidler JP, Giordano TJ, et al. Correlation between genetic alterations and microscopic features, clinical manifestations, and prognostic characteristics of thyroid papillary carcinomas. Am J Surg Pathol 2006;30:216-22.

24. Capella G, Matias-Guiu X, Ampudia X, de Leiva A, Perucho M, Prat J. Ras oncogene mutations in thyroid tumors: Polymerase chain reaction restriction-fragment-length polymorphism analysis from paraffin embedded tissue. Diagn Mol Pathol 1996;5:45-52.

25. Di Cristofaro J, Marcy M, Vasko V, Sebag F, Fakhry N, Wynford-Thomas D, et al. Molecular genetic study comparing follicular variant versus classic papillary thyroid carcinomas: Association of N-ras mutation in codon 61 with follicular variant. Hum Pathol 2006;37:824-30.

26. Rabes HM, Demidchik EP, Sidorow JD, Lengfelder E, Beimfohr C, Hoelzel D, et al. Pattern of radiation induced RET and NTRK rearrangements in 191 post-Chernobyl papillary thyroid carcinomas: Biological, phenotypic and clinical implications. Clin Cancer Res 2000;6:1093-103.

27. Russell JP, Powell DJ, Cunnane M, Greco A, Portella G, Santoro M, et al. The TRK-T1 fusion protein induces neoplastic transformation of thyroid epithelium. Oncogene 2000;19(50):5729-35.

28. Bornstein-Quevedo L, Garcia-Hernandez ML, Camacho-Arroyo I, Herrera MF, Angeles AA, Trevino OG, et al. Telomerase activity in well-differentiated papillary thyroid carcinoma correlates with advanced clinical stage of the disease. Endocrine Pathology 2003;14;213-9.

29. Huang FW, Hodis E, Xu MJ, Kryukov GV, Chin L, Garraway LA. Highly recurrent TERT promoter mutations in human melanoma. Science 2013;339;957-9.

30. Liu X, Bishop J, Shan Y, Pai S, Liu D, Murugan AK, et al. Highly prevalent TERT promoter mutations in aggressive thyroid cancers. Endocrine-Related Cancer 2013;20;603-10.

31. Liu R, Xing M. TERT promoter mutations in thyroid cancer. Endocrine-Related Cancer 2016:23;R143-55.

32. Xing M. Gene methylation in thyroid tumorigenesis. Endocrinology 2007;148:948-53.

33. Bartel DP. MicroRNAs: genomics, biogenesis, mechanism, and function. Cell 2004;116:281-97.

34. Boufraqech M, Klubo-Gwiezdzinska J, Kebebew E. MicroRNAs in the thyroid.Best Pract Res Clin Endocrinol Metab. 2016;30(5):603-19.

35. Nikiforova MN, Lynch RA, Biddinger PW, Alexander EK, Dorn GW 2nd, Tallini G, et al. RAS point mutations and PAX8-PPARγ rearrangement in thyroid tumors: Evidence for distinct molecular pathways in thyroid follicular carcinoma. J Clin Endocrinol Metab 2003;88:2318-26.

36. Schark C, Fulton N, Jacoby RF, Westbrook CA, Straus FH 2nd, Kaplan EL. N-ras 61 oncogene mutations in Hürthle cell tumors. Surgery 1990;108:994-9.

37. Kebebew E. Thyroid oncogenesis. In Clark OH (ed): Textbook of Endocrine Surgery, 2nd ed. Philadelphia,Elsevier Saunders, 2005. p. 289.

38. Pasca di Magliano M, Di Lauro R, Zannini M. Pax8 has a key role in thyroid cell differentiation. Proc. Natl. Acad. Sci. U.S.A. 2000;97:13144-9.

39. Wang T, Xu J, Yu X, Yang R, Han ZC. Peroxisome proliferatoractivated receptor gamma in malignant diseases. Crit Rev Oncol Hematol 2006;58:1-14.

40. Kroll TG, Sarraf P, Pecciarini L, Chen CJ, Mueller E, Spiegelman BM, et al. PAX8- PPARγ 1 fusion oncogene in human thyroid carcinoma. Science 2000;289:1357-60.

41. Nikiforova MN, Lynch RA, Biddinger PW, Alexander EK, Dorn GW 2nd, Tallini G, et al. RAS point mutations and PAX8-PPARγ rearrangement in thyroid tumors: evidence for distinct molecular pathways in thyroid follicular carcinoma. J Clin Endocrinol Metab 2003;88(5):2318-26.

42. Lui WO, Zeng L, Rehrmann V, Deshpande S, Tretiakova M, Kaplan EL, et al. CREB3L2- PPARγ fusion mutation identifies a thyroid signaling pathway regulated by intramembrane proteolysis. Cancer Res 2008;68:7156-64.

43. Yin Y, Yuan H, Zeng X, Kopelovich L, Glazer RI. Inhibition of peroxisome proliferator-activated receptor gamma increases estrogen receptor-dependent tumor specification. Cancer Res 2009;69:687-94.

44. French CA, Alexander EK, Cibas ES, Nose V, Laguette J, Faquin W, et al. Genetic and biological subgroups of low stage follicular thyroid cancer. Am J Pathol 2003;162:1053-60.

45. Liaw D, Marsh DJ, Li J, Dahia PLM,WangSI, Zheng Z, et al. Germline mutations of the PTEN gene in Cowden disease, an inherited breast and thyroid cancer syndrome. Nat Genet 1997;16:64-7.

46. Chen ML, Xu PZ, Peng XD, Chen WS, Guzman G, Yang X, et al. The deficiency of Akt1 is sufficient to suppress tumor development in PTEN+/- mice. Genes Dev 2006;20:1569-74.

47. Paes JE, Ringel MD. Dysregulation of the phosphatidylinositol 3-kinase pathway in thyroid neoplasia. Endocrinol Metab Clin North Am 2008;37:375-87.

48. Nikiforova MN, Chiosea SI, Nikiforov YE. MicroRNA expression profiles in thyroid tumors. Endocr Pathol 2009;20:85-91.

49. Weber F, Teresi RE, Broelsch CE, Frilling A, Eng C. A limited set of human microRNAs is deregulated in follicular thyroid carcinoma. J Clin Endocrinol Metab 2006;91:3584-91.

50. Sobrinho-Simões M, Máximo V, Castro IV, Fonseca E, Soares P, Garcia-Rostan G, et al. Hürthle (oncocytic) cell tumors of thyroid: Etiopathogenesis, diagnosis and clinical significance. Int J Surg Pathol 2005;13:29-35.

51. Máximo V, Soares P, Lima J, Cameselle-Teijeiro J, Sobrinho-Simões M. Mitochondrial DNA somatic mutations (point mutations and large deletions) and mitochondrial DNAvariants in human thyroid pathology: A study with emphasis on Hürthle cell tumors. Am J Pathol 2002;160:1857-65.

52. Máximo V, Botelho T, Capela J, Soares P, Lima J, Taveira A, et al. Somatic and germline mutation in GRIM-19, a dual function gene involved in mitochondrial metabolism and cell death, is linked to mitochondrion-rich (Hürthle cell) tumours of the thyroid. Br J Cancer 2005;92(10):1892-8.

53. Masood S, Auguste LJ, Westerband A, Belluco C, Valderama E, Attie J. Differential oncogenic expression in thyroid follicular and Hürthle cell carcinomas. Am J Surg 1993;166(4):366-8.

54. Dettmer M, Vogetseder A, Durso MB, Moch H, Komminoth P, Perren A, et al. MicroRNA expression array identifies novel diagnostic markers for conventional and oncocytic follicular thyroid carcinomas. J Clin Endocrinol Metab 2013;98(1):E1~7.

55. Sakamoto A, Kasai N, Sugano H. Poorly differentiated carcinoma of the thyroid. A clinicopathologic entity for a high risk group of papillary and follicular carcinomas. Cancer 1983;52:1849-55.

56. Santoro M, Papotti M, Chiappetta G, Garcia-Rostan G, Volante M,

Johnson C, et al. RET activation and clinicopathologic features in poorly differentiated thyroid tumors. J Clin Endocrinol Metab 2002;87:370-9.

57. Santarpia L, El-Naggar AK, Cote GJ, Myers JN, Sherman SI. Phosphatidylinositol 3-kinase/akt and ras/raf-mitogen-activated protein kinase pathway mutations in anaplastic thyroid cancer. J Clin Endocrinol Metab 2008;93:278-84.

58. Ito T, Seyama T, Mizuno T, Tsuyama N, Hayashi T, Hayashi Y, et al. Unique association of p53 mutations with undifferentiated but not with differentiated carcinomas of the thyroid gland. Cancer Research 1992;52:1369-71.

59. Garcia-Rostan G, Camp RL, Herrero A, Carcangiu ML, Rimm DL, Tallini G. Beta-catenin dysregulation in thyroid neoplasms: downregulation, aberrant nuclear expression, and CTNNB1 exon 3 mutations are markers for aggressive tumor phenotypes and poor prognosis. Am J Pathol 2001;158:987-96.

60. Ricarte-Filho JC, Ryder M, Chitale DA, Rivera M, Heguy A, Ladanyi M, et al. Mutational profile of advanced primary and metastatic radioactive iodine-refractory thyroid cancers reveals distinct pathogenetic roles for BRAF, PIK3CA, and AKT1. Cancer Research 2009;69:4885-93.

61. LaPerle KM, Jhiang SM, Capen C. Loss of p53 promotes anaplasia and local invasion in ret/PTC1-induced thyroid carcinomas. Am J Pathol 2000;157:671-7.

62. Hemminki K, Li X. Familial risk of cancer by site and histopathology. Int J Cancer 2003;103:105-9.

63. Foulkes WD, Kloos RT, Harach Hr, et al.: Familial non-medullary thyroid cancer. In: DeLellis RA, Lloyd RV, Heitz PU, Eng C. editors. Pathology and Genetics of Tumours of Endocrine Organs. Lyon: IARC Press. 2004. p 257-261.

64. Mazeh H, Sippel RS. Familial nonmedullary thyroid carcinoma. Thyroid 2013;23(9):1049-56.

65. Adjadj E, Schlumberger M, de Vathaire F. Germ-line DNA polymorphisms and susceptibility to differentiated thyroid cancer. Lancet Oncol 2009;10:181-90.

66. Santoro M, Carlomagno F, Melillo RM, Fusco A. Dysfunction of the RET receptor in human cancer. Cell Mol Life Sci 2004;61 (23):2954-64.

67. Kawai K, Iwashita T, Murakami H, Hiraiwa N, Yoshiki A, Kusakabe M, et al. Tissue specific carcinogenesis in transgenic mice expressing the RET protooncogene with a multiple endocrine neoplasia type 2A mutation. Cancer Res 2000;60:5254-60.

68. Wohllk N, Cote GJ, Bugalho MM, Ordonez N, Evans DB, Goepfert H, et al. Relevance of RET protooncogene mutations in sporadic medullary thyroid carcinoma. J Clin Endocrinol Metab 1996;81:3740-5.

69. Ponder BAJ. Multiple endocrine neoplasia type 2. In: Scriver CR, Beaudet AL, Sly WS, et al, editors. The metabolic and molecular basis of inherited disease. 8th edition. New York: McGraw-Hill; 2001. p. 931-42.

70. Brandi ML, Gagel RF, Angeli A, Bilezikian JP, Beck-Peccoz P, Bordi C, et al. Guidelines for diagnosis and therapy of MEN type 1 and type 2. J Clin Endocrinol Metab 2001;86:5658-67.

71. Thieblemont C, Mayer A, Dumontet C, Barbier Y, Callet-Bauchu E, Felman P, et al. Primary thyroid lymphoma is a heterogeneous disease. J Clin Endocrinol Metab 2002;87(1):105-11.

72. Hyjek E, Isaacson P. Primary B-cell lymphoma of the thyroid and its relationship to Hashimoto's thyroiditis. Hum Pathol 1988;19:1315-26.

73. Takano T. Fetal cell carcinogenesis of the thyroid: Theory and practice. Semin Cancer Biol 2007;17:233-40.

74. Thomas D, Friedman S, Lin RY. Thyroid stem cells: lessons from normal development and thyroid cancer. Endocr Relat Cancer 2008;15:51-58.

갑상선암의 역학

Epidemiology of Thyroid Carcinoma

| 가천대학교 길병원 외과 **이영돈**

최근 갑상선암은 우리나라에서 특히 여성에서 가장 빠르게 늘어나고 있는 암이다. 2015년 중앙암등록본부의 통계에 의하면, 우리나라 총 암발생건수는 214,701건이었고, 이 중 11.7%가 갑상선암이었다. 즉 여자 암환자 중 19.4%, 남자 암환자의 4.8%가 갑상선암이었다. 10만명당 갑상선암(연령표준화) 발생률은 1999년 7.2명에서 2015년 42.0명으로 급격히 증가하였는데, 남자는 2.3명에서 18.3명으로, 여자는 11.9명에서 77.1명으로 크게 증가하였다. 그 결과 2015년 연령군별 암발생 순위를 보면, 갑상선암은 44세 까지의 남성과 여성에서 1위를 차지하였다. 방사능 낙진과 연관이 없는 다른 나라의 갑상선암 연간 발생률은 여자에서는 인구 10만 명당 2.0~3.8명, 남자에서는 1.2~2.6명으로 보고되고 있는 것과 비교하면 우리나라의 갑상선암 발생률은 상당히 높은 편인 것을 알 수 있다.

우리나라에서 이런 갑상선암 발생의 주된 증가원인은 여러 원인이 있겠지만 주로 민감도가 높은 진단방법에 기안하는 것으로 추정된다. 기능이 향상된 초음파기기의 사용과 경부, 흉부 CT 스캔과 PET-CT 스캔 등의 영상장비의 사용증가로 인해 갑상선암이 조기발견 되어, 미세 갑상선유두암의 비율이 늘어났다.

현재까지는 갑상선의 방사선 노출만이 갑상선암 발생과 연관된 확실한 위험인자로 알려져 있다. 방사선 노출은 외부적인 것과 방사성요오드동위원소 치료와 같은 내부적인 요소로 나눌 수 있다. 외부적인 방사선 노출은 질병치료를 위한 것부터 핵무기나 원자력발전소 사고 같은 환경적인 노출까지 다양하다. 방사선 노출에 의한 갑상선암 발생 기전에 대해서는 잘 알려져 있으나 이는 갑상선암의 발생에 아주 적은 부분을 차지하고 있다. 그 외에 부신피질호르몬, 직업과 환경인자 등의 다른 발병원인들의 공통적인 작용기전은 갑상선자극호르몬 자극을 통한 것으로 보인다. 또한 여성이 남성보다 몇 배 높은 발생률을 보이는 것으로 보아 호르몬의 역할도 배제할 수 없다. 유럽의 덴마크, 네덜란드, 슬로바키아 등의 나라에서는 갑상선암의 발생률이 적고, 아이슬란드와 하와이 등에서는 발생률이 높은 지정학적 차이는 요오드 섭취량과 관계가 있을 것으로 보고 있다. 요오드의 과량섭취가 갑상선유두암의 발생을 어느 정도 증가시키는 것 같지만 일반적으로 생활방식 요소는 갑상선암의 발생에 작은 영향만을 미친다. 그 외 유전적인 인자들 즉 가족성 선종폴립 증후군(familial adenomatous polyposis)과 Cowden 병 등이 갑상선암과 관련되어 있다.

1. 방사선 노출

방사선 노출과 갑상선암과의 연관은 20세기 중반에 소아 갑상선암이 증가하는 이유를 연구하는 과정에서 밝혀지게 되었다. 소아나 청소년기의 갑상선암은 아주 드물어 1930년 이전에 문헌상에 보고된 소아 갑상선암은 18례에 불과하였다. Duffy와 Fitzgerald에 의하면 1932년과 1948년 사이에 Memorial Sloan Kettering 병원의 소아 갑상선암 환자는 28명이었는데 이들 중 9명이 유아시절에 흉선의 비대로 방사선 치료를 받은 경험이 있었다고 하였지만 방사선 치료와의 관계를 밝혀내지는 못하였다.[1] 5년 후 시카고 대학의 Clark가 13명의 15세 이하 소아 갑상선암 환자 모두가 여러 이유로 방사선 치료를 받은 사실을 주목하였다.[2] 그 후 Winship과 Rosvoll 등이 미국의 모든 암등록을 분석하여 방사선 조사와 갑상선암과의 관계를 밝혀냈다.[3] 대규모 환자-대조군 연구 중의 하나로서, Shore 등은 1926년과 1957년 사이에 흉선비대로 방사선 치료를 받은 소아환자 2,650명을 4,800명의 대조군과 비교하였다.[4] 방사선 치료군에서는 30명의 갑상선암과 59명의 갑상선양성종양이 발생하였고, 대조군에서는 1명의 갑상선암과 8명의 갑상선양성종양이 발생하여, 방사선 치료에 의한 갑상선암과 양성종양의 상대위험도를 각각 45와 15로 보고하였다. 또 다른 대규모 환자-대조군 연구로서 Ron 등은 이스라엘에서 1948년과 1960년 사이에 방사선 치료를 받은 16세 미만의 10,834명의 환자를 그들의 형제들 5,392명과 비교하였는데, 방사선 치료군에서는 43명의 갑상선암과 55명의 갑상선양성종양이 발생하였고, 대조군에서는 16명의 갑상선암과 41명의 갑상선양성종양이 발생하여, 방사선 조사에 의한 위험도를 각각 암은 4, 양성종양은 2로 보고하였다.[5] 미국에서는 소아 갑상선암이 1950년에서 1960년 사이에 최고조에 달한 후 점차 감소하였는데, 이는 소아에게 더 이상 방사선 치료를 광범위하게 사용하지 않게 되었기 때문이었다.

방사선 조사와 갑상선암의 발생은 선형 용량-반응관계를 나타낸다. 0.1 Gy (10rad)의 낮은 용량에서도 갑상선암과의 연관성은 지속적이고 강력한 관계를 보이며, 0.1 Gy 미만에서는 연관성은 모호하나 여전히 선형 무역치(nonthreshold) 용량-반응 관계를 나타낸다. 여러 연구 결과를 종합하면 첫째, 피폭 연령과 암위험도는 강력한 역상관 관계를 보인다. 즉 15세 이후의 피폭은 갑상선암과 상관관계가 거의 없는 것으로 나타났다. 둘째, 여성이 남성보다 피폭에 민감하며, 셋째, 암발생 위험도는 처음 피폭 후 수십 년이 지난 후에도 증가한다. 피폭 후 5~30년의 위험도는 일정하나, 30년 후에는 위험도가 감소하지만 여전히 높게 유지된다.

1) 내부 방사선 조사와 갑상선암

체르노빌 사태로 인해 소아기에 방사성요오드의 노출과 갑상선암의 발생 증가와는 연관이 있음이 분명해 졌다. 그러나 환자의 치료와 검사에 사용하는 방사성 요오드 131의 안정성은 입증되었다.

방사성요오드[131]의 환경 노출

체르노빌 사태 이전에도 ^{131}I의 발암 가능성에 대한 우려가 있었지만, 대부분 동물실험에서만 입증된 것들이었다. 체르노빌 사태 시 방출된 ^{131}I이 소아 갑상선암을 일으킴을 입증하는 여러 연구결과가 보고되었다. 사고 전에 비해 월등히 많은 소아들에서 갑상선암이 발생하였는데, 즉 체르노빌 사태 이전에는 15세 이하 100만 명당 1명의 갑상선암 발생이, 사태 후 100만 명당 100명으로 큰 폭의 발생률의 증가가 있었다. 피폭 시 나이가 어릴수록 암의 발생은 높았으며, 피폭 용량과도 관계가 있었다. 즉 방사선 피폭과 갑상선암의 발생은 선형 용량-반응관계를 나타내었다. 이 피폭에 의해 발생한 갑상선유두암은 큰 고형성분(solid component)을 갖고 있는 특이한 조직학적 양상을 보이며, 성장속도가 빠르며, 공격적이고, 주위조직침범과 림프절전이를 잘 일으킨다. 또한 방사선 피폭에 의해 발생한 암에서는 체세포 돌연변이, 특히 *ret* 원종양유전자의 돌연변이가 뚜렷하다. 그러나 체르노빌 사태의 결과와 반대되는 연구도 있다. 1940년부터 1946년 사이에 Hanford 원자력발전소 누출사고 인근지역에서 태어난 3,441명 중 3,193명을 대상으로 시행한 연구에서, 갑상선 피폭용량의 평균과 중앙값은 각각 18.6 cCy와 10.0 cCy이었으나, 갑상선종양 발생과 소아시절의 방사성요오드 피폭과는 연관이 없는 것으로 나타났다.[6] 체르노빌과 Hanford에 대한 연구결과에서 왜 차이가 나는지 분명하지는 않다. 빠른 반감기를 갖는 다른 동위원소들이나, 요오드 결핍 및 유전적 인자 등의 요소들이 고려되지 않은 결과이거나, 혹은 Hanford 연구에서는 용량-반응 관련 연구가 결여되었던 결과이기 때문일지도 모른다.

사고에 의한 요오드^{131}의 피폭 시 요오드화 칼륨(potassium iodide)을 바로 섭취하면 갑상선에 대한 피폭을 효과적으로 줄일 수 있다. 체르노빌 사태 시 폴란드에서는 요오드화 칼륨이 광범위하게 사용되었는데 별다른 부작용 없이 갑상선의 방사성 피폭을 효과적으로 감소시킨 것으로 보고되었다.[7,8]

2) 외부 방사선 조사

갑상선암의 위험도는 갑상선의 피폭된 용량이 증가함에 따라 선형으로 증가한다. 피폭된 연령이 독립적인 위험인자이며, 나이가 어릴수록 위험도는 증가한다. 외부 방사선 조사가 여자와 남자에 동등하게 위험도를 증가시키는지는 확실하지 않다. 앞에서 기술하였듯이 소아기에 비대 흉선, 편도, 아데노이드 등으로 방사선 조사를 시행한 경우 갑상선암의 발생이 증가하였다. 성인에서도 경부의 암, Hodgkin 병이나 후두암 등으로 방사선 치료를 시행한 경우 갑상선 기능저하증을 일으키며, 때로는 갑상선 결절성 질환과 암을 일으키는 것으로 되었다.[9,10] 유방암의 방사선 치료 시 갑상선 피폭용량은 높은 편이지만, 최근 연구에서는 유방암 환자에서 방사선 용량-관련 갑상선암의 증가는 나타나지 않았다.[11,12] 진단목적의 방사선 촬영도 갑상선암의 위험도를 약간 증가시키는 것으로 알려져 있지만, 스웨덴에서 행해진 대규모 환자-대조군 연구(각각 484명)에서는 진단적 방사선 촬영과 갑상선암과는 연관성이 없었다.[13]

방사선 조사를 받은 환자들에게 갑상선 결절 발생을 예방하기 위해 갑상선호르몬을 투여해야 하는지에 대해서는 여러 의견들이 있으나, 고위험군에서는 thyroxine의 예방적 투여가 권장되고 있다.

3) 방사선 피폭 관련 갑상선 종양의 특징

갑상선의 방사선 노출은 두 주요한 임상적 영향을 미치는데, 첫째 갑상선 결절이 증가하며, 둘째 갑상선 결절이 악성으로 되는 위험도가 증가한다는 것이다.

프랑스에서 시행된, 91명의 방사선 피폭-갑상선암 환자와 273명의 대조군-갑상선암 환자를 비교하는 환자-대조군 연구에 의하면 피폭-갑상선암 환자에서 다발성 암과 주위조직 침범의 빈도가 높았으나, 재발률과 사망률에는 차이가 없었다.[14]

앞에서 언급했듯이 체르노빌사태와 관련된 갑상선암은 특별히 공격적 성향을 보였는데, 벨로루시, 우크라이나와 러시아의 1,500명의 소아환자 중 45%가 pT4이었으며,[15] 방사성요오드 동위원소 치료를 받은 환자 중 약 반수(48.2%)에서 방사성동위원소 치료에 저항을 보이는 것으로 보고되었다.[16] 이런 성향이 피폭 당시의 어린 나이와 요오드 결핍에 기인한 것인지는 향후 연구가 필요한데, 왜냐하면 피폭에 상관 없이 일반적으로 어린 나이에 발생하는 암은 보다 공격적인 성향을 갖기 때문이다. 피폭 관련 역형성 암의 발생은 아주 드물었다.

피폭에 의해 발생한 갑상선 결절에 대해 부분 절제를 시행한 경우 남은 갑상선 조직이 충분할지라도, 갑상선 호르몬의 투여가 꼭 필요하다.

2. 갑상선암 가족력

갑상선암 환자의 약 3~5%가 가족력이 있는 것으로 알려져 있다. 그러나 일반적인 갑상선암 환자의 가족력 유병률보다 높은 유병률을 나타내는 가족성증후군들이 있다.

가족성 선종폴립증후군(familial adenomatous polyposis: FAP)과 아형인 Gardner 증후군은 APC 유전자의 돌연변이에 의해 우성 유전되는 질환이다. 이 증후군에서 갑상선암은 대장질환을 제외하고는 가장 흔히 발생하는 질환이다. Hizawa 등에 의하면 이 증후군은 일반인에 비해 약 100배의 갑상선암의 위험도를 나타낸다고 하였다.[17] 그러나 Leeds Castle Polyposis database 자료에 의하면 가족성 선종폴립증후군의 전체 갑상선암 발생률은 약 1.2% 정도로 낮은 편이다.[18] 이 증후군에서 나타나는 갑상선암의 특징은 첫째, 35세 이전의 젊은 연령에서 발생하며, 둘째 조직학적으로는 체모양(cribriform) 혹은 고형성(solid)이며, 때로는 방추세포(spindle cell)를 보이는 유두암인 것이 특징이다.

갑상선암과 연관된 또 하나의 가족성 증후군은, 보통염색체 우성질환이면서 다발성 과오종폴립, 점막피부 색소침착과 장외의 여러 병변을 보이는 Cowden 병으로서, 단백인산화효소로 기능하는 종양억제 유전자인 PTEN의 돌연변이에 기인한다.

비수질갑상선암(nonmedullay thyroid carcinoma)의 가족력에 대한 연구들은 또 다른 유전인자가 존재함을 암시하고 있다. 미국 유타주의 576명의 갑상선암 환자의 직계가족 중 28명이 갑상선암 환자로서 이는 기대치 3.3명을 훨씬 넘는 수치이었다.[19] 또한 노르웨이의 연구에서도 직계가족의 발병률이 5배 높았다.[20] 스웨덴에서 암환자로 등록된 960만 명을 조사한 결과, 갑상선암 환자의 자녀가 갑상선암을 앓을 위험도는 아들은 7.8(95% CI 3.9~13.2), 딸은 2.8(95% CI 1.4~4.5)로 나타났다.[21] 다른 연구에서도 갑상선유두암 환자 226명의 6%에서 친족 중 적어도 한 명이 갑상선유두암을 갖고 있다고 하였다.[22] 두 개의 환자-대조군 연구에서 비수질갑상선암 환자의 가까운 친족의 갑상선암의 위험도는 각각 5와 10으로 보고하였다.[23,24] 가족력이 있는 갑상선암의 특징은 림프절전이와 주위조직 침범과 원격전이가 더 많이 나타나며, 재발률도 높아, 보다 공격적인 치료를 요하는 것으로 알려져 있다.

현재까지는 가족성 갑상선암과 연관된 유전자로는 APC와 PTEN만이 확실히 밝혀졌다. 그 외 FAP와 ret가 가능성이 있는 유전자이지만, 아직 APC와 PTEN 이외에는 가족성 갑상선암의 원인으로 밝혀진 유전자는 없다.

3. 동반된 갑상선 질환

간혹 풍토병성, 산발성 갑상선선종(goiter), 양성갑상선 결절, 림프구성 갑상선염과 그레이브스병 등의 갑상선 양성질환이 갑상선암에 선재되어 나타난다. 여러 환자-대조군 연구에서 갑상선암환자가 대조군에 비해 양성 갑상선질환을 더 많이 갖고 있다고 보고하고 있지만,[23,25-27] 양성 갑상선질환을 갖고 있는 환자에서 갑상선암의 위험도가 증가하는지는 확실치 않다. 그러나 갑상선기능항진증 혹은 그레이브스병 환자에서 갑상선암의 위험도가 약간 증가한다는 주장이 있다.[28,29]

보스턴 지역에서 양성 갑상선질환을 갖고 있는 여성을 대상으로 시행한 전향적인 연구에서는 갑상선선종을 동반한 갑상선암환자의 사망률이 의미 있게 높았다.[30] 204,964명의 건강검진자를 대상으로 한 전향적연구에서 갑상선암이 196명에서 발생하였는데, 선재하는 선종이 위험인자로 나타났다(상대 위험도 3.36; CI 1.82-6.20).[31] 샌프란시스코에 거주하는 아시아계 여성에서 갑상선암이 많이 생기는 원인을 알아보려는 인종별 환자-대조군 연구에서는, 선재하는 갑상선선종과 결절이 유의하게 의미 있는 인자였다.[32] 1977년부터 1991년에 걸쳐 덴마크의 병원에서 점액부종이나 갑상선중독증 혹은 선종으로 진단받고 퇴원한 57,326명의 환자들에서 갑상선암의 발생이 증가되었으며 특히 선종환자에서 높게 증가하였다.[33,34] 또 이 연구에서는 갑상선암의 위험도는 시간이 지날수록 감소하였으나 퇴원 후 10년까지는 높게 유지되었다. 이러한 결과들은 선종이나 양성결절의 병력이 갑상선암의 강력한 위험인자임을 암시하고 있다.

근래의 유전자 연구들은 체세포 돌연변이가 누적되면, 양성종양이 갑상선 신생물로 진행되며, 이어 분화성암으로 또 역형성암으로 진행할 수 있음을 시사하고 있다.

4. 호르몬과 생식인자들

갑상선암은 다른 갑상선 질환과 마찬가지로 여성에서 남성보다 약 2~4배 더 흔하게 발생하는 것으로 보아 호르몬 인자가 발병기전에 관여하는 것으로 보인다. 사춘기 이전이나 폐경 후의 여성에서 갑상선암은 남성과 비슷한 발생률을 보이지만, 가임기 기간에는 여성에서 많이 발생하는 것으로 보아, 에스트로겐이나 혹은 임신과 연관된 다른 요소가 암의 발생에 관여하는 것 같다.

여러 연구에서 임신 횟수가 증가할수록 갑상선암의 발생이 증가함을 보여주고 있다.[35,36] 가임기의 후반에 임신하면 갑상선암의 발생 위험도가 증가하며,[37,38] 또한 인위적인 폐경 후에도 위험도가 증가한다고 보고되고 있다.[38]

여성에서 갑상선암의 위험도를 증가시키는 다른 인자들로는 에스트로겐 치료, 피임약, 젖분비 억제제 등이 있으나 인과관계가 미약하고, 용량의존적이지 않다. 경구 피임약을 사용하고 있는 사람이 중증도의 증가된 위험도를 가지며, 피임약 중단 후 10년 이상이 지나면 위험도가 사라지는 것으로 나타났다.[39] 호르몬대체요법이나 임신촉진제는 유의한 위험도가 없는 것으로 나타났다.

5. 식이 요소

1) 요오드

Wegelin[40]이 풍토병성선종(endemic goiter) 지역인 Bern에서 풍토병성선종 지역이 아닌 Berlin보다 갑상선암이 많이 나타난다는 부검 결과를 발표한 이래, 요오드결핍 풍토병성선종과 갑상선암이 관계 있다는 이론은 꾸준히 제기되어 왔다. 그러나 요오드의 보충이 갑상선암의 발생률을 감소시킬 수 없다는 여러 연구도 있다. 스위스에서는 갑상선암의 사망률이 소금에 요오드를 보충한 이래 감소하였지만, 이탈리아와 미국에서는 그렇지 못했다. 호주에서는 요오드 예방적 보충에도 불구하고 갑상선암의 발생률은 증가하였다. 스웨덴에서는 요오드 결핍지역과 충분지역 모두에서 갑상선암이 증가하였다. 풍토병성선종 환자에서 발생하는 갑상선암의 조직학적 특징은 뚜렷한데, 주로 여포암과 역형성암이 발생한다.

소금에 요오드를 보충한 후, 유두암의 비율은 증가한 반면, 여포암은 감소하였다는 연구가 있다.[41,42] 요오드의 섭취가 아주 많은 하와이에서는 유두암의 비율이 아주 높다.[43] 스웨덴에서도 여포암은 요오드 결핍지역에서 높았고, 요오드 충분지역에서는 유두암의 비율이 높았다.[44] 비슷한 결과가 시칠리아에서도 보고되었다.[45] 이러한 결과들은 요오드 결핍으로 인해 갑상선자극호르몬이 오랜 기간 자극되고, 이것이 여포암의 발생과 연관된다는 것을 암시하고 있다. 섭취하는 소금 및 조개류를 포함한 음식 내 요오드 용량을 측정할 수 있는 하와이에서 시행한 환자-대조군 연구에서는 갑상선암 환자가 대조군에 비해 더 많은 요오드를 섭취하였다고 한다.[43] 노르웨이의 인구-기반 연구에서도 어부와 결혼한 여성에서 갑상선암의 빈도가 높았다.[46] 그러나 이와 반대되는 연구결과도 있다. 북부 이탈리아와 스위스에서는 풍부한 어류가 갑상선암에 예방효과가 있다고 하였다.[47] 스웨덴에서의 연구결과는 모호한데, 어류는 갑상선암의 위험도를 낮추고, 조개류는 위험도를 높이는 것 같다고 하였다.[48] 상기 연구들을 종합한 메타분석에 의하면 요오드에 많이 노출된 집단에서 갑상선암, 특히 그 중에서도 갑상성 유두암의 발생 빈도가 높으며 이는 요오드 섭취가 높은 지역일 수록 발생 빈다가 높다는 증거가 제시되었다.[49] 그러나 요오드 섭취와 갑상선암 발생의 연관성에 대한 결론이 확실해진 것은 아니며 추가 연구를 통해 인과관계가 규명되어야 한다.

2) 다른 식이 요소

대부분의 연구에서 채소, 특히 십자화과(cruciferous)의 채소가 갑상선암의 위험도를 감소시키는 것으로 보고하고 있다. 이 연구결과는 의외인 것이 이 십자화과 채소에는 갑상선종 자연유발물질을 포함하고 있기 때문이다. 10개의 환자-대조군 연구를 종합한 통합분석에서는, 십자화과 채소를 보통 섭취하는 군에서는 갑상선암 감소 효과는 중간 정도의 유의성을 보이지만, 다량 섭취하는 군에서는 통계적 유의성이 없었다.[50]

이탈리아와 스위스에서의 다른 대규모 연구에서는 파스타, 빵, 과자류와 감자가 갑상선암의 위험도를 증가시켰으며,[47] 노르웨이와 스웨덴에서는 버터와 치즈의 소비가 위험도를 증가시켰다.[51] 하와이에서는 지방, 단백질, 당에 의한 과도한 칼로리의 섭취가 갑상선암과 연

관이 있었다고 하며, 그리스와 일본에서는 커피가 갑상선암의 위험도를 낮추는 것으로 보고하였다.[52-54]

3) 흡연, 약제와 독소

많은 연구에서 흡연은 의외로 갑상선암의 위험도를 감소시키는 것으로 보고되고 있다.[55,56] 흡연이 갑상선암의 발생에 어떤 영향을 미치는지는 확실히 알 수 없지만, 아마도 갑상선자극호르몬을 감소시키기 때문인 것 같다. 약제로는 리튬과 페노바르비탈이 갑상선자극호르몬을 상승시키고, 선종을 일으키는 것으로 알려져 있다.

요약

방사선 노출만이 갑상선암의 가장 명백한 위험인자이다. 또한 갑상선종이나 양성결절의 병력 역시 유의하게 갑상선암의 위험도를 증가시킨다. 요오드나 식이, 생식(reproduction), 호르몬 등과 갑상선암과의 관계는 아직 명확하지 않다. 또한 *familial adenomatous polyposis*와 *Cowden* 등을 제외한 다른 유전성 질환과 갑상선암과의 관계도 향후 연구가 더욱 필요한 실정이다.

REFERENCES

1. Duffy BJ Jr, Fitzgerald PH. Cancer of the thyroid in children: a report of 28 cases. J Coin Endocrinol Metab 1950;10:1296-308.
2. Clark DE. Association of irradiation with cancer of the thyroid in children and adolescents. JAMA 1955;159:1007-9.
3. Winship T, Rosvoll RV. Thyroid carcinoma in childhood: final report on a 20 year study. Clin Proc Child Hosp 1970;26:327.
4. Shore RE, Woodard E, Hildreth N, et al. Thyroid tumors following thymus irradiation. J Natl Cancer Inst 1985;74:1177-84.
5. Ron E, Modan B, Preston D, et al. Thyroid neoplasia following low-dose radiation in childhood. Radiat Res 1989;120:516-31.
6. Davis S, Kopecky KJ, Hamilton TE. Hanford thyroid disease study final report. Seattle: Fred Hurchinson Cancer Research Center, 2002.
7. Nauman J, Wolff J. Iodide prophylaxis in Poland after the Chernobyl reactor accident: benefits and risks. Am J Med 1993;94:524-32.
8. Becker DV, Zanzonico P. Potassium iodide for thyroid blockade

in reactor accident: administrative policies that govern its use. Thyroid 1997;7:193-7.

9. Schneider AB. Cancer therapy and endocrine disease: radiation -induced thyroid tumors. In: Sheaves R, Jenkins PJ, Wass JA, eds. Clinical endocrine oncology. Oxford: Blackwell Science; 1997. p. 514-7.

10. Hancock SL, Cox RS, Mcdougall IR. Thyroid diseases after treatment of Hodgkin's disease. N Engl J Med 1991;325:599-605.

11. Huang J, Walker R, Groome PG, et al. Risk of thyroid carcinoma in a female population after radiotherapy for breast carcinoma. Cancer 2001;92:1411-8.

12. Adjadj E, Rubino C, Shamsaldim A, et al. The risk of multiple primary breast and thyroid carcinomas- role of the radiation dose. Cancer 2003;98:1309-17.

13. Inskip PD, Ekborm A, Galanti MR, et al. Medical diagnostic x-rays and thyroid cancer J Natl Cancer Inst 1995;87:1613-21.

14. Rubino C, Cailleus AF, Abbas M, et al. Characteristics of follicular cell- derived thyroid carcinomas occurring after external radiation exposure: results of a case control study nested in a cohort. Thyroid 2002;12:299-304.

15. Reiners C, Biko J, Demidchik EP, et al. Results of radioactive iodine treatment in children from Belarus with advanced stages of thyroid cancer after the Chernobyl accident. In: Yamushita S. Chernobyl: message for the 21st century. New York: Elsevier Amsterdam; 2002. p. 205-14.

16. Oliynyk V, Epshtein O, Sovenko T, et al. Post-surgical ablation of thyroid residues with radioiodine in Ukrainian children and adolescents affected by post -Chernobyl differentiated thyroid cancer. J Endocrinol Invest 2001;24:445-7.

17. Hizawa K, Iida M, Aoyagi K, et al. Thyroid neoplasia and familial adenomatous polyposis/Gardner's syndrome. J Gastroenterol 1997;32:196-9.

18. Bùlow C, Bùlow S. Is screening for thyroid carcinoma indicated in familial adenomatous polyposis? The Leeds Castle Polyposis Group. Int J Colorectal Dis 1997;12:240-2.

19. Goldgar DE, Easton DF, Cannon-Albright LA, et al. Systematic population -based assessment of cancer risk in first-degree relatives of caner probands. J Natl Cnacer Inst 1994;86:1600-8.

20. Frich L, Glattre E, Akslen LA. Familial occurrence of non-medullary thyroid cancer: a population -based study of 5673 first-degree relatives of thyroid cancer patients from Norway. Cancer Epidemiol Biomarkers Prev 2001;10:1113-7.

21. Hemminki K, Dong C. Familial relationships in thyroid cancer by histo-pathological type. Int J Cancer 2000;85:201-5.

22. Stoffer SS, Van Dyke DL, Bach JV, et al. Familial papillary carcinoma of the thyroid. Am J Med Genet 1986;25:775-82.

23. Ron E, Kleinerman R, Boice JD Jr. et al. A population-based case-control study of thyroid cancer. J Natl Cancer Inst 1987;79:1-12.

24. Pal T, Vogl FD, Chappuis PO, et al. Increased risk for non-medullary thyroid cancer in the first degree relatives of prevalent cases of non-medullary thyroid cancer: a hospital-based study. J Clin Endocrinol Metab 2001;86:5307-12.

25. McTiernan AM, Weiss NS, Daling JR. Incidence of thyroid cancer in women in relation to previous exposure to radiation therapy and history of thyroid disease. J Natl Cancer Inst 1984;73:575-81.

26. Preston-Martin S, Bernstein L, Pike MC, et al. Thyroid cancer among young women related to prior thyroid disease and pregnancy history. Br J Cancer 1987;55:191-5.

27. Franceschi S, Fassina A, Talamini R, et al. Risk factors for thyroid cancer in Northern-Italy. Int J Epidemiol 1989;18:578-84.

28. Farbota LM, Calandra DB, Lawrence AM, et al. Thyroid carcinoma in Graves' disease. Surgery 1985;98:1148-53.

29. Franceschi S, Preston-Martin S, Dal Maso L, et al. A pooled analysis of case-control studies of thyroid cancer. IV. Benign thyroid diseases. Cancer Causes Control 1999;10:583-95.

30. Goldman MB, Monson RR, Maloof F. Cancer mortality in women with thyroid disease. Cancer Res 1990;50:2283-89.

31. Iribarren C, Haselkorn T, Tekawa IS, et al. Cohort study of thyroid cancer in a San Francisco Bay area population. Int J Cancer 2001;93:745-50.

32. Haselkorn T, Stewart SL, Horn-Ross PL. Why are thyroid cancer rates so high in Southeast Asian women living in the United States? The bay area thyroid cancer study. Cancer Epidemiol Biomarkers Prev 2003;12:144-50.

33. Mellemgaard A, From G, Jørgensen T, et al. Cancer risk in individuals with benign thyroid disorders. Thyroid 1998;8:751-4.

34. From G, Mellemgaard A, Knudsen N, et al. Review of thyroid cancer cases among patients with previous benign thyroid disorders. Thyroid 2000;10:697-700.

35. Kravdal O, Glattre E, Haldorsen T. Positive correlation between parity and incidence of thyroid cancer: New evidence based on complete Norwegian birth cohorts. Int J Cancer 1991;49:831-36.

36. Rossing MA, Voigt LF, Wicklund KG, et al. Reproductive factors and risk of papillary thyroid cancer in women. Am J Epidemiol 2000;151:765-72.

37. Memon A, Darif M, Al-Saleh K, et al. Epidemiology of reproductive and hormonal factors in thyroid cancer: Evidence from a case-control study in the Middle East. Int J Cancer 2002;97:82-9.

38. Negri E, Dal Maso L, Ron E, et al. A 통합분석 of case-control studies of thyroid cancer. II. Menstrual and reproductive factors. Cancer Causes Control 1999;10:143-55.

39. La Vecchia C, Ron E, Franceschi S, et al. A 통합분석 of case-control studies of thyroid cancer. III. Oral contraceptives, menopausal replacement therapy and other female hormones. Cancer Causes Control 1999;10:157-66.

40. Wegelin C. Malignant disease of the thyroid and its relation to goiter in men and animals. Cancer Rev 1928;3:297.

41. Bakiri F, Djemli FK, Mokrane LA, et al. The relative roles of endemic goiter and socioeconomic development status in the prognosis of thyroid carcinoma. Cancer 1998;82:1146-53.

42. Feldt-Rasmussen U. Iodine and cancer. Thyroid 2001;11:483-6.

43. Kolonel LN, Hankin JH, Wilkens LR, et al. An epidemiologic study of thyroid cancer in Hawaii. Cancer Causes Control 1990;1:223-34.

44. Pettersson B, Adami HO, Wilander E, et al. Trends in thyroid cancer incidence Sweden, 1958-1981, by histopathologic type. Int J Cancer 1991;48:28-33.

45. Belfiore A, La Rosa GL, Padova G, et al. The frequency of cold thyroid nodules and thyroid malignancies in patients from an iodine-deficient area. Cancer 1987;60:3096-101.

46. Frich L, Akslen LA, Glattre E. Increased risk of thyroid cancer among Norwegian women married to fishery workers-a retrospective cohort study. Br J Cancer 1997;76:385-9.

47. Franceschi S, Levi F, Negri E, et al. Diet and thyroid cancer: a 통합분석 of four European case-control studies. Int J Cancer

1991;48:395-8.

48. Lee JH, Hwang Y, Song RY, et al. Relationship between iodine levels and papillary thyroid carcinoma: A systematic review and meta-analysis. Head Neck 2017 Aug;39(8):1711-1718

49. Bosetti C, Kolonel L, Negri E, et al. A 통합분석 of case-control studies of thyroid cancer. VI. Fish and shellfish consumption. Cancer Causes Control 2001;12:375-82.

50. Bosetti C, Negri E, Kolonel L, et al. A 통합분석 of case-control studied of thyroid cancer. VII. Cruciferous and other vegetables (International). Cancer Causes Control 2002;13:765-75.

51. Galanti MR, Hansson L, Bergstrom R, et al. Diet and the risk of papillary and follicular thyroid carcinoma: a population-based case-control study in Sweden and Norway. Cancer Causes Control 1997;8:205-14.

52. Linos A, Linos DA, Vgotza N, et al. Does coffee consumption protect against thyroid disease? Acta Chir Scand 1989;155:317-20.

53. Takezaki T, Hirose K, Inoue M, et al. Risk factors of thyroid cancer among women in Tokai, Japan. J Epidemiol 1996;6:140-7.

54. Mack WJ, Preston-Martin S, Bernstein L, et al. Lifestyle and other risk factors for thyroid cancer in Los Angeles county females. Ann Epidemiol 2002;12:395-401.

55. Galanti MR, Hansson L, Lund E, et al. Reproductive history and cigarette smoking as risk factors for thyroid cancer in women: A population-based case control study. Cancer Epidemiol Biomarkers Prev 1996;5:425-31.

56. Kreiger N, Parkes R. Cigarette smoking and the risk of thyroid cancer. Eur J Cancer 2000;36:1969-73.

갑상선유두암

Papillary Carcinoma of the Thyroid

| 아주대학교 의과대학 외과 **소의영**

1. 갑상선암의 역학

1) 빈도

갑상선암 발생빈도의 증가는 세계적인 추세이며 우리나라 역시 증가하는 추세이다. 보건복지가족부 중앙암등록본부의 자료에 의하면 1999년 연령별 표준화 발생률은 10만 명당 남자는 2.3명, 여자는 11.9명, 2012년에는 남자 27.7명, 여자 121.7명으로 지속적으로 증가하는 추세였다.[1] 그러나 최근 과잉진료에 대한 언론보도로 2013년에는 남자 28.8명, 여자 114.4명로 2012년에 비해 감소한 양상을 보였다(표 16-1). 2012년의 유병자 수는 258,795명으로 전체암중에 1위였고, 2012년 5년 유병자 수는 194,878명으로 2007년 5년 유병자수 66,770명에 비해서 3.2배 증가하였다.[2] 2012년 유병자수 기준으로

남녀의 비는 1:5.3(40,921명 대 217,874명)으로 여자가 5배 많고, 30~50대에 발생률이 점차 높아져서, 50세 전반에 발생률이 가장 높은 양상을 보인다. 이러한 연령별 발생률의 분포는 유방암과 비슷하지만, 다른 암종에 비해서는 이른 연령에서 발생하는 양상을 보인다(그림 16-1).[1]

2) 위험인자 및 유발인자

전세계적으로 갑상선암의 발생률이 높아지는 것은 2000년대 이후부터 건강검진이 활성화되고, 갑상선 초음파가 널리 이용되면서 1 cm 미만의 유두상미세암의 발견이 증가한 결과로 생각된다. 그러나, 진단법의 발전 이외에도 갑상선암이 여러가지 원인들에 의해서 과거에 비해 발생률이 증가했다는 주장도 있다. 미국의 Surveillance Epidemiology and End Results (SEER) database

표 16-1 | 한국인의 갑상선암 연령표준화발생률

성별	연령표준화발생률(10만 명당 발생률)								
	2013	2012	2011	2009	2007	2005	2003	2001	1999
남자	28.8	27.7	24.3	18.4	11.7	6.8	4.2	2.7	2.3
여자	114.4	121.7	115.6	94.9	64.9	41.2	25.5	15.4	11.9
계	71.3	74.4	69.7	56.5	38.2	24.0	14.8	9.1	7.2

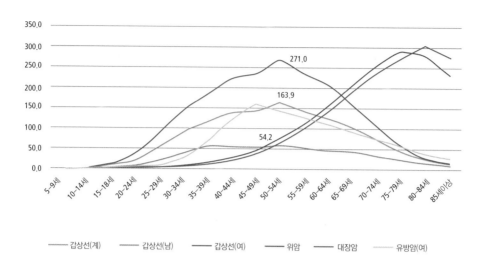

그림 16-1 | 연령별 암 발생률

을 분석하였을 때 1990~2006년도에 갑상선미세유두암 뿐만 아니라 > 2 cm, > 4 cm, > 6 cm 크기의 갑상선암도 2배 이상 발생률이 증가하였고, 1983~2006년 사이에 경부 림프절전이를 동반한 갑상선암 역시 3배 이상 증가하였기 때문이다.[3]

(1) 여성호르몬과 생식 호르몬

갑상선유두암이 가임기 여성에서 많이 발생하므로, 여성 호르몬이나 생식호르몬(reproductive hormone)이 갑상선유두암의 발생원인으로 제시되었지만, 발표된 연구 결과들이 서로 상반되어 갑상선암과 여성호르몬 혹은 생식호르몬과의 연관성은 명확하지 않다.

(2) 외부 방사선 조사 Exposure to radiation

아동기나 사춘기에 머리백선증(tinea capitis), 흉선과 편도 비대(thymic and tonsillar enlargement), 아동기암 (childhood malignancy)으로 외부 방사선 조사를 받은 경우 33%에서 갑상선 결절이 있었고, 이 중에서 갑상선암은 10~40%에서 발견이 되었다. 2,000 cGy 이상의 용량을 받은 경우는 13배 이상 갑상선암 발생 위험도가 높았다.[4-8] 또한 원자력 발전소 사고로 방사성 피폭을 받을

당시 9세 이하의 소아에서는 3~5년의 잠복기 후에 갑상선암이 발생 빈도가 약 45%로 높았고, 대부분이 유두암이며, 림프절전이, 원격전이 및 주위조직으로의 침입이 많았다.[9-11] 스웨덴에서 36,792명을 대상으로 한 연구에서 진단적 목적으로 사용하는 방사성 요오드는 갑상선암의 위험성을 증가시키지는 않으나, 갑상선 기능 항진증환자에서 치료 목적으로 사용한 경우에는 갑상선암의 발생 위험성이 증가하는 것으로 보고되었다.[12,13] 방사선 용량과 갑상선암의 발생과는 선형적인 관계가 있다고 보고되었다.[4-8]

(3) Polybrominated diphenyl ether

Polybrominated diphenyl ether (PBDE)는 난연제(flame retardant)로 냉장고, TV, 컴퓨터, 플라스틱 제품에 쓰였으며, thyroxine과 유사한 구조를 가지고 있기 때문에 갑상선 기능을 교란시키는 것으로 알려져 있다. 또한, PBDE는 고환암과 다른 암의 발생률을 증가시키는 것으로 알려져 있고, 갑상선암을 유발시키는 것으로 알려진 polychlorinated biphenyl (PCB)과 유사한 구조를 가지고 있어 갑상선암의 위험성을 높일 수 있다고 보고되었다.[14] 그러나, 지금까지 갑상선과의 직접적인 연관성은

확실하지 않다.[15,16]

(4) 요오드 섭취량

요오드가 부족하면 TSH가 상승하여 갑상선종이 생길 수 있다. 반면에 요오드를 과잉섭취하는 아이슬란드, 노르웨이, 하와이에서는 갑상선유두암이 잘 생기는 것으로 보고되었지만, 갑상선암과 연관성이 없다는 보고도 있어서 아직 요오드 섭취와 갑상선암의 관계는 명확하지 않다.[11]

(5) 채소류

겨자과 채소는 갑상선종유발물질인 청산글리코시드(cyanogenic glycoside)를 포함하고 있어서 갑상선종은 생길 수 있으나, 갑상선암 발생과는 연관성이 없는 것으로 보고되었다.[17]

(6) 유전적 소인

갑상선유두암은 대부분 산발적이지만, 유전적인 소인으로 발생하기도 하며, 이러한 경우를 가족성비수질성갑상선암(familial nonmedullary thyroid cancer)이라고 한다. 가족성비수질성갑상선암은 일차 직계존속 중 2명 이상의 분화갑상선암 환자가 있고, 암을 유발시키는 다른 유전적 또는 환경적 인자가 없는 경우로 정의된다. 가족성비수질성갑상선암은 증후군과 연관이 되거나, 증후군과 연관이 되지 않은 두 가지 유형으로 나누어 진다. 증후군과 연관이 된 경우들은 가족성선종성용종증, 코든병(Cowden's disease), 베르너증후군(Werner's syndrome), 카니복합(Carney's complex), 가드너증후군(Gardner's syndrome), 맥쿤-올브라이트증후군(McCune-Albright syndrome)이 있고, 이들에 대한 각각의 원인 유전자들은 규명이 되었다.[18-22] 비증후군(nonsyndromic) 가족성비수질성갑상선암은 연관분석(linkage analysis), 체세포돌연변이연구(somatic mutation), 단일뉴클레오티드다형태(single nucleotide polymorphism) 기반 연관분석 등으로 원인 유전자를 연구중이지만 아직 밝혀지지 않았다.[23-25]

2. 임상소견 및 감별진단

1) 임상소견 및 이학적 소견

전형적인 갑상선유두암은 조기 검진 시 우연히 발견되거나 일반신체 검사에서 동통이 없는 목의 종괴로 발견되는 경우가 많다. 일부 환자에서는 결절이 갑자기 커지면서 통증을 느끼거나, 주위조직을 압박하여 연하곤란, 호흡곤란을 느낄 수 있고, 주위조직을 침윤한 경우에는 쉰목소리나 객혈을 보일 수 있다.

촉진시 견고하게 만져지며, 연하시 상하로 잘 움직이는 경부 종물로 만져지지만, 주위조직으로 침윤이 심한 경우에는 고정되어 딱딱하게 만져지기도 한다. 원격전이는 유두암환자에서 1.1~12.4%에서 보고되는데,[26-28] 폐전이 시에는 호흡곤란과 객혈이 있을 수 있고, 뼈전이 시에는 동통, 골절, 신경증상 등이 있을 수 있다.

2) 병력청취

갑상선암이 의심되는 경우에는 주위조직 침윤이나 원격전이 증상을 청취하고, 방사성 조사 과거력과 가족성비수질성갑상선암의 여부를 확인하기 위한 가족력을 조사하여야 한다.

3) 진단 및 술전 검사

(1) 경부 초음파

과거에는 갑상선 결절에 대한 초음파 소견을 세가지 분류하여 의심스런 암(suspicious malignant), 부정형(indeterminate), 양성(probably benign)으로 보고하였으나, 미국과 영국, 우리나라에서는 최근에 Thyroid Imaging Reporting and Data System (TIRADS)라고 하여 5개의 부류로 구성된 위험계층(risk stratification) 모형을 사용하고 있다.[29-31] 나라마다 TIRADS의 분류들에 대한 정의는 약간의 차이가 있다. K-TIRADS는 고위험 (high suspicion, category 5), 중간위험(intermediate suspicion, category 4), 저위험(low suspicion, category 3), 양성 (benign, category 2), 정상(normal, category 1)으로 구분하였다. 고위험은 고형의 저에코(solid hypoechoic) 결절로 미세석회화(microcalcification), non-parallel orientation (taller than wide), 불규칙한 경계(spiculated/microlobulated margin) 중 어느 하나를 가지는 경우로 정의하였다.

이 경우 수술 후 최종 조직병리검사에서 암으로 진단될 암위험성은 >60%로 보고되었다. 암이 의심되거나 진단된 경우에는 림프절전이 유무를 초음파검사 시 함께 확인하여야 한다.[29]

(2) 컴퓨터전산화촬영(CT), 자기공명영상(MRI) 및 18F fluorodeoxyglucose (FDG) 양전자방출단층촬영(PET)

CT나 MRI는 진행성 갑상선암으로 주위조직의 침습이 의심되거나 다발성 또는 크기가 큰 림프절전이가 초음파에서 의심되는 경우 시행할 수 있다. FDG-PET 시 국소적인 섭취가 있는 갑상선 결절은 암가능성이 있으므로 초음파를 시행하는 것이 좋다. 그러나, 갑상선 결절의 악성여부, 림프절 전이, 원격전이와 예후 판정을 위해 연구되고 있으나, 갑상선암에서 FDG-PET의 적응증은 아직 확립되지 않았다.

(3) 세침흡인세포검사

초음파상 갑상선 결절의 TIRADS의 부류(category)가 정해지면, 각각 부류에서 권고되는 크기 기준에 의해서 세침흡인생검을 시행하게 된다. 갑상선암이 의심되는 경우(category5)에는 크기가 ≥1 cm 이상에서 세침흡인생검을 시행하거나 >5 mm에서 선택적으로 시행하도록 권고한다. 그러나, 초음파상 불량한 예후와 관련이 있는 림프절전이, 갑상선외조직침윤, 원격전이가 있는 경우에는 크기에 상관없이 세침흡인세포검사를 시행할 수 있다고 하였다.[29,32]

1 cm 미만의 미세유두암이면서, 갑상선 외 조직침윤이나 림프절전이가 없으면 세침흡인세포검사를 하지 않고, 초음파로 추적관찰을 할 수 있으며, 이 경우 40세 이전의 환자는 60세 이후 환자보다 종양의 크기 증가나 림프절전이의 빈도가 높으므로 연령을 고려하여 선택하고, 환자의 동의하에 시행되어야 한다.[30,33]

세침흡인세포검사는 Bethesda System for Reporting Thyroid Cytology에 따라 6단계로 보고가 되고, 각각의 암가능성은 표 16-2과 같다.[29,34]. 세침흡인세포검사에서 nondiagnostic, AUS/FLUS로 진단된 경우, 3~6개월 뒤 세침흡인세포검사를 시행한다. 그러나, AUS/FLUS의 경우 세침흡인세포검사를 다시 하더라도 결과가 정확하지 않은 경우가 67%까지 보고되므로, BRAF 유전자 돌연변이나, galectin-3 단백의 면역조직화학염색을 같이 시행하여 진단에 도움을 받을 수 있다.[35,36] 갑상선암 진단에 대한 BRAF 유전자 돌연변이검사의 특이도는 99%로 높고, 불확정세포검사에서 이 유전자 돌연변이를 가진 경우는 >99%의 암가능성이 있어서 진단적표지자로 적합하다.[37] 특히 우리나라에서는 60~70%에서 발견되므로 다른나라에(45%) 비해 진단표지자로 활용도가 높다. 이외에도 초음파소견이나, 세포검사 결과를 고려하여 치료 방침을 정하거나, 중심부바늘생검을 시행하여 도움을 받을 수 있다.[38-40]

3. 병리소견

조직학적변이

(1) 갑상선미세유두암 Papillary thyroid microcarcinoma

우연히 발견된 1 cm 이하의 갑상선유두암으로 World Health Organization (WHO)에서 2004년 정의되었다.[41] 부검 시 북아메리카, 유럽, 남아메리카에서는 6~9%, 일본, 핀란드에서는 28~36%로 보고되었고, 대

표 16-2 | Bethesda System에 의한 암가능성 및 진료지침

세침흡인세포검사	암의 가능성	초음파소견(K-TIRADS)	진료지침
nondiangostic	1~4%	High suspicion	Repeat FNA, or CNB within 3~6 months
		Intermediate/low suspicion	Repeat FNA, or CNB within 6~12 months
Benign	0~3%	High suspicion	Repeat FNA within 6~12 months
		Intermediate/low suspicion	US follow-up at 12~24 months
AUS/FLUS	5~15%	High suspicion	Repeat FNA within 3~6 months
		Intermediate/low suspicion	Repeat FNA within 6~12 months
FN/SFN	15~30%		Diagnostic surgery
Suspicious for malignancy	60~75%	High/Intermediate suspicion	Surgery
		Low suspicion	Repeat FNA, or Surgery Active surveillance
Malignant	97~99%		Surgery Active surveillance

부분 0.3 cm 이하의 크기로 보고되었다.[42-44] 최근에는 초음파의 보급으로 인해 갑상선미세유두암이 증가하는 추세이다. 4,432명의 갑상선미세유두암을 대상으로 한 메타분석에서 갑상선외 침습은 7.2%, 림프절전이는 28%, 원격전이는 0.7%였으며, 재발은 5%, 사망률은 0.3%로 보고되었다.[45]

(2) 그외 조직학적 변이

전형적인 아형(classic subtype) 외에도 10개 이상의 변종이 존재한다. 갑상선유두암의 육안적소견은 다양하고, 단단하고 침윤성 경계를 가지는 백색의 종괴로 보이기도 하고, 진성 또는 가성의 피막에 싸여 있거나, 부서지기 쉬운 종괴로 보일 수도 있으며, 절단면은 갈색(tan-brown) 또는 회백색(gray-white)으로 보이기도 한다. 석회화는 종종 관찰되며, 부분적으로 낭종성 변화를 보이기도 한다.

전형적인 아형의 현미경적 소견은 섬유혈관(fibro-vascular) 조직의 중심(central core)을 가지고 있는 유두상 돌기(papillae) 소견을 보인다. 대개 조직의 2/3에서 유두상 돌기를 보이지만, 나머지 부분에서는 소포성 구조(follicular architecture) 또는 고형상(solid), 지주상(tra-becular) 구조를 함께 가지기도 한다. 암세포질은 정상세포질보다 풍부하고, 창백하거나 호산성이며, 세포크기는 정상세포보다 크며, 입방(cuboidal) 또는 낮은 원주세포(low columnar) 모양을 가진다. 세포핵은 정상세포보다 2~3배 커져 있으며, 핵들이 중복(overlapping)되어 군집들(crowds), 호수들(lakes), 달걀바구니(egg-basket)라고 불리기도 한다. 그리고 염색질이 핵막으로 이동하여 세포핵이 창백하게 보이는 염색질 투명(chromatin clearing)을 Orphan Annie Eye라고 부르는데, 이는 동결절편이나 세침흡인세포검사의 세포검사에서는 보이지 않으나, 포르말린 고정, Bouin fluid 고정 등에서 보이는 것으로 보고 되어 있고 기전은 밝혀지지 않았다.[46,47] 세포핵 외형은 불규칙하여, 난원형, 연장형(enlongated), 초승달모양으로 다양하고, 불규칙한 핵막은 핵의 주름(nuclear groove), 세포질의 함입(pseudoinclusion)의 소견

을 보이기도 한다. 세포질의 함입은 동결절편에서 보이는 도려낸 모양 결손(punched-out defect)과 구별해야 하고, 고정과정에서 생기는 구조물이 없이 창백하게 보이는 핵의 기포(bubble) 또는 공포(vacuole)와 구분되어야 한다.[48] 모래종체(Psammoma body)는 암세포가 죽어서 생기는 작은 석회화로 유두암에서 40~50%에서 발견된다.[49,50] 모래종체는 원형이나 구형이어야 하고, 중심성이 있으며, 암간질 및 림프관 등의 암관련된 조직에서 발견되고, 갑상선유두암 이외에도 유두상 과다증식(papillary hyperplasia)을 동반한 결절갑상선종에서도 발견이 된다.[51]

유두암의 다른 변이으로는 키큰세포변이(tall cell variant), 원추형변이(columnar variant), 미만성경화변이(diffuse sclerosing variant), 투명세포변이(clear cell variant), 여포변이(follicular variant), 고형변이(solid variant), 호환성 과립세포변이(oncocytic variant), 와르틴유사변이(Warthin-like variant), 체모양-상실배변이(cribriform-morular variant), 징모양변이(hobnail variant) 등이 있다. 여포변이 유두암(15~20%)과 키큰세포변이 유두암(5~10%)을 제외하면 1% 내외의 비중을 차지한다.[51]

4. 예후 및 예후와 관련된 소견

예후 및 병기분류

(1) 사망률

우리나라에서 갑상선암 5년 생존율은 2008~2012년까지 100%로 보고되었고, 미국에서는 1985~1990년까지 5년 생존율 96%, 10년 생존율 93%로 생존율이 다른 암들에 비해서 좋다.[2,52] 사망률을 위한 위험측정시스템(risk stratification system)으로는 AGES (age, grade, extent, size), AMES (age, metastases, extent, size), MACIS (metastases, age, completeness of surgery, invasion of cancer,

size), EORTC, TNM 병기 등이 있으며, 이 중에서 가장 널리 사용되는 것은 TNM 병기이다. TNM 병기에 의한 15년 생존율은 I병기 99%, II병기 95%, III병기 84%, IV병기 40%이고, TNM 위험측정시스템은 종양의 크기, 갑상선외 침윤, 림프절전이, 원격전이 및 나이로 구성되어 있다.

(2) 재발률

갑상선암의 재발률은 15~35% 정도이고, 이것을 예측하기 위한 위험측정시스템으로는 2009년에 발표된 ATA Initial Risk Stratification System이 있다. 2015년에는 이 시스템에 림프절전이 정도, 유전자 변이와 혈관침습 정도(degree of vascular invasion)가 추가되었다.[30] 2009 ATA Initial Risk Stratification System은 저위험군, 중간위험군, 고위험군으로 나누어지며, 갑상선유두암의 경우, 저위험군은 원격전이, 주위조직(T1,T2)과 혈관 침습이 없고, 완전절제가 이루어졌으며, 예후가 좋지 않은 조직학적 변이가 아니고, 림프절미세전이(크기 2 mm이하) 개수가 5개 이하이며, 방사성요오드 치료 후 전신스캔에서 갑상선 자리(thyroid bed) 이외에는 전이소견이 보이지 않는 경우이다. 중간위험군은 현미경적 갑상선외침습과 혈관침습이 있거나, 예후가 좋지 않은 조직학적 변이이거나, 임상적으로 N1이거나, 림프절미세전이가 5개 초과의 병리학적 N1인 경우이다. 고위험군은 육안적인 갑상선외침습, 원격전이, 크기가 >3 cm인 전이된 림프절이 있거나, 불완전절제되었거나, 수술후 갑상선글로불린 수치가 증가한 경우이다. 조직학적으로 재발이 발견된 확률은 저위험군은 2~7%, 중간위험군은 21~34%, 고위험군은 56~76%이다.[30]

다음으로는 이보다 간략하고, 치료의 반응(response)을 고려한 ongoing risk stratification (dynamic risk stratification)이 있다. Ongoing risk stratification은 우수한(excellent) 반응, 허용가능한(acceptable) 반응, 불완전한(incomplete) 반응으로 분류였으며, 우수한 반응은 억제된 또는 자극된 갑상선글로불린이 <1 ng/mL이고, 초음파를 포함한 영상의학검사에서 잔존암소견이 없는 경

우이고, 허용가능한 반응은 억제된 갑상선글로불린 <1 ng/mL이지만, 자극된 갑상선글로불린은 ≥1 ng/mL 및 <10 ng/mL인 경우이거나, 초음파를 포함한 영상의학 검사에서 비특이적인 소견 또는 크기가 작고 안정적인 (stable) 림프절이 발견된 경우이다. 불완전한 반응은 억제된 갑상선글로불린 ≥1 ng/mL, 또는 자극된 갑상선글로불린 ≥10 ng/mL이거나, 갑상선글로불린이 오르는 추세, 영상학적 검사에서 잔존암병변이 확인된 경우이다. Ongoing risk stratification에서 구조적으로 확인된 지속/재발/사망(persistent/recurrence/death)의 확률은 우수한 반응은 4%, 허용가능한 반응은 13%, 불완전 반응은 96%였다.[53] 이외에도 European Consensus conference과 Latin American Thyroid Society (LATS)에서 권고한 위험측정시스템이 있으나 서로간에 약간의 차이를 보인다.[54,55]

5. 치료

1) 치료목적

갑상선암환자의 치료목적은 암에 의한 사망과 재발 및 지속질환(persistent disease)을 줄이고, 정확한 병기를 확인하며, 치료와 관련된 이환(morbidity) 및 불필요한 수술을 줄이는 것이다. 최근에는 치료 권고안들이 예후를 향상시키는 것보다는 치료와 관련된 이환을 낮추는 것에 치료 무게 중심을 두고 있는 듯하다.

2) 경과관찰

세침흡인세포검사에서도 언급하였지만, <1 cm크기의 유두상미세암이면서, 갑상선외 조직침윤이나 림프절전이가 없으면 세침흡인세포검사를 하지 않고, 초음파로 추

적관찰 할 수 있다. 그러나, 유두상미세암환자 2,018명 중에서 림프절전이 N1a 29.4%, N1b 4.7%였으며, 림프절전이개수가 >5인 경우는 1,785명 중 99명(5.5%)이었다. 그런데, 수술 전 림프절전이를 진단하기 위해 시행하는 초음파는 N1b에 대한 민감도는 72%, 특이도 98%로 높지만, N1a에대한 민감도는 45%, 특이도 72%로 낮아 림프절 전이가 더 많이 되는 경부중앙 림프절전이(N1a)에서 그 정확도가 떨어진다.[56] 경부중앙 림프절전이는 조기 수술을 시행하는 경우에는 갑상선절제술과 함께 시행되므로 문제가 되지 않으나, 경과관찰을 선택할 경우에는 초음파의 정확도가 낮아 문제가 있으며, 또한 림프절전이 개수가 미세림프절전이라고 할지라도 5개 초과이면 재발률이 20%로 높게 보고되지만, 초음파에서는 이러한 림프절전이 개수를 정확하게 진단하기 어렵다는 단점이 있다. 즉, 경부중앙림프절전이가 있는 29.4% 중에 16.2%에서는 림프절전이가 있음에도 불구하고 정확히 진단이 되지 않을 수 있고, 림프절전이가 5개 초과인 5.5% 환자들은 술 전에 확인이 되지 않는다는 점을 환자에게 설명해야 할 것이다.

그리고, 경과관찰을 선택 시에는 갑상선암의 크기가 >3 mm 커지거나, 림프절전이가 발견될 때까지 지켜보는데, 5년 및 10년 추적관찰 시 크기가 커진 경우는 5%, 8%, 림프절전이가 발견된 경우는 1.7%, 3.8%였으며, 추적관찰 중 15.4%가 수술을 받았는데 평균 75개월 추적 중에 1명(0.5%)에서 재발했다.[33] 즉 수술 지연 시에는 수술 후 재발은 적더라도, 진단 시보다 진행된 상태에서 수술을 받을 수 있다는 것을 설명해야 할 것이다.[33]

이러한 단점을 보완하기 위해서, 경과관찰을 선택하는 경우 BRAF 유전자돌연변이 검사를 시행하여 향후 예후가 나쁜 유두상미세암을 가진 환자를 미리 확인하여 조기에 수술적 치료를 시행하는 방법이 제시되었으나,[57,58] 림프절전이나 재발을 예측하는 양성예측치가 낮으므로 임상에 적용하기에는 제한점이 있다. 그러므로, 향후에는 BRAF 유전자돌연변이 이외에 예후를 예측할 수 있는 특이적인 분자학적 예후표지자에 대한 연구가 더 필요할 것이다.

3) 수술

(1) 갑상선절제 범위

갑상선미세유두암으로 갑상선외 침윤이 없고, 암이 하나이며, 림프절전이가 없는 경우에는 갑상선엽절제술을 시행할 수 있다. 그러나 1~4 cm사이의 갑상선유두암에 대해서는 논쟁의 여지가 있다. 2009년 ATA 권고안에서는 >1 cm인 갑상선유두암은 전절제술을 시행하도록하였는데, 이는 엽절제술을 시행 시 24%의 높은 재발률과 49%의 높은 사망률을 보이기 때문이다.[59] 그러나 2015년 ATA 권고안에서는 이러한 환자군에서 임상적으로 림프절전이가 없고, 갑상선 외 침습이 없으면 갑상선엽절제술을 시행할 수도 있다고 하여 갑상선엽절제술의 범위를 확대시켰다.[30]

이러한 권고안의 배경으로 다음과 같은 것들이 있다, 첫째로, 갑상선전절제술과 엽절제술간의 재발률은 차이는 없으나, 갑상선전절제술이 엽절제술에 비해 수술과 관련된 합병증이 많다. 둘째로는 갑상선절제술을 시행시에는 환자가 평생 갑상선 호르몬을 복용해야하는 불편한 점이 있다. 마지막으로 갑상선전절제술 후 재발률과 사망률을 낮추기 위해 시행하는 방사성 요오드 치료가 저위험군과 중간위험군에서 감소하는 추세이고, 수술후 추적관찰시 ^{131}I 전신스캔의 유용성이 감소하고 초음파와 혈청 갑상선글로불린이 중요해져서, 갑상선전절제술의 필요성이 감소했다는 점 등이다.[30]

갑상선암 크기가 >4 cm이거나, 육안적인 갑상선외 침윤, 임상적인 림프절전이(cN1) 또는 원격전이가 있을 때에는 갑상선전절제술을 시행해야 한다.

(2) 림프절절제

림프절절제술의 경우 림프절전이가 진단되어 치료 목적으로 시행하는 경우에는 논란의 여지가 없으나, 예방적 목적으로 시행하는 림프절절제술은 논란의 여지가 있다. 예방적 중앙경부림프절절제술은 육안적으로 커져 있지 않더라도 현미경적으로 전이가 되어 있는 경우가 많으므로 정확한 병기설정과 예후를 향상시키기 위해서 권

유되기도 한다. 그러나, 중앙경부림프절절제술은 부갑상선기능저하증과 회귀후두신경손상의 합병증과 연관이 있으므로 저위험군(T1, T2) 환자에서는 시행하지 않을 수 있다. 그러므로 중앙경부림프절절제술은 수술 후 합병증과 재발률과 사망률을 고려하여 환자마다 경중을 따져 시행되어야 한다. 측경부림프절절제술은 치료목적하에 시행되는 것을 원칙으로 하지만, 일부에서는 예방적인 목적으로 시행되기도 한다. 측경부림프절절제술의 절제범위는 광범위한 전이가 없으면 level 2,3,4의 림프절만 제거할 수 있다.[60]

4) 방사성요오드 치료

방사성요오드 치료는 갑상선외 침습(T4), 원격전이가 있는 고위험군에서 권고되고, 림프절전이가 있는 45세 이상의 환자Stage III (NTCTCSG; National Thyroid Cancer Treatment Co-operative Study Group)인 경우, 수술 후 비정상적인 갑상선글로불린을 가진 경우에 권고되어진다.[30,61] 방사성요오드 치료의 초기에는 Mazzaferri 등과 DeGroot 등이 방사성요오드 치료 후 저위험 갑상선암환자에서도 재발과 사망을 줄일 수 있다고 하여 많이 시행되었지만,[62,63] 이후 연구들에서 유두상 갑상선미세암에서 예후에 영향을 미치지 않는 것으로 보고되어 저위험군 및 중간위험군에서는 선택적으로 사용하게 되었다.[64] 또한 저위험군 및 중간위험군에서 선택적으로 사용 시에 수술 후 억제된 또는 자극된 갑상선글로불린의 수치를 이용하여 방사성요오드치료의 시행유무를 결정하는데 도움을 받을 수 있으나 적절한 결정수치에 대해서 향후 연구가 필요하다.[30]

일반적으로 방사성요오드 치료를 위해서는 3~4주간 T4 갑상선호르몬의 투여를 중지하거나, T4 갑상선호르몬을 투여하면서 재조합인간갑상선자극호르몬(rhTSH)을 방사성요오드 투여 2일 전부터 매일 0.9 mg을 2일간 근육주사 후 갑상선자극호르몬을 30 mIU/L 이상으로 올린 후 치료용량의 방사성요오드를 경구투여한다.

갑상선호르몬을 투여 중지한 경우에는 방사성요오드치료 후 3~7일 뒤 치료 후 전신스캔을 촬영하고, rhTSH을 투여하는 경우에는 rhTSH 투여 24시간 후에 방사성요오드를 투여하고, 투여 48시간 후에 전신스캔과 갑상선글로불린을 측정한다. 첫 번째 방사성요오드 치료 후 6~12개월 뒤에 고위험군과 중간위험군에서는 진단적 방사성요오드 전신스캔을 촬영한다.

T4갑상선호르몬을 4주 이상 투여중단하는 경우 갑상선기능저하증으로 인한 환자의 불편을 감소시키기 위해서 T3갑상선호르몬은 2~3주간 투여하고, 이어서 2주간 중단 후 방사성요오드를 치료할 수 있다. 방사성요오드의 갑상선 섭취를 높이기 위해서 투여 전 적어도 1~2주간은 요오드 함유식품이나 약물을 억제하면 도움을 받을 수 있다.

방사성요오드 치료 후 경부동통, 침샘염(10~33%), 미각장애, 구역, 구토, 골수억제(200 mCi), 대상포진, 방사성 방광염, 백혈구 감소증, 고환 및 난소 기능 저하, 백혈병, 불임증, 폐섬유화가 발생할 수 있으며, 이 부작용들은 투여된 방사성 요오드 용량과 상관관계가 있다. 남성의 경우는 누적용량이 400 mCi를 초과할 경우 불임증이 올 수 있으므로, 정자를 사전에 보관해 둘 필요가 있다.

5) 갑상선자극호르몬 억제 요법
Thyroxine suppression therapy

고위험군에서는 초기의 갑상선자극호르몬(TSH)은 <0.1 mU/L로 유지해야 하지만, 중간위험군에서는 0.1~0.5 mU/L, 저위험군으로 방사성요오드 치료 후 갑상선글로불린이 측정되지 않은 경우는 0.5~2 mU/L로, 저위험군으로 방사성요오드 치료 후 갑상선글로불린이 낮게 측정되는 경우는 0.1~0.5 mU/L로, 저위험군으로 갑상선엽절제술을 시행받은 경우는 0.5~2 mU/L로 유지할 수 있으며, 갑상선호르몬은 중지하고도 이 범위 안에서 조절되면 갑상선호르몬을 중지할 수 있다.[30] 그리고, 갑상선자극호르몬 억제요법은 골다공증, 심혈관질환 및 사망률과 연관성이 있으므로, 종양의 병기뿐만 아니라 환자의 연령이나 기왕력을 고려하여 용량을 조절해야 한다.

6) 분자표적치료

갑상선유두암이 나트륨 요오드 동시수송체(Na I symporter, NIS)와 TSH 수용체를 상실하여 저분화암으로 진행하게 되면 방사성요오드 불응(RAI refractory) 갑상선암이 된다. RAI 불응 갑상선유두암의 정의는 방사성요오드를 섭취하지 않은 전이암이 있거나, 방사성요오드 치료후 방사성요오드의 섭취가 소실되거나, 다발성 전이암에서 일부에서 방사성요오드 섭취가 없거나, 방사성요오드 섭취가 있더라도 방사선요오드 치료 후 진행하는 경우가 이에 속한다.[30]

RAI 불응 갑상선유두암은 방사성요오드치료 효과가 없으므로 추적관찰, 외부방사선치료, 화학요법을 시행할 수 있으나, 기존의 화학요법은 치료효과에 비해 부작용이 커서 권유되지 않는다. 그리고 전이성 갑상선암은 천천히 진행하거나 안정적인 상태인 경우에는 치료 시 부작용으로 인해 득보다 실이 클 수 있으므로 갑상선자극호르몬 억제요법만을 시행하며 3~12개월마다 영상의학적검사를 시행하면서 추적관찰만 할 수 있다. 그러나 12~15개월 이내에 > 1 cm의 각각의 전이 병변의 최장지름의 합이 >20% 증가하거나 새로운 병변이나 새로운 증상이 생길 경우에는 분자표적치료를 고려해야 한다.[30] 우리나라에서는 RAI 불응 분화갑상선암에서 진행하는 상태로 진단될 경우 sorafenib을 사용할 수 있다. Sorafenib은 VEGF 수용체, RET 수용체, PDGF 수용체와 BRAF serine 키나제를 표적으로 하는 티로신 키나제 억제제이다. Sorafenib은 진행성 갑상선유두암에서 부분반응은 15%, 6개월 이상 안정상태는 57%였고, 질병의 진행없이 생존(progression free survival, PFS)은 15개월로 보고되었다.[65] 이 약제의 부작용으로는 수족피부반응, 근골격 동통, 피로, 고혈압, 설사 등이 있다. 이외에도 MAPK 신호전달경로, PI3K/AKT 신호전달경로 및 히스톤 탈아세틸화에 관여하는 HDAC 억제제 등에 대한 새로운 약제들이 개발되어 연구 중이다.

6. 추적검사

초기치료 후 갑상선유두암에서는 초음파는 6~12개월마다 시행하고, 재발이 의심되는 림프절의 크기가 ≥8~10 mm인 경우에는 세침흡인세포검사와 천자액 갑상선글로불린을 함께 측정해야한다. 혈청 갑상선글로불린과 갑상선글로불린 항체는 매 6~12개월마다 검사해야 하며, 동일검사실에서 동일방법으로 측정하여 비교하는 것이 바람직하다. 저위험군으로 방사성요오드치료를 받고, 초음파상 특이소견이 없고, 혈청갑상선글로불린이 낮은 경우(억제 시 <0.2 ng/mL, 자극 시 <1 ng/mL)는 혈청갑상선글로불린과 신체검진을 시행하면서 추적관찰할 수 있다.[30]

REFERENCES

1. Center NC. National Statistical Office [cited 2016 November 10]. Available from: http://www.ncc.re.kr/main.ncc?uri=hq_register.
2. Welfare MoHa. Ministry of Health and Welfare Statistical Year Book 2015 [cited 2016 November 10]. Available from: http://stat.mohw.go.kr/front/statData/mohwAnnalsWpView.jsp?menuId=14&nttSeq=21849&bbsSeq=1&nttClsCd=01.
3. Morris LG, Myssiorek D. Improved detection does not fully explain the rising incidence of well-differentiated thyroid cancer: a population-based analysis. Am J Surg 2010;200:454-61.
4. Ron E, Modan B, Preston D, Alfandary E, et al. Thyroid neoplasia following low-dose radiation in childhood. Radiat Res 1989;120:516-31.
5. Schneider AB, Shore-Freedman E, Ryo UY, et al. Radiation-induced tumors of the head and neck following childhood irradiation. Prospective studies. Medicine (Baltimore) 1985;64:1-15.
6. Tucker MA, Jones PH, Boice JD, Jr., et al. Therapeutic radiation at a young age is linked to secondary thyroid cancer. The Late Effects Study Group. Cancer Res 1991;51:2885-8.
7. Ron E, Lubin JH, Shore RE, et al. Thyroid cancer after exposure to external radiation: a pooled analysis of seven studies. 1995. Radiat Res 2012;178:Av43-60.
8. Acharya S, Sarafoglou K, LaQuaglia M, et al. Thyroid neoplasms after therapeutic radiation for malignancies during childhood or adolescence. Cancer 2003;97:2397-403.
9. Robbins J. Lessons from Chernobyl: the event, the aftermath fallout: radioactive, political, social. Thyroid 1997;7:189-92.
10. Robbins J, Schneider AB. Radioiodine-induced thyroid cancer: Studies in the aftermath of the accident at Chernobyl. Trends Endocrinol Metab 1998;9:87-94.
11. Vincent T. Devita J, Theodore S. et al. Cancer, Principles & Practice of Oncology. Philadelphia: Lippincott Williams & Wilkins, a Wolters Kluwer 2011.
12. Dickman PW, Holm LE, Lundell G, et al. Thyroid cancer risk after thyroid examination with 131I: a population-based cohort study in Sweden. Int J Cancer 2003;106:580-7.
13. Robbins J, Schneider AB. Thyroid cancer following exposure to radioactive iodine. Rev Endocr Metab Disord 2000;1:197-203.
14. McDonald TA. A perspective on the potential health risks of PBDEs. Chemosphere 2002;46:745-55.
15. Zhao G, Wang Z, Zhou H, et al. Burdens of PBBs, PBDEs, and PCBs in tissues of the cancer patients in the e-waste disassembly sites in Zhejiang, China. Sci Total Environ 2009;407:4831-7.
16. Hardell L, Bavel B, Lindstrom G, et al. In utero exposure to persistent organic pollutants in relation to testicular cancer risk. Int J Androl 2006;29:228-34.
17. Chandra AK, Mukhopadhyay S, Lahari D, et al. Goitrogenic content of Indian cyanogenic plant foods & their in vitro antithyroidal activity. Indian J Med Res 2004;119:180-5.
18. Collins MT, Sarlis NJ, Merino MJ, et al. Thyroid carcinoma in the McCune-Albright syndrome: contributory role of activating Gs alpha mutations. J Clin Endocrinol Metab 2003;88:4413-7.
19. Hemminki K, Dong C. Familial relationships in thyroid cancer by histo-pathological type. Int J Cancer 2000;85:201-5.
20. Cetta F, Montalto G, Gori M, et al. Germline mutations of the APC gene in patients with familial adenomatous polyposis-associated thyroid carcinoma: results from a European cooperative study. J Clin Endocrinol Metab 2000;85:286-92.
21. Camiel MR, Mule JE, Alexander LL, et al. Association of thyroid carcinoma with Gardner's syndrome in siblings. N Engl J Med 1968;278:1056-8.
22. Goto M, Miller RW, Ishikawa Y, et al. Excess of rare cancers in Werner syndrome (adult progeria). Cancer Epidemiol Biomarkers Prev 1996;5:239-46.
23. Lesueur F, Stark M, Tocco T, et al. Genetic heterogeneity in familial nonmedullary thyroid carcinoma: exclusion of linkage to RET, MNG1, and TCO in 56 families. NMTC Consortium. J Clin Endocrinol Metab 1999;84:2157-62.
24. Gudmundsson J, Sulem P, Gudbjartsson DF, et al. Common variants on 9q22.33 and 14q13.3 predispose to thyroid cancer in European populations. Nat Genet 2009;41:460-4.
25. Cavaco BM, Batista PF, Martins C, et al. Familial non-medullary thyroid carcinoma (FNMTC): analysis of fPTC/PRN, NMTC1, MNG1 and TCO susceptibility loci and identification of somatic BRAF and RAS mutations. Endocr Relat Cancer 2008;15:207-15.
26. Ito Y, Kihara M, Takamura Y, et al. Prognosis and prognostic factors of papillary thyroid carcinoma in patients under 20 years. Endocr J 2012;59:539-45.
27. Ito Y, Masuoka H, Fukushima M, et al. Prognosis and prognostic factors of patients with papillary carcinoma showing distant metastasis at surgery (M1 patients) in Japan. Endocr J 2010;57:523-31.
28. Hoie J, Stenwig AE, Kullmann G, et al. Distant metastases in pap-

illary thyroid cancer. A review of 91 patients. Cancer 1988;61:1-6.

29. Shin JH, Baek JH, Chung J, et al. Ultrasonography Diagnosis and Imaging-Based Management of Thyroid Nodules: Revised Korean Society of Thyroid Radiology Consensus Statement and Recommendations. Korean J Radiol 2016;17:370-95.

30. Haugen BR, Alexander EK, Bible KC, et al. 2015 American Thyroid Association Management Guidelines for Adult Patients with Thyroid Nodules and Differentiated Thyroid Cancer: The American Thyroid Association Guidelines Task Force on Thyroid Nodules and Differentiated Thyroid Cancer. Thyroid 2016;26:1-133.

31. Perros P, Boelaert K, Colley S, et al. Guidelines for the management of thyroid cancer. Clin Endocrinol (Oxf) 2014;81 Suppl 1:1-122.

32. Na DG, Baek JH, Sung JY, et al. Thyroid Imaging Reporting and Data System Risk Stratification of Thyroid Nodules: Categorization Based on Solidity and Echogenicity. Thyroid 2016;26:562-72.

33. Ito Y, Miyauchi A, Kihara M, et al. Patient age is significantly related to the progression of papillary microcarcinoma of the thyroid under observation. Thyroid 2014;24:27-34.

34. Cibas ES, Ali SZ. The Bethesda System for Reporting Thyroid Cytopathology. Thyroid 2009;19:1159-65.

35. Enewold L, Zhu K, Ron E, et al. Rising thyroid cancer incidence in the United States by demographic and tumor characteristics, 1980-2005. Cancer Epidemiol Biomarkers Prev 2009;18:784-91.

36. Kato MA, Fahey TJ, 3rd. Molecular markers in thyroid cancer diagnostics. Surg Clin North Am 2009;89:1139-55.

37. Nikiforov YE, Nikiforova MN. Molecular genetics and diagnosis of thyroid cancer. Nat Rev Endocrinol 2011;7:569-80.

38. Kim DW, Lee EJ, Jung SJ, et al. Role of sonographic diagnosis in managing Bethesda class III nodules. AJNR Am J Neuroradiol 2011;32:2136-41.

39. Renshaw AA. Does a repeated benign aspirate change the risk of malignancy after an initial atypical thyroid fine-needle aspiration? Am J Clin Pathol 2010;134:788-92.

40. Park KT, Ahn SH, Mo JH, et al. Role of core needle biopsy and ultrasonographic finding in management of indeterminate thyroid nodules. Head Neck 2011;33:160-5.

41. DeLellis RA, Lloyd RV, Heitz PU et al. WHO Classification of tumors: Pathology and genetics of tumors of endocrine organs France: IARC Press Lyon2004.

42. Bondeson L, Ljungberg O. Occult papillary thyroid carcinoma in the young and the aged. Cancer 1984;53:1790-2.

43. Fukunaga FH, Yatani R. Geographic pathology of occult thyroid carcinomas. Cancer 1975;36:1095-9.

44. Sobrinho-Simoes MA, Sambade MC, Goncalves V. Latent thyroid carcinoma at autopsy: a study from Oporto, Portugal. Cancer 1979;43:1702-6.

45. Mazzaferri EL. Management of low-risk differentiated thyroid cancer. Endocr Pract 2007;13:498-512.

46. Hapke MR, Dehner LP. The optically clear nucleus. A reliable sign of papillary carcinoma of the thyroid? Am J Surg Pathol 1979;3:31-8.

47. Hawk WA, Hazard JB. The many appearances of papillary carcinoma of the thyroid. Cleve Clin Q 1976;43:207-15.

48. Chan JK. Papillary carcinoma of thyroid: classical and variants. Histol Histopathol 1990;5:241-57.

49. Adeniran AJ, Zhu Z, Gandhi M, et al. Correlation between genetic alterations and microscopic features, clinical manifestations, and prognostic characteristics of thyroid papillary carcinomas. Am J Surg Pathol 2006;30:216-22.

50. Carcangiu ML, Zampi G, Pupi A, et al. Papillary carcinoma of the thyroid. A clinicopathologic study of 241 cases treated at the University of Florence, Italy. Cancer 1985;55:805-28.

51. Nikiforov YE, Thompson L. Diagnostic Pathology and Molecular Genetics of the Thyroid: Lippincott Williams & Wlkins; 2009.

52. Hundahl SA, Fleming ID, Fremgen AM, et al. A National Cancer Data Base report on 53,856 cases of thyroid carcinoma treated in the U.S., 1985-1995 [see commetns]. Cancer 1998;83:2638-48.

53. Tuttle RM, Tala H, Shah J, et al. Estimating risk of recurrence in differentiated thyroid cancer after total thyroidectomy and radioactive iodine remnant ablation: using response to therapy variables to modify the initial risk estimates predicted by the new American Thyroid Association staging system. Thyroid 2010;20:1341-9.

54. Pacini F, Schlumberger M, Dralle H, et all. European consensus for the management of patients with differentiated thyroid carcinoma of the follicular epithelium. Eur J Endocrinol 2006;154:787-803.

55. Camargo R, Corigliano S, Friguglietti C, et al. Latin American thyroid society recommendations for the management of thyroid nodules. Arq Bras Endocrinol Metabol 2009;53:1167-75.

56. Wu LM, Gu HY, Qu XH, et al. The accuracy of ultrasonography in the preoperative diagnosis of cervical lymph node metastasis in patients with papillary thyroid carcinoma: A meta-analysis. Eur J Radiol 2012;81:1798-805.

57. Lin KL, Wang OC, Zhang XH, et al. The BRAF mutation is predictive of aggressive clinicopathological characteristics in papillary thyroid microcarcinoma. Ann Surg Oncol 2010;17:3294-300.

58. Xing M. Prognostic utility of BRAF mutation in papillary thyroid cancer. Mol Cell Endocrinol 2010;321:86-93.

59. Cooper DS, Doherty GM, Haugen BR, et al. Revised American Thyroid Association management guidelines for patients with thyroid nodules and differentiated thyroid cancer. Thyroid 2009;19:1167-214.

60. Brunicardi FC, Anderen D, Billiar TR, et al. Schwartz's principles of surgery. New York: McGraw Hill; 2009.

61. Jonklaas J, Sarlis NJ, Litofsky D, et al. Outcomes of patients with differentiated thyroid carcinoma following initial therapy. Thyroid 2006;16:1229-42.

62. DeGroot LJ, Kaplan EL, McCormick M, et al. Natural history, treatment, and course of papillary thyroid carcinoma. J Clin Endocrinol Metab 1990;71:414-24.

63. Mazzaferri EL, Jhiang SM. Long-term impact of initial surgical and medical therapy on papillary and follicular thyroid cancer. Am J Med 1994;97:418-28.

64. Ross DS, Litofsky D, Ain KB, et al. Recurrence after treatment of micropapillary thyroid cancer. Thyroid 2009;19:1043-8.

65. Kloos RT, Ringel MD, Knopp MV, et al. Phase II trial of sorafenib in metastatic thyroid cancer. J Clin Oncol 2009;27:1675-84.

갑상선 미세유두암의 적극적 감시

Active Surveillance of Papillary Thyroid Microcarcinoma

❘ 울산대학교 의과대학 외과 **정기욱**

잘 알려진 것처럼 우리나라의 갑상선유두암(papillary thyroid carcinoma, PTC)의 발생은 2004년을 기점으로 급격히 증가하기 시작하여 2012년부터 감소하는 추세이지만 2014년에도 30,806건, 인구 10만 명당 51.6명에서 발생하고 있다.[1] 이러한 증가가 실제로 갑상선유두암의 발생이 증가하는 것일 수 있다는 합리적인 의심과 증거에도 불구하고 증가분 중 많은 부분이 초음파 검진에 의한 것임을 추정할 수 있고 증가된 갑상선유두암중 다수가 아주 작은 갑상선 미세유두암이라는 점 그리고 암 발생 증가에도 불구하고 갑상선유두암으로 인한 사망율은 변화가 크지 않다는 점에서 과잉진단 혹은 과잉치료의 우려가 제기되어 왔다.[2]

이러한 현상은 우리나라에서만 일어나는 현상이 아니고 전세계적인 현상이며 이에 따라 적극적 감시의 개념이 일본에서 제시되었다. 2016년 발표된 미국 갑상선학회의 진료지침뿐 아니라 세계적으로 적극적 감시를 우연히 발견된 미세유두암 치료의 한 방법으로 받아들이고 있는 추세이다. 그러나 적극적 감시는 갑상선유두암에서 개념이 도입된지 얼마되지 않기 때문에 아직 종양학적 안전성을 포함하여 실제 임상에서 적용하기 위한 검증이 끝나지 않은 상태이다. 이 장에서는 갑상선미세유두암에서 적극적감시의 개념과 적용 그리고 문제점 등을 살펴보도록 하겠다.

1. 적극적 감시의 정의와 적용 배경

1) 정의

적극적 감시란 환자의 상태를 면밀히 감시하면서 여러 가지 검사상 환자의 경과가 나빠지지 않는 한 특별한 치료를 제공하지 않는 것을 말한다.[3] 이러한 적극적 감시는 주로 치료로 인한 합병증을 예방하기 위하여 사용되며 질병상태에 적합한 검사는 반드시 정기적으로 제공되어야 한다.

적극적 감시는 요도암이나 안구 내의 흑색종에서 연구되었으며 특히 전립선암(prostate cancer)에서 광범위하게 연구되었고 적용되고 있다.

전립선암은 질병의 생물학적 특성상 발생빈도가 높고 예후가 양호하며 검진으로 발견되는 비율이 높고 무엇보다 고령에서 발병되는 경우가 많기 때문에 전 생애에 걸쳐 시행해야 하는 적극적 감시에 필요한 기간이 상대적으로 짧아 적극적 감시에 아주 적합한 후보이다. 그러므로 미국임상종양학회의 진료권고안을 비롯한 많은 진료권고안에서 실제 진료에 적용할 수 있는 것으로 권고하고 있다.[3,4]

2) 갑상선 미세유두암에서의 적극적 감시

갑상선 미세유두암에서 적극적 감시의 개념이 도입되게 된 배경은 전세계적인 갑상선암 발생의 증가와 밀접한 관련이 있다. 특히 갑상선암의 AJCC 병기분류상 크기와 관계없이 미세침윤만 있더라도 T병기상 3기로 분류되었고 과거의 진료지침이 갑상선암에 대한 공격적인 치료를 지지하고 있기 때문에 대부분의 갑상선암에서 갑상선전절제술이 선호되는 술식이었다.[5] 이러한 공격적인 치료는 필연적으로 수술에 따르는 합병증, 특히 부갑상선 기능저하증의 증가와 환자의 삶의 질의 저하 그리고 사회적인 비용의 증가라는 결과를 초래하게 되었다. 특히 이러한 현상은 경험이 부족한 외과의사가 갑상선 수술을 하는 경우가 많고 의료비용이 과다한 미국에서 두드러졌고 갑상선암 발생율이 증가함에도 갑상선암으로 인한 사망율은 큰 차이를 보이지 않는다는 점에서 과잉진단과 과잉치료의 문제가 제기되었다.[6]

일본의 일부 외과의사들은 이러한 점에 착안하여 일부의 환자에서 즉각적인 수술 대신 경과관찰 후 종양이 진행하는 속도에 따라 수술을 결정하는 적극적 감시를 제안하였다.

일본 구마병원의 Ito 등은 2003년 최초로 56명의 갑상선 미세유두암환자를 수술 없이 추적한 결과를 발표하였다 (평균 추적기간 46.5 ± 21.5개월 , 18~113개월).[7] 추적 기간동안 13명의 환자(23.3%)에서 종양의 크기가 증가하였고 7명은 종양의 크기가 1 cm 이상으로 증가하여 그리고 2명은 측경부 림프절전이가 발생하여 수술을 권유 받고 나머지 47명도 다른 이유로 결국은 수술을 선택하였다. 이후 이러한 경험을 바탕으로 Ito 등은 2014년 1,235명의 환자를 관찰한 결과를 다시 발표하였고 이 중 191명의 환자에서(15.4%, 평균 추적기간 60개월, 18~227개월) 종양의 크기가 3 mm 이상 자라거나 12 mm 이상의 크기가 되거나 또는 림프절전이가 발생하여 수술을 필요로 하였지만 이후에 수술 받은 사람 191명 중 평균 75개월을 추적한 후에도 재발한 사람은 한 명 밖에 없어 수술을 지연하더라도 환자의 전체적인 예후

에는 변화가 없다고 주장하였다.[8] Sugitani 등도 비슷한 결과를 발표하였으며 230명의 환자를 평균 5년간 추적한 결과 230명 중 7%에서만 수술이 필요하였고 수술한 환자 중 재발이나 사망은 없었다고 보고하였다.[9]

이러한 연구결과를 바탕으로 2016년 미국갑상선학회(American Thyroid Association, ATA)의 진료권고안에서는 갑상선 미세유두암의 치료에서 수술이 원칙이나 적극적 감시를 선택할 수 있는 대안의 하나로 인정하였고 [10] 2016년 대한갑상선학회의 진료권고안에서도 적극적 감시를 인정하였다.[11] 그러나 비슷한 시기에 발표된 미국임상내분비학회의 진료권고안이나 영국갑상선학회의 진료권고안에서는 적극적감시에 대한 언급이 없어 전문가들 사이에서도 아직 이견이 존재함을 알 수 있다.[12,13]

2. 적극적 감시의 적용

1) 대상환자

미국갑상선학회의 진료권고안에서는 다음과 같이 적극적 감시가 적용될 수 있는 환자를 정의하고 있다.[10]

① 저위험군의 미세유두암(임상적으로 전이나 침윤의 증거가 없고 세포학적 검사상 공격적인 변이가 아닐 것)
② 동반질환으로 인하여 수술의 위험도가 높은 환자
③ 기대여명이 짧을 것으로 추정되는 환자(심각한 심혈관계나 호흡기계 질환자, 초고령 환자, 동반된 다른 암종 등)
④ 갑상선 수술에 선행하여 다른 의학적인 치료가 선행되어야 할 환자

미국갑상선학회의 권고안을 많이 차용한 대한갑상선학회의 권고안에서도 거의 동일한 제안을 하고 있으며 이는 갑상선 미세유두암의 적극적 감시에 대한 한국에

표 17-1 │ 갑상선 미세유두암에서의 적극적 감시의 환자 선택기준

대상	종양특성	환자특성	의료진
이상적 대상 **(Ideal)**	• 단일결절 • 원형변연 • 2 mm 이상의 갑상선실질로 둘러싸일 것 • 피막침윤 부재 • 이전 초음파와 비교 시 자라지 않음 • 임상적 N0 • 임상적 M0	• 60세 이상 • 본인이 원하는 환자 • 수술이 장래에 필요할 수 있음을 이해함 • 추적관찰계획에 협조적일것 • 심각한 동반질환	• 경험 있는 다학제진료팀 • 고해상도 초음파 • 전향적 연구 • 추적관찰을 위한 환자 관리 시스템
적용가능 대상 **(Appropriate)**	• 다발성 갑상선미세유두암 • 회귀후두신경에서 떨어져 있으면서 피막 침윤이 없는 피막하 종양 • 종양 경계가 불분명 • FDG를 흡수하는 갑상선유두암 • 초음파상 추적이 어려울 수 있는 소견(갑상선염, 비특이적 림프절 비대, 다발성 양성종양 등)	• 18~59세 • 갑상선암의 강한 가족력 • 임신 계획	• 경험 있는 내분비외과의사 혹은 내분비내과의사 • 초음파가 항상 사용 가능할 것
부적합 대상 **(Inappropriate)**	• 공격적 변이 • 회귀후두신경에 인접한 피막하 종양 • 피막 침윤 • 기도나 회귀후두신경 침윤 • N1 혹은 M1 • 이미 3 mm 이상의 크기변화가 있는 종양	• 18세 이하 • 추적관찰에 협조적이 않을 경우 • 환자가 원치 않을 경우	• 갑상선암 진료에 경험이 많지 않은 경우 • 초음파가 항상 사용하기 어려운 경우

adapted and translated from Brito JP, Ito Y, Miyauchi A, et al. A Clinical Framework to Facilitate Risk Stratification When Considering an Active Surveillance Alternative to Immediate Biopsy and Surgery in Papillary Microcarcinoma. Thyroid 2016;26:144-9.

서의 자료가 많지 않기 때문으로 풀이된다.

그러나 임상에 적용하기에는 조금 모호한 기준이기 때문에 적극적 감시를 도입할 것을 강하게 주장하고 있는 미국의 Tuttle과 일본의 Miyauchi는 최근 종양특성, 환자특성, 의료진특성에 기반한 보다 구체적인 선택기준을 제시하였고 그들이 제시한 기준을 표 17-1에 요약하였다.[14]

결국 적극적 감시를 임상에 적용하기 위해서는 단순히 종양의 크기뿐 아니라 다양한 측면을 고려해야 함을 시사한다.

2) 추적관찰

대상환자가 선정되면 적극적 감시로 인해 생길 수 있는 위해와 이득을 충분히 설명 후 사전동의(informed consent)를 얻는 과정이 필수이나 현재 우리나라의 외래의 실정상 정식의 사전동의를 얻기는 어려운 면이 많다. 그럼에도 불구하고 장기적인 측면에서 법적인 문제를 예방하거나 임상연구로서의 가치를 확립하기 위해서는 사전동의과정이 필수적이 되어야 할 것이다.

초음파검사의 간격은 아직 확립되어 있지 않으나 최초로 시행한 일본 Kuma병원에서는 시작 6개월 후 초음파를 1회 시행하고 변화가 없으면 1년에 한번씩 초음파검사를 하는 것을 권장한다.[15]

미국의 Sloan-Kettering 암센터에서는 조금 더 보수적으로 접근하여 2년 정도 6개월 간격으로 초음파를 시행 후 별다른 변화가 없을 경우 1~2년 간격으로 초음파를 시행한다고 기술하고 있다. 이때 혈중 갑상선글로불린 수치는 시행치 않으며 갑상선기능검사는 매년 시행하는 것으로 기술하고 있으나 갑상선암의 진행에 갑상선기능검사가 특별한 의미를 부여한다고 볼 수는 없을

것이다.[14]

추적 중 수술이 필요한 경우도 역시 기관마다 차이가 있을 수 있으나 일본의 Kuma병원의 경우 종양 최대 직경이 3 mm 이상 증가한 경우, 림프절 전이가 새로 발생한 경우, 그리고 임상적인 의미가 있는 종양으로 발전한 경우(12 mm 이상) 수술을 권유한다.[16]

3) 적용 시 고려할 점

위에서 서설한 바와 같이 적극적 감시는 단순히 수술을 하지 않는 것이 아니고 가장 좋은 치료에 대한 결정을 위하여 추적기간을 가지는 것으로 정의할 수 있다. 게다가 안정성이나 비용효과편익이 완전히 확립된 것이 아니므로 적용을 고려할 때는 먼저 제반환경을 검토하여야 한다. 특히 임상연구기반의 진료라는 점을 숙지하여야 하고 가능하다면 사전동의와 함께 병원 내 윤리위원회(Institutional Review Board, IRB)의 승인을 득하는 것이 이상적이다. 환자가 추적관찰을 임의로 중지하는 일은 반드시 피하여 하며 추적관찰이 어려울 것으로 예상된다면 적극적 감사의 대상환자에서 제외하는 것이 좋을 것이다. Haser 등에 의하면 적극적 감시를 시행하기 위해 고려해야 할 점으로는 다음과 같은 것이 있다.[17]

① 환자가 다니는 병원이나 주치의를 바꾸더라도 동일한 진료기회를 받을 수 있을 것
② 세부적이고 통일된 형식으로 초음파검사결과가 저장되고 검사결과에 변화가 있을 경우 즉각적으로 보고될 수 있을 것
③ 환자나 의사 모두 대상군/배제군에 대한 기준, 그리고 추적관찰의 기준에 대한 충분한 교육을 받을 것
④ 적극적 감시 기간 동안 환자의 삶의 질에 대한 평가가 이루어져야 하며 결과에 대한 임상연구가 반드시 수반되도록 할 것

4) 국내의 경험

서울아산병원에서는 2002년부터 2012년까지 수술 권유에도 불구하고 수술을 거절하거나 바로 수술을 하기 적절하지 않은 의학적 조건(동반된 다른 암종, 전신마취에 적합하지 않은 전신질환 등)이 있었던 192명의 환자를 대상으로 적극적 감시를 시행하였다.[18] 공격성암종이나 피막외 침윤 림프절전이 등의 위험인자가 있는 환자는 대상에서 제외되었다.

6개월에서 12개월 간격으로 초음파를 시행하였으며 중간값 31.2개월의 추적기간 중 27명(14%)의 환자에서 크기가 증가하였고 3 mm 이상 증가한 경우는 4명(2%)이었다. 특이한 것은 종양의 부피가 50% 이상 증가한 경우가 27명이었고 1명에서 림프절 전이가 새롭게 발견되었다. 24명의 환자에서 수술이 필요하였고 이 중 7명(29%)에서 림프절 전이가 발견되었다. 표 17-2와 17-3에 환자의 특성과 추적의 결과를 요약하였다.

3. 적극적 감시의 문제점

1) 근거문헌의 부족

적극적 감시에서 가장 문제가 되는 부분은 근거의 부족이다. Alhasemi 등의 체계적 문헌고찰에서도 결국 근거가 될만한 자료는 전술한 일본의 두 기관의 자료가 전부였기 때문에 두 기관의 보고가 가지는 후향적 연구의 한계를 감안해야 할 것이다.[19] 특히 갑상선유두암의 특성상 장기간의 추적 후가 문제가 되는데 갑상선암 환자 61,523명의 SEER 자료를 이용한 Nilubol 등의 보고에 의하면 1988년부터 2007년까지 갑상선암으로 인한 사망자 1,753명 중 1 cm 이하의 미세유두암으로 인한 사망이 7.7%, 1 cm에서 2 cm까지의 갑상선암으로 인한 사망은 12.8%로 2 cm 이하의 작은 갑상선암으로 인

한 사망이 전체 사망 중 20.5%를 차지함을 보고한바 있다.[20] 그러므로 작은 갑상선유두암이라 할지라도 수술이 필요한 경우가 분명히 있음을 반증하는 자료이고 대규모의 전향적 연구가 필수라 할 수 있다.

2) 고위험군의 선택

전술한 바와 같이 현재 진단 기술로는 적극적 감시 도중 종양이 진행할 환자를 선별하는 것이 불가능하므로 적극적 감시의 대상을 정하는 것은 신중해야 한다. 다만 최근 문헌에서 이러한 적극적 감시의 위험군을 선별하려 하는 시도를 하고 있는데 가장 중요한 요소는 환자의 연령으로 생각된다. Ito 등의 연구에 의하면 60세 이상에서는 10년 추적 후 3 mm 이상의 크기 증가, 림프절전이, 12 mm 이상의 크기로 진행함이 각각 4%, 0.5%, 2.5%의 환자에서 나타난 반면 40세 미만에서는 12.1%, 16.1%, 22.5%였고 40세에서 59세 사이의 환자에서도 각각 9.1%, 2.3%, 4.9%였다. 즉 추적 관찰해야 하는 시간이 길면 길수록 수술이 필요해질 확률이 높아진다고 볼 수 있고 비록 수술지연에 따르는 사망률 혹은 재발률의 차이가 없다고 하더라도 환자를 불필요한 위험에 빠뜨릴 수 있는 소지가 있다.[8]

Fukuoka 등은 적극적 감시 중 진행하는 갑상선암과 진행하지 않는 갑상선암의 초음파 소견에 차이가 있다고 보고하였는데 추적 중 종양 주위 혈관 분포가 감소할수록, 그리고 종양의 석회화 밀도가 증가할수록 종양이 진행하지 않는다고 보고하였다. 그러나 표본수가 작은 연구인데다가 일단 적극적 감시를 시행해야 판단이 가능하므로 임상적인 적용은 아직 어렵다고 볼 수 있다.[21] Hirokawa 등도 적극적 감시 도중 수술이 필요했던 환자의 병리조직을 분석하여 Ki-67 labeling index가 5% 이상인 경우, 갑상선 정상실질조직에서 사종체(psammoma body)가 발견되는 경우 그리고 갑상선 실질 내 전이가 있는 경우가 진행하지 않은 경우에 비해 수술이 필요했던 환자에서 더 많이 발견되었다고 보고하였

지만 역시 수술 전 알기는 힘든 소견이다.[21]

3) 환자의 삶의 질 Quality of life

적극적 감시를 시행하는데 있어서 고려해야 하는 다른 중요한 요소는 적극적 감시로 인해 환자의 삶의 질이 좋아지는가 하는 문제이다. 아직 갑상선 미세유두암에서의 적극적 감시에 대한 연구가 많지 않기 때문에 연구가 비교적 많이 되어 있는 전립선암의 경우를 원용하여 보면 전립선암에서는 적극적 감시를 시행한 군과 수술을 시행한 군 사이에 삶의 질의 차이는 크게 나지 않는 것으로 보인다. Carter 등은 전립선암에서 수술과 적극적 감시 사이에 불안, 우울, 그리고 전반적인 삶의 질에 차이가 나지 않는다고 체계적 문헌고찰을 통하여 발표하였고[23] Venderbos 등도 시간이 지남에 따라 적극적 감시를 환자의 불안감과 공포심은 감소한다고 발표하였다.[24] 그러나 갑상선 미세유두암의 경우 전립선암에 비해 비교적 젊은 환자가 많아 적극적 감시를 시행해야 되는 기간이 매우 길기 때문에 단순 비교는 어렵다고 할 수 있다. 특히 서울아산병원의 경우와 일본 Kuma병원의 경우 적극적 감시를 포기하게 되는 가장 중요한 이유가 환자의 불안감이라는 점을 고려할 때 적극적 감시를 시행시 환자의 삶의 질은 최우선적으로 고려해야 할 요소중의 하나이다(표 17-2).[18,25]

환자의 삶의 질과 연관하여 고려해야 할 다른 요소는 암이 진행 후 수술할 때 합병증의 발생이 증가할 것이라는 우려이다. Kuma병원의 보고로는 적극적 감시를 시행 중인 1,179명에서 지연 수술을 시행한 94명과 즉각적인 수술을 시행한 974명을 비교하여 일시적인 성대 마비, 일시적 혹은 영구적 부갑상선 기능저하증, 경부 창상, 수술 후 혈종 생성 등의 합병증이 즉각 수술을 시행한 군에서 더 많았다고 보고하였지만 자료를 자세히 분석하여 보면 이는 통계의 오류로 합병증 발생률을 비교할 때 지연 수술군의 분모를 수술을 시행한 환자가 아니라 적극적 감시를 한 모든 사람으로 계산하였기 때문에

표 17-2 | 적극적 감시에 참여한 갑상선미세유두암 환자의 초기 임상특성

	Total n = 192
Age at diagnosis (yrs)	51.3(42.9 – 59.5)
<45	61(32)
45~64	99(52)
≥65	32(17)
Sex (female)	145(76)
Maximal tumor diameter at diagnosis (mm)	5.5(4.2 – 6.9)
>5 mm	114 (59)
Tumor volume at diagnosis (mm³)	48.8(23.1 – 100.6)
Hashimoto's thyroiditis	42(22)
Reasons for active surveillance	
Refusal of patients	136(71)
Co-morbidities	
Malignant disease	48(25)
Cardiopulmonary disease	4(2)
Systemic disease	4(2)
Reasons for the decision of thyroid surgery	
Anxiety of patients	12(50)
Tumor enlargement	8(33)
Appearance of LN metastasis	1(4)
Tumor location near posterior capsule	2(8)
Co-existence of benign thyroid nodule	1(4)

Continuous variables are presented as medians (interquartile ranges). Categorical variables are presented as numbers (percentages).

올바른 비교가 아니고 지연 수술을 시행한 사람만으로 계산하여 보면 통계적인 유의성을 검증할 수는 없지만 지연 수술에서 재발, 사망을 포함한 합병증 발생이 더 많은 것으로 나타난다(표 17-4).[26]

물론 적극적 감시를 시행 중에 지연수술을 하더라도 대부분 갑상선반절제술이 가능하므로 합병증의 발생이 반드시 증가한다고 볼 수는 없지만 추적관찰이 누락된다면 진행이 많이 된 후 수술해야 되는 경우도 있을 수 있으므로 이를 염두에 두어야 할 것이다.

4) 비용효과분석 Cost-effective analysis

적극적 감시의 도입배경 중에 사회경제적인 비용증가가 있기 때문에 비용효과분석은 반드시 고려해야 될 요소 중의 하나이다.

현재까지 비용효과분석에 대한 연구는 홍콩과 일본 그리고 미국에서 시행되었는데 홍콩과 일본에서는 적극적 감시가 더 비용효과분석이 좋은 것으로 그리고 미국에서는 특정 집단에서만 비용효과가 더 좋은 것으로 나타났다.

홍콩의 Lang 등은 40세의 여자 환자를 기준 모델로 하여 분석한 결과 적극적 감시를 시작하고 16년까지는 적극적 감시의 비용이 더 저렴하며 17년 이후부터는 적극적 감시의 비용이 발견 후 즉시 수술하는 경우보다 증가하지만 삶의 질 관련지수가 좋아지기 때문에 편의성 면에서 우월하여 적극적 감시가 단기간뿐 아니라 장기적으로도 비용효과에서 더 우월하다고 보고하였다.[27]

일본 Kuma병원의 Oda 등도 Kuma병원의 코호트를 이용하여 비용효과분석을 하였는데 10년간의 비용효과분석에서 즉각적 수술의 경우 적극적 감시보다 4.1배 더 비용이 들었다고 보고하였다.[28] 미국의 Venkatesh 등은 적극적 감시를 선택한 환자의 경우 불안감 등으로 건강상태가 완벽하지 않을 수 있다는 점에 착안하여 비용효과모델을 새롭게 제시하였고 별 다른 합병증없이 갑상선반절제를 한 경우에 비해 적극적 감시를 택한 환자가 느끼는 건강상태의 차이가 크다면 적극적 감시의 비용효과가 떨어진다고 보고하였고 추적기간이 길어질수록 즉각적인 수술의 비용효과가 좋다고 보고하였다.[29]

표 17-3 | 적극적 감시 기간 중 종양 크기의 변화를 보인 갑상선미세유두암 환자의 임상특성

	Decreasing $n = 33(17\%)$	Stable $n = 132(69\%)$	Increasing $n = 27(14\%)$	P
Age at diagnosis (yrs)	53.6(41.6 – 60.3)	51.8(43.5 – 59.7)	47.3(41.2 – 58.7)	0.5[a]
<45	10(30)	40(30)	11(41)	
45~64	16(48)	71(54)	12(44)	0.8[b]
≥65	7(21)	21(16)	4(15)	
Sex (female)	28(85)	95(72)	22(81)	0.2[b]
Maximal tumor diameter at diagnosis (mm)[c]	6.0(5.0~7.7)[d]	5.5(4.5~6.7)[d]	4.5(3.5~5.8)[e]	0.002[a]
>5 mm[c]	24(73)[d]	82(62)[d]	8(30)[e]	0.002[b]
Tumor volume at diagnosis (mm³)[c]	79.6(48.5~125.8)[d]	47.5(26.5~100.6)[d]	23.0(12.9~54.0)[e]	0.001[a]
Hashimoto's thyroiditis	7(21)	29(22)	6(22)	0.9[b]

Continuous variables are presented as medians (interquartile ranges).
Categorical variables are presented as numbers (percentages).
[a] P-value estimated by Kruskal-Wallis test.
[b] P-value estimated by Chi-square or Fisher's exact test.
[c, d, e] Post-hoc analysis was evaluated by Bonferroni correction method. The same letters indicate

표 17-4 | 적극적 감시와 즉각적 수술에서의 치료합병증 비교

	Delayed surgery	Immediate surgery
No of patients	94	974
Unfavorable events		
Temporary VCP	7/94(7.4%)	40/974(4.1%)
Permanent VCP	0/94(0.0%)	2/974(0.2%)
Temporary Hypo-P	33/94(35.1%)	163/974 (16.7%)
Permanent Hypo-P	1/94(1.1%)	16/974(1.6%)
Recurrence	1/94(1.1%)	5/974(0.5%)
Death	3/94(3.2%)	5/974(0.5%)

* VCP: vocal cord palsy, Hypo-P: Hypo-parathyroidism, Statistical analysis is not available.
* Adapted and Modified from Oda H, Miyauchi A, Ito Y, et al. Incidences of Unfavorable Events in the Management of Low-Risk Papillary Microcarcinoma of the Thyroid by Active Surveillance Versus Immediate Surgery. Thyroid 2016; 26:150-5.

이러한 비용효과 분석은 각국의 의료제도, 비용, 환자들의 의료기관 이용 행태, 추적 기간 동안의 삶의 질에 대한 분석 등에 의해 영향 받을 수밖에 없어 외국의 예를 우리나라에 적용하기는 어렵지만 장기간의 추적 끝에 결국 수술이 필요하게 된다면 비용효과는 떨어질 수밖에 없다는 것을 고려하여야 하고(홍콩의 경우 1년 후 수술을 하는 것으로 가정하였음) 특히 우리나라에 비해 일본의 초음파 가격이 3배 이상 저렴하기 때문에 일본의 경우 특히 초음파를 통한 적극적 감시가 비용효과적인 면에서 우월할 수 밖에 없다는 점을 감안해야 할 것이다. 특히 적극적 감시 기간 동안 환자의 삶의 질이 비용효과를 결정하는 데 있어서 가장 중요한 요인이 될 것이며 또한 즉시 수술을 할 경우 환자에게 발생하는 합병증을 최소화하려는 노력이 필요하다.

요약

적극적 감시는 적절하게 선택된 갑상선 미세유두암환자에서 즉각적인 수술을 대신하는 좋은 대안이 될 수 있다. 그러나 환자의 선택을 신중하게 하여야 하며 적극적 감시를 선택한 모든 환자들이 전향적인 연구에 포함되도록 동의서를 포함한 임상시험 연구를 잘 설계하여야 한다. 이러한 임상연구를 통하여 아직 해결되지 않은 문제점들이 해결될 수 있을 것이다.

REFERENCES

1. Oh CM, Won YJ, Jung KW, et al. Cancer Statistics in Korea: Incidence, Mortality, Survival, and Prevalence in 2013. Cancer Res Treat 2016;48:436-50.

2. Ahn HS, Kim HJ, Welch HG. Korea's thyroid-cancer "epidemic"--screening and overdiagnosis. N Engl J Med 2014; 371:1765-7.

3. Dahabreh IJ, Chung M, Balk EM, et al. Active surveillance in men with localized prostate cancer: a systematic review. Ann Intern Med 2012;156:582-90.

4. Chen RC, Rumble RB, Loblaw DA, et al. Active Surveillance for the Management of Localized Prostate Cancer (Cancer Care Ontario Guideline): American Society of Clinical Oncology Clinical Practice Guideline Endorsement. J Clin Oncol 2016;34:2182-90.

5. Edge SB, American Joint Committee on Cancer. Thyroid cancer. In: Edge SB, ed. AJCC cancer staging manual, 7th ed. New York: Springer, 2010:87-96.

6. Youngwirth LM, Adam MA, Scheri RP, et al. Patients Treated at Low-Volume Centers have Higher Rates of Incomplete Resection and Compromised Outcomes: Analysis of 31,129 Patients with Papillary Thyroid Cancer. Ann Surg Oncol 2016;23:403-9.

7. Ito Y, Uruno T, Nakano K, et al. An observation trial without surgical treatment in patients with papillary microcarcinoma of the thyroid. Thyroid 2003;13:381-7.

8. Ito Y, Miyauchi A, Kihara M, et al. Patient age is significantly related to the progression of papillary microcarcinoma of the thyroid under observation. Thyroid 2014;24:27-34.

9. Sugitani I, Toda K, Yamada K, et al. Three distinctly different kinds of papillary thyroid microcarcinoma should be recognized: our treatment strategies and outcomes. World J Surg 2010;34:1222-31.

10. Haugen BR, Alexander EK, Bible KC, et al. 2015 American Thyroid Association Management Guidelines for Adult Patients with Thyroid Nodules and Differentiated Thyroid Cancer: The American Thyroid Association Guidelines Task Force on Thyroid Nodules and Differentiated Thyroid Cancer. Thyroid 2016;26:1-133.

11. Yi KH. The Revised 2016 Korean Thyroid Association Guidelines for Thyroid Nodules and Cancers: Differences from the 2015 American Thyroid Association Guidelines. Endocrinol Metab (Seoul) 2016;31:373-8.

12. Perros P, Boelaert K, Colley S, et al. Guidelines for the management of thyroid cancer. Clin Endocrinol (Oxf) 2014;81 Suppl 1:33-7.

13. Gharib H, Papini E, Garber JR, et al. American Association of Clinical Endocrinologists, American College of Endocrinology, and Associazione Medici Endocrinologi Medical Guidelines for Clinical Practice for The Diagnosis and Management of Thyroid Nodules--2016 Update. Endocr Pract 2016;22:622-39.

14. Brito JP, Ito Y, Miyauchi A, et al. A Clinical Framework to Facilitate Risk Stratification When Considering an Active Surveillance Alternative to Immediate Biopsy and Surgery in Papillary Microcarcinoma. Thyroid 2016;26:144-9.

15. Ito Y, Oda H, Miyauchi A. Insights and clinical questions about the active surveillance of low-risk papillary thyroid microcarcinomas [Review]. Endocr J 2016;63:323-8.

16. Ito Y, Miyauchi A, Oda H, et al. Revisiting Low-Risk Thyroid Papillary Microcarcinomas Resected Without Observation: Was Immediate Surgery Necessary? World J Surg 2016;40:523-8.

17. Haser GC, Tuttle RM, Urken ML. Challenges of Active Surveillance Protocols for Low-Risk Papillary Thyroid Microcarcinoma in the United States. Thyroid 2016;26:989-90.

18. Kwon H, Oh HS, Kim M, et al. Active Surveillance for Patients With Papillary Thyroid Microcarcinoma: A Single Center's Experience in Korea J Clin Endocrinol Metab. 2017, 102:1917-25.

19. Alhashemi A, Goldstein DP, Sawka AM. A systematic review of primary active surveillance management of low-risk papillary carcinoma. Curr Opin Oncol 2016;28:11-7.

20. Nilubol N, Kebebew E. Should small papillary thyroid cancer be observed? A population-based study. Cancer 2015;121:1017-24.

21. Fukuoka O, Sugitani I, Ebina A, et al. Natural History of Asymptomatic Papillary Thyroid Microcarcinoma: Time-Dependent Changes in Calcification and Vascularity During Active Surveillance. World J Surg 2016;40:529-37.

22. Hirokawa M, Kudo T, Ota H, et al. Pathological characteristics of low-risk papillary thyroid microcarcinoma with progression during active surveillance. Endocr J 2016;63:805-10.

23. Carter G, Clover K, Britton B, et al. Wellbeing during Active Surveillance for localised prostate cancer: a systematic review of psychological morbidity and quality of life. Cancer Treat Rev 2015;41:46-60.

24. Venderbos LD, van den Bergh RC, Roobol MJ, et al. A longitudinal study on the impact of active surveillance for prostate cancer on anxiety and distress levels. Psychooncology 2015;24:348-54.

25. Ito Y, Miyauchi A, Inoue H, et al. An observational trial for papillary thyroid microcarcinoma in Japanese patients. World J Surg 2010;34:28-35.

26. Oda H, Miyauchi A, Ito Y, et al. Incidences of Unfavorable Events in the Management of Low-Risk Papillary Microcarcinoma of the Thyroid by Active Surveillance Versus Immediate Surgery. Thyroid 2016;26:150-5.

27. Lang BH, Wong CK. A cost-effectiveness comparison between early surgery and non-surgical approach for incidental papillary thyroid microcarcinoma. Eur J Endocrinol 2015;173:367-75.

28. Oda H, Miyauchi A, Ito Y, et al. Comparison of the costs of active surveillance and immediate surgery in the management of low-risk papillary microcarcinoma of the thyroid. Endocr J 2016.

29. Venkatesh S, Pasternak JD, Beninato T, et al. Cost-effectiveness of active surveillance versus hemithyroidectomy for micropapillary thyroid cancer. Surgery 2016.

갑상선여포암

Follicular Carcinoma of the Thyroid

| 이화여자대학교 의과대학 외과　**문병인**

1. 역학 및 원인인자

갑상선여포암은 분화갑상선암의 한 종류로, 갑상선암 중 여포암이 차지하는 비율은 인구 집단과 요오드 섭취량에 따라 차이가 있다. 외국의 경우 전체 갑상선암의 약 9~40% 정도를 차지하는 것으로 보고되며, 국내에서는 14.5~17.7% 정도로 보고되고 있다.[1,2]

갑상선여포암은 주로 요오드 결핍지역에서 발생률이 높은 것으로 알려져 있으며, 이는 아마도 요오드 섭취 부족으로 인한 갑상선자극호르몬(TSH)의 상승과 관련이 있을 것으로 생각된다.[3-6] 또한 요오드 결핍 지역에는 셀레늄 결핍이 동반되는 경우가 많은데, 셀레늄 결핍이 세포 분화 과정에서 이상을 일으킨다는 주장도 있다. 이외에는 과거 두경부 방사선 조사를 받은 과거력이 여포암의 발생을 높이는 위험인자이다. 비록 유두암이 방사선 노출과 가장 관련이 깊은 갑상선암이라고 밝혀져 있지만, 과거 구소련의 체르노빌 원자력 발전소 사건 이후 여포암의 발생 증가가 보고된 점을 고려하여 볼 때, 방사선 노출 경력 또한 여포암의 발생 인자로 생각된다.[7,8] 가드너증후군(Gardner's syndrome)과 코우덴증후군(Cowden's syndrome)에서도 여포성 종양의 빈도가 상승하는 것으로 보고되었다. 마지막으로, 여포암은 유두암과 마찬가지로 여성에서 2배에서 5배 정도 많이 발생한다. 이러한 점을 고려하여 볼 때, 여성호르몬인 에스트로겐이 위험인자가 될 수 있다는 보고도 있다.[9]

2. 여포암의 임상 양상

갑상선여포암의 호발 연령은 유두암보다는 약간 높은 것으로 알려져 있으며, 주로 50대에서 호발하는 것으로 보고되고 있다.[10] 우리나라의 경우, 홍과 이는 30~40대에서 여포암이 호발하는 것으로 보고하였다.[2] 남녀 발생비는 약 1:2에서 1:5까지 보고되고 있다.[10] 대부분의 여포암은 단일 결절의 형태로 존재하는 것으로 알려져 있다. 여포암의 전이는 주로 혈행성 전이를 하며, 원격전이의 주 장소는 뼈, 폐 등으로 알려져 있다. 이러한 원격전이는 진단 당시 전체 여포암 환자의 10~15% 정도에서 존재한다고 한다.[11-13] 이에 반해 림프절 전이는 유두암에 비해 적은 편으로 알려져 있으며, 림프절 전이의 빈도는 15~20% 정도로 보고되고 있다.[12]

여포암 환자에서 갑상선 기능 검사는 대부분 정상이나, 갑상선 글로불린(thyroglobulin)이 가끔씩 상승하는 경우가 있기도 하다.[16] 갑상선 스캔 검사를 시행하였을 때, 여포암의 경우는 대부분 냉결절(cold nodule)이나, 드문 경우 온결절(warm nodule)이나 열성 결절(hot nodule)로 나타나기도 한다. 갑상선암에서 이러한 기능성 결절 소견을 보이는 경우, 유두암의 가능성보다는 여포암의 가능성이 더 높은 것으로 알려져 있다.[10]

3. 여포암의 진단과 병리학적 특성

갑상선에 암이 의심되는 결절이 있을 때는 우선 세침흡인검사를 통하여 악성 여부를 판별하게 된다. 여포암의 진단은 갑상선여포세포의 피막, 혈관, 조직 내 림프관, 주위 조직으로의 침윤 및 원격전이 여부 등으로만 조직학적 진단이 가능하므로, 유두암과 달리 여포암은 수술 전 세침흡인검사나 수술 중 동결절편 조직검사로서 정확한 진단을 하기 어렵다.

갑상선여포암은 혈관과 피막의 침윤정도에 따라 미세침윤형(minimally invasive type)과 광범위 침윤형(widely invasive type)으로 구분할 수 있다(표 18-1). 미세침윤형의 경우는 종양의 크기가 작으며 피막의 형성이 잘되어 있는 것처럼 보여, 육안적으로는 여포선종과의 감별이 어렵다. 하지만 현미경하에서는 혈관이나 피막 미세침습 소견을 확인할 수 있어 진단이 가능하며, 대부분의 경우 좋은 예후를 보이고 양성 여포종양과 비슷한 행태를 보인다.[15] 하지만 미세침윤형 여포암 중에서도 피막이나 혈관침범에 따라 서로 다른 예후를 나타낸다는 보고들도 있고, 특히 피막침범에 관계없이 혈관침범이 있는 미세침윤형의 경우 이를 중등도 침윤형으로 분류하기도 한다.[16-18] 광범위 침윤형 여포암의 경우에는 종양의 크기가 미세침윤형의 경우보다 매우 크며 주변 조직으로의 명백한 침윤을 보인다. 이러한 광범위 침윤형 여포암의 경우, 갑상선엽 전체를 차지하거나 갑상선 주변 연부 조직으로의 침윤을 보이기도 한다. 크기가 4 cm 이상의 여포종양이 있을 때 악성의 가능성은 약 40% 정도로 보고되어 있다.[14]

여포암과 감별을 요하는 질환으로 유두암의 여포변이(follicular variant of papillary thyroid carcinoma)가 있는데, 이는 순수한 여포암과 감별이 쉽지 않은 경우가 많다. 여포변이 유두암의 경우 대부분의 종양이 여포로 구성되어 있지만 세포핵이 유두암 소견을 갖고 있는 것이 특징으로, 만약 사종체(psammoma body) 또는 광학적으로 투명학 핵(Orphan Annie nuclei)이 동반되어 있으면 이는 여포변이 유두암으로 진단하여야 한다. 이러한 여포변이 유두암은 유두암과 여포암의 중간 정도의 경과를 보이는 것으로 알려져 있다.[19] 또한 여포암과 감별해야 할 질환으로 휘틀세포암이 있는데, 휘틀세포암이 독립된 질환인지 여포암의 변이인지에 대해서는 아직 논란이 있다. 휘틀세포암의 경우 전체 갑상선암의 약 3% 정도를 차지하는 것으로 알려져 있으며, 휘틀세포암의 경우 여포암보다 국소재발, 원격전이 환자의 비율이 높으며 사망률이 높은 것으로 알려져 있다.[20]

이외에 여포암의 경우 병리형태가 작은 여포들을 형성하는 종양세포들이 군집을 이루는 모양을 보이는 "insular component"를 가지는 종류가 보고되기도 하였는데, 이러한 "insular component"의 존재는 좀 더 공격적인 형태의 여포암과 관련이 있다고 한다.[21,22]

4. 여포암의 분자생물학

대부분의 여포선종과 여포암은 단세포군 기원으로 알려져 있다. RET변이는 주로 유두암에 특이적인 것으로 알려져 있으며, 여포암의 경우는 RAS 변이가 특이적인 것으로 알려져 있다. RAS변이의 경우 여포종양에서 약 19% 정도, 여포암의 경우는 약 50% 정도까지도 변이가 있는 것으로 보고되었으며, 이러한 RAS변이는 불량한 예후와 관련이 있는 것으로 보고되었다.[23-26] 또한 PAX8/PPARγ 재배열의 경우 여포암의 25~50% 정도에서 보고되었으며, 이는 염색체 3p25와 2q13의 전위에 의해 발생한다고 한다. 이렇게 발생된 PAX8/PPARγ 종양유전자는 세포의 성장을 촉진시키며, 세포자멸사의 비율을 감소시킨다. 또한 갑상선암 세포주 실험에서는 PAX8/PPARγ이 세포의 성장억제 기전을 막는 것으로 보고되어 있다.[27-30]

p53 발현여부와 분화도가 나쁜 여포암과는 관련성이 있다는 보고가 있으나, 여포암의 발생 과정에 있어서 p53의 역할은 아직까지 불분명하다. 또한 72-KD 4형 콜라겐 분해효소의 변이가 종종 여포선종과 여포암에서

표 18-1 | 갑상선여포암의 분류

	미세침윤형			광범위 침윤형
	피막 침범만 있는 경우	제한된(<4) 혈관침범	혈관침범(≥4)	
진단 시 나이		45~50세		50대 중반
림프절 전이	없음	드묾	드묾	흔함(~20%)
국소 재발	없음	드묾	드묾	보통
원격 전이	~0%	~5%	보통	흔함(29~69%)
장기 사망률	~0%	3~5%	~18%	30~50%
권장 치료	엽절제술	엽절제술 및 TSH억제치료	전절제술, 방사성요오드치료 및 TSH억제치료	전절제술, 방사성요오드치료 및 TSH억제치료

TSH (thyroid stimulating hormone, 갑상선자극호르몬)

관찰되며, 이러한 단백질의 과발현은 피막침범 및 혈관침범을 유도하는 기저막의 분해와 관련이 있을 것으로 생각된다. 이외에 PIK3CA 증폭, PTEN 변이, 염색체 3p, 10q, 13q의 이형접합성소실(loss of heterozygosity) 등이 여포암에서 보고되었다.[14,31-34]

5. 여포암의 치료

1) 수술적 치료

여포암의 치료는 다른 분화갑상선암과 마찬가지로 수술적 치료가 기본적인 치료이다. 대부분의 환자에서 수술적 치료가 권고되며, 종양의 크기가 1 cm 이상인 경우 갑상선 절제술은 사망률과 재발률을 낮추어주는 것으로 보고되고 있다. 하지만 여포암의 수술적 치료 범위에 대해서는 이견이 존재한다. 미세침윤형 여포암이면서 재발 위험이 낮은 경우, 특히 종양이 갑상선 안에만 국한되어 있는 경우, 1 cm 미만으로 종양의 크기가 작은 경우, 45세 미만의 젊은 사람, 주변 경부 림프절전이가 없

는 경우 등에서는 갑상선 엽절제술로 충분하다는 주장이 많다.[35] 하지만 여포암의 10%는 다발성 결절이 있거나 림프절 전이가 있을 수 있어, 갑상선 전절제를 권유하는 주장도 있다. 따라서 갑상선 주위의 림프절 전이 소견이 있거나 주위 조직으로의 침윤 소견이 있는 경우, 반대편 엽에 갑상선 결절이 있는 경우, 경부에 방사선 조사의 과거력이 있는 경우, 1세대 내 갑상선 가족력이 있는 경우 등은 갑상선 전절제술 또는 갑상선 근전절제술을 시행하는 것을 권유한다.[11,36,37] 특히 방사선에 대한 노출 경력은 다발성 질환에 대한 위험률을 증가시키며, 또한 재발의 위험성을 증가 시키는 것으로 알려져 있어 갑상선 전절제술이 유리하다.[38] 이러한 갑상선 전절제술은 반대편에 있는 육안적으로 보이거나 또는 잠재적인 질환을 제거함과 동시에, 방사성동위원소 치료를 용이하게 하며, 또한 수술 후 갑상선 글로불린 추적검사를 용이하게 할 수 있다는 장점이 있다.[10] 또한 원격전이가 있는 환자의 경우에는 갑상선 전제술을 시행하여야 한다. 만약 이러한 환자에게서 원격전이 부위에 절제할 수 있는 단독 병변이 있으면, 절제를 시행하여야 하며, 이는 환자의 생존을 증가시킨다. 하지만 다발성의 원격전이가 존재하는 경우에는 수술 후 동위 원소 치료를 시행 하도록 한다. 앞에서도 언급하였지만 여포암의

진단에 있어서의 동결절편 조직 검사는 한계가 있기 때문에 수술장에서 외과의사의 세심한 수술 소견의 판단과 동결절편 조직검사 결과의 종합적 판단이 수술 방법을 결정하는데 있어서 매우 중요하다.

동결절편 조직 검사에서 양성 여포종양 소견을 보였으나, 영구 조직 검사 결과에서 광범위 침윤성 여포암으로 확인 된 경우에는 잔존 갑상선절제술의 적응증이 된다. 이러한 경우 예방적 경부 중앙 림프절절제술을 함께 시행하는 것이 권고된다.[41] 미세침윤성 여포암의 경우 크기가 4 cm 미만이고, 반대측에 결절이 없으며, 림프절 이상 소견이 없다면 엽절제술만으로 충분한 경우가 많다.

2) 보조 치료

여포암에서의 티록신(thyroxine) 경구 투여에 의한 갑상선자극호르몬 억제치료는, 갑상선자극호르몬에 의한 갑상선암의 성장을 차단하여 재발을 감소시키는 것으로 알려져 있다. 하지만 갑상선자극호르몬 수치가 매우 낮게 유지되면 골다공증이나 갑상선기능항진증의 증상이 발생할 수 있기 때문에 적정 수준의 갑상선자극호르몬 수치를 유지시키는 것이 중요하다. 보통 0.1~0.5 mU/mL의 갑상선자극호르몬 수치를 유지하는 것이 추천되지만, 고위험군이나 원격전이가 있는 환자는 0.1 mU/mL 미만으로 유지하는 것이 좋다.[38] 이러한 티록신 경구 투여에 의한 갑상선자극호르몬 억제 요법은 수술 직후부터 시작하는 것을 권고한다.

방사성요오드 치료는 환자의 임상병리학적 소견, 특히 원격전이, 육안적인 주변 조직 침윤, 림프절 전이, 종양의 크기, 조직형을 고려하여 결정하며, 재발의 고위험군인 경우는 방사성요오드 치료 시행을 권고한다.[38] 215명의 환자를 대상으로 한 후향적 연구에 따르면 방사성요오드 치료는 재발률 및 사망률을 75%까지 낮출 수 있는 것으로 보고되었다.[40] 또한 미국 암등록자료를 이용한 연구에서도 2 cm 이상의 종양, 국소 침범 또는

원격전이가 있는 갑상선여포암 환자는 방사성요오드 치료의 이득이 있음을 보고하였다.[41]

여포암 환자에서 항암 약물 치료와 방사선 치료의 효과는 아직까지 명확하지 않다. 방사선 조사의 경우는 육안적 종양을 다 제거하지 못하였을 경우나 경부에 종양이 재발하였을 경우, 골전이로 인하여 통증이 있을 경우 및 병적 골절의 가능성이 있는 경우, 신경학적 증상이 있거나 종양을 수술로서 제거할 수 없을 경우에 시행을 고려한다. 항암 치료의 효과는 불분명하나, 방사성요오드 치료에 반응이 없는 종양의 경우 방사선 치료와 함께 doxorubicin 항암 요법을 시도해 볼 수 있다.[14,38]

6. 예후 및 예후인자

여포암에서의 전체적인 예후는 유두암에서보다 약간 나쁜 것으로 알려져 있다.[42-44] 환자의 나이는 여포암에서 가장 중요한 예후 인자로 생각되며, 환자의 나이가 젊을수록 예후가 좋은 것으로 알려져 있다.[10,14] 재발률과 사망률에 관하여서는 미세침윤형의 경우 재발률은 평균 18.2%(5~42.8%), 사망률은 평균 13.9%(2~42.8%) 정도로 보고되고 있으며, 미세침윤형의 경우 중 피막 침범만 있었던 경우는 약 7% 정도에서, 피막 침범과 상관없이 혈관 침범이 있었던 경우에는 약 17% 정도의 재발률이 보고되기도 하였다. 광범위 침윤형 여포암의 경우는 재발률이 평균 55.8%(33~90%), 사망률은 평균 50.2%(16~81%)로 보고되어, 미세침윤형 여포암보다 나쁜 예후를 나타내었다.[16,17,45] Shaha 등은 갑상선여포암으로 치료받은 환자들을 나이, 종양의 크기, 원격전이 여부, 주위조직으로의 침윤 여부, 조직학적 형태 등을 기준으로 하여 환자들을 저위험군, 중등도 위험군, 고위험군으로 구분하여 이들의 생존률을 분석하였다.[1] 이들 모든 환자군에서의 5년, 10년, 20년 생존율은 각각 85%, 80%, 76%로 나타났다. 10년과 20년 생존율의 경우 저위험군의 경우 각각 98%, 97%였으며, 중등도 위험군의 경

우 88%, 87%로 나타났다. 고위험군의 경우 10년과 20년 생존율은 56%와 47%로 보고되었다.

유두암에 비해 늦은 단계에서 발견되고 사망률이 높은 경향이 있다. 이는 여포암이 세침흡인검사로 진단이 어렵기 때문으로 생각되며, 분자유전학적인 지표가 진단에 도움이 될 수 있다. 수술적 치료가 기본이며, 고위험군 환자에서는 방사성요오드 치료 및 적절한 보조적 치료를 시행하여야 한다.

요약

갑상선여포암은 분화갑상선암의 두 번째로 흔한 형태로,

REFERENCES

1. Shaha A, Loree TR, Shah JP. Prognostic factors and risk group analysis in follicular carcinoma of the thyroid, Surgery 1995;118:1131-6;discussion 1136-8.

2. Hong EK, LEE JD. A National study on Biopsy-Confirmed Thyroid Diseases Among Koreans: An Analysis of 7758 Cases. J Korean Med Sci 1990;5:1-12.

3. Williams ED, Doriach I, Bjarnason O, Michie W. Thyroid cancer in an iodide rich area: a histopathological study. Cancer 1977;39:215-22.

4. Cuello C, Correa P, Eisenberg H. Geographic pathology of thyroid carcinoma. Cancer 1969;23:230-9.

5. Franssila KO, Ackerman LV. Follicular carcinoma. Semin Diagn Pathol 1985;2:101-22.

6. Franceschi S. Iodine intake and thyroid carcinoma: a potential risk factor. Exp Clin Endocrinol Diabetes 1998;106:S38-44.

7. Nikiforov YE, Heffess CS, Korzenko AV, Fagin JA, Gnepp DR. Characteristics of follicular tumors and nonneoplastic thyroid lesions in children and adolescent exposed to radiation as a result of the Chernobyl disaster. Cancer 1995;76:900-9.

8. Pacini F, Vorontsova T, Demidchik EP, Molinaro E, Agate L, Romei C, et al. Post-Chernobyl thyroid carcinoma in Belarus children and adolescent: comparison with naturally occurring thyroid carcinoma in Italy and France. J Clin Endocrinol Metab 1997;82:3563-9.

9. Ingbar SH, Braverman LE. Werner's thyroid: fundamental and clinical text. 5th ed. Philadelphia:JB Lippincott;1986.

10. Doherty GM. Follicular Neoplasm of the Thyroid. In: Clark O, Duh QY, Kebebew E, editors. Textbook of Endocrine surgery. 2nd ed. Philadelphia: Elsevier Saunders; 2005.p.115-122.

11. Shaha AR, Shah JP, Loree TR. Differentiated thyroid cancer presenting initially with distant metastasis. Am J Surg 1997;174:474-6.

12. Shaha AR, Shaha JP, Loree TR. Patterns of nodal and distant metastasis based on histologic varieties in differentiated carcinoma of the thyroid. Am J Surg 1996;172:692-4.

13. Mazzaferri E, Jhiang S. Long term impact of initial surgical and medical therapy on papillary and follicular thyroid cancer. Am J Med 1994 ;97:418-28.

14. Shaha AR, Shah JP. Follicular Carcinoma of the Thyroid. In: Randolph GW, editor. Surgery of the Thyroid and Parathyroid Glands, Elsevier Saunders; 2003. P.212-218.

15. van Heerden JA, Hay ID, Goellner JR, Salomao D, Ebersold JR, Bergstralh EJ, et al. Follicular thyroid carcinoma with capsular invasion alone: A nonthreatening malignancy. Surgery 1992;112:1130-6.

16. Emerick GT, Duh QY, Siperstein AE, Burrow GN, Clark OH. Diagnosis, treatment, and outcome of follicular thyroid carcinoma. Cancer 1993;72:3287-95.

17. D'Avanzo A, Treseler P, Ituarte PH, Wong M, Streja L, Greenspan FS, et al. Follicular thyroid carcinoma: histology and prognosis. Cancer 2004;100:1123-9.

18. Lee JG, Park YS, Kim CS, Yoo BO. Histologic degree of invasion and prognosis in follicular thyroid carcinoma. Korean J Endocrine Surg 2006;6:94-7.

19. Tielens ET, Sherman SI, Hruban RH, Ladenson PW. Follicular variant of papillary thyroid carcinoma. Cancer 1994;73:424-31.

20. Mills SC, Haq M, Smellie WJ, Harmer C. Hürthle cell carcinoma of the thyroid: Retrospective review of 62 patients treated at the Royal Marsden Hospital between 1946 and 2003. Eur J Surg Oncol 2009;35:230-4.

21. Carcangiu ML, Zampi C, Rosai J. Poorly differentiated ("insular") thyroid carcinoma. A reinterpretation of Langhans' "wuchernde Struma". Am J Surg Pathol 1984;8:655-68.

22. Pilotti S, Collini P, Mariani L, Placucci M, Bongarzone I, Vigneri P, et al. Insular carcinoma: A distinct de novo entity among follicular carcinomas of thyroid gland. Am J Surg Pathol 1997;21:1466-73.

23. Esapa CT, Johnson SJ, Kendall-Taylor P, Lennard TW, Harris PE. Prevalence of ras mutations in thyroid neoplasia. Clin Endocrinol (Oxf) 1999;50:529-35.

24. Shi YF, Zou MJ, Schmidt H, Juhasz F, Stensky V, Robb D, et al. High rates of ras codon 61 mutation in thyroid tumors in an iodide-deficient area. Cancer Res 1991;51:2690-3.

25. Suarez HG, du Villard JA, Severino M, Caillou B, Schlumberger M, Tubiana M, et al. Presence of mutations in all three ras genes in human thyroid tumors. Oncogene 1990;5:565-70.

26. Garcia-Rostan G, Zhao H, Camp RL, Pollan M, Herrero A, Pardo J, et al. Ras mutations are associated with aggressive tumor phenotypes and poor prognosis in thyroid cancer. J Clin Oncol 2003;21:3226-35.

27. Mclever B, Grebe SK, Eberhardt NL, The PAX8/PPAR gamma fusion oncogenes as a potential therapeutic target in follicular thyroid carcinoma. Curr Drug Targets Immune Endocr Metabol Disord 2004;3:221-34.

28. Cheung L, Messina M, Gill A, Clarkson A, Learoyd D, Delbridge L, et al. Detection of the PAX8-PPAR gamma fusion oncogene in both follicular thyroid carcinomas and adenomas. J Clin Endocrinol Metab 2003;88(1):354-7.

29. Marques AR, Espadinha C, Frias MJ, Roque L, Catarino AL, Sobrinho LG, et al. Underexpression of peroxisome proliferator activated receptor (PPAR) gamma in PAX8/PPARyammanegative thyroid tumours. Br J Cancer 2004;91:732-8.

30. Eberhardt NL, Grebe SK, McIver B, Reddi HV. The role of the PAX8/PPARyamma fusion oncogene in the pathogenesis of follicular thyroid cancer. Mol Cell Endocrinol 2010 28;321:50-6.

31. Aogi K, Kitahara K, Buley I, Backdahl M, Tahara H, Sugino T, et al. Telomerase activity in lesions of the thyroid: application to diagnosis of clinical samples including fine-needle aspirates. Clin Cancer Res 1998;4:1965-70.

32. Suarez HG, du Villard JA, Caillou B, Schlumberger M, Parmentier C, Monier R. Gsp mutation in human thyroid tumours. Oncogene 1991;6:677-9.

33. Goretzki PE, Lyons J, Stacy-Phipps S, Rosenau W, Demeure M, Clark OH, et al. Mutational activation of RAS and GSP oncogenes in differentiated thyroid cancer and their biological implications. World J Surg 1992;16:576-81;discussion 581-2.

34. Handkiewicz-Junak D, Czarniecka A, Jarzab B. Molecular prognostic markers in papillary and follicular thyroid cancer: Current status and future directions. Mol Cell Endocrinol 2010;322:8-28.

35. Dionigi G, Kraimps JL, Schmid KW, Hermann M, Sheu-Grabellus SY, De Wailly P, et al. Minimally invasive follicular thyroid cancer (MIFTC)-a consensus report of the European society of endocrine surgeons (ESES). Langenbecks Arch Surg 2014;399:165-84.

36. Hay ID, Thompson GB, Grant CS, Bergstralh EJ, Dvorak CE, Gorman CA, et al. Papillary thyroid carcinoma managed at the Mayo Clinic during six decades (1940-1999): temporal trends in initial therapy and long-term outcome in 2444 consecutively treated patients. World J Surg 2002;26:879-85.

37. Sanders LE, Cady B. Differentiated thyroid cancer: reexamination of risk groups and outcome of treatment. Arch Surg 1998;133:419-25.

38. Yi KH. The revised 2016 Korean thyroid association guidelines for thyroid nodules and cancers: differences from the 2015 American thyroid association guidelines. Endocrinol Metab 2016;31:373-8.

39. Monchik JM, DeLellis RA. Re-operative neck surgery for well-differentiated thyroid cancer of follicular origin. J Surg Oncol 2006;94:714-8.

40. Chow SM, Law SC, Mendenhall WM, et al. Follicular thyroid carcinoma: prognostic factors and the role of radioiodine. Cancer 2002;95:488-98.

41. Podnos YD, Smith D, Wagman LD, et al. Radioactive iodine offers survival improvement in patients with follicular carcinoma of the thyroid. Surgery 2005;138:1072-6.

42. Akslen LA, Haldorsen T, Thoresen SO, Glattre A. Survival and causes of death in thyroid cancer: A population-based study of 2479 cases from Norway. Cancer Res 1991;51:1234-41.

43. Balan KK, Raouf AH, Critchley M. Outcome of 249 patients attending a nuclear medicine department with well differentiated thyroid cancer; a 23 year review. Br J Radiol 1994;67:283-91.

44. Hoie J, Stenwig AE. Long term survival in patients with follicular thyroid carcinoma. The Oslo experience: Variations with encapsulation, growth pattern, time of diagnosis, sex, age, and previous thyroid surgery. J Surg Oncol 1992;49:226-30.

45. Lang W, Choritz H, Hundeshagen H. Risk factors in follicular thyroid carcinomas. A retrospective follow-up study covering a 14-year period with emphasis on morphological findings. Am J Surg Pathol 1986;10:246-55.

갑상선 휘틀세포암
Hurthle Cell Carcinoma of the Thyroid

| 한림대학교 의과대학 유방내분비외과 **김이수**

1. 배경

휘틀세포라는 명칭은 1898년 Askanazy가 갑상선 중독증 환자에게 처음 칭하였으며 1907년 Langhans가 휘틀세포 종양을 처음 보고하였고, 이후 1919년 Ewing이 진정한 휘틀세포 종양을 명명하였다. 따라서 휘틀세포는 'Askanazy cell', 'Langhans cell'로 불리기도 하며 세포의 특징에 따라 'Oncocytic cell', 'Oxyphilic cell'로 불리기도 한다.[1] 휘틀세포 종양(Hurthle cell neoplasm)은 WHO (World Health Organization)에서 여포세포 종양(Follicular cell tumor)의 변이로 분류하고 있는 종양으로서 대체적으로 요오드 과다 지역에서 종종 발생한다고 알려져 있다.[2-5] 휘틀세포암(Hurthle cell carcinoma)은 분화(Differenciated) 갑상선암의 약 3~4% 정도만을 차지하는 갑상선암으로 휘틀세포 종양은 여포세포 종양보다 악성으로의 변화를 더 잘 보인다고 알려져 있으나 임상적인 악성화 과정에 대해서는 아직까지 확실히 알려진 바는 없다.[5,6] 종양의 이러한 희소성 때문에 휘틀세포암의 특징과 자연경과, 치료 방법 및 예후에 대해서도 역시 여러 가지 주장이 대두되고 있지만 아직까지 뚜렷한 개념이 정립되지 않은 상태이다.[6,7] 따라서 이 장에서는 휘틀세포암의 현재까지 알려진 특징과 진단, 치료 방법 및 예후에 대하여 기술하고자 한다.

2. 병리

휘틀세포는 크고 타원형(Oval) 내지는 다각형(Polygonal)의 모양을 보이며 미토콘드리아가 풍부한 호산성(Oxyphilic) 세포질을 포함한 세포로 여포형 또는 섬유형 성장을 하는 형식을 나타낸다.[8-10] 호산성 세포의 기능이 정확히 알려지지는 않았으나 TSH 수용체와 결합하여 Tg (Thyroglobulin)을 분비시키는 기전을 가진다고 알려져 있다.[11] 세포 내에는 콜로이드(Colloid)가 거의 없거나 적으며 풍부한 과립(Granular)구조물들이 존재하는 세포질을 가지고 있다. 핵은 약간 중심에서 벗어나 있고 치밀한 염색질 구조를 보이며 종종 이핵(Binuleation)을 보이기도 한다.[8]

휘틀세포암은 여포세포 암의 한 변이로 분류되고 있으며 여포세포 암처럼 양성과 악성을 세포 소견만으로 구분하기는 어렵고, 피막과 혈관의 침습 그리고 주위조직의 침범과 원격전이 등의 소견을 통해 악성 여부를 구분할 수 있다.[7,11,12]

한 연구에 따르면 전층의 피막과 혈관 또는 주위조직으로의 침범이 있는 경우는 악성화가 거의 확실히 의심되는 반면, 피막을 약간만 침범하고 핵의 이형성과 광범위한 괴사를 보이며 정상적인 벌집모양의 세포구조가 결여된 경우를 비결정성(Indeterminate)으로 정의하였을 때, 이 경우 20년이 넘는 추적관찰 동안 재발소견이 나타나지 않아 비 결절성의 병리 소견은 양성으로 분류하

표 19-1 | 갑상선휘틀세포암 증례보고: 1940 - 2002

보고자	년도	환자수	연령분포 (세)	평균연령 (세)	남녀비	전이	사망	추적기간 (년)
Schark [32] (Univ. of Chicago)	1991	18	33~62	50.9	12:6	12/18(66.6%)	9/18(50.0%)	7
Azadian [7] (1984~1993, Univ. of Toronto)	1995	11		53.9	4:7	3/11(27.0%)	2/11(18.0%)	6.3
Stojadinovic [33] (1940~2000, MSKCC)	2001	56	9~94	56	22:34	34/56(43.0%)	18/56(32.0%)	8
Sugino [19] (1982~1996, Ito Hospital, Japan)	2001	31	19~76	52.4	11:20	3/31(9.7%)	1/31(3.2%)	8
Ryan [34] (1943~1985, Mayo Clinic)	1988	50	29~86	56.8	16:34	17/50(34.0%)	11/50(22.0%)	12.8
Sanders [13] (1940~1997, Lahey Clinic)	1998	44		55	14:30	10/44(31.0%)	7/44(16.0%)	12.0
Bronner [22] (1950~1986, University of Pennsylvania)	1988	16		49	7:9	5/16(31.0%)	4/16(25.0%)	9.5
Har-El [27] (1954~1983, Tel Aviv University)	1985	17	14~76	52.6	2:15	7/17(41.0%)	6/17(35.0%)	7.9
Saaman [20] (1951~1975, University of Texas)	1983	24	NA		NA	NA	9/24(38.0%)	NA
Khafif [14] (1951~1997, Kaplan Hospital, Israel)	1999	42	19~81	57.9	16:26	7/42(16.6%)	4/42(9.5%)	7.0
UCSF data (1976~2002)		33	20~82	55.2	10:23	12/33(36.4%)	8/33(24.0%)	5.5
Data without UCSF cases		309		54	104:205	88/285(30.9%)	64/309(20.7%)	8.7
Data with UCSF cases		342		54	114:228	100/318(31.4%)	72/342(21.1%)	8.4

Prognostic Indications for Hürthle Cell Cancer. World J. Surg. 2004;28:1266-70.

고 있다.[8,13] 즉, 피막과 혈관 전층의 침습이 있는 경우에 한해서만 악성으로 분류하려는 의견이 많다.

휘틀세포 종양은 최소 75% 이상이 휘틀세포로 이루어진 피막이 형성된 휘틀세포의 집합이다. 따라서 피막이 없는 휘틀세포 집합은 대부분 그레이브스 병(Grave's Disease)이나 하시모토 질환(Hashimoto's thyroiditis) 또

는 결절성 갑상선 종(Nodular goiter) 등의 양성 질환을 의심할 수 있다.[6,13,14] 휘틀세포 종양은 크게 휘틀세포암(Hurthle cell carcinoma), 휘틀세포 선종(Hurthle cell adenoma), 양성 비 증식성 휘틀세포 종양(Benign non-neoplastic Hurthle cell lesion)으로 구분된다.

휘틀세포암은 대부분 갑상선 결절이나 종물로 나타

나며 여포암(Follicular cell carcinoma)과 비교하였을 때 50대에서 70대 사이의 좀더 고령층에 잘 발생되고 남성과 여성의 비율에서 1:2 정도로 여성에게서 더 호발하지만 악성화의 경향은 남성에게서 더 높은 것으로 보고되고 있다(표 19-1).[4,15,16]

휘틀세포암은 여포세포암보다 더 큰 결절(nodule)로 나타나며 일측성(Unilateral)보다는 양측성(Bilateral)으로 발생되는 특징을 가지고 있으며 재발률도 높아 치료에 있어서 실패할 확률이 더 높고 예후가 좋지 않다.[4,7,17] 또한 휘틀세포암은 여포암에 비하여 다발성(Multifocal)으로 발생되는 경향이 있고 림프절 전이 및 폐나 뼈로의 원격전이도 더 흔하다고 알려져 있다.[4,7,9]

3. 진단

최근 연구에 따르면 휘틀세포암은 조기에 적극적인 치료를 시행함으로써 생존율이 여포암과 비슷해질 수 있다는 보고가 잇따르고 있다.[7,18] 따라서 조기진단이 중요하며 통상 갑상선암의 진단으로 가장 많이 사용되는 세침흡인 검사(Fine needle aspiration)가 수술 전 진단 방법으로 이용되고 있다. 그러나 세침흡인 검사를 이용하여 진단한 여포세포종양 중 악성으로 감별해낸 것은 약 20% 정도이며,[7,19,20] 또한 세포 핵의 크기, 핵분열(Nuclear mitoses), 세포의 다형성(Cellular pleomorphism), 괴사(Necrosis) 등의 세포 이형성(Cellular atypia) 및 휘틀세포의 분포율이 악성과 관계가 없으므로 세침흡인 검사가 악성을 구별해 내는 데 있어서 제 역할을 하지 못하고 있다. 휘틀세포 종양의 악성화는 혈관이나 피막(Capsule)의 침범 여부에 따라 진단이 가능하기 때문에 악성여부에 대한 수술 전 세침흡인 검사의 진단적 가치는 떨어진다.[4,7,8,12] 갑상선 스캔을 이용하여 '냉 결절'(Cold nodule)을 발견해 낼 수는 있으나 역시 악성과 양성의 감별에는 도움이 되지 못한다.[7,21] 이외에 골 스캔(Bone scan), 컴퓨터 단층촬영(CT), 자기공명영상 검사(MRI) 그리고 FDG-PET 등을 이용함으로서 폐, 뼈 등의 원격 전이가 확인되는 경우, 수술 전 악성 휘틀세포 종양의 진단에 대해서 도움을 얻을 수 있다.[7,9,22] 그러나, 수술 중에 시행하는 동결 절편 검사(Frozen biopsy)도 휘틀세포 종양의 악성을 감별하는데 있어서는 약 23.8%로 낮은 예측율을 보이고 있어 동결절편 검사의 유용성에 대하여도 의견이 많다.[7,16,20] 즉, 원격전이가 확인된 경우 외에는 수술 이전에 휘틀세포 종양으로 진단할 수 있으나 수술 후 영구조직 검사결과 이전까지는 휘틀세포 종양의 악성유무에 대하여는 진단할 수 없는 것이 일반적이다. 따라서 악성의 가능성이 높은 휘틀세포 종양은 수술적 제거를 고려하는 것이 선호되고 있다.[7,16,19]

^{99m}Tc-sestamibi scan은 수술 이후 잔여암이나 전이된 암을 발견하는 데 있어서 유용하게 사용되어 왔는데, 최근에는 FDG-PET이 갑상선암에서 수술 전 세침흡인 검사와 함께 시행 했을 경우 높은 진단적 가치를 가지고 있어 수술의 범위를 결정하는 데 도움이 되고 있을 뿐 아니라 잔여 암이나 전이 암을 발견하는 데 있어서도 유용하다고 보고되어,[22] FDG-PET이 임상적으로 널리 사용되고 있다. 따라서 FDG-PET과 세포흡인 검사를 함께 시행하면 진단율을 높이고 수술 범위를 결정하는 데 도움이 될 수 있다.

4. 치료

휘틀세포 종양은 악성인 경우 10년 생존율이 45~80% 등으로 다양하게 보고되나, 순수 여포암에 비해 비교적 불량한 예후를 보인다.[4,6] 따라서 휘틀세포 종양을 의심할 수 있는 호산성 세포 결절이 발견되는 경우 모두 수술적 치료를 고려하며, 일반적으로 악성에 기준하여 광범위한 수술이 선호되어 왔다.[16,20,23] 한편, 휘틀세포 종양의 양성 가능성을 완전히 배제하고 시행되는 광범위 수술을 피하기 위해 수술의 범위를 수술 전 예후와 관련된 인자에 따라 결정하기도 한다. 휘틀세포암의 예후는 연령, 성별, 종양의 크기, 림프절 전이 유무, 타이로글로불린(Thyroglobulin) 농도 등과 관련이 있다고 알려져 있으며,[13,20,24,25] 45세 이상, 4 cm 이상의 종양 크기, 성별이 남자인 경우 등 악성화를 의심하는 예후인자가 동반된 경우는 갑상선 전 절제술(Total thyroidectomy)과 중앙 경부 림프절 청소술(Central Node dissection)을 일반적으로 시행하며, 림프절 전이가 확인되면 선택적으로 측면 경부 림프절 곽청술도 시행하는 등 예후 인자 여부에 따라 수술의 범위를 결정짓기도 한다.[1,13,16,23] 일부 보고에 따르면 휘틀세포 종양의 좋지 않은 예후를 우려하여 림프절 전이가 발견되지 않는다 하더라도 광범위 림프절 곽청술 및 종격동 림프절 청소술까지도 주장하기도 한다. 그러나 휘틀세포암은 10~21% 정도의 림프절 전이를 보이기 때문에 일반적으로 림프절 전이가 확인되지 않으면 예방적인 곽청술은 권유하지 않고 있다.[16,26,27] 수술 후에는 갑상선 자극 호르몬 억제요법을 받아야 하며 추적관찰 시 타이로글로불린(Thyroglobulin)을 측정하여 재발 유무를 확인하여야 한다. 휘틀세포암은 요오드 흡수가 잘 되지 않는 종양이지만, 수술 시 불완전한 절제술을 시행했거나, 수술 후 진단적 방사선 요오드 스캔을 시행하여 전이가 발견되거나, 혹은 타이로글로불린이 10 ng/l 이상 증가되어 있으면 ^{131}I 방사선 요오드치료를 고려한다.[1,11] 그러나 실제로 휘틀세포암은 전이가 있다 하더라도 ^{131}I 치료에 반응이 좋지 않으므로 예후에 좋지 않은 인자들을 나타내는 경우 적극적인 수술을 시행하는 것이 좀 더 좋은 결과를 얻을 수 있다. 이밖에도 수술이 불가능한 경우, 원격 전이가 있거나 지속적으로 재발하는 경우, 잔존하는 암이 있는 경우, 또는 진행성 암에서의 재발 예방을 위해서 ^{131}I 치료 보다는 고용량의 방사선 치료가 좋은 효과를 줄 수 있다고 보고되고 있다.[11,28] 반면 양성 휘틀세포 종양의 가능성이 더 높은 경우는 일엽 절제술(Lobectomy)만으로도 좋은 예후를 기대할 수 있다.[16]

휘틀세포암은 지금까지 설명하였듯이 재발률이 높고 예후가 좋지 않아 조기 진단 및 적극적인 치료가 중요시되나 현재까지 이들의 특성과 효과적인 치료 방법들에

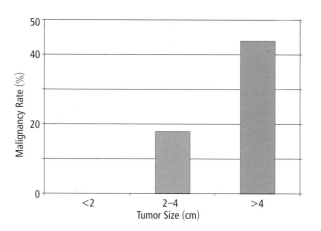

그림 19-1 | 종양의 크기와 갑상선휘틀세포종양의 악성 위험. 종양이 클수록, 환자의 연령이 높을수록 악성 위험이 높다.
Annals of Surgical Oncology 2008;15(10):2842-6.

대하여는 아직 논란이 많다.

5. 예후

최근, Nagar 등은 휘틀세포암의 생존율이 여포암에 비견될 정도로 좋아졌다는 보고를 하였으나,[18] 그에 반대되는 보고도 있으며,[29] 일반적으로 휘틀세포암은 유두암이나 여포암에 비하여 악성도가 높으며 재발률이 높은 것으로 알려져 있다. Kushchayeva 등은 여포암의 10년 무병생존율(disease-free survival)이 75%인데 비해, 휘틀세포암은 40.5%인 것으로 보고하였는데,[4,30] 이는 다른 연구들과도 많은 차이를 보이고 있지 않았다(표 19-1).[30]

휘틀세포암의 예후와 밀접한 관계를 가지고 있다고 알려진 인자들로는 고령, 남자, 4 cm 이상의 종양의 크기, 림프절 전이, 원격전이의 유무 등이다.[4,7,9] 그러나 종양의 크기와 예후에 관한 연관성은 연구마다 의견이 분분하다. 즉, 종양의 크기와 예후의 밀접한 연관성을 주장하는 연구[10,14,16,20]와 그렇지 않다고 보고하는 연구들이 대립되고 있다(그림 19-1).[15,16]

여러 예후인자를 고려하여 수술의 범위 및 추후 치료를 결정함으로써 환자의 예후에 큰 영향을 미칠 수 있으므로, 수술 전 종양 특성의 적절한 평가와 의사의 적절한 판단이 함께 어우러져야 한다.[20]

REFERENCES

1. Maxwell EL, Palme CE, Freeman J. Hurthle cell tumors: applying molecular markers to define a new management algorithm. Arch Otolaryngol Head Neck Surg 2006;132:54-8.

2. Allia E, Cassoni P, Marrocco T, Volante M, Bussolati B, Wong M, et al. Oxyphilic and non-oxyphilic thyroid carcinoma cell lines differ in expressing apoptosis-related genes. J Endocrinol Invest 2003;26:660-7.

3. Sobrinho-Simoes M, Maximo V, Castro IV, Fonseca E, Soares P, Garcia-Rostan G, et al. Hurthle (oncocytic) cell tumors of thyroid: etiopathogenesis, diagnosis and clinical significance. Int J Surg Pathol 2005;13:29-35.

4. Kushchayeva Y, Duh QY, Kebebew E, D'Avanzo A, Clark OH. Comparison of clinical characteristics at diagnosis and during follow-up in 118 patients with Hurthle cell or follicular thyroid cancer. Am J Surg 2008;195:457-62.

5. Yutan E, Clark OH. Hurthle cell carcinoma. Curr Treat Options Oncol 2001;2:331-5.

6. Haigh PI, Urbach DR. The treatment and prognosis of Hurthle cell follicular thyroid carcinoma compared with its non-Hurthle cell counterpart. Surgery 2005;138:1152-7; discussion 7-8.

7. Dahl LD, Myssiorek D, Heller KS. Hurthle cell neoplasms of the thyroid. Laryngoscope 2002;112:2178-80.

8. Wu HH, Clouse J, Ren R. Fine-needle aspiration cytology of Hurthle cell carcinoma of the thyroid. Diagn Cytopathol 2008;36:149-54.

9. Hanief MR, Igali L, Grama D. Hurthle cell carcinoma: diagnostic and therapeutic implications. World J Surg Oncol 2004;2:27.

10. Sippel RS, Elaraj DM, Khanafshar E, Zarnegar R, Kebebew E, Duh QY, et al. Tumor size predicts malignant potential in Hurthle cell neoplasms of the thyroid. World J Surg 2008;32:702-7.

11. Mills SC, Haq M, Smellie WJ, Harmer C. Hurthle cell carcinoma of the thyroid: Retrospective review of 62 patients treated at the Royal Marsden Hospital between 1946 and 2003. Eur J Surg Oncol 2009;35:230-4.

12. Nix PA, Nicolaides A, Coatesworth AP. Thyroid cancer review 3: management of medullary and undifferentiated thyroid cancer. Int J Clin Pract 2006;60:80-4.

13. Pu RT, Yang J, Wasserman PG, Bhuiya T, Griffith KA, Michael CW. Does Hurthle cell lesion/neoplasm predict malignancy more than follicular lesion/neoplasm on thyroid fine-needle aspiration? Diagn Cytopathol 2006;34:330-4.

14. Zhang YW, Greenblatt DY, Repplinger D, Bargren A, Adler JT, Sippel RS, et al. Older age and larger tumor size predict malignancy in hurthle cell neoplasms of the thyroid. Ann Surg Oncol 2008;15:2842-6.

15. Sugino K, Ito K, Mimura T, Kameyama K, Iwasaki H, Ito K. Hurthle cell tumor of the thyroid: analysis of 188 cases. World J Surg 2001;25:1160-3.

16. Chao TC, Lin JD, Chen MF. Surgical treatment of Hurthle cell tumors of the thyroid. World J Surg 2005;29:164-8.

17. DeGroot LJ, Kaplan EL, Shukla MS, Salti G, Straus FH. Morbidity and mortality in follicular thyroid cancer. J Clin Endocrinol Metab 1995;80:2946-53.

18. Nagar S, Aschebrook-Kilfoy B, Kaplan EL, Angelos P, Grogan RH. Hurthle cell carcinoma: an update on survival over the last 35 years. Surgery 2013;154:1263-71; discussion 71.

19. McHenry CR, Thomas SR, Slusarczyk SJ, Khiyami A. Follicular or Hurthle cell neoplasm of the thyroid: can clinical factors be used to predict carcinoma and determine extent of thyroidectomy? Surgery 1999;126:798-802; discussion -4.

20. Pisanu A, Sias L, Uccheddu A. Factors predicting malignancy of Hurthle cell tumors of the thyroid: influence on surgical treatment. World J Surg 2004;28:761-5.

21. Yalla NM, Reynolds LR. Hurthle cell thyroid carcinoma presenting as a "hot" nodule. Endocr Pract 2011;17:e68-72.

22. Lowe VJ, Mullan BP, Hay ID, McIver B, Kasperbauer JL. 18FDG-PET of patients with Hurthle cell carcinoma. J Nucl Med 2003;44:1402-6.

23. Stojadinovic A, Hoos A, Ghossein RA, Urist MJ, Leung DH, Spiro RH, et al. Hurthle cell carcinoma: a 60-year experience. Ann Surg Oncol 2002;9:197-203.

24. Guerrero MA, Suh I, Vriens MR, Shen WT, Gosnell J, Kebebew E, et al. Age and tumor size predicts lymph node involvement in Hurthle Cell Carcinoma. J Cancer 2010;1:23-6.

25. Strazisar B, Petric R, Sesek M, Zgajnar J, Hocevar M, Besic N. Predictive factors of carcinoma in 279 patients with Hurthle cell neoplasm of the thyroid gland. J Surg Oncol 2010;101:582-6.

26. Maillard AA, Kountakis SE, Stiernberg CM. Superior mediastinal dissection in the treatment of Hurthle cell carcinoma of the thyroid. Am J Otolaryngol 1997;18:47-50.

27. Shaha AR, Shah JP, Loree TR. Patterns of nodal and distant metastasis based on histologic varieties in differentiated carcinoma of the thyroid. Am J Surg 1996;172:692-4.

28. Foote RL, Brown PD, Garces YI, McIver B, Kasperbauer JL. Is there a role for radiation therapy in the management of Hurthle cell carcinoma? Int J Radiat Oncol Biol Phys 2003;56:1067-72.

29. Goffredo P, Roman SA, Sosa JA. Hurthle cell carcinoma: a population-level analysis of 3311 patients. Cancer 2013;119:504-11.

30. Kushchayeva Y, Duh QY, Kebebew E, Clark OH. Prognostic indications for Hurthle cell cancer. World J Surg 2004;28:1266-70.

갑상선수질암

Medullary Carcinoma of the Thyroid

| 성균관대학교 의과대학 외과 **김지수**

갑상선수질암은 1959년에 Hazard 등[1]에 의하여 처음 임상적으로 정의되었다. 이 질환은 신경능선에서 발생한 갑상선의 여포곁C세포(parafollicular C cell)에서 기원한 종양으로 산발형(sporadic) 또는 유전형(hereditary)으로 발생하는 특징을 갖고 있다. C 세포는 갑상선 전체에 산재해 있으나 특히 상엽에 밀집하여 분포하며 체내의 칼슘 대사에 관여하는 칼시토닌(calcitonin)이라는 호르몬을 분비한다. 칼시토닌은 갑상선수질암의 매우 예민한 종양표지자(tumor marker)로서 유전적 경향을 가진 환자의 선별검사와 진단에 유용하며 이 질환의 수술 후 잔류암의 판정이나 재발을 예측할 수 있는 중요한 역할을 하고 있다. C 세포에서는 칼시토닌 이외에도 암배아항원(carcinoembryonic antigen, CEA), 히스타민, 소마토스타틴, 부신피질자극호르몬, 갑상선자극호르몬, 갑상선글로불린, neuron-specific enolase, calcitonin gene-related peptide, gastrin-related peptide, chromogranin, substance P, propriomelanocortin 등 여러 물질들이 분비된다.[2] 갑상선수질암은 C 세포 과형성증과 연관되어 발생하기도 하는데, 이것은 전구 질환으로 생각되어진다.

갑상선수질암은 전체 갑상선암의 5~10%를 차지하는 것으로 보고되고 있지만, 우리나라에서는 이보다 적은 1.2~2%의 빈도로 발생한다.[3, 4] 비교적 장기간 동안 경부에 국소 질환 상태로 존재하고, 병기가 점차 진행하여 전이를 일으키는데 전이는 종양의 직접적인 피막침범과 갑상선주위 림프절, 기관주위림프절, 경정맥림프절, 상

종격림프절 등의 구역림프절 전이로 이루어진다.[5] 원격전이는 주로 간, 폐, 뼈로 일어나며 전신적으로 파급된 전이에 의해 사망할 수도 있다.

1. 임상양상

갑상선수질암 중 유전성암이 차지하는 비율은 20~25% 정도로 보고되며[6] 나머지는 산발성으로 발생한다. 산발성으로 발생한 경우 보통 종양이 단발성이고 편측에 발생하며 가족력이나 다른 내분비계질환이 없는 것이 특징이며 대부분 경부의 종괴와 촉지되는 림프절을 임상 증상으로 내원한다. 반면에 유전성으로 발생한 경우 종양은 주로 다발성, 양측성으로 비교적 어린 나이에 발생하며 상염색체 우성 유전을 한다.[1] 유전성 형태는 다시 다발내분비선종양(MEN: multiple endocrine neoplasia) 2A, 2B형과 가족성갑상선수질암(FMTC: familial medullary thyroid carcinoma)의 세 가지 형태로 분류할 수 있다. 다발내분비선종양 2A형은 약 42%의 환자에서 부신수질의 갈색세포종과 10~35%의 환자에서 부갑상선의 과증식증으로 인한 항진증과 동반되어 발생한다.[7] 이외에도 피부 아밀로이드증과 거대결장 등이 나타나기도 한다.[8-10] 다발내분비선종양 2B형은 2A형이나 산발성보다 더 악성적인 임상 경과를 보이는데 40~50%

의 환자에서 갈색세포종이 동반되며 이외에 점막신경종, 장관의 신경절신경종, 거대결장, 비정상적 골격을 보인다.[11] 갑상선수질암은 매우 어린 나이에 발병하며 이것은 질환의 악성도와 관계가 있으며 완치가 어렵다. 마지막으로 가족성갑상선수질암은 갑상선수질암의 형태 중 가장 임상적 경과가 양호한 형태로 다른 부위의 질환 없이 발생하는 경우를 지칭한다.[12] 다발내분비선종양 형태보다 그 발생 연령이 늦으며 역시 상염색체 우성으로 유전한다.

갑상선수질암의 유전적 성향이 있는 가족 위험군에서 생화학적, 유전적 선별 검사를 시행하여 경부 종물이 촉지되기 전에 수질암의 진단이 이루어지고 있으며, 이러한 경우에 치료 시점에서의 전이는 드문 것으로 보고되고 있으나[13, 14] 진단이 일찍 이루어지지 않은 갑상선수질암은 환자의 사망의 원인이 될 수 있다.

다발내분비선종양 2A, 2B와 가족성갑상선수질암의 위험군에서 이용되는 선별 검사에는 칼시토닌 수치의 측정,[15] 혈장 메타네프린이나 24시간 요중 카테콜아민 및 대사산물(metanephrines, vanillyl mandelic acid)을 측정하는 방법이 있고, 부갑상선기능항진증 선별 검사를 위해 혈청 칼슘과 부갑상선호르몬 수치를 측정할 수 있다. 최근에는 분자수준의 이상에 관심을 갖게 되면서 많은 이상 유전자와의 연관이 밝혀졌는데, 수질암의 유전형에서 RET 원종양유전자(protooncogene)의 발견으로 돌연변이 유전자의 초기 확인이 선별 검사로 이용되고 있다.

경부 종물이 촉지되는 환자에서는 세침흡인검사와 혈청 칼시토닌 수치의 측정이 수질암 진단에 도움을 준다. 일단 수질암으로 의심이 되면 갑상선, 부신, 부갑상선 질환과 관계된 가족력 및 거대결장 질환력이나 원인 불명으로 사망한 가족이 있는지 등의 가족력에 대한 세밀한 병력조사를 시행하여 유전성의 징후를 찾아볼 필요가 있다. 또한 종괴의 크기 및 위치, 주위 조직과 고정여부, 양측 여부, 국부 림프절 전이가 있는지 진찰을 하고 혈청 칼시토닌과 더불어 암배아항원(CEA)의 측정도

시행되어야 한다. 산발 수질암의 19%가 최종적으로 다발내분비선종양 2A형으로 진단된 예로 보아 부갑상선기능항진증과 갈색세포종의 선별검사는 갑상선수질암 환자에서 중요하다.

수질암으로 진단된 모든 환자에서 RET 원종양유전자의 돌연변이에 대한 선별 검사가 이루어져야 하고[14, 16] 위험군 가족에서는 유전자 검사나 펜타가스트린 자극 검사로 선별 검사를 하기도 한다. 혈액내 칼시토닌 수치를 측정하는 가장 민감한 방법인 펜타가스트린 자극 검사는 기준 칼시토닌 측정용 혈액을 채취한 후 칼슘(2 mg/kg/min)과 펜타가스트린(0.5 μg/kg/5sec)을 정맥주사하고 1, 3, 5분 후에 혈액을 채취하여 칼시토닌 수치의 증가를 측정하는 것이다.[15]

2. 예후 예측 인자

수질암 환자의 생존율은 여러 연구에 의하면 10년 생존율이 75%, 15년 생존율이 50% 정도라고 알려져 있다.[17, 18] 수질암의 발생연령, 림프절 전이 정도, 종양의 병기가 질환의 결과에 주로 영향을 줄 수 있고,[19, 20] 이 외에도 혈중 칼시토닌 수치, CEA 수치, DNA 배수성, 칼시토닌과 소마토스타틴에 대한 면역조직화학소견 등도 예후와 관련이 있는 것으로 보고되고 있다. 94명의 환자를 대상으로 하였던 한 보고에서 수술 전 유발 칼시토닌 수치가 높았던 군(>10,000 pg/ml)에서 예후가 나빴다.[21] 칼시토닌의 증가가 안면 홍조와 설사 등의 증상과 연관성이 있는데, 이러한 증상이 나타날 경우 예후가 나쁘다는 보고도 있다.[22] CEA 수치의 증가는 약 50%의 환자에서 발견되는데 이는 질환의 전이성과 연관이 높다.[23] 최근 연구에 의하면 생존율에 가장 영향을 미치는 예후인자는 진단시의 연령과 종양의 병기임이 알려지고 있다.

3. 수술적 치료 – 촉지되는 병변

갑상선수질암은 유두암 또는 여포암과 같은 여포세포에서 기원한 종양과는 달리 C 세포가 갑상선호르몬을 생성하지 못하므로 요오드를 흡수하지 못하여 방사성 동위원소를 이용한 치료가 불가능하고 갑상선 억제요법에도 반응하지 않으므로 종양의 수술적 절제가 거의 유일한 치료법이라 할 수 있다. 수술적 치료에 있어서 몇 가지 염두에 두어야 할 사항으로는 다발성 병변이 유전성 환자에서는 90%, 산발성 환자에서는 20% 존재한다는 사실과 촉지되는 종괴가 있는 환자에서 70% 이상이 림프절 전이를 동반[5,20]한다는 사실, 수술 후 칼시토닌 자극 수치로 수술의 적정성을 평가할 수 있다는 것이다.

저자에 따른 차이는 있지만 대체적으로 촉지가능한 수질암 환자의 75% 이상에서 중심 경부 림프절(level VI), 동측 측경부 림프절(level II, III, IV) 전이 가능성이 있고 47%의 환자에서 반대측 측경부 림프절(level II, III, IV) 전이 가능성이 알려져 있다.[5] 효과적인 수술 외 치료가 가능한 다른 종류의 갑상선암의 경우에는 임상적으로 전이가 확실한 림프절을 절제하는 것이 원칙이나 수질암의 경우 수술 외에 효과적인 치료법이 없기 때문에 림프절전이가 확인된 경우 최소한 갑상선 전절제술 및 중심 경부 림프절 절제를 시행하여야 하며, 동측 측경부 림프절(level IIA, III, IV, V) 곽청술도 시행하여야 한다는 주장이 많다. 그러나 국소 침윤이나 중심 경부 림프절 전이가 없는 갑상선수질암 환자는 갑상선 전절제술과 예방적 중심 경부 림프절 곽청술이 추천된다.[24]

중심부 림프절 곽청술은 위로는 설골(hyoid bone)에서부터 아래로 흉골절흔(sterna notch)까지, 양측으로는 내경동맥사이의 림프절을 절제하는 것이다. 중심 경부의 모든 림프 조직을 제거하는 것이 임상적으로 크기 증가가 있는 림프절만을 제거하는 것과 비교하여 재발률과 생존율을 향상시킨다고 보고되고 있다.[25]

부갑상선의 처리에 대하여는 논의의 여지가 있으나 완전한 갑상선 절제와 중심경부 림프절 곽청술 시행이 이루어지기 위하여 부갑상선의 혈행 유지가 불가능한 경우에는 부갑상선 절제 후 이식이 추천되고 있다.[14] 부갑상선은 이식 시 산발 수질암, 가족성수질암, 다발내분비선종양 2B형의 경우에는 흉쇄유돌근근육(Sterno cleido mastoid muscle; SCM)을 이용하고 다발내분비선종양 2A형의 경우에는 환자의 전박 근육을 이용한다. 수술시 부갑상선기능항진증이 있는 다발내분비선종양 2A형 환자에서도 최소 100 mg의 부갑상선 조직을 이식해주어야 한다. 이식편은 대개 수술 후 4~6주 정도 지나야 제대로 기능하며 이때까지 칼슘을 보충해주어야 한다.

4. 유전성 수질암의 유전자 검사
Genetic testing for hereditary MTC

RET 원종양유전자의 생식선결손(germline defects)이 MEN2A, MEN2B , FMTC의 원인으로 알려져 있다. RET는 신경교세포유도 신경영양성장인자(glial cell derived neurotrophic factor; GDNF)의 수용체이며 신경외 배엽조직(neuroectoderm)과 신장의 발생과 분화에 관여한다. RET는 정상적으로는 갑상선의 간질 C세포를 포함하여 신경능선(neural crest)에서 기원하는 조직과 갑상선수질암에서 발현되지만, 유두암의 기원 세포인 정상 갑상선여포세포에서는 발현되지 않는다.[26] RET 유전자는 10번 염색체의 장완에 위치하며, 21개의 엑손(exon)으로 구성된다. RET는 세포질 내에서부터 세포막을 관통하여 세포외로 돌출된 전형적인 막의 수용기 구조를 가지고 있으며, 세포질 내 부위에는 선장인자의 신호를 활성화하여 전달시키는 데 필요한 티로신키나제영역(Tyrosine kinase domain)이 존재한다. 갑상선암의 발병에서 RET 원종양유전자의 활성화는 두 가지의 상이한 기전으로 나타난다. 첫째, 다발성 내분비 종양(multiple endocrine neoplasm; MEN) 증후군과 이에 연관된 갑상선수질암(medullary thyroid carcinoma)의 경우 RET의 점돌연변이(point mutation)를 보인다. 둘째는 갑상선유두암의 경우에는 RET 유전자의 염색체재배열이 나타나며,

그 결과 RET의 티로신키나제 영역이 여타 유전자와 융합된 소위 융합유전자(fusion gene)가 나타난다.[27]

유전성 수질암은 칼시토닌이 상승하기 이전의 단계에서 유전자 검사를 시행하여 이상을 발견할 수 있다. 수질암 위험성 있는 가계에서 임상적 선별검사로 칼시토닌검사를 사용하기에는 몇 가지 문제점이 있다. 첫째, 기저 또는 자극 칼시토닌 검사의 양성소견은 종양이 이미 발생하였음을 시사한다. 이들 중 몇몇 환자들은 1 mm 전후의 아주 작은 원발 종양이 절제된 갑상선 내에 존재하더라도 원격 전이가 나타나는 경우가 있으며, 따라서 이들 환자들은 보다 더 이른 시기에 갑상선전절제술이 필요하다. 둘째, 이 질환은 상염색체 우성 유전이므로 위험군의 50%에서만 유전적 소인을 가지므로 만약 확실한 유전자 검사를 시행하여 유전적 이상이 없다는 것이 확인된다면 이들은 비싸고 번거로운 검사들을 피할 수 있다. 셋째, 칼시토닌 유발 검사는 번거롭고 까다로워 환자들이 꺼려하는 경우가 많다. 사실 유전자 검사는 위험 환자가 일생 동안 단 한번의 림프구 DNA 추출을 위한 채혈만 실시하면 된다. 따라서 칼시토닌 자극 검사는 갑상선절제술후 재발 또는 잔류암 감시를 위한 검사로서의 역할이 더 크다고 할 수 있다.

RET 돌연변이 검사 방법은 말초 혈액을 채혈하여 림프구 펠릿(pellet)을 분리하여 시행한다. 림프구핵 내 DNA는 단백효소분해와 페놀 추출법에 의해 분리한다. RET 원종양유전자 부위는 PCR에 의하여 증폭되며, 돌연변이들은 직접 DNA 서열, 돌연변이에 의해 유도되거나 결손되는 제한 부위의 분석, 겔 지연 분석(gel shift analysis)법 등의 다양한 방법 등으로 찾아낼 수 있다.

5. 유전자 변이보인자에서의 예방적 수술
Preventive surgery for multiple endocrine neoplasia type 2 gene carriers

MEN 2A, 2B, FMTC 환자들은 30세 이전에 대부분 수질암이 발병할 것이므로 RET 유전자 변이가 있는 위험군 가계에서는 칼시토닌 수치에 상관없이 갑상선 전절제술을 고려하게 된다. RET 유전자 변이 보인자들은 자극칼시토닌 수치가 정상인 경우라도 절제된 갑상선 내에 수질암 병소들이 있는 경우가 종종 발견된다.[14, 16, 28-32]

1994년에 Wells 등은 무증상 RET 돌연변이 보인자들의 예방적 수술에 대한 보고에서[14] MEN 2A 환자의 가족들에게 유전자 검사와 생화학적 선별검사를 시행하여 무증상 RET 돌연변이 보인자로 발견된 13명(6명은 칼시토닌 수치가 정상이었고 7명은 상승되어 있었다)의 아이들이 갑상선 전절제술, 중앙 경부 림프절 곽청술, 부갑상선 자가이식술을 받았다. 수술 후에 환자들은 갑상선호르몬, 칼슘, 비타민 D를 복용하였고 수술 후 약 8주 뒤에 경구 칼슘과 비타민 D 복용을 중단했다. 2주 뒤 환자들은 혈중 칼슘농도가 정상범위였다. 모든 환자들은 수질암의 미세현미경적 병소와 C 세포 과형성이 있었다. 1996년에도 이들은 비슷한 결과를 보인 49명의 환자를 추가하여 발표하였다.[33] Lip 등은 칼시토닌은 정상이지만 DNA 검사결과 MEN 2A 유전자보인자 14명을 확인하였고[16] 이들 중 갑상선 전절제술을 받은 8명 모두에서 수질암 병소가 발견되었다고 발표하였다. 정상 칼시토닌 수치를 가지고 있는 많은 젊은 환자들의 이와 같은 갑상선암종이 존재한다는 소견들은 예방적수술이 예방적 차원이 아닌 치료적 차원임을 나타내준다. 그러므로 위험군에서 유전자 검사가 양성일 경우 수술을 시행하는 것이 필요하다 볼 수 있다. 유전자 양성인 경우 갑상선절제술을 언제 시행할 것인가에 대해서는 아직 논쟁의 여지가 있지만, Washington University에서는 MEN2A와 FMTC 환자는 6세에, 비교적 발생연령이 더 어리고 진행이 빠른 MEN2B 환자들은 영아 시기에 갑상선절제술을 할 것을 제안하였다. 예방적 수술 후 재발을 고려하여 매1, 2년마다 자극칼시토닌 수치 측정을 권유하고 있다. 물론 갈색세포종과 부갑상선기능항진증에 대하여도 지속적으로 관찰 및 검사를 같이 병행하여야 한다.

6. 수술 후 칼시토닌 수치가 지속적으로 높거나 재상승을 보이는 갑상선수질암
Persistent or recurrent hypercalcitoninemia

수질암 일차 수술 후 칼시토닌 수치가 지속적 또는 재상승한다면 잔존암 또는 재발암을 의미한다. 소아의 경우 유전자 검사 또는 칼시토닌 상승 등으로 수질암 진단받은 MEN 2A, FMTC 환자에서 수술 후 수년 동안 검사결과상 이상이 없다면 갑상선절제술로 근치될 가능성이 높아진다.[13, 34] 그러나 수술 당시 이미 칼시토닌 수치가 상승한 상태이거나 경부종괴 촉지 등으로 발견되는 고령의 환자일 경우 갑상선절제술 이후에도 암이 잔존해 있을 가능성이 높아진다. 경부 종괴가 촉지되는 환자들 중에 50% 이상이 림프절 전이가 있고, 칼시토닌 수치의 지속적인 증가가 있는 경우에서는 50~100%에서 림프절 전이가 있다.[35, 36] 종괴가 촉지되는 환자들의 경우 유전성 환자 18명 중 15명(83%)이, 산발성 암 환자의 20명 중 11명(55%)이 수술 후 칼시토닌 상승이 있고 지속적인 질환을 가지고 있었다.[35]

림프절 양성인 수질암 환자의 임상 양상은 여러 연구에서 보고되었다. 수질암은 일반적으로 임상적 진행이 느린 질환으로, 갑상선 및 림프절절제술 후 지속적으로 높은 칼시토닌 수치를 가지고 있는 많은 환자들도 수년 동안 질환의 증상 없이 잘 지낸다. Block 등은 칼시토닌 수치가 6년까지 안정적이고 명확한 임상 질환의 증가가 없을 때까지의 추적 관찰을 권유하고 있다.[36-38] 한편, 나쁜 예후들을 보여주는 보고도 있는데, 84명의 수질암

환자들을 대상을 한 노르웨이 연구에서는 경부 림프절 전이가 있는 환자 들의 50%가 넘게 이 질환으로 사망하였다.[38] Mayo clinic 보고에서는 림프절 양성인 유전적 수질암 환자의 66%가 사망하였고, 림프절 전이가 없는 경우와 정상 칼시토닌 수치 환자에서는 평균 15.7년 추적 관찰 기간 동안 사망한 환자는 없었다. 림프절 전이가 있는 환자의 이러한 다양한 결과들은 종양의 생화학적 특성, 진단 당시 진행정도, 수술적 치료의 완전성 여부 등의 다양성에 기인된다고 본다.

7. 비수술적 치료 Nonsurgical treatment of patient with persistent or recurrent medullary thyroid carcinoma

1) 외부방사선치료 Radiation therapy

갑상선 C 세포는 요오드에 농축되지 않으므로 전이성 수질암에서 방사성요오드 치료는 효과적이지 않다.[39] 외선 방사선치료에 대한 여러 연구들이 있지만[40-42] 대부분의 경우 적은 수의 환자들을 대상으로 시행한 후향적 연구들로서 방사선치료가 효과적인지 가늠하기는 어렵다. 방사선 치료의 사용을 권하지 않는 보고도 있어[42-44] Samm 등의 202명의 환자에 대한 후향적 연구에서는 외부방사선치료군의 치료 결과가 오히려 나빴으며,[44] 1992년 발표된 보고에서 수술 후 경부와 상부 종격동에 외선 방사선 치료를 받았던 59명의 환자에 관한 연구에서[45] 이 중 44명은 림프절 양성이고 11명은 수술 후 잔류암이 있었는데 평균 54 Gy 방사선 치료 후, 18명(30%)에서 임상적으로 뚜렷한 국소 재발이 있었다. 방사선 조사 후에 발생하는 반흔, 섬유화, 혈관염 등으로 전이부위 제거수술이 더 어렵고 위험해진다는 사실도 치료방침을 정하는데 참고하여야 할 사항이다. 앞으로 방사선 치료의 역할을 정의하기 위해 더 많은 연구가 필요할 것이다.

2) 항암요법 Chemotherapy

상대적으로 드문 질환이기 때문에 진행성 또는전이성 수질암 환자들에 대한 항암 치료의 효과에 관한 광범위한 연구가 많지는 않으며, 기존의 몇몇 보고들을 종합해 보면 단독 혹은 병합 항암요법이 만족스럽지는 않은 것 같다. Doxorubicin (Adriamycin)은 단독 요법으로 사용하였을 때 수질암의 진행을 막지는 못하였고,[46] Cisplatin, vindesine과 병합요법에서도 20명 중 한 명에서 부분적 관해를 보였고 3명의 미미한 반응이 있었다.[47] Dacarbazine과 5-fluorouracil (5-FU)의 병합요법을 시행한 5명의 환자들 중에서 3명이 부분적 관해가 있었지만 그 효과는 1년도 지속되지 못했다.[48] Schlumberger 등은 전이성 수질암 환자 20명에게 5-FU, streptozocin, 5-FU, dacabarzine을 교대로 주었는데, 3명이 부분 관해를, 11명이 장기간 안정화를 보였다.[49] 저용량 interferon-α의 사용도 두 명의 환자에서 보고되었는데 둘 다 완전완화는 아니지만 칼시토닌 수치와 증상의 호전을 보였다.[49,50]

Juwied 등은 고용량 ^{131}I-MIN-14F (ab)2 anti CEA monoclonal antibody와 autologous hematopoietic stem cell rescue (AHSCR)로 치료한 12명의 환자(phase I clinical)에서, 독성은 받아들일만 하고 한 명이 부분 관해를 보였다고 보고하였다.[51] Schott 등의 칼시토닌 유도 수지상 세포로 면역 요법에서는 7명의 환자 치료 결과, 한 명에서 의미 있는 반응을 보였다.[52]

3) 타이로신키나제억제제 Tyrosine Kinase Inhibitors, TKIs

타이로신키나제억제제는 기존의 치료에 실패한 국소진행 또는 전이성 수질암 환자에서 고려할 수 있다. 혈청 칼시토닌수치, CEA수치, 임상증상여부, 진단검사상 나타나는 진행상황 등을 종합하여 시작여부를 결정해야 한다(1). 중추신경계 압박이나 기도폐쇄 등 중요한 부위는 조그마한 병소로도 생존에 치명적인 영향을 미칠 수

있으므로 조기에 치료를 시작할 수 있고, 설사나 쿠싱증상 등의 진행에 동반되는 이차적 전신증상이 나타나는 경우에도 의 고식적 치료 목적으로 사용할 수 있다(2,3). 현재 Cabozantinib과 Vandetinib이 진행된 수질암에서 일차적 치료로 승인된 약제이다.[56]

(1) Cabozantinib

Cabozantinib (XL 184)은 RET, VEGFR, and cKIT 등에 작용하는 키나제억제제로, 2012년미국 FDA에서 전이성 수질암에 사용하도록 승인되었다. 절제 불가능한, 국소진행 또는 전이성인 조직학적 확인된 수질암 환자 330명을 대상으로 cabozantinib (140mg)군과 위약군 두군으로 나누어 시행한 임상3상 EXAM연구에서 [57], 전체생존률(Overall survival, OS)에서는 두 군간의 차이가 보이지 않았으나, 평균 무진행생존율(progression-free survival,PFS) 성적은 cabozantinib군에서 11.2개월, 위약군에서 4.0개월로(HR 0.28, 95% CI 0.19 - 0.40, p<0.001) cabozantinib군에서 의미 있게 좋은 결과를 보였다. 합병증으로 구내염, 고혈압, 설사, 피로감, 체중감소, PPES(palmar-plantar erythrodysesthesia syndrome) 등이 보고되었다.

(2) Vandetanib

RET, VEGFR 그리고 EGFR에 작용하는 타이로신키나제로, 2011년 미국 FDA에서, 2012년는 유럽에서 진행성 수질암에 사용하도록 승인을 받았다[58]. 임상3상 연구(ZETA)[59]에서 vandetanib와 위약군을 비교하는 연구를 진행하였다. 국소진행성 또는 전이성 수질암 환자 331명을 대상으로 시행한 무작위대조시험에서 vandetanib 300 mg/day 경구투약군은 위약군과 비교한 결과, 중앙 PFS는 vandetanib군에서 30.5개월으로 나타나 위약군의 19.3개월에 비교하여 의미있게 좋은 결과를 나타냈다(p<0.001). 비록 완전완화(complete response) 환자는 없었지만, 부분완화(partial response)는 vandetanib 사용군의 45%에서 나타났다. Vandetanib 사용군은 유전적/산발적/미상군, 이전 전신치료군/ 미치료군으로 나누

어 시행한 소집단 비교에서도 위약군에 비하여 더 좋은 결과를 보였다. 자주 나타난 유해효과로는 설사, 발진, 오심, 고혈압, 피부건조, 구강건조 및 두통 등이 나타났다. 심전도상 QT 간격증가는 15%의 환자에서 나타났다. 현재 하루용량 300 mg과 150 mg을 비교하는 임상4상 연구가 진행 중이다(NCT01496313).[60]

8. 지속성 또는 재발성 갑상선수질암의 병소확인법
Localization of persistent or recurrent medullary thyroid cancer

1) 전산단층화촬영 및 초음파

수술 후에도 칼시토닌이 떨어지지 않고 지속적으로 상승해있거나 정상화된 후에 재상승을 나타내는 환자에서 잔류암 또는 재발암 병소 부위를 찾아내는 방법들로 여러 가지가 소개되어 있다. 주의 깊은 이학적 검사로 경정맥이나 기관주위의 촉지되는 림프절을 발견할 수 있으며, 상당히 진행된 전이암 환자에서는 체간과 사지에 피하 종양 형태로 만져질 수 있다. 세침흡인세포검사(FNA)와 초음파(US), 전산단층화촬영(CT), 자기공명단층촬영(MRI), 선택적 정맥도자술(selective venous catheterization, SVC), 핵영상촬영 등이 국소병소 위치 발견에 효과가 좋은 것으로 나타난 영상검사들이다. Van Heerden 등은 이학적 검사상 음성인 환자들에게 고해상 초음파(10 MHz)와 초음파 유도 세침흡인세포검사를 시행하였다.[38] Raue 등은 수질암 일차 수술 후 칼시토닌 수치가 상승된 47명 환자들을 이학적 검사, 세침흡인세포검사, 전산단층화촬영, 선택적 정맥도자술 등을 단독 혹은 병용하여 전이성 수질암 병소 부위를 평가하였으며,[61] 수술을 시행한 14명 중 2명에서 수술 후 칼시토닌 수치가 정상화 되었다. 뒤이은 연구에서 전산단층촬영에서 38%, 초음파에서 28%에서만 병소를 확인하였던 반면에 선택적 정맥도자술로는 89%에서 병소 위치 파악의 정확도를 보여주었다.[62]

2) 선택적 정맥도자술 Selective Venous Catheterization

선택적 정맥도자술은 목, 가슴, 복부 부위에서 정맥혈에서 기저 및 자극 칼시토닌 수치를 측정하여 전이성 수질암의 숨어 있는 병소를 찾는 데 유용하다.[63,64] 1994년 프랑스 연구에서는 19명의 환자들을 대상으로 연구를 시행하였는데 카테터를 양측 경정맥, 좌무명정맥(innominate vein), 간정맥에 위치하게 하고, 서혜부 카테터에서 말초혈액을 채혈한다. 기저수치를 얻은 후에 칼슘과 펜타가스트린 표준 용량을 주입후 각각의 카테터에서 1, 3, 5분 후 칼시토닌 수치 측정을 위해 채혈하였고 여기서 원격전이를 시사하는 칼시토닌 상승이 5명에서 발견되었다.[59] Washington University 연구에서는 간정맥 칼시토닌 차이가 있으나 전산단층화촬영이나 복강경적 간생검에서 간전이의 증가가 없었던 8명의 환자들에서 경부의 전이성 수질암의 절제술을 받고 8명 중 2명은 칼시토닌 수치가 정상화되었는데 이것은 간정맥의 수치 상승이 가양성이었을 수 있다는 것을 나타낸다.[66] 이와 같이 선택적 정맥도자술은 기관마다 결과가 다르며, 현재 일상적으로 흔히 시행하지는 않는다.

3) 동위원소 영상검사 Nuclear imaging studies

Thallium 201 (^{201}Tl) chloride과 technetium [99m]dimercaptosuccinic acid (^{99m}Tc DMSA)는 고칼시토닌혈증 환자에게 유용하다.[67-69] Iodine [131]metaiodo-benzylguanidine (MIBG) scintigraphy은 수질암 진단에 이용될 수 있지만 효과에 대해서는 의견들이 분분하다.[64] Octreotide scans (111 Indium)은 전이성 질환을 찾는 검사로 이용될 수 있지만 미세한 간전이는 발견하지 못하는 단점이 있다.

Iodine 131 (^{131}I), iodine 123 (^{123}I), 111 In, [99m]TC를 이용한 항-암종 배아 항원 단일 클론 항체(Anti-CEA monoclonal antibodies)를 수질암 병소 위치 파악에 이용할 수 있다.[71,72] 단일 클론 항체를 이용한 single photon emission CT (SPECT)로 확인한 26명 중 9명에서 잠재 병소가 확인되었고 이들 중 4명이 수술로 최종 확인되었다는 보고도 있다.[73] 하지만 이 단일 클론 항체의 가치는 아직 증명되어야 할 과제이다.

방사 면역 수술(radioimmunoguided surgery)은 전이암을 수술 중 발견하는데 유용하게 디자인되었다. 종양 특이 방사능 표지 단일 클론 항체의 전신 주입 후, 핸드헬드(Hand-held) 감마 계수기를 사용하여 수술 영역을 스캔한다. 활동성이 증가된 영역을 검진하고 연하 조직, 림프절을 절제한다. 항-암종 배아 항원 단일 클론 항체를 이용하여 면역 섬광 조형술(immunoscintigraphy)을 시행한 경우 5명의 환자들 모두 병소를 확인할 수 있었고 방사 면역 수술의 경우 2명에서 확인할 수 있었다.[66] 혈중 칼시토닌 수치는 수술 후에 현저하게 감소하지만 정상까지 떨어지지는 않았다.[74] 이런 결과들이 유망한 하더라도 경과가 비교적 양호한 무증상 환자에게서 구획 절제 또는 관찰 또한 고려될 수도 있을 것으로 생각된다.

FDG (Fluorodeoxyglucose) 양전자방출단층촬영(PET)은 수질암 병기에 사용되는데, FDG-PET을 CT와 MRI 영상과 비교하고, 의심스러운 전이성 병소를 수술 시 소견과 병리조직학적 소견과 비교하여 평가하였을 때 FDG-PET 영상이 CT, MR보다 민감도는 높으나 특이도는 떨어진다.[75]

4) 진단적 복강경시술 Diagnostic laparoscopy

간에 전이한 수질암은 종종 간 표면에 속립성 양상, 작은 크기(1~3 mm)의 다발성, 백색, 융기된 결절을 보여, 복강경에서는 쉽게 관찰할 수 있으나 CT에서는 보이지 않을 수 있다. 수질암 일차적 수술 후 칼시토닌 상승한 환자의 간전이를 확인하기 위해 복강경을 시행한 경우 41명의 환자 중 8명이 간전이가 확인되었고 그 중 7명은 CT에서 음성 소견이었다.[66]

9. 수술적 치료법 Surgical treatment of recurrent or persistent medullary thyroid cancer

수질암은 종종 무증상으로 오랜 기간 동안 경부 안에 남아 있을 수 있다. 경부의 잔류 혹은 재발암은 완치되었다고 생각되거나 추적 중 또는 여러 진단적 검사 등으로 병소의 존재가 밝혀질 수도 있다. 이런 경우 여러 그룹에서 재수술이 보고되었다.[64,76,77]

재수술 후 칼시토닌의 유의한 감소가 많은 환자에서 보고되었고, 정상화된 경우도 있다. 1986년 Tisell 등은 수술 후 지속적인 고칼시토닌혈증을 보이는 11명의 환자들을 보고하였다.[78] Tisell은 "microdissection"이란 것을 시행하였는데 이것은 갑상선 기저부 및 양측 되돌이후두신경, 중앙, 측경부 구획의 지방 조직과 모든 림프절, 측경부 림프절을 포함하고 무명정맥(innominate vein)과 쇄골하 동맥 아래 유양돌기(mastoid process) 위치까지의 범위, 척수부신경 위치의 측면까지 포함한다. 여러 증례에서 중앙 흉골 절개술과 상부 종격동 림프절까지 절제를 시행하였다. 이 경우 4명의 환자가 칼시토닌 수치가 정상화되었고 3명은 유의하게 감소하였다.

수질암 환자 수술 후 지속적으로 칼시토닌이 상승된 환자에서 재수술을 권유하고 있다.

비록 고도 침윤성 종양 환자들에게 이러한 접근이 여러 수술적 후유증을 발생할 수 있으나, 이런 수술적 접근법은 대부분 안전하게 시행할 수 있고 재발 예방과 장기 생존률 향상을 가져올 수 있다. 이런 환자들의 장기 추적관찰이 필요하다.

10. 갑상선수질암의 병기 Staging of medullary thyroid cancer, AJCC 8th

갑상선수질암의 병기는 분화갑상선암의 병기와 다소 차이가 있다. 개정된 AJCC 8판에 따르면[79] 분화갑상선암의 경우 환자 나이 55세 미만의 경우 원격전이 유무에

표 20-1 | 개정된 갑상선암의 TNM 병기의 정의(AJCC 8판)

	정의
TX	원격 종양의 크기를 모를 때, 그러나 갑상선외 침윤이 없을 때
T1	원발종양 직경 2 cm 이하
T2	원발종양 직경 2 cm 초과 4 cm 이하
T3a	원발종양 직경 4 cm 초과하면서 갑상선에 국한된 경우
T3b	원발종양 크기와 관계없이 갑상선 띠근육 침윤까지만 있는 경우
T4a	종양의 크기와 상관 없이 갑상선 피막을 넘어서는 침윤으로 피하 연부 조직이나, 후두, 기도, 식도, 되돌이후두 신경을 침윤했을 때
T4b	종양이 척추골전 근막에 침윤하거나, 경동맥이나 종격 혈관을 침윤 했을 때
NX	수술 시 림프절이 평가되지 않았을 때
N0	림프절 전이가 없을 때
N1a	VI 구획(기도앞, 기도주변, 후두앞 / Delphian 림프절) 또는 VII 구획(종격동 상부) 림프절 전이 시
N1b	편측, 양측, 반대편 측경부 림프절 또는 인두후 림프절 전이 시
MX	원격 전이가 평가되지 않았을 때
M0	원격 전이가 없을 때
M1	원격 전이 시

따라 stage I 또는 stage II로 정의하나, 갑상선수질암의 경우 환자 나이에 따른 차이는 없다. [80] 갑상선수질암은 분화갑상선암과 동일한 TNM 병기 정의를 따르지만(표 20-1), 그에 따른 stage에는 다소 차이가 있다(표 20-3). AJCC 7판과 비교하여 AJCC 8판에서는 T3가 다시 세분화되어 T3a는 원발종양 직경 4 cm 초과하면서 갑상선에 국한된 경우를 의미하고, T3b는 원발종양 크기와 관계없이 갑상선 띠근육 침윤까지만 있는 경우로 정의되었다. AJCC 8판에서는 중앙경부림프절의 범위가 변경되어 VI 구획뿐만 아니라 VII 구획이 새로 추가되어 상기 구획 전이가 있을 경우 N1a로 정의되었다.

갑상선수질암의 staging은 AJCC 8판에서 변화된 것은 없으며 표 20-2와 같다.

표 20-2 | 갑상선수질암의 병기(AJCC 8판)

Stage I	T1	N0	M0
Stage II	T2	N0	M0
	T3	N0	M0
Stage III	T1	N1a	M0
	T2	N1a	M0
	T3	N1a	M0
Stage IVA	T4a	Any N	M0
	T1	N1b	M0
	T2	N1b	M0
	T3	N1b	M0
Stage IVB	T4b	Any N	M0
Stage IVC	Any T	Any N	M1

표 20-3 | 갑상선수질암과 분화갑상선암의 병기 비교(AJCC 8판)

갑상선수질암			
When T is···	And N is···	And M is···	The the stage group is···
T1	N0	M0	I
T2	N0	M0	II
T3	N0	M0	II
T1–3	N1a	M0	III
T4a	Any N	M0	IVA
T1–3	N1b	M0	IVA
T4b	Any N	M0	IVB
Any T	Any N	M1	IVB

분화갑상선암				
When age at Diagnosis is···	When T is···	And N is···	And M is···	The the stage group is···
< 55 years	Any T	Any N	M0	I
	Any T	Any N	M1	II
≥ 55 years	T1	N0/NX	M0	I
	T1	N1	M0	II
	T2	N0/NX	M0	I
	T2	N1	M0	II
	T3a/T3b	Any N	M0	II
	T4a	Any N	M0	III
	T4b	Any N	M0	IVA
	Any T	Any N	M1	IVB

요약

갑상선 C 세포 기원의 수질암은 산발적 또는 유전적으로 발생한다. 혈장 칼시토닌 측정은 수질암의 민감한 표지자이다. MEN 2A, MEN 2B, FMTC을 포함한 유전적 수질암은 RET 원발암 유전자와 관련이 있다. 유전자 검사는 돌연변이 유전자를 증명할 수 있고, 이런 환자들은 예방적 갑상선절제술이 시행되어야 한다. 촉지성 수질암의 수술적 치료는 갑상선 전절제술 및 중심경부, 측경부 림프절제술이다. 잔류암 또는 재발암의 경우는 초음파, 컴퓨터 단층 촬영, 자기 공명 영상, 핵 영상, 선택적 정맥도자술로 병소위치를 확인할 수 있다. 국소적 또는 잠재성, 원격전이가 없는 수질암 환자에서 재수술과 계통적 림프 절제술을 시행한 경우 칼시토닌이 정상화 될수 있다. 수질암에서는 방사선 또는 항암치료는 일관된 결과를 보여주지 않았지만, 광범위 전이성 질환의 경우에 효과가 미미하다. 새로운 항암치료제들의 임상 실험들은 더 효과적인 요법이 나오기를 기대한다.

REFERENCES

1. Hazard JB, Hawk WA, Crile G, Jr. Medullary (solid) carcinoma of the thyroid; a clinicopathologic entity. J Clin Endocrinol Metab 1959;19:152-61.

2. Block MA, Jackson CE, Greenawald KA. Clinical characteristics distinguishing hereditary from sporadic medullary thyroid carcinoma. Arch Surg 1980;115:142.

3. 박찬금, 우교석, 김종만. 한국인 갑상선 종양의 임상 및 병리학적 관찰. 대한병리학회지 1982;16:207-16.

4. 조보연. 갑상선 분화암의 예후 및 치료. 대한내분비학회지 1995;10:313-28.

5. Moley JF, DeBenedetti MK. Patterns of nodal metastases in palpable medullary thyroid carcinoma: recommendations for extent of node dissection. Ann Surg 1999;229:880-7; discussion 887-888.

6. Hyer SL, Vini L, A'Hem R, Harmer C. Medullary thyroid cancer: multivariate analysis of prognostic factors influencing survival. Eur J Surg Oncol 2000;26:686-90.

7. Howe JR, Norton JA, Wells SA, Jr. Prevalence of pheochromocytoma and hyperparathyroidism in multiple endocrine neoplasia type 2A: results of long-term follow-up. Surgery 1993;114:1070-7.

8. Edery P, Lyonnet S, Mulligan LM et al. Mutations of the RET proto-oncogene in Hirschsprung's disease. Nature 1994;367:378-80.

9. Romeo G, Ronchetto P, Luo Y, et al. Point mutations affecting the tyrosine kinase domain of the RET proto-oncogene in Hirschsprung's disease. Nature 1994;367:377-8.

10. Cohen MS, Phay JE, Albinson C, et al. Gastrointestinal manifestations of multiple endocrine neoplasia type 2. Ann Surg 2002;235:648-54; discussion 654-645.

11. O'Riordain DS, O'Brien T, Crotty TB. Multiple endocrine neoplasia type 2B: More than an endocrine disorder. Surgery 1995;118:936.

12. Farndon JR, Leight GS, Dilley WG, et al. Familial medullary thyroid carcinoma without associated endocrinopathies: a distinct clinical entity. Br J Surg 1986;73:278-81.

13. Gagel RF, Tashjian AH, Jr., Cummings T, et al. The clinical outcome of prospective screening for multiple endocrine neoplasia type 2a. An 18-year experience. N Engl J Med 1988;318:478-84.

14. Wells SA, Jr., Chi DD, Toshima K, et al. Predictive DNA testing and prophylactic thyroidectomy in patients at risk for multiple endocrine neoplasia type 2A. Ann Surg 1994;220:237-47; discussion 247-250.

15. Wells SA, Jr., Baylin SB, Linehan WM, et al. Provocative agents and the diagnosis of medullary carcinoma of the thyroid gland. Ann Surg 1978;188:139-41.

16. Lips CJ, Landsvater RM, Hoppener JW, et al. Clinical screening as compared with DNA analysis in families with multiple endocrine neoplasia type 2A. N Engl J Med 1994;331:828-35.

17. Chong G, Beahrs OH, Sizemore GW, Woolner LH. Medullary carcinoma of the thyroid gland. Cancer 1975;35:695.

18. Hundahl SA, Fleming ID, Fremgen AM, Menck HR. A National Cancer Data Base report on 53,856 cases of thyroid carcinoma treated in the U.S., 1985-1995. Cancer 1998;83:2638.

19. Saad MF, Ordonez NG, Rashid RK. Medullary carcinoma of the thyroid: A study of the clinical features and prognostic factors in 161 patients. Medicine (Baltimore) 1984;63:319.

20. Weber T, Schilling T, Frank-Raue K. Impact of modified radical neck dissection on biochemical cure in medullary thyroid carcinomas. Surgery 2001;130:1044.

21. Wells SA, Jr., Baylin SB, Leight GS. The importance of early diagnosis in patients with hereditary medullary thyroid carcinoma. Ann Surg 1982;195:595.

22. Samaan N, Schultz P, Hickey R. Medullary thyroid carcinoma: Prognosis of familial versus nonfamilial disease and the results of radiotherapy. Horm Metab Res 1989;21:20.

23. Wells S, Haagensen DE, Jr., Linehan WM. The detection of elevated plasma levels of carcinoembryonic antigen in patients with suspected or established medullary thyroid carcinoma. Cancer 1978;42:1498.

24. Kloos RT, Eng C, Evans DB et al. Medullary thyroid cancer: management guidelines of the American Thyroid Association. Thyroid 2009;19:565-612.

25. Dralle H, Damm I, Scheumann GF. Compartment-oriented microdissection of regional lymph nodes in medullary thyroid carcinoma. Surg Today 1994;24:112.

26. Lahr G, Stich M, Schutze K et al. Diagnosis of papillary thyroid carcinoma is facilitated by using an RT-PCR approach on laser-microdissected archival material to detect RET oncogene activation. Pathobiology 2000;68:218-26.

27. Jhiang SM. The RET proto-oncogene in human cancers. Oncogene 2000;19:5590-7.

28. Dralle H, Gimm O, Simon D, et al. Prophylactic thyroidectomy in 75 children and adolescents with hereditary medullary thyroid carcinoma: German and Austrian experience. World J Surg 1998;22:744-50; discussion 750-741.

29. Frank-Raue K, Hoppner W, Buhr H et al. Application of genetic screening in families with hereditary medullary thyroid carcinoma. Exp Clin Endocrinol Diabetes 1996;104 Suppl 4:108-110.

30. Frilling A, Dralle H, Eng C, et al. Presymptomatic DNA screening in families with multiple endocrine neoplasia type 2 and familial medullary thyroid carcinoma. Surgery 1995;118:1099-103; discussion 1103-1094.

31. Learoyd DL, Marsh DJ, Richardson AL, et al. Genetic testing for familial cancer. Consequences of RET proto-oncogene mutation analysis in multiple endocrine neoplasia, type 2. Arch Surg 1997;132:1022-5.

32. Pacini F, Romei C, Miccoli P, et al. Early treatment of hereditary medullary thyroid carcinoma after attribution of multiple endocrine neoplasia type 2 gene carrier status by screening for ret gene mutations. Surgery 1995;118:1031-5.

33. Skinner MA, DeBenedetti MK, Moley JF et al. Medullary thyroid carcinoma in children with multiple endocrine neoplasia types 2A and 2B. J Pediatr Surg 1996;31:177-81; discussion 181-172.

34. Wells SA, Jr., Skinner MA. Prophylactic thyroidectomy, based on direct genetic testing, in patients at risk for the multiple endocrine neoplasia type 2 syndromes. Exp Clin Endocrinol Diabetes 1998;106:29-34.

35. Block MA, Jackson CE, Greenawald KA, et al. Clinical characteristics distinguishing hereditary from sporadic medullary thyroid carcinoma. Treatment implications. Arch Surg 1980;115:142-8.

36. Stepanas AV, Samaan NA, Hill CS, Jr., Hickey RC. Medullary thyroid carcinoma: importance of serial serum calcitonin measurement. Cancer 1979;43:825-37.

37. Block MA, Jackson CE, Tashjian AH, Jr. Management of occult medullary thyroid carcinoma: evidenced only by serum calcito-

nin level elevations after apparently adequate neck operations. Arch Surg 1978;113:368-72.

38. van Heerden JA, Grant CS, Gharib H, et al. Long-term course of patients with persistent hypercalcitoninemia after apparent curative primary surgery for medullary thyroid carcinoma. Ann Surg 1990;212:395-400; discussion 400-391.

39. Saad MF, Guido JJ, Samaan NA. Radioactive iodine in the treatment of medullary carcinoma of the thyroid. J Clin Endocrinol Metab 1983;57:124-8.

40. Brierley JD, Tsang RW. External radiation therapy in the treatment of thyroid malignancy. Endocrinol Metab Clin North Am 1996; 25: 141-157.

41. Steinfeld AD. The role of radiation therapy in medullary carcinoma of the thyroid. Radiology 1977;123:745-6.

42. Williams ED, Brown CL, Doniach I. Pathological and clinical findings in a series of 67 cases of medullary carcinoma of the thyroid. J Clin Pathol 1966;19:103-13.

43. Chong GC, Beahrs OH, Sizemore GW, Woolner LH. Medullary carcinoma of the thyroid gland. Cancer 1975;35:695-704.

44. Samaan NA, Schultz PN, Hickey RC. Medullary thyroid carcinoma: prognosis of familial versus nonfamilial disease and the role of radiotherapy. Horm Metab Res Suppl 1989;21:21-5.

45. Nguyen TD, Chassard JL, Lagarde P, et al. Results of postoperative radiation therapy in medullary carcinoma of the thyroid: a retrospective study by the French Federation of Cancer Institutes--the Radiotherapy Cooperative Group. Radiother Oncol 1992;23:1-5.

46. Husain M, Alsever RN, Lock JP et al. Failure of medullary carcinoma of the thyroid to respond to doxorubicin therapy. Horm Res 1978;9:22-5.

47. Scherubl H, Raue F, Ziegler R. Combination chemotherapy of advanced medullary and differentiated thyroid cancer. Phase II study. J Cancer Res Clin Oncol 1990;116:21-3.

48. Orlandi F, Caraci P, Berruti A, et al. Chemotherapy with dacarbazine and 5-fluorouracil in advanced medullary thyroid cancer. Ann Oncol 1994;5:763-5.

49. Schlumberger M, Abdelmoumene N, Delisle MJ, Couette JE. Treatment of advanced medullary thyroid cancer with an alternating combination of 5 FU-streptozocin and 5 FU-dacarbazine. The Groupe d'Etude des Tumeurs a Calcitonine (GETC). Br J Cancer 1995;71:363-5.

50. Grohn P, Kumpulainen E, Jakobsson M. Response of medullary thyroid cancer to low-dose alpha-interferon therapy. Acta Oncol 1990;29:950-1.

51. Juweid ME, Hajjar G, Stein R et al. Initial experience with high-dose radioimmunotherapy of metastatic medullary thyroid cancer using 131I-MN-14 F(ab)2 anti-carcinoembryonic antigen MAb and AHSCR. J Nucl Med 2000;41:93-103.

52. Schott M, Feldkamp J, Klucken M, et al. Calcitonin-specific antitumor immunity in medullary thyroid carcinoma following dendritic cell vaccination. Cancer Immunol Immunother 2002;51:663-8.

53. 1. S. R. Priya, Chandra Shekhar Dravid, Raghunadharao Digumarti, and Mitali Dandekar. Targeted Therapy for Medullary Thyroid Cancer: A Review. Frontiers in Oncology. 2017; 7: 238.

54. 2. Nella AA, Lodish MB, Fox E, Balis FM, Quezado MM, Whitcomb PO, et al. Vandetanib successfully controls medullary thyroid cancer-related Cushing syndrome in an adolescent patient.

J Clin Endocrinol Metab (2014) 99(9):3055□9.10.1210/jc.2013-4340

55. 3. Barroso-Sousa R, Lerario AM, Evangelista J, Papadia C, Lourenço DM, Jr, Lin CS, et al. Complete resolution of hypercortisolism with sorafenib in a patient with advanced medullary thyroid carcinoma and ectopic ACTH (adrenocorticotropic hormone) syndrome. Thyroid (2014) 24(6):1062□6.10.1089/thy.2013.0571

56. 4. National Comprehensive Cancer Network. Clinical Practice Guidelines in Oncology (NCCN Guidelines). Thyroid Carcinoma. Version 1.2016. Fort Washington, PA: NCCN; (2016).

57. 5. Cabozantinib(XL184) for the treatment of locally advanced or metastatic progressive medullary thyroid cancer. Viola D, Cappagli V, and Elisei R. Future Oncology(2013) ;9(8);1083-1092

58. 6. Jordan N. Markowitz, and Karen M. Fancher. Cabozantinib: A multitargeted Oral Tyrosine Kinase Inhibitor. Pharmacotherapy 2018;38(3):357□369)

59. 7 Wells SA Jr, Robinson BG, Gagel RF, et al. Vandetanib in patients with locally advanced or metastatic medullary thyroid cancer: a randomized, double-blind phase III trial. J Clin Oncol Off J Am Soc Clin Oncol. 2012;30:134□41.

60. 8. An International, Randomised, Double-Blind, Two-Arm Study To Evaluate The Safety And Efficacy Of Vandetanib 150 And 300mg/Day In Patients With Unresectable Locally Advanced Or Metastatic Medullary Thyroid Carcinoma With Progressive Or Symptomatic Disease (2016). Available from: https:// clinicaltrials.gov/ct2/show/NCT01496313

61. Raue F, Winter J, Frank-Raue K, et al. Diagnostic procedure before reoperation in patients with medullary thyroid carcinoma. Horm Metab Res Suppl 1989;21:31-4.

62. Frank-Raue K, Raue F, Buhr HJ, et al. Localization of occult persisting medullary thyroid carcinoma before microsurgical reoperation: high sensitivity of selective venous catheterization. Thyroid 1992;2:113-7.

63. Ben Mrad MD, Gardet P, Roche A, et al. Value of venous catheterization and calcitonin studies in the treatment and management of clinically inapparent medullary thyroid carcinoma. Cancer 1989;63:133-8.

64. Norton JA, Doppman JL, Brennan MF. Localization and resection of clinically inapparent medullary carcinoma of the thyroid. Surgery 1980;87:616-22.

65. Abdelmoumene N, Schlumberger M, Gardet P, et al. Selective venous sampling catheterisation for localisation of persisting medullary thyroid carcinoma. Br J Cancer 1994;69:1141-4.

66. Tung WS, Vesely TM, Moley JF. Laparoscopic detection of hepatic metastases in patients with residual or recurrent medullary thyroid cancer. Surgery 1995;118:1024-9; discussion 1029-1030.

67. Bigsby RJ, Lepp EK, Litwin DE, et al. Technetium 99m pentavalent dimercaptosuccinic acid and thallium 201 in detecting recurrent medullary carcinoma of the thyroid. Can J Surg 1992;35:388-92.

68. Ohnishi T, Noguchi S, Murakami N, et al. Detection of recurrent thyroid cancer: MR versus thallium-201 scintigraphy. AJNR Am J Neuroradiol 1993;14:1051-7.

69. Udelsman R, Ball D, Baylin SB, et al. Preoperative localization of occult medullary carcinoma of the thyroid gland with single-photon emission tomography dimercaptosuccinic acid. Surgery 1993;114:1083-9.

70. Skowsky WR, Wilf LH. Iodine 131 metaiodobenzylguanidine scintigraphy of medullary carcinoma of the thyroid. South Med J 1991;84:636-41.

71. O'Byrne KJ, Hamilton D, Robinson I, et al. Imaging of medullary carcinoma of the thyroid using 111In-labelled anti-CEA monoclonal antibody fragments. Nucl Med Commun 1992;13:142-8.

72. Peltier P, Curtet C, Chatal JF, et al. Radioimmunodetection of medullary thyroid cancer using a bispecific anti-CEA/anti-indium-DTPA antibody and an indium-111-labeled DTPA dimer. J Nucl Med 1993;34:1267-73.

73. Juweid M, Sharkey RM, Behr T, et al. Improved detection of medullary thyroid cancer with radiolabeled antibodies to carcinoembryonic antigen. J Clin Oncol 1996;14:1209-17.

74. Waddington WA, Kettle AG, Heddle RM, Coakley AJ. Intraoperative localization of recurrent medullary carcinoma of the thyroid using indium-111 pentetreotide and a nuclear surgical probe. Eur J Nucl Med 1994;21:363-4.

75. Musholt TJ, Musholt PB, Dehdashti F, Moley JF. Evaluation of fluorodeoxyglucose-positron emission tomographic scanning and its association with glucose transporter expression in medullary thyroid carcinoma and pheochromocytoma: a clinical and molecular study. Surgery 1997;122:1049-60; discussion 1060-1041.

76. Buhr HJ, Kallinowski F, Raue F, et al. Microsurgical neck dissection for occultly metastasizing medullary thyroid carcinoma. Three-year results. Cancer 1993;72:3685-93.

77. Dralle H. Lymph node dissection and medullary thyroid carcinoma. Br J Surg 2002;89:1073-5.

78. Tisell LE, Hansson G, Jansson S, Salander H. Reoperation in the treatment of asymptomatic metastasizing medullary thyroid carcinoma. Surgery 1986;99:60-6.

79. Mahul B. AmiD, M., FCAP, AJCC Cancer Staging Manual. Springer, 2017. 8th: p. 891-901.

80. Clayman, D. Medullary Thyroid Cancer Staging.

가족성비수질성갑상선암

Familial Nonmedullary Thyroid Carcinoma

▌ 울산대학교 의과대학 외과 **성태연**

갑상선암은 여포 세포 또는 여포곁C세포(parafollicular C-cell)에서의 기원으로 분류된다. 여포 세포 기원의 갑상선암은 갑상선유두암, 갑상선여포암, 갑상선휘틀세포암, 미분화갑상선암 및 갑상선역형성암을 비롯한 갑상선암의 여러 아형을 유발한다. 이렇게 임상적으로 여포 세포 기원의 갑상선암을 갑상선비수질암이라 부르며 반면, 여포곁C세포에서 기원하는 갑상선암은 갑상선수질암을 유발한다. 갑상선비수질암과 갑상선수질암 모두 산발형과 유전형으로 발생하는 특징을 가지고 있다. 유전형 갑상선비수질암은 주로 가족성비수질성갑상선암(familial nonmedullary thyroid carcinoma)이라 알려져 있으며, 이는 드물게 관찰되며 가족성 갑상선수질암에 비하여 그 정의가 뚜렷하지 않다. 가족성비수질성갑상선암은 명확한 멘델 상속 패턴(mendelian inheritance pattern)을 가지고 있는 경우도 있으며, 가족성 갑상선유두암과 가족성 갑상선여포암이 함께 관찰되는 유전형도 있다. 또한 양성 갑상선 질환과 관련이 있다고 여겨지며, 일부에서는 여포 세포 기원의 산발성 갑상선암 보다 더 공격적이라고 알려져 있다. 다만, 현재 가족성비수질성갑상선암의 경우, 명확하게 연관된 것으로 알려진 단일 유전자는 없다는 것이다.

1. 정의

가족성비수질성갑상선암의 가장 큰 특징은 가족 중 여러 일차 친척 군(first-degree relatives)에서 발생한다는 것이다. 그러나 이러한 발견 외에 조직학적인 진단이나 특별한 표현형(phenotype)으로 식별하는 방법은 아직 없는 상황이다. 전통적으로 가족성비수질성갑상선암의 정의는 적어도 2명 이상의 일차 가족, 즉 같은 혈통 내 가족 군에 갑상선비수질암이 발생하는 경우를 의미한다.[1] 이 정의를 적용하면 모든 갑상선비수질암 환자의 2.6%가 가족성비수질성갑상선암에 기인 한 것으로 추정된다.[2] 여기에 다른 유전적 증후군으로 인해 발생되는 갑상선비수질암을 고려한다면 약 5~10%의 환자가 가족성으로 추정된다.

그러나 2006년까지 보고된 많은 가족성비수질성갑상선암 보고 사례들를 엄격하게 통계 분석 한 결과, 갑상선비수질암의 영향을 두 명만 받은 일차 가족 구성원이 있는 경우 62~69%가 가족성이 아닌 산발성 비수질암으로 나타났다. 가족 구성원이 3명 이상 영향을 받았을 때는 가족성비수질성갑상선암으로 갑상선암이 유전된 것일 확률은 94%였다.[3]

이러한 자료들을 감안할 때, 가장 엄격한 의미에서의 가족성비수질성갑상선암 진단은 최소 3명 이상의 일차 가족이 갑상선비수질암 영향을 받았을 경우라고 할 수 있다. 따라서 갑상선비수질암에 걸린 두 명의 가족만이 있는 경우는 가족성비수질성갑상선암에 대한 '고위험군'으로 간주하여 실제로 가족성비수질성갑상선암일 수 있음을 항상 염두해 두고 선별 검사 및 치료를 받아야 한다.[4]

따라서 이러한 특성을 바탕으로 가족성비수질성갑상선암은 다른 알려진 유전적 증후군이 없는 가족 중, 여포 세포에서 기원한 갑상선암의 변이로 적어도 3명의 일차 가족 내에서 발병할 경우라고 정의되어야 한다.

2. 임상적 의미

Robinson과 Orr은 1955년 같은 가족 내에서 발생한 갑상선비수질암에 관한 보고서를 최초로 발표했다.[5] 보고서에는 20대의 쌍둥이 자매가 같은 시기에 경부 종괴가 촉진되어 병원을 내원했으며 갑상선전절제 및 측경부림프절절제술을 해야 하는 갑상선암을 진단 받고 치료를 받은 내용이 담겨져 있다.

최근에 발표된 논문에 의하면, 갑상선비수질암 11,867건과 63,495명의 일차 친인척 관계를 분석한 결과 갑상선비수질암 환자들 중 일차 가족군에서 갑상선유두암 및 그 외 다른 유형의 비수질암이 발병할 위험도가 3배 증가한다고 하였다.[6] 이런 연구들을 바탕으로 가족성비수질성갑상선암은 유전학적으로 승계되는 질환이라고 판단할 수 있다.

이렇게 산발성 갑상선비수질암과 구별되는 가족성비수질성갑상선암에서 가장 중요한 것은 가족성이 산발성에 비하여 더욱 공격적인 질환 성향을 보이는지에 대한 것이다. 만약 가족성비수질성갑상선암이 더 공격적이라면, 이환율과 사망률을 줄이기 위한 조기 진단과 계획된 장기 추적 관찰 등은 아주 중요한 요인들이 된다.

산발성 갑상선암보다 가족성비수질성갑상선암이 더 공격적인 성향을 보인다는 연구에 의하면 가족성은 더 젊은 연령층에서 진단되며 피막 침윤, 높은 재발률, 다발성 병변, 양측성 병변과 높은 사망율을 관련 인자들로

보고하고 있다.[7-11]

그러나 또 다른 보고들은 산발성 갑상선비수질암보다 공격적이지는 않다는 결론을 내리고 있다.[12-14] 가족성비수질성갑상선암으로 진단된 가족들에 대한 선별 검사(screening)는 아직 논란의 여지가 있으나, 가족성이 산발성 보다 공격적인 성향을 보인다는 많은 수의 논문들을 바탕으로 가족 검사는 그 의미가 있다.

3. 유전 성향

가족성비수질성갑상선암은 상염색체 우성 유전(autosomal dominant mode of inheritance)으로 생각되며 다음과 같은 특징이 있는 것으로 판단된다. 첫째로, 열등 유전 방식(recessive inheritance mode)을 배제한 3대의 연속 세대에서 발생하며 둘째, 남성과 여성 모두 동일한 확률로 영향을 받는다. 셋째, x-linked 형질을 배제하고 아버지에서 아들로 넘어갈 수 있으며 넷째, 세대를 건너뛸 수 있다.[15,16] 이런 자료를 바탕으로 한다면, 가족성비수질성갑상선암은 가족성이 아닌, 유전성(hereditary) 갑상선비수질암으로 불리는 것이 더 정당하는 의견도 있다. 지금까지 가족성비수질성갑상선암과 연관이 있다고 알려진 유전자(genetic loci)는 총 10가지이며 다음의 표와 같다(표 21-1).[17-25]

4. 갑상선비수질암과 연관된 유전성 증후군 Genetic syndromes

갑상선비수질암의 발생과 연관된 성향(predisposition)을 보이는 유전성 증후군이 있다는 것은 1968년에 처음으로 발표되었다.[26-28] 가족성비수질성갑상선암은 이런 증후군들과 연관된 갑상선비수질암이 모두 배제된 후 진단되는 것을 말한다. 따라서 임상적 특징과 가족력을

표 21-1 | 가족성 갑상선비수질암과 연관이 있다고 알려진 유전자

Chromosome	Name	Tumor type	Study type
19p13.2	TCO	PTC with oxyphilia	Microsatellite linkage
1q21	PRN1 (FPTC/PRN)	PTC with papillary renal neoplasia	Microsatellite linkage
2q21	NMTC1	PTC (follicular variant)	Microsatellite linkage
8p23.1 – p22	FTEN	PTC (classic)	10K SNP array
8q24	Unknown	PTC with melanoma	50K SNP array
9q22.33	FOXE1	PTC/FTC (subtype unknown)	300K SNP array
14q13.3	NKX2-1	PTC/FTC (subtype unknown)	300K SNP array
6q22	Unknown	PTC/FTC (classic)	50K SNP array
5q31.2	miR-886-3p	PTC (classic)	3K miR array
13q31.3	miR-20a	PTC (classic)	3K miR array

PTC, Papillary thyroid cancer; FTC, Follicular thyroid cancer; TCO, Thyroid tumors with cell oxyphilia; FPTC, Familial papillary thyroid cancer; NMTC, Nonmedullary thyroid cancer; FTEN, Familial thyroid epithelial neoplasia; SNP, Single nucleotide polymorphism

표 21-2 | 갑상선비수질암의 발생과 높은 연관성을 보이는 증후군

Name	Chromosome	Gene	Inheritance	Gene type	Thyroid abnormality rate	Syndrome
Familial adenomatous polyposis	5q21	APC	Autosomal dominant	Tumor suppressor	2%	Multiple colon polyps, colon cancer, papillary thyroid cancer
Cowden syndrome	10q22-23	PTEN, KLLN, SDHx	Autosomal dominant	Tumor suppressor	35~65%	Macrocephaly, hamartomas of the breast, thyroid, endome-trium, kidney, gastrointestinal tract, brain, and skin
Carney's complex	17q24	PRKAR1α	Autosomal dominant	Protein kinase	11%	Endocrine tumors of the thyroid, pituitary, gonadal, and adrenal glands, as well as myxomas of the soft tissues and skin, mucosal pigmentation, and schwannomas
Werner's syndrome	8p11-21	WRN	Autosomal dominant	Helicase	Unknown	Premature aging, soft tissue sarcomas, osteosarcomas, early-onset follicular and papil-lary thyroid cancer, anaplastic thyroid cancer

정확하게 조사 분석하는 것이 중요하다. 가족성비수질성갑상선암 외에 갑상선비수질암의 발생과 높은 연관성을 보이는 증후군은 다음의 4가지이다(표 21-2).

요약

가족성비수질성갑상선암은 산발성 보다는 더 공격적인 성향을 가지고 있는 유전성 암 질환이며 다양한(heterogenous) 임상 양상과 유전성을 보인다. 가족성비수질성갑상선암이 진단될 경우, 모든 일차 가족 및 그 전후 세대의 친인척 관계도를 분석하여 갑상선 초음파 등의 선별 검사를 시작할 것을 권장하고 있다.

REFERENCES

1. Grossman RF, Tu SH, Duh QY, Siperstein AE, Novosolov F, Clark OH. Familial nonmedullary thyroid cancer. An emerging entity that warrants aggressive treatment. Arch Surg 1995;130(8):892-7; discussion 8-9.

2. Charkes ND. On the prevalence of familial nonmedullary thyroid cancer in multiply affected kindreds. Thyroid 2006;16(2):181-6.

3. Charkes ND. On the prevalence of familial nonmedullary thyroid cancer. Thyroid 1998;8(9):857-8.

4. Sung TY, Lee YM, Yoon JH, Chung KW, Hong SJ. Surgical Management of Familial Papillary Thyroid Microcarcinoma: A Single Institution Study of 94 Cases. World J Surg 2015;39(8):1930-5.

5. Robinson DW, Orr TG. Carcinoma of the thyroid and other diseases of the thyroid in identical twins. AMA Arch Surg 1955;70(6):923-8.

6. Fallah M, Pukkala E, Tryggvadottir L, Olsen JH, Tretli S, Sundquist K, Hemminki K. Risk of thyroid cancer in first-degree relatives of patients with non-medullary thyroid cancer by histology type and age at diagnosis: a joint study from five Nordic countries. J Med Genet 2013;50(6):373-82.

7. Triponez F, Wong M, Sturgeon C, Caron N, Ginzinger DG, Segal MR, Kebebew E, Duh QY, Clark OH. Does familial nonmedullary thyroid cancer adversely affect survival? World J Surg 2006;30(5):787-93.

8. Uchino S, Noguchi S, Kawamoto H, Yamashita H, Watanabe S, Yamashita H, Shuto S. Familial nonmedullary thyroid carcinoma characterized by multifocality and a high recurrence rate in a large study population. World J Surg 2002;26(8):897-902.

9. Alsanea O, Wada N, Ain K, Wong M, Taylor K, Ituarte PH, Treseler PA, Weier HU, Freimer N, Siperstein AE, Duh QY, Takami H, Clark OH. Is familial non-medullary thyroid carcinoma more aggressive than sporadic thyroid cancer? A multicenter series. Surgery 2000;128(6):1043-50;discussion 50-1.

10. Capezzone M, Marchisotta S, Cantara S, Busonero G, Brilli L, Pazaitou-Panayiotou K, Carli AF, Caruso G, Toti P, Capitani S, Pammolli A, Pacini F. Familial non-medullary thyroid carcinoma displays the features of clinical anticipation suggestive of a distinct biological entity. Endocr Relat Cancer 2008;15(4):1075-81.

11. Lee YM, Yoon JH, Yi O, Sung TY, Chung KW, Kim WB, Hong SJ. Familial history of non-medullary thyroid cancer is an independent prognostic factor for tumor recurrence in younger patients with conventional papillary thyroid carcinoma. J Surg Oncol 2014;109(2):168-73.

12. Maxwell EL, Hall FT, Freeman JL. Familial non-medullary thyroid cancer: a matched-case control study. Laryngoscope 2004;114(12):2182-6.

13. Moses W, Weng J, Kebebew E. Prevalence, clinicopathologic features, and somatic genetic mutation profile in familial versus sporadic nonmedullary thyroid cancer. Thyroid 2011;21(4):367-71.

14. Robenshtok E, Tzvetov G, Grozinsky-Glasberg S, Shraga-Slutzky I, Weinstein R, Lazar L, Serov S, Singer J, Hirsch D, Shimon I, Benbassat C. Clinical characteristics and outcome of familial nonmedullary thyroid cancer: a retrospective controlled study. Thyroid 2011;21(1):43-8.

15. Burgess JR, Duffield A, Wilkinson SJ, Ware R, Greenaway TM, Percival J, Hoffman L. Two families with an autosomal dominant inheritance pattern for papillary carcinoma of the thyroid. J Clin Endocrinol Metab 1997;82(2):345-8.

16. Kraimps JL, Bouin-Pineau MH, Amati P, Mothes D, Bonneau D, Marechaud R, Barbier J. Familial papillary carcinoma of the thyroid. Surgery 1997;121(6):715-8.

17. Canzian F, Amati P, Harach HR, Kraimps JL, Lesueur F, Barbier J, Levillain P, Romeo G, Bonneau D. A gene predisposing to familial thyroid tumors with cell oxyphilia maps to chromosome 19p13.2. Am J Hum Genet 1998;63(6):1743-8.

18. Malchoff CD, Sarfarazi M, Tendler B, Forouhar F, Whalen G, Joshi V, Arnold A, Malchoff DM. Papillary thyroid carcinoma associated with papillary renal neoplasia: genetic linkage analysis of a distinct heritable tumor syndrome. J Clin Endocrinol Metab 2000;85(5):1758-64.

19. McKay JD, Lesueur F, Jonard L, Pastore A, Williamson J, Hoffman L, Burgess J, Duffield A, Papotti M, Stark M, Sobol H, Maes B, Murat A, Kaariainen H, Bertholon-Gregoire M, Zini M, Rossing MA, Toubert ME, Bonichon F, Cavarec M, Bernard AM, Boneu A, Leprat F, Haas O, Lasset C, Schlumberger M, Canzian F, Goldgar DE, Romeo G. Localization of a susceptibility gene for familial nonmedullary thyroid carcinoma to chromosome 2q21. Am J Hum Genet 2001;69(2):440-6.

20. Cavaco BM, Batista PF, Sobrinho LG, Leite V. Mapping a new familial thyroid epithelial neoplasia susceptibility locus to chro-

mosome 8p23.1-p22 by high-density single-nucleotide polymorphism genome-wide linkage analysis. J Clin Endocrinol Metab 2008;93(11):4426-30.

21. Cavaco BM, Batista PF, Martins C, Banito A, do Rosario F, Limbert E, Sobrinho LG, Leite V. Familial non-medullary thyroid carcinoma(FNMTC): analysis of fPTC/PRN, NMTC1, MNG1 and TCO susceptibility loci and identification of somatic BRAF and RAS mutations. Endocr Relat Cancer 2008;15(1):207-15.

22. He H, Nagy R, Liyanarachchi S, Jiao H, Li W, Suster S, Kere J, de la Chapelle A. A susceptibility locus for papillary thyroid carcinoma on chromosome 8q24. Cancer Res 2009;69(2):625-31.

23. Gudmundsson J, Sulem P, Gudbjartsson DF, Jonasson JG, Sigurdsson A, Bergthorsson JT, He H, Blondal T, Geller F, Jakobsdottir M, Magnusdottir DN, Matthiasdottir S, Stacey SN, Skarphedinsson OB, Helgadottir H, Li W, Nagy R, Aguillo E, Faure E, Prats E, Saez B, Martinez M, Eyjolfsson GI, Bjornsdottir US, Holm H, Kristjansson K, Frigge ML, Kristvinsson H, Gulcher JR, Jonsson T, Rafnar T, Hjartarsson H, Mayordomo JI, de la Chapelle A, Hrafnkelsson J, Thorsteinsdottir U, Kong A, Stefansson K. Common variants on 9q22.33 and 14q13.3 predispose to thyroid cancer in European populations. Nat Genet 2009;41(4):460-4.

24. Suh I, Filetti S, Vriens MR, Guerrero MA, Tumino S, Wong M, Shen WT, Kebebew E, Duh QY, Clark OH. Distinct loci on chromosome 1q21 and 6q22 predispose to familial nonmedullary thyroid cancer: a SNP array-based linkage analysis of 38 families. Surgery 2009;146(6):1073-80.

25. Xiong Y, Zhang L, Holloway AK, Wu X, Su L, Kebebew E. MiR-886-3p regulates cell proliferation and migration, and is dysregulated in familial non-medullary thyroid cancer. PLoS One 2011;6(10):e24717.

26. Camiel MR, Mule JE, Alexander LL, Benninghoff DL. Association of thyroid carcinoma with Gardner's syndrome in siblings. N Engl J Med 1968;278(19):1056-8.

27. Smith WG, Kern BB. The nature of the mutation in familial multiple polyposis: papillary carcinoma of the thyroid, brain tumors, and familial multiple polyposis. Dis Colon Rectum 1973;16(4):264-71.

28. Smith WG. Familial multiple polyposis: research tool for investigating the etiology of carcinoma of the colon? Dis Colon Rectum 1968;11(1):17-31.

갑상선역형성암
Anaplastic Thyroid Carcinoma

| 서울대학교 의과대학 외과 **이규언**

갑상선역형성암(anaplastic thyroid carcinoma)은 분화암(well-differentiated thyroid carcinomas)이 느린 진행속도를 보이는 데에 반해 매우 공격적인 암으로서 예후가 가장 나쁜 암으로 잘 알려져 있다.[1] 그러나 빈도가 매우 낮으며, 최근 수십 년간 발생률이 꾸준히 감소하는 추세를 보이고 있다. 1997년의 한 조사에서 약 1.6%의 발생률을 나타내는 것으로 보고되었으며,[2] 이러한 감소추세에 대해서는 여러 가지 요인들이 거론되고 있으나 분명한 이유는 잘 알려지지 않았다.[3,4] 갑상선역형성암은 70대 이후에 호발하며,[5-8] 14~26세 사이의 젊은 연령에서는 거의 발생하지 않는다.[9,10] 남녀 성비는 대략 1:2에서 1:3 정도로 여자에서 흔하며, 이는 역형성암은 분화갑상선암에서 기원할 수 있음을 시사한다.[8,11] 대부분의 경우에서 갑자기 발생하여 급격히 자라는 갑상선 종괴를 보이며, 이러한 종괴는 80% 이상에서 이전부터 존재하고 있던 악성 혹은 양성 갑상선질환으로부터 시작되는 것으로 알려져 있다(그림 22-1).[12-14]

발견 당시 매우 큰 종괴를 형성하고 있으며 이미 원격전이 된 경우가 흔하여 외과적인 치료가 적합하지 않은 경우가 대부분이다.[12,15,16] 34~62%의 환자에서 국소 전이가 관찰되고, 18~46%의 환자에서 원격 전이가 발견된다.[7,8,17-19] 조기에 발견된 역형성암의 경우는

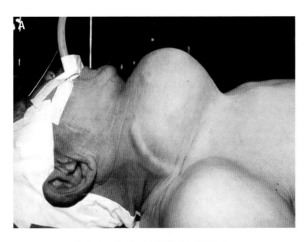 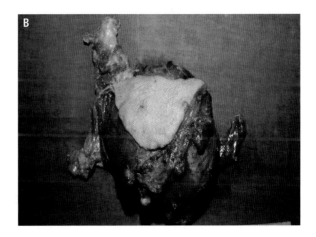

그림 22-1 | 경부의 거대 종괴를 형성한 역형성암
A. 수술 전 사진. **B.** 수술 후 절제 조직: 거대 갑상선 종양과 측경부 림프절

적극적인 치료의 대상으로 고려될 수도 있지만 완치는 거의 불가능한 것으로 알려져 있다.[20,21] 비록 이 질환에 대한 다병합요법(multidisciplinary treatment methods)의 필요성은 인정되고 있지만, 수술과 방사선요법, 항암요법이 어떻게 적절한 조합을 이룰 수 있는지, 얼마나 효과적인지는 잘 알려져 있지 않다.[22,23] 더구나 본 질환의 발생 빈도가 낮기 때문에 정확한 진단과 임상경과, 치료에 대한 반응 및 치료결과에 대한 종합적인 연구는 다른 암종에 비해 많지 않은 실정이다.

1. 병리학적 소견

역형성암은 피막형성이 없으며 주변조직으로 직접 침범하는 양상으로 나타난다. 조직학적인 특징으로는 세포분열이 흔하게 나타나고, 혈관형성이 많으며, 조직괴사 부분이 많고, 이를 둘러싼 주변으로는 염증반응이 나타난다. 암세포는 주로 주변조직으로 침범하는 양상을 보이고, 혈관을 쉽게 침범한다. 조직학적으로는 3가지 아형으로 분류될 수 있는데, 거대세포변이(giant cell variant), 편평세포변이(squamoid variant), 방추세포변이(spindle cell variant)가 그것이다. 방추세포변이는 53%, 거대세포형은 50%, 편평세포변이는 19%에서 각각 관찰되며, 조직학적 아형은 때때로 두 가지 이상이 혼재되어 있기도 한다.[24,25] 편평세포변이는 편평상피암(squamous cell carcinoma)과 감별이 요하고, 방추세포변이는 섬유육종(fibrosarcoma) 혼돈될 가능성이 있다.[26] 면역조직화학염색(immunohistochemistry stain) 결과는 연구마다 다양하게 나타난다. 갑상선 글로불린(thyroglobulin) 염색은 0~55%, 비멘틴(vimentin)은 23~94%, 사이토케라틴(cytokeratin)은 12~80% 정도의 빈도로 염색됨이 보고되며, 비멘틴과 사이토케라틴에 동시에 염색되는 경우는 역형성암의 39~75%에서 관찰되지만, 역형성암의 30%에서는 이들 특수 염색에 모두 음성 반응을 보이는 경우도 있다.[24,27-30] P53 돌연변이는 흔히 나타나

므로 진단적인 가치가 높다.[26,31] 갑상선역형성암은 조직학적으로 소세포암(small cell carcinomas)이나 림프암(lymphoma)과 감별이 어려운 경우가 있고, 분화도가 나쁜 갑상선수질암(medullary thyroid carcinoma)이나 갑상선내 흉선종(intrathyroidal thymoma)과도 감별이 필요하다.[31] 저분화암(poorly differentiated thyroid carcinoma)이나 도세포암(insular carcinoma)은 모양이나 생물학적 양상에 있어서 분화암과 역형성암의 중간단계로 추정되고 있어, 감별 진단이 필요하다.[32]

2. 분자생물학적 소견

새로운 치료법을 찾기 위해 역형성암에 대한 분자생물학적 연구가 전 세계적으로 활발하게 진행되고 있다. 현재까지 알려진 바에 의하면, 역형성암에서 특징적으로 잘 나타나는 것은 p53 돌연변이이다.[33] 또한, 갑상선 글로불린의 발현과 반비례되는 것으로 알려진 N-ras는 분화갑상선암에서는 발현이 드물지만, 저분화암, 역형성암으로 갈수록 발현빈도가 높아지기 때문에 분화갑상선암에서 역형성암으로 변화한다는 가설을 지지하는 증거로 자주 거론된다.[34] 그러나 이와는 반대로 갑상선유두암에서 흔히 발현되는 RET/PTC 재배치(rearrangement)는 저분화암과 역형성암에서는 발현이 거의 안 되기 때문에 반대의 증거가 되고, 적어도 RET/PTC 양성인 유두암은 역형성암의 발생과는 관련되지 않을 것이라는 추측이 가능하다.[35] 최근 들어 갑상선유두암의 공격성과 관련이 있는 것으로 잘 알려진 BRAF 변이는 역형성암의 약 10%에서 발현되며, 이런 경우에 p53은 거의 대부분에서 동반 발현되는 증거가 있으므로, BRAF 변이를 가진 유두암에서 P53 돌연변이가 동반될 경우 역형성암으로 변화가 될것이라는 가설도 가능하다.[36,37] 그 외 분자생물학적 소견으로는 β-catenin의 돌연변이, 16P의 소실 등이 특징적으로 나타날 수 있다.[38-40]

3. 임상양상

갑상선역형성암은 주로 70대 이후의 고연령층에서 발견된다.[5-8] 주로 급속히 자라고 주변조직과 딱딱하게 고착된 경부의 큰 종괴로 나타나며, 경부의 림프절 비대가 80% 이상으로 흔히 발견된다. 주변의 중요기관으로 침범이 흔히 일어나서 쉰목소리, 연하곤란, 호흡곤란 등의 증상이 동반되고, 통증도 흔하다. 식도, 기도, 후두의 침범이 동반될 수 있으며, 경동맥, 경정맥의 침범도 자주 나타난다. 흉부의 혈관을 침범하여 상대정맥 증후군(superior vena cava syndome)이 유발되기도 한다.[12-14,21] 전신전이는 약 18~46%가량의 환자에서 발견되며, 가장 흔하게 전이가 발견되는 장기는 폐이고(80%), 뼈와 뇌 전이도 15%의 환자에서 발견된다.[7,8,17-19,27,41]

4. 진단

갑상선의 기능은 대부분 정상이며, 드물게 기능저하가 나타나기는 하지만 진단적인 가치는 없다. 갑상선 스캔(thryoid scan)에서는 냉결절의 형태로 나타나고, 흉부 방사선 촬영에서 기도의 변위 등이 나타나기는 하지만 역시 진단에 도움이 되지 않는다. 고령의 환자에서 급속도로 자라는 경부종괴, 주요장기의 침범에 의한 증상 등 의심 소견이 있을 때, 세침흡입 검사(fine needle aspiration biopsy)를 시행하여 진단을 내릴 수 있다. 병리학적으로 특징적인 소견이 있는 경우에는 바로 진단이 가능하지만, 드물게 코어생검(core biopsy)이나 절개생검(incisional biopsy)이 필요한 경우도 있다. 하지만 역형성암에서 절개생검은 상처가 잘 낫지 않고 오히려 종양 성장을 자극한다는 보고도 있으니 주의를 요한다.[42] 조직 진단 과정에서 또 다른 중요한 점은 앞서 기술한 것처럼 자세한 면역조직화학 검사나 종양 표지자 검사를 통해 림프종이나 저분화 수질암과 감별해내는 것이다.

경부나 흉부 전산화단층촬영(computed tomographic scan) 등은 국소적인 진행과 주요조직 침범, 경, 흉부의 림프절 전이를 파악하기에 좋으며(그림 22-2), 전신전이를 파악하기 위해서 양전자방출 단층촬영(positron emission tomographic scan)이 도움이 될 수 있다. 복부장기의 전이를 파악하는 데는 초음파검사가 유용하다.

5. 치료

역형성암은 극히 예후가 불량하여 대부분의 보고에서 진단된 지 수개월 내에 사망하는 것으로 알려졌다.[43] 이 질환의 예후 인자를 규명하고자 하는 노력들이 있어 왔으며 특히 우연히 발견된 작은 크기의 경우에는 좀 더 나은 예후를 보이고 경부에 국한된 질환일 경우 원격전이를 동반한 경우보다 예후가 좋은 것으로 알려졌지만,[44,45] 치료성적이 극히 불량하여 현재까지 이렇다 할 예후인자의 규명은 이루어지지 않은 상태이다.[46-50] Tann 등[51]은 종양이 완전 절제된 경우 종양의 직경이 평균 5 cm 이상인 경우에서도 장기간 생존하여 131개월의 중앙값을 보였으며, 불완전 절제의 경우 4.2개월의 생존을 보였고 2년 이상 생존한 경우는 없는 것으로 보고하였다. 그러나 대부분의 보고에서 종양의 크기가 작고 경부에 국한되어 있으며 원격전이가 없는 경우를 제외하고는 수술에 의한 생존기간 연장이 관찰되지 않는 것으로 알려져 있다.[12,20,21]

장 등이 장기적이고 대규모의 환자군에 대한 역형성암의 치료 결과를 발표한바 있는데,[21] 대부분의 경우 진단 당시부터 이미 국소침윤이 심하거나 원격전이가 된 경우가 많아 근치절제술을 시행할 수 있는 경우는 매우 드물었다. 대부분의 예에서 발견당시부터 이미 암이 진행되어 있었던 때문에 근치적 절제술은 17%에서만 가능하였으며, 이들에 대해 적극적인 절제술과 경부곽청술을 시행하였지만 그 결과는 만족스럽지 못하여, 장기 생존한 1예를 제외하면 수술이 불가능했던 환자들과 차이가 없었다.[21] 또한, 근치적 절제가 불가능

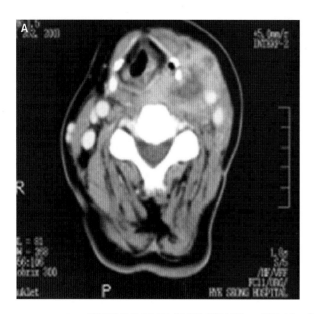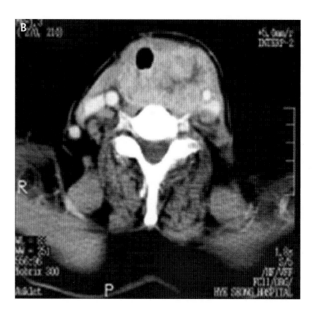

그림 22-2 | **A.** 경부의 중요 구조를 침범한 역형성암. **B.** 후두, 기도 혈관의 침범 상태

했지만 11개월간 생존하였던 장기 생존자의 경우를 비교해 보더라도 수술 범위는 예후에 영향을 미치지 못하는 것으로 판단되며, 이는 이전의 발표들과 같은 결과이다.[12,16,21,47,52] 국소침범을 해결하기 위해 후두절제술이나 기관절제술과 같이 생명기관을 제거하는 수술은 권장되지 않는데 그 이유는 국소침윤이 심한 경우 적극적인 수술을 시행한다 해도 재발률이 더 감소한다는 증거가 없고 수술합병증만 높이는 결과를 초래하기 때문이다.[21,47,51] 수술적 절제와 항암화학요법, 방사선치료를 포함한 다병합요법이 역형성 갑상선암의 치료성적을 조금이라도 향상시키는 데 도움이 될 것이라는 보고들이 있기는 하지만, 실제로는 시행이 불가능한 경우가 많은데, 이는 치료 중에도 종양이 급속히 성장하고 대부분 고령의 환자이므로 과중한 치료의 부담을 견디기 힘든 경우가 많기 때문이다.[53,54] 현재까지 가장 효과적인 것으로 보고된 단일 항암제는 adriamycin이며 방사선치료와 병용했을 때 상승작용이 있는 것으로 알려져 있다.[49,54-56] 그러나 방사선요법과 병행 실시에도 불구하고 평균생존기간은 6개월에 불과하며 2년 이상의 생존율은 20% 미만에 머무는 등 이 치료방법에 대

한 평가 혹은 개선이 필요하다 하겠다.[57,58] 최근 인정되고 있는 치료방법으로는 adriamycin과 cisplatin을 고분할 방사선 치료(hyperfractionated radiation therapy)와 병행하는 것이 있으며, 몇몇 기관에서는 수술에 이은 adriamycin과 과분할방사선치료의 병합으로써 국소치료율을 증진시키고 생존기간을 늘일 수 있는 것으로 보고하고 있다.[59-61] 그러나 대부분의 보고에서는 상당한 수준의 부작용과 독성을 보이고, 반응율은 미미한 수준에 머물러 있는 것으로 밝혀졌으며, 그나마 다약제 병합을 하면 독성을 감소시킬 수 있으며 반응율도 조금 개선되는 것이 알려졌지만, 역시 만족스러운 수준은 아니다.[54-61] 일부에서는 항암화학요법을 실시한 후 갑상선절제의 가능성을 기술하였다. 그러나 항암화학요법뿐만 아니라 적극적인 다병합요법 실시 중에도 병의 진행이 급속히 일어나 사망에 이르는 점을 고려할 때, 항암화학요법의 수술 전 치료로서의 역할은 기대하기 힘들 것으로 생각된다.[21,48,50] 수술 전, 후의 보조적 방사선치료로 소수에서 장기 생존자를 관찰할 수 있었다는 보고도 있었으나 고식적인 방사선 치료만으로는 만족스럽지 못하고, 단지 환자의 증상을 완화하는데 의의가 있는

것으로 보고하였다.[21,62-64] 전통적인 방사선 조사요법의 한계를 개선하기 위한 방법으로 도입된 것이 고분할 방사선요법이며, Kim과 Leeper는 고분할 방사선요법과 항암화학요법을 포함한 다병합요법을 시행하여 19예의 환자에서 84%의 관해율, 68%의 국소치료율을 보고하였다.[43] 장 등의 경험에 의하면 근치적 수술이 불가능했던 예에서 고분할 방사선요법과 화학요법을 동반 시행한 경우에서는 평균 2.6개월의 생존기간을 보여 매우 실망스러운 결과를 보였고, 근치적 수술이 시행된 경우에는 고분할 방사선요법과 항암화학요법을 통해 비록 통계학적인 의의는 없었지만 좀 더 나은 결과를 보였다.[21] 이러한 결과를 볼 때 화학요법을 포함한 다병합고분할 방사선요법만으로 획기적인 치료효과를 얻기는 힘든 것으로 생각되며, 다만 근치적 절제가 이루어진 경우 보조요법으로 사용할 경우 도움을 얻을 수 있으리라 생각된다. 최근에 탁솔계통의 약물(Taxens) 중 Paclitaxel이나 Docetaxel을 이용하여 방사선치료와 병합요법을 시행함으로써 우수한 성적을 거두었다는 보고들이 있지만,[65,66] 아직은 대규모의 장기적인 연구가 필요하다. 최근 갑상선암의 발생 전과정에 걸친 분자생물학 연구가 활발하게 진행되면서 역형성암의 발생에 대한 많은 내용이 파악되고 있으며, 이는 미래의 치료 방법 개척을 위한 기초가 될 것으로 생각된다. 전에 기술한 대로, 역형성 갑상선암에서 흔히 관찰되는 p53의 돌연변이에 근거하여 p53의 유전자 전달(gene transfer) 치료법이 연구 중에 있다.[67-69] 최근 실험적으로 갑상선여포세포(follicular cells)에 아데노 바이러스(adenovirus)의 감염이 일어남을 알게 되었는데, 이 연구 결과는 전신전이가 발생한 말기 저분화갑상선암이나 역형성 갑상선암에서 p53 유전자 치료의 가능성을 보여주는 것이라 하겠다.[67] 분자생물학적 연구가 진행되고 있는 다른 약물들로는, EGFR, VEGF, Her2/Neu 등 특정 표적을 겨냥한 단일 클론 항체(monoclonal antibodies), vandetanib, sorafenib, sunitanib, gefitinib 등을 대표로 하는 유전 신호전달체계의 작은 표적(small molecule)을 공격하는 kinase 억제제, combretastatin, thalidomide 등 혈관생

성 억제제(anti-angiogenic drugs), bortezonib 등 proteosome 억제제, NIS (sodium/iodine synporter)를 재건하기 위한 치료방법, 그 외에 여러 가지 후성 약물들에 대한 연구가 진행되고 있다.[70] 그러나 이들 대부분은 임상 제2상에 머물러 있거나 심한 부작용 등의 이유로 중도 탈락되고 아직은 유용성 면에서 문제가 있는 상태이다. 그러나 향후 여러 가지 약제의 효율적인 병합이나 독성을 낮추기 위한 연구가 계속된다면 희망이 있을 것으로 생각된다.

최근 들어 역형성갑상선암 치료의 또 다른 접근방법으로 가능성이 거론되고 있는 것으로 retinoids나 histone deacetylase inhibitor를 이용한 분화요법 요법(re-differentiation therapy)이 있다. 실험을 통해 역형성 갑상선암 조직이 분화요법 되거나 적어도 탈분화 과정이 억제됨을 보고한 연구들이 있는데, 이것은 다른 종양에서와 같이 retinoids가 역형성 갑상선암에서도 치료목적으로 혹은 주치료방법에 보조적 요법으로 사용할 수 있음을 시사하는 것이다.[71-75] 이상에서와 같이, 역형성 갑상선암의 치료성적을 향상시키기 위해서는 좀더 조기에 발견하여 광범위한 수술 방법의 선택과 수술 후 항암요법, 방사선 치료를 병합하는 적극적인 치료를 시행하는 것이 가장 중요하다. 아울러 좀 더 나은 치료방법의 개발을 위해서는 현재 주목받고 있는 유전자 치료, 면역요법 등 분자생물학적 연구도 중요한 의미를 가질 것으로 생각되며, 좀 더 많은 예의 치료경험과 장기추적 조사를 통한 연구가 필요할 것으로 생각된다.

요약

갑상선역형성암은 치료성적이 매우 불량하며, 현재까지 여러 가지 조합의 항암 화학요법과 과분할방사선치료 방법으로 종양관해율과 생존 기간의 연장 면에서 긍정적인 효과를 얻었다고 하나 이것은 좀 더 많은 경험과 오랜 기간의 추적을 통해 입증되어야 할 것이다. 다

만 역형성 갑상선암의 치료에서 좀더 조기에 발견하여 근치적 절제술과 다병합요법를 동원한 적극적인 치료가 생존기간을 호전시키는데 의미가 있는 것으로 생각된다.

또한 분자생물학적 연구가 계속된다면 새로운 약제나 치료법의 개발도 이루어질 것으로 희망한다.

REFERENCES

1. Ain KB. Anaplastic thyroid carcinoma: a therapeutic challenge. Semin Oncol 1999;16:64-9.
2. Gilliland FD, Hunt WC, Morris DM, et al. Prognostic factors for thyroid carcinoma: a population-based study of 15,698 cases from the Surveillance, Epidemiology and Results (SEER) program 1973-1991. Cancer 1997;79:564-73.
3. Roher HD, Goretzki PE. Management of goiter and thyroid nodules in an area of endemic goiter. Surg Clin N Am 1987;67:233-49.
4. Luze T, Totsch M, Banger I, et al. Fine needle aspiration cytology of anaplastic carcinoma and malignant haemangioendothelioma of thyroid in an endemic goiter area. Cytopathology 1990;1:305-10.
5. Us-Krasovec M, Golouh R, Auerperg M, Besic N, Ruparcic-Oblak L. Anaplastic thyroid carcinoma in fine needle aspirates. Acta Cytologica 1996;40:953-8.
6. Venkatesh YSS, Ordonez NG, Schultz PN, Hickey RC, Geopfert H, Sanaan NA. Anaplastic carcinoma of thyroid. A clinicopathologic study of 121 cases. Cancer 1990;66:321-30.
7. Kim JH, Leeper RD: Treatment of anaplastic giant and spindle cell carcinoma of the thyroid gland with combination adriamycin and radiation therapy. A new approach. Cancer 1983;52:954-7.
8. Ordonez NG, Hickey RC, Samaan NA: Anaplastic thyroid carcinoma. Cancer Bull 1972;39:318-23.
9. Nishiyama RH, Dunn EL, Thompson NW. Anaplastic spindle cell and giant cell tumors of thyroid gland. Cancer 1972;30:113-27.
10. Adlinger KA. Sanaan NA, Ibanez M, Hill Jr CS. Anaplastic thyroid carcinoma of the thyroid; a review of 84 cases of spindle and giant cell carcinoma of the thyroid. Cancer 1978;41:2267-75.
11. Demeter JG, De Jong SA, Lawrence AM, Paloyan E. Ana163 Thyroid Neoplasia plastic thyroid carcinoma: risk factors and outcome. Surgery 1991;110:956-63.
12. Chang HS, Nam KH, Chung WY, Park CS. Anaplastic thyroid carcinoma: A therapeutic dilemma. YMJ 2005;46:759-64.
13. Tubiana M. Repopulation in human tumors: a biological background for fractionation in radiotherapy. Acta Oncol 1988;27:83-8.
14. Tubiana E, Wallin G, Lowhagen T, Einhorn J. Multimodal treatment in anaplastic giant thyroid carcinoma. Cancer 1987;60:1428-31.
15. Rosai J, Carcangiu M, DeLellis R. Tumors of thyroid gland. In: Atlas of tumor pathology. 3rd. series, fascicle 5. Washington, DC, Armed Forces Institution of Pathology, 1992.
16. LiVolsi VA. Surgical pathology of the thyroid. Philadelphia, WB Saounders, 1990.
17. Sakamoto A, Kasai N, Sugino H. Poorly differentiated carcinoma of the thyroid: A clinicopathologic entity for high-risk group of papillary and follicular carcinomas. Cancer 1983;52:1849.
18. Moretti F, Farsetti A, Soddu S, et al. P53 re-expression inhibits proliferation and restore differentiation of human thyroid anaplastic carcinoma cells. Oncogene 1996;14:729.
19. Basolo F, Pisaturo F, Pollina L, et al. N-ras mutation in poorly differentiated thyroid carcinoma: Correlation with metastases and inverse correlation to thyroglobulin expression. Thyroid 2000;10:19.
20. Santoro M, Papotti M, Chiappetta G. Ret activation and clinico-pathological features in poorly differentiated thyroid tumors. J Clin Endocrinol Meyab 2002;87:370.
21. Nikiforova MN, Kimura ET, Gandhi M, et al. BRAF mutations in thyroid tumors are restricted to papillary carcinomas and anaplastic or poorly differentiated carcinomas arising from papillary carcinomas. J Clin Endocrinol Metab 2003;88:5399-404.
22. Quiro RM, Ding HG, Gattuso P, Prinz RA, Xu X. Evidence that one subset of anaplastic thyroid carcinomas are derived from papillary carcinomas due to BRAF and p53 mutations. Cancer 2005;103:2261-8.
23. Garcia-Rostan G, Tallin G, Herrero A et al. Frequent mutation and nuclear locaization of beta-catenin in anaplastic thyroid carcinoma. Int J Oncol 1999;59:1811.
24. Osawa H, Asakawa H, Kobayashi T. Multistep carcinogenesis in anaplastic thyroid carcinoma. Pathology 2002;34:94.
25. Komoike Y, Tamaki Y, Sakita I et al. Comparative genomic hybridization defines frequent loss of 16P in human anaplastic thyroid carcinoma. In J Oncol 1999;14:1157.
26. Tallroth E, Wallin G, Lunfell G, et al. Multimodal treatment in anaplastic giant cell carcinoma. Cancer 1987;60:1428.

27. Kim JH, Leeper RD. Treatment of locally advanced thyroid carcinoma with combination doxorubicin and radiation therapy. Cancer 1987;60:2372-5.

28. Sugitani I, Kasai N, Fujimoto Y, Yanagisawa A. Prognostic factor and theraputic strategy for anaplastic carcinoma of the thyroid. World J Surg 2001;25:617-22.

29. Pacheco-Ojeda L, Martinez A, Alvarez M. Anaplastic thyroid carcinoma in Ecuador: analysis of prognostic factors. Int Surg 2001;86:117-21.

30. Pasieka JL. Aanaplastic thyroid cancer. Curr Opin Oncol 2003;15:78-83.

31. 박정수, 조영업, 김춘규. 미분화갑상선암의 임상상 및 치료성적. 대한 의학협회지 1989;32:859-64.

32. Farnebo L, Tash O, Wallin G. Anaplastic giant cell carcinoma of the thyroid In: vanHeerden JA (ed), Common problems in endocrine surgery. London: Yearbook; 1989. p.33-4.

33. Kobayashi T, Asakawa H, Umeshita K, Takeda T, Maruyama H, Matsuzuka F, et al. Treatment of 37 patients with anaplastic carcinoma of the thyroid. Head Neck 1996;18:36-41.

34. Austin JR, El-Naggar A, Geopfert H. Thyroid cancer II. Otolaryngol Clin of North Am 1996;29:611-27.

35. Tan RK, Finley RK, Driscoll D, Bakamjian V, Hicks WL, Shedd DP. Analastic carcinoma of the thyroid: A 24 year experience. Head Neck 1995;17:41-7.

36. Asakawa H, Kobayashi T, Komoike Y, Maruyama H, Nakano Y, Tamaki Y, et al. Chemosensitivity of anaplastic thyroid carcinoma and poorly differentiated thyroid carcinoma. Anticancer Res 1997;17:2757-62.

37. Haigh PI, Ituarte PHG, Wu HS, Treseler PA, Posner MD, Quivey JM, et al. Completely resected anaplastic thyroid carcinoma combined with adjuvant chemotherapy and irradiation is associated with prolonged survival. Cancer 2001;91:2335-42.

38. Nilsson O, Lindeberg J, Zedenius J, Ekman E, Tennvall J, Blomgren H, et al. Anaplastic giant cell carcinoma of the thyroid gland: Treatment and survival over a 25-year period. World J Surg 1998;22:725-30.

39. 김현영, 정기욱, 김활웅, 윤여규, 오승근. 미분화갑상선암에 대한 임상적 고찰. 대한외과학회지 2001;61:142-7.

40. Werner B, Abele J, Alveryd A, Bjorklund A, Franzen S, Granberg PO, et al. Multimodal therapy in anaplastic giant cell thyroid carcinoma. World J Surgery 1984;8:64-70.

41. Schlumberger M, Parmentier C, Delisle MJ, Couette JE, Droz JP, Sarrazin D. Combination therapy for analastic giant cell thyroid carcinoma. Cancer 1991;67:564-6.

42. Tennvall J, Lundell G, Hallquist A. Combined doxorubicin, hyperfractionated radiotherapy, and surgery in anaplastic thyroid carcinoma. Cancer 1994;74:1348-54.

43. Giuffrida D, Gharib H. Anaplastic thyroid carcinoma: Current diagnosis and treatment. Ann Oncol 2000;11:1083-9.

44. Poster DS, Bruno S, Penta T, Pina K, Cantane R. Current status of chemotherapy in the treatment of advanced carcinoma of the thyroid gland. Cancer Clin Trials 1981;4:301-7.

45. Levendag PC, De Porre PMZR, van Putten WLJ. Anaplastic carcinoma of the thyroid gland treated by radiation therapy. Int J Radiat Oncol Biol Phys 1993;26:125-8.

46. Junor EJ, Paul J, Reed NS. Anaplastic thyroid carcinoma: 91 patients treated by surgery and radiotherapy. European Journal of Surgical Oncology. 1992;18:83-8.

47. Lo CY, Lam KY, Wan KY. Anaplastic carcinoma of the thyroid. Am J Surg 1999;177:337-9.

48. Kaga H, Lee JK, Vickery AL, Thor A, Gaz RD, Jameson JL. Ras oncogene mutation in benign and malignant thyroid neo164 plasm. J Clin Endocrinol Metab 1991;63:1170-3.

49. Higashiyma T, Ito Y, Mitsuyoshi H, Fukushima M, Urino T, Miya A, Matsuazuka F, Miyauchi A. Induction chemotherapy with weekly Paclitaxel administration for anaplastic thyroid carcinoma. Thyroid 2009;20:7-14.

50. Torch M, Koperek O, Scheuba C, Diekman K, Hoffmann M, Niederle B, Radere M. High efficacy of concomitant treatment of undifferentiated (anaplastic) thyroid cancer with radiation and Docetaxel. J Clin Endocrinol Metab 2010;95(9):E54-57.

51. Zeiger MA, Takiyama Y, Bishop JO, Ellison AR, Saji M, Levine MA. Adenoviral infection of thyroid cells: a rationale for gene therapy for metastatic thyroid carcinoma. Surgery 1996;120:921-5.

52. Kitazono M, Chuman Y, Kikou T, Fojo T. Construction of gene therapy vectors targeting thyroid cells: Enhancement of activity and specificity with histon deacetylase inhibitors and agents modulating the cyclic adenosine 3',5'-Monophosphate pathway and demonstration of activity in follicular and anaplastic thyroid carcinoma cells. J Clin Endocrinol Metabol 2001;86:834-40.

53. Barzon L, Bonaguro R, Castagliuolo I, Chilosi M, Franchin E, Vecchio CD, et al. Gene therapy of thyroid cancer via retrovirally-driven combined expression of human interleukin-2 and herpes simplex virus thymidine kinase. Eur J Endocrinol 2003;148:73-80.

54. Catalano MG, Poli R, Pugliese M, Fortunati N, Boccussi G. Emerging molecular therapies of advanced thyroid cancer. Molecular Aspect of Medicine 2010;31:215-26.

55. Schmutzler C, Winzer R, Meissner-Weigle J, Kohrle J. Retinoic acid increase sodium/iodide symporter mRNA levels in human thyroid-cancer cell lines and suppresses expression of functional symporter in non-transformed FRTL-5 rat thyroid cell. Biochem Biophys Res Commun 1997;240:832-8.

56. Schmutzler C, Brtko J, Winzer R, Jakobs TC, Meissner-Weigl J, Simon D, et al. Functional retinoid and thyroid hormone receptors in human thyroid carcinoma cell lines and tissues. Int J Cancer 1998;76:368-76.

57. Simon D, Koehrle J, Reiners C, Boerner AR, Schmutzler C, Mainz K, et al. Redifferentiation therapy with retinoids: Therapeutic option for advanced follicular and papillary thyroid carcinoma. World J Surg 1998;22:569-74.

58. Grunwald F, Pakos E, Bender H, Menzel C, Otte R, Palmedo H, et al. Redifferentiation therapy with retinoic acid in follicular thyroid cancer

59. Gruning T, Tiepolt C, Zophel K, Bredow J, Kropp J, Frank WG. Retinoic acid for redifferentiation of thyroid cancer - does it hold its promise? Eur J Endocrinol 2003;148:395-402.

드문 갑상선암

Unusual Thyroid Carcinomas

| 경북대학교 의과대학 외과 **정진향**

갑상선암은 크게 상피성 종양, 비상피성 종양, 전이성 종양으로 분류할 수 있다.[1] 갑상선의 원발성 상피암은 대부분 여포세포에서 유래하며 유두암과 그 변이, 여포암, 수질암, 저분화암, 역형성암 및 빈도가 낮은 편평세포암을 포함한다. 갑상선의 비상피성 종양은 매우 드물며, 그 중 빈도가 높은 것은 악성림프종과 중간엽세포에서 유래하는 종양들이다. 갑상선으로의 전이성 종양은 주로 폐암, 신장세포암과 유방암에서 발생한다.[1]

저분화갑상선암이나 갑상선의 비상피암(림프종, 생식세포종양, 육종) 등을 포함한 드문 갑상선암은 갑상선 원발암의 10~15%를 차지한다고 보고되어 있지만 우리나라의 경우는 그 빈도가 훨씬 낮다. 그러나 이들 암종은

분화갑상선암과는 다른 생물학적 행태를 보여 더 침습적이며 예후가 불량하고 다양한 치료 방법을 고려해야 하며 의학적 응급 상황을 유발하기도 한다. 드문 갑상선암에 대한 효과적인 치료를 위해서는 다병합적 접근이 필요하며 이를 위해 내분비외과의는 이들 암종의 생물학적 특징을 정확히 이해하고 수술의 적응을 인지하는 것이 중요하다.

1. 드문 갑상선암 Unusual thyroid carcinoma

1) 저분화갑상선암 Poorly differentiated thyroid carcinoma

2004년 세계보건기구는 저분화갑상선암을 분화갑상선암과 역형성암의 중간에 해당하는 형태학적, 생물학적 특성을 지니는 구별된 갑상선암의 한 종류로 분류하였고, 비유두(nonpapillary) 또는 비여포(nonfollicular) 성장 양상을 보이고, 높은 유사분열지수와 괴사를 가지는 것으로 정의하였다.[2] 임상적으로 저분화갑상선암은 분화갑상선암에 비해 공격적인 양상을 보이지만 역형성암만큼 치명적이지는 않다. 그러나 이들 소견으로는 갑상선 유두암의 고형 변이와 고형 또는 지주형 성장 패턴을 보이는 갑상선여포암과의 감별이 어려울 수 있다. 2006년

표 23-1 | 드문 갑상선암

상피성 종양(epithelial tumors)
- 저분화암종(poorly differentiated)
- 유리질지주종양(hyalinizing trabecular tumor)
- 점막표피양암종(mucoepidermoid)
- 편평세포암(Squamous cell)

비상피성 종양(nonepithelial tumors)
- 형질세포종(plasmacytoma)
- 부신경절종(paraganglioma)
- 림프종(lymphoma)
- 육종(sarcoma)
- 기형종(teratoma)

전이성 종양(metastatic tumors)
- 흑색종, 유방암, 신장세포암, 폐암, 두경부암

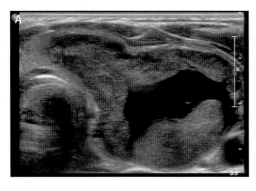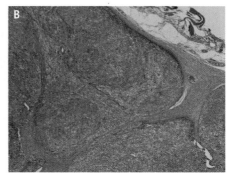

그림 23-1 | 저분화갑상선암. A. 초음파 사진. B. 병리조직소견

Turin에서 합의된 진단 기준에 따르면, 저분화갑상선암은 1) 고형, 지주형, 섬모양 성장 패턴을 보이며, 2) 유두암의 특징적인 핵 모양 소견이 없으며, 3) 뒤얽힌 핵, 유사분열(≥3×10HPF), 또는 종양 괴사를 보인다(그림 23-1).[3]

저분화갑상선암은 전체 갑상선암의 10% 정도를 차지한다고 알려져 있으나 애매한 진단 기준으로 인해 보고자간의 차이가 있다. 50대 이후에 빈발하며 여성에서 2배 정도 발생 빈도가 높다. 진단 당시 이미 진행된 병기로 갑상선외 침범이나 광범위한 국소 침범이 흔하며, 림프절 전이(50~85%), 원격전이(36~85%)의 빈도가 높다. 원격전이는 폐전이(14~54%)가 가장 흔하며 뼈전이(18~33%)가 다음 순이다.[4,5] 생존율은 5년 50%, 10년 34%, 15년 0%로 보고된다.[4,6] 불량한 예후인자로는 45세 이상, 4 cm 이상의 종양 크기, 진단 당시 림프절 전이 및 원격전이, 수술 후 방사성요오드치료를 하지 않은 경우, 종양 괴사, 3 이상의 유사분열지수, 국소 재발 등이다.[7]

저분화갑상선암은 드문 질환으로 표준화된 치료는 없으나 수술이 주된 치료 방법이다. 갑상선 전절제와 림프절 절제 및 육안으로 확인되는 모든 종양을 제거하는 것이 필수적이다. 50% 이상에서 림프절 전이를 동반하므로 중앙경부림프절 절제와 가능한 변이 광범위 경부림프절절제술을 고려해야 한다.[7] 저분화갑상선암은 여포세포 유래암으로 75~85%의 방사성요오드 섭취율을

보이므로 수술 후 방사성요오드치료를 고려할 수 있다. 그러나 방사성요오드치료가 예후에 미치는 영향에 대해서는 상반된 보고들이 있고, 아직까지 전향적인 연구자료들이 없어 논란의 여지가 있다.[6,8] 외부방사선치료의 효과에 대한 연구는 없으나 육안적 잔존암, 갑상선외 침윤, 림프절의 피막외 침범, 광범위한 림프절 전이가 있는 경우에는 선택적으로 방사선치료를 고려할 수 있다.[7] 갑상선암의 항암치료는 대부분 역형성암에 대한 연구에 근거한다. 가장 많이 이용되는 항암제는 adriamycin이나, 아직까지 연구 중으로 생존율에 영향을 미친다는 보고는 없다.[9]

2) 편평세포암 Squamous cell carcinoma

원발성 갑상선 편평세포암은 전체 갑상선암의 1% 미만을 차지하는 매우 드문 암으로, 1858년 von Krast가 처음 보고한 이후 산발적으로 보고되고 있다.[10] 조직학적으로 갑상선은 여포세포와 여포곁세포로 구성되어 있어 정상적으로는 편평상피가 존재하지 않는다. 원발성 편평세포암의 발생 기전에 대해서는 여러 가설이 제시되고 있는데, 갑상선의 만성염증 등으로 인한 여포세포의 편평상피화생에 의해 발생한다는 가설, 갑상설관, 아가미끝소체(ultimobrachial body) 등과 같은 발생학적 잔유물로부터 유래한다는 가설, 분화갑상선암으로부터 편평

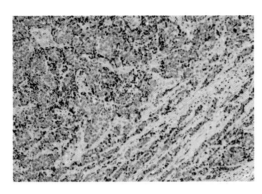 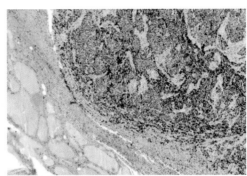

그림 23-2 | CASTLE의 병리조직 소견.

세포암으로 직접 발생한다는 가설 등이 있다.[11-13]

원발성 갑상선 편평세포암은 50~60대에 주로 발생하며, 여성에서 호발한다. 갑상선염이나 갑상선종의 긴 병력을 가지고 있다가 갑자기 종물의 크기가 증가하고, 동통, 연하장애, 쉰 목소리 등의 증상이 나타난 후 급속히 진행한다. 수술 당시에 대부분의 환자에서 후두, 식도, 주위 근육, 경정맥, 기도로의 침범을 나타내고 이후 아주 공격적인 임상경과를 취하여 광범위한 주위조직 침범으로 인해 사망한다. 병리조직소견으로는 세포간다리(intercellular bridges)와 세포질 내 케라틴 형성이 확인되며, 면역조직화학염색 시 Cytokeratin 19, cytokeratin 5/6, 및 p63에는 양성 소견을 보이나 갑상선글로블린에는 음성이다. 원발성 갑상선 편평세포암으로 진단하기 위해서는 폐, 두경부, 상기도, 식도 등의 주변 장기에서 전이된 것이 아니라는 증명이 필요하며, 조직병리소견상 케라틴 형성과 세포간다리가 존재하여야 한다. 갑상선염 등에서 관찰되는 편평세포 이형성 및 유두암과 유두여포성 혼합형암에서 보일 수 있는 편평상피세포와도 감별하여야 한다.[10] 흉선 유사요소를 보이는 암종(CASTLE: carcinoma showing thymus-like element)은 전형적인 편평세포 형태의 분화에 흉선 소체나 림프구 침윤과 같은 흉선 구조가 혼합되어 있는 것으로 원발성 갑상선 편평세포암과 달리 예후가 좋으므로 감별이 필요하다(그림 23-2).[14] 수술 전 세침흡인세포검사에서는 염증세포, 또는 분화가 나쁜 악성세포, 부적절한 검체 등의

결과로 쉽게 진단하기 어려우므로 수술 후 조직검사를 통해서 최종적인 진단을 하게 되는 경우가 많다.

치료방법에 대해서는 아직 확립된 것은 없고 치료 성적도 보고자들 간에 차이가 있지만 조기발견에 따른 수술적 완전 절제가 필수적이다. 하지만 대부분의 환자에서는 진단 당시 이미 광범위한 주위 조직 침범이 진행되어있어 완전 절제가 불가능하다. Cho 등[14]과 Shim 등[10]의 메타분석 보고에 따르면, 원발성 갑상선 편평상피암의 3년 생존률은 20%로, 대체적으로 방사선치료나 항암치료에 대한 반응은 낮으나 완전 절제 후 방사선치료와 복합화학요법을 시행한 경우 장기 생존을 보인 예도 있으므로[15] 현재로서는 가능한 한 광범위한 종양 절제술 후 방사선 치료를 병행하고 경우에 따라 부가적인 화학요법을 고려하는 것이 적당하다고 할 수 있겠다.

3) 형질세포종 Plasmacytoma

형질세포종은 B 림프구에서 기원하고 면역글로불린을 생성하여 체액성 면역에 중요한 역할을 하는 형질세포의 비가역적인 증식을 보이는 질환이다. 임상 양상 및 조직학적 양상에 따라 형질세포종을 다발성골수종, 고립골수종 및 골수외 형질세포종으로 분류한다.[16] 골수외 형질세포종은 신체 어느 부위에나 발생이 가능하지만 상기도에 주로 발생하며 갑상선에 단독으로 발생하

는 경우는 극히 드물다. 1938년 Voegt가 골수외 형질세포종을 처음 보고한 이후 단발성 갑상선 형질세포종은 소수의 증례만 보고되고 있다. 하지만 다발성골수종 환자에서 갑상선 형질세포종이 동반되는 경우는 약 26% 정도로 비교적 흔히 발생한다.[17,18]

갑상선 형질세포종은 60대 여성에서 호발하며 대개 무통성의 종대 또는 결절성 갑상선종의 형태를 보이는 경우가 많다.[18] 상당수에서 하시모토갑상선염의 동반이 보고되고 있으며, 이러한 이유로 만성적인 갑상선염의 항원성 자극이 B 세포 악성 클론의 증식을 야기할 수 있다는 주장과 조직 소견에서 동반되어 나타나는 하시모토갑상선염의 형태와 양상들은 종양에 대해 이차적으로 발생하는 비특이적 염증 반응에 의한 것이라는 주장도 있다.[17,19] 세침흡인세포검사로는 진단이 어려우며, 림프종이나 갑상선 수질암과의 감별이 힘들어 수술 후 종양의 병리학적 형태의 확인에 의한 진단이 필수적이다. 확진을 위해서는 반응성 병변이나 형질구세포 육아종 등의 감별이 필요하며 경과 중 범발성 다발성골수종의 동반 유무와 장기 추적관찰에서 다발성골수종의 발병이 없어야 한다. 병변은 육안적으로는 육질 형태의 적갈색을 띠며 병리조직소견은 성숙한 형질세포가 정상 갑상선 조직을 대체해가는 형태를 보이는 것이 특징적이다. 면역조직화학염색 시 κ와 λ 면역글로빈체인에 단클론성의 형질세포들이 나타난다.[17,20]

갑상선 형질세포종의 치료는 갑상선 전절제수술 후 5,000 또는 6,000 rad의 경부 방사선치료를 병행하는 것이 효과적으로 알려져 있다. 단순히 종양절제만 시행하거나 저용량의 방사선치료만 시행한 경우는 높은 재발률을 보인다는 보고가 있다.[21] 국소재발이 생존에 직접적인 영향을 미치는 것으로 보이지는 않으며, 진단시 일측 갑상선만을 침범한 경우는 국소 재발이 거의 없으며 국소 재발과 림프절 전이와의 관련은 없어 보인다. 다만 수술 시 갑상선 주변으로 종양의 침범이 있거나 양측 갑상선을 모두 침범한 경우에는 국소 재발의 위험이 높아진다. 적절한 수술 치료와 방사선치료를 병행한 환자의 전체 5년 생존율은 60~85%로 알려져 있다.[17,21]

4) 부신경절종 Paraganglioma

부신경절종은 신경능선에서 기원하는 부신경절에서 발생하는 종양으로 부신경절이 존재하는 체내 여러 부위에서 발생하며, 약 80% 이상이 경동맥소체나 경정맥팽대에서 발생하는 것으로 보고되고 있다.[22] 갑상선에서 발생한 부신경절종은 매우 드물어 1974년 Haegert 등에 의해 처음으로 보고되었으며 국내에서는 2008년 백 등이 보고하였다.[23] 갑상선 부신경절종의 원인은 아직 명확하지 않으며 갑상선 피막 내에 존재하는 하부 후두 부신경절에서 기원한다고 생각하고 있으나 태아기에 부신외에 존재하는 부신경절 조직들이 태생 후 퇴축되지 않고 잔존하면서 종양을 발생시키는 것으로 주장하기도 한다.[24]

임상적으로 40~60대 여성에서 호발하며 단발의 무통성 갑상선 결절로 나타난다. 감별진단으로는 갑상선 수질암, 유리질지주선종, 전이성 카르시노이드종양, 휘틀세포종양 등을 고려해야하며, 특히 특유의 세포소 모양이나 신경성 표지자에 염색되는 성질과 전자현미경상 신경분비과립을 보이는 등의 공통점으로 갑상선 수질암으로 흔히 오진된다. 갑상선 부신경절종의 정확한 진단을 위해서는 면역조직화학염색이 중요하며 chromogranin이나 synatophysin과 같은 신경성 표지자와 S-100 단백에는 양성을 보이고 갑상선글로불린, CEA, serotonin, vimentin, 칼시토닌에는 음성이다.[25]

갑상선 부신경절종의 치료는 국소 침윤 여부에 관계없이 갑상선 전절제술 또는 엽절제술과 함께 장기적인 추적 관찰이 가장 적절할 것으로 여겨지며 절제 후 재발은 드물다. 선택적 경부림프절 절제나 방사선치료는 필요하지 않다. 대부분의 내분비계 종양이 조직학적으로 악성과 양성의 구분이 표준화되어 있지 않고 신경능선에서 기원한 자율신경계의 부신경절 조직에서 발생하는 신경분비종양으로 신체 내 여러 부위에서 발생 가능하므로 장기적인 임상경과관찰이 필요하다.[26]

5) 육종 Sarcoma

원발성 갑상선 육종은 극히 드물며 전체 갑상선암의 0.01~1.5%를 차지한다.[27] 갑상선에 발생하는육종의 형태는 혈관육종이 가장 많고, 다음으로 악성 혈관내피종, 악성 섬유조직구종, 평활근육종, 섬유육종순이다. 다른 형태의 육종은 매우 드물다.[28] 노년에 호발하며 남녀 비는 비슷하다. 임상적으로 무통성의 갑상선 종대 소견을 보이며 기도나 식도의 침범 또는 압박으로 인한 기침, 호흡곤란, 연하곤란의 증상이 동반될 수도 있다. 영상 소견은 비특이적이며 종종 다른 암으로 오인되기도 한다. 진단을 위해서는 다른 원발 부위로부터의 전이를 배제해야 하며 역형성암과의 감별도 필요하다. 육종의 형태에 따라 다른 조직소견과 임상 양상을 보인다. 면역조직화학염색에 vimentin에 양성반응을 보이며 cytokeratin, chromogranin, S-100 단백에는 음성반응을 보인다.[29] 악성 섬유조직구종과 지방육종은 주위 조직으로의 침윤의 빈도가 높은 반면, 섬유육종은 림프절 전이의 빈도가 높다. 원격전이는 평활근육종, 골육종, 혈관육종에서 좀 더 빈도가 높다.[28] 갑상선 육종의 치료로는 수술, 방사선치료, 항암화학요법 등 다양하게 시도되지만 예후는 아주 불량하다고 보고되고 있다.

6) 기형종 Teratoma

기형종은 배아세포 유래의 신생물로 생식 기관에서 주로 발생하며 갑상선에서는 정확한 기원 부위가 밝혀져 있지 않은 드문 암이다. 갑상선 기형종은 양성 또는 악성일 수 있다.[30] 양성 기형종은 흔히 낭성 소견을 보이며 소아에 주로 발생한다. 성인에서 발생하는 갑상선 기형종은 여성에 호발하고 점차적으로 커지는 갑상선 결절로 나타나며 대개 악성이다.[31] 육안 소견은 출혈과 괴사를 보이는 큰 결절을 보이며, 병리조직소견으로는 3개의 배아세포층과 미성숙 조직이 혼합된 양상을 보인다. 악성 기형종은 매우 공격적 양상을 보이며, 치료는

갑상선 전절제술과 경부림프절 절제로 이루어지며 방사선치료와 항암화학요법에는 내성을 보이는 경향이 있다.[30] Che 등은 공격적인 병합요법으로 장기 생존을 보인 몇 예를 보고하였다.[32]

2. 갑상선 림프종 Lymphoma of the thyroid

원발성 갑상선 림프종은 드문 악성종양으로 모든 림프절외 림프종의 1~2%를 차지하고 전체 갑상선암의 0.5~5%를 차지한다. 국내 유병률은 갑상선 종양의 0.1%로 알려져 있다.[33,34] 갑상선 림프종은 대부분 B 세포 기원의 비호지킨림프종으로 호지킨림프종 및 T 세포 기원의 림프종은 드물다. 미만성 대세포성 B 세포 림프종(diffuse large B-cell lymphoma)이 50%로 가장 흔하고, MALT (mucosa associate lymphoid tissue) 림프종이 두 번째로 흔하다.[35,36] 정상 갑상선은 기본적으로 림프조직이 없으므로 원발성 갑상선 림프종은 만성염증 혹은 자가면역반응의 과정 중에 생겨난 갑상선 내 림프조직으로부터 발생된다. 하시모토갑상선염이 있는 환자에서 상대적으로 갑상선 림프종의 발생 위험이 67~80배나 높다는 보고가 있으며, 원발성 갑상선 림프종 환자의 절반 정도는 하시모토갑상선염의 병력이 있다.[34,37]

갑상선 림프종은 중년 및 노년에서 호발하고, 남성보다 여성에서 3~4배 더 많이 발생한다. 임상 증상으로는 급속히 커지는 갑산선종이 가장 흔하며, 갑산선종으로 인한 주위 조직의 압박증상으로 연하곤란, 쉰 목소리, 호흡곤란, 통증 등이 30~50%에서 있을 수 있으나 발열, 체중감소, 야간발한 등의 림프종의 전형적인 증상은 드물다. 갑산선종은 비교적 단단하고 결절성으로 촉지되며, 일반적으로 한쪽 엽을 침범하는 경우가 좀 더 많다.[35,36]

초음파검사에서는 갑상선의 종괴로 관찰되거나 남아 있는 갑상선 조직에 비해 저에코 영상으로 관찰되며, 컴퓨터단층촬영에서 주변 근육과 비슷하거나 약간 높게

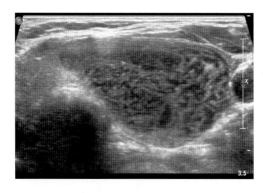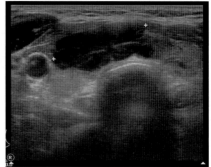

그림 23-3 | MALT 림프종의 초음파 소견.

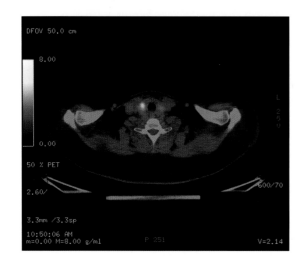

그림 23-4 | 여포 림프종의 양전자단층촬영 소견

조영증강이 되는 저밀도 음영의 갑상선 종괴로 나타난다(그림 23-3). FDG-양전자단층촬영에서 FDG 섭취가 증가되지만 하시모토갑상선염에서도 섭취증가가 일어날 수 있으므로 양전자단층촬영은 갑상선 림프종의 진단보다는 병기결정, 치료에 대한 반응 및 추적관찰 시 재발 여부를 판단하는 데 유용하다(그림 23-4).[38] 세침흡인세포검사는 선별검사로서 간편하고 유용하나 시술자의 숙련도에 따라 정확도가 다르게 나타날 수 있다. 미만성 대세포성 B세포 림프종과 같은 고도 림프종의 진단은 비교적 쉬우나 MALT 림프종의 진단은 어려운 것으로 보고되며 하시모토갑상선염이 병발해 있는 경우 종양성 병변과 반응성 병변이 함께 나타나므로 감별

진단이 쉽지 않다.[39] 림프종의 확진 및 아형을 알기 위해서는 조직생검을 통한 병리조직검사와 면역조직화학검사가 필요하다. 면역조직화학검사에서 미만성 대세포성 B 세포 림프종은 CD19, CD20, CD45 양성 및 대부분의 경우에 Bcl-6 양성, 절반에서 Bcl-2 양성을 보이며 MALT 림프종은 표면 면역글로불린을 발현하고 CD20, Bcl-2에서 양성 및 CD5, CD10, CD23에 음성소견을 보인다(그림 23-5).[36,40] 림프종이 진단되면, 병기 결정을 위해 두경부, 흉부, 복부, 골반에 대한 컴퓨터단층촬영이 필요하다. 갑상선 림프종의 병기는 다음과 같다: 병기 IE(갑상선 피막 내에 국한된 경우), 병기 IIE(갑상선과 주변 림프절에 국한된 경우), 병기 IIIE(갑상선과 양측 횡경막 주위 림프절 또는 비장을 침범한 경우), 병기 IVE(파종성 질환). 원발성 갑상선 림프종의 56%는 진단 당시 병기 IE이며, 32%는 병기 IIE에 해당한다.[36] 병기에 따른 5년 질환 생존율은 IE기 86%, IIE기 81%이고 III/IV기는 64%로 보고된다.[41] 진행된 병기, 10 cm 이상의 종양 크기, 종격동 침범 및 연하곤란이나 호흡곤란 등의 압박 증상이 있는 경우는 예후가 불량하다. 갑상선 MALT 림프종은 좋은 예후를 보이나 미만성 대세포성 B 세포 림프종이나 미만성 대세포성 B 세포 림프종과 혼재된 림프종은 비교적 불량한 예후를 보인다.[42]

갑상선 림프종의 치료는 종양의 조직학적 소견, 종양의 크기, 병기, 다른 질환의 합병 여부에 따라 결정되며, 화학요법, 방사선치료, 수술 및 이들의 병합요법이 있다. 병기 IE(갑상선 피막 내 국한된 경우)의 MALT 림프

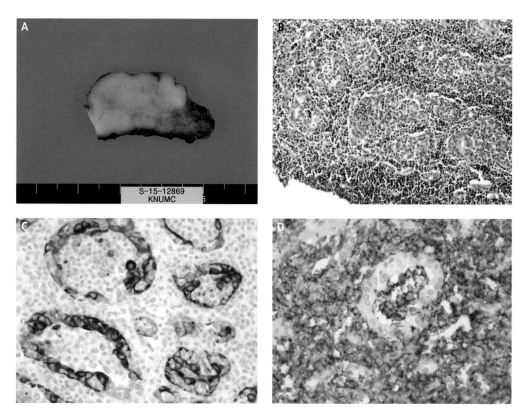

그림 23-5 | **MALT 림프종. A.** 육안소견, **B.** 병리조직 소견, **C.** 면역조직화학검사(cytokeratin), **D.** 면역조직화학검사(CD20)

종은 수술이나 방사선치료의 단독요법이 추천되고 있으나 아직 논란의 여지가 있다.[43] 미만성 대세포성 B 세포 림프종의 경우에는 방사선치료와 화학요법의 병합요법이 추천되며 국소 요법이 권장되지 않는다.[36,40] 수술적 치료의 역할은 한계가 있으나 절개 생검을 통한 확진을 위해서, 서서히 진행하는 종양의 국소 관리를 위해서, 또한 갑상선 종괴의 크기가 빠르게 증가하여 압박 증상을 유발할 경우 이를 위한 치료에 유리하다. 갑상선 림프종의 화학요법은 CHOP (cyclophosphamide, doxorubicin, vincristine, prednisone) 요법이 주로 사용되고, 최근에는 미만성 대세포성 B 세포 림프종과 조직학적 소견이 혼재된 경우 화학요법과 방사선치료의 병합요법이 단독치료보다 효과가 좋은 것으로 보고되고 있다. 최근에는 단클론 B 세포 항체인 rituximab을 CHOP과 병행할 경우 단독치료에 비해 생존율을 향상시킨다는 보고도 있다.[44]

3. 갑상선 전이암 Metastases to the thyroid

갑상선은 혈액공급이 풍부한 장기임에도 불구하고 상대적으로 전이암의 빈도가 매우 드물다고 알려져 있다. 정확한 빈도는 밝혀져 있지 않지만 원발암이나 전이암으로 사망한 환자들의 부검례에서 1.9%에서 24.2%까지 갑상선으로의 전이가 보고되어 있다.[45,46] 하지만 여기에는 파종성 또는 크기가 작은 전이암 등 실제로 임상적 의미가 없는 경우가 포함되어 있다. 세침흡인세포검사로 임상적 의미가 있는 전이암에 대한 검사가 보다 용이해지면서 갑상선으로 전이된 악성 종양은 보고자에 따라 5.7%에서 7.5%의 빈도를 보고하고 있다.[47,48] 부검조사에서 갑상선 전이의 흔한 원발 병소는 유방암, 폐암, 흑색종, 신장세포암 순서이나[49] 사망 전 갑상선 결절을 주소로 내원한 환자군 중에서는 신장세포암이 가장 흔

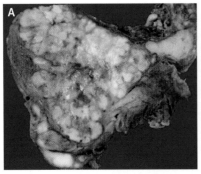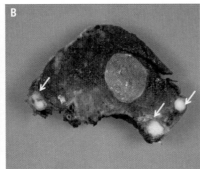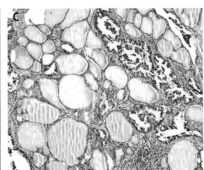

그림 23-6 | **갑상선 전이암. A.** 신장세포암의 전이. **B, C.** 폐암의 전이

한 원발병소로 보고된다(그림 23-6).[50] 그러나 우리나라에서는 유방암이 갑상선 전이의 가장 흔한 원발병소라고 보고하였다.[51]

임상에서 갑상선으로의 전이가 발견되는 경우는 드물게 호흡곤란이나 천명 등 종괴로 인한 기도 압박 증상으로 인한 경우도 있지만 대부분은 무증상 환자에서 검진으로 발견되거나 무통성의 경부 종괴로 발견된다.[47] 갑상선기능검사에서는 대부분에서 정상 소견을 보이고 갑상선스캔에서는 단발성 혹은 다발성의 냉결절이 보이는 경우가 많다. 갑상선 초음파나 경부 컴퓨터단층촬영 등의 영상검사는 종괴의 유무는 알 수 있으나 전이암과 원발암의 감별진단은 쉽지 않다. 세침흡인세포검사는 영상검사에 비해 갑상선의 원발암과 전이암의 감별이 보다 용이하여 갑상선 전이암의 진단에 필수적인 검사법으로 간주되고 있다. 그러나 전이성 갑상선암은 매우 드물며 갑상선의 원발 종양과 성상이 비슷하고 세침흡인세포검사로 진단을 내리는데 한계가 있으므로, 다른 원발암의 기왕력에 주의해야 하며 조직학적으로 증명되기 전까지 전이암의 가능성을 배제하지 않고 치료방침을 수립해야 한다.

갑상선으로 전이된 악성 종양에 대해 갑상선 절제술의 역할과 그 범위에 대해서는 아직 정립된 바가 없다. 갑상선의 절제 범위에 대해서 대분분의 저자들은 갑상선 이외의 병소가 없는 경우에는 치료적 수술로 전이암이 있는 쪽의 엽절제술과 협부절제술을 주장하고 있다. 양측 모두에 전이가 있거나 종괴가 큰 경우, 기도 폐쇄 등이 있는 경우에는 갑상선전절제술을 시행하기도 하지만 수술적 치료와 예후간의 상관 관계는 증명된 바가 없다.[48,52]

REFERENCES

1. Baloch ZW, LiVolsi VA. Unusual tumors of the thyroid gland. Endocrinol Metab Clin North Am 2008;37:297-310.

2. DeLellis RA, Lloyd RD, Heitz PU, et al, editors. WHO: pathology and genetics. tumours of endocrine organs. Lyon (France): IARC Press; 2004.

3. Volante M, Collini P, Nikiforov YE, et al. Poorly differentiated thyroid carcinoma: the Turin proposal for the use of uniform diagnostic criteria and an algorithmic diagnostic approach. Am J Surg Pathol 2007;31:1256-64.

4. Sanders EM Jr, LiVolsi VA, Brierley J, et al. An evidence-based review of poorly differentiated thyroid cancer. World J Surg 2007; 31:934-45.

5. Chao TC, Lin JD, Chen MF. Insular carcinoma: infrequent subtype of thyroid cancer with aggressive clinical course. World J Surg 2004;28:393-6.

6. Patel KN, Shaha AR. Poorly differentiated and anaplastic thyroid cancer. Cancer Control 2006;13:119-28.

7. Patel KN, Shaha AR. Poorly differentiated thyroid cancer. Curr Opin Otolaryngol Head Neck Surg 2014;22:121-6.

8. Justin EP, Seabold JE, Robinson RA, et al. Insular carcinoma: a distinct thyroid carcinoma with associated iodine-131 localization. J Nucl Med 1991;32:1358-63.

9. Asakawa H, Kobayashi T, Komoike Y, et al. Chemosensitivity of anaplastic thyroid carcinoma and poorly differentiated thyroid carcinoma. Anticancer Res 1997;17:2757-62.

10. Shim HS, Kwon OJ, Ko JS, et al. Meta-Analysis of Squamous Cell Carcinoma of Thyroid. Korean J Otorhinolaryngol-Head Neck Surg 2013;56:425-30.

11. Sahoo M, Bal CS, Bhatnagar D. Primary squamous-cell carcinoma of the thyroid gland: new evidence in support of follicular epithelial cell origin. Diagn Cytopathol 2002;27:227-31.

12. Akbari Y, Richter RM, Papadakis LE. Thyroid carcinoma arising in thyroglossal duct remnants. Report of a case and review of the literature. Arch Surg 1967;94:235-9.

13. Harada T, Shimaoka K, Yakumaru K, et al. Squamous cell carcinoma of the thyroid gland- transition from adenocarcinoma. J Surg Oncol 1982;19:36-43.

14. Cho JK, Woo SH, Park J, et al. Primary squamous cell carcinomas in the thyroid gland: an individual participant data meta-analysis. Cancer Med. 2014;3:1396-403.

15. Cook AM, Vini L, Harmer C. Squamous cell carcinoma of the thyroid: outcome of treatment in 16 patient. Eur J Surg Oncol 1999;25:606-9.

16. McKenna RW, Kyle RA, Kuehl WM, et al. Plasma cell neoplasms. In: Swerdlow SH, Campo E, Harris NL, et al, eds. WHO Classification of tumours of haematopoietic and lymphoid tissues. 4th ed. Lyon, France: IARC, 2008:200-13.

17. Koh YS, Gaegal YJ, Yoon JH, et al. Primary plasmacytoma of the thyroid. J Korean Surg Soc 2002;63:252-5.

18. Meccawy AA. Plasmacytoma of the thyroid gland: case report and review of the literature. JKAU: Med Sci 2010;17:83-92.

19. Jo E, Ha DW, Choi JH, et al. A Case of solitary extramedullary plasmacytoma of the thyroid presented as a thyroid tumor with Hashimoto's thyroiditis. Endocrinol Metab 2012;27:77-82.

20. Galieni P, Cavo M, Pulsoni A, et al. Clinical outcome of extramedullary plasmacytoma. Haematologica 2000;85:47-51.

21. Alexiou C, Kau RJ, Dietzfelbinger H et al. Extramedullary plasmacytoma, tumor occurrence and therapeutic concepts. Cancer. 1999;85:2305-14.

22. Kliewer KE, Wen DR, Cancilla PA, et al. Paragangliomas: assessment of prognosis by histologic, immunohistochemical, and ultrastructural techniques. Hum Pathol 1989;20:29-39.

23. Baek JJ, Lee YS, Kang CS, et al. Paraganglioma of the Thyroid - A Case Report, The Korean Journal of Pathology 2008;42:401-4.

24. Yano Y, Nagahama M, Sugino K, et al. Paraganglioma of the thyroid: report of a male case with ultrasonographic imagings, cytologic, histologic, and immunohistochemical features. Thyroid 2007;17:575-8.

25. LaGuette J, Matias-Guiu X, Rosai J. Primary intrathyroidal paraganglioma: A clinicopathologic and immunohistochemical study of three cases. Am J Surg Pathol 1997;21:748-53.

26. Armstrong MJ, Chiosea SI, Carty SE, et al. Thyroid paragangliomas are locally aggressive. Thyroid. 2012;22:88-93.

27. Bula G, Waler J, Niemiec A, et al. Unusual malignant thyroid tumours: a clinical study of 20 cases. Acta Chir Belg 2008;108:702-7.

28. Surov A, Gottschling S, Wienke A, et al. Primary thyroid sarcoma: A systematic review. Anticancer Res 2015;35:5185-91.

29. Cho YM, Park SH, Jun BS, et al. Fibrosarcoma of the thyroid gland : report of a case. Korean J Otolaryngol 2007;50:272-4.

30. Djalilian HR, Linzie B, Maisel RH. Malignant teratoma of the thyroid: review of the literature and report of a case. Am J Otolaryngol 2000;21:112-4.

31. Thompson LD, Rosai J, Heffess CS. Primary thyroid teratomas: a clinicopathologic study of 30 cases. Cancer 2000;88:1149-58.

32. Che JS, Lai GM, Hsueh S. Malignant thyroid teratoma of the adult: a long-term survival after chemotherapy. Am J Clin Oncol 1998;21:212-4.

33. Green LD, Mack L, Pasieka JL. Anaplastic thyroid cancer and primary thyroid lymphoma: a review of these rare thyroid malignancies. J Surg Oncol 2006;94:725-36.

34. Hwang YC, Kim TY, Kim WB, et al. Clinical characteristics of primary thyroid lymphoma in Koreans. Endocr J 2009;56:399-405.

35. Thieblemont C, Mayer A, Dumontet C, et al. Primary thyroid lymphoma is a heterogeneous disease. J Clin Endocrinol Metab 2002;87:105-11.

36. Graff-Baker A, Sosa JA, Roman SA. Primary thyroid lymphoma: a review of recent developments in diagnosis and histology driven treatment. Curr Opin Oncol 2010;22:17-22.

37. Holm LE, Blomgren H, Lowhagen T. Cancer risks in patients with chronic lymphocytic thyroiditis. N Engl J Med. 1985;312:601-4.

38. Zijlstra JM, Lindauer-van der Werf G, Hoekstra OS, et al. 18F-fluorodeoxyglucose positron emission tomography for post-treatment evaluation of malignant lymphoma: a systematic review. Haematologica 2006;91:522-9.

39. Sangalli G, Serio G, Zampatti C, et al. Fine needle aspiration cytology of primary lymphoma of the thyroid: a report of 17 cases. Cytopathology 2001;12:257-63.

40. Mack LA, Pasieka JL. An evidence-based approach to the treatment of thyroid lymphoma. World J Surg 2007;31:978-86.

41. Graff-Baker A, Roman SA, Thomas DC, et al. Prognosis of primary thyroid lymphoma: demographic, clinical, and pathologic

predictors of survival in 1,408 cases. Surgery 2009;146:1105-15.

42. Stein SA, Wartofsky L. Primary thyroid lymphoma: a clinical review. J Clin Endocrinol Metab 2013;98:3131-8.

43. Zelenetz AD, Advani RH, Buadi F, et al. Non-Hodgkin's lymphoma. Clinical practice guidelines in oncology. J Natl Compr Canc Netw 2006;4:258-310.

44. Pfreundschuh M, Schubert J, Ziepert M, et al. Six versus eight cycles of bi-weekly CHOP-14 with or without rituximab in elderly patients with aggressive CD20 B-cell lymphomas: a randomized controlled trial (RICOVER-60). Lancet Oncol 2008;9:105-16.

45. Rosen IB, Walfishi PG, Bain J, et al. Secondary malignancy of the thyroid gland and its management. Ann Surg Oncol 1995;2:252-6.

46. Park SY, Chung YS, Choe JH, et al. Metastatic renal cell carcinoma to the thyroid gland. Korean J Endocr Surg. 2006;6:39-41.

47. Chen H, Nicol TL, Udelsman R. Clinically significant, isolated metastatic disease to the thyroid gland. World J Surg 1999;23:177-81.

48. Michelow PM, Leiman G. Metastases to the thyroid gland: diagnosis by aspiration cytology. Diagn Cytopathol 1995;13:209-13.

49. Shimaoka K, Sokal JE, Pickren JW. Metastatic neoplasms in the thyroid gland. Pathologic and clinical findings. Cancer 1962;15:557-65.

50. Papi G, Fadda G, Corsello SM, et al. Metastases to the thyroid gland: prevalence, clinicopathological aspects and prognosis: a 10-year experience. Clin Endocrinol 2007;66:565-71.

51. Kim TY, Kim WB, Gong GY, et al. Metastasis to the thyroid diagnosed by fine-needle aspiration biopsy. Clin Endocrinol 2005;62:236-41.

52. Watts NB. Carcinoma metastatic to the thyroid: prevalence and diagnosis by fine-needle aspiration cytology. Am J Med Sci 1987;293:13-7.

소아 갑상선암

Thyroid carcinoma in children and adolescents

| 가톨릭대학교 의과대학 외과 **서영진**

소아에서 발생하는 갑상선암은 상당히 드물고, 발견 당시 진행된 상태로 발견되지만, 예후는 좋은 경우가 많다. 소아 갑상선암의 가장 중요한 차이는 소아에서는 경부 림프절 전이와 폐전이가 흔하다는 것과 발견 당시 상당히 진행이 되었다 하더라도 생존율이 매우 높다는 것이다. 지금까지 소아 갑상선암에 대한 치료는 성인에서의 연구 결과에 근거하여 동일하게 이루어져 왔으나, 그 결과 오히려 방사선 조사 치료에 의한 이차 종양으로 사망하는 비율이 높아지는 문제가 확인되어 소아에게 적절한 치료 방침을 적용해야만 한다. 다만 소아만을 위한 전향적인 연구가 없었다는 점과 대부분의 기존 연구가 추적 검사 기간이 10년 미만인 점들이 임상 지침을 표준화하는데 어려움을 제공한다.

1.역학

1) 빈도

미국의 소아 암 중 갑상선암이 차지하는 비율이 약 35%로,[1,2] 20세 미만 소아 갑상선암은 진단 당시 연령이 증가함에 따라서 발병율도 증가하고 있고, 사춘기 발병 비율이 더 어린 연령에서 보다 10배 정도 높다.[3,4] 이 중

에서 분화갑상선암이 전체의 90%를 차지한다. 경부에서 발생하는 신생물의 6% 미만이 갑상선암으로 진단된다.[5] 소아는 갑상선에 결절이 발생하는 빈도가 성인에 비하여 0.2~1.8%로 매우 낮기 때문에[6] 갑상선에 발생하는 종괴는 일단 악성 병변으로 의심하여야 한다. 남녀 비율은 사춘기에서는 1:5로 나타나지만, 더 어린 아동에서는 그런 경향이 보고되지 않으며, 결절의 대부분은 여포 선종이었고(68.9%) 갑상선암은 16~25%에서 발견되고, 암인 경우 90% 이상이 유두암이다.[7,8]

2) 위험인자 및 유발인자

1950년 이전에는 갑상선기능항진증, 흉선종대, 편도선 비후, 여드름, 두부백선 등과 같은 두경부 주위의 양성질환의 치료에 외부 조사 방사선을 사용하였다. Quimby 와 Werner 등은 방사선조사로 갑상선기능항진증을 치료한 후에 발생하는 갑상선암에 대하여 보고하였다.[9] 이후에 여러 연구결과들이 발표되면서 두경부 양성질환에 대한 외부 조사 방사선치료는 중단되었다. 치료법이 중단되면서 1960년대에 발생한 소아 갑상선암의 40%가 이전에 방사선조사를 시행한 병력이 있었던 것에 비하여, 1980년대에는 그러한 병력을 가진 환자는 없었다.[10] 그렇기 때문에 방사선조사를 받은 소아의 당시 연령(특히 5세 미만)과 방사선조사량은 갑상선암과 결절

의 발생에 중요한 영향을 미친다.[11] 방사선 노출 후 분화갑상선암이 발생하기까지 잠복기는 대체로 5~8년 정도로 보고된다. 발암효과가 나타나는 방사선 조사량은 평균 512 cGy로 알려져 있다.[12] 방사선 조사와의 관계를 보여주는 대표적인 사례인 1986년 체르노빌 원자력 발전소 폭발사고 이후 주변 지역에 소아 갑상선암이 많이 발생하였다. 폭파 후 약 26~46백만 Ci의 ^{131}I가 주변 환경으로 노출되었다.[13,14] 체르노빌 사건 이후 우크라이나의 갑상선 분화암의 발생은 매우 증가하였다.[15] 1981년부터 1985년 사이에 59명에 불과하였던 소아 갑상선암 환자가 1986년부터 1997년 사이 577명으로 확인되었다. 대부분의 소아환자는 10세 미만이었고 진행된 상태에서 발견되었다. 종양은 갑상선외 조직침윤이 동반된 T4 병기였고, 림프절 전이가 흔했으며 유두암, 여포변이 유두암이 92.9%, 여포암이 3.7%, 수질암이 2.4%, 미분화암이 0.7%이었다. PTC/RET 원종양유전자(proto-oncogene)는 정상 갑상선 여포세포에 존재하지 않음에도 불구하고 유두암에서 가장 흔한 유전자 변이고, 수질암에서는 발현이 증가되는데 이는 해당 세포가 신경능(neural crest) 기원이기 때문이다. 덧붙여 RET 원종양유전자는 MEN2A 환자에서 과오돌연변이(missense mutation)의 형태로 많이 발현된다. 그러므로, 아동에서 MTC의 특징적인 임상 양상이 표현되기 이전에 진단을 확실히 하는데 도움이 된다. 다행스럽게도 아동이나 젊은 청년기에는 매우 드물게 나타난다. 특히 산발성 수질암이 아주 드물게 나타난다.

2. 병리학적 특징

가장 흔한 유형은 유두암이다. 유두암의 현미경적 특징은 손가락 모양의 유두로 구성된 것으로, 유두는 섬유혈관성 중심부와 이를 여포세포의 단일층으로 싸고 있는 형태를 취한다. 10세 미만에서는 유두암의 특징이 잘 드러나지 않을 수 있으며, 사종체 (Psammoma body) 는

40~50%에서 발견된다.[16] 핵은 저염색성으로 미세하게 분산된 염색질로 인해 창백하고 투명한 젖빛 유리 형태 혹은 Orphan Annie eye의 모양을 보인다. 핵에 홈이 있어 마치 커피콩처럼 보이며 세포질이 핵 내로 들어와 핵내봉입체(intranuclear inclusion body)를 형성한다. 림프관전이를 통해 갑상선내부로 진행되어 다발성을 나타내기도 한다.[17] 소아에서는 여포변이 유두암의 형태가 21~25%에서 발견되었다.[18,19] 이 종양은 육안적, 현미경적으로 여포가 형성되어 있으면서 세포들은 전형적인 유두암 세포의 특징을 갖는다. 미만성 경화성 변이 유두암은 심한 섬유화로 인해 단단한 종괴로 나타난다. 이는 주로 소아, 청소년과 젊은 환자들에게 나타나며 유두암에서 공격적인 성격을 보이는 유형이다. 한 연구에서는 진단 당시 100%에서 림프절 전이를 보이고 이후 25%에서 폐전이를 보였다.[20] 이 종양은 사종체가 많기 때문에 촉진 시 다른 종양에 비해 더 단단하게 느껴진다. 고형성 변이 유두암은 분화가 좋지 않은 유형이다.[21] 현미경적으로 유두 또는 여포를 형성하지 않고 자라며, 어떠한 형태학적 정의가 없는 흔치 않은 유형이다.[22] 여포암은 소아에서 매우 흔치 않은 것으로 알려져 약 2.7~7%에서 발견된다.[10,23,24] 그러나 이 중 여포변이 유두암이 일부 포함되어 있을 것을 감안한다면 여포암의 발생률은 더 낮을 것이다. 휘틀씨(Hürthle) 종양과 육종(sarcoma)은 소아에서 흔치 않은 종양이지만 방사선에 노출된 경우 그 발생률은 더 증가할 수 있다.[25,26]

3. 임상소견

소아 갑상선암의 임상적 특징은 과거 수십 년간 변화해왔다. 1992년 Michigan 대학에서 1936~1970년 치료받은 환자들과 1971~1990년 치료받은 환자들을 비교한 결과를 발표하였다.[23] 전자의 50%에서 두경부 조사를 시행받은 병력이 있었으나 후자에서는 3%에 불과하였다. 또 촉지되는 경부 림프절을 주소로 내원한 환자가

전자에서 63%이나 후자에서는 36%였으며, 국소적으로 진행된 갑상선암도 31%에서 6%로 감소하였다. 진단 시 폐전이가 있는 환자도 19%에서 6%로 감소하였다. 반면 촉지되는 갑상선 결절을 주소로 내원하는 환자가 37%에서 73%로 증가하였다. 이러한 임상증상의 변화는 갑상선에 대한 정기검사의 중요성을 반영하는 것이며 또한 검사방법의 발전에 따라서 조기에 발견하게 되었다는 것을 의미한다. 촉지되는 갑상선 결절을 보이는 남아의 경우 갑상선암을 강력히 의심해야 한다. 소아 갑상선 결절의 22~50%가 수술 후에 갑상선암으로 확진되었다. 소아의 갑상선 결절에 대한 여러 연구에 의하면 성인의 갑상선 결절에 비하여 소아의 갑상선 결절이 갑상선암일 가능성은 두 배 정도라고 추정하였다.[5,27,28] 소아 갑상선암 환자의 경우 대부분 무증상이지만 연하곤란, 쉰 목소리, 목소리의 변화 등 증상 보유 여부를 잘 살펴야 한다. 이러한 증상들은 병이 진행된 경우 나타날 수 있기 때문이다. 소아의 경우 림프절 전이가 흔하기 때문에 지속되는 경부 림프절병증이 있는 경우 소아 갑상선암을 의심해야 한다. 림프절 전이는 소아의 갑상선 분화암의 50% 이상에서 나타난다. 가장 흔히 전이되는 구획은 level 6(90%)이다. 그 외에도 level 2~4가 30~52%, level 5가 30%에서 나타나지만 level 1에서는 거의 나타나지 않는다.[23] 혈행성 전파로 인한 폐 전이는 25%에서 보고되며, 약 15%에서 전신전이가 나타나며 이는 주로 수술 후 ^{131}I 전신 방사선스캔에서 발견된다, 폐전이는 흉부촬영에서 정상소견일 수 있으나, 전산화 단층촬영, 혈청 Tg, 수술 후 ^{131}I 전신 방사선스캔 등의 방법으로 진단할 수 있다.

4. 진단

소아에서 갑상선 종괴가 나타나는 경우 반드시 갑상선암을 의심하고 적절한 조치를 취해야 한다. 병력청취 시 편도선, 인후두, 흉선의 양성질환치료를 위해 방사선 노출을 시행한 병력이 있는지 확인하고 가족력을 확인해야 한다. 쉰 목소리와 같은 증상은 성대마비를 시사하고 연하곤란과 호흡곤란 등은 각각 식도와 기도침범을 시사한다. 이학적 검사에서 종괴의 크기, 위치, 경도를 확인한다. 림프선 종대 여부 확인을 위해서 양측 경정맥 주변과 쇄골상부림프절, 후경부 삼각의 림프절을 촉지한다. 수술 전 후두경검사를 통해 성대의 움직임을 관찰할 수 있으나 소아의 경우 시행하기 힘들어 하므로 국소마취를 시행하거나 진정을 시킨 후 시행할 수 있다. 소아에서도 성인과 마찬가지로 초음파검사와 미세침흡인 세포검사가 가장 중요하다. 갑상선과 경부림프절의 초음파검사는 갑상선 종괴의 크기, 내부물질의 성질, 갑상선 주변 림프절을 관찰하는데 중요하다. 미세침흡인 세포검사는 소아에서 시행하기 힘든 경우 진정이 필요할 수 있다. 초음파 유도하 미세침흡인 세포검사를 시행하면 위음성이 감소하여[29] 진단이 더욱 정확해진다. 미세침흡인 세포검사 결과상 양성으로 진단된 경우라도 향후 지속적인 초음파검사가 필요하다. 종괴의 크기가 커지거나 초음파상 종괴의 특징이 변화하면 다시 미세침흡인 세포검사를 시행해야 한다. 미세침 흡인 세포검사 결과가 계속 불확실하게 나타날 경우 갑상선엽 절제수술을 시행하여 확진을 해야 한다. 갑상선기능검사는 기초검사로써 TSH, T3, T4 등을 측정한다. 미세침흡인 세포검사에서 수질암이 의심되는 경우 또는 가족력상 가족성 수질암이 의심되는 경우 calcitonin도 측정한다. 방사선 요오드 스캔은 TSH가 억제되어 있는 경우 시행한다. TSH가 낮고 스캔에서 열 결절로 나타나는 경우 갑상선 결절이 암일 확률은 2% 미만이다.[30] ^{123}I가 ^{131}I에 비해 방사선 노출이 적기 때문에 소아에서는 ^{123}I가 선호되지만, ^{99m}Tc도 이용될 수 있다. 암으로 진단된 경우 흉부촬영을 시행하여 폐전이 여부를 확인하고 기초검사로 시행해 둔다. 폐전이가 의심되면 조영제를 사용하지 않는 폐 전산화 단층촬영을 시행한다. 수질암인 경우 기저 칼시토닌이 상승하면서 갑상선 내부에 덩어리가 보이지 않을 수도 있고, 이는 저칼슘증을 동반하지 않을 수도 있다. 이런 경우에, 칼슘이나 가스트린을 이용한 자극 검사를 시도할 수 있다. 때로 CEA가 상승하는 경우도 있다. MEN2와 가족성 수질암은 여러 형태의 RET 원종양유전자의 배선돌연변이(germline mutation)를 내포하며, 산발성인 경우에도 40~50%에서 획득성 돌연변이가 존재한다. 따라서 MEN2 환자의 친족은 출생 직후, 그리고 MEN2A 친족이나 가족성 수질암인 경우에는 5세 이전에 RET 검사를 시행해야 한다. 수질암에 대한 치료를 고려하기 이전에 갈색세포종에 대한 감별진단이 선행되어야 한다.

5. 치료

소아 갑상선 분화암의 수술적 치료에 대해 통일된 의견은 없다. 다만 많은 경우에 양측성 다발성으로 발현되므로 전절제술이 추천된다. 갑상선 전절제수술을 시행하는 이유는 유두암은 대부분 다발성으로 존재하기 쉽고, 전절제를 시행하는 경우 국소재발 및 전신재발의 가능성이 떨어지며 수술 후 ^{131}I 치료를 할 수 있으며 혈청 Tg 측정으로 재발여부를 추적하기 쉽다는 장점 때문이다. 산발성 수질암인 경우에는 병변이 한쪽 엽에 위치하는데 반하여, MEN2에서는 양쪽 엽 상부를 차지한다. MEN2B RET 돌연변이가 있는 경우에는 예방적 양측성 갑상선 전절제술을 진단 즉시 또는 1살 이내에, 그 밖의 RET 배선 돌연변이가 있는 경우는 진단 즉시 또는 5세 이전에 시행한다. 구역 VI 림프절 제거술은 암 결절이 5 mm 이하이거나 칼시토닌이 증가하지 않았거나 림프절 전이가 의심되지 않는다면 다음의 경우에 생략할 수 있다: (1) 1세 미만의 MEN2B, (2) 5세 미만의 MEN2A, (3) 예방적 갑상선 절제술을 받는 가족성 수질암. 단일형 수질암은 TSH 억제 요법이나 요오드 치료에 반응하지 않는다. Welch Dinauer 등은 전절제를 시행한 경우 그렇지 않은 경우에 비하여 재발률이 11% 감소하였다고 하였다.[31] 갑상선 전절제에 반대하는 이유는 소아에서의 갑상선 분화암의 예후가 매우 좋고 갑상선 전절제

를 시행할 경우 저칼슘혈증과 회귀 후두신경손상 가능성이 증가하기 때문이다. 소아는 성장을 위해 다량의 칼슘을 필요로 하기 때문에 성인에 비해 저칼슘혈증이 쉽게 올 수 있으며 혈중농도를 꾸준히 유지하는 것이 어렵기 때문에 소아의 영구 부갑상선 기능저하는 성인에 비하여 심각한 문제이다. 소아 갑상선암에 대하여 갑상선 전절제수술 또는 근전절제수술을 시행한 환자들을 대상으로 한 연구들에서 부갑상선기능저하증은 6%, 회귀 후두신경손상은 6%로 나타났다.[10,24,27,32-37] LaQuaglia에 의하면 심각한 합병증은 나이가 어릴수록 더 많이 나타난다고 하였다. 6세 미만의 환아의 경우 심각한 합병증이 발생할 가능성이 60%라고 하였다. 또, 심각한 합병증의 80%가 갑상선 전절제 또는 아전절제수술과 관련이 있었다고 하였다.[24] 소아 갑상선암은 림프절전이가 매우 흔하기 때문에 수술 시 림프절 절제수술을 고려하여야 한다. 그러나 예방적 림프절절제술은 시행하지 않으며, 전통적인 근치적 경부곽청술은 소아의 갑상선 분화암에서는 절대 시행하지 않는다. 갑상선은 림프관이 매우 풍부한 조직이다. 중앙부에서는 델피안(Delphian), 기도 주변, 후두주변 림프절로 배액 된다. 기도주변 림프절은 전상부 종격동 림프절로 배액된다. 림프절전이가 있는 젊은 환자에서는 기도 주변, 기도 앞의 림프절이 90%에서 전이 되고 종격동 림프절은 6%에서 전이된다. 이렇게 림프절 전이가 있는 환자는 중-하부 경정맥림프절에 전이가 있을 가능성이 약 50%이며 상부경정맥림프절과 후경부 삼각림프절에 전이가 있을 가능성은 약 1/3이다.[38] 중앙부림프절 수술 시, 델피안 림프절과 기도주변 림프절은 물론 상부 종격동의 림프절까지 박리해야 한다. 기도주변 림프절을 박리할 때는 회귀 후두신경 주변도 모두 박리하고, 하갑상선동맥으로부터 부갑상선으로 가는 혈류를 보존해야 한다. 윤상연골부터 무명동맥까지 모든 림프절을 제거한다. 측경부림프절은 level 2, 3, 4, 5의 포괄적인 박리가 필요하다. 가능하면 척수부신경, 흉쇄유돌근, 경정맥을 보존해야 한다. 포괄적인 박리를 시행하면 경부와 어깨의 이상감각이 나타날 수 있으나 기능적, 미용적 결과는 좋다. 소아에서 경부림프절절

제를 시행하는 경우 림프절 재발률은 21~72%이다. 수술전 임상적-방사선적으로 전이가 발견되지 않는 경우 갑상선 수술 후 림프절 재발률은 23~30%로 알려져 있다.[23,24,32,34] 림프절 재발은 첫 번째 치료 후 수개월에서 수년 후에 나타날 수 있다. 양측 갑상선 전절제술 후 ^{131}I 방사능 동위원소 치료는 잔여 갑상선조직을 파괴하고 혈청 Tg를 측정하여 재발을 감시하는 데 유용한 치료방법이며 전신전이 치료에 사용한다. 전신전이는 수술 당시의 조직학적 특징과 관련 있다. T4 병기, 림프절 전이가 있을 경우 전신전이가 많아진다. 성인 갑상선암에서는 많은 경험이 축적되어 있으나 소아에서의 연구는 그리 많지 않다. 소아는 성인에 비하여 3배 이상 방사선에 민감하기 때문에 2차 암이 발병할 위험성이 우려되었다.[39] 대부분 사용하게 되는 ^{131}I의 총 용량은 200 mCi 이다.[40] 수술 후 T4 제제를 중단하고 6주 후에 또는 4주 동안 T3를 복용하고 2주 동안 복용을 중단한 후, ^{123}I 또는 ^{131}I를 이용하여 진단적 스캔을 시행한다. 이러한 준비 기간 동안 요오드 함유 조영제 또는 아미오다론 같은 약물의 사용을 제한한다. 잔여 갑상선조직이 확인되면 치료 용량의 ^{131}I를 투여한다. 갑상선외 조직에서 전이를 시사하는 소견이 나타날 경우 100~150 mCi의 고용량을 투여한다. 소아에서는 이때 폐 전이가 20~25%에서 나타난다.[41,42] 폐 전이를 치료하고 약 6개월 후 흉부촬영과 혈청 Tg를 측정한다. 이후 반복치료를 시행할 수 있으며 ^{131}I는 500 mCi까지 필요할 수 있다. 폐 전이의 완전 관해는 17~83%로 보고되었다.[43,44] 반복되는 요오드치료의 합병증은 폐 섬유화이다. 이 합병증은 전이 병변이 많을수록, 요오드의 총 용량이 많을수록 증가한다. 근치목적의 양측성 갑상선 절제술 후 Tg는 반드시 Tg 항체와 함께 측정하고, Tg 항체가 현저히 높아지거나 지속적으로 높거나 갑자기 높아지는 경우에는 Tg 측정치의 신뢰성을 훼손하므로 이런 경우에는 추가검사가 필요할 수도 있다. TSH 자극검사로 얻은 Tg 값이 10 ng/ml 이하인 경우에는 추가치료를 하지 않더라도 시간이 경과함에 따라서 Tg 값이 낮아질 수도 있다.

6. 예후

소아 갑상선 분화암의 25%가 재발한다. 대부분의 재발은 구획 림프절이며 이는 수술적으로 치료한다. 방사능 동위원소 치료는 큰 효과가 없다. 전이는 첫 번째 수술 후 수개월 또는 수년 후에 나타날 수 있으나 20년 후에 나타나는 경우도 있으므로[45] 평생 추적해야 하고 혈청 Tg를 지속적으로 모니터링 해야 한다. 수술범위가 구획재발에 영향을 줄 수 있다. Welch Dinauer 등은 갑상선 전절제수술을 시행한 경우 엽절제수술만 시행한 경우에 비하여 무병생존율이 높다고 하였다.[31] 모든 환자 중 21%에서 재발이 되었는데, 전절제를 한 경우 14%, 엽절제술을 한 경우 57%에서 재발되었다고 하였다.[46] 수술 후 폐 전이가 있는 소아환자들의 예후는 좋다. 소아의 경우 성인에 비해 폐 전이가 흔히 나타나지만 소아의 폐는 방사능 요오드 동위원소에 대한 반응이 좋다. Brink 등은 14명의 소아 폐 전이 환자를 치료하였는데 12명이 방사능요오드동위원소로 치료하였으며 14명 모두 5~10년간 생존하였다고 하였고, 7명은 폐에 무증상의 잔여 병변이 있지만 매우 안정적으로 생존하고 있다고 보고하였다.[47] 소아는 종양의 크기가 크고 고등급, DNA 이배수체, 주변조직 침습으로 인한 불완전절제에도 불구하고 연령이라는 예후인자로 인해 예후가 매우 좋다.[47] 생존율은 약 86~100%로 알려져 있다.[10,23,32-34,40,48,49] MD Anderson 암센터의 연구에 의하면 112명의 소아 갑상선 분화암 환자 중 갑상선암으로 인한 사망은 6명에 불과했으며 이들은 첫 번째 치료 후 26년 후에 사망하였으므로 10년 생존율은 100% 였다.[50] MEN2A에서 기원한 경우의 수질암이 2B 또는 산발성인 경우보다 예후가 양호하다.

요약(표 24-1)

소아 갑상선 분화암은 진단 당시 국소적으로 매우 진행된 상태이고 림프절 전이가 흔하며, 수술 후 폐전이도 흔하다. 수술 전 병변의 범위를 파악하여 수술계획을 수립하는 것이 중요하다. 경부 림프절전이가 의심되는 경우 포괄적인 림프절 절제수술을 시행한다. 성인과는 반대로 전신 전이 병변도 방사능동위원소치료에 잘 반응하며 우수한 예후를 보인다.[51-53] 갑상선 전절제술, 적절한 경부림프절절제술, 선택적인 ^{131}I의 사용, 혈청 Tg의 모니터링, 갑상선호르몬 투여가 적절히 이루어진다면 소아 분화갑상선암 환자들의 무병생존율은 매우 높

표 24-1 | 분화갑상선암에서 성인과 소아의 차이점

	성인	소아
갑상선 결절		
발병율	청소년에서 10%, 60세 초과시 >50%	1~5%
악성 종양 포함율	5~14%	26%
세침흡인검사 시행 기준 크기	>1~1.5 cm	결절의 크기 단독 고려보다, 초음파 소견과 임상양상에 근거하여 결정
자율 기능성 결절		
악성 진단율	3%	30% (우연히 발견된 분화 갑상선암과 연관)
치료	I-131 방사성 동위원소 치료, 에탄올 소작술, 혹은 수술적 절제	수술적 절제 (일엽 절제술 + 협부절제술)
병리학적 아형의 빈도		
유두암	70~80%	>90%
여포암	15~25%	<10%
수질암	5~8%	매우 적음
미분화암	4~10%	매우 적음
특성, 유두암		
종양 병소		
다발성 병소	30%	40~65%
양측성 병소	33%	30%
종양 크기		
첫 진단시 >4 cm	15%	36%
첫 진단시 <1 cm	22%	9%
발현 빈도		
경부 림프절 전이	30~40%	60~80%
원격 전이		
폐 전이	2~14%	20~25% (대부분 폐전이)
	1~7%	20%
생존율		
전체 생존율 (20년 까지)	90%	98%
원격전이 동반시	40% (5년), 96~100% (5년, 10년),20% (10년)	96~100% (5년, 10년)
재발률, 유두암(진단당시 연령)	20% (20~50세)	40% (<20 세)
유전학적 특성		
유전자 재배열 발생율	낮음	높음
BRAF 돌연변이	흔함 (36~83%)	매우 적음
RET/PTC 재배열	상대적으로 흔하지 않음	상대적으로 흔함

표 24-2 | 갑상선 결절 / 분화 갑상선암과 연관된 유전성 종양 증후군

유전성 증후군	유전자 (염색체상 위치)	갑상선 신생물의 종류
APC-연관 용종증 [가족성 선종성 용종증 (FAP), 약화성 가족성 선종성 용종증, 가드너 증후군, 터코트 증후군	• *APC* (5q21-q22)	• 유두암(cribriform-morular 아형)
Carney 복합체	• *PRKARIA* (17q24.2) • "*CNC2*" (2q16)	• 다결절성 갑상선종 • 여포성 선종 • 분화 갑상선암(유두암, 여포암)
DICER 1 증후군	• *DICERI* (14q32.13)	• 다결절성 갑상선종 • 흉막-폐 모세포종의 치료와 연관된 *DICER1*의 이차 체세포 돌연변이에 기인한 분화 갑상선암
PTEN 과오종 증후군 카우덴 증후군, 바나얀-릴리-루발카바 증후군, PTEN-연관 프로테우스 증후군, 프로테우스양 증후군	• *PTEN* (10q23)	• 다결절성 갑상선종 • 여포성 선종 • 분화 갑상선암(여포암 과발현)
베르너 증후군	• *WRN* (8p12)	• 분화 갑상선암(유두암, 여포암)

*베크위트-위드만 증후군, 가족성 부신경절종, 리-프라우메니 증후군, 맥쿤-알브라이트 증후군, 포이츠-예거 증후군 환자들에서 분화 갑상선암의 발생이 보고 된 바가 있으나, 이것이 각 질환들의 기저 유전적 결함과 직접적으로 연관이 있는지는 아직 불분명함.

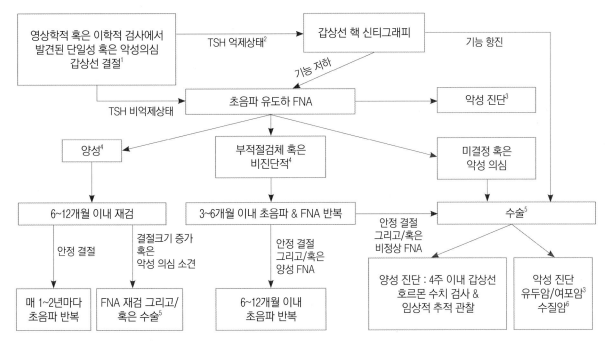

그림 24-1 | 소아 갑상선 결절의 초기 평가, 치료 및 추적관찰

[1] 갑상선 암의 개인적인 위험요인을 가지지 않은 환자에서 1cm 이상 직경의 고형 혹은 부분적인 낭성 결절이나, 초음파상 우려할 만한 소견을 보이는 결절 이 있을 때로 가정함 (B3, B4 구간 참조).

[2] TSH 억제상태는 정상의 하한선보다 낮은 수치를 보일때를 의미함.

[3] 유두암 치료 지침 (C1 구간) 혹은 수질암 치료 지침 참고

[4] 수술은 가족의 선호도에 근거해서 고려될 수 있음.

[5] 수술은 대부분의 경우 협부절제술을 동반한 일엽절제술을 의미함. 자율기능성 결절이나 불현성 갑상선 기능항진증을 나타내는 환자에 대해서는 수술이 연 기될 수 있으나, 만약 결절이 유두암을 의심할 수 있는 형태라면 FNA 가 반드시 고려되어야 함 (B10 구간 참조). 미결정 혹은 악성의심 결절에 대해서는 수술 중 동결절편 검사를 고려함. FNA 상 악성 결절이 의심되는 경우 갑상선 전절제술을 고려할 수 있음.

[6] 최종 조직검사 결과에 근거하여 완전 갑상선 절제술 ± 방사성 동위원소 치료 혹은 TSH 억제를 동반한 경과관찰을 고려함.

다. 일부 유전 질환의 경우에 아동에서 갑상선암을 일으키는 원인이 되기도 하므로 이 경우 유전자 상담과 검사를 적극적으로 하도록 한다(표 24-2).[51] 자가면역 질환이 있는 경우에, 의심스런 결절이 보이면서 겨우 림프절 종대가 있는 경우 초음파검사를 지속적으로 하도록

한다(그림 24-1).[51] 원격전이가 없다면 모든 소아 분화 갑상선암 병기는 1기이지만, 미국갑상선학회에서 권장하는 위험 분류에 따라서 수술 후 추적방법 및 재발 후 치료법을 선별적으로 적용한다(표 24-3, 그림 24-2, 24-3, 24-4).[51]

표 24-3 │ 소아 갑상선 유두암 환자에 대한 미국 갑상선학회 (ATA) 의 위험 분류 및 수술 후 치료

ATA 소아 위험 분류[a]	정의	초기 수술후 병기 설정[b]	목표 TSH[c]	질병 이환 환자에 대한 수술 후 감시[d]
저 위험군	N0/Nx 혹은 수술 후 우연히 발견된 N1a(중심 경부 림프절 구역의 소수의 현미경적 전이)이면서 육안 소견상 갑상선 내에 국한된 질환	Tg[e]	0.5~1.0 mIU/L	수술 후 6개월 째, 그 후 5년 동안 매년 초음파검사 2년 동안 3~6개월마다, 그 후 매년 LT4 사용 중 Tg 검사
중등도 위험군	광범위한 N1a 혹은 소규모의 N1b 질환	대부분의 환자에서 TSH-자극 Tg 측정 및진단적 [123]I 스캔 (그림. 2 참조)	0.1~0.5 mIU/L	수술 후 6개월째, 그 후 5년 동안 매 6~12개월마다, 이후에는 더 적은 빈도로 초음파 시행 3년 동안 3~6개월마다, 그 후 매년 LT4 사용 중 Tg 검사 [131]I 치료를 받은 환자에서는 TSH-자극 Tg 측정 ± 1~2년 진단적 [123]I 스캔 고려
고 위험군	원격전이가 존재 혹은 존재하지 않는 상태에서의 구역 광범위 질환(광범위 N1b) 혹은 국소 침윤성 질환(T4 종양)	모든 환자에서 TSH-자극 Tg 측정 및 진단적 [123]I 스캔 (그림. 2 참조)	<0.1 mIU/L	수술 후 6개월째, 그 후 5년 동안 매 6~12개월마다, 이후에는 더 적은 빈도로 초음파 시행 3년 동안 3~6개월마다, 그 후 매년 LT4 사용 중 Tg 검사 [131]I 치료를 받은 환자에서 TSH-자극 Tg 측정 ± 1~2년 진단적 [123]I 스캔 고려

[a] "위험"이란 수술 경험이 많은 갑상선 외과의에 의해서 초기 치료인 갑상선 전절제술 ± 림프절절제술이 시행된 후 경부 잔존암 그리고/혹은 원격 전이가 존재할 가능성으로 정의하며, 사망 위험을 나타내는것은 아님.
추가 논의에 대해서는 C7 구간 참조
[b] 수술 후 병기설정은 수술 시행 후 12주 이내에 시행.
[c] 이는 TSH 억제요법의 초기 목표치이며, 이후 환자의 확진 혹은 의심되는 질병 상태에 따라 조정되어야 함; ATA 소아 중등도, 고위험 환자에서 추적관찰 3~5년 기간 동안 질병의 증거가 없는 환자에 대해서는 TSH 를 정상 범위 안으로 유지할 수 있음.
[d] 수술 후 감시란 첫 수술 후 6개월때 그리고 그 이후 질병이 없다고 생각되는 환자에 대한 검사를 의미함; 추적 관찰의 강도와 진단적 검사의 범위는 초기 수술 후 병기, 현재의 질병상태, 그리고 [131]I 치료 여부에 따라 결정함; 이를 잔여암이 있거나 혹은 있을것으로 의심되는 환자에 대해 반드시 적용할 필요는 없음(그림. 3 참조)
[e] TgAb가 음성일 것으로 가정 (D2 구간 참조); TgAb-양성 환자에서는(T4 혹은 M1 상태의 환자를 제외하고) TgAb 소실에 필요한 시간 동안 수술 후 병기설정의 연기를 고려할 수 있음.

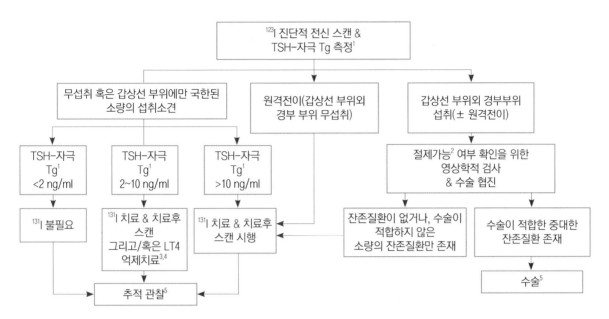

그림 24-2 │ 미국 갑상선 학회의 중등도, 고위험 소아 갑상선암 환자에 대한 초기 수술후 병기설정.

[1] TgAb 음성이면서 (D2 구간 참조) TSH >30 mIU/L 일 때를 가정함; TgAb-양성 환자에서는(T4 혹은 임상적 M1 환자를 제외하고) TgAb 소실에 필요한 시간동안 검사 연기를 고려할 수 있음 ("지연된" 병기설정).

[2] 영상학적 검사는 초음파 ± 진단적 갑상선 스캔시의 SPECT/CT 를 포함.

[3] T4 이면서 갑상선부위 섭취가 있거나, 현미경적 잔존 경부질환이 있는 환자에 대해서는 [131]I 치료를 고려.

[4] 18세 이하의 환자를 대상으로 한 전향적 연구 결과는 없으나, [131]I 잔여 치료 여부는 추적관찰을 통해 결정함.

[5] 수술 3~6개월 후 수술후 병기설정을 반복함

[6] Table 6, Figure 3,4 참조

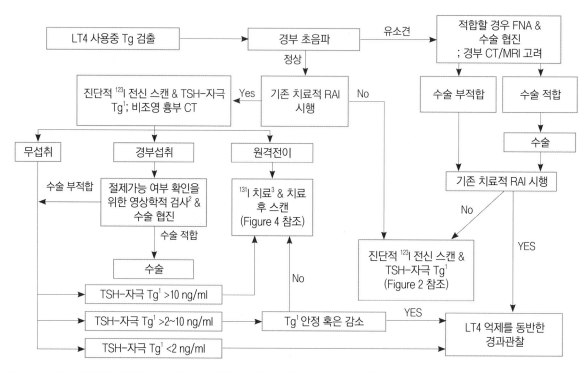

그림 24-3 | 잔존/재발암이 있거나 의심되는 소아 갑상선암 환자의 치료(원격전이는 없을 경우).

이 알고리즘은, Tg 억제 상태이면서 기존 질환의 범위에 대한 정보가 있는 잔존 혹은 재발 소아 갑상선암 환자에서, 모든 1차 치료가 완료된 후 6~12개월째 적용함.

[1] TgAb 음성으로 가정 (D2 구간 참조); TgAb-양성 환자에서는, 명확한 상승 소견이 없는 한 TgAb의 단독 존재가 질병의 증거로 해석되어서는 안됨.

[2] 영상학적 검사는 진단적 갑상선 스캔시의 SPECT/CT 그리고/혹은 조영증강 경부 CT/MRI 를 포함.

[3] 기존에 고용량의 131I 치료를 받은 환자에 대한 반복적인 131I 치료는, 일반적으로 요오드 섭취가 명확하면서 기존의 131I 치료에 대한 반응이 있었던 경우에만 진행되어야 함 (D7, D8 구간 참조).

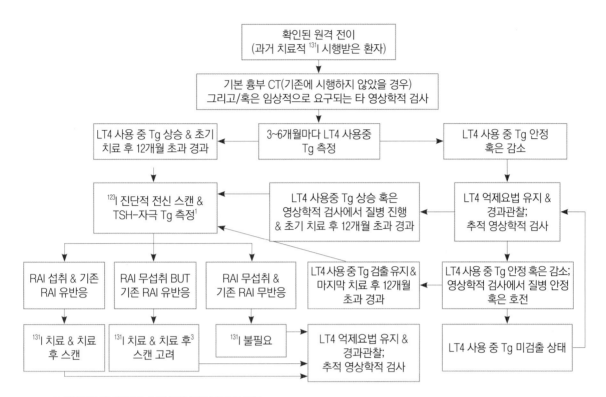

그림 24-4 | 원격전이가 확인된 소아 갑상선암 환자의 치료.

[1] TgAb 음성으로 가정 (D2 구간 참조); TgAb-양성 환자에서는, 명확한 상승 소견이 없는 한 TgAb의 단독 존재가 질병의 증거로 해석되어서는 안됨; TgAb 수치의 감소는 치료에 따른 반응을 시사함.

[2] Tg 는 [131]I 치료 직후 일시적으로 상승할 수 있으며 이것을 질병의 진행으로 잘못 해석해서는 안됨.

[3] 기존에 고용량의 [131]I 치료를 받은 환자에 대한 반복적인 [131]I 치료는, 일반적으로 요오드 섭취가 명확하면서 기존의 [131]I 치료에 대한 반응이 있었던 경우에만 진행되어야 함(D7, D8 구간 참조).

REFERENCES

1. Young JL, Percy CL, Asire AJ, et al. Cancer incidence and mortality in the United States, 1973-1977. Natl Cancer Inst Monoger 1981;57:1.

2. Silverberg E. Cancer statistics 1977, from National Cancer Institute's National Cancer Survey. CA Cancer J Clin 1977;27:26.

3. Samuel AM, Sharma SM. Differentiated thyroid carcinomas in children and adolescents. Cancer. 1991;67:2186-90.

4. Roudebush CP, Degroot LJ. The natural history of radiation-associated thyroid cancer. In: Degroot LJ, Frohman LA, Kaplan EL, Refetoff J (eds), Radiation-associated Thyroid Carcinoma. New York, Grune & Stratton, 1977, p97.

5. Kirkland RT, Kirkland JL, Rosenberg HS, Harberg FJ, Librik L, Clayton GW. Solitary thyroid nodules in 30 children and report of a child with a thyroid abscess. Pediatrics 1973;51:85-90.

6. Rallison ML, Dobyns BM, Keating FR Jr, Rall JE, Tyler FH. Thyroid nodularity in children. JAMA 1975;233:1069-72.

7. Hung W. Solitary thyroid nodules in 93 children and adolescents. a 35-years experience. Horm Res 1999;52:15-8.

8. Khurana KK, Labrador E, Izquierdo R, Mesonero CE, Pisharodi LR. The role of fine-needle aspiration biopsy in the management of thyroid nodules in children, adolescents, and young adults: a multi-institutional study. Thyroid 1999;9:383-6.

9. Quimby EH, Werner SC: Late radiation in roentgen therapy for hyperthyroidism, JAMA 1949;140:1046.

10. Goepfert H, Dichtel WJ, Samaan NA. Thyroid cancer in children and teenagers. Arch Otolaryngol 1984;110:72-5.

11. Pincus RA, Reichlin S, Hempelmann LH. Thyroid abnormalities after radiation exposure in infancy. Ann Intern Med 1967;66:1154-64.

12. Winship T, Rosvoll RV. Cancer of the thyroid in children. Proc Natl Cancer Conf 1970;6:677-81.

13. Nauman J, Wolff J. Iodide prophylaxis in Poland after the Chernobyl reactor accident: benefits and risks. Am J Med 1993;94:524-32.

14. Travis J. Chernobyl explosion. Inside look confirms more radiation. Science 1994;263:750.

15. ronko MD, Bogdanova TI, Komissarenko IV, et al. Thyroid carcinoma in children and adolescents in Ukraine after the Chernobyl nuclear accident: statistical data and clinicomorphologic characteristics. Cancer 1999;86:149-56.

16. LiVolsi VA. Papillary neoplasms of the thyroid. Pathologic and prognostic features. Am J Clin Pathol 1992;97:426-34.

17. Russell WO, Ibanez ML, Clark RL, White EC. Thyroid carcinoma. classification, intraglandular dissemination, and clinicopathological study based upon whole organ sections of 80 glands. Cancer 1963;16:1425-60.

18. Sierk AE, Askin FB, Reddick RL, Thomas CG Jr.Pediatric thyroid cancer. Pediatr Pathol 1990;10:877-93.

19. Furmanchuk AW, Averkin JI, Egloff B, et al. Pathomorphological findings in thyroid cancers of children from the Republic of Belarus: a study of 86 cases occurring between 1986('post-Chernobyl') and 1991. Histopathology 1992;21:401-8.

20. Carcangiu ML, Bianchi S. Diffuse sclerosing variant of papillary thyroid carcinoma. Clinicopathologic study of 15 cases. Am J Surg Pathol 1989;13:1041-9.

21. Sakamoto A, Kasai N, Sugano H. Poorly differentiated carcinoma of the thyroid. A clinicopathologic entity for a high-risk group of papillary and follicular carcinomas. Cancer 1983;52:1849-55.

22. Livolsi VA. Pathology of pediatric thyroid cancer. In: Robbins J(ed), Treatment of thyroid cancer in childhood. Bethesda, MD, National Institutes of Health, 1994, p11.

23. Harness JK, Thompson NW, McLeod MK, Pasieka JL, Fukuuchi A. Differentiated thyroid carcinoma in children and adolescents. World J Surg 1992;16:547-53.

24. La Quaglia MP, Corbally MT, Heller G, Exelby PR, Brennan MF. Recurrence and morbidity in differentiated thyroid carcinoma in children. Surgery 1988;104:1149-56.

25. Arganini M, Behar R, Wu TC, et al. Hurthle cell tumors: a twenty-five-year experience. Surgery 1986;100:1108-15.

26. Griem KL, Robb PK, Caldarelli DD, Templeton AC. Radiation-induced sarcoma of the thyroid. Arch Otolaryngol Head Neck Surg 1989;115:991-3.

27. Harness JK, Thompson NW, Nishiyama RH. Childhood thyroid carcinoma. Arch Surg 1971;102:278-84.

28. Fowler CL, Pokorny WJ, Harberg FJ. Thyroid nodules in children: current profile of a changing disease. South Med J 1989;82:1472-8.

29. Harness JK, Czako PF. Ultrasound of the thyroid and parathyroid glands. In: Harnesss JK, Wisher DB (eds), Ultrasound in Surgical Practice: Basic Principles and Clinical applications. New York, Wiley-Liss, 2001, p237.

30. Desjardins JG, Khan AH, Montupet P, et al. Management of thyroid nodules in children: a 20-year experience. J Pediatr Surg 1987;22:736-9.

31. Welch Dinauer CA, Tuttle RM, Robie DK, et al. Clinical fea187 tures associated with metastasis and recurrence of differentiated thyroid cancer in children, adolescents and young adults. Clin Endocrinol (Oxf) 1998;49:619-28.

32. Ceccarelli C, Pacini F, Lippi F, et al. Thyroid cancer in children and adolescents. Surgery 1988;104:1143-8.

33. Schlumberger M, De Vathaire F, Travagli JP, et al. Differentiated thyroid carcinoma in childhood: long term follow-up of 72 patients. J Clin Endocrinol Metab. 1987;65:1088-94.

34. Zimmerman D, Hay ID, Gough IR, et al. Papillary thyroid carcinoma in children and adults: long-term follow-up of 1039 patients conservatively treated at one institution during three decades. Surgery 1988;104:1157-66.

35. Jarzab B, Handkiewicz Junak D, Wloch J, et al. Multivariate analysis of prognostic factors for differentiated thyroid carcinoma in children. Eur J Nucl Med 2000;27:833-41.

36. Newman KD, Black T, Heller G, et al. Differentiated thyroid cancer: determinants of disease progression in patients ⟨21 years of age at diagnosis: a report from the Surgical Discipline Committee of the Children's Cancer Group. Ann Surg 1998;227:533-41.

37. Giuffrida D, Scollo C, Pellegriti G, et al. Differentiated thyroid cancer in children and adolescents. J Endocrinol Invest 2002;25:18-24.

38. Frankenthaler RA, Sellin RV, Cangir A, Goepfert H. Lymph node metastasis from papillary-follicular thyroid carcinoma in young patients. Am J Surg 1990;160:341-3.

39. National Council on Radiation Protection. Induction of thyroid cancer by ionizing radiation (NCRP Repoet no.80). Bsthesda, MD, National Council on Radiation Protection, 1985.

40. Becker DV, Zawzonico PB. Radioiodide therapy in children. In: Robbins J (ed), Treatment of thyroid cancer in Childhood.

Bethesda, MD, National Institutes of Health, 1994, p117.

41. Farahati J, Bucsky P, Parlowsky T, Mader U, Reiners C. Characteristics of differentiated thyroid carcinoma in children and adolescents with respect to age, gender, and histology. Cancer 1997;80:2156-62.

42. Pinchera A. Development of optimal treatment in preventive measures for radiation induced childhood thyroid cancer. In Joint study project 4. Final Report. Luxembourg, 1996, Office for Official Publications of the European communities.

43. Samuel AM, Rajashekharrao B, Shah DH. Pulmonary metastases in children and adolescents with well-differentiated thyroid cancer. J Nucl Med 1998;39:1531-6.

44. Sisson JC, Giordano TJ, Jamadar DA, et al. 131-I treatment of micronodular pulmonary metastases from papillary thyroid carcinoma. Cancer 1996;78:2184-92.

45. Harness JK, McLeod MK, Thompson NW, Noble WC, Burney RE. Deaths due to differentiated thyroid cancer: a 46-year perspective. World J Surg 1988;12:623-9.

46. Welch Dinauer CA, Tuttle RM, Robie DK, McClellan DR, Francis GL. Extensive surgery improves recurrence-free survival for children and young patients with class I papillary thyroid carcinoma. J Pediatr Surg 1999;34:1799-804.

47. Brink JS, van Heerden JA, McIver B, et al. Papillary thyroid cancer with pulmonary metastases in children: long-term prognosis.

Surgery 2000;128:881-6.

48. Buckwalter JA, Gurll NJ, Thomas CG Jr. Cancer of the thyroid in youth. World J Surg 1981;5:15-25.

49. Vassilopoulou-Sellin R, Klein MJ, Smith TH, et al.Pulmonary metastases in children and young adults with differentiated thyroid cancer. Cancer 1993;71:1348-52.

50. Vassilopoulou-Sellin R, Goepfert H, Raney B, Schultz PN. Differentiated thyroid cancer in children and adolescents: clinical outcome and mortality after long-term follow-up. Head Neck 1998;20:549-55.

51. Francis GL, Waguespack SG, Bauer AJ, Angelos P, Benvenga S, Cerutti JM, Dinauer CA, Hamilton J, Hay ID, Luster M, Parisi MT, Rachmiel M, Thompson GB, Yamashita S; American Thyroid Association Guidelines Task Force on Pediatric Thyroid Cancer. Management Guidelines for Children with Thyroid Nodules and Differentiated Thyroid Cancer. Thyroid 2015;25(7):716-59.

52. Parisi MT, Eslamy H, Mankoff D. Management of Differentiated Thyroid Cancer in Children: Focus on the American Thyroid Association Pediatric Guidelines. Semin Nucl Med 2016;46(2):147-64.

53. Tracy ET, Roman SA. Current management of pediatric thyroid disease and differentiated thyroidcancer. Curr Opin Oncol 2016;28(1):37-42.

임산부의 갑상선암
Thyroid Carcinoma During Pregnancy

| 인제대학교 의과대학 외과 **구도훈**

이번 장에서는 임신 중에 발견되는 갑상선 결절 및 암에 있어서 빈도, 진단적 접근법 및 수술적 치료 전략을 정리해 보고, 더불어 갑상선암으로 치료받은 여성에서 임신이 주는 영향과 임신 기간 동안의 갑상선암 관리(care)에 대하여 살펴보고자 한다.

1. 임신 중 발견되는 갑상선 결절 및 암의 빈도

1) 갑상선 결절의 빈도

임신기간은 상대적인 요오드 결핍, 사람융모생식선자극호르몬(human chorionic gonadotropin, hCG)의 갑상선 자극 효과, 높은 에스트로겐 수치 등을 보이는 생리학적 변화로 갑상선 결절의 성장을 자극하는 인자로 알려져 있다. 따라서 결절은 임신부에서 더 흔하며 임신기간 동안 부피가 증가하는 것으로 알려져 있으나, 이것이 악성 전환(malignant transformation)을 의미하는 것은 아니다. 임신 중 갑상선 결절의 빈도, 결절 크기에 대한 임신의 영향 및 임신 중 새로 발견되는 갑상선 결절의 빈도를 보고한 연구들을 요약해 보면 다음과 같다.[1-4] 이 연구들은 모두 경증 또는 경계성(borderline) 요오드 결

핍지역에서 시행되었고 첫째, 결절의 빈도는 3~21%였으며, 둘째, 나이가 많을수록, 임신의 횟수가 늘어날수록 결절의 빈도가 증가하였다. 셋째, 벨기에 연구에서는 결절의 60%가 임신 중 크기가 2배로 증가하였고 중국 연구에서는 임신기간 동안 주(dominant) 결절의 최대 직경은 커지지 않았으나 결절의 부피가 임신 초기부터 3분기까지 의미있게 증가하였고 출산 3개월까지 지속되었다고 하였다. 넷째, 임신 1분기에 갑상선 결절이 발견된 환자의 11~20%에서 임신기간 동안 두 번째 결절이 발생하였다.[1,3]

2) 갑상선암의 빈도

임신부에서 발견되는 갑상선 결절의 악성 가능성이 비임신부에 비하여 높은지는 인구기반 연구가 없으므로 명확하지 않다. 임신 중 발견되는 갑상선 결절에서 갑상선암의 빈도는 15~30%로 보고된 바 있는데[5,6] 이 연구들은 3차 의료기관으로 전원된 환자들만을 대상으로 하였다는 점에서 선택편견(selection bias), 즉 모든 갑상선 결절을 가진 임신부를 대표한다고 보기 어렵고, 또한 후향적 연구로 진행되었다. 임신부의 갑상선암 빈도는 비록 한정된 연구결과이긴 하나 일반 인구와 비슷하거나 혹은 조금 더 높다고 가정할 수 있다. 한편, 212명의 중국 남부 여성을 대상으로 임신 중 갑상선암의 유

병률을 살펴본 전향적 연구에서 갑상선 결절의 빈도는 15.3%(34/221)였으나 갑상선암은 0%로 보고하였는데 연구에 포함된 대상수가 적어 해석에 신중할 필요가 있다.[3] 마지막으로 인구기반의 후향적 연구 설계로 1991년과 1999년 사이 미국 캘리포니아지역에서 암으로 등록된 산모 약 485만 명을 대상으로 살펴본 결과 갑상선암의 빈도는 100,000명당 14.4명으로 그 중 갑상선 유두암이 가장 흔한 것으로 나타났다.[7] 갑상선암의 진단 시기는 임신 전이 100,000명당 3.3명, 분만 시 100,000명당 0.3명, 분만 후 1년 이내가 100,000명당 10.8명이었다.

2. 임신 중 발견된 갑상선 결절의 진단적 접근

갑상선 결절이 발견된 임신부에게는 갑상선암 혹은 양성 질환의 가족력, 가족성 갑상선 수질암, 제2형 다발성 내분비종양 그리고 가족성 대장 용종증이나 코든병(Cowden's disease)과 같이 갑상선암을 동반할 수 있는 가족력에 대하여 문진해야 한다.[8,9] 또한 아동기 두경부 방사선 조사 병력을 포함한 과거력은 물론 결절 발생의 시기나 성장속도도 확인해야 한다.[10,11] 결절의 크기가 계속 증가하는 경우는 미세침흡인검사(fine-needle aspiration, FNA)가 필요하며, 지속되는 기침이나 발성장애는 악성을 시사한다. 갑상선 결절을 가진 모든 여성은 갑상선자극호르몬(thyroid stimulating hormone, TSH)과 유리 티록신(free thyroxine, fT4)를 검사하여야 한다.[12,13] 갑상선암 환자에서 갑상선기능은 대부분 정상이며 독성 결절로 의심되는 경우에는 분만 후 방사성핵종스캔(Radionuclide scanning)으로 확인해야 하나 방사성핵종스캔의 사용은 임신 중에는 금기이다.[14] 단, 임신 12주 전에 시행한 의도하지 않은 스캔은 태아의 갑상선 손상을 유발하지 않는 것으로 보고되었다.[15,16] 따라서, 드물게 심한 갑상선기능항진증을 유발하는 갑상선 결절에 대해서는 항갑상선 투여와 수술적 치료가 바람직하다고 하겠다. 임신이 아닌 경우와 마찬가지로, 갑상선 결절을 가진 임신 여성에서 칼시토닌의 일상적인 (routine) 측정은 논란이 많다(controversial).[17] 다만 갑상선수질암이나 제2형 다발내분비종양의 가족력을 가진 임신 여성에서는 칼시토닌을 측정해야 한다.

갑상선 초음파는 잘 알려진 바와 같이 갑상선 결절의 유무, 양상(feature) 및 크기 변화를 관찰하고 경부 림프절의 평가에 있어서 가장 정확한 검사법이다.[18] 이러한 초음파를 이용한 세침흡인검사(fine needle aspiration, FNA)는 임신 중에도 안전한 검사법으로 임신 주수 어느 시기에도 시행이 가능하다.[19,20] 또한 갑상선 결절의 세포학적 진단에 있어서 임신이 현미경적 세포변이의 요인으로 작용하지 않을 것으로 보이므로 임신이 아닌 경우와 동일한 기준을 적용하여 판정을 내릴 수 있다.[5] 그러나 이와 관련하여 임신부와 비임신부 사이의 FNA 세포진단 차이를 연구한 전향적인 연구결과는 아직 보고되지 않았다. 임신 중 갑상선 결절의 FNA 적응증을 살펴보면, 먼저 결절의 크기가 1 cm 이상이면서 고형 (predominantly solid)인 경우 FNA를 시행해야 하며 1.5~2 cm 이상의 복합(complex) 결절의 경우에도 FNA를 고려한다. 결절의 크기가 0.5~1 cm일 경우 고위험 병력이 있거나 초음파 소견에서 악성이 의심된다면 선택적으로 FNA를 시행할 수 있다.[20-22] 악성을 시사하는 초음파 소견으로는 현저한 저에코(markedly hypoehoic) 결절, 불규칙 혹인 침습적 경계, 미세석회화, 너비보다 높이가 긴 모양(taller than wide shape) 등이다.[23] 만약 초음파 소견에서 전이성 림프절을 동반하거나 발견된 결절이 피막외 침습을 시사하는 경우 임신 주수에 상관없이 FNA 시행을 고려해야 하며 초음파에서 양성 혹은 미결정형으로 보이는 결절의 FNA는 출산 이후로 연기가 가능하다.[24,25]

3. 임신 중 발견된 갑상선 결절 및 암의 수술적 치료전략

1) 갑상선암

(1) 임신 중 발견된 갑상선암의 예후

임신 중 혹은 분만 후 1년 이내에 분화갑상선암으로 진단된 여성과 임신과 관계 없이 분화갑상선암으로 진단된 여성의 예후를 비교한 연구들을 살펴보면 대부분의 연구에서 임신은 분화갑상선암의 예후를 악화시키지 않는 것으로 나타났다.[26-30] 또한 수술시기 선택에 있어서도 임신기간 중 갑상선암으로 진단받고 임신 중에 수술한 군과 분만 이후로 수술을 연기한 군 사이에 유의한 예후 차이를 보이지 않았다.[27,31] 상기 연구결과들과는 대조적으로, 임신 중 혹은 분만 후 1~2년 이내에 진단된 분화갑상선암을 가진 여성이 임신 전에 진단된 여성 혹은 분만 1~2년 후에 진단된 여성에 비해 지속성 암과 재발비율이 높다 예후가 나쁘다는 연구결과도 있다.[32,33] 그러나 상기 연구들에서 환자군의 자극 갑상선글로불린(thyroglobulin, Tg) 값이 높았으며 이는 첫 갑상선 절제술의 외과적 완결도(surgical completeness)를 대변하는 지표이므로 기존의 연구결과들을 반박하기에 부족하다는 비판적 의견도 제시되고 있다. 이 중 Vannucchi 등[32]이 수행한 연구에서는 임신 중 혹은 분만 후 1년 이내에 진단된 환자들은 대부분 종양에서 에스트로겐 α수용체 양성으로 확인되어, 나쁜 예후가 에스트로겐에 의해 매개된 종양성장과 관련이 있을 가능성을 제시하였다. 결론적으로 대부분의 연구에서 임신이 분화갑상선암의 예후, 즉 재발과 사망률에 나쁜 영향을 주지 않는 것으로 나타났고, 따라서 임신기간 동안 분화갑상선암으로 진단된 환자의 수술은 분만 이후로 연기할 수 있겠다. 하지만, 상기 모든 연구설계가 무작위 대조시험이 아니며, 후향적이고 또한 많은 연구에서 대상 환자수가 적다는 점에 해석에 주의가 필요하다. 덧붙여 에스트로겐 α수용체가 갑상선암의 예후에 어떤 영향을 미칠

지에 대한 추가적인 연구가 필요하며 갑상선수질암이나 역형성암을 가진 여성에서 임신의 영향은 알려져 있지 않다.

(2) 임신 중 갑상선암 수술이 임신부와 태아에 미치는 영향

분화갑상선암의 치료에 있어 임신이 아닌 경우 수술이 최선의 선택이다. 그러나 갑상선암 수술을 분만 후로 연기하더라도 예후에 차이가 없다는 점을 고려한다면, 임신 중 수술을 피할 수 없는 경우 환자와의 수술 상담에 앞서 임신부 및 태아에게 미칠 수 있는 합병증을 반드시 평가해야 한다. 임신 중 시행된 갑상선 수술의 영향을 평가한 논문들을 살펴보면, 수술은 대부분 임신 2분기에 이루어졌으며 모체 및 태아 관련 수술 합병증은 관찰되지 않았다.[6,21,34,35] 2009년 발표된 인구 기반 연구(population-based study)[36]에서는 갑상선 및 부갑상선 수술을 받은 임신부 201명과 임신하지 않은 여성 31,155명을 비교하였는데, 수술군 중 165명이 갑상선 질환자였고, 이 중 76명이 갑상선암이었다. 임신한 환자가 내분비관련 합병증 및 전반적인 수술 합병증(태아관련 5.5%, 모체관련 4.5%)의 위험이 높았고, 입원기간이 더 길고, 병원비도 더 높게 나타났다고 하였으나, 이 연구에서 두 군은 인종, 보험, 의료기관의 접근성 등에서 기본사항 차이(baseline difference)가 있으며 부갑상선 수술 결과가 포함되어 있다는 점에서 제한적이다. 임신 중에 수술이 요구되거나 임신부가 희망하는 경우, 임신부와 태아에 발생할 수 있는 합병증(임신 1분기의 기관형성 장애나 자연유산, 임신 3분기의 조기진통 및 조산)을 최소화하기 위해 임신 2분기에 수술을 시행해야 한다.[20,31,37,38] 또한 임신부에서 갑상선절제술 후 발생할 수 있는 갑상선 및 부갑상선 기능저하증의 위험 또한 고려되어야 한다.

(3) 갑상선암의 예후 및 임신부와 태아에 미치는 영향을 고려한 적절한 수술시기의 선택

임신부에서 FNA 결과가 악성으로 나온 경우 일반적으로 수술이 권고되나 수술시행 시기(임신 중 또는 분만 후)

에 대해서는 일치된 의견이 없다. 최근 발표된 2015년 미국갑상선학회 권고안 및 2010 대한갑상선학회 권고안은 임신초기 FNA 세포검사에서 갑상선 유두암으로 진단된 경우 초음파로 경과 관찰할 것을 권고하고 있다.[22,39] 갑상선유두암이 임신 24주 이전까지 현저한 성장(적어도 2방향에서 2 mm 이상 커지면서 직경이 20% 이상 증가하거나 용적이 50% 이상 증가하는 경우)을 보이거나 림프절 전이를 동반한다면 수술을 시행해야 한다. 하지만, 갑상선유두암이 임신 중기까지 큰 변화를 보이지 않거나 임신 후기에 진단된다면, 임신 중 발견된 갑상선암의 예후 그리고 임신 중 갑상선암 수술이 임신부와 태아에 미치는 영향 등을 고려하여 수술은 분만 이후로 연기할 수 있다. 진행된 갑상선 유두암의 경우에는 임신 2분기에 수술적 치료를 하는 것이 실행 가능한 선택이 된다. FNA 세포검사에서 분화갑상선암으로 진단된 환자가 수술을 분만 이후로 연기한다면 TSH를 낮은 정상수준 (0.1~1.5 mU/L) 유지하는 갑상선자극호르몬 억제요법을 고려할 수 있으며,[24] 혈청 TSH 수치(2.0 mU/L 이상)가 높으면 진행성 갑상선암의 위험이 증가하므로 임신기간 동안 TSH 억제수준을 0.3~2.0 mIU/L로 유지하는 것이 합리적이라고 제시하기도 하였다.[40] 또한 임신 3분기에 암이 의심되는 갑상선 결절이 발견된 경우, 빨리 자라거나 나쁜 예후를 시사하는 증거가 없다면 추가 검사와 치료를 출산 후로 연기할 수 있다.[27]

2) 갑상선암이 의심되는 경우

임신 중 FNA 결과가 "악성 의심(suspicious malignancy)"으로 나온 경우의 임상적 결과와 예후를 평가한 전향적 연구는 현재까지 보고되지 않았다. 임신부를 대상으로 한 2개의 후향적 연구를 보면, 수술을 시행한 94례 모두가 조직학적으로 확진되었고 세포검사상 악성이 의심되는 결절의 악성도(malignant risk)는 37.5%(6/16)였다.[5,6] 임신 중 분화갑상선암으로 진단된 경우에도 갑상선암 수술을 분만 후로 연기하는 것이 예후 차이가 없다는 점

을 고려할 때, 세포검사 결과가 "악성 의심"인 결절에서 수술을 분만 후로 연기하는 것이 합리적인 선택이 될 것이다. 또한 암 의심 결절의 수술을 연기한 경우, 갑상선호르몬(Levothyroxine, LT4) 치료여부에 있어서 양성 결절의 가능성이 높으므로 LT4 치료는 권장되지 않는다는 견해도 있으나,[24] TSH를 낮은 정상수준으로 유지하도록 권고하기도 한다.[20,21]

3) 양성 혹은 미결정형 결절

임신이 갑상선 결절의 성장에 대한 위험인자이긴 하나, LT4 치료가 임신 동안 결절의 크기를 줄이거나 성장을 억제하는 데 효과를 입증하는 증거는 없다. 따라서, 임신 중 양성 갑상선 결절에 대한 LT4 억제 치료는 권장되지 않는다.[24,41] 양성 결절의 수술은 기도나 식도 압박 증상을 보이는 큰 결절에서 고려되어야 한다. FNA 검사상 양성이지만 빠르게 자라는 양상 또는 초음파 소견상 악성이 의심되는 결절에서 FNA 검사를 재시행하고 수술을 고려할 수 있다.[22] FNA 결과 미결정형(indeterminate)일 경우 악성 위험도가 높지 않으므로[42] 초음파로 추적관찰하고 수술은 분만 이후로 연기할 수 있다. 이러한 미결정형 결절에 있어 분자생물학적 검사 추가를 고려할 수 있으나 아직 임신부에게 검사의 유용성이 입증되지 않았다.

4. 갑상선암 병력 여성에서 임신의 영향 및 임신 중 관리

1) 임신이 재발에 미치는 영향

분화갑상선암으로 치료받은 여성에서 임신의 영향을 조사한 오래된 연구들에서 임신이 종양의 성장을 촉진하

지 않으며 임신을 경험하지 않은 여성과 암 재발률의 차이가 없다고 보고한 바 있었다.[43,44] 비교적 최근 연구에서 Rosario 등[45]도 임신전에 분화갑상선암으로 치료받고 무병상태(Tg <2 ng/ml, 초음파 음성 및 이학적 진찰소견으로 정의한)인 임신부 64명을 추적조사한 결과 임신 중 암 재발은 없었다고 하였으나 추적 기간이 6개월로 제한적이었다. Leboeuf 등[46]은 분화갑상선암으로 치료를 받고 평균 4.3년 경과한 임신부 36명을 조사하였는데, 이 연구에서 분만 후 억제(suppressed) Tg값은 임신전과 차이가 없었지만, 8명의 임산부에서는 분만 후 Tg치가 임신 전에 비해 20% 이상 상승하였다고 보고하였다. 한편 Hirsch 등[47]은 분화갑상선암으로 치료받고 임신을 경험한 여성 63명을 대상으로 평균 4.8년의 기간동안 임신과 암의 진행 관련성을 조사한 결과 임신 전 잔존암(persistent disease)과 암 진행 사이에 양의 상관관계를 보였다고 보고하였다. 이상의 연구결과를 요약하면 임신 전 구조적 또는 생화학적 무병상태인 분화갑상선암 환자에게 임신이 암의 재발을 증가시키지 않는다고 볼 수 있으나 임신 당시 이미 알려진 구조적 또는 생화학적 잔존암이 있는 경우에는 임신이 갑상선암의 성장에 자극을 줄 수 있다는 것이다.

2) 방사성 요오드 치료가 임신에 미치는 영향

분화갑상선암으로 수술을 받은 환자 중 일부는 잔여갑상선 제거를 위한 방사성요오드 치료를 받게 된다. 이 방사성요오드 치료로 인한 성선 기능 및 임신에 대한 유해성을 보고한 연구들[48,49]을 살펴보면 방사성요오드 치료를 받은 군에서 불임, 유산, 사산, 신생아 사망률, 선천성 기형, 조기분만, 저체중아, 출생 후 1년 내의 사망, 후손에서 암 발생 등의 위험도가 대조군에 비해 높지 않았다고 하였다. 방사성요오드 치료 후 수개월 내에 사산이 위험이 증가하는 것은 적절치 못한 갑상선호르몬의 조절이 한 원인으로 생각된다.[50-52] 따라서 방사성요오드를 이용한 잔여갑상선 제거술을 받은 경우 최소한 6개

월 1년 이후 임신을 하는 것이 바람직하며, 이렇게 함으로써 LT4 보충치료가 임신하는 시기에 적절한 수준을 유지하도록 할 수 있다.[20,53]

3) 임신 중 TSH 조절 및 재발 감시 Monitoring

분화갑상선암으로 치료 받은 여성을 임신기간 동안 관리하는 데 있어 가장 중요한 점은 TSH를 임신 전 수준으로 유지하는 것이다. 불현성 갑상선기능 항진증(subclinical hyperthyroidism)이 임신부나 신생아에게 합병증을 초래하지 않는다는 연구결과를 고려하면 TSH 억제치료가 임신 중 안전하다고 추정할 수 있다. 임신 기간 동안 TSH의 억제 수준은 임신 전 갑상선암에 대한 치료결과나 재발의 유무에 따라 결정되는데, 최근 발표되었던 ATA 권고안을 살펴보면 다음과 같다.[22] 구조적 불완전반응(Structural incomplete response)을 보이는 환자의 경우 특별한 금기사항이 없는 한 혈청 TSH는 지속적으로 0.1 mU/L 미만으로, 생화학적 불완전반응(biochemical incomplete response) 환자의 경우 TSH는 0.1~0.5 mU/L로 유지하도록 하고 있다. 치료에 완전반응(excellent response, 임상-생화학적으로 무병상태) 또는 불명확 반응 (indeterminate response)을 보이는 경우, 재발의 고위험군에서는 수술 후 5년 동안 TSH를 0.1~0.5 mU/L로 유지한후 TSH 억제정도를 완화하도록 하고, 재발의 저위험군에서는 TSH는 0.5~2.0 mU/L 수준으로 유지토록 권고하고 있다. 마지막으로, 방사성요오드 잔여갑상선제거술 치료를 받지 않은 환자에서 치료에 완전 또는 불명확 반응을 보이면서, 경부 초음파 소견이 정상이고 억제 혈청 Tg값이 낮거나 미검출인 경우, 혈청 TSH는 낮은 정상 범위(0.5~2.0 mU/L)로 유지할 수 있다. 갑상선암 치료병력이 있는 여성에서 임신 전 혈청 Tg, 초음파, 신체검진에서 무병 상태이며 저위험군이라면 임신 중 경부 초음파 및 Tg 모니터링은 반드시 필요하지는 않다라고 하였다. 다만 임신 전 Tg값이 높거나 구조적-생화학적 잔존암이 있는 경우, 임신 각 분기

마다 경부 초음파검사 및 Tg 모니터링을 시행하여야 한다.[25]

한편, TSH 억제치료와 함께 임신기간 중에는 생리적인 LT4 요구량 증가치를 고려해야 한다.[54,55] 최근 연구에서 갑상선암 병력 여성의 임신 중 LT4 요구량 증가치는 양성 갑상선질환의 치료 목적으로 방사성요오드 갑상선제거술을 받은 경우 또는 원발성 갑상선 기능저하증 환자보다 더 적다고 하였는데 이는 갑상선암 치료 여성의 경우 대부분 임신전 TSH 억제치료를 받고 있었고 임신기간동안 억제수준을 완화하였기 때문으로 추정된다. 또한 이 연구에서 갑상선암 치료병력의 여성은 임신 1기에 9%, 임신 2기에 21%, 임신3기에 26%의 누적 LT4 용량증가가 필요하다고 하였다.[56] 따라서, 이러한 환자들이 임신 중 갑상선기능저하증 발생을 예방하기 위해서는 세심한 갑상선기능검사 모니터링이 필요하며, 임신이 확인되는 즉시 갑상선기능검사가 시행되어야 한다. LT4 용량이 충분한 지 여부를 임신 16~20주까지는 매주, 26~32주 사이에는 최소 한 번 이상 점검해야 하며 LT4 용량의 변동시 마다 4주 후 갑상선기능검사로 치료의 적절성을 평가하여야 한다.[24]

요약

임신기간 동안의 음성요오드평형(negative iodine balance) 등의 원인으로 임신은 기존의 갑상선 결절의 성장을 자극하고 새로운 갑상선 결절의 출현과 관련이 있음을 확인되었다. 따라서 결절은 임신부에서 더 흔하며 임신의 횟수가 늘어날수록 결절의 빈도도 증가하게 된다. 임신부에서 발견되는 갑상선 결절의 악성 가능성이 비임신부에 비해 높은지 명확하지 않으며 결절중 갑상선암의 빈도는 약 15% 정도로 일반 인구와 비슷하거나 혹은 조금 더 높다고 가정할 수 있다.

임신 중 발견되는 갑상선 결절에서 최적의 진단적 접근은 위험 정도에 따라 달라져야 한다고 하겠다. 결절을

가진 모든 여성에 대해 철저한 병력청취 및 신체진찰이 이루어져야 함은 물론 혈청 TSH 검사와 경부 초음파를 시행하도록 한다. 또한 갑상선 혹은 림프절에 대한 FNA는 임신에 추가적인 위험을 유발하지 않는다고 알려져 있으므로 임신 중 발견된 갑상선 결절이 0.5 cm 이상이면서 악성이 의심스러운 초음파 소견을 보이는 경우 FNA가 고려되어야 한다. 초음파상 결절이 양성으로 보이는 경우, FNA는 환자 선호에 따라 분만 이후로 연기될 수 있으며 임신 중 방사성핵종스캔의 사용은 금기이다.

임신 중 발견된 갑상선암의 치료전략을 살펴보면 먼저 임신 중 발견되었으나 수술적 치료를 받지 않은 분화갑상선암 여성의 예후는 임신하지 않은 동일 연령대의 갑상선암 환자 예후와 유사하므로 갑상선암 수술은 분만 이후로 연기할 수 있다. 갑상선암이 임신 중기 이전 뚜렷한 성장을 보이거나 림프절 전이가 발견된다면 임신 2분기 중 수술이 권고된다. 이러한 임신 2분기 동안의 갑상선암 수술은 임신부와 태아의 합병증 발생 위험을 증가시키지 않는 것으로 알려져 있다. 만약 갑상선암 수술을 분만 이후로 연기하였다면, 임신 각 분기마다 경부 초음파검사를 시행하여 암이 빠른 성장을 보이는지 여부를 관찰하여야 한다. 또한 세포검사 결과가 "악성 의심"인 결절이라면 수술시기는 분만 후로 연기하는 것이 합리적인 선택이 될 것이며 임신 중에 양성 갑상선 결절에 대한 LT4 억제 치료는 권장되지 않는다. 양성 갑상선 결절의 수술은 기도나 식도 압박증상을 보이는 경우 고려되어야 한다.

갑상선암 병력 여성에서 임신이 재발에 미치는 영향을 살펴보면 임신 전 구조적 또는 생화학적 무병상태인 분화갑상선암 환자에게는 임신이 암의 재발을 증가시키지 않으나 임신 당시 잔존암이 있는 경우에는 임신이 갑상선암 성장을 자극할 수 있다고 알려져 있다. 한편, 임신 전 방사성요오드 노출이 이어지는 임신과 아이에게 해로운 영향을 미친다는 증거는 없으나 방사성요오드 치료를 받은 경우 임신은 최소 6개월에서 1년 연기해야 하며 임신전 LT4 용량의 안정화가 필요하다 하

겠다. 분화갑상선암으로 치료받은 여성이 임신하는 경우 임신 전 TSH 조절 목표가 임신 중에도 그대로 유지되어야 하며, TSH 조절 수준은 재발 위험도에 따라 결정된다. TSH 검사는 임신 16~20주까지 매 4주 간격으로, 26~32주 사이에는 최소 한 번 이상 시행하여 갑상선기능저하증을 예방토록 하고 임신기간 중의 LT4 요구량 증가치를 추가적으로 고려해야 한다. 임신 전에 Tg값이 높거나 구조적-생화학적 잔존암이 있는 경우 임신 중 경부 초음파 및 Tg 모니터링이 필요하다.

임신 중 발견되는 갑상선 결절과 암은 임상의사와 임신부 모두에게 특수한 상황(unique challenge)을 맞이하게 한다. 즉, 최종적인 진단과 치료결정에 있어 어느 한쪽의 치우침이 없어야 함은 물론 무엇보다 임신부와 태아의 건강 및 임신의 유지에 악영향을 주지 않는 것 또한 중요하다고 하겠다. 따라서 갑상선 외과, 내분비내과 및 산부인과를 포함한 모든 임상의가 관련된 정보를 충분히 공유하고 협력하는 진료시스템이 필요하며 환자의 선호도 또한 적절히 고려되어야 한다.

REFERENCES

1. Glinoer D, Soto MF, Bourdoux P, et al. Pregnancy in patients with mild thyroid abnormalities: maternal and neonatal repercussions. J Clin Endocrinol Metab 1991;73:421-7.
2. Struve CW, Haupt S, Ohlen S. Influence of frequency of previous pregnancies on the prevalence of thyroid nodules in women without clinical evidence of thyroid disease. Thyroid 1993;3:7-9.
3. Kung AW, Chau MT, Lao TT, et al. The effect of pregnancy on thyroid nodule formation. J Clin Endocrinol Metab 2002;87:1010-4.
4. Karger S, Schotz S, Stumvoll M, et al. Impact of pregnancy on prevalence of goitre and nodular thyroid disease in women living in a region of borderline sufficient iodine supply. Horm Metab Res 2010;42:137-42.
5. Marley EF, Oertel YC. Fine-needle aspiration of thyroid lesions in 57 pregnant and postpartum women. Diagn Cytopathol 1997;16:122-5.
6. Tan GH, Gharib H, Goellner JR, et al. Management of thyroid nodules in pregnancy. Arch Intern Med 1996;156:2317-20.
7. Smith LH, Danielsen B, Allen ME, et al. Cancer associated with obstetric delivery: results of linkage with the California cancer registry. Am J Obstet Gynecol 2003;189:1128-35.
8. Loh KC. Familial nonmedullary thyroid carcinoma: a meta-review of case series. Thyroid 1997;7:107-13.
9. Hegedus L. Clinical practice. The thyroid nodule. N Engl J Med 2004;351:1764-71.
10. Tucker MA, Jones PH, Boice JD, Jr., et al. Therapeutic radiation at a young age is linked to secondary thyroid cancer. The Late Effects Study Group. Cancer Res 1991;51:2885-8.
11. Pacini F, Vorontsova T, Demidchik EP, et al. Post-Chernobyl thyroid carcinoma in Belarus children and adolescents: comparison with naturally occurring thyroid carcinoma in Italy and France. J Clin Endocrinol Metab 1997;82:3563-9.
12. Baloch Z, Carayon P, Conte-Devolx B, et al. Laboratory medicine practice guidelines. Laboratory support for the diagnosis and monitoring of thyroid disease. Thyroid 2003;13:3-126.
13. Bennedbaek FN, Hegedus L. Management of the solitary thyroid nodule: results of a North American survey. J Clin Endocrinol Metab 2000;85:2493-8.
14. Meier DA, Brill DR, Becker DV, et al. Procedure guideline for therapy of thyroid disease with (131)iodine. J Nucl Med 2002;43:856-61.
15. Zanzonico PB. Radiation dose to patients and relatives incident to 131I therapy. Thyroid 1997;7:199-204.
16. Pauwels EK, Thomson WH, Blokland JA, et al. Aspects of fetal thyroid dose following iodine-131 administration during early stages of pregnancy in patients suffering from benign thyroid disorders. Eur J Nucl Med 1999;26:1453-7.
17. Hegedus L, Bonnema SJ, Bennedbaek FN. Management of simple nodular goiter: current status and future perspectives. Endocr Rev 2003;24:102-32.
18. Moon WJ, Baek JH, Jung SL, et al. Ultrasonography and the ultrasound-based management of thyroid nodules: consensus statement and recommendations. Korean journal of radiology 2011;12:1-14.
19. Belfiore A, La Rosa GL. Fine-needle aspiration biopsy of the thyroid. Endocrinol Metab Clin North Am 2001;30:361-400.
20. De Groot L, Abalovich M, Alexander EK, et al. Management of thyroid dysfunction during pregnancy and postpartum: an Endocrine Society clinical practice guideline. J Clin Endocrinol Metab 2012;97:2543-65.
21. Gharib H, Papini E, Garber JR, et al. American association of clinical endocrinologists, american college of endocrinology, and associazione medici endocrinologi medical guidelines for clinical practice for the diagnosis and management of thyroid nodules--2016 UPDATE. Endocr Pract 2016;22:622-39.
22. Haugen BR, Alexander EK, Bible KC, et al. 2015 American Thyroid Association Management Guidelines for Adult Patients with Thyroid Nodules and Differentiated Thyroid Cancer: The American Thyroid Association Guidelines Task Force on Thyroid Nodules and Differentiated Thyroid Cancer. Thyroid 2016;26:1-133.
23. Shin JH, Baek JH, Chung J, et al. Ultrasonography Diagnosis and Imaging-Based Management of Thyroid Nodules: Revised Korean Society of Thyroid Radiology Consensus Statement and Recommendations. Korean journal of radiology 2016;17:370-95.
24. Stagnaro-Green A, Abalovich M, Alexander E, et al. Guidelines

of the American Thyroid Association for the diagnosis and management of thyroid disease during pregnancy and postpartum. Thyroid 2011;21:1081-125.

25. Perros P, Boelaert K, Colley S, et al. Guidelines for the management of thyroid cancer. Clin Endocrinol (Oxf) 2014;81 Suppl 1:1-122.

26. Herzon FS, Morris DM, Segal MN, et al. Coexistent thyroid cancer and pregnancy. Arch Otolaryngol Head Neck Surg 1994;120:1191-3.

27. Moosa M, Mazzaferri EL. Outcome of differentiated thyroid cancer diagnosed in pregnant women. J Clin Endocrinol Metab 1997;82:2862-6.

28. Nam KH, Yoon JH, Chang HS, et al. Optimal timing of surgery in well-differentiated thyroid carcinoma detected during pregnancy. J Surg Oncol 2005;91:199-203.

29. Yasmeen S, Cress R, Romano PS, et al. Thyroid cancer in pregnancy. Int J Gynaecol Obstet 2005;91:15-20.

30. Lee JC, Zhao JT, Clifton-Bligh RJ, et al. Papillary thyroid carcinoma in pregnancy: a variant of the disease? Ann Surg Oncol 2012;19:4210-6.

31. Uruno T, Shibuya H, Kitagawa W, et al. Optimal timing of surgery for differentiated thyroid cancer in pregnant women. World J Surg 2014;38:704-8.

32. Vannucchi G, Perrino M, Rossi S, et al. Clinical and molecular features of differentiated thyroid cancer diagnosed during pregnancy. Eur J Endocrinol 2010;162:145-51.

33. Messuti I, Corvisieri S, Bardesono F, et al. Impact of pregnancy on prognosis of differentiated thyroid cancer: clinical and molecular features. Eur J Endocrinol 2014;170:659-66.

34. Chong KM, Tsai YL, Chuang J, et al. Thyroid cancer in pregnancy: a report of 3 cases. J Reprod Med 2007;52:416-8.

35. Doherty CM, Shindo ML, Rice DH, et al. Management of thyroid nodules during pregnancy. Laryngoscope 1995;105:251-5.

36. Kuy S, Roman SA, Desai R, et al. Outcomes following thyroid and parathyroid surgery in pregnant women. Arch Surg 2009;144:399-406; discussion 06.

37. Mestman JH, Goodwin TM, Montoro MM. Thyroid disorders of pregnancy. Endocrinol Metab Clin North Am 1995;24:41-71.

38. Sam S, Molitch ME. Timing and special concerns regarding endocrine surgery during pregnancy. Endocrinol Metab Clin North Am 2003;32:337-54.

39. Yi KH, Park YJ, Koong S-S, et al. Revised Korean Thyroid Association management guidelines for patients with thyroid nodules and thyroid cancer. Endocrinology and Metabolism 2010;25:270-97.

40. McLeod DS, Watters KF, Carpenter AD, et al. Thyrotropin and thyroid cancer diagnosis: a systematic review and dose-response meta-analysis. J Clin Endocrinol Metab 2012;97:2682-92.

41. Rosen IB, Korman M, Walfish PG. Thyroid nodular disease in pregnancy: current diagnosis and management. Clin Obstet Gynecol 1997;40:81-9.

42. Wang CC, Friedman L, Kennedy GC, et al. A large multicenter correlation study of thyroid nodule cytopathology and histopathology. Thyroid 2011;21:243-51.

43. Hill CS, Jr., Clark RL, Wolf M. The effect of subsequent pregnancy on patients with thyroid carcinoma. Surg Gynecol Obstet 1966;122:1219-22.

44. Rosvoll RV, Winship T. Thyroid carcinoma and pregnancy. Surg Gynecol Obstet 1965;121:1039-42.

45. Rosario PW, Barroso AL, Purisch S. The effect of subsequent pregnancy on patients with thyroid carcinoma apparently free of the disease. Thyroid 2007;17:1175-6.

46. Leboeuf R, Emerick LE, Martorella AJ, et al. Impact of pregnancy on serum thyroglobulin and detection of recurrent disease shortly after delivery in thyroid cancer survivors. Thyroid 2007;17:543-7.

47. Hirsch D, Levy S, Tsvetov G, et al. Impact of pregnancy on outcome and prognosis of survivors of papillary thyroid cancer. Thyroid 2010;20:1179-85.

48. Garsi JP, Schlumberger M, Rubino C, et al. Therapeutic administration of 131I for differentiated thyroid cancer: radiation dose to ovaries and outcome of pregnancies. J Nucl Med 2008;49:845-52.

49. Sawka AM, Lakra DC, Lea J, et al. A systematic review examining the effects of therapeutic radioactive iodine on ovarian function and future pregnancy in female thyroid cancer survivors. Clin Endocrinol (Oxf) 2008;69:479-90.

50. Ayala C, Navarro E, Rodriguez JR, et al. Conception after iodine-131 therapy for differentiated thyroid cancer. Thyroid 1998;8:1009-11.

51. Casara D, Rubello D, Saladini G, et al. Pregnancy after high therapeutic doses of iodine-131 in differentiated thyroid cancer: potential risks and recommendations. Eur J Nucl Med 1993;20:192-4.

52. Schlumberger M, De Vathaire F, Ceccarelli C, et al. Exposure to radioactive iodine-131 for scintigraphy or therapy does not preclude pregnancy in thyroid cancer patients. J Nucl Med 1996;37:606-12.

53. Chow SM, Yau S, Lee SH, et al. Pregnancy outcome after diagnosis of differentiated thyroid carcinoma: no deleterious effect after radioactive iodine treatment. Int J Radiat Oncol Biol Phys 2004;59:992-1000.

54. Alexander EK, Marqusee E, Lawrence J, et al. Timing and magnitude of increases in levothyroxine requirements during pregnancy in women with hypothyroidism. N Engl J Med 2004;351:241-9.

55. Yassa L, Marqusee E, Fawcett R, et al. Thyroid hormone early adjustment in pregnancy (the THERAPY) trial. J Clin Endocrinol Metab 2010;95:3234-41.

56. Loh JA, Wartofsky L, Jonklaas J, et al. The magnitude of increased levothyroxine requirements in hypothyroid pregnant women depends upon the etiology of the hypothyroidism. Thyroid 2009;19:269-75.

분화갑상선암의 예후인자

Risk Group Analysis for Differentiated Thyroid Carcinoma

| 윤여규 갑상선크리닉 **윤여규**

대부분의 갑상선암은 갑상선여포세포에서 기원하며 그 중에서도 가장 흔한 암이 갑상선유두암과 여포암이다. 분화갑상선암은 생물학적으로 공격적인 성질을 가지고 있지 않기 때문에 가장 예후가 좋은 암으로 알려져 있다. 이러한 분화갑상선암의 성질은 환자에게는 축복이라고 할 수 있으나 갑상선암을 연구하는 의학자에게는 오히려 장애가 되는 모순을 초래한다. 근거중심의 현대 의학에서는 검증된 치료방침으로 인정받기 위해서는 대규모의 전향적 무작위 연구가 필수적이다. 하지만 갑상선유두암의 생물학적 성질상 이러한 대규모의 전향적 무작위 연구는 불가능하다. 예를 들면 갑상선유두암에서 갑상선 전절제술과 엽절제술 중 어느 술식이 우월한가 하는 질문에 대답하기 위해서는 의미 있는 생존율의 차이를 얻기 위해 각 치료군당 10,000명 정도의 환자를 모집하여야 하고 20년 이상의 장기적인 추적기간이 필요하다. 이러한 연구가 현실적으로 불가능하다고 볼 때 아직도 갑상선유두암에 대한 많은 질문이 대답되지 않은 상태로 남겨져 있는 것이다. 그럼에도 불구하고 실제 환자를 접하는 임상현장에서는 가능한 최선의 진료를 환자에게 제공할 의무가 의사에게 있다. 이에 대해 현대 의학은 경험의 축적과 다수의 후향적 연구를 통해 갑상선유두암의 이상적인 치료란 무엇인가 하는 질문에 대한 대답을 제시하고 있고, 특히 최근의 분자생물학의 발달은 갑상선유두암의 생물학적인 특성에 대한 새로운 지식을 제공함으로써 갑상선유두암의 치료에 대한 새로운 패러다임을 제공하고 있다.

1. 분화갑상선암의 위험인자

갑상선유두암의 발병원인은 아직 알려져 있지 않다. 다만 전 세계적으로 발병이 증가하고 있는 것은 공통적으로 보고되는 현상이며 이러한 현상을 설명하기 위하여 다양한 위험인자들이 보고되고 있다.

유년기의 방사선 조사는 가장 잘 알려진 갑상선암의 위험인자이다. 역사적으로 갑상선암과 방사선 조사의 관련성이 처음 알려진 것은 2차 세계대전 중 원폭 피해자에 대한 일본에서의 역학 조사와[1] 수소폭탄 실험장에서의 방사능 낙진에 의한 태평양 지역 주민들에 대한 조사에서[2] 보고된 갑상선암의 발생률 증가이다. 또 1960년대까지 미국에서 광범위하게 실시된 양성 두경부 질환에 대한 방사선 치료도 갑상선암의 발생률을 증가시키는 것으로 확인되었다.[3] 하지만 현재 상황에서는 양성질환에 대한 방사선 치료가 대부분 없어졌기 때문에 별다른 영향은 없을 것으로 보인다. 게다가 현재 방사선 노출로 인한 갑상선암은 전체 발생의 10% 미만일 것으로 추정된다.[4] 하지만 사고로 인한 피폭의 가능성은 항상 존재하며 가장 좋은 예는 체르노빌의 원자로 폭발 사고 후의 갑상선암의 증가로 Nikiforov 등[5]의 보고에 의하면 갑상선암의 발생이 62배 증가하였고 대부분 갑상선유두암이며 이러한 유두암의 발생 증가는 어린이와 청소년에서만 나타났다.

진단적인 방사선 검사 시에 피폭되는 양은 일반적으로 영향이 없는 것으로 생각되나 Dawson 등[6]은 조영제를 사용하는 컴퓨터단층촬영(CT, Computed Tomography) 검사에서 갑상선에 전리방사선이 증가한다고 보고하였다. 갑상선암의 발생에서 요오드 섭취의 역할은 가장 논란이 많이 되고 있는 주제이다. 일반적으로 요오드 섭취가 많은 국가에서 갑상선유두암의 발생이 흔한 경향을 보이는 것으로 알려져 있지만 정확한 인과관계는 알려져 있지 않다.[7] 그 밖에 갑상선암과 관련 있는 인자로는 여성호르몬, 체질량 지수(BMI, body mass index), 음주 등이 제시되고 있으나 역시 명확한 상관관계를 보이는 인자는 없다.[8] 갑상선유두암은 수질암과는 달리 유전적인 영향이 뚜렷하지 않으나 전체 갑상선유두암의 약 3~9% 정도가 유전성으로 추측되고,[9] 가족성 여포암도 존재하기는 하지만 그 빈도는 매우 드물다. 현재까지 4개의 유전자인 SRGAP1 (12q14), TITF-1/NKX2.1 (14q13), FOXE1 (9q22.33)와 HABP2 (10q25.3)의 유전자가 유전성비수질암과 관련이 있을 것으로 생각되고 있지만[9], 연구자에 따른 의견 차이가 있어서 추가 연구를 지켜봐야 할 것이다.[9]

최근의 분자 생물학적인 발전은 분화갑상선암의 발생기전에 대한 새로운 정보를 제공하고 있다. 갑상선유두암에서 가장 흔하게 발견되는 유전자의 돌연변이는 BRAF 유전자의 돌연변이로 갑상선유두암에서 주로 나타나는 특징이 있고 특히 한국인에서 발현빈도가 높아 임상적으로 이용될 가능성이 높다.[10] RET/PTC 재배치는 방사선 피폭 후 나타나는 소아 청소년기의 갑상선유두암의 발생과 밀접한 관련이 있다.[11] Xing 등은 갑상선유두암에서 BRAF 유전자 돌연변이가 TERT 유전자 돌연변이와 함께 나타날 때 질병연관사망위험이 의미있게 증가한다고 보고하였다.[12] 그러나 TERT 유전자 돌연변이는 갑상선유두암의 약 10% 이내에서 나타나고 아직 관련 연구가 많지 않아서 향후 관련 연구를 지켜봐야 할 필요가 있다.

2. 분화갑상선암의 예후 및 예후 측정 시스템

갑상선유두암과 여포암은 예후가 양호하다. 과거 20년간 문헌에 보고된 자료를 종합하면 유두암의 10년 생존율은 89%, 여포암의 10년 생존율은 71%로서 여포암에서 유두암 보다 약 2배의 높은 사망률을 보인다.[13]

분화갑상선암의 예후를 정확히 판별하는 것은 분화갑상선암의 치료 방침을 결정 하는데 매우 중요한 역할을 한다. 이상적인 예후 예측 시스템 또는 병기 시스템은 수술 전에 결정되어 초기치료부터 치료방침을 결정하는데 도움을 줄 수 있어야 하지만 현실적으로 병리소견 없이 갑상선암의 예후를 정확히 예측하는 것은 불가능하며 모든 예후 측정시스템은 임상소견과 수술소견 그리고 병리소견을 조합하여 이루어져 있다.

분화갑상선암의 예후측정에 이용되는 예후측정시스템들 중 대표적으로 사용되는 것들은 TNM 병기[14] (표 26-1), EORTC[15] (표 26-2), AGES[16] (표 26-3), AMES[17] (표 26-4), MACIS(표 26-5) 등이며 그 밖에 University of chicago[18], Ohio State University[19], NTCTCS (National Thyroid Cancer Treatment Cooperative Study)[20] 등에서 발표한 시스템들이 있지만 앞쪽에 열거된 시스템들이 갑상선 유두암에 의한 사망이나 재발을 더 잘 예측하는 것으로 인정되고 있어 흔하게 사용되지 않는다.[19,20] TNM 병기에 의한 15년 생존율은 I병기 99%, II병기 95%, III병기 84%, IV병기 40% 정도로 갑상선유두암의 양호한 치료 성적을 잘 보여주고 있다.[21] 2015년도 발표된 갑상선 결절 및 암 진료 권고안에 따르면 질병의 사망률 예측과 암등록에 대한 필요성 때문에 AJCC/UICC 병기 분류를 모든 갑상선 분화암 환자에서 사용하도록 권장하고 있다.

각 시스템에 사용된 임상병리학적 소견을 표 26-6에

표 26-1 | 갑상선유두암 혹은 여포암의 TNM 병기(7판과 8판)

갑상선유두암/여포암(AJCC 7판)	
T stage	
TX	Not assessed
T0	No primary tumor
T1	≤ 2 cm
T1a	≤ 1 cm
T1b	1< T ≤ 2 cm
T2	2< T ≤ 4 cm
T3	>4 cm or microscopic extrathyroidal extension
T4a	Subcutaneous soft tissues, tracheal, laryngeal, esophageal, recurrent laryngeal nerve invasion
T4b	prevertebral fascia invasion
N stage	
NX	Not assessed
N0	No regional LN metastasis
N1a	Metastasis to level VI
N1b	Metastasis to level I, II, III, IV, V or VII
M stage	
M0	Distant metastasis not present
M1	Distant metastasis present

갑상선유두암/여포암/저분화암/휘틀셀/미분화암(AJCC 8판)	
T stage	
TX	Not assessed
T0	No primary tumor
T1	≤ 2 cm
T1a	≤ 1 cm
T1b	1< T ≤ 2 cm
T2	2< T ≤ 4 cm
T3	>4 cm or microscopic extrathyroidal extension
T3a	>4 cm limited to the thyroid
T3b	Gross ETE invading strap m.
T4a	Subcutaneous soft tissues, tracheal, laryngeal, esophageal, recurrent laryngeal nerve invasion
T4b	prevertebral fascia invasion, carotid artery or mediastinal vessel
N stage	
NX	Not assessed
N0	No regional LN metastasis
N0a	One or more cytologically or pathologically confirmed benign LN
N0b	No radiologic or clinical evidence of locoregional LN metastasis
N1a	Metastasis to level VI or VII
N1b	Metastasis to level I, II, III, IV, V
M stage	
M0	Distant metastasis not present
M1	Distant metastasis present

갑상선유두암 혹은 여포암의 병기		
	< 45세	≥ 45세
I	any T any N M0	T1 N0 M0
II	any T any N M1	T2 N0 M0
III		T3 N0 M0 T1-3 N1a M0
IVa		T4a N0, N1a M0 T1-T4a N1b M0
IVb		T4b any N M0
IVc		any T any N M1

분화 갑상선암 병기		
	< 55세	≥ 55세
Stage I	Any T, Any N, M0	T1-2, N0/NX, M0
Stage II	Any T, Any N, M1	T1-2, N1, M0 T3a/T3b, Any N, M0
Stage III		T4a, Any N, M0
Stage IVA		T4b, Any N, M0
Stage IVB		Any T, Any N, M1

표 26-2 | 갑상선암의 EORTC 병기

진단 당시의 연령
+12(남성인 경우)
+10(수질암 혹은 분화도가 낮은 여포암인 경우)
+10(주위 조직에 침입이 있는 경우)
+15(원격전이가 있는 경우)
+15(여러 곳에 원격전이가 있는 경우)

표 26-3 | 갑상선암의 AGES 병기

0.05×연령(40세 이상인 경우) 혹은 + 0(40세 미만인 경우)
+1(grade 2) or +3(grade 3 혹은 4)
+1(갑상선외 침윤)
+3(원격전이)
+0.2 × 종양 크기(최개 직경, cm)

표 26-4 | 갑상선암의 AMES 시스템

저위험군	고위험군
1) 원격전이가 없는 모든 젊은 남자(남자는 41세, 여자는 51세 미만) 2) 고령의 환자 중 피막 침범이 극소량인 경우 혹은 angioinvasion만 있는 경우, 종양의 크기가 5 cm 미만, 원격전이가 없는 경우	1) 원격전이가 있는 모든 환자 2) 주위 조직에 침입이 있거나 피막을 침범한 경우, 종양의 크기가 5 cm 이상인 경우

표 26-5 | 갑상선암의 MACIS 시스템

3.1(38세 이하), 혹은 0.08×연령(39세 이상),
+0.3 × 종양의 크기(cm)
+1(불완전 절제),
+1(국소 침입),
+3(원격전이)

표 26-6 | 갑상선암의 병기 시스템의 비교

예후인자		TNM	EORTC	AGES	AMES	MACIS
환자 요인	연령	O	O	O	O	O
	성별		O		O	
	크기	O		O	O	O
	종양 분화도		O	O		
병리학적인 요인	갑상선외 침범	O	O	O	O	O
	림프절 전이	O				
	원격전이	O	O	O	O	O
수술 요인	완전 절제					O

비교해 놓았다. 공통적으로 사용되고 있는 요소는 환자의 나이와 종양의 크기, 갑상선외 침윤, 그리고 원격전이 유무이며 림프절 전이를 중요한 요소를 생각하고 있는 것은 TNM 병기뿐이며 AGES 시스템은 종양의 분화도를, MACIS 시스템은 수술 시 완전절제 유무를 중요시하는 특성이 있다.

위에 열거한 병기 시스템들은 모두 환자의 갑상선암으로 인한 사망을 비교적 정확하게 예측할 수 있으나 현재 가장 많이 사용되고 있는 시스템은 TNM 병기이다. TNM 병기는 비교적 단순하고 쉽게 적용할 수 있으며 다른 암에도 많이 사용되기 때문에 다른 암과 비교하기 쉽다는 장점이 있어 가장 많이 사용된다. TNM 병기(7판)의 한계점은 림프절 전이 유무를 중요한 요소로 생각하기 때문에 임상적인 중요성이 불확실한 현미경적인 전이 역시 중요한 요소로 생각했다는 점이다. 예를 들면 T1N1과 T3N0는 같은 III 병기에 해당되지만 30년 생존율은 92%와 80%로 차이를 보인다. 또 예방적인 림프절절제술을 시행치 않는 Nx 환자에 대해서는 병기 결정이 곤란해 진다. 이러한 TNM 병기(7판)의 단점들을 보완한 개정된 TNM 병기(8판)가 발표되었으며 2018년 부터 임상에서 적용되고 있다(표 26-1 우측). 이전 TNM 병기(7판)에서는 T3가 하나의 분류였으나, 개정된 TNM 병기(8판)에서는 T3 병기를 4 cm가 넘는 갑상선암이 갑상선에 국한된 T3a와 육안적인 strap muscle 침범만 존재하는 T3b로 나누었다. 또한, N0를 세분화하여 세포학적/병리학적으로 한 개 이상의 양성 림파절을 확인한 N0a와 영상학적/임상학적 전이 소견이 없는 N0b로 나누었으며, 예전에 N1b에 속하던 level VII의 전이는 개정판에서 N1a로 이동하였다. TNM의 변화에 따라서 병기도 변경되었다(표 26-1 오른쪽 하단). 나이에 따른 병기는 45세에서 55세로 조정되었다. 또한, 병기가 세부적으로 변경되면서 이전 7판의 문제점인 1기와 3기 몰림 현상이 개선되었다는 평가가 있다.

현재 몇 가지 TNM의 단점의 언급에도 불구하고, 서로 다른 기관의 치료성적을 비교하는 경우 TNM 병기는 다른 시스템과 비교하여 가장 안정적으로 생존율을 산출

할 수 있기 때문에 의학자들간의 의사 소통을 위하여는 가장 합리적인 예후 측정 시스템이라고 할 수 있다. Lang 등은 홍콩의 2개 기관의 갑상선유두암 환자를 추적관찰하여 TNM 병기가 보다 안정적으로 환자의 생존을 예측하는 것을 보고하였다. 이 연구에서 다른 시스템들은 같은 병기의 환자들에서도 두 기관간에 서로 다른 갑상선 유두암에 의한 사망률을 보인 반면 TNM병기에 의한 분류는 두 기관 간에 사망률의 차이를 보이지 않았다.[21]

이러한 결과는 다른 시스템들이 지나치게 복잡하거나(MACIS, EORTC, AGES) 반대로 지나치게 단순하기 때문에(AMES) 생기는 것으로 생각할 수 있다. 앞에서 거론한 바와 같이 여러 시스템간의 생존율 예측의 차이는 거의 없으므로 어떤 시스템을 사용할 것인가는 현재로서는 각 임상가의 재량이다. 다만 실제로 환자에게 적용 시 각 시스템의 한계를 잘 이해할 필요가 있고 어떤 시스템도 완벽한 시스템은 없다는 사실을 숙지하고 있어야 할 것이다.

2009년도 American Thyroid Association (ATA) 권고안에서는 TNM 병기 분류는 사망을 예측하는 분류이므로 재발 위험도에 따른 환자의 분류는 저위험군, 중간위험군과 고위험으로 나누도록 하였다. 이것은 2015년 ATA 권고안에서도 동일하게 유지되었다.[22]

1) 저위험군

국소 또는 원격전이가 없고, 수술로 육안적 병소가 모두 제거되었으며, 주위 조직으로의 침윤이 없고, 나쁜 예후를 갖는 조직형(키큰세포 변이종, 원주형세포 변이종, 섬형)이 아니며, 방사성요오드잔여갑상선제거술 이후에 시행한 첫 번째 치료 후 전신스캔에서 갑상선 부위(thyroid bed) 외에는 섭취가 없는 경우이며, 혈관침범이 없고 임상적으로 림파절 전이가 없다고 판단되거나 병리학적으로 0.2 cm 이하의 전이가 5개 이하 관찰되는 경우로 정의한다.

2) 중간위험군

수술 후 병리조직검사에서 갑상선 주위 연조직으로 현

미경적 침윤 소견이 있거나, 경부 림프절 전이 혹은 방사성요오드잔여갑상선제거술 이후 전신스캔에서 갑상선 부위 외에 섭취가 있는 경우, 원발 종양이 나쁜 예후를 갖는 조직형(키큰세포, 원주형세포, 섬형)이거나, 혈관침범 소견이 있는 갑상선유두암인 경우이거나, 임상적으로 N1이거나 3 cm 이하의 전이된 림프절이 5개 이상인 경우와 갑상선외침범이 있고 BRAF 변이가 있는 다발성 미세갑상선유두암인 경우이다.

3) 고위험군

종양이 육안적으로 주위 조직을 침범하였거나, 종양을 완전히 제거하지 못하였거나, 원격전이가 있는 경우 또는 첫번 째 치료 후 전신스캔에서 갑상선 부위 이외의 섭취가 있는 경우이거나, 3 cm 이상 크기의 림프절 전이가 있거나 혈관침범을 동반한 갑상선여포암인 경우이다.

요약

앞서 말한 바와 같이 갑상선유두암은 예후가 매우 좋은 암으로 이러한 좋은 예후는 갑상선암을 치료하는 의사와 환자 모두에게 축복이지만 역설적으로 통일된 진료지침을 결정하는 데 어려움을 준다. 그러므로 갑상선암의 치료는 매우 다양하며 특히 가장 근간이 되는 수술 방법에 있어서도 다양한 치료방식이 존재하며 저마다 당위성을 주장하고 있다. 갑상선유두암의 치료에 있어서 가장 중요한 점은 당연히 종양학적으로 완전히 암을 제거하는 것이겠지만 진행된 갑상선유두암의 경우라도 잔존 수명이 길므로 그에 못지 않게 환자의 삶의 질에 대한 고려도 중요하다. 공격적인 치료는 환자의 삶의 질에 영향을 끼칠 가능성이 더 높으며 그러므로 질병의 자연적인 경과가 양호할 것으로 예상되는 경우 과한 치료가 될 수 있다. 다른 측면에서 생각해보면 일부의 갑상선유두암은 매우 공격적인 성향을 보이며 완치될 기회는 처음 수술할 때 밖에는 없는 경우도 있다. 이런 경우 보다 공격적인 치료가 어느 정도 삶의 질을 희생하는 것보다 중요할 것이다.

현재로서는 이러한 분류를 수술 전에 하는 것이 불가능 하지만 앞으로의 연구를 통하여 개개인에 맞는 맞춤 치료를 하려는 노력이 필요하며 이를 위해서는 분자 생물학적인 지식의 축적과 함께 예후 측정 시스템의 개발, 대규모 임상실험의 실시 등이 과제로 남을 것이다.

REFERENCES

1. Prentice RL, Kato H, Yoshimoto K, Mason M. Radiation exposure and thyroid cancer incidence among Hiroshima and Nagasaki residents. Natl Cancer Inst Monogr 1982;62:207-12.

2. Hamilton TE, van Belle G, LoGerfo JP. Thyroid neoplasia in Marshall Islanders exposed to nuclear fallout. JAMA 1987;258:629-35.

3. Razack MS, Sako K, Shimaoka K, Getaz EP, Rao U, Parthasarathy KL. Radiation-associated thyroid carcinoma. J Surg Oncol 1980;14:287-91.

4. McConahey WM, Hay ID, Woolner LB, van Heerden JA, Taylor WF. Papillary thyroid cancer treated at the Mayo Clinic, 1946 through 1970: initial manifestations, pathologic findings, therapy, and outcome. Mayo Clin Proc 1986;61:978-96.

5. Nikiforov Y, Gnepp DR, Fagin JA. Thyroid lesions in children and adolescents after the Chernobyl disaster: implications for the study of radiation tumorigenesis. J Clin Endocrinol Metab 1996;81:9-14.

6. Dawson P, Punwani S. The thyroid dose burden in medical imaging A re-examination. Eur J Radiol 2007;E publication.

7. Bosetti C, Kolonel L, Negri E, Ron E, Franceschi S, Dal MasoL, et al. A pooled analysis of case-control studies of thyroid cancer. VI. Fish and shellfish consumption. Cancer Causes Control 2001;12:375-82.

8. Preston-Martin S, Franceschi S, Ron E, Negri E. Thyroid cancer pooled analysis from 14 case-control studies: what have we learned? Cancer Causes Control 2003;14:787-9.

9. Peiling Yang S, Ngeow J. Familial non-medullary thyroid cancer: unraveling the genetic maze. Endocr Relat Cancer 2016;23(12):R577-R595.

10. Chung KW, Yang SK, Lee GK, Kim EY, Kwon S, Lee SH, et al. Detection of BRAFV600E mutation on fine needle aspiration specimens of thyroid nodule refines cyto-pathology diagnosis, especially in BRAF600E mutation-prevalent area. Clin Endocrinol (Oxf) 2006;65:660-6.

11. Elisei R, Romei C, Vorontsova T, Cosci B, Veremeychik V, Kuchinskaya E, et al. RET/PTC rearrangements in thyroid nodules: studies in irradiated and not irradiated, malignant and benign thyroid lesions in children and adults. J Clin Endocrinol Metab 2001;86:3211-6.

12. Liu R, Bishop J, Zhu G, Zhang T, Ladenson PW, Xing M. Mortality Risk Stratification by Combining BRAF V600E and TERT Promoter Mutations in Papillary Thyroid Cancer Genetic Duet of BRAF and TERT Promoter Mutations in Thyroid Cancer Mortality. JAMA Oncol. 2016 Sep 1. doi: 10.1001/jamaoncol. 2016.3288.

13. Hundahl SA, Fleming ID, Fremgen AM, Menck HR: A National Cancer Data Base report on 53,856 cases of thyroid carcinoma treated in the U.S., 1985-1995. Cancer 83:2638-2648, 1998.

14. Greene FL, Page DL, Fleming ID. AJCC Cancer Staging Handbook. 6th ed. New York: Springer-Verlag; 2002.

15. Byar DP, Green SB, Dor P, Williams ED, Colon J, van Gilse HA, et al. A prognostic index for thyroid carcinoma. A study of the E.O.R.T.C. Thyroid Cancer Cooperative Group. Eur J Cancer 1979;15:1033-41.

16. Cady B, Rossi R. An expanded view of risk-group definition in differentiated thyroid carcinoma. Surgery 1988;104:947-53.

17. DeGroot LJ, Kaplan EL, McCormick M, Straus FH. Natural history, treatment, and course of papillary thyroid carcinoma. J Clin Endocrinol Metab 1990;71:414-24.

18. Mazzaferri EL, Jhiang SM. Long-term impact of initial surgical and medical therapy on papillary and follicular thyroid cancer. Am J Med 1994;97:418-28.

19. Sherman SI, Brierley JD, Sperling M, Ain KB, Bigos ST, Cooper DS, et al. Prospective multicenter study of thyroid carcinoma treatment: initial analysis of staging and outcome. National Thyroid Cancer Treatment Cooperative Study Registry Group. Cancer 1998;83:1012-21.

20. Brierley JD, Panzarella T, Tsang RW, Gospodarowicz MK, O'Sullivan B. A comparison of different staging systems predictability of patient outcome. Thyroid carcinoma as an example. Cancer 1997;79:2414-23.

21. Lang BH, Lo CY, Chan WF, Lam KY, Wan KY. Staging systems for papillary thyroid carcinoma: a review and comparison. Ann Surg 2007;245:366-78.

22. Haugen BR, Alexander EK, Bible KC, Doherty GM, Mandel SJ, Nikiforov YE, et al. 2015 American Thyroid Association Management Guidelines for Adult Patients with Thyroid Nodules and Differentiated Thyroid Cancer: The American Thyroid Association Guidelines Task Force on Thyroid Nodules and Differentiated Thyroid Cancer. Thyroid 2016;26(1):1-133.

분화갑상선암의 재발 위험도 분류

Risk Stratification of Differentiated Thyroid Carcinoma

┃ 연세대학교 원주의과대학 갑상선 내분비외과 **윤종호**

갑상선암에서 병기 분류는 수술 후 추적 관찰 및 치료 전략을 세우는데 필요한 예후와 관련된 정보를 제공하고, 재발 및 전이에 대한 위험군을 분류하기 위해 이용된다. 정확한 병기 분류를 위해서는 수술 전 검사, 수술 소견을 포함하여 수술 후 경과 관찰 기간 동안 위험군 분류를 위해 필수적인 소견들이 무엇인지 이해하고, 이에 대한 검사 소견을 취합하는 것이 필수적이다.[1,2] 하지만, 재발 혹은 질병특이 사망률과 관련된 임상병리학적, 분자생물학적 위험 인자가 존재하는 모든 경우 반드시 광범위한 수술적 처치, 방사선동위원소치료, 적극적인 갑상선자극호르몬 억제 치료 및 표적 치료 등의 공격적인 치료가 필요한 것은 아니며, 이러한 치료 전략이 반드시 임상 경과에 유의한 영향을 미치는 것은 아님을 유념하여야 한다. 마찬가지로 위험 인자가 없다는 것이 추가적인 치료가 필요하지 않다는 것은 의미하는 것은 아니다. 이는 기관 및 술자의 경험에 따라 갑상선암의 수술적 치료에 적용하는 갑상선 및 림프절 절제 범위, 림프절 절제 방침(예방적 림프절청소술 시행 여부)이 상이하고, 갑상선일엽절제술 혹은 갑상선(근)전절제술 후 잔존 갑상선 조직의 양이 각각 다를 수 있기 때문에, 수술 후 동일한 임상병리학적 위험 인자가 존재하더라도 예후는 다를 수 있음을 의미하는 것이다. 따라서 갑상선암 환자에서 보다 정확한 수술 후 예후 예측을 위해서는 기존에 제안된 임상병리학적, 분자생물학적 위험 요소들을 토대로 기관별, 개인별 혹은 대상 환자군별 개별화

된 위험 인자의 재분석이 필요하며, 이에 따른 추가 치료 및 경과 관찰 전략의 개별화가 필요할 것이다.

1. 병기 분류 Staging

분화갑상선암 환자에서 질병특이 사망률(disease-specific mortality)을 예측하기 위해 다양한 병기 분류법이 고안되어 적용되어 왔다.[2] 각 병기 분류법은 진단 당시 연령, 원발암의 크기, 암의 조직형, 갑상선외 침범 여부, 전신 전이 여부 등을 조합하여 분류함으로써 갑상선암과 연관된 특이 사망률을 예측하고자 하였다.[2]

각각의 병기 분류법이 갑상선암에 의한 특이 사망률을 얼마나 잘 설명하는가에 대한 지표인 proportion of variance explained (PVE) 측면에서 분석해 보았을 때, American Joint Committee on Cancer/Union for International Cancer Control (AJCC/UICC) Tumor-Node-Metastasis (TNM) 병기 설정법이 가장 효과적인 것으로 평가되었으나, 그 설명력은 5~30%에 불과하다.[3-9]. 이는 병기 분류법들이 특이 조직형(저분화암), 분자생물학적 지표(BRAFV600E, TERT 및 P53), 원격전이의 위치 및 크기, 전이의 기능적 측면(방사선동위원소 및 [18]FDG-PET 흡착도) 및 일차 치료의 효과(수술적 절제의 완전도, 보조 치료의 효율성) 등과 관련된 위험도를 설명할

표 27-1 | 2015 미국갑상선암학회 초기 재발 위험군 분류

	저위험군	중위험군	고위험군
Tumor	• No tumor invasion of loco-regional tissues or structures. • Not aggressive histology (e.g., tall cell, hobnail variant, columnar cell carcinoma). • No vascular invasion. • Intrathyroidal, encapsulated follicular variant of PTC. • Intrathyroidal, well differentiated FTC with capsular invasion and no or minimal (<4 foci) vascular invasion. • Intrathyroidal, PTMC, unifocal or multifocal, including BRAFV600E mutated (if known).	• Microscopic invasion of tumor into the perithyroidal soft tissues. • Aggressive histology (e.g., tall cell, hobnail variant, columnar cell carcinoma) • PTC with vascular invasion • Multifocal PTMC with ETE and BRAFV600E mutated (if known)	• Macroscopic invasion of tumor into the perithyroidal soft tissues (gross ETE) • FTC with extensive vascular invasion (> 4 foci of vascular invasion)
Node	• Clinical N0 • ≤5 pathologic N1 (<0.2 cm in largest dimension)	• Clinical N1 • >5 pathologic N1 with all involved lymph nodes ⟨3 cm in largest dimension	• Pathologic N1 with any metastatic lymph node ≥3 cm in largest dimension
Distant metastasis	No distant metastases	No distant metastases	Distant metastases
Others	• All macroscopic tumor has been resected • No RAI-avid metastatic foci outside the thyroid bed on the first post-treatment whole-body RAI scan	• RAI-avid metastatic foci in the neck on the first post-treatment whole-body RAI scan	• Incomplete tumor resection • Postoperative serum Tg suggestive of distant metastases

PTC, papillary thyroid carcinoma; FTC, follicular thyroid carcinoma; PTMC, papillary thyroid microcarcinoma; ETE, extrathyroidal extension; RAI, radioactive iodine; Tg, thyroglobulin

수 있는 지표를 포함하고 있지 않은 것 때문으로 추정되고 있다.[2,10-13] 더불어 AJCC/UICC TNM 병기 분류법 7판에서 이용되는 45세 연령 기준 역시 논란의 대상이 되었다.[2,10-13]

최근 개정된 AJCC/UICC TNM 병기 분류법 8판의 T, N, M 분류 기준 및 병기 분류법에 대한 내용은 표 27-1에 기술되었다. 7판과 비교했을 때 개정된 부분은 기존의 T 분류에서 T3 분류에 포함되었던 현미경적 갑상선외 침범이 삭제되었고, 갑상선에 국한된 >4 cm 종양은 T3a로, 종양의 크기와 상관 없이 띠근육 침범이 있는 경우 T3b로 분류되었다. 기존 병기 설정에서 III기로 분류되었던 T3는 II기로 분류되었다. 기존의 N 분류에서 N0는 수술 전 림프절 종대가 있었으나 세포학적 혹은 조직학적으로 양성 림프절로 진단된 경우 N0a로, 영

상의학검사 혹은 신체 검사에서 림프절 전이 소견이 없었던 경우는 N0b로 세분화되었으며, N1b로 분류되었던 상종격동 림프절 전이(level VII)가 개정판에서는 N1a로 분류되었다. N1a와 N1b가 각각 III기와 IVa기로 분류되었던 기존 병기 설정과 달리, N1으로 동일하게 II기로 분류된다. 그 외 병기 분류에 이용되는 연령 기준이 45세에서 55세로 변경되었으며, TNM 병기 분류에서도 기존에 비해 전체적으로 병기가 낮아지는 경향을 보이고 있다.

앞에서 언급한 바와 같이 병기 분류는 갑상선암과 관련된 질병특이 사망률을 추정하는 데 효과적인 방법이지만, 갑상선암의 재발 위험도를 평가하는 데 있어서 최선의 방법은 아니다.[14-17]

표 27-2 | 임상 상황에 따른 구조적 재발의 위험도

임상상황	구조적 재발의 발생빈도(%)
FTC, extensive vascular invasion (≥4 foci or extracapsular)	30~55
Pathological T4a, gross ETE	23~40
PTC, >1 cm, TERT ± BRAF mutated	> 40
Pathological N1 with ENE, >3 LN involved	40
BRAF mutated	11~40
Pathological N1, any LN ≥ 3 cm	27~32
PTC with ETE or BRAF mutated	10~40
PTC with vascular invasion	16~30
Clinical N1	22
Pathological N1 > 10 LN involved	21
Multifocal PTMC, with ETE and BRAF mutated	20
Pathological N1 > 5 LN involved	19
Intrathyroidal PTC, > 4 cm	8~10
BRAF wild	2~36
Intrathyroidal PTC, < 4 cm, BRAF mutated	8
Minor ETE	3~9
Pathological N1, all LN < 0.2 cm	5
Pathological N1, ≤ 5 LN involved	4
Intrathyroidal PTC, 2~4 cm	5~6
Multifocal PTMC	4~6
Pathological N1 without ENE, ≤ 3 LN involved	2
Minimally invasive FTC	2~3
Intrathyroidal, <4 cm, BRAF wild type	1~2
Intrathyroidal unifical PTMC, BRAF mutated	1~2
Intrathyroidal, encapsulated FV-PTC	1.3
Unifocal PTMC	1~2
Well differentiated FTC, without vascular invasion	0~7
Encapsulated, minimally invasive FTC, with minor vascular invasion	0~5
Encapsulated FV-PTC, without capsular or lymphovascular invasion	0

FTC, follicular thyroid carcinoma; ETE, extrathyroidal extension; PTC, papillary thyroid carcinoma; PTMC, papillary thyroid microcarcinoma; FV-PTC, follicular variant of papillary thyroid carcinoma

2. 초기 재발 위험군 분류법
Initial risk of recurrence stratification system

갑상선암과 관련된 질병특이 사망률을 추정하는 병기 분류법과 달리, 초기 재발 위험군 분류법은 분화갑상선암의 수술 후 재발 가능성을 예측하는 데 효과적인 방법으로, 2015년 개정된 미국갑상선암학회(American Thyroid Association, ATA) 분류법이 주로 사용되고 있다.[2]

ATA 분류법은 일차 치료 후 시점에서 수집 가능한 임상병리학적 소견들을 기초로 분화갑상선암 환자의 재발 위험군을 저위험군, 중위험군 및 고위험군으로 분류한다(표 27-1).[2] 하지만 같은 위험군 내에서도 재발 위험도는 각각의 임상적 조건에 따라 다소의 차이를 보일 수 있다(표 27-2).[2] 기존의 ATA 분류법에서 개정된 부분은 림프절 전이 유무로만 분류하였던 기존 분류법과 달리 전이 림프절의 개수와 전이 림프절 내 전이 부위의 최대 직경을 기준으로 세분화하였다는 점과, 돌연변이 상태와 여포암의 조직형에 대한 분류가 추가된 점이다(표 27-1).[2,18]

기존 ATA 초기 재발 위험군 분류법을 검증하기 위한 후향적 연구에서 갑상선전절제술 및 방사선동위원소치료 후 마지막 경과 관찰에서 무재발(no evidence of disease) 소견을 보이는 경우는 저위험군 78~91%, 중위험군 52~64%, 고위험군 31~32%로 각각 보고된 바 있으며,[16,17,19,20] 방사선동위원소치료 없이 갑상선절제술만을 시행한 후 5~10년의 중앙 경과 관찰 기간 동안 구조적 재발(structural recurrence)이 발생한 경우는 저위험군에서 1~2% 미만, 중위험군에서 8%에 불과한 것으로 보고되었다.[21-23] 하지만, ATA 초기 재발 위험군 분류법의 구조적 재발에 대한 PVE는 19~34%에 불과한 것으로 보고되었다.[16,19] 이는 초기 재발 위험군 분류에 이용되는 수술 전, 수술 직후 임상병리학적 소견 외에, 수술, 림프절 청소술 및 방사선동위원소치료 등 일차 치료의 효과를 평가할 만한 지표가 포함되지 않았기 때문으로 추정될 수 있을 것이다. 초기 재발 위험군 분류는 갑상선 절제 및 림프절 청소술 범위 결정과 함께 수술 후 초기 추적 관찰 기간 동안의 추가 치료 여부 및 경과

관찰 전략을 수립하는 데 유용한 방법이긴 하지만, 절대적으로 적용되어야 하는 요소는 아니며, 장기적인 재발 가능성 및 임상 경과를 추정하는데 있어서는 그 설명력이 부족할 수 있다. 따라서 일차 치료 후, 특히 갑상선일엽절제술 후 위험군 분류에만 의존하여 완결갑상선절제술 및 방사선동위원소치료 등의 추가 치료를 무조건적으로 시행하는 것은 주의를 요하며, 초기 위험군 분류에 포함된 임상병리학적 소견들을 토대로 해당 환자 군에 대한 개별화된 위험 요소의 분석이 이루어져야 할 것이다.

3. 일차 치료에 대한 반응 정도에 따른 역동적 재발 위험도 분류법
Dynamic risk stratification, DRS, system based on the response to initial therapy

분화갑상선암의 경우 일차 치료 후 암의 생물학적 행동 양상 및 일차 치료에 대한 반응 정도에 따라 수술 직후 분류된 초기 재발 위험도가 경과 관찰 기간 동안 변경될 수 있다. 이전의 여러 연구에서 수술 후 ATA 중위험군 혹은 고위험군에 포함되었던 많은 환자가 일차 치료에 대한 반응이 좋은 경우(excellent response) 재발 위험도가 낮은 군으로 재분류될 수 있다고 보고한 바 있다.[2,6,17,19] 더불어 일차 치료에 대한 반응 정도의 구조적인 재발 발생에 대한 설명력을 나타내는 지표인 PVE 면에서, 역동적 재발 위험도 분류(Dynamic Risk Stratification, DRS)의 PVE는 62~84%로 TNM 병기 분류 혹은 ATA 초기 재발 위험군 분류법의 PVE(< 30%)에 비해 유의하게 높은 것으로 보고된 바 있다.[2,16,19] 이는 수술 후 일정 기간 동안 일차 치료에 대한 반응 정도를 평가할 수 있도록 수집된 지표들을 고려한 DRS가 TNM 병기 분류 혹은 ATA 초기 재발 위험군 분류에 비해 장기적인 경과를 예측하는 데 있어서 더 효과적인 방법임을 시사한다. 따라서 수술 직후 초기 치료 및 경과 관찰 전략을 세우는 데 있어서는 ATA 초기 위험군 분류법을, 보다

장기적인 치료 전략을 세우는 데는 DRS를 적용하는 것이 효과적인 접근법으로 제안되고 있다.[24-26]

치료에 대한 반응 정도는 주로 일차 치료 후 첫 2년 이내의 임상적, 생화학적, 영상의학적 검사 결과 및 세포병리학적 소견을 종합하여 평가되나 2년 이후 어느 시점에서든 재평가가 가능하며, 이를 통해 환자의 장기적 임상 경과를 다시 예측하게 된다.[2,16,26,27] 앞서 언급한 바와 같이 DRS는 수술 직후 환자의 추가 치료(완결갑상선절제술 및 방사선동위원소치료 여부, 갑상선자극호르몬 억제 요법의 정도)에 대한 결정을 위해 고안된 분류법이 아니라, 일차 치료 후 환자의 보다 장기적인 치료적, 진단

적 전략을 재정립하기 위해 고안된 분류법이다. 하지만 갑상선일엽절제술 혹은 갑상선전절제술, 방사선동위원소치료 여부 등 각각의 일차 치료 방법에 따른 DRS와 구조적 재발을 포함한 장기적 임상 경과 사이의 연관 관계가 장기 추적 관찰 기간을 가진 환자군에서 검증될 수 있다면, 일차 치료에 대한 반응 정도를 예측할 수 있는 임상병리학적 위험 요소 분석을 통해 수술 직후 환자의 추가 치료 전략을 수립하는 데 있어서도 유용하게 적용될 수 있을 것이다. 또한 현재 DRS에서 사용되는 갑상선글로불린 기준치에 대한 추가적인 검증 및 연구가 계속되어야 할 것이다. 일차 치료에 대한 반응 정도는 각

표 27-3 | 역동적 재발 위험도 분류에서 일차 치료에 대한 반응의 정의

치료 반응 유형	정의		
	갑상선전절제술+방사성요오드치료	갑상선전절제술	갑상선엽절제술
Excellent	Non-stimulated Tg < 0.2 ng/mL or Stimulated Tg < 1.0 ng/mL and Undetectable anti-TgAb levels and Negative imaging	Non-stimulated Tg < 0.2 ng/mL or Stimulated Tg < 2.0 ng/mL and Undetectable anti-TgAb levels and Negative imaging	Non-stimulated Tg < 30 ng/mL and Undetectable anti-TgAb levels and Negative imaging
Indeterminate	Non-stimulated Tg 0.2~1 ng/mL or Stimulated Tg 1~10 ng/mL or Stable or declining anti-TgAb levels in the absence of structural or functional disease or Nonspecific findings in imaging studies or faint uptake in thyroid bed on RAI scanning	Non-stimulated Tg 0.2~5.0 ng/mL or Stimulated Tg 2~10 ng/mL or Stable or declining anti-TgAb levels levels in the absence of structural or functional disease or Nonspecific findings in imaging studies or faint uptake in thyroid bed on RAI scanning	Stable or declining anti-TgAb levels levels in the absence of structural or functional disease or Nonspecific findings in imaging studies
Biochemical incomplete	Non-stimulated (Suppressed) Tg > 1 ng/mL or Stimulated Tg > 10 ng/mL or Rising anti-TgAb levels and Negative imaging	Non-stimulated (Suppressed) Tg > 5 ng/mL or Stimulated Tg > 10 ng/mL or Rising anti-TgAb levels and Negative imaging	Non-stimulated Tg > 30 ng/mL or Increasing Tg values with similar TSH levels or Rising anti-TgAb levels and Negative imaging
Structural incomplete	Structural or functional evidence of disease regardless of Tg or anti-TgAb levels	Structural or functional evidence of disease regardless of Tg or anti-TgAb levels	Structural or functional evidence of disease regardless of Tg or anti-TgAb

RAI, radioactive iodine; Tg, thyroglobulin; anti-TgAb, anti-thyroglobulin antibody; TSH, thyroid stimulating hormone

각 excellent, indeterminate, biochemical incomplete 및 structural incomplete로 분류되며, 일차 치료 방법에 따른 반응 정도의 정의와 구조적 재발 가능성은 표 27-3, 27-4에 기술하였다.[2,16,19,27,28]

3-1. 우수 반응 Excellent response

갑상선전절제술 및 방사선동위원소치료를 시행한 환자 중 ATA 저위험군의 86~91%, 중위험군의 57~63%, 고위험군 환자의 14~16%에서 excellent response를 보이는 것으로 보고되고 있으며,[2,16,17,19,27] 5~10년의 추적 관찰 기간 동안 구조적 재발 위험도는 1~4%(중앙값 1.8%)로 알려져 있다.[2,16,17,19,27] 특히 ATA 중위험군 환자의 경우 ATA 초기 위험군 분류로 예측되는 재발 위험도는 36~43%이나, 일차 치료에 대해 excellent response를 보인 경우 그 위험도가 1~2%로 현격하게 감소되어 역동적 재발 위험도 분류에 의해 가장 큰 영향을 받는 군으로 알려져 있다.[2,16,17,19,27,29-32] ATA 고위험군 환자 중 excellent response를 보이는 경우, 구조적 재발의 정의에 따라 1~2%의 낮은 재발률을 보고한 연구들도 있지만,[19,33-35] 5~15%까지 높게 보고된 적도 있다.[16,27] ATA 저위험군 환자와 달리 중위험군 및 고위험군 환자에서 일차 치료에 대한 반응을 평가하는 경우, 경부초음파검사나 혈청 갑상선글로불린 치만으로 발견되지 않을 수 있는 소견이 누락되지 않도록 추가적인 영상의학적 검사가 필요할 수 있다.[2] 갑상선전절제

표 27-4 | 일차 치료 방법에 따른 각 치료 반응의 발생빈도와 구조적 재발의 발생빈도

	갑상선전절제술+방사성요오드치료		갑상선전절제술		갑상선엽절제술	
	All (%)	Recurrence (%)	All (%)	Recurrence (%)	All (%)	Recurrence (%)
Excellent	86~91 of ATA low 57~63 of ATA intermediate 14~16 of ATA high	1~4	62.8	0	66.9	0
Indeterminate	12~29 of ATA low 8~23 of ATA intermediate 0~4 of ATA high	13~20	33.1	0	24.6	4.3
Biochemical incomplete	11~19 of ATA low 21~22 of ATA intermediate 16~18 of ATA high	8~17	2.2	0	6.4	50
Structural incomplete	2~6 of ATA low 19~28 of ATA intermediate 67~75 of ATA high	100	1.9	100	2.1	100

ATA, American thyroid association

술 및 방사선동위원소치료 후 excellent response를 보이는 것으로 재분류된 경우 재발 위험도가 극히 낮기 때문에 1~2년마다 신체 검사 혹은 혈청 갑상선글로불린치 측정을 통해 경과 관찰을 하는 것이 바람직하며 경부초음파 등 영상의학적 검사를 일상적으로 시행할 필요는 없다.[27] 경과 관찰 기간 동안 갑상선자극호르몬(thyroid-stimulating hormone, TSH) 억제 치료 역시 권유되지 않으며, TSH 목표치는 ATA 저위험군, 중위험군이었던 환자에서는 0.5~2.0 mU/L, 고위험군이었던 환자에서는 0.1~0.5 mU/L가 권유된다.[2,27]

갑상선일엽절제술을 시행 받은 환자의 66.9%, 갑상선전절제술 환자의 62.8%에서 excellent response를 보였으며, 구조적 재발은 없었던 것으로 보고되었다.[28]

3-2. 미결정 반응 Indeterminate response

갑상선전절제술 및 방사선동위원소치료를 시행한 환자 중 indeterminate response는 ATA 저위험군의 12~29%, 중위험군의 8~23%, 고위험군 환자의 0~4%에서 보이며,[2,16,17] 10년의 추적 관찰 기간 동안 구조적 재발 위험도는 13~20%인 것으로 보고된 바 있다.[2,16,17] 나머지 80~90% 환자의 비특이적 검사 소견은 추가적인 치료 없이 안정적으로 유지되거나 호전되는 것으로 알려져 있다.[2,16,17] 비정상적인 갑상선글로불린 치와 비특이적 영상의학적 소견에 대한 정기적인 경과 관찰을 필요로 하며, TSH치는 일반적으로 0.5~1.0 mU/L 정도로 유지한다.[27]

갑상선일엽절제술을 시행 받은 환자의 24.6%, 갑상선전절제술 환자의 33.1%에서 indeterminate response를 보였으며, 구조적 재발은 각각 4.3%, 0%에서 발생하였다.[28]

3-3. 생화학적 불완전 반응
Biochemical incomplete response

갑상선전절제술 및 방사선동위원소치료를 시행한 환자 중 biochemical incomplete response는 ATA 저위험군의 11~19%, 중위험군의 21~22%, 고위험군 환자의 16~18%에서 보이며, 5~10년의 추적 관찰 기간 동안 구조적 재발 위험도는 8~17%인 것으로 보고된 바 있다.[2,16,17,36] 19~27%는 구조적 재발 없이 지속적으로 상승된 갑상선글로불린 치를 보이며, 56~68% 환자는 소견이 정상화되어 무병 생존하는 것으로 보고되었다.[2,16,17,36] 10~15년 추적 관찰 기간 동안 질병특이 사망은 보고된 바 없다.[17,36] Biochemical incomplete response를 보인 환자의 34%는 경구적 갑상선호르몬제 복용 외 추가적인 수술적 처치 혹은 방사선동위원소 치료 없이 무병 상태로 전환되었다고 보고된 바 있다.[36] 갑상선전절제술 및 방사선동위원소치료를 시행한 환자에서 갑상선글로불린 증배 시간(doubling time)(<1 year, 1~3 years, or >3 years) 혹은 연간 0.3 ng/mL 이상의 비자극 갑상선글로불린(non-stimulated thyroglobulin)치의 상승 등으로 규정되는 임상적으로 유의한 갑상선글로불린 치의 증가는 구조적 재발의 위험 요소로 알려져 있다.[2,37,38] TSH치는 0.5~1.0 mU/L 정도로 유지하며, 영상의학적 검사의 간격 및 종류는 갑상선글로불린 치의 변화 양상에 따라 결정된다.[27] 갑상선글로불린 치가 감소 양상을 보이는 경우 2~3년마다 경부초음파검사를 통해 경과를 관찰하는 것이 바람직하나, 증가 양상을 보이는 경우 추가적인 영상의학적 검사를 요할 수 있다.[27]

갑상선일엽절제술을 시행 받은 환자의 6.4%, 갑상선전절제술 환자의 2.2%에서 biochemical incomplete response를 보였으며, 구조적 재발은 각각 50%, 0%에서 발생한 것으로 보고된 바 있다.[28]

3-4. 구조적 불완전 반응
Structural incomplete response

갑상선전절제술 및 방사선동위원소치료를 시행한 환자 중 Structural incomplete response는 ATA 저위험군의 2~6%, 중위험군의 19~28%, 고위험군 환자의 67~75%를 차지한다.[2,16,17] 추가적 치료를 한다 하더라도 대부분의 환자(50~85%)는 추적 관찰 기간 동안 biochemical 혹은 structural incomplete response 상태로 남게 되며, 국소 전이된 환자의 11%, 원격 전이를 보이는 환자의 57%에서 질병으로 사망하게 된다.[2,16,17,36] 따라서 추가 치료 여부는 적용되는 치료의 위험도와 이득을 고려하여 신중하게 결정되어야 한다. TSH 목표치는 0.1 mU/L 정도가 권유된다.[2,27]

갑상선일엽절제술을 시행 받은 환자의 2.1%, 갑상선전절제술 환자의 1.9%에서 Structural incomplete response를 보인 것으로 보고되었다.[28]

방사선동위원소치료 없이 갑상선전절제술 혹은 갑상선일엽절제술의 일차 치료를 받은 환자는 일반적으로 수술 후 6~12개월경 경부초음파검사, 비자극 갑상선글로불린 및 항갑상선글로불린 항체 치를 측정한다. 특이 소견이 없을 경우, 비자극 갑상선글로불린 치 측정은 매년, 경부초음파검사는 3~5년마다 시행하며, TSH 목표치는 excellent response를 보이는 경우 0.5~2.5 mU/L, indeterminate 혹은 biochemical incomplete response를 보이는 경우는 0.5~1.0mU/L 범위 내에서 유지하도록 권유되고 있다.[27]

REFERENCES

1. Carty SE, Doherty GM, Inabnet WB, 3rd, Pasieka JL, Randolph GW, Shaha AR, et al. American Thyroid Association statement on the essential elements of interdisciplinary communication of perioperative information for patients undergoing thyroid cancer surgery. Thyroid 2012;22(4):395-9.

2. Haugen BR, Alexander EK, Bible KC, Doherty GM, Mandel SJ, Nikiforov YE, et al. 2015 American Thyroid Association Management Guidelines for Adult Patients with Thyroid Nodules and Differentiated Thyroid Cancer: The American Thyroid Association Guidelines Task Force on Thyroid Nodules and Differentiated Thyroid Cancer. Thyroid 2016;26(1):1-133.

3. Brierley JD, Panzarella T, Tsang RW, Gospodarowicz MK, O'Sullivan B. A comparison of different staging systems predictability of patient outcome. Thyroid carcinoma as an example. Cancer 1997;79(12):2414-23.

4. Lang BH, Chow SM, Lo CY, Law SC, Lam KY. Staging systems for papillary thyroid carcinoma: a study of 2 tertiary referral centers. Ann Surg 2007;246(1):114-21.

5. Lang BH, Lo CY, Chan WF, Lam KY, Wan KY. Staging systems for papillary thyroid carcinoma: a review and comparison. Ann Surg 2007;245(3):366-78.

6. Lo CY, Chan WF, Lam KY, Wan KY. Follicular thyroid carcinoma: the role of histology and staging systems in predicting survival. Ann Surg 2005;242(5):708-15.

7. Sherman SI, Brierley JD, Sperling M, Ain KB, Bigos ST, Cooper DS, et al. Prospective multicenter study of thyroiscarcinoma treatment: initial analysis of staging and outcome. National Thyroid Cancer Treatment Cooperative Study Registry Group. Cancer 1998;83(5):1012-21.

8. Voutilainen PE, Siironen P, Franssila KO, Sivula A, Haapiainen RK, Haglund CH. AMES, MACIS and TNM prognostic classifications in papillary thyroid carcinoma. Anticancer Res 2003;23(5b):4283-8.

9. Yildirim E. A model for predicting outcomes in patients with differentiated thyroid cancer and model performance in comparison with other classification systems. J Am Coll Surg 2005;200(3):378-92.

10. Adam MA, Pura J, Goffredo P, Dinan MA, Reed SD, Scheri RP, et al. Presence and Number of Lymph Node Metastases Are Associated With Compromised Survival for Patients Younger

Than Age 45 Years With Papillary Thyroid Cancer. J Clin Oncol 2015;33(21):2370-5.

11. Bischoff LA, Curry J, Ahmed I, Pribitkin E, Miller JL. Is above age 45 appropriate for upstaging well-differentiated papillary thyroid cancer? Endocr Pract 2013;19(6):995-7.

12. Ganly I, Nixon IJ, Wang LY, Palmer FL, Migliacci JC, Aniss A, et al. Survival from Differentiated Thyroid Cancer: What Has Age Got to Do with It? Thyroid 2015;25(10):1106-14.

13. Jonklaas J, Nogueras-Gonzalez G, Munsell M, Litofsky D, Ain KB, Bigos ST, et al. The impact of age and gender on papillary thyroid cancer survival. J Clin Endocrinol Metab 2012;97(6):E878-87.

14. Baek SK, Jung KY, Kang SM, Kwon SY, Woo JS, Cho SH, et al. Clinical risk factors associated with cervical lymph node recurrence in papillary thyroid carcinoma. Thyroid 2010;20(2):147-52.

15. Orlov S, Orlov D, Shayytzag M, Dowar M, Tabatabaie V, Dwek P, et al. Influence of age and primary tumor size on the risk for residual/recurrent well-differentiated thyroid carcinoma. Head Neck 2009;31(6):782-8.

16. Tuttle RM, Tala H, Shah J, Leboeuf R, Ghossein R, Gonen M, et al. Estimating risk of recurrence in differentiated thyroid cancer after total thyroidectomy and radioactive iodine remnant ablation: using response to therapy variables to modify the initial risk estimates predicted by the new American Thyroid Association staging system. Thyroid 2010;20(12):1341-9.

17. Vaisman F, Momesso D, Bulzico DA, Pessoa CH, Dias F, Corbo R, et al. Spontaneous remission in thyroid cancer patients after biochemical incomplete response to initial therapy. Clin Endocrinol (Oxf) 2012;77(1):132-8.

18. American Thyroid Association Guidelines Taskforce on Thyroid N, Differentiated Thyroid C, Cooper DS, Doherty GM, Haugen BR, Kloos RT, et al. Revised American Thyroid Association management guidelines for patients with thyroid nodules and differentiated thyroid cancer. Thyroid 2009;19(11):1167-214.

19. Castagna MG, Maino F, Cipri C, Belardini V, Theodoropoulou A, Cevenini G, et al. Delayed risk stratification, to include the response to initial treatment (surgery and radioiodine ablation), has better outcome predictivity in differentiated thyroid cancer patients. Eur J Endocrinol 2011;165(3):441-6.

20. Pitoia F, Bueno F, Urciuoli C, Abelleira E, Cross G, Tuttle RM. Outcomes of patients with differentiated thyroid cancer risk-stratified according to the American thyroid association and Latin American thyroid society risk of recurrence classification systems. Thyroid 2013;23(11):1401-7.

21. Durante C, Montesano T, Attard M, Torlontano M, Monzani F, Costante G, et al. Long-term surveillance of papillary thyroid cancer patients who do not undergo postoperative radioiodine remnant ablation: is there a role for serum thyroglobulin measurement? J Clin Endocrinol Metab 2012;97(8):2748-53.

22. Schvartz C, Bonnetain F, Dabakuyo S, Gauthier M, Cueff A, Fieffe S, et al. Impact on overall survival of radioactive iodine in low-risk differentiated thyroid cancer patients. J Clin Endocrinol Metab 2012;97(5):1526-35.

23. Vaisman F, Shaha A, Fish S, Michael Tuttle R. Initial therapy with either thyroid lobectomy or total thyroidectomy without radioactive iodine remnant ablation is associated with very low rates of structural disease recurrence in properly selected patients with differentiated thyroid cancer. Clin Endocrinol (Oxf) 2011;75(1):112-9.

24. Schlumberger M, Berg G, Cohen O, Duntas L, Jamar F, Jarzab B, et al. Follow-up of low-risk patients with differentiated thyroid carcinoma: a European perspective. Eur J Endocrinol 2004;150(2):105-12.

25. Tuttle RM. Risk-adapted management of thyroid cancer. Endocr Pract 2008;14(6):764-74.

26. Tuttle RM, Leboeuf R. Follow up approaches in thyroid cancer: a risk adapted paradigm. Endocrinol Metab Clin North Am 2008;37(2):419-35, ix-x.

27. Tarasova VD, Tuttle RM. A Risk-adapted Approach to Follow-up in Differentiated Thyroid Cancer. Rambam Maimonides Med J 2016;7(1).

28. Momesso DP, Vaisman F, Yang SP, Bulzico DA, Corbo R, Vaisman M, et al. Dynamic Risk Stratification in Patients with Differentiated Thyroid Cancer Treated Without Radioactive Iodine. J Clin Endocrinol Metab 2016;101(7):2692-700.

29. Kloos RT. Thyroid cancer recurrence in patients clinically free of disease with undetectable or very low serum thyroglobulin values. J Clin Endocrinol Metab 2010;95(12):5241-8.

30. Kloos RT, Mazzaferri EL. A single recombinant human thyrotropin-stimulated serum thyroglobulin measurement predicts differentiated thyroid carcinoma metastases three to five years later. J Clin Endocrinol Metab 2005;90(9):5047-57.

31. Malandrino P, Latina A, Marescalco S, Spadaro A, Regalbuto C, Fulco RA, et al. Risk-adapted management of differentiated thyroid cancer assessed by a sensitive measurement of basal serum thyroglobulin. J Clin Endocrinol Metab 2011;96(6):1703-9.

32. Nascimento C, Borget I, Al Ghuzlan A, Deandreis D, Chami L, Travagli JP, et al. Persistent disease and recurrence in differentiated thyroid cancer patients with undetectable postoperative stimulated thyroglobulin level. Endocr Relat Cancer 2011;18(2):R29-40.

33. Han JM, Kim WB, Yim JH, Kim WG, Kim TY, Ryu JS, et al. Long-term clinical outcome of differentiated thyroid cancer patients with undetectable stimulated thyroglobulin level one year after initial treatment. Thyroid 2012;22(8):784-90.

34. Rosario PW, Furtado MS, Mineiro Filho AF, Lacerda RX, Calsolari MR. Value of repeat stimulated thyroglobulin testing in patients with differentiated thyroid carcinoma considered to be free of disease in the first year after ablation. Thyroid 2012;22(5):482-6.

35. Verburg FA, Stokkel MP, Duren C, Verkooijen RB, Mader U, van Isselt JW, et al. No survival difference after successful (131) I ablation between patients with initially low-risk and high-risk differentiated thyroid cancer. Eur J Nucl Med Mol Imaging 2010;37(2):276-83.

36. Vaisman F, Tala H, Grewal R, Tuttle RM. In differentiated thyroid cancer, an incomplete structural response to therapy is associated with significantly worse clinical outcomes than only an incomplete thyroglobulin response. Thyroid. 2011;21(12):1317-22.

37. Miyauchi A, Kudo T, Miya A, Kobayashi K, Ito Y, Takamura Y, et al. Prognostic impact of serum thyroglobulin doubling-time under thyrotropin suppression in patients with papillary thyroid carcinoma who underwent total thyroidectomy. Thyroid 2011;21(7):707-16.

38. Wong H, Wong KP, Yau T, Tang V, Leung R, Chiu J, et al. Is there a role for unstimulated thyroglobulin velocity in predicting recurrence in papillary thyroid carcinoma patients with detectable thyroglobulin after radioiodine ablation? Ann Surg Oncol 2012;19(11):3479-85.

갑상선 수술

Thyroid Surgery

SECTION

4

갑상선유두암: 엽절제술의 근거

Papillary Thyroid Carcinoma: Rationale for Hemithyroidectomy

| 영남대학교 의과대학 외과 **이수정**

갑상선여포세포에서 기원하는 갑상선 고분화암은 대표적으로 갑상선유두암과 갑상선여포암이 있으며, 이 중 갑상선유두암의 수술 범위는 현재 외과적 종양학측면에서 가장 활발히 논쟁 중인 주제 중 하나이다. 그 이유는 갑상선유두암의 높은 장기 생존율과 장기 무병 생존율 때문에 무작위 전향연구가 비현실적이기 때문이다.

일반적으로 수술 시 맨눈 검사에서 후두나 되돌이후두신경, 식도, 기관, 척추앞근막 등에 침윤이 있거나 술전에 양측성 유두암으로 진단된 경우, 원격전이를 동반한 경우, 임상적 또는 방사선학적 검사상 경부림프절에 전이가 확인된 경우 등에는 특별한 금기사항이 있지 않는 한 전절제술을 시행하는 데에는 별다른 이견이 없다. 그러나 편측성 단일 갑상선유두암의 경우 외과적 치료의 범위에 있어서 엽절제술과 전절제술의 선택은 현재까지도 논란의 대상이 되고 있다. 전절제술을 주장하는 측에서는 술 전 임상적으로나 방사선학 검사로 현미경적 다발성 암을 발견하기 어렵고[1] 술 후 혈중 thyroglobulin을 검사하여 조기 재발의 발견이 용이하며[2] 방사성 동위원소를 이용한 조기 재발 발견 및 치료 효과의 극대화 등의 장점 때문에 고분화암일지라도 갑상선 전절제술을 시행해야 한다고 주장한다. 반면 엽절제술을 주장하는 측에서는 잔존 갑상선의 기능 보존으로 인해 갑상선 호르몬제의 복용이 대부분 필요없으며 갑상선 전절제술에 비해 영구적 부갑상선 기능 저하 또는 되돌이후두신경 손상 등의 합병증이 적고 현미경적 다발성

암 가운데 5% 정도의 극히 일부분만이 임상적으로 재발하며 이는 갑상선 호르몬 투여로 조절이 가능하다[3]라는 근거를 들어 엽절제술을 주장한다. 그러나 현재까지도 갑상선유두암의 수술에 있어서 엽절제술과 전절제술의 정확한 기준이 없는 것은 사실이다. 그러므로 이 장에서는 몇 가지 근거를 들어 갑상선유두암의 엽절제술의 기준을 마련해보고자 한다.

엽절제술의 근거 1 – 합병증

갑상선 절제술의 합병증으로는 혈종, 상처감염, 수술 부위 농양, 되돌이후두신경 손상, 부갑상선 기능저하증 등[4]이 있으며 이 중 되돌이후두신경 손상에 의한 음성장애와 부갑상선 기능저하에 의한 저칼슘혈증은 술 후 장기적인 문제를 유발하여 환자들의 삶의 질을 떨어뜨린다. 이러한 중요 합병증의 발생 빈도는 집도의의 수술 경험이 무엇보다도 중요하며 이러한 집도의의 수술 경험과 수술 후 합병증의 상관 관계는 지난 20년간 많은 연구를 거듭해 왔다.

갑상선 수술에 있어서 되돌이후두신경 손상과 부갑상선 기능저하증의 빈도는 집도의의 수술 능력과 경험의 축적 정도에 가장 큰 영향을 받는다.[5] 그러나 집도의의 능력에 상관없이 갑상선에 대한 수술 범위가 작을

수록 합병증의 빈도는 감소하며[4,6], 엽절제술과 비교 시 전절제술의 경우 수술 직후 합병증 또는 수술 후 장기적인 합병증은 증가한다.[7,8] Hauch 등에 의하면 연간 100 예 이상의 갑상선암 수술을 하는 경험이 풍부한 외과의사가 수술하더라도 엽절제술의 경우 약 7.6%의 합병증이 발생하는 것에 비해 전절제술의 경우 약 14.5%의 합병증이 발생하여 합병증 발생률이 전절제술에서 증가하는 것으로 보고하였다.[8]

엽절제술의 근거 2 – 예후 예측 인자

과거부터 고분화 갑상선암의 예후 예측을 위한 체계로 AGES, AMES, MACIS, TNM 병기, EORTC 등이 제안되었고 많이 이용되어 왔다. 이 중 가장 잘 알려진 예후 예측 인자로 AGES (age, gender, extent and size)와 AMES (age, metastasis, extent and size)의 예후 예측 점수가 많이 사용되어 왔으며 이들 예후 예측에 의해 저위험군으로 분류된 경우 술 후 20년 내의 사망률은 약 1%인 반면에 고위험군으로 분류된 경우 술 후 20년 내의 사망률은 약 40%로 저위험군에서 월등히 예후가 좋다.[9] 따라서, 이들 예후 예측 점수에 의해 저위험군으로 분류된 경우 갑상선 전절제술과 갑상선 엽절제술 사이의 생존율에 차이가 없음을 주장한 연구도 많았다.[10-12] 대표적으로 Hay 등[13]은 AGES 점수가 4점 이하의 저위험군인 경우 수술 범위에 따른 생존율의 차이는 없다고 하였으며 AMES 점수가 마찬가지로 4점 이하인 경우 갑상선 엽절제술로 치료가 충분하다고 주장하였다. 또한 AMES 분류시스템으로 위험 인자를 분류 후 엽절제술과 전절제술의 10년 전체 생존율을 비교한 연구에서도 두 군 사이의 생존율 차이는 없었다.[14]

엽절제술의 근거 3 – 크기

과거의 고분화 갑상선암의 치료지침에 의하면 고위험군, 즉 주위 조직 침범이나 림프절 전이, 다발성 병소, 원격 전이 등이 있으면 갑상선 전절제술 또는 아전절제술을 시행하여야 하고, 단일 병소이면서 크기가 작은 저위험군의 경우에는 엽절제술 또는 협부절제를 포함한 엽절제술을 권장하고 있다.[15] 그리고 엽절제술을 시행하는 기준이 되는 크기는 대략 1 cm 미만을 기준으로 잡고 있으며 다른 조건이 같은 경우 갑상선유두암이 1 cm보다 작다면 엽절제술과 전절제술의 재발률 및 생존율에 따른 차이가 없음을 증명한 규모가 큰 연구도 있었다.[16] 따라서 크기가 1 cm 미만의 단일 병소이면서 저위험군 환자에서는 엽절제술과 함께 중심부 림프절절제술을 시행하는 것으로 충분할 것이다.

그러나 최근에는 엽절제술의 기준이 되는 크기가 증가하는 경향이다. 엽절제술과 전절제술의 예후를 비교한 최근 연구들을 분석해 보면 갑상선유두암의 크기가 1 cm보다 큰 경우에도 갑상선의 수술 범위가 예후에 영향을 미치지 못하였다. Adam 등에 의한 61,775명의 갑상선암환자를 대상으로 한 연구에서 갑상선암의 크기를 1~2 cm, 2~4 cm 등으로 세분화 하여 엽절제술과 전절제술의 생존율을 분석한 결과 생존율의 차이는 없었다.[17] Matsuzu 등에 의한 연구에서도 4 cm 미만의 갑상선유두암 환자의 경우 갑상선의 수술 범위가 17년간의 갑상선암 특이 생존율에 영향을 미치지 못하였다.[18] 따라서 반대편 갑상선에 갑상선 결절이 없고 두경부에 방서선 치료 병력이 없으며 가족성 고분화 갑상선암이 아니라면 1~4 cm의 갑상선유두암의 경우에도 환자와 상의 후 선택적으로 엽절제술을 고려할 수 있을 것으로 사료된다.

엽절제술의 근거 4 – 갑상선 초음파

과거의 연구에 의하면 갑상선유두암의 외과적 치료에 있어서 갑상선 엽절제술을 시행한 경우 5~24%까지 재발률을 보이나 갑상선 전절제술을 시행한 경우 재발률은 현저히 낮아진다.[1,14] 이는 반대편의 다발성 병소가 완전히 제거되지 않았기 때문으로 생각된다.[14] 그러나 과거와는 달리 최근 초음파의 보편화와 전문성, 초음파 기기의 발전에 따라 1~3 mm까지의 작은 병변도 탐지하는 고해상 기기의 사용 증가, 정확도가 높은 초음파 유도 하 미세침흡인 세포검사법 등으로 인해 술 전에 다발성 유무의 정확한 검사와 진단이 가능해졌으며 최근의 연구들은 술 전 검사상 반대편에 결절이 보이지 않는 경우 엽절제술 시행 시 5% 이내의 국소 재발률을 보이는 것으로 보고한다.[19] 그러므로 전문성이 있는 초음파 시술자에 의해 단일 병소로 진단이 된 경우 크기가 작다면 갑상선 엽절제술을 고려해 볼 수 있다.

엽절제술의 근거 5 – 완결갑상선 절제술의 안정성

집도의의 능력이 비슷하다면 갑상선 유두암으로 엽절제술 시행한 후 추적검사 중 남아 있는 갑상선에 유두암이 재발하여 시행하는 완결갑상선 절제술의 경우 갑상선 전절제술과 비교하였을 때 영구적인 부갑상선 기능저하증과 영구적인 되돌이후두신경 손상의 합병증 발생률은 유사하다.[20-22] 그러므로 갑상선유두암으로 엽절제술을 시행한 경우 추적검사가 전절제술에 비해 상대적으로 중요하다고 생각되며 재발하더라도 합병증의 증가 없이 완결갑상선 절제술이 가능하리라 생각된다.

엽절제술의 근거 6 – 미확진 단일 결절

술 전 조직 검사로 확진되지 않은 단일 결절의 경우 술 후 조직 검사에서 악성으로 진단될 확률은 약 20%이다. 그러므로 술 전에 진단되지 않은 단일 결절의 경우 갑상선 엽절제술로 충분하다.[23-24] 그러나 4 cm 이상이면서 술 전 조직 검사상 정확하게 진단되지는 않았지만 비정형의 현미경적 소견을 보이는 경우, 가족력이 있는 경우, 방사선에 노출된 경력이 있는 경우, 양측성 결절인 경우는 갑상선 전절제술을 시행하는 것이 바람직한 선택이다.[25-29]

엽절제술의 근거 7 – 술 후 갑상선자극호르몬 억제요법

갑상선유두암의 엽절제술 후 뇌하수체의 갑상선 자극 호르몬 분비를 억제하기 위해 갑상선 호르몬제를 복용하는 것은 재발 또는 술 후 미세하게 남아 있을지 모르는 암세포의 재성장을 방지하는데 효과적인 접근 방법이다. 그러나 Cady 등[30]과 Vickery 등[31]에 의한 대규모 후향연구에 의하면 저위험군이 갑상선유두암으로 수술한 경우 갑상선자극호르몬 억제요법이 생존율에 영향을 미치지 못하였다. 그 이유는 갑상선 자극 호르몬의 억제 없이도 저위험군 갑상선유두암은 매우 좋은 예후를 보이기 때문이다. 특히 위에서 언급하였듯이 갑상선 엽절제술을 시행하는 대상 환자는 대부분 저위험군이므로 갑상선 엽절제술 시행하고 약 한 달 후 남아있는 갑상선의 정상적인 호르몬 분비로 갑상선 기능 검사가 정상이라면 갑상선 호르몬제의 복용은 필요치 않을 것이다.

엽절제술의 근거 8
– 경부 level VI 림프절의 미세전이

갑상선유두암은 경부 림프절로의 전이가 흔하며 특히 미세전이가 흔하다. 미세전이란 림프절내에서 전이 병소의 크기가 2 mm 미만인 경우로 정의한다. 과거에는 동결절편검사로 수술 중 또는 수술 후 조직 검사 결과로 림프절로의 전이가 확인 된 경우 일률적으로 전절제를 시행하였다. 그러나 최근 연구에 의하면 전이된 림프절 내의 병소 크기가 2 mm 미만인 미세전이인 경우 재발률은 4%, 전이된 림프절 개수가 5개 미만인 경우 5%밖에 되지 않았으며 이는 5개 이상의 림프절이 전이된 경우 19%, 육안적 림프절 전이 소견을 보이는 경우 22%의 재발률과 비교할 시 확연한 차이가 났다.[32-33] 그러므로 경부 level VI에 림프절 전이가 확인되더라도 전이된 개수가 5개 미만이면서 모두 미세전이 소견을 보인다면 엽절제술 후 추가적인 완결갑상선절제술은 필요 없이 근접 추적관찰만으로도 충분할 것이다.

이상으로 갑상선유두암에 있어서 엽절제술의 적응증을 정리하면
① 단일 병소이면서 한쪽 엽에 국한 된 경우
② 종양의 크기가 4 cm 미만인 경우
③ 육안적으로 갑상선 주위 조직으로의 침윤이 없는 경우
④ 임상적인 림프절 전이나 원격전이가 없는 경우
⑤ 추적검사가 용이한 경우
⑥ 엽절제술 후 종양의 절제연이 음성인 경우

위의 조건을 모두 만족한다면 갑상선 기능 상실로 인한 갑상선 호르몬제의 평생 복용, 수술 범위 확대로 인한 술 후 영구 합병증의 증가를 막기 위해 갑상선 엽절제술이 타당하리라 생각되며 환자가 강력히 전절제를 거부하는 경우 또는 갑상선 호르몬제의 복용이 어려운 경우 또한 갑상선 엽절제술의 적응증이 될 것이다.

REFERENCES

1. Clark OH, Levin K, Zeng QH, et al. Thyroid cancer: the case for total thyroidectomy. Eur J Cancer Clin Oncol 1988;24:305-13.

2. Girelli ME, Busnardo B, Amerio R, et al. Serum thyroglobulin levels in patients with well-differentiated thyroid cancer during suppression therapy: study on 429 patients. Eur J Nucl Med 1985;10:252-4.

3. Shaha AR. Thyroid cancer: extent of thyroidectomy. Cancer Control 2000;7:240-5.

4. Bergamaschi R, Becouarn G, Ronceray J, et al. Morbidity of thyroid surgery. Am J Surg 1998;176:71-5.

5. Kandil E, Noureldine SI, Abbas A, et al. The impact of surgical volume on patient outcomes following thyroid surgery. Surgery 2013;154:1346-52.

6. Cohn KH, Backdahl M, Forsslund G, et al. Biologic considerations and operative strategy in papillary thyroid carcinoma: arguments against the routine performance of total thyroidectomy. Surgery 1984;96:957-71.

7. Grebe SK, Hay ID. The role of surgery in the management of differentiated thyroid cancer. J Endocrinol Invest 1997;20:32-5.

8. Hauch A, Al-Qurayshi Z, Randolph G, et al. Total thyroidectomy is associated with increased risk of complications for low- and high-volume surgeons. Ann Surg Oncol 2014;21:3844-52.

9. Hay ID. Papillary thyroid carcinoma. Endocrinol Metab Clin North Am 1990;19:545-76.

10. Cady B. Hayes Martin Lecture. Our AMES is true: how an old concept still hits the mark: or, risk group assignment points the arrow to rational therapy selection in differentiated thyroid cancer. Am J Surg 1997;174:462-8.

11. Sanders LE, Cady B. Differentiated thyroid cancer: reexamination of risk groups and outcome of treatment. Arch Surg 1998;133:419-25.

12. Fremgen AM, Bland KI, McGinnis LS, et al. Clinical highlights from the National Cancer Data Base, 1999. CA Cancer J Clin 1999;49:145-58.

13. Hay ID, Grant CS, Taylor WF, et al. Ipsilateral lobectomy versus bilateral lobar resection in papillary thyroid carcinoma: a retrospective analysis of surgical outcome using a novel prognostic scoring system. Surgery 1987;102:1088-95.

14. Haigh PI, Urbach DR, Rotstein LE. Extent of thyroidectomy is not a major determinant of survival in lowor high-risk papillary thyroid cancer. Ann Surg Oncol 2005;12:81-89.

15. Cooper DS, Doherty GM, Haugen BR, et al. Management guidelines for patients with thyroid nodules and differentiated thyroid cancer. Thyroid 2006;16:109-42.

16. Bilimoria KY, Bentrem DJ, Ko CY, et al. Extent of surgery affects survival for papillary thyroid cancer. Ann Surg 2007;246:375-81; discussion 81-4.

17. Adam MA, Pura J, Gu L, Dinan et al. Extent of surgery for papillary thyroid cancer is not associated with survival: an analysis of 61,775 patients. Ann Surg 2014;260:601-5.

18. Matsuzu K, Sugino K, Masudo K, et al. Thyroid lobectomy for papillary thyroid cancer:long-term follow-up study of 1,088 cases. World J Surg 2014;38:68-79.

19. Nixon IJ, Ganly I, Patel SG, et al. Thyroid lobectomy for treatment of well differentiated intrathyroid malignancy.Surgery 2012;151:571-9.

20. Pezzullo L, Delrio P, Losito NS, et al. Post-operative complications after completion thyroidectomy for differentiated thyroid cancer. Eur J Surg Oncol 1997;23:215-8.

21. Park SH, Kim SJ, Lee DH, et al. Safety of the Completion Thyroidectomy in the Management of well-Differentiated thyroid carcinoma. J Korea Surg Soc 2003;Vol. 65:397-401.

22. Mishra A, Mishra SK. Total thyroidectomy for differentiated thyroid cancer: primary compared with completion thyroidectomy. Eur J Surg 2002;168:283-7.

23. Gharib H, Goellner JR, Zinsmeister AR, et al. Fine-needle aspiration biopsy of the thyroid. The problem of suspicious cytologic findings. Ann Intern Med 1984;101:25-8.

24. Sclabas GM, Staerkel GA, Shapiro SE, et al. Fine-needle aspiration of the thyroid and correlation with histopathology in a contemporary series of 240 patients. Am J Surg 2003;186:702-9; discussion 9-10.

25. Tuttle RM, Lemar H, Burch HB. Clinical features associated with an increased risk of thyroid malignancy in patients with follicular neoplasia by fine-needle aspiration. Thyroid 1998;8:377-83.

26. Goldstein RE, Netterville JL, Burkey B, et al. Implications of follicular neoplasms, atypia, and lesions suspicious for malignancy diagnosed by fine-needle aspiration of thyroid nodules. Ann Surg 2002;235:656-62; discussion 62-4.

27. Schlinkert RT, van Heerden JA, Goellner JR, et al. Factors that predict malignant thyroid lesions when fine-needle aspiration is "suspicious for follicular neoplasm". Mayo Clin Proc 1997;72:913-6.

28. Kim ES, Koh JM, Kim WB, et al. Completion Thyroidectomy in Patient with Differentiated Thyroid Cancer Who Initially Underwent Ipsilateral Operation. Journal of Korean Society of Endocrinology 2002;Vol.17 No.5 657~63.

29. Pasieka JL, Thompson NW, McLeod MK, et al. The incidence of bilateral well-differentiated thyroid cancer found at completion thyroidectomy. World J Surg 1992;16:711-6; discussion 6-7.

30. Cady B, Cohn K, Rossi RL, et al. The effect of thyroid hormone administration upon survival in patients with differentiated thyroid carcinoma. Surgery 1983;94:978-83.

31. Vickery AL, Jr., Wang CA, Walker AM. Treatment of intrathyroidal papillary carcinoma of the thyroid. Cancer 1987;60:2587-95.

32. Randolph GW, Duh QY, Heller KS, et al. The prognostic significance of nodal metastases from papillary thyroid carcinoma can be stratified based on the size and number of metastatic lymph nodes, as well as the presence of extranodal extension. Thyroid 2012;22:1144-52.

33. Lee J, Song Y, Soh EY Prognostic significance of the number of metastatic lymph nodes to stratify the risk of recurrence. World J Surg 2014;38:858-62.

갑상선유두암: 전절제술의 근거

Papillary Thyroid Carcinoma: Rationale for Total Thyroidectomy

❙ 건국대학교 의과대학 외과 **양정현**

되돌이후두신경(recurrent laryngeal nerve) 손상으로 인한 성대 마비와 부갑상선 기능저하증을 포함한 갑상선절제술의 합병증의 발생은 낮춰야 하지만 실제 그 발생빈도의 범위는 1% 미만부터 10% 이상으로 다양하게 보고되고 있다.[1-4]

합병증의 발생은 보다 광범위한 갑상선수술, 특히 중앙 그리고 변형근치적 경부림프절 절제술을 받은 환자에서 증가된다고 보고되고 있다.[3,5] 일반적으로 미세갑상선유두암(<1 cm)과 최소침습적 갑상선여포암 환자들은 종양으로 인한 사망 위험이 매우 드물기 때문에 갑상선일엽절제술을 권유하고 있다.

그러나 여포세포에서 기원된 분화갑상선암에 대하여 아직까지 잘 계획된 전향적인 연구가 없기 때문에 가장 적절한 수술 범위 즉, 갑상선일엽절제, 아전절제술, 근전갑상선절제술(near total thyroidectomy), 갑상선전절제술 중 어떠한 방법을 택할 것인가에 대한 논쟁은 계속되고 있다.

수술의 범위를 선택하기 위해서는 다음과 같은 여러 가지 요소들이 고려되어야 한다.

1. 병기적 측면

AGES (age, grade, extent, size)와 AMES (age, metastases, extent, size), TNM, MACIS (distant metastasis, patient age, completeness of resection, local invasion, tumor size) 또는 European Organization for the Research and Treatment of Cancer (EORTC) 등의 분류법으로, 환자를 저위험군과 고위험군으로 나눌 수 있다.[6] 저위험군으로 판명된 환자에서 10~20년 사망률은 약 2~5%인 반면, 고위험군의 경우는 40~50%로 보고되고 있다. 재발률에 대한 후향적 조사에서 저위험군에서 10%, 고위험군에서 45%로 저위험군에서 의미 있게 낮았다. 따라서, 재발의 위험성이 높은 위험군 또는 양측 종양인 경우에는 보다 광범위한 절제(near-total or total), 방사선요오드치료, TSH 억제치료를 권유하고 있다.[7,8]

다행히 대부분의 환자(~70%)는 저위험군에 속하는데, 이러한 환자에서 갑상선전절제술 또는 일엽절제술을 시행해야 하는지의 여부는 아직 논쟁의 화두가 되고 있다. 사망률과 재발률이 저위험군에서는 낮기 때문에, 편측 갑상선절제술의 옹호자들은 이 치료가 충분하다고 주장한다. 그러나 갑상선전절제술을 시행하는 외과의들은, 재발한 저위험군 환자의 30~50%가 갑상선암으로 사망할 것이기 때문에, 전절제술이 주요한 치료라고 주장한다.[9,10] 대규모의 후향적 연구에서, 전절제 또는 근전(near-total) 갑상선절제술 수술을 받고 방사성요오드와 TSH 억제치료를 받은 환자에서 보다 적은 범위의 수술을 받은 환자와 비교해서 재발률이 낮고 생존이 향상되었다는 보고들이 있다.[11-13]

그러나 이와 같은 병기 시스템들에 의해 분류되는 저위험군 혹은 고위험군은 수술 후 분석을 통해서만 추론 가능한 것이며, 수술 전에 저위험군과 고위험군을 완벽히 구분할 수는 없다. 수술 전 저위험군으로 예측되는 경우라도 수술 후 고위험군으로 변할지 여부를 수술 전에 정확하게 판단할 수가 없다는 것이다. 이러한 이유 때문에 저위험군과 고위험군의 분화된 갑상선암 환자에게 전절제 또는 근전(near-total) 갑상선절제술을 권유하며 시행하고 있다.

2. 외과의측면

유두암과 여포암 중 저위험군의 환자에서, 되돌이후두 신경손상이나 영구적 부갑상선기능저하증의 발생 확률이 매우 낮은(보통 2% 이하) 경험 많은 외과의사인 경우 갑상선전절제술을 권유하기도 한다.[14-18] 외과의가 부갑상선과 되돌이신경의 보존이 꼭 필요한 경우라 생각할 때에는 갑상선전절제술보다는 근전갑상선절제술을 선호할 것이며, 이러한 경우에 암의 반대측의 부갑상선과 되돌이 신경의 손상을 피하기 위해 적은 양의 갑상선 조직을 보존한다. 이러한 환자에서 수술 후 남아 있는 정상 갑상선 조직은 여러 번에 걸쳐서 요오드 131을 이용해서 제거할 수 있으나, 남은 조직이 적을수록 더 적은 양의 방사성요오드가 필요할 것이다.[19] 따라서, 양측 되돌이신경이 확실하게 확인이 되고 부갑상선이 갑상선으로부터 잘 박리되어 보존 가능한, 경험과 능력을 겸비한 외과의사의 경우에는 갑상선근전절제술보다 갑상선전절제술이 향후 동위원소 치료 측면에서 더 효과적이므로 권장될 수 있다.

3. 병리학적측면

유두암, 여포암, 그리고 여포암혼합 유두암 등은 갑상선 암의 약 80% 이상을 차지하며, 다행스럽게도 좋은 예후를 나타낸다.[17,18] 갑상선유두암이 종종 갑상선 내 다병발성이고 이러한 환자들에서 적어도 80% 이상에서 현미경적으로 구획림프절을 침범한다.[20,21] 키 큰 세포 (tall cell)와 원주세포 종양을 포함하는 나쁜 분화도를 갖는 갑상선 유두암 환자들의 경우보다 나쁜 예후를 갖는다.[22,23] 따라서, 위와 같은 병리조직학적 소견을 보이는 경우 갑상선전절제술을 고려하여야 한다. 몇몇 외과의들은 또한 그레이브스병이나 양측 갑상선종과 같은 양성질환에 대해서 재발의 위험성을 막기 위하여, 낮은 용량의 방사선치료를 받은 갑상선 결절을 가진 환자와 가족성 갑상선유두암을 가진 환자들에게서 양성과 악성이 함께 존재하는 다병소성 종양의 가능성 때문에 갑상선전절제술을 권장하기도 한다.[1,24,25,26]

4. 기타위험요소

앞서 언급된 분류 이외에, 완전한 절제를 할 수 없는 종양이거나,[27] 홀배수체 DNA이거나,[28] TSH에 대한 adenylate cyclase의 낮은 반응이 있거나,[29] 방사성요오드 섭취가 낮거나 없는 경우,[30] 그리고 종양이 보다 많은 EGF 결합을 가진 환자들은 보다 나쁜 예후를 갖는다.[31,32] 이러한 경우도 갑상선전절제술을 고려하여야 하지만, 불행하게도 이와 같은 요소들이나 조건들도 수술 후에야 확인된다는 문제가 있다.

5. 합병증, 사망률측면

대부분의 갑상선암 환자들의 예후가 좋게 나타나고 있지만, 사망률을 5%에서 2~3%로 줄일 수 있고, 합병증 발생률 또한 2% 미만으로 낮출 수 있다면, 재발이 적고 생존율 향상에도 긍정적으로 보고된 갑상선절제술을 고려할 수 있다. Grant 등은[33] 양측 갑상선절제술이 저위험군과 고위험군 환자 모두에서 재발을 줄이고, 고위험군 환자에서 재발과 사망률을 줄인다고 보고하였다. Cady 등은[34] 갑상선유두암을 가진 저위험군 환자에서 일엽절제술을 시행하여, AMES 분류 저위험군 환자중 약 11%에서 재발을 경험하였고, 이 중 33%가 결과적으로 갑상선암으로 사망한 결과를 보고하였다.

몇몇 연구는 갑상선암을 가진 환자에서 일엽절제술 또는 갑상선전절제술을 받은 후의 생존율이 유사하다고 보고되기도 했지만,[35-37] Massin,[38] Schlumberger,[39] DeGroot,[40] Mazzaferri,[41,42] Loh[43] 등은 다른 연구들을 통해 갑상선전절제 또는 근전절제술과 I¹³¹ 치료를 받았을 경우 재발을 낮추었으며, 생존을 향상시켰다고 보고하였다.

이상의 여러 측면들을 고려하여 갑상선전절제술 또는 근전절제술을 시행하여야 한다.

갑상선전절제술의 장점들은 다음과 같다.

① 갑상선 조직이 제거되기 때문에 수술 후 I¹³¹ 스캔과 절제 치료의 효과가 있다.

방사성요오드를 사용하여 잔존하는 정상적인 갑상선 조직의 존재여부 및 완전제거(ablation), 국소, 국부 또는 원격전이의 발견과 치료에 사용할 수 있다.

② 모든 갑상선조직을 제거하였으므로, 혈청 갑상선글로불린(thyroglobulin) 수치를 재발이나 잔존암 발견에 보다 민감한 지표로 사용할 수 있다.

③ 반대엽에 존재하는 갑상선내 암을 제거한다.

갑상선유두암 환자의 약 50~85%까지 미세암 병소가 반대측 갑상선엽에 존재하며, 실제로 반대측에서 재발할 확률은 약 7% 전후이다. 만약 갑상선전절제술이 시행되면, 재발의 가능 부위를 미리 제거하는 효과가 있다.

④ 남아 있을지 모르는 유두암 병소가 나중에 미분화갑상선암으로 변화될 작은 위험성이 줄어든다.

⑤ 국소국부재발을 줄일 수 있다.

갑상선일엽절제만 시행한 환자와 비교하여, 양측 또는 갑상선전절제술을 받은 환자에서 국소국부 재발이 줄어든다. 목중앙에 재발한 환자의 50% 이상이 갑상선암으로 사망하게 된다.

⑥ 크기가 1.5 cm보다 큰 유두암환자와 피막을 침범한 갑상선여포암 환자의 생존이 향상된다.

⑦ 합병증 증가와 관련된 갑상선 재수술의 필요가 줄어든다.

수술범위에 대한 결론을 현재로서는 내기는 어렵다. 환자, 외과의사 및 주위의 다양한 인자들을 고려하여 수술범위를 고려하여야 하겠지만, 갑상선전절제술은 안전하게 시행될 수 있는 수술법이다.

REFERENCES

1. Clark OH, Levin K, Zeng QH, et al. Thyroid cancer: The case for total thyroidectomy. Eur J Cancer Clin Oncol 1988;24:305.

2. Grossman RF, Tezelman S, Clark OH. Thyroid cancer: The case for total thyroidectomy revisited. In: Johnson JT, Didolkar MS(eds), Head and Neck Cancer, Vol III. Excerpta Medica International, Congress Series Amsterdam. Elsevier; 1993, p 879.

3. Foster RS Jr. Morbidity and mortality after thyroidectomy Surg Gynecol Obstet 1978;146:423.

4. Harness JK, Fung L, Thompson NW, et al. Total thyroidectomy: Complications and technique. World J Surg 1986;10:781.

5. Thompson NW, Nishiyama RH, Harness JK. Thyroid carcinoma: Current controversies. Curr Probl Surg 1978;15:1.

6. Hay ID, Thompson GB, Grant CS, et al. Papillary thyroid carcinoma managed at the Mayo Clinic during six decades(1940-1999): Temporal trends in initial therapy and long-term outcome in 2,444 consecutively treated patients. World J Surgery 2002;26:879.

7. Cady B, Rossi R. An expanded view of risk-group definition in differentiated thyroid carcinoma. Surgery 1988;104:948.

8. Hay ID, Grant CS, Taylor WF, McConahey WM. Ipsilateral lobectomy versus bilateral lobar resection in papillary thyroid carcinoma: A retrospective analysis of surgical outcome using a novel prognostic scoring system. Surgery 1987;102:1088.

9. Jossart GH, Clark OH: Well-differentiated thyroid cancer, Curr Probl Surg 31:933, 1994.

10. Cady B et al: Risk factor analysis in differentiated thyroid cancer, Cancer 43:810. 1979.

11. DeGroot LJ et al: Natural history, treatment, and course of papillary thyroid carcinoma, J Clin Endocrinol Metab 71:414, 1990.

12. Mazzaferri EL. Jhiang SM: Long-term impact of initial surgical and medical therapy on papillary and follicular thyroid cancer(published erratum appears in Am J Med 98:215, 1995), Am J Med 97:418. 1994(see comments).

13. Hay ID, et al. Unilateral total lobectomy: is it sufficient surgical treatment for patients with AMES low-risk papillary thyroid carcinoma? Surgery 124:958; discussion 964, 1998.

14. Clark OH. Total thyroidectomy: The treatment of choice for patients with differentiated thyroid cancer. Ann Surg 1982;196:361.

15. Attie JN, Moskowitz GW, Margouleff D, Levy LM. Feasibility of total thyroidectomy in the treatment of thyroid carcinoma: Postoperative radioactive iodine evaluation of 140 cases. Am J Surg 1979;138:555.

16. Thompson NW. Total thyroidectomy in the treatment of thyroid carcinoma. In: Thompson NW, Vinik Al(eds), Endocrine Surgery Update. New York, Grune & Stratton. 1983, p 71.

17. Clark OH, Dull QY. Thyroid cancer. Med Clin North Am 1991;75:211.

18. DeGroot LJ, Kaplan EL, Shukla MS, et al. Morbidity and mortality in follicular thyroid carcinoma. J Clin Endocrinol Metab 1995;80:2946.

19. Leung SF, Law MW, Ho SK. Efficacy of low-dose iodine 131 ablation of postoperative thyroid remnants: A study of 69 cases. Br J Radiol l992;65:905.

20. Russell WD, Ibanez ML, Clark RL, et al. Thyroid carcinoma: Classification, intraglandular dissemination, and clinicopathological study based upon whole-organ sections of 80 glands. Cancer 1963;11:1425.

21. Noguchi S, Noguchi A, Murakami N. Papillary carcinoma of the thyroid: I. Developing pattern of metastasis. Cancer 1970;26:1053.

22. Kebebew E, Clark OH: Locally advanced differentiated thyroid cancer. Surg Oncol 2003;12:91.

23. Putti TC, Bhuiya TA. Mixed columnar cell and tall cell variant of papillary carcinoma of thyroid: A case report and review of the literature. Pathology 2000;32:286.

24. Reeve TS, Delbridge L, Cohen A, Crummer P. Total thyroidectomy: The preferred option for multinodular goiter. Ann Surg 1987;206:782.

25. Liu Q, Gianakakis L, Djuricin G, Prinz R. Total thyroidectomy for benign thyroid diseases. Surgery 1998;123:27.

26. Kikuehi S, Perrier N, Ituarte P, et al. Accuracy of fine-needle aspiration cytology in patients with radiation-induced thyroid neoplasms. Br J Surg 2003;90:755.

27. Hay ID. Papillary thyroid carcinoma. Endocrinol Metab Clin North Am 1990;19:545.

28. Backdahl M, Carstensen J, Auer G, Tallroth E. Statistical evaluation of the prognostic value of nuclear DNA content in papillary, follicular, and medullary thyroid tumors. World J Surg 1986;10:974.

29. Siperstein AE, Zeng QH, Gum ET, et al. Adenylate cyclase activity as a predictor of thyroid tumor aggressiveness. World J Surg 1988;12:528.

30. Beierwaltes WH, Nishiyama RH, Thompson NW, et al. Survival time and "cure" in papillary and follicular thyroid carcinoma with distant metastases: Statistics following University of Michigan therapy. J Nucl Med 1982;23:561.

31. Duh QY, Siperstein AE, Miller RA, et al. Epidermal growth factor receptors and adenylate cyclase activity in human thyroid tissues. World J Surg 1990;14:410.

32. Clark OH, Duh QY. Thyroid growth factors and oncogenes. In: Benz CC, Liu ET(eds), Oneogenes and Tumor Suppressor Genes in Human Malignancies. Norwell, MA, Kluwer Academic, 1993, p 87.

33. Grant CS, Hay ID, Gough IR, et al. Local recurrence in papillary thyroid carcinoma: Is extent of surgical resection important? Surgery 1988;104:954.

34. Cady B, Sedgwick CE, Meissner WA, et al. Risk factor analysis in differentiated thyroid cancer. Cancer 1979;43:810.

35. Wanebo HJ, Andrews W, Kaiser DL. Thyroid cancer: Some basic considerations. CA Cancer J Clin 1983;33:87.

36. Farrar WB, Cooperman M, James AG. Surgical management of papillary and follicular carcinoma of the thyroid. Ann Surg 1980;192:701.

37. Schroder DM, Chambors A, France CJ. Operative strategy for thyroid cancer: Is total thyroidectomy worth the price? Cancer 1986;58:2320.

38. Massin JP, Savoie JC, Garnier H, et al. Pulmonary metastases in differentiated thyroid carcinoma: Study of 58 cases with implications for the primary tumor treatment. Cancer 1984;53:982.

39. Schlumberger M, Tubiana M, De Vathaire F, et al. Long-term results of treatment of 283 patients with lung and bone metastases from differentiated thyroid carcinoma. J Clin Endocrinol Metab 1986;63:960.

40. DeGroot LJ, Kaplan EL, McCormick M, Straus FH. Natural history, treatment, and course of papillary thyroid carcinoma. J Clin Endocrinol Metab 1990;71:414.

41. Mazzaferri EL, Young RL. Papillary thyroid carcinoma: A 10 year follow-up report of the impact of therapy in 576 patients. Am J Med 1981;70:511.

42. Mazzaferri EL, Jhiang SM. Long-term impact of initial surgical and medical therapy on papillary and follicular thyroid cancer. Am J Med 1994;97:418.

43. Loh KC. Greenspan F, Gee L, et al. Pathological tumor-node-metastasis(pTNM) staging for papillary and follicular thyroid carcinomas. J Clin Endocrinol Metab 1997;82:3553.

국소진행성 갑상선암의 수술적 치료

Surgical Treatment of Locally Advanced Thyroid Cancer

| 연세대학교 의과대학 외과 **장항석**

갑상선암은 대부분 경부에 국한되고 공격성이 덜한 암으로 알려져 있지만 주변조직으로 침범한 경우도 드물지 않다. 분화갑상선암(well-differentiated thyroid cancer)의 경우 최대 21%까지 주변 조직으로의 침습이 일어나는 것으로 알려져 있고, 갑상선 암으로 사망하는 환자들에서 상부 기도, 경, 흉부의 주요 생명기관(vital organs)으로 침범한 국소 진행성 암이 대부분의 원인이다.[1-3] 최근 갑상선의 침범 정도에 따라 갑상선피막(thyroid capsule)이나 띠근육(strap muscles), 되돌이후두신경(recurrent laryngeal nerve)을 침범한 정도의 형태(minor type)와 기도, 식도, 혈관, 종격동의 림프절 전이 등 주요 기관을 침범한 중증의 형태(major type)로 나누고 있으며, 치료의 방법에 차별을 두어야 한다는 보고가 있다. 경증의 진행도를 보이는 경우에는 적절한 범위의 절제 등을 통해 좋은 예후를 기대할 수 있지만, 경부의 중요 생명기관(vital organ)을 침범한 중증의 경우에는 심한 장애를 동반하며, 수술을 한다고 해도 심각한 삶의 질 저하가 초래될 수 있음은 물론이고 적절한 해결이 이루어지지 않는다면 직접적인 사망의 원인이 될 수 있다.[4-8] 갑상선암은 여러 가지 조직학적 분류형에 따라 예후와 특성이 다르다. 역형성암(anaplastic thyroid cancer)은 가장 공격적이며 치명적인 암으로서 어떠한 치료로도 생존기간을 연장시킬 수 없고, 증상완화 효과(palliative effect)도 기대할 수 없으므로 적극적인 수술은 권장되지 않는다.[9] 이와는 달리 분화갑상선암과 갑상선 수질암

(medullary thyroid cancer)은 주변조직으로 침범이 있다 할지라도 적절한 수술을 한다면 증상완화는 물론이고 치료의 효과 역시 높일 수 있으므로 적극적 치료의 대상이 된다.[10]

국소진행성 갑상선암에서는 적극적인 수술을 통해 완벽한 제거에 성공할 경우 생존율을 향상시킬 수 있다는 것이 분명한 사실이다. 그러나 광범위한 수술 후에는 불가피하게 후유증이 남게 되고, 특히 경부의 생명기관을 침범한 경우라면 더욱 심각한 장애를 동반하며, 심할 경우 수술 관련 사망도 발생할 수 있다.[11-15] 그리고 이러한 상황이 흔히 볼 수 있는 것은 아니기 때문에 현재까지 대규모 환자를 대상으로 한 장기간의 연구는 거의 없어 수술적 치료의 적절한 지침이 될 만한 연구나 근거자료가 절대적으로 부족한 실정이다. 이러한 까닭으로 의료진은 국소진행성 갑상선암에서 수술적 치료의 선택 여부와 수술범위 결정에 어려움을 겪게 된다.

1. 국소진행성 갑상선암의 임상양상

국소진행성 갑상선암은 상대적으로 고연령층과 남성에서 발생 빈도가 높다.[9,16] 분화갑상선암과 갑상선수질암에서 국소침범이 발생되는 빈도는 각각 15%, 8% 가량으로, 분화갑상선암에서 전체적인 발생 빈도는 높지

만 침습도는 갑상선수질암이 더 크다.[10] 주변침범은 재발이나 전이가 발생한 경우 더 잘 일어나며, 같은 분화 갑상선암 중에서도 분화도가 나쁜 조직아형(subtype)에서 빈도가 높은 것으로 알려져 있다.[17] 키큰세포변이(tall cell variant papillary thyroid cancer), 미만성경화성변종(diffuse sclerosing variant papillary thyroid cancer), 원주세포 변이(columnar cell variant papillary thyroid cancer), 지주성변이(trabecular varint papillary thyroid cancer), 섬모양변이(insular variant papillary thyroid cancer)는 국소 및 원격전이, 재발이 많으며, 전형적 갑상선유두암에 비해 예후가 나쁘다. 고형변이(solid variant papillary thyroid cancer)는 과거 예후가 나쁜 변이로 분류되었으나, 현재로서는 논란의 여지가 있다.[18,19]

빈번하게 침범되는 조직으로는 띠근육, 되돌이후두신경, 기도, 식도, 후두, 혈관 및 기타 조직 순이며, 기전은 각 기관의 위치와 침범된 부위에 따라 다르다.[16,20,21]

국소진행성 갑상선암의 경우, 일반적으로 환자들은 경부종괴를 주소로 내원하게 되는데, 종괴는 비교적 크기가 크며 매우 딱딱하고 주변 조직과 고착된 모습을 보인다. 드물게 피부 침습 소견을 보이는 경우도 있다. 대부분의 경우 경부의 통증과 강직(stiffness)을 호소하고, 드물게 주변으로 방사통(radiating pain)을 보이기도 한다. 목소리가 쉽게 피로하거나 쉰목소리(hoarseness)를 보이면 되돌이후두신경 침범을 의심할 수 있고, 호흡곤란, 기침, 각혈(hemoptysis), 연하곤란(dysphagia), 명백한 천명음(frank stridor)는 후두-기관의 침범(laryngo-tracheal invasion)을 의미한다. 연하곤란은 식도를 침범했을 때도 나타날 수 있지만 외부에서 압박을 받는 경우에도 발생할 수 있다. 그 외 양측 경정맥을 침범한 경우 안면과 두부의 부종을 초래할 수 있고, 드물게 상대정맥(superior Vena Cava)을 침범한 경우 상대정맥 증후군(superior Vena Cava syndrome)의 증상이 나타날 수도 있다. 척수더부신경(spinal accessory nerve), 미주신경(vagus nerve), 경부의 교감신경(sympathetic trunk) 등을 침범한 경우에 각 신경의 장애로 인한 증상이 나타날 수 있으며, 일부의 환자들에서는 국소침범의 증상이 없이 발견

되기도 한다.[4,14,16,22,23]

2. 진단

진단과정의 첫걸음이자 가장 중요한 것은 자세한 병력의 청취와 정확한 이학적 검사이다. 환자로부터 얻어진 정확한 정보를 토대로 불필요한 검사과정을 생략할 수 있고 병의 원인에 초점을 맞추어 진단의 정확도를 높일 수 있다. 일반적으로 필요한 검사는 영상진단, 생화학적 검사, 조직검사이며, 수술계획 수립을 위해 내시경 검사, 침습적인 방사선중재 검사(interventional radiologic exam) 등이 필요할 수도 있다.

생화학적 검사를 통해 얻어진 정보는 진단적 가치보다는 참고사항으로 사용될 수 있다. 분화갑상선암에서 갑상선 글로불린(thyroglobulin), 수질암에서 칼시토닌(calcitonin) 등이 있으며, 갑상선 글로불린은 암종의 크기나 진행도, 침습도와 비례해 증가하는 소견이 있을 수 있지만 그렇지 않은경우도 있으므로 주의를 요한다. 그러나 수질암에서는 칼시토닌은 진단적으로 사용될 수도 있으며, 종양의 크기와 진행범위를 반영할 수 있다.

단순 경부 촬영(simple neck x-ray) 혹은 흉부 촬영(chest x-ray)에서는 국소진행성 암에 대한 진단보다는 종양의 크기를 어느 정도 짐작할 수 있고, 종괴에 의한 기도의 전위(deviation), 기도의 압박, 폐색 등의 소견을 볼 수 있으며, 종괴의 석회화가 심할 경우에는 단순 촬영에서 나타나는 경우도 있다.

초음파는 공기가 있는 부위는 투과하지 못하기 때문에 기도나 후두의 침습 여부를 진단하기에는 어려움이 있다. 그러나 종괴 자체의 특성, 피막 침범(extracapsular invasion), 띠근육 침범 등 주변 조직으로의 침습을 진단할 수 있고, 기도의 경우에도 얕은 깊이의 침습은 확인할 수 있다.

경부 전산화단층촬영은 갑상선암의 주변조직 침습, 경부림프절 전이 여부를 판단하는데 유용한 검사이며,

식도, 기도, 후두 침범을 진단하기에 좋다. 되돌이후두신경 침범이 있는 경우 피열연골(arytenoid cartilage)과 성대가 고정되어 반대측과 대칭을 이루지 못하는 모습을 보여 경부 전산화단층 촬영만으로 진단이 가능한 경우도 있다. 흉부 전산화단층 촬영으로 종격동내 림프절 전이, 종격동내 혈관 침범, 폐전이 등을 파악할 수 있다.

자기공명영상(Magnetic Resonance Imaging: MRI scan)은 전산화단층촬영과 유사한 기능을 보이나, 주변 연조직(soft tissue)으로의 침습을 진단하는데 정확도가 높고, 림프절 전이의 진단도 용이하다. 무엇보다 전산화단층촬영과는 달리 요오드를 함유한 조영제를 사용하지 않기 때문에 수술 후 방사성요오드 치료(radio-iodine therapy)를 위한 준비 기간을 불필요하게 연장시키지 않는 장점이 있다.

^{131}I, ^{125}I, ^{201}Tl, ^{99m}Tc 등을 이용하여 원격전이 여부를 파악할 수 있다. 방사성요오드스캔의 경우에는 갑상선 실질이 남아 있는 경우에는 가치가 크지 않다. 역형성암에서는 요오드를 흡수, 농축하는 능력이 거의 없기 때문에 방사성요오드스캔을 사용할 수 없지만, ^{67}Ga scan을 이용하면 진단적 가치가 있다는 보고도 있다.[24]

양전자방출 단층촬영술(positron emission tomographic scan; PET scan)은 분화도가 나빠져서 요오드를 잘 흡착하지 못하는 전이성, 재발성 암에서 전통적인 방사성요오드스캔 보다 유용하다. 전신을 한번에 파악할 수 있는 장점이 있고, 전산화단층촬영, 자기공명영상, 동위원소스캔 등 여러 가지 방법을 시행하여 얻어진 정보들보다 더 예민하고 정확한 결과를 얻을 수 있다.[21,25]

진행성 갑상선암에서 조직검사로 확인하는 것이 가장 중요하며, 모든 진단과 치료 과정의 첫 걸음이라 할 수 있다. 주로 세침흡입검사(fine needle aspiration cytology)를 이용해서 진단을 얻을 수 있고, 병리학적 세부 분류까지도 가능하다. 국소진행성 갑상선암의 진단에서는 역형성암인지 여부를 가리는 것이 중요하고, 이러한 정보는 수술 및 치료계획 수립에 결정적인 역할을 한다. 절제 혹은 절개 생검(excisional or incisional biopsy)은 특별한 경우가 아니라면 권장되지 않는다.[26,27] 만약 생검을 시행한다면 바로 경부 림프절 청소술(radical neck dissection)이나 근치적 수술로 전환될 준비를 하고 시행하는 것이 옳으며, 생검 시 이후의 수술범위를 고려하며 절개선을 계획하여야 한다.

국소진행성 갑상선암에서는 수술 전에 상부 기관-식도계의 침범 여부에 대한 정확한 검사가 필수적이다. 증상이 없는 경우에도 직접 후두경검사(direct laryngoscopy)를 통해 성대마비, 후두 점막침범을 확인해야하며, 후두-기관의 침습이 의심될 때는 굴곡기관지경(fiberoptic bronchoscopy)을 시행하여야 한다. 식도의 침습이 의심될 때는 바륨검사(Barium study)도 도움이 되지만 굴곡식도경(fiberoptic esophagoscopy)을 통해 정확한 진단을 내리는 것이 좋다.[21]

내시경 검사 중 의심스러운 점막 변화나 좁아진 부위에서는 생검을 실시하여 확인하는 것이 바람직하다.

3. 국소진행성 갑상선암의 각 기관별 침범기전 및 수술적 치료

국소진행성 갑상선암은 중앙경부에서는 주로 되돌이후두신경, 후두-기관, 식도, 띠근육을 침범하며, 갑상선암이 직접 침범하는 것이 기전으로 알려져 있다. 측경부에서는 내경정맥, 경동맥, 미주신경, 척수부신경, 횡격막신경(phrenic nerve) 등으로 침범이 일어나며 기전은 갑상선암의 직접적인 침범보다는 전이성림프절의 피막외침범(extranodal invasion)이 더 중요한 원인이다.[10,20,21]

국소진행성 갑상선암의 수술범위에 대해서는 아직까지 명확한 결론은 없는 상태이지만, 현재까지 문헌 보고상 병리학적으로 안전한 경계를 확보한 완벽한 절제술(radical resection with pathologically negative margin)과 약간의 미세조직을 남기더라도 후유증을 최소한 남기는 면도식 절제술(shaving-off procedures)을 주장하는 상반된 두 가지 견해로 축약될 수 있다.[5,7,8,16,17] 국소진행성 갑상선암에서 완벽한 절제가 가능하다면 예후 역시 보장될 수 있으나 앞서 언급한 대로 수술 후유증 및 수술관련 사망률이 수술범위 결정의 중요한 고려사항이 된다. 방사성 동위원소 치료, 방사선치료, 화학요법 등 수술 후 보조요법의 사용 가능성 역시 수술 전 계획에 포함시켜야 한다. 따라서 모든 경우에 대해 일관된 기준으로 수술을 시행할 수는 없으며, 국소진행성 갑상선암에 의해 침범된 장기의 특성에 따라 절제 가능범위는 달리 판단되어야 한다. 또한 침습정도에 따라 어느 정도 수술 후유증의 발생이 예상된다 하더라도 불가피하게 절제를 해야 하는 경우도 있으므로 수술범위 결정에는 각 기관별 특성뿐만 아니라 침습정도도 중요한 기준이 된다.

1) 경도의 국소진행성 갑상선암(minor invasion)의 치료

띠근육은 갑상선과 접해 있는 해부적 위치로 인해 가장 흔하게 침범되는 조직으로서, 갑상선암이 직접 침범하게 된다. 국소진행성 갑상선암으로 기도침범이 있는 경우 약 70%에서 근육침범이 같이 동반되어 있다.[20,28,29] 띠근육은 절제하게 될 경우 발성에 약간의 장애가 있다는 주장도 있지만 큰 후유증 없이 안전하게 절제할 수 있으며, 띠근육에 국한된 갑상선암의 침습은 예후에 영향을 미치지 않는다.[20,21,29] 그러나 재발성 혹은 전이성 갑상선암에 의한 띠근육 침범에서는 원격전이의 확률이 높고 예후도 불량하다.[8,30]

띠근육과 더불어 갑상선암에 의해 가장 흔하게 침범되는 기관이 되돌이후두신경이다. 갑상선암에 의해 직접 침범되는 경우와 중앙구획 림프절(central compartment nodes) 전이에 의해 침범되는 경우가 있다.[5,8-10] 되돌이후두신경이 침범된 경우에는 음색의 변화, 목소리가 쉬 피로해지는 현상, 쉰목소리, 천명음 등이 나타날 수 있으며, 이 중 천명음은 기도의 침범 시에 더 흔하게 관찰된다.[16,17,31] 국소 침범이 의심되는 갑상선암에서는 모든 경우에 수술 전 직접 후두경검사를 통해 정확

한 진단을 내려야 하고, 만약 편측 되돌이후두신경 마비가 있거나 의심되는 상황에서 신경을 절제해야 할 필요가 있다고 생각되는 경우라면 전산화단층촬영이나 자기공명영상을 이용해 동반된 침습이 있는지 확인하여 절제범위를 계획한 후 수술을 시행해야 한다.

만약 수술 전 목소리의 변화가 없었다면 되돌이후두신경을 보존하기 위해 최대한의 노력을 기울여야 한다. 되돌이후두신경의 보전을 위해 약간의 미세조직을 남기더라도 신경을 절제한 경우와 비교해서 국소 재발률 또한 차이가 없으므로 최대한 신경을 보존해야 한다.[16,20,32] 이렇게 미세조직이 남은 경우에는 수술 후 방사성요오드 치료가 필수적이며, 갑상선 자극호르몬 억제 요법(TSH suppression therapy; 갑상선 호르몬 요법)을 시행하여 효과를 얻을 수 있다. 이러한 경우 외부 방사선 치료는 효과적이지 않다는 의견이 주를 이루었으나 현재 논란의 여지가 있다는 연구 결과들이 나타나고 있다.[28,33]

수술 전에 이미 목소리의 변성과 되돌이후두신경의 마비가 확인된 경우에는 신경의 일괄절제(en-bloc resection)를 시행해야 한다. 이때 반대측의 신경의 기능이 보존되어 있는지 꼭 미리 확인해야 하고 수술 도중에도 반대측 신경의 기능을 보존하기 위한 노력이 필요하며, 양측의 신경마비나 손상의 경우에는 수술 후 영구적인 기관절개술(permanent tracheostomy)을 시행하여야 한다. 신경절제가 불가피한 경우 수술 중 성대복원술(intraoperative thyroplasty)을 바로 시행하는 것이 필요한지에 대해서는 논란의 여지가 많다. 수술 전 검사에서 성대의 움직임이 정상으로 진단되었던 경우에는 수술 중 성대복원술을 시행하면 수술 후 쉰목소리나 흡인(aspiration) 등의 증상을 막을 수 있어 도움이 되겠지만, 수술 전 검사에서 이미 마비가 확인되었던 경우라면 신경절제를 하더라도 증상이 심하지 않으므로 수술 후에 경과를 관찰하면서 필요한 경우 국소마취 하에서 성대복원술을 시행할 수 있다(그림 30-1).[21,28,33]

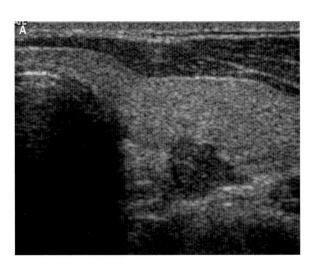
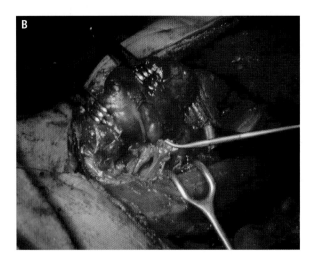

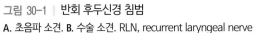

그림 30-1 | 반회 후두신경 침범
A. 초음파 소견. B. 수술 소견. RLN, recurrent laryngeal nerve

2) 중증의 국소진행성 갑상선암(major invasion)의 치료

국소진행성 갑상선암에서 후두와 기관으로의 침습은 갑상연골이나 윤상갑상막(cricothyroid membrane)을 통해 직접적으로 이루어진다고 생각된다. 기관을 침범한 경우에 침범 깊이의 정도에 따라 병리학적 병기를 구분하여 점막까지 침범한 경우 예후가 나쁘다는 보고가 있었지만 아직까지 후두나 식도에 대한 공식적인 병기 구분은 아직 이루어지지 않았다.[16,34]

국소진행성 갑상선암에 의해 침범된 후두-기관계의 수술적 치료에 범위에 대해서는 두 가지 상반된 견해가 존재한다. 국소진행된 암 조직을 일부 미세하게 남기더라도 조직과 기관의 손상을 최소로 하는 보존적 수술을 주장하는 그룹에서는 수술 후 방사성요오드 치료, 방사선 치료 등 보조요법을 사용하여 예후에 큰 차이가 없으며, 광범위 절제술 후 직면하는 심각한 부작용을 피할 수 있다고 주장한다.[13,16,20,34] 이와는 반대로 암의 재발이나 원격전이를 막고, 생존율을 향상시키기 위해 병리학적으로 안전한 거리를 확보하여 일괄절제를 해야 하며, 후두전적출술(total laryngectomy), 인두절제술(pharyngectomy), 기도절제술(tracheal resection) 등 적극적인 수술을 주장하는 그룹이 있다.[4,5,10,15]

(1) 후두-기관계 침범
비록 신뢰할 수 있을 만한 대규모의 전향적 연구결과는 아직까지 없는 상태이지만 후두-기관계를 침범한 갑상선암의 수술적 치료에 대해 일반적으로 인정되는 사항은 다음과 같다.

① 수술 전 절제 가능성 여부를 판단하는 고려사항
첫째, 갑상선암이 침범한 세로 범위(longitudinal extent)와 외측성(laterality) 여부, 둘째, 침습 깊이(depth of invasion), 셋째, 침습 위치(level of invasion)로서 경부 혹은 종격동내 기관의 침범, 기관연골, 윤상연골, 갑상연골, 후두등 침습된 위치, 넷째, 동반 침습장기의 유무 등이 있다.[21]

② 면도식 절제술
갑상선암의 침습 깊이가 깊지 않은 경우 면도식 절제술만으로도 종양의 완전한 절제가 가능하다. 후두나 기관의 희생이 없이 시행되므로 후유증의 병발이 적고 환자

275

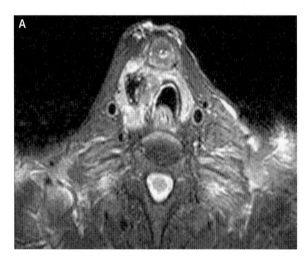
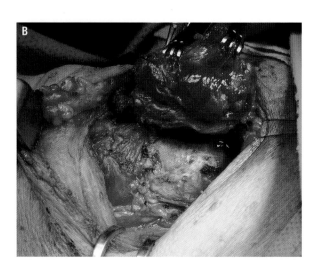

그림 30-2 │ 기도 침범에 대한 면도식 절제(Shaving-off procedure)
A. 자기공명영상 소견: 기도의 부분층 침범. B. 면도식 절제술 과정

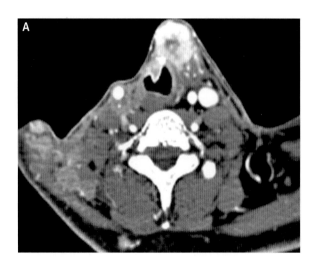
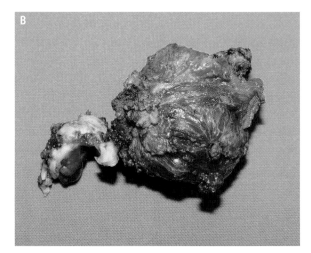

그림 30-3 │ 기도 침범에 대한 분절절제(Sleeve resection)
A. 전산화 단층촬영1 소견: 종양이 기도 전층을 침범하고 기도 내 종괴를 형성. B. 기도 절제 후 사진

의 만족도도 높다. 그러나 국소 재발률이 높고 사망률을 증가시킬 가능성이 있는 등 한계성이 있으므로 제한적인 경우에만 사용하는 것이 원칙이다.[5] 국소 재발을 억제하기 위해 수술 후 방사성요오드치료가 필수적이고 분화갑상선암에서는 갑상선호르몬 요법이 필요하다. 수술 후 외부 방사선 치료도 고려할 수 있다(그림 30-2).[16,21]

③ 적극적인 수술적 치료

갑상선암이 명백하게 연골층을 파괴, 침습하였거나, 상부 기관-식도계의 전층을 파괴하여 점막층까지 침범한 경우에 면도식 절제술만으로는 완전한 제거가 불가능하다(그림 30-3). 또한 광범위 침습이 있는 경우에 이러한 소극적인 수술을 시행한다면 필연적으로 국소 재발이 일어나고 원격전이도 피하기 어렵게 된다. 따라

서 처음 수술에서 광범위한 절제를 하는 것이 바람직하다.[5,20,35]

침습범위가 너무 광범위하여 수술관련 사망이나 심각한 후유증이 예상될 때나 환자가 광범위 절제를 포기하는 경우가 아니라면 모두 적극적인 수술의 적응증이 된다. 이 수술의 목적은 최대한 기능을 보존하면서 암종을 완벽하게 제거하는 것이며, 이를 통해 장기간의 무병생존(long-term disease free survival)을 기대할 수 있다.[4,15,16,36] 국소진행성 갑상선암에서는 다수에서 전신 원격전이를 동반할 수 있지만,[13,15,17,21] 갑상선암에서는 이러한 경우에도 장기간의 생존이 가능하기 때문에 비록 전이성암종까지 포함한 완전한 제거를 할 수 없다 할지라도 상기도의 폐쇄나 각혈 등을 예방하기 위해 국소진행성 암에 대한 적극적 수술을 시행하는것이 옳다.[20,35] 후두-기관계의 적극적 수술 술식에는 다음과 같은 것들이 있다.

i) 창절제술 Window resection

기본적으로 기관, 후두의 부분절제에 해당한다. 암종의 침범부위가 편측이고 범위가 넓지 않을 때 사용할 수 있으며, 기관-후두계의 길이에 손상이 없다. 절제범위가 윤상연골이나 기도의 1/3을 넘지 않을 경우 일차봉합이 가능하나 이 이상일 경우는 피판(flap)을 이용해 공간을 덮어야 한다. 장축으로 2.5 cm의 길이까지 절제할 수 있다.

ii) 편측후두절제술 Longitudinal hemilaryngectomy

편측으로 광범위 침습이 있는 경우, 갑상연골(thyroid cartilage), 윤상연골을 포함하여 편측 후두 절제술을 시행할 수 있다. 후두 전절제술 보다 비교적 후유장애가 적다. 수술 시 가장 중요한 점은 수술 후 연하, 발성 기능을 보존하거나 재건해주는 것이다. 근육, 혹은 근육피부판(myocutaneous flap)을 이용하여 절제부위를 봉합한다.

iii) 기도의 환상 혹은 소매식 절제술 Circumferential or sleeve resection of trachea

기도둘레의 약 60% 이상이 침범되었을 때 시행한다. 대략 6~7개의 기도연골을 절제하는 경우에는 단단문합(end-to-end anastomosis)이 가능하다. 이때 기도를 주변조직으로부터 박리하여 긴장을 완화(tension release)해야 한다. 부위에 따라 갑상연골-기도, 윤상연골-기도간의 문합도 가능하다. Musholt 등[37]의 연구에 따르면, 기관 내관(endotracheal tube)의 풍선의 위치를 기준으로 이보다 상방에서 절제가 이루어진 경우에는 주변 박리만으로도 충분히 단단문합이 가능하지만 이보다 위치가 하방일 때는 흉골 절개(sternotomy) 후 종격동 내에서 긴장완화를 위한 조작(mediastinal release)이 필요하다고 하였다. 갑상선 절제 및 중앙구획 수술 후에는 기도의 혈류가 원활하지 않은 상황이기 때문에 문합선 부위에 기도내관 풍선 등에 의한 압박이 가해지거나, 지나친 긴장도가 있을 경우에는 누출(leakage), 문합파열(dehiscence)의 우려가 있으므로 주의가 필요하다. 기도의 절제 길이가 긴 경우에는 베개를 고여 머리의 위치를 교정한다거나 턱과 전흉부(anterior-chest) 사이를 굵은 봉합사를 이용해 꿰매둠으로써 수술 후 고개를 숙인 자세를 유지하도록 하는 것이 유리하다.

iv) 기도 혹은 후두의 계단식 절제술 Step resection of trachea or combined laryngo-tracheal step resection

기본적으로 소매식 절제술과 원리는 같으나 암종이 편측으로 존재하면서 장축으로 좀 더 긴 범위의 침습이 있는 경우에 기도의 절제 길이를 작게 하고도 종양을 제거할 수 있는 장점이 있으며, 적어도 반대측의 되돌이후두신경을 보존할 수 있어 유용하게 사용할 수 있다.

v) 광범위 절제후 기도 단단문합을 위한 긴장완화 술기

상설골 완화술(supra-hyoid release)은 악설골근(mylohyoid muscle), 이설골근(geniohyoid muscle), 이설근(genioglossus muscle) 등상설골 근육(supra-hyoid muscle)을 절단하여 긴장을 완화하는 방법이며, 종격동 박리를 통한 긴장완화술은 기도에 부착된 종격동 내 조직을 박리하여 긴장을 완화하는 방법으로 흉골절개가 필요하다.

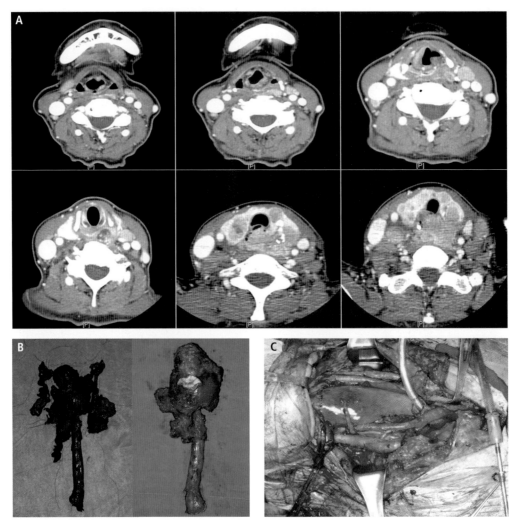

그림 30-4 │ 후두-식도 침범에 대한 절제술 후 위장을 이용한 재건술
A. 전산화 단층촬영 소견: 후두 침범. B. 절제 조직사진. C. 위장을 이용한 대치술(gastric pull-up procedure)

vi) 후두전절제술 혹은 후두인두전절제술

Total laryngectomy or total pahryngolaryngectomy

후두에 광범위한 침범이 있는 경우, 기관 후면까지 암종이 침범하여 인두의 기능을 보존하기 어려운 경우에 시행한다(그림 30-4). 이러한 수술의 적응증이 되는 경우는 이미 전신적으로 암종이 만연된 경우가 더 많다. 따라서 이 수술은 기도폐쇄, 출혈 등을 방지할 목적으로 시행되는 고식적인 수술로서 생존기간 연장에는 큰 의미를 가지지 못하는 경우가 많다.[21] 기도 절제가 불가능한

경우에는 기도 내 팽창 금속 스텐트(expandable metalic stent) 삽입을 고려할 수 있다.[38]

(2) 식도 침범

갑상선암에 의한 식도 침습은 대부분은 정도가 깊지 않아서 근육층에 국한된 침범을 보인다. 원인은 아마도 식도 고유의 연동운동 등 움직임이 있어서 고정되어 있는 다른 장기보다 침습이 이루어지기 어렵기 때문으로 생각된다. 심한 진행도를 보이는 갑상선암일 경우에는 갑

상선암이 직접 식도를 침범할 수도 있지만, 이러한 경우가 아니라면 중앙경부의 다른 장기들의 경우와는 달리 전이성 림프절의 피막외 침습에 의해 발생하는 것으로 알려져 있다.[16,21] 연하곤란 등의 증상이 있을 수 있지만, 식도 침습에 의해서만 일어나는 것은 아니고, 외부의 압박에 의한 증상일 경우도 있다.[16,24,37] 식도 침습은 거의 대부분 기도 침습과 연관되어 나타나며, 독립된 식도 침습보다 동반침습의 경우 예후는 더욱 나쁘다.[8,20] 진단은 전산화단층촬영, 자기공명영상, 바륨검사 등이 도움이 될 수 있으며, 정확한 진단을 위해서는 내시경 검사가 필수적이며, 점막에 의심스러운 병변이 있거나 내경이 좁아진 부위에서 생검을 실시하여 침범 여부를 확인하여야 한다.[36,37] 수술 원칙은 다른 부위에서와 마찬가지로 안전한 경계를 확보하고 완전한 절제를 하는 것이다. 근육층만 침범한 경우에는 절제 후 일차봉합을 하거나 혹은 봉합을 하지 않고 두어도 무방하다. 식도의 전층을 침범하였거나 식도의 둘레를 모두 침범한 경우에는 식도를 분절절제(segmental resection)하거나 부분 전층절제(partial full-thickness resection)를 하고 근육피부판, 근육근막판(myofascial flap)을 이용해 재건하거나 일차봉합을 할 수 있다.[16,21,24,39] 식도 절제 부위가 긴 경우 유리 공장판(jejunal free flap)이나 위장을 이용한 대치술(gastric pull-up procedure)(그림 30-4B), 대장을 이용한 대치술(colonic interposition) 등을 시행할 수 있다.[36] 식도 절제가 불가능한 상황에서는 고식적인 술기로서 풍선확장술(ballooning dilatation)과 스텐트 삽입을 고려할 수 있다.[40] 수술이 불가능한 경우에는 역시 고식적인 의미로 방사선 치료를 시행하기도 한다.[21]

(3) 중요 혈관 침범

갑상선암에서는 내경정맥 침범은 드물지 않게 관찰되지만 경동맥으로의 침범은 매우 드물다.[41-46] 경부 혈관으로의 침범은 갑상선암이 직접 침범에 의한 경우보다는 측경부의 전이성 림프절로 부터 침습되는 경우가 대부분이다. 수술 전 검사에서 측경부의 림프절 전이가 심하고 내경정맥 등 혈관의 침범을 의심할 만한 소견이 있

다면 수술계획을 정함에 있어 혈관 손상이나 절제 가능성에 대해 숙고한 후 대책을 수립해야 한다.[21,41-46] 갑상선암에 의한 경정맥 침범은 정맥내 종양혈전(tumor thrombus)이 형성되어 있는 경우가 다수 있고, 상대정맥으로 확산되는 경우가 있는데,[5,8,20,24,29,43,46] 이러한 경우에는 폐색전(pulmonary embolism)으로 사망할 가능성도 있다. 상대정맥 증후군이 나타나는 경우는 상대정맥의 혈전으로 인한 폐쇄의 가능성도 있지만 외부의 압박으로 인한 경우가 더 흔하다. 분화갑상선암에서 내경정맥으로 직접 침습이 일어나는 경우는 최고 13%까지로 보고되어 있으며, 여포암(follicular cancer)에서 가장 흔하며, 기도 침습과 흔히 동반되는 것으로 알려져 있다.[21,43]

수술 전 검사로는 전산화단층촬영, 자기공명영상이 유용하고, 경동맥 침범이 의심될 때는 혈관조영술(angiography)을 시행하여 침범 부위에 대한 확인과 함께 수술중 절제를 할 경우에 참조할 해부적 지표를 확인하는 것이 중요하다.[21] 또한 뇌혈관의 혈류를 확인하여 대뇌동맥고리(circle of Willis) 등 반대편으로부터 우회하여 공급되는 흐름이 존재하는지 확인하여야 한다.

내경정맥 절제는 한쪽일 경우에서는 큰 후유증 없이 시행될 수 있으나, 양측으로 정맥의 침범이 있는 경우에는 양측 절제를 동시에 시행한다면 두경부의 부종, 두부 압력의 증가 등 후유증이 발생할 수 있다. 수술 시 침습이 심한 부위를 먼저 절제하고 대복재정맥(great saphenous vein) 등 자가조직을 이용한 재건술을 시행한 후 약 6주 이상 경과한 후 우회혈관이 충분히 발달된 다음 반대편 침습 정맥을 절제하는 것이 좋다.[21] 갑상선암이 상대정맥을 침범한 경우에는 혈전의 유무에 상관없이 적극적인 수술로 제거해야 한다.[29,43,46] 종양이나 혈전의 제거는 상대정맥의 분절절제나 상대정맥 절개 후 종양제거를 시행할 수 있으며, 자가조직, 사체조직(cadaveric tissue), 인공 이식조직(prosthetic graft)을 이용하여 재건해 준다.[21,43,46]

경동맥을 침범한 경우에는 보통 면도식 절제로 쉽게 종양을 제거할 수 있으나 여의치 않은 경우 경동맥

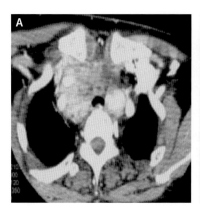 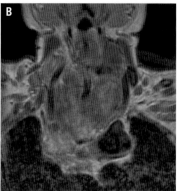 

그림 30-5 | 경부 중요 혈관 침범: 절제후 인공혈관을 이용한 대치술[Y-shaped PTFE (polytetrafluoroethylene) graft]
A. 전산화 단층촬영 소견. **B.** 자기공명 영상 소견. **C.** 수술사진: 혈관 절제 후 완두동맥(brachiocephalic trunk), 경동맥(carotid artery and), 쇄골하 동맥(subclavian artery)을 인조혈관으로 우회 재건한 모습

을 분절절제하고 재건하거나 단순 결찰을 하는 수도 있다.[24,35,42] 그러나 충분한 준비가 없는 상황에서 경동맥의 단순 결찰이나 절제를 시행할 경우 뇌졸중 등 심각한 부작용을 유발할 가능성이 높으며 심할 경우 사망에 이를 수 있으므로 주의를 요한다.[21,41-46] 경동맥을 절제한 경우에는 자가조직이나 인공조직을 이용한 재건술이 필수적이며, 혈류가 재건될 때까지의 시간이 중요하므로 신속하게 수술을 진행하여야 한다(그림 30-5).

(4) 림프계 혹은 림프절 침범

갑상선유두암과 수질암에서 림프절 전이가 흔하게 일어나고, 전이된 림프절의 크기가 직경 2 cm 이상이거나 림프절의 피막외 침습이 있는 경우 재발과 원격전이의 가능성이 높고 생존율도 낮은 것으로 보고되어 있다.[17,30] 측경부의 전이성 림프절로부터 혈관, 신경들의 침범이 있을 수 있고, 종격동내로 전이된 림프절에 의해서도 종격동내 주요 구조로 전이가 일어날 수 있다. 수술은 기능성 경부 청소술(functional modified radical neck dissection)이 권장되며, 직접적인 침범이 확인된 경우가 아니라면 최대한 경부 구조를 보존하는 것이 원칙이다. 일반적으로 경부의 횡절개선만으로 충분히 시행할 수 있으며, 필요한 경우 MacFee 절개(경부 상부의 보조적 횡절개)를 사용할 수 있고, 절개선을 상부로 연장하는 절개선

(Hockey stick incision)을 사용할 수도 있다.[17,21] 종격동내의 림프절 전이가 확인된 경우에는 흉골 절개(sternotomy)를 시행하여 수술장(surgical field)을 확보하고 전이성 림프절을 완벽하게 제거하고자 하는 노력이 필요하다(그림 30-6).[15,21]

4. 수술 후 보조요법

갑상선암에서 가장 중요한 치료는 수술이지만 국소진행성 갑상선암에서는 수술과 더불어 수술 후 보조요법 또한 중요한 위치를 차지한다. 수술 후 방사성요오드 치료와 갑상선 자극호르몬 억제 요법이 대표적인 방법인데, 특히 고위험 갑상선암에서는 이 치료방법이 효과적이라는 데는 이견이 없다.[17,20,21] 그러나 국소진행성 갑상선암에서 외부 방사선 치료의 효과는 아직 미지수인데,[28,33] 이는 대부분의 연구가 후향적이며, 질환의 진행도가 각기 다르고 방사선 조사량과 부위가 일정하지 않는 등, 아직 신뢰할 만한 수준의 대규모 전향적인 연구가 없기 때문이다. 그러나 45세 이상의 연령에서 수술 후 미세 잔존암에서 방사성요오드 흡착이 일어나지 않는 환자들에서는 방사선 치료를 시행하면 국소 재발을

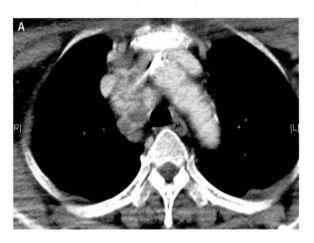

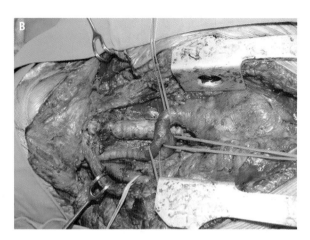

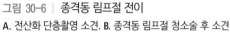

그림 30-6 | 종격동 림프절 전이
A. 전산화 단층촬영 소견. **B.** 종격동 림프절 청소술 후 소견

억제할 수 있는 것으로 보고되어 있다.[33,47] 또한 최근에는 난치성 또는 재발성 비 역형성갑상선암, 비 수질암의 국소 재발 환자나 절제 불가능 환자에서 외부 방사선 치료가(external beam radiation therapy: EBRT) 효과적이라는 연구 결과도 있다.[48] 항암화학요법은 거의 효과가 없는 것으로 알려져 있으며, doxorubicin계의 약물은 방사선 치료의 보조로 사용할 수 있으나 일반적으로는 사용되지 않는다.

다시 한번 강조하지만 수술 후 보조요법의 사용 가능성을 기대하여 수술 범위를 축소하는 것은 어떠한 경우에도 인정될 수 없으며, 적극적으로 최대한의 암종을 제거한 후 여의치 않게 남은 잔존암에서 대안으로서만 보조요법의 사용이 허용되었으나, 최근에는 수술을 할 수 없는 불응성 갑상선암의 치료에도 적절히 이용되고 있다.

Methyl transferase inhibitors, histon deacetylase inhibitors, PPARγ agonist들이 항암효과(antineoplastic effect)뿐만 아니라 갑상선암 세포의 분화요법(redifferentiation)을 유도하여 국소진행성 갑상선암과 광범위 전이를 보이는 갑상선암에서 유용하다는 연구결과들이 등장하고 있으며, 조만간 임상적으로 유용하게 사용될것으로 보인다.[49-51] 또한 불응성 갑상선암에 대한 분자 생물학적 표적 치료가 도입되어 임상적으로 사용되어지고 있다. Lenvatinib (E7080; 4-[3-chloro-4-(N'-cyclopropylureido) phenoxy] 7-methoxyquinoline-6-carboxamide mesylate)은 VEGF-R 1-3, FGF-R 1-4, 그리고 PDGF-R α를 저해하여 혈관 및 림프관 형성을 억제하고, 종양세포의 증식을 막는다.[52] Sorafenib (BAY43-9006)은 wild type BRAF, oncogenic BRAF V600E serine/threonine kinases, VEGF-R 1-3, PDGFR-β, FGF-R 1, c-kit, FLT-3, p38, 및 RET를 억제하여 종양세포의 증식과 성장을 막는다.[53] 이 외에도 sunitinib, cabozantinib, vandetanib 등이 표적 치료에 이용되고 있으며, 적지 않은 부작용에도 불구하고 불응성 갑상선암의 효과적 치료제로 자리 잡고 있다.

요약

국소진행성 갑상선암의 가장 중요한 치료는 수술이다. 절제범위는 안전한 간격을 확보하고 암종을 완벽하게 제거하는 것이 원칙이나 경부의 중요 구조를 침습한 상황에서 수술 후 남게 될 후유증에 대한 분석과 수술 후 보조 치료 방법의 활용도 등을 충분히 고려하여 가장 적절한 범위의 절제술을 선택해야 한다. 경부의 생명기관의 절제를 시행할 경우에는 절제범위뿐만 아니라 재건술에 대한 계획도 필요하고 부작용과 후유증을 최소화하는 것이 중요하다. 국소진행성 갑상선암에서 흔히 동반되는 림프절 전이와 전신 전이에 대해서도 철저한 수술 전 조사를 통해 계획을 수립하고 가능한한 모든 암종을 제거하여야 한다. 수술로 완벽한 제거가 어려운 경우에는 수술 후 미세 잔존암에 대해 방사성 동위원소치료가 유용하고, 갑상선 자극호르몬 억제요법이 효과적이며, 방사성요오드 흡착이 되지 않는 잔존암이 있을 경우에는 외부 방사선 치료를 고려하여야 한다. 또한 불응성 갑상선암에 대한 표적 치료도 고려해야 할 것이다.

이러한 적극적인 치료 방침을 통해 국소진행성 갑상선암의 치료 가능성을 높일 수 있으며, 국소 증상의 해소 혹은 완화를 통해 삶의 질 향상도 이룰 수 있으리라 생각된다. 또한 조기검진을 통해 비교적 병기가 낮고 분화도가 좋은 상태에서 적절한 치료를 함으로써 진행성, 불응성 갑상선암으로 진행을 막고 치료의 부작용을 감소시키는 것도 중요하리라 생각된다.[54]

REFERENCES

1. Tubiana M, Schlumberger M, Rougier P, Laplanche A, Benhamou E, Gardet P et al. Long-term results and prognostic factors in patients with differentiated thyroid carcinoma. Cancer 1985;55:794-804.

2. Hirabayashi RN, Lindsays. Carcinoma of the thyroid gland: a statistical study of 390 patients. J Clin Endocrinol Metab 1961;21:1596-610.

3. McConahey WM, Hay ID, Woolner LB, van Heerden JA, Taylor WF. Papillary thyroid cancer treated at the Mayo Clinic, 1946 through 1970: initial manifestations, pathologic findings, therapy, and outcome. Mayo Clin Proc 1986;61:978-96.

4. Grillo HC, Zannini P. Resectional management of airway invasion by thyroid carcinoma. Ann Thorac Surg 1986;42:287-98.

5. Park CS, Suh KW, Min JS. Cartilage-shaving procedure for the control of tracheal cartilage invasion by thyroid carcinoma. Head Neck 1993;15:289-91.

6. Ozaki O, Sugino K, Mimura T, Ito K. Surgery for patients with thyroid carcinoma invading the trachea: circumferential sleeve resection followed by end-to-end anastomosis. Surgery 1995;117:268-71.

7. Czaja JM, McCaffrey TV. The surgical management of laryngotracheal invasion by well-differentiated papillary thyroid carcinoma. Arch Otolaryngol Head Neck Surg 1997;123:484-90.

8. Nishida T, Nakao K, Hamaji M. Differentiated thyroid carcinoma with airway invasion: indication for tracheal resection based on the extent of cancer invasion. J Thorac Cardiovasc Surg 1997; 114:84-92.

9. Cody HS, 3rd, Shah JP. Locally invasive, well-differentiated thyroid cancer. 22 years' experience at Memorial Sloan-Kettering Cancer Center. Am J Surg 1981;142:480-3.

10. Machens A, Hinze R, Lautenschlager C, Thomusch O, Dralle H. Thyroid carcinoma invading the cervicovisceral axis: routes of invasion and clinical implications. Surgery 2001;129:23-8.

11. Grillo HC. Circumferential resection and reconstruction of the mediastinal and cervical trachea. Ann Surg 1965;162:374-88.

12. Mulliken JB, Grillo HC. The limits of tracheal resection with primary anastomosis: further anatomical studies in man. J Thorac Cardiovasc Surg 1968;55:418-21.

13. Lipton RJ, McCaffrey TV, van Heerden JA. Surgical treatment of invasion of the upper aerodigestive tract by well-differentiated thyroid carcinoma. Am J Surg 1987;154:363-7.

14. Tsumori T, Nakao K, Miyata M, Izukura M, Monden Y, Sakurai M et al. Clinicopathologic study of thyroid carcinoma infiltrating the trachea. Cancer 1985;56:2843-8.

15. Ishihara T, Kobayashi K, Kikuchi K, Kato R, Kawamura M, Ito K. Surgical treatment of advanced thyroid carcinoma invading the trachea. J Thorac Cardiovasc Surg 1991;102:717-20.

16. Gillenwater AM, Goepfert H. Surgical management of laryngotracheal and esophageal involvement by locally advanced thyroid cancer. Semin Surg Oncol 1999;16:19-29.

17. Kebebew E, Clark OH. Differentiated thyroid cancer: "complete" rational approach. World J Surg 2000;24:942-51.

18. Silver CE, Owen RP, Rodrigo JP, Rinaldo A, Devaney KO, Ferlito A. Aggressive variants of papillary thyroid carcinoma. Head Neck 2011;33:1052-59.

19. Chang H, Kim SM, Chun KW, Kim BW, Lee YS, Chang HS et al. Clinicopathologic features of solid variant papillary thyroid cancer. ANZ J Surg 2014;84:380-2.

20. McCaffrey TV, Bergstralh EJ, Hay ID. Locally invasive papillary thyroid carcinoma: 1940-1990. Head Neck 1994;16:165-72.

21. Kebebew E, Clark OH. Locally advanced differentiated thyroid cancer. Surg Oncol 2003;12:91-9.

22. Djalilian M, Beahrs OH, Devine KD, Weiland LH, DeSanto LW. Intraluminal involvement of the larynx and trachea by thyroid cancer. Am J Surg 1974;128:500-4.

23. Talpos GB. Tracheal and laryngeal resections for differentiated thyroid cancer. Am Surg 1999;65:754-9; discussion 759-60.

24. Fujimoto Y, Obara T, Ito Y, Kodama T, Yashiro T, Yamashita T et al. Aggressive surgical approach for locally invasive papillary carcinoma of the thyroid in patients over forty-five years of age. Surgery 1986;100:1098-107.

25. Pak H, Gourgiotis L, Chang WI, Guthrie LC, Skarulis MC, Reynolds JC et al. Role of metastasectomy in the management of thyroid carcinoma: the NIH experience. J Surg Oncol 2003;82:10-8.

26. Cobin RH, Gharib H, Bergman DA, Clark OH, Cooper DS, Daniels GH et al. AACE/AAES medical/surgical guidelines for clinical practice: management of thyroid carcinoma. American Association of Clinical Endocrinologists. American College of Endocrinology. Endocr Pract 2001;7:202-20.

27. Mazzaferri EL. Management of a solitary thyroid nodule. N Engl J Med 1993;328:553-9.

28. Mazzarotto R, Cesaro MG, Lora O, Rubello D, Casara D, Sotti G. The role of external beam radiotherapy in the management of differentiated thyroid cancer. Biomed Pharmacother 2000;54:345-9.

29. Lalak NJ, Campbell PR. Infiltrating papillary carcinoma of the thyroid with macroscopic extension into the internal jugular vein. Otolaryngol Head Neck Surg 1997;117:S228-30.

30. Yamashita H, Noguchi S, Murakami N, Kawamoto H, Watanabe S. Extracapsular invasion of lymph node metastasis is an indicator of distant metastasis and poor prognosis in patients with thyroid papillary carcinoma. Cancer 1997;80:2268-72.

31. McCaffrey TV, Lipton RJ. Thyroid carcinoma invading the upper aerodigestive system. Laryngoscope 1990;100:824-30.

32. Nishida T, Nakao K, Hamaji M, Kamiike W, Kurozumi K, Matsuda H. Preservation of recurrent laryngeal nerve invaded by differentiated thyroid cancer. Ann Surg 1997;226:85-91.

33. Brierley JD, Tsang RW. External-beam radiation therapy in the treatment of differentiated thyroid cancer. Semin Surg Oncol 1999;16:42-9.

34. Shin DH, Mark EJ, Suen HC, Grillo HC. Pathologic staging of papillary carcinoma of the thyroid with airway invasion based on the anatomic manner of extension to the trachea: a clinicopathologic study based on 22 patients who underwent thyroidectomy and airway resection. Hum Pathol 1993;24:866-70.

35. Friedman M. Surgical management of thyroid carcinoma with laryngotracheal invasion. Otolaryngol Clin North Am 1990;23:495-507.

36. Ballantyne AJ. Resections of the upper aerodigestive tract for locally invasive thyroid cancer. Am J Surg 1994;168:636-9.

37. Musholt TJ, Musholt PB, Behrend M, Raab R, Scheumann GF, Klempnauer J. Invasive differentiated thyroid carcinoma: tracheal resection and reconstruction procedures in the hands of the endocrine surgeon. Surgery 1999;126:1078-87; discussion 1087-1078.

38. Hopkins C, Stearns M, Watkinson AF. Palliative tracheal stenting in invasive papillary thyroid carcinoma. J Laryngol Otol 2001;115:935-7.

39. Melliere DJ, Ben Yahia NE, Becquemin JP, Lange F, Boulahdour H. Thyroid carcinoma with tracheal or esophageal involvement: limited or maximal surgery? Surgery 1993;113:166-72.

40. Grossman TW, Wilson JF, Toohill RJ. Delayed aerodigestive tract complications following combined therapy for thyroid cancer. Ann Otol Rhinol Laryngol 1985;94:505-8.

41. Gardner RE, Tuttle RM, Burman KD, Haddady S, Truman C, Sparling YH, et al. Prognostic importance of vascular invasion in papillary thyroid carcinoma. Arch Otolaryngol Head Neck Surg 2000;126:309-12.

42. Niederle B, Hausmaninger C, Kretschmer G, Polterauer P, Neuhold N, Mirza DF, et al. Intraatrial extension of thyroid cancer: technique and results of a radical surgical approach. Surgery 1990;108:951-6; discussion 956-957.

43. Onaran Y, Terzioglu T, Oguz H, Kapran Y, Tezelman S. Great cervical vein invasion of thyroid carcinoma. Thyroid 1998;8:59-61.

44. Yousem DM, Hatabu H, Hurst RW, Seigerman HM, Montone KT, Weinstein GS et al. Carotid artery invasion by head and neck masses: prediction with MR imaging. Radiology 1995;195:715-20.

45. Thompson NW, Brown J, Orringer M, Sisson J, Nishiyama R. Follicular carcinoma of the thyroid with massive angioinvasion: extension of tumor thrombus to the heart. Surgery 1978;83:451-7.

46. Perez D, Brown L. Follicular carcinoma of the thyroid appearing as an intraluminal superior vena cava tumor. Arch Surg 1984;119:323-6.

47. Tsang RW, Brierley JD, Simpson WJ, Panzarella T, Gospodarowicz MK, Sutcliffe SB. The effects of surgery, radioiodine, and external radiation therapy on the clinical outcome of patients with differentiated thyroid carcinoma. Cancer 1998;82:375-88.

48. Romesser PB, Sherman EJ, Shaha AR, Lian M, Wong RJ, Sabra M et al. External beam radiotherapy with or without concurrent chemotherapy in advanced or recurrent non-anaplastic non-medullary thyroid cancer. J Surg Oncol 2014;110:375-82.

49. Sarlis NJ. Metastatic thyroid cancer unresponsive to conventional therapies: novel management approaches through translational clinical research. Curr Drug Targets Immune Endocr Metabol Disord 2001;1:103-15.

50. Ferrari SM, Materazzi G, Baldini E, Ulisse S, Miccoli P, Antonelli A et al. Antineoplastic Effects of PPARgamma Agonists, with a Special Focus on Thyroid Cancer. Curr Med Chem 2016;23:636-49.

51. Kim SM, Park KC, Jeon JY, Kim BW, Kim HK, Chang HJ et al. Potential anti-cancer effect of N-hydroxy-7-(2-naphthylthio) heptanomide (HNHA), a novel histone deacetylase inhibitor, for the treatment of thyroid cancer. BMC Cancer 2015;15:1003.

52. Lorusso L, Pieruzzi L, Biagini A, Sabini E, Valerio L, Giani C et al. Lenvatinib and other tyrosine kinase inhibitors for the treatment of radioiodine refractory, advanced, and progressive thyroid cancer. Onco Targets Ther 2016;9:6467-77.

53. Martin del Campo SE, Levine KM, Mundy-Bosse BL, Grignol VP, Fairchild ET, Campbell AR et al. The Raf Kinase Inhibitor Sorafenib Inhibits JAK-STAT Signal Transduction in Human Immune Cells. J Immunol 2015;195:1995-2005.

54. Hang-Seok Chang, Hojin Chang. 국소진행성 갑상선암의 치료. The Koreran journal of Endocrine Surgery 2013;13.2:71-6.

분화갑상선암의 경부림프절절제술

Management of Regional Lymph Nodes in Differentiated Thyroid Carcinoma

| 연세대학교 의과대학 외과 **남기현**

경부 림프절 전이를 보이는 분화갑상선암 환자의 외과적 치료는 여전히 어려운 과제다. 분화갑상선 암 환자의 예후는 원발 종양의 크기, 조직학적 유형, 원발 종양의 갑상선피막 외 침윤, 모든 악성 조직을 제거하는 외과 의사의 능력, 진단 당시의 원격 전이 유무와 관련이 있다. 분화갑상선암의 주종을 차지하는 유두암의 림프절 전이는 생존율에는 큰 영향을 미치지는 않으나 재발률을 증가시키는 주요 원인으로 알려져 있다.

분화갑상선 암의 자연 경과는 암 아형에 따라 각각 다르다. 유두암은 주로 국소 림프절로 전이한다. 원격 전이는 환자의 약 10%에서 발생하며 불량한 예후를 예고한다. 여포암은 대부분 먼곳까지 혈액성 전이로 퍼진다. 림프절 전이는 유두암에서 보다 드물며, 존재하는 경우 더 나쁜 결과를 시사한다.

이 장에서는 갑상선 유두암 및 여포암에 대한 변형근치경부곽청술의 이론적 근거와 기법을 설명한다. 변형근치경부곽청술기에 대한 큰 이견은 없지만 이 술기의 예방적 시술에 대한 이론적 근거와 적응증은 논란의 여지가 있다. 경부 및 종격동 림프절로 전이하는 갑상선암 환자를 치료하기 위한 합리적인 전략을 수립하기 위해서는 진단 당시의 림프 배액 경로 및 전이의 발생 양상을 이해해야 한다.

1. 갑상선의 림프 배액

갑상선은 광범위한 림프 배액을 가지고 있으며, 이는 다양한 방향으로 흐를 수 있다.[1] 갑상선 여포는 림프관으로 싸여 있다. 갑상선 내 림프 연결은 광범위하며 갑상선 내 및 피막 주위의 림프절을 통해 하나의 엽에서 다른 엽으로 림프 배액을 가능하게 한다.[2] 주요 림프관은 원심성으로 가며 세 가지 주요 방향: 위로, 옆으로, 및 아래로 갑상선 동맥과 정맥의 가지를 따른다.

갑상선 상부 구역의 림프계는 갑상선 상부혈관을 따라서 상부 내경정맥 림프절로 배액한다. 협부 림프절은 전후두 림프절(델피안 림프절)로 배액되어 상부 내경정맥 림프절로 최종적으로 배액된다. 갑상선 측방 림프관은 중간 갑상선 정맥을 따라서 중간 및 하부 내경정맥 림프절로 간다. 하부 림프 배출은 전기관, 기관곁 림프절 및 하부 내경정맥 림프절로 간다. 전종격동 림프절 및 후인후부 림프절로 연결되는 것이 흔하지만 턱밑 및 설골 상부 림프절로 가는 배액은 드물다. 피막 주위, 전기관 및 전후두 림프절을 통해서 반대 측 림프절이 연관된다.[3] 광범위한 갑상선 내 외의 림프 연결이 아마도 다발성 선내 갑상선 암의 높은 발병률에 기여할 것이다.[2] 초기 림프절 전이는 중앙 경부 구획(양측 경동맥 사이)에서 전기관 및 기관곁 림프절로 가장 흔하게 관찰되며 이후에 깊은 아래쪽 및 측경부 림프절로 전이된다. 일반적으로 다발성을 보이는 큰 갑상선암이 광범위한 림프절 전이를[4] 보이지만, 미세갑상선암에서도 림프절 전이가 있을 수 있다.

2. 경부 해부

경부의 해부적 구획은 경계를 규정하며 인식하는 것이 중요하다.[5] 2008년에 미국의 이비인후과 학회의 두경부 수술 및 종양학 위원회(the Committee for Head and Neck Surgery and Oncology of the American Academy of Otolaryngology—Head and Neck Surgery)에서 경부 절제술 분류의 최신 업데이트를 발표했다.[6] 이 새로운 지침은 약간 개정이 되었으나, 이전 지침과 크게 다르지 않다.

흉쇄유돌근(sternocleidomastoid muscle)은 가장 두드러진 표식이며 경부의 주요 혈관인 경동맥과 내경정맥을 덮고 있다. 6개의 주요 림프절 영역을 구별할 수 있으며 분류에서 수준(level)으로 표현된다(그림 31-1). 악하 삼각형 및 턱밑 삼각형(Level I)은 하악골, 설골(hyoid bone) 및 악하선의 뒤쪽 가장자리로 경계가 지어진다. 악이복근의 앞쪽 배(anterior belly of the digastric muscle)는 위쪽 삼각을 앞쪽으로 턱 밑 부분과 뒤쪽으로 아래턱 밑 부분으로 나눈다. 악하선은 이 구역의 일부다. 세 개의 경정맥 구역은 흉골설골근(sternohyoid muscle)의 측방 가장자리와 흉쇄유돌근의 후방 가장자리에 의해 전방으로 경계를 이룬다. 상부 경정맥 림프절(Level II)은 두개골 바닥부터 중간 경정맥 구역의 두개골 한계를 형성하는 설골의 수평 경계 수준까지 내려간다(Level III). 윤상 연골(cricoid cartilage)의 아래쪽 경계는 하부 경정

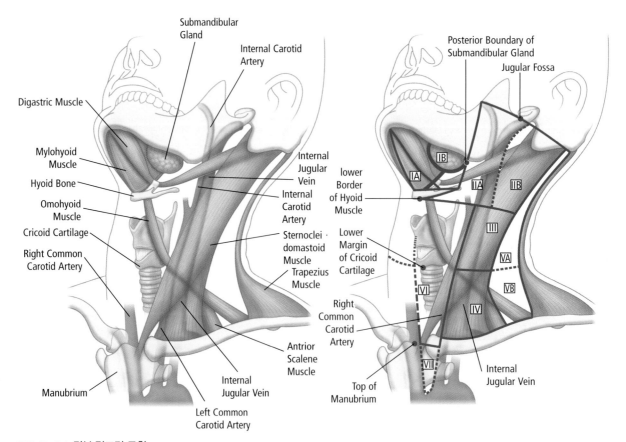

그림 31-1 | 경부 림프절 구획

맥(Level IV)부터 중간 경정맥(Level III)을 경계 짓는다; 하부 경정맥 림프절은 윤상 연골의 아래쪽 경계와 쇄골 사이에 위치한다. 경부 뒤쪽 삼각형의 위쪽 경계(Level V)는 흉쇄유돌근과 등세모근(trapezius muscle)에 의해 형성된 것이다. 이것은 앞쪽으로는 흉쇄유돌근의 후방 경계에 의해, 뒤쪽으로는 승모근의 전방 가장자리에 의해, 그리고 아래쪽으로는 쇄골에 의해 경계가 지어진다. 앞쪽 경부 구획(Level VI)은 흉골상절흔(suprasternal notch)에서 설골까지 그리고 기관에서 총 경동맥의 내 측면까지 이어진다. Level VI은 갑상선 암 환자에서 가장 흔하게 관련되는 림프절을 포함하고 있으며 되돌이후두신경을 따라서 갑상선 주위의 림프절, 윤상연골 전(델피안) 림프절, 그리고 전기관 및 기관곁 림프절을 포함한다. 아래쪽 경부에서부터의 구역, 흉골상절흔에서 무명정맥까지의 구역은 상부 종격동(Level VII)으로 여겨지며 Level VI과는 별도로 고려되지만, 기관 및 식도의 홈(tracheoesophageal groove)에 전이된 림프절이 있는 갑상선 암 환자들에서 자주 관련된다. Level VI과 상부 종격동이 함께 중앙 경부 구획을 형성한다.

승모근의 앞쪽 경계에서 경부 뒤쪽에서 시작하는 수술 영역의 깊은 층 또는 "바닥"은 머리의 널판근(splenius muscle)과 척추 부신경이 있는 견갑골의 거근(levator scapular muscle)으로 구성된다.

중간목갈비근(scalenus muscle)은 앞쪽 및 중간의 중간목갈비근 사이로 지나가는 상완신경총(brachial plexus)을 따라 간다. 횡격막신경은 앞쪽의 중간목갈비근을 가로지른다. 미주신경은 내경정맥과 경동맥 사이로 지나가며 흉곽으로 내려 간다. 설하 신경은 악이복근 아래로 지나간다. 배쪽에 후두 근육, 식도, 기관 및 갑상선이 위치하며, 이 구역에서는 상 후두 신경, 되돌이후두신경 및 부갑상선에 특별한 주의를 기울여야 한다.

림프절은 대개 Kocher collar 절개를 통해 상부 종격에서 제거 될 수 있다. 종격동 내 무명 정맥 주위 림프절을 제거하기 위해서는 보통 중간 흉골 절개가 필요하다. 갑상선 암 환자에서 림프절절제술을 시행하기 위해서는 경부를 경동맥 초로 나누어 중앙 및 측방 경부 구획으로

나누어야 한다. 경부의 림프절을 둘러싼 지방 조직은 심부 경부 근막의 첫 번째와 세 번째 층 사이에 위치한다. 근막의 첫 번째 층은 흉쇄유돌근의 뒷쪽 근막에 의해 형성된다; 이것은 뒤쪽으로 승모근으로 가고 앞쪽으로 악이복근으로 가며 띠 근육(strap muscle)을 덮는다. 깊은, 또는 세 번째 경부 근막 층은 기관과 식도를 덮고, 중간목갈비근, 견갑골의 거근 및 머리의 판상근 위로 측방으로 가서 승모근에 있는 얕은 경부 근막에 합류한다. 경동맥 판에서 나온 건막 판은 얕은 쪽으로 띠 근육을 덮고 있는 근막으로 시상으로 주행하고 뒤쪽으로 중간목갈비근을 덮고 있는 심부 경부 근막으로 간다. 경동맥이 주된 구조인 이 건막 판은 근막으로 덮인 조직을 중앙 및 외측 구획으로 나눈다. 별도의 내장 구획을 구별할 수 있기 때문에 측면에 위치한 림프절을 갑상선과 함께 일괄 추출할 수 없다. 결과적으로, 경부 절제술은 중심 경부 절제술과 측면 경부 절제술로 세분되어야 한다.

갑상선 암 환자에서 림프절절제술을 시행하기 위해서는 경부를 경동맥 초로 나누어 중앙 및 측면 경부 구획으로 나누어야 한다. 중앙 경부 구획에서 갑상선은 기관지, 식도, 부갑상선 및 되돌이후두신경과 함께 띠 근육도 포함하는 하나의 내장 공간에 위치하고 있다. 위쪽으로는 설골까지 연장되며 아래쪽으로는 상 종격에 있는 무명 정맥까지 연장된다. 경동맥 초는 측면 경부 림프절을 포함하는 별도의 측면 구획의 내측 경계 역할을 한다.

3. 림프절 전이의 발생빈도 및 발생부위

1) 발생률

유두암 환자에서 초기 림프절 전이의 여부와 정도는 종양의 크기와 나이와 상관 관계가 있다.[7] 이러한 현상에도 불구하고 림프절 전이가 질병의 초기 단계에서 종종 발생한다. 갑상선 유두암 중 미세유두암(1 cm 이하

로 정의)이 있는 환자도, 국소 림프절로의 전이는 드물지 않다.[8-11] 또한, 임상적으로 림프절 전이의 증거가 없는 환자에서(clinical N0) 예방적 림프절절제술을 시행하면 30~80%의 환자가 미세전이가 있는 것으로 확인된다.[12-19] 따라서 많은 수의 갑상선 유두암 환자는 1차 치료 시 임상적 또는 잠재적인 국소 림프절 전이가 있다. 또 다른 흥미로운 현상은 어린 환자에서 경부 림프절 전이의 빈도가 더 높다는 사실이다.[20-21]

갑상선 여포암은 주로 혈행성으로 퍼지고 드물게 림프절로 퍼진다. 종양이 갑상선에만 국한되고 원격 전이가 없는 여포암 환자에서 약 5%의 환자에서 림프절 전이가 발생한다. 존재할 경우에는 주로 원발 종양의 갑상선 외부로의 확장과 관련되어 있으며 따라서 진행된 병기를 의미한다.

2) 발생부위 Localization

대부분의 갑상선 유두암 환자는 편측성 림프절 전이를 가지고 있으나, 특히 원발측의 광범위한 림프절 전이가 있는 경우 양측 또는 반대측 전이가 발생한다.[3,24,26,28,29] 갑상선암에 인접한 중앙 경부 림프절은 대개 처음에 전이된다.[20,30,31] 경동맥 사슬을 따라 위치한 측경부 구획은 일반적으로 적어도 갑상선에 인접한 은폐된 림프절 전이가 존재할 때까지 파급되지 않는다. 그러나 건너 뜀 전이(중앙 구획에 전이가 없는 측방 구획의 전이)가 대략 20%에서 일어난다.[32-35] 이 현상은 갑상선 상극의 원발암과 관련이 있다. 측경부 구획에서, 정맥의 상부 3분의 1(Level II) 및 쇄골 상부의 후삼각형[3,36,37] 구역(Level V)보다 내경정맥의 중간과 하부(Level III과 IV)를 따르는 림프절이 더 자주 전이된다. 림프절 전이가 수반된 모든 환자에서 중앙 경부 구획 내와 중간 및 하부 내경정맥(Level III과 IV)을 따라서 전이의 80%가 발견된다. 갑상선 암에서 악하 삼각형 및 턱밑 삼각형 림프절(Level I)은 거의 영향을 받지 않는다. 상종격동 림프절 전이는 진행성 유두암 환자에서 더 흔하게 관련된다.[26,38-40]

4. 림프절 전이의 예후와의 관계

1) 생존

갑상선 유두암에서 림프절 전이는 생존의 주요 위험 요소가 아닌 사소한 것으로 보이지만 명확한 데이터는 부족하다. 이 문제를 다루는 몇 건의 연구의 결과가 서로 다르다. 일부 연구에서 분화암 환자에서 임상적으로 명백한 림프절 전이가 존재하는 것이 생존에 부정적인 영향을 미친다는 사실을 제시했지만[41-42] 보다 최근의 후향성 코호트를 이용한 다변량 분석에서는 생존에는 영향이 없거나 최소한으로 나타났다. 더욱이, 유두암에서 림프절 전이의 크기는 생존과 관련이 없는 반면 림프절 외 부위로 확장은 관련이 있는 것으로 보인다.[45-46]

여포암에서 림프절 전이의 발생 빈도는 적다. 국소 림프절은 여포성 갑상선 암 환자에서 흔히 볼 수 없기 때문에 일부 후향적 연구에서 생존율에 영향을 주는 예후 인자로 보이는 반면에[47,48] 다른 연구에서는 그렇지 않다.[49]

2) 재발률

유두암에서 림프절 전이의 전반적 생존에 대한 영향은 논쟁 중이지만 재발률의 영향은 상당히 일관적이다.[19,55-57] 흥미롭게도 갑상선 유두암 환자의 대부분은 적어도 현미경적으로 림프절 전이를 보였으나 육안으로 보이는 림프절 전이가 없는 예방적 경부 절제술을 시행하지 않은 환자에서는 재발률이 낮으며 대체로 20%를 초과하지 않는다. 육안으로 보이는 림프절 전이와 관련하여 몇몇 연구에서 재발의 위험은 발현 시점에서 병적인 림프절의 정도[58-60] 및 국소화[57]와 분명히 관련이 있음을 보여준다.

육안으로 탐지할 수 있는 림프절 전이가 있는 환자의 재발률은 미세전이가 있는 환자와 음성 환자의 재발률을 분명히 상회한다.[58,61,62] 최근의 경부 림프절 전이의 특징의 임상적 의미에 대한 연구에서 임상적으로 검출 할 수 없는 미세전이를 가진 환자에서 2%의 재발성 질병을 보인 반면, 임상적으로 진단 가능한 다중 림프절전이 및 림프절 외 성장을 가진 환자에서 최대 24%까지 상승하는 변동하는 위험성을 보고하였다.[63]

중앙 경부에 전이된 림프절이 있는 것은 측경부에 림프절 전이를 일으킬 가능성을 높이지만, 술 후 측경부 림프절에서 재발하는 경우는 비교적 드물다. 분명히, 이 은폐된 전이의 대부분은 성장하지 못하고 몇몇은 퇴행 할 수 있다.

5. 경부 림프절절제술의 선택

경부 림프절로 전이된 환자를 치료하는 데 사용되는 수술은 중대한 영향을 받는 림프절("림프절 선택")을 제거하는 것에서부터, 선택적, 또는 변이적 경부 근치술, 및 고전적 경부 근치술까지 다양하다. 1906년에 Crile이 두경부 암의 국소 제어를 위해 전형적인 경부 근치술을 개발했다.[64] 이 수술은 대부분의 두경부 암의 표준 수술이 되었지만 오늘날 갑상선 암 환자에게 거의 사용되지 않는다. 경부 근치술은 미용적인 단점과 더불어 기능적으로 좋지 않은 결과와 관련이 있으나, 비교적 간단한 수술로도 양호한 국소 제어 및 치료 결과를 얻을 수 있다. 다른 외과 의사가 "기능적인"경부 절제술이라고 부르는 변이된 경부 절제술은 기능적으로 중요한 구조(근육, 혈관 및 신경)를 보존하면서 경부의 5개 수준의 림프절 네트워크를 일괄 절제할 수 있다. 갑상선 암에 대한 변이된 경부 절제술은 기술되어 있으며[65-68] 이 수술은 최소한의 이환율과 유리한 미용상 결과로 수행될 수 있다. 모든 부위가 절제되지 않을 경우, 절차는 선택적 경부 절제술로 정의해야 하며, 시행한 모든 절제 부위를 명시해야 한다. 변이된 또는 선택적인 경부 절제는 경부 림프절에 전이된 갑상선 암 환자에게 선택되는 치료법이다. 상부 종격동의 절제는 중앙 경부 구획 절제의 일부

로서, 흉선 주위의 림프절의 제거를 포함한다. 광범위한 침습적 유두 및 여포암 환자에서 전상부 종격동의 모든 지방 조직, 흉선 및 림프절을 제거하기 위해서 때로는 정중 흉골 절개술을 수행해야 한다.

림프절 전이는 광범위한 림프절 침범이 있더라도 흉쇄유돌근의 실질 내에서 거의 발견되지 않는다. 따라서 직접적으로 침범되지 않는 한 이 근육을 희생할 필요가 없다. 일반적으로 척수부신경은 주위의 모든 조직과 분리가 가능하다. 척수부신경을 보존함으로써 경부, 어깨 및 등의 변이가 감소된다. 내경정맥도 보존할 수 있지만 정맥을 따라 모든 림프절, 특히 아래쪽 끝부분의 후면부에 위치한 림프절을 절제하는 것이 필수적이다. 양측 변형된 경부 림프절절제술을 시행하는 동안 심각한 안면 팽창과 부종을 피하기 위해 적어도 하나의 내경정맥을 보존하는 것이 중요하다.[67,68]

1) 갑상선 유두암 및 여포암

분화갑상선암에서 중앙 및 측경부 구획을 포함한 예방적인 변이된 경부 림프절절제술은 재발 및 생존에 유익한 효과가 있다는 증거가 부족하기 때문에 일반적으로 옹호되지 않는다.[58,61,69,70] 임상적으로 림프절 전이 음성 환자에서 종양 제거를 위해서 모든 림프절 조직을 제거하려는 시도는 정당화되지 않는다. 중앙 경부 림프절절제술에 관해서는 논란의 여지가 더 많다.[42,71-73] 지금까지 예방적 중앙 경부 림프절절제술을 받은 환자에서 재발률이 감소한다는 증거는 없다. 충분한 통계 능력을 위해서는 많은 수의 환자가 요구되는데, 종양의 양호한 예후와 비교적 느린 진행 양상으로 인하여 그러한 전향적 연구는 가능하지 않은 것으로 보인다.[74] 이러한 정보에도 불구하고 일부 외과 의사는 일상적으로 갑상선 전 절제술과 동시에 예방적인 중앙 경부 림프절의 동측 및 양측 제거를 권장한다.[12,75] 예방적인 중앙 경부 림프절절제술 지지자들은 유두암 환자의 80%까지 림프절 전이가 발생한다고 보고한다. 중앙 림프절들을 제거

함으로써, 갑상선 절제술 이후에 중앙 경부 구획의 재수술(부작용이 증가하는 것으로 알려진)의 필요성은 더 낮아진다. 중앙 경부 림프절의 예방적 절제에 반대하는 주장은 부갑상선 기능 저하증의 위험 증가, 되돌이후두신경 손상의 위험 증가, 그리고 재발 및 생존 측면에서 장기적인 이득의 개선이 없다는 것을 주장한다.[42,72,76]

분화갑상선암의 육안으로 보이는 림프절 전이를 가진 환자에서 변이된 경부 림프절절제술은 제한적 림프절 적출(전이된 림프절만 적출)과 비교하여 국소 재발을 감소시키므로 일반적인 표준 치료 방법으로 인정된다.[77] 그러나 경부 림프절절제술의 범위는 전반적인 생존에 명백한 영향을 미치지 못한다.[78-80]

갑상선 암의 림프절 전이는 level 1에서는 드물기 때문에 level 1의 절제는 거의 필요하지 않다. 초음파 스캔이 의심스러운 림프절을 보여주지 않는 한, level 2B와 level 5A도 마찬가지다.[36,37,81] 이 치료 방법을 적용하면 안면 신경의 가장자리 하악 분지와 척수부신경을 손상시킬 위험이 감소된다.[82]

2) 감시 림프절절제술

갑상선 암에서의 감시 림프절절제술은 오래 전부터 연구되었다. 이 기법은 생체 염료 기법, 또는 방사성 추적자 기법으로 수행되었으며, 각각의 기법에 대해 다양한 감시 림프절 탐지 속도가 기술되었다. 청색 염료를 단독으로 사용하는 것은 탐지율이 약 84%이고, 방사성 동위원소를 사용하는 것은 98%이며, 두 기법을 결합하는 것은 약 96%의 탐지율을 보였다.[88,89] 감시 림프절 절제의 위음성 비율은 모든 환자가 중앙 및 변이된 측 경부 림프절절제술을 받는 않기 때문에 확인하기가 어렵지만 0%에서 35%까지 다양하다.[90-92]

감시 림프절절제술이 시행될 수 있지만 육안으로 안 보이는 림프절 전이의 예방적 제거가 유두 암의 예후에 대해 미치는 임상적 영향은 의문이다.[89] 대부분의 외과 의사들은 림프절이 커진 환자에서 외과적 림프절 절제는 치료적인 절제로 제한되어야 한다는 것에 동의하기 때문에 감시 림프절절제술의 유두암 환자에 대한 사용은 제한적이다. 감시 림프절 연구는 다수의 외과 의사가 수질암 및 작은 원발 종양 환자에 대한 표준 측경부 림프절절제술을 옹호하기 때문에 그러한 환자에게 도움이 될 수 있다. 중앙 경부 림프절에 침범이 없는 환자의 측경부 구획에서 감시 림프절을 확인하는 것은 측경부 림프절절제술로 이득을 볼 수 있는 환자를 선택할 수 있다. 이 문제를 명확히 하기 위해서는 추가 연구가 필요하다.

6. 치료 전략

유두 및 갑상선여포암

갑상선 유두암 또는 여포암 환자의 국소 림프절 치료 전략은 합병증의 위험을 최소화하면서 지방 및 림프 조직을 제거하는 것이다. 앞에서 언급했듯이, 갑상선 유두암 및 여포암 환자에서 가능성이 있는 미세림프절 전이에 대한 예방적 경부 림프절절제술은 바람직하지 않은 것으로 보인다.

갑상선 전절제술을 시행하는 동안 중앙 경부 구획을 면밀히 검사한 후, 크기가 커진 림프절은 제거해서 냉동절편 분석을 위해 보낸다. 결과가 양성일 경우 상부 종격동을 포함하여 중앙 경부 림프절 절제를 시행한다. 변형된 경부 림프절절제술은 일반적으로 최소한의 이환율로 시행될 수 있다. 중앙 경부 구획에 분명한 림프절 침범은 없으나, 측경부 구획에 침범된 림프절이 있을 때는 동측의 변이된 측경부 림프절절제술뿐 아니라 상부 종격동을 포함한 중앙 경부 림프절절제술도 권장된다.

7. 경부의 국소 재발 치료

재발 갑상선 암은 15~35%의 경우에서 발생하며 경부 림프절에서 주로 발생한다.[96,97] 최상의 치료 방법에 관한 큰 규모의 연구가 부족하며 권장 사항은 후향적 연구에 근거한다.[98-101] 유두암 환자에서 림프절의 재발이 작고(1 cm 미만) 갑상선 수술 부위에 위치할 경우에는 주로 방사선 요오드 치료가 효과적이며, 방사선 요오드 섭취가 없는 45세 이상의 환자에서는 외부 방사선 조사가 효과적이다. 이 접근 방법은 환자의 35%를 치료한다고 보고되었다.[97]

측면 경부의 재발은 변이된 경부 림프절 절제로 치료해야 한다. 경부 림프절 절제 후 재발이 발생하면 반복적인 경부 림프절절제술 또는 국소 절제술을 시행해야 한다. 중앙 경부의 재검사는 비록 우수한 결과가 보고되었지만,[102] 위험하며, 되돌이후두신경 및 부갑상선은 중앙 경부의 재수술에서 손상 위험이 높다. 유두암과 여포암 환자의 중앙 경부에서의 커다란 재발은 수술적 절제 그리고 방사성 요오드로 치료할 수 있다. 식도 또는 기관 절제술은 일부 선택된 환자에게 시행하며 일반적으로 최소한의 이환율로 수행할 수 있다.

요약

림프절 절제의 범위는 개별적인 종양 유형 및 단계, 수술 당시의 림프절 침범의 정도, 그리고 연령 및 일반적인 상태와 같은 환자 관련 요인에 근거해야 한다.

외과 의사의 경험도 고려해야 한다. 앞서 언급했듯이, 보다 적극적인 외과 수술이 갑상선 유두암 및 여포암 환자의 전반적인 생존율에 항상 영향을 주는 것은 아니다. 여포 세포 유래의 분화갑상선 암을 가진 대부분의 환자는 치료적 림프절절제술로 이득을 얻지만, 예방적 절제술은 권장되지 않는다.

미세전이에 대한 광범위한 검사도 요구되지 않는 것 같다. 유두암을 앓고 있는 대부분의 환자는 적어도 현미경 상의 미세한 림프절 침범이 있지만 재발률은 예방적 경부 절제술을 시행하지 않은 환자에서도 낮다. 구획적인 림프절의 절제는 국소 재발을 최소화하는데 림프절의 국소 절제보다 바람직한 것으로 보인다.

REFERENCES

1. Rouviere H. Anatomie des Lymphatiques de L'homme. Paris: Masson; 1933.
2. Russell WO, Ibanez ML, Clark RL, et al. Thyroid carcinoma. Classification, intraglandular dissemination, and clinicopathological study based upon whole organ sections of 80 glands. Cancer. 1963;16:1425-60.
3. Noguchi S, Noguchi A, Murakami N. Papillary carcinoma of the thyroid. I. Developing pattern of metastasis. Cancer. 1970;26(5):1053-60.
4. Scheumann GF, Gimm O, Wegener G, et al. Prognostic significance and surgical management of locoregional lymph node metastases in papillary thyroid cancer. World J Surg. 1994;18(4):559-67; discussion 67-8.
5. Robbins KT, Medina JE, Wolfe GT, et al. Standardizing neck dissection terminology. Official report of the Academy's Committee for Head and Neck Surgery and Oncology. Arch Otolaryngol Head Neck Surg. 1991;117(6):601-5.
6. Robbins KT, Shaha AR, Medina JE, et al. Consensus statement on the classification and terminology of neck dissection. Arch Otolaryngol Head Neck Surg. 2008;134(5):536-8.
7. Ahuja S, Ernst H, Lenz K. Papillary thyroid carcinoma: occurrence and types of lymph node metastases. J Endocrinol Invest. 1991;14(7):543-9.
8. Mercante G, Frasoldati A, Pedroni C, et al. Prognostic factors affecting neck lymph node recurrence and distant metastasis in papillary microcarcinoma of the thyroid: results of a study in 445 patients. Thyroid: official journal of the American Thyroid Association. 2009;19(7):707-16.
9. Hay ID, Grant CS, van Heerden JA, et al. Papillary thyroid microcarcinoma: a study of 535 cases observed in a 50-year period. Surgery. 1992;112(6):1139-46; discussion 46-7.
10. Vasileiadis I, Karatzas T, Vasileiadis D, et al. Clinical and pathological characteristics of incidental and nonincidental papillary thyroid microcarcinoma in 339 patients. Head Neck.

2014;36(4):564-70.

11. Karatzas T, Vasileiadis I, Kapetanakis S, et al. Risk factors contributing to the difference in prognosis for papillary versus micropapillary thyroid carcinoma. Am J Surg. 2013;206(4):586-93.

12. Wang Q, Chu B, Zhu J, et al. Clinical analysis of prophylactic central neck dissection for papillary thyroid carcinoma. Clin Transl Oncol. 2014;16(1):44-8.

13. Dixon E, McKinnon JG, Pasieka JL. Feasibility of sentinel lymph node biopsy and lymphatic mapping in nodular thyroid neoplasms. World J Surg. 2000;24(11):1396-401.

14. Dzodic R, Markovic I, Inic M, et al. Sentinel lymph node biopsy may be used to support the decision to perform modified radical neck dissection in differentiated thyroid carcinoma. World J Surg. 2006;30(5):841-6.

15. Fukui Y, Yamakawa T, Taniki T, et al. Sentinel lymph node biopsy in patients with papillary thyroid carcinoma. Cancer. 2001;92(11):2868-74.

16. Kelemen PR, Van Herle AJ, Giuliano AE. Sentinel lymphadenectomy in thyroid malignant neoplasms. Arch Surg. 1998;133(3):288-92.

17. Mazzaferri EL, Doherty GM, Steward DL. The pros and cons of prophylactic central compartment lymph node dissection for papillary thyroid carcinoma. Thyroid: official journal of the American Thyroid Association. 2009;19(7):683-9.

18. Vergez S, Sarini J, Percodani J, et al. Lymph node management in clinically node-negative patients with papillary thyroid carcinoma. Eur J Surg Oncol: the journal of the European Society of Surgical Oncology and the British Association of Surgical Oncology. 2010;36(8):777-82.

19. Frazell EL, Foote FW, Jr. Papillary thyroid carcinoma: pathological findings in cases with and without clinical evidence of cervical node involvement. Cancer. 1955;8(6):1164-6.

20. Roh JL, Kim JM, Park CI. Central lymph node metastasis of unilateral papillary thyroid carcinoma: patterns and factors predictive of nodal metastasis, morbidity, and recurrence. Ann Surg Oncol. 2011;18(8):2245-50.

21. Frankenthaler RA, Sellin RV, Cangir A, et al. Lymph node metastasis from papillary-follicular thyroid carcinoma in young patients. Am J Surg. 1990;160(4):341-3.

22. Chong GC, Beahrs OH, Sizemore GW, et al. Medullary carcinoma of the thyroid gland. Cancer. 1975;35(3):695-704.

23. Saad MF, Ordonez NG, Rashid RK, et al. Medullary carcinoma of the thyroid. A study of the clinical features and prognostic factors in 161 patients. Medicine. 1984;63(6):319-42.

24. Scollo C, Baudin E, Travagli JP, et al. Rationale for central and bilateral lymph node dissection in sporadic and hereditary medullary thyroid cancer. J Clin Endocrinol Metab. 2003;88(5):2070-5.

25. Kazaure HS, Roman SA, Sosa JA. Medullary thyroid microcarcinoma: a population-level analysis of 310 patients. Cancer. 2012;118(3):620-7.

26. Oskam IM, Hoebers F, Balm AJ, et al. Neck management in medullary thyroid carcinoma. Eur J Surg Oncol: the journal of the European Society of Surgical Oncology and the British Association of Surgical Oncology. 2008;34(1):71-6.

27. O'Riordain DS, O'Brien T, Weaver AL, et al. Medullary thyroid carcinoma in multiple endocrine neoplasia types 2A and 2B. Surgery. 1994;116(6):1017-23.

28. Grant CS, Stulak JM, Thompson GB, et al. Risks and adequacy of an optimized surgical approach to the primary surgical management of papillary thyroid carcinoma treated during 1999-2006. World J Surg. 2010;34(6):1239-46.

29. Moley JF, DeBenedetti MK. Patterns of nodal metastases in palpable medullary thyroid carcinoma: recommendations for extent of node dissection. Ann Surg. 1999;229(6):880-7; discussion 87-8.

30. Gimm O, Rath FW, Dralle H. Pattern of lymph node metastases in papillary thyroid carcinoma. Br J Surg. 1998;85(2):252-4.

31. Koo BS, Choi EC, Yoon YH, et al. Predictive factors for ipsilateral or contralateral central lymph node metastasis in unilateral papillary thyroid carcinoma. Ann Surg. 2009;249(5):840-4.

32. Dralle H, Machens A. Surgical management of the lateral neck compartment for metastatic thyroid cancer. Curr Opin Oncol. 2013;25(1):20-6.

33. Park JH, Lee YS, Kim BW, et al. Skip lateral neck node metastases in papillary thyroid carcinoma. World J Surg. 2012;36(4):743-7.

34. Zhang L, Wei WJ, Ji QH, et al. Risk factors for neck nodal metastasis in papillary thyroid microcarcinoma: a study of 1066 patients. J Clin Endocrinol Metab. 2012;97(4):1250-7.

35. Chung YS, Kim JY, Bae JS, et al. Lateral lymph node metastasis in papillary thyroid carcinoma: results of therapeutic lymph node dissection. Thyroid: official journal of the American Thyroid Association. 2009;19(3):241-6.

36. Caron NR, Tan YY, Ogilvie JB, et al. Selective modified radical neck dissection for papillary thyroid cancer-is level I, II and V dissection always necessary? World J Surg. 2006;30(5):833-40.

37. Lee J, Sung TY, Nam KH, et al. Is level IIb lymph node dissection always necessary in N1b papillary thyroid carcinoma patients? World J Surg. 2008;32(5):716-21.

38. Bergholm U, Adami HO, Bergstrom R, et al. Clinical characteristics in sporadic and familial medullary thyroid carcinoma. A nationwide study of 249 patients in Sweden from 1959 through 1981. Cancer. 1989;63(6):1196-204.

39. Ducic Y, Oxford L. Transcervical elective superior mediastinal dissection for thyroid carcinoma. Am J Otolaryngol. 2009;30(4):221-4.

40. Mirallie E, Visset J, Sagan C, et al. Localization of cervical node metastasis of papillary thyroid carcinoma. World J Surg. 1999;23(9):970-3; discussion 73-4.

41. Moreno MA, Agarwal G, de Luna R, et al. Preoperative lateral neck ultrasonography as a long-term outcome predictor in papillary thyroid cancer. Arch Otolaryngol Head Neck Surg. 2011;137(2):157-62.

42. Lang BH, Lo CY, Chan WF, et al. Prognostic factors in papillary and follicular thyroid carcinoma: their implications for cancer staging. Ann Surg Oncol. 2007;14(2):730-8.

43. Yang L, Shen W, Sakamoto N. Population-based study evaluating and predicting the probability of death resulting from thyroid cancer and other causes among patients with thyroid cancer. J Clin Oncol: official journal of the American Society of Clinical Oncology. 2013;31(4):468-74.

44. Gulcelik MA, Ozdemir Y, Kadri Colakoglu M, et al. Prognostic factors determining survival in patients with node positive differentiated thyroid cancer: a retrospective cross-sectional study. Clin Otolaryngol: official journal of ENT-UK ; official journal of Netherlands Society for Oto-Rhino-Laryngology & Cervico-Facial Surgery. 2012;37(6):460-7.

45. Yamashita H, Noguchi S, Murakami N, et al. Extracapsular invasion of lymph node metastasis is an indicator of distant metastasis and poor prognosis in patients with thyroid papillary

carcinoma. Cancer. 1997;80(12):2268-72.

46. Wada N, Masudo K, Nakayama H, et al. Clinical outcomes in older or younger patients with papillary thyroid carcinoma: impact of lymphadenopathy and patient age. Eur J Surg Oncol: the journal of the European Society of Surgical Oncology and the British Association of Surgical Oncology. 2008;34(2):202-7.

47. Besic N, Auersperg M, Golouh R. Prognostic factors in follicular carcinoma of the thyroid□a multivariate survival analysis. Eur J Surg Oncology: the journal of the European Society of Surgical Oncology and the British Association of Surgical Oncology. 1999;25(6):599-605.

48. Simpson WJ, McKinney SE, Carruthers JS, et al. Papillary and follicular thyroid cancer. Prognostic factors in 1,578 patients. Am J Med. 1987;83(3):479-88.

49. Shaha AR, Loree TR, Shah JP. Prognostic factors and risk group analysis in follicular carcinoma of the thyroid. Surgery. 1995;118(6):1131-6; discussion 36-8.

50. Kandil E, Gilson MM, Alabbas HH, et al. Survival implications of cervical lymphadenectomy in patients with medullary thyroid cancer. Ann Surg Oncol. 2011;18(4):1028-34.

51. Machens A, Dralle H. Prognostic impact of N staging in 715 medullary thyroid cancer patients: proposal for a revised staging system. Ann Surg. 2013;257(2):323-9.

52. Pelizzo MR, Boschin IM, Bernante P, et al. Natural history, diagnosis, treatment and outcome of medullary thyroid cancer:37 years experience on 157 patients. Eur J Surg Oncol: the journal of the European Society of Surgical Oncology and the British Association of Surgical Oncology. 2007;33(4):493-7.

53. Pilaete K, Delaere P, Decallonne B, et al. Medullary thyroid cancer: prognostic factors for survival and recurrence, recommendations for the extent of lymph node dissection and for surgical therapy in recurrent disease. B-Ent. 2012;8(2):113-21.

54. Leggett MD, Chen SL, Schneider PD, et al. Prognostic value of lymph node yield and metastatic lymph node ratio in medullary thyroid carcinoma. Ann Surg Oncol. 2008;15(9):2493-9.

55. Beasley NJ, Lee J, Eski S, et al. Impact of nodal metastases on prognosis in patients with well-differentiated thyroid cancer. Arch Otolaryngol Head Neck Surg. 2002;128(7):825-8.

56. Balazs G, Gyory F, Lukacs G, et al. Long-term follow-up of node-positive papillary thyroid carcinomas. Langenbeck's Arch Surg/Deutsche Gesellschaft fur Chirurgie. 1998;383(2):180-2.

57. de Meer SG, Dauwan M, de Keizer B, et al. Not the number but the location of lymph nodes matters for recurrence rate and disease-free survival in patients with differentiated thyroid cancer. World J Surg. 2012;36(6):1262-7.

58. Wada N, Duh QY, Sugino K, et al. Lymph node metastasis from 259 papillary thyroid microcarcinomas: frequency, pattern of occurrence and recurrence, and optimal strategy for neck dissection. Ann Surg. 2003;237(3):399-407.

59. Baek SK, Jung KY, Kang SM, et al. Clinical risk factors associated with cervical lymph node recurrence in papillary thyroid carcinoma. Thyroid: official journal of the American Thyroid Association. 2010;20(2):147-52.

60. Albuja-Cruz MB, Thorson CM, Allan BJ, et al. Number of lymph nodes removed during modified radical neck dissection for papillary thyroid cancer does not influence lateral neck recurrence. Surgery. 2012;152(6):1177-83.

61. Gemsenjager E, Perren A, Seifert B, et al. Lymph node surgery in papillary thyroid carcinoma. J Am Coll Surg. 2003;197(2):182-90.

62. Fukushima M, Ito Y, Hirokawa M, et al. Prognostic impact of ex-

trathyroid extension and clinical lymph node metastasis in papillary thyroid carcinoma depend on carcinoma size. World J Surg. 2010;34(12):3007-14.

63. Randolph GW, Duh QY, Heller KS, et al. The prognostic significance of nodal metastases from papillary thyroid carcinoma can be stratified based on the size and number of metastatic lymph nodes, as well as the presence of extranodal extension. Thyroid: official journal of the American Thyroid Association. 2012;22(11):1144-52.

64. Crile G. III. On the technique of operations upon the head and neck. Ann Surg. 1906;44(6):842-50.

65. Hartl DM, Travagli JP. Central compartment neck dissection for thyroid cancer: a surgical technique. World J Surg. 2011;35(7):1553-9.

66. Attie JN, Khafif RA, Steckler RM. Elective neck dissection in papillary carcinoma of the thyroid. Am J Surg. 1971;122(4):464-71.

67. Porterfield JR, Factor DA, Grant CS. Operative technique for modified radical neck dissection in papillary thyroid carcinoma. Arch Surg. 2009;144(6):567-74; discussion 74.

68. Uchino S, Noguchi S, Yamashita H, et al. Modified radical neck dissection for differentiated thyroid cancer: operative technique. World J Surg. 2004;28(12):1199-203.

69. Ducoudray R, Tresallet C, Godiris-Petit G, et al. Prophylactic lymph node dissection in papillary thyroid carcinoma: is there a place for lateral neck dissection? World J Surg. 2013;37(7):1584-91.

70. Lang BH, Ng SH, Lau L, et al. A systematic review and meta-analysis of prophylactic central neck dissection on short-term locoregional recurrence in papillary thyroid carcinoma after total thyroidectomy. Thyroid. 2013;23(9):1087-98.

71. Sywak M, Cornford L, Roach P, et al. Routine ipsilateral level VI lymphadenectomy reduces postoperative thyroglobulin levels in papillary thyroid cancer. Surgery. 2006;140(6):1000-5; discussion 05-7.

72. Chisholm EJ, Kulinskaya E, Tolley NS. Systematic review and meta-analysis of the adverse effects of thyroidectomy combined with central neck dissection as compared with thyroidectomy alone. Laryngoscope. 2009;119(6):1135-9.

73. Takada H, Kikumori T, Imai T, et al. Patterns of lymph node metastases in papillary thyroid carcinoma: results from consecutive bilateral cervical lymph node dissection. World J Surg. 2011;35(7):1560-6.

74. Carling T, Carty SE, Ciarleglio MM, et al. American Thyroid Association design and feasibility of a prospective randomized controlled trial of prophylactic central lymph node dissection for papillary thyroid carcinoma. Thyroid: official journal of the American Thyroid Association. 2012;22(3):237-44.

75. Barczynski M, Konturek A, Stopa M, et al. Prophylactic central neck dissection for papillary thyroid cancer. Br J Surg. 2013;100(3):410-8.

76. Gyorki DE, Untch B, Tuttle RM, et al. Prophylactic central neck dissection in differentiated thyroid cancer: an assessment of the evidence. Ann Surg Oncol. 2013;20(7):2285-9.

77. Musacchio MJ, Kim AW, Vijungco JD, et al. Greater local recurrence occurs with "berry picking" than neck dissection in thyroid cancer. Am Surg. 2003;69(3):191-6; discussion 96-7.

78. Shah MD, Hall FT, Eski SJ, et al. Clinical course of thyroid carcinoma after neck dissection. Laryngoscope. 2003;113(12):2102-7.

79. Hamming JF, van de Velde CJ, Fleuren GJ, et al. Differenti-

ated thyroid cancer: a stage adapted approach to the treatment of regional lymph node metastases. Eur J Cancer Clin Oncol. 1988;24(2):325-30.

80. Kandil E, Friedlander P, Noureldine S, et al. Impact of extensive neck dissection on survival from papillary thyroid cancer. ORL; journal for oto-rhino-laryngology and its related specialties. 2011;73(6):330-5.

81. Farrag T, Lin F, Brownlee N, et al. Is routine dissection of level II-B and V-A necessary in patients with papillary thyroid cancer undergoing lateral neck dissection for FNA-confirmed metastases in other levels. World J Surg. 2009;33(8):1680-3.

82. Stack BC, Jr., Ferris RL, Goldenberg D, et al. American Thyroid Association consensus review and statement regarding the anatomy, terminology, and rationale for lateral neck dissection in differentiated thyroid cancer. Thyroid: official journal of the American Thyroid Association. 2012;22(5):501-8.

83. American Thyroid Association Guidelines Task F, Kloos RT, Eng C, et al. Medullary thyroid cancer: management guidelines of the American Thyroid Association. Thyroid: official journal of the American Thyroid Association. 2009;19(6):565-612.

84. Dralle H, Musholt TJ, Schabram J, et al. German Association of Endocrine Surgeons practice guideline for the surgical management of malignant thyroid tumors. Langenbeck's Archives of Surgery / Deutsche Gesellschaft fur Chirurgie. 2013;398(3):347-75.

85. Machens A, Dralle H. Biomarker-based risk stratification for previously untreated medullary thyroid cancer. J Clin Endocrinol Metab. 2010;95(6):2655-63.

86. Ito Y, Miyauchi A. Lateral and mediastinal lymph node dissection in differentiated thyroid carcinoma: indications, benefits, and risks. World J Surg. 2007;31(5):905-15.

87. Machens A, Holzhausen HJ, Dralle H. Prediction of mediastinal lymph node metastasis in medullary thyroid carcinoma. Br J Surg. 2004;91(6):709-12.

88. Balasubramanian SP, Harrison BJ. Systematic review and meta-analysis of sentinel node biopsy in thyroid cancer. Br J Surg. 2011;98(3):334-44.

89. Wiseman SM, Hicks WL, Jr., Chu QD, et al. Sentinel lymph node biopsy in staging of differentiated thyroid cancer: a critical review. Surg Oncol. 2002;11(3):137-42.

90. Ji YB, Lee KJ, Park YS, et al. Clinical efficacy of sentinel lymph node biopsy using methylene blue dye in clinically node-negative papillary thyroid carcinoma. Annals of Surgical Oncology. 2012;19(6):1868-73.

91. Huang O, Wu W, Wang O, et al. Sentinel lymph node biopsy is unsuitable for routine practice in younger female patients with unilateral low-risk papillary thyroid carcinoma. BMC Cancer. 2011;11:386.

92. Anand SM, Gologan O, Rochon L, et al. The role of sentinel lymph node biopsy in differentiated thyroid carcinoma. Arch Otolaryngol Head Neck Surg. 2009;135(12):1199-204.

93. Simo R, Nixon I, Tysome JR, et al. Modified extended Kocher incision for total thyroidectomy with lateral compartment neck dissection a critical appraisal of surgical access and cosmesis in 31 patients. Clin Otolaryngol: official journal of ENT-UK; official journal of Netherlands Society for Oto-Rhino-Laryngology & Cervico-Facial Surgery. 2012;37(5):395-8.

94. Giordano D, Valcavi R, Thompson GB, et al. Complications of central neck dissection in patients with papillary thyroid carcinoma: results of a study on 1087 patients and review of the literature. Thyroid: official journal of the American Thyroid Association. 2012;22(9):911-7.

95. Abboud B, Sleilaty G, Rizk H, et al. Safety of thyroidectomy and cervical neck dissection without drains. Can J Surg. Journal Canadien de Chirurgie. 2012;55(3):199-203.

96. Mazzaferri EL, Jhiang SM. Long-term impact of initial surgical and medical therapy on papillary and follicular thyroid cancer. Am J Med. 1994;97(5):418-28.

97. Pacini F, Cetani F, Miccoli P, et al. Outcome of 309 patients with metastatic differentiated thyroid carcinoma treated with radioiodine. World J Surg. 1994;18(4):600-4.

98. Hamby LS, McGrath PC, Schwartz RW, et al. Management of local recurrence in well-differentiated thyroid carcinoma. J Surg Res. 1992;52(2):113-7.

99. Kim MK, Mandel SH, Baloch Z, et al. Morbidity following central compartment reoperation for recurrent or persistent thyroid cancer. Arch Otolaryngol-Head Neck Surg. 2004;130(10):1214-6.

100. Kouvaraki MA, Lee JE, Shapiro SE, et al. Preventable reoperations for persistent and recurrent papillary thyroid carcinoma. Surgery. 2004;136(6):1183-91.

101. Palme CE, Waseem Z, Raza SN, et al. Management and outcome of recurrent well-differentiated thyroid carcinoma. Arch Otolaryngol Head Neck Surg. 2004;130(7):819-24.

102. Wilson DB, Staren ED, Prinz RA. Thyroid reoperations: indications and risks. Am Surg. 1998;64(7):674-8; discussion 78-9.

갑상선절제술 술기

Technique: Thyroidectomy

Ⅰ 울산대학교 의과대학 외과 **홍석준**

갑상선 수술의 역사는 매우 오래되었으나 근대적인 갑상선 수술의 기초는 Theodor Kocher(1841-1917)[1]에 의해서 이루어졌다. 갑상선 수술 시 혈관을 개별적으로 세심하게 결찰하고 절단함으로서 출혈을 최소화하고 수술 시야를 깨끗이 유지하는 기본적 개념이 Kocher에 의해 만들어졌으며 그리하여 갑상선 수술 후 출혈에 의한 사망률을 획기적으로 낮출 수 있었다. 그러나 그 당시에는 갑상선 수술 후에 발생하는 합병증인 부갑상선 기능저하나 되돌이후두신경 손상에 대한 이해가 없었기 때문에 이러한 합병증의 빈도가 높았으나 점차 되돌이후두신경이나 부갑상선의 해부와 그 기능이 알려지고 갑상선 수술 후 발생하는 합병증과의 연관관계가 알려지면서 합병증을 피하기 위한 수술 술기도 발전하여 점차 되돌이후두신경 손상과 부갑상선 기능저하의 빈도가 낮아지고 있다. 그러나 아직도 갑상선 수술 시 이러한 합병증을 완벽히 피할 수는 없고 경험이 많지 않은 외과의에게는 큰 부담이 될 수밖에 없다. 실제로 갑상선 자체의 절제는 크게 어렵지 않다. 갑상선은 비교적 접근이 용이한 편이고 절제 시 처리해야 할 혈관이 많은 편도 아니다. 그러나 갑상선 가까이 존재하는 부갑상선이나 되돌이후두신경을 손상되지 않게 보존하는 것이 더 어려운 점이다. 외과의가 갑상선 수술 시 합병증을 최소화할 수 있는 수술 술기를 갖추는 것은 합병증을 낮추기 위해서만 필요한 것이 아니고 갑상선암 수술 시 종양과 림프절을 완벽히 제거하기 위해서도 필요하다.

합병증을 최소화할 수 있는 술기를 갖추지 못한 외과의는 갑상선암 수술 시 합병증 발생의 우려 때문에 적극적으로 근치적 절제를 못하게 될 수 있고 수술 시 중앙경부에서의 근치적 절제 여부는 환자의 예후에 큰 영향을 미치게 된다.[2]

이러한 술기를 습득하기 위해서는 올바르고 세밀한 갑상선, 부갑상선, 되돌이후두신경, 위후두신경 바깥까지의 해부와 경부림프절 수술의 적응증 및 범위, 림프절 수술의 술기에 대한 이해가 필요하다.

1. 갑상선 절제의 일반적 원칙

갑상선암 환자에서의 갑상선 절제 시 합병증을 최소화하면서 종양을 제거하기 위한 기본전략이 외과의에 따라 다를 수 있다. 어떤 외과의는 완전한 갑상선 전절제를 원칙으로 하고 그러기 위해서 부갑상선 및 분포혈관과 되돌이후두신경을 육안으로 완전히 확인한 후 박리하여 보존하고 갑상선 조직을 육안적으로는 조금도 남기지 않고 완전 절제하는 것을 원칙으로 하고 있다. 반면에 어떤 외과의는 되돌이후두신경을 육안으로 확인하고 부갑상선도 확인하지만 분포혈관은 완전히 확인하지 않고 부갑상선이 접하고 있는 갑상선 조직을 일부 같이 남겨서 부갑상선을 안전하게 보존하는 갑상선 아전절제 혹은 근전절제를 하기도 한다. 과거에는 수술 시 부갑상선을 찾으려 시도하는 것 조차도 위험하다는 주장도 있었으나[3] 현재에는 받아 들여지지 않고 있다. 부갑상선과 그에 분포하는 혈관만을 분리하여 보존하는 것은 기술적으로 매우 어렵고 부갑상선 허혈의 위험이 있는 것은 사실이다. 그러나 부갑상선에 분포하는 혈관의 해부가 다양하기 때문에 아전절제술이나 근전절제술을 한다고 해도 모든 부갑상선을 안전하게 보존할 수 있는 것은 아니다. 예를 들면 하부갑상선에 분포하는 동맥이 하갑상선동맥에서 분리되지 않고 상갑상선동맥이 길게 하방으로 내려와 하부갑상선에 분지하는 경우가 있는데 이러한 경우 혈관의 주행이 갑상선의 후면이 아닌 측면으로 진행하고 주행하는 구간이 길기 때문에 근전절제나 아전절제가 불가능하다. 아전절제나 근전절제를 수술의 원칙으로 하면 부갑상선에 분포하는 혈관 해부의 다양성 때문에 부갑상선 보존의 성공율이 어느 한도 이상 높아질 수 없다. 따라서 모든 환자에서 부갑상선과 그에 분포하는 혈관을 완전히 육안으로 확인하고 부갑상선과 분포 혈관만을 분리하여 보존하고 갑상선 조직을 완전히 제거하는 것을 기본원칙으로 하는 것이 바람직하다고 개인적으로 생각하며 아전절제나 근전절제를 하더라도 분포 혈관을 육안으로 완전히 확인하고 하는 것이 바람직하다. 경험이 많지 않은 외과의가 이러한 원칙하에 수술을 하면 부갑상선에 분포하는 혈관의 해부가 복잡하고 굵기가 매우 가늘기 때문에 처음에는 부갑상선의 보존이 아전절제나 근전절제보다 어려울 것이다. 그러나 경험을 쌓으면서 술기가 습득되면 결국에는 아전절제나 근전절제보다 더 부갑상선 보존율이 높아지게 된다. 앞으로 기술할 수술 술기는 이러한 원칙하에 진행되는 갑상선 수술 술기가 될 것이다.

2. 피부절개

피부절개 위치를 결정하는데 있어서 고려해야 할 사항

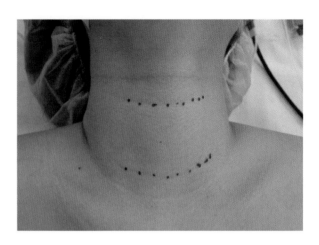

그림 32-1 | **전경부의 자연적인 피부 주름**

은 첫째 갑상선과 종양을 절제하는데 있어서 가장 적절한 절개위치가 어디인가 하는 점과 둘째로 수술 후 흉터가 가능한한 적은 절개 위치가 어디인가 하는 점이다.

경부 전면에는 대체로 자연적인 피부 주름이 상하 두 곳이 있으며 환자에 따라 조금씩 차이는 있으나 상부의 주름은 윤상연골(Cricoid cartilage) 근처에 위치하고 하부의 주름은 흉골의 상연에서 손가락 굵기 하나 정도 상부에 있으며(그림 32-1) 이 주름에 피부절개를 하는 것이 수술 후 흉터를 적게 하는데 유리하다. 그리고 하부 주름보다는 상부 주름에 절개를 하는 것이 흉터를 적게 하는데는 더 유리하다. 그러나 중앙 경부림프절 수술을 할 때에는 상부 주름에 절개를 하였을 때 시야가 좋지 않으므로 종양이 큰 편이고 중앙 경부림프절 수술을 철저히 해야 할 필요가 있는 환자는 아래 주름에 피부절개를 하는 것이 바람직하다. 또한 향후 측경부 림프절 재발 가능성이 높을 것으로 예상되는 환자에서도 아래 주름에 절개를 하는 것이 좋다. 종양이 작고 중앙 경부림프절에 전이 가능성이 낮은 환자에서는 상부 주름에 절개를 하는 것이 미용적으로 더 유리하다.

절개의 길이를 가능한 짧게 하려고 하는 것은 바람직하지 않다. 오히려 충분한 길이로 절개하는 것이 수술 시 피부를 견인할 때 절개창 면에 손상이 덜하여 수술 후 흉이 덜 형성될 수 있다. 그러나 종양이 아주 크지

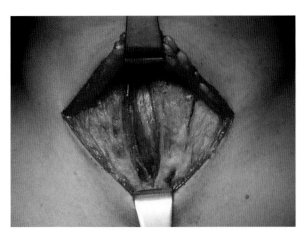

그림 32-2 │ 피부절개 후 근막까지 도달한 후 근막의 정중앙을 수직으로 절개하여 갑상선의 협부가 조금 노출된 상태이다.

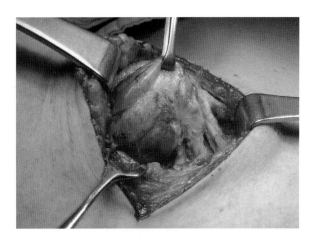

그림 32-3 │ 갑상선 전면의 흉골갑상근과 흉골설골근을 측면으로 견인하면서 갑상선 우엽을 겸자로 잡고 전면으로 견인한 상태이다.

만 않으면 대부분의 환자에서 절개의 양끝이 흉골유돌근 안쪽 가장자리를 넘을 필요는 없다.

3. 갑상선의 노출

피부를 절개한 후 넓은목근(Platysma muscle)까지 절개하고 근막이 나타나면 넓은목근과 근막 사이를 박리하여 상하 피부판을 만들어 위로는 목뿔뼈(Hyoid bone)와 아래로는 흉골상연까지 근막을 노출시킨다. 근막의 정 중앙을 수직으로 절개하고 좌우 복장방패근(Sternothyroid muscle)과 복장목뿔근(Sternohyoid muscle)을 확인한 후 갑상선과 분리하여 좌우로 벌리고 갑상선을 노출시킨다(그림 32-2). 갑상선을 겸자로 잡고 전방으로 견인하면서 갑상선의 피막에 분포되어 있는 혈관이 잘 보이도록 갑상선에 덮여있는 거짓 피막(false capsule)을 잘 벗겨낸다(그림 32-3). 갑상선 상부의 상갑상선동맥과 정맥, 하갑상선동맥과 정맥이 모두 확인될 때까지 박리를 진행한다. 갑상선을 충분히 노출시키기 위해 중간정맥을 절단해야하는 경우가 많으나 간혹 하부갑상선정맥이 중간정맥에 연결되어 있으면 중간정맥을 기시부에서 절단하지 말고

말단 분지를 하나하나 결찰하여 보존하도록 한다.

4. 부갑상선의 확인

갑상선이 수술시야에 충분히 노출되면 갑상선의 하부 혹은 상부에서 부갑상선을 확인한다(그림 32-4). 어디에서 시작해도 무방하나 저자는 주로 하부에서부터 시작한다.

하부갑상선이 수술시야에 더 쉽게 노출되기 때문인데 외과의에 따라서는 상부갑상선을 먼저 확인하고 잘 보존되면 하부갑상선은 확인하지 않고 중앙 경부림프절 수술을 하는 식으로 수술하기도 한다.

하부갑상선의 위치는 다양하기 때문에 상부갑상선에 비하여 찾기가 좀 더 어렵지만 가장 흔히 갑상선하단과 가슴샘이 접하는 곳을 중심으로 근처에 위치한다.

그러나 부갑상선이 가슴샘 내에 묻혀 있는 경우에는 쉽게 육안으로 확인되지 않을 수도 있으나 다행히 대체로 가슴샘 상단부에 있는 경우가 많으므로 이곳을 주의 깊게 살피면 발견되는 경우가 많다. 하부갑상선이 육안으로 확인되지 않은 경우 부갑상선이 가슴샘 내에 있을

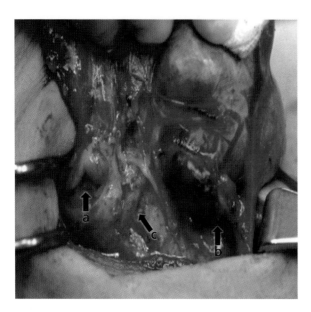

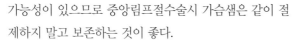

그림 32-4 | 갑상선을 전방으로 견인한 상태이며 상부갑상선(a)과 하부갑상선(b)이 보이며 하갑상선 동맥(c)에서 혈관이 분포하고 있다.

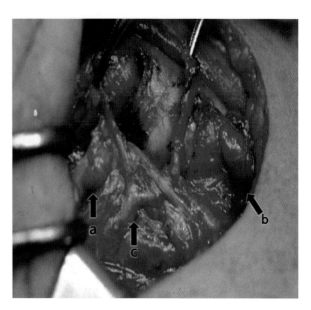

그림 32-5 | 갑상선을 절제한 후 보존된 상(a), 하(b) 부갑상선의 모습이다. 변색 없이 원래 상태대로 잘 보존되었다. 하갑상선동맥(c)에서 상하 부갑상선으로 분포되는 분지를 겸자로 잡아 견인하고 있다.

가능성이 있으므로 중앙림프절수술시 가슴샘은 같이 절제하지 말고 보존하는 것이 좋다.

하부갑상선이 주로 갑상선 하단의 후면에 위치하지만 간혹 갑상선 하단의 전방쪽으로 치우쳐 있는 경우가 있으므로 가장 흔한 위치에 하부갑상선이 없으면 이러한 부위도 잘 살펴야 하고 부갑상선이 갑상선 피막 내에 위치한 경우도 있어 이러한 부갑상선은 확인이 불가능할 수도 있다.

부갑상선을 찾았으면 부갑상선에 분포하는 동맥과 정맥을 잘 관찰하여야 한다(그림 32-5). 하부갑상선에 분포하는 동맥은 대부분 하갑상선 동맥에서 분지하나 드물게 상갑상선 동맥이나 맨아래갑상선동맥(thyroid ima artery)에서 분지하는 경우도 있다. 상갑상선 동맥에서 분지하는 경우에는 하부갑상선이 갑상선의 후면이 아닌 전방에 치우쳐 위치하는 경우가 많으므로 이러한 위치에 부갑상선이 있을 때는 상갑상선동맥으로부터 혈관분포가 될 가능성을 염두에 두어야 한다. 그리고 이러한 경우에는 상갑상선동맥의 굵기가 비교적 굵은 경우가 많다(그림 32-6). 간혹 하부갑상선혈관이 갑상선표면에

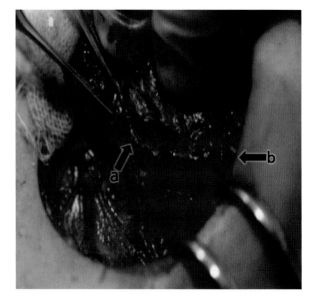

그림 32-6 | 상갑상선 동맥의 분지(a)가 갑상선의 측면을 주행하여 하부갑상선(b)에 연결된 양상을 보이고 있다. 정맥도 같이 주행하고 있다.

보이지 않는 경우가 있다. 이러한 경우는 하갑상선동맥이 갑상선 내부를 통과하여 하부갑상선에 분지하는 경

우인데 정상적으로 보존하기는 매우 어렵다. 정맥의 분포는 하갑상선정맥이나 중간갑상선정맥에서 분지하게 된다. 두 정맥이 연결되어 있어 어느 정맥을 보존하여도 무방한 경우가 있으나 연결이 확실치 않을 때는 잘 관찰하여 어느 정맥으로 연결되는지 확인하여 보존하여야 한다. 정맥도 동맥과 같이 잘 보존되어야 부갑상선이 보존될 수 있으며 정맥이 보존되지 않으면 부갑상선이 팽창하면서 적갈색으로 변색이 되고 결국 혈행이 차단되면서 흑색으로 바뀌게 된다. 간혹 하갑상선정맥이나 중간갑상선정맥이 끊어졌어도 부갑상선정맥만 차단되지 않으면 정상 혈류가 유지되는 경우가 있는데 이는 근처의 다른 부수적 정맥에 의해서 정상적으로 정맥혈이 흐르기 때문이다. 따라서 하부갑상선보존 시 하갑상선정맥이나 중간갑상선정맥이 차단되었으면 중앙경부림프절 수술시 하부갑상선 주위의 연부조직을 너무 지나치게 박리하지 않도록 하는 것이 바람직하다. 상부갑상선은 하부갑상선에 비하여 위치의 변화가 심하지 않다(그림 32-4). 대부분 위치하는 곳은 Zuckerkandl 고랑이 시작되는 곳으로 이곳을 중심으로 고랑을 따라 약간 전방에 위치할 수도 있고 부갑상선혈관이 길면 갑상선 후면으로 내려가 식도 측면에 위치할 수도 있다. 갑상선 후면에서 상하로도 위치의 변동이 있을 수 있으나 큰 차이는 나지 않아 대부분 수술시야 내에서 잘 발견되지만 간혹 갑상선 상단부 가까이에 위치하거나 내측으로 Berry 인대 가까이 위치하고 있어 처음에는 발견되지 않고 어느 정도 갑상선을 박리한 후에나 확인되기도 한다. 이러한 경우에는 부갑상선을 발견했을 때 이미 혈관이 차단되었을 가능성이 높다. 따라서 가장 흔한 위치에서 상부갑상선이 발견되지 않았을 때는 이러한 비 정상적인 위치에 있을 가능성을 염두에 두고 가능한 주위의 혈관을 보전하면서 갑상선을 박리하도록 해야 한다. 상부갑상선도 간혹 갑상선 피막 내에 있어서 발견되지 않는 경우가 있다. 상부갑상선이 Zuckerkandl 고랑에 묻혀 있어서 발견되지 않는 경우가 있는데 이러한 경우 Zuckerkandl 고랑을 박리하여 내부를 관찰할 필요가 있다. 상부갑상선에 분포하는 혈관은 상갑상선동맥에서 분지하기도 하고 하갑상선동맥에서 분지하기도 하며 상갑상선동맥과 하갑상선동맥이 갑상선의 후면에서 연결된 상태에서 분지되기도 한다.[4] 그리고 이외에도 후두, 인두, 기관 등 주위조직에 있는 작은 혈관과도 연결되어 있다. 따라서 상부갑상선이 하부갑상선보다 분포혈관이 다양하여 부갑상선의 혈류를 보존하는 데는 하부갑상선보다 유리할 수 있다. 상갑상선동맥이나 하갑상선동맥 중 어느 한 동맥만 보존해도 혈류가 확보될 수 있으며 상하갑상선동맥이 모두 차단되어도 주위조직에 연결되어 있는 혈관에 의해서도 혈류가 유지될 수 있다. 그러나 갑상선 아전절제나 근절제를 할 때에는 이러한 부혈관에 의한 혈류유지가 가능하지만 갑상선전절제를 할 때에는 이러한 부혈관에 의해 혈류 유지가 되기는 매우 어렵다.[5] 그리고 상부갑상선 보존 시에는 하부갑상선보존시 보다 부갑상선 혈관을 박리하고 분지를 처리하는 작업이 복잡하고 어렵다.[6] 이렇게 부갑상선과 분포 혈관을 관찰하여 해부가 확인되면 부갑상선에 분포하는 분지만 남기고 나머지 갑상선에 분포하는 분지를 하나하나 결찰하고 절단하여 나간다. 상갑상선동맥이나 하갑상선동맥의 본간을 결찰하지 않도록 한다.

5. 되돌이후두신경의 확인

되돌이후두신경은 갑상선을 전방으로 견인하고 후방의 혈관과 결합조직을 어느 정도 박리하여야 시야에 노출된다. 되돌이후두신경은 기관식도고랑을 따라 평행하게 주행하며 동맥보다 좀 더 백색을 띄고 통통해 보이지 않아 동맥과 구별이 그다지 어렵지는 않다(그림 32-7, 32-8). 그러나 간혹 신경이 갑상선 피막에 유착이 있는 경우나 하갑상선동맥의 분지 사이로 지나갈 때 갑상선을 강하게 전방으로 견인하면 신경이 끌려 올라가 주행방향이 달라져서 신경이 아닐 것으로 오인되어 절단하는 사고가 발생할 수 있으므로 항상 절단하기 전에 신경이 아닌지 유의하여야 한다.

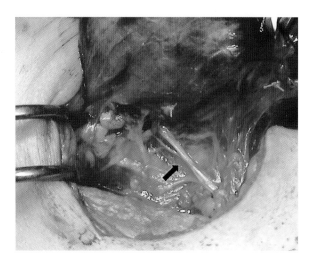

그림 32-7 | 갑상선을 전방으로 견인한 상태이며 기도의 측면을 따라 되돌이후두신경이 주행하고 있다.

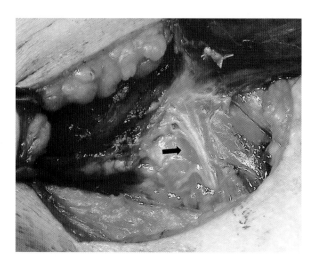

그림 32-8 | 되돌이후두신경에서 갈라져 나오는 분지를 볼 수 있다.

간혹 우측에서 되돌이후두신경이 빗장밑동맥을 돌아 나오지 않고 빗장밑동맥 상방에서 미주신경으로부터 바로 내측으로 주행하며 후두로 들어가는 비되돌이신경(non rcurrent nerve)이 존재하는 경우도 있다(그림 32-9). 따라서 통상적인 되돌이후두신경의 주행이 보이지 않을 때에는 비되돌이신경의 가능성을 염두에 두고 신경이 확인되기 전까지는 혈관을 결찰할 때 주의깊게 관찰하여야 한다. 신경 손상을 가능한 피하기 위해서는 수술 시작부터 신경을 먼저 확인하고 수술을 진행하는 것이 바람직하다. 신경은 어디에서 먼저 확인해도 무방하나 신경을 확인하기 위해서는 어느 정도 갑상선 후방의 연부조직을 박리해야 하므로 박리 시 비교적 출혈이 덜한 부분을 선택하는 것이 좋고 대체로 하갑상선동맥 하방에서 찾는 것이 비교적 용이하다. 그러나 이 부분은 신경의 위치가 깊은 편이어서 잘 발견되지 않을 수도 있으며 이곳에서 확인되지 않으면 하갑상선동맥 상방으로 갈수록 신경이 전방에 가까워지므로 시야에 잘 들어올 수 있다. 신경의 확인이 어려우면 Berry 인대 주위에서 찾을 수도 있다. 수술 중 신경이 손상 받을 가능성이 가장 높은 부위는 신경이 Berry 인대를 지나 후두연골로 들어가는 부위이다. 갑상선을 기관으로부터 박리하여 적출할 때 최종적으로 처리하는 것이 Berry 인대인

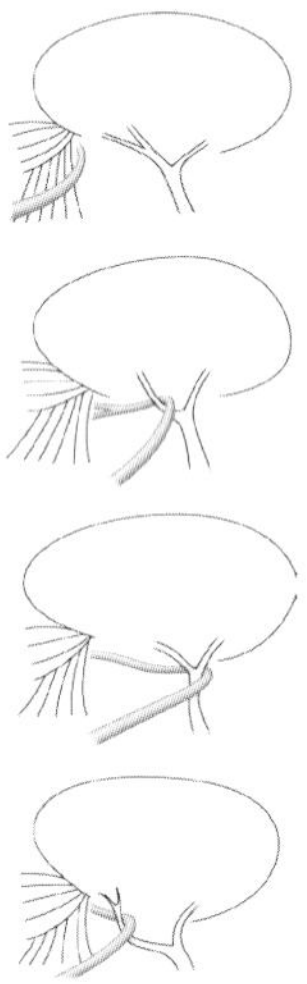

Type		Number
Direct type		4
Recurrent type		1
		1
		1

그림 32-9 | 비되돌이신경 (non rcurrent nerve)의 유형
Non recurrent nerve는 미주신경으로부터 분지하여 바로 후두로 들어가는 형태와 하갑상선동맥을 돌아서 후두로 들어가는 형태가 있다.

데 신경이 가까이 지나가며 특히 인대 주위에 혈관이 존재하여 인대와 혈관을 결찰하고 절단할 때 신경이 손상되지 않도록 주의하여야 하며 출혈이 있더라도 가급적 전기소작은 하지 않도록 하는 것이 바람직하다. 수술 중

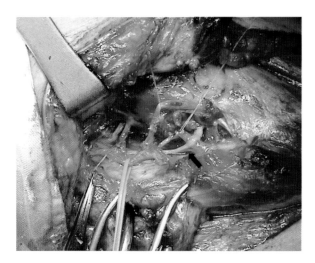

그림 32-10 | 갑상선 상단에서 상갑상선 동맥과 나란히 주행하다가 인두수축근으로 들어가는 상후두신경 외측분지가 보이고 있다.

단 이상의 위치에서 이미 신경이 근육으로 들어가서 갑상선 수술 시야 내에서는 신경이 보이지 않을 수도 있다. 갑상선 수술 시 위후두신경바깥분지를 보존하기 위해 항상 신경을 육안으로 확인하여야 한다는 의견과 갑상선 수술 시야 내에서만 잘 확인하면 되고 그 이외의 범위에서까지 신경을 확인할 필요는 없다는 의견 사이에 논란이 있으나 어떤 의견이 더 타당한지는 단정하기 어렵다.[10]

갑상선상단의 혈관을 처리할 때 상갑상선 동맥의 분지를 개별적으로 잘 박리하면서 신경이 같이 주행하지 않는지 잘 관찰하면서 따로따로 혈관을 결찰하고 절단하는 것이 바람직하며 상갑상선동맥의 본간을 한꺼번에 결찰하는 것은 바람직하지 않다.

신경이 절단되거나 종양이 신경을 침범하여 합병절제가 불가피할 경우 단단문합을 하거나 고리설하신경을 되돌이후두신경에 연결하면 비록 성대기능이 원상복귀 되지는 않더라도 목소리 호전에 좋은 효과가 있다.[7]

6. 위후두신경 바깥가지의 확인

위후두신경 바깥가지도 되돌이후두신경과 더불어 갑상선 절제 시 주의하여 잘 보존하여야 하는 신경이며 되돌이후두신경보다 더 가늘고 갑상선의 상단부 주위에 위치하고 있어 수술 시야에서 되돌이후두신경보다 잘 보이지 않기 때문에 더 주의 깊은 관찰이 필요하다. 위후두신경바깥가지는 상갑상선동맥과 같이 주행하여 내려오다가 내측으로 인두수축근(pharyngeal constrictor muscle)으로 들어가게 되는데(그림 32-10) 신경이 어느 위치에서 내측으로 방향을 바꿔 근육으로 들어가는지에 따라서 갑상선 절제 시 손상받을 위험성이 달라진다.[8,9] 갑상선 상단 이하에서 내측으로 들어가는 유형에서 손상받을 위험성이 높아진다. 일부 환자에서는 갑상선 상

7. 갑상선의 적출과 수술의 마무리

이상과 같이 부갑상선, 되돌이후두신경, 위후두신경바깥가지를 잘 보존 한 후 갑상선을 적출하게 되는데 부갑상선을 분포혈관과 같이 보존하면서 상하 갑상선동맥에서 갑상선으로 분포하는 분지를 결찰 절단한 후 Berry 인대를 절단하고 갑상선과 기관사이를 박리하여 갑상선을 들어내게 된다. 수술을 마치고 봉합하기 전 출혈 유무는 철저히 확인하여야 한다. 수술 범위 내 어디에서도 출혈이 있을 수 있지만 가장 흔히 출혈이 되는 곳은 복장목뿔근의 아래쪽 내측 가장자리에 있는 동맥과 하갑상선동맥의 가지이다. 출혈유무를 확인한 후 다시 순서대로 봉합을 하는데 근막을 봉합할 때에는 가능한 너무 촘촘히 봉합하지 않는 것이 바람직하다. 너무 촘촘히 봉합하면 유착이 그만큼 심해지기 때문이다. 또한 출혈이 있어도 근막 사이에 틈이 있으면 혈종이 근막 틈으로 새어 나와 그만큼 경부의 압력이 덜 심해지는 효과를 얻을 수 있다.

REFERENCES

1. Welbourn. The history of endocrine Surgery. 1st ed. New York:(Praeger Publishers) 1990.

2. Grant CS, Hay ID, Gough IR, Bergstralh EJ, Goellner JR, McConahey WM. Local recurrence in papillary thyroid carcinoma: is extent of surgical resection important? Surgery. 1988;104:954-62.

3. Perzik S. The place of total thyroidectomy in the management of 909 patients with thyroid disease. Am J Surg. 1976;132:480-3.

4. Nobori M, Saiki S, Tanaka N, Harihara Y, Shindo S, Fujimoto Y. Blood supply of the parathyroid gland from the superior thyroid artery. Surgery. 1994;115:417-23.

5. 홍석준, 최평화, 송영기, 안일민, 공경엽, 박건춘. 갑상선전절제시 관찰된 하부갑상선의 위치와 혈관분포 양성 및 보존. 대한외과학회지 1999;57:820-7.

6. Flament JB, Delattre JF, Pluot M. Arterial blood supply tothe parathyroid glands: Implications for thyroid surgery. Aant Clin 1982;3:279-87.

7. 홍석준, 이영진, 남순열. 갑상선암에서 반회후두신경절제후 신경재건에 관한 검토. 대한외과학회지 1999:57:670-5.

8. Cernea CR, Ferraz AR, Furlani J, Monteiro S, Nishio S, Hojaij FC et al. Identification of the external branch of the superior laryngeal nerve during thyroidectomy. Am J Surg. 1992;164:634-9.

9. Cernea CR, Ferraz AR, Nishio S, Dutra A Jr, Hojaij FC, dos Santos LR. Surgical anatomy of the external branch of the superior laryngeal nerve. Head Neck. 1992; 14:380-3.

10. Lennquist S, Cahlin C, Smeds S. The superior laryngeal nerve in thyroid surgery. Surgery. 1987;102:999-1008.

경부림프절절제술 술기
Technique: Neck Dissection

| 연세대학교 의과대학 외과 **강성준**

갑상선암의 수술 방법은 계속 발전되어 가고 있는 동시에 지난 30여 년 동안 많은 논란의 대상이기도 했다. 이런 수술 방법의 논란은 발병률이 낮고, 진행속도가 느리고, 진행되는 양상이 병리학적인 구분에 따라 다르며, 요오드의 섭취율이 치료에 결정적인 역할을 하는 갑상선암의 특징 때문이라고 볼 수 있겠다. 또한 갑상선암에 대한 대부분의 연구가 다양한 환자군의 후향적 분석에 근거를 두고 있으며, 대규모의 무작위 연구를 진행하기에 한계가 있기 때문이기도 하다. 즉 여러 연구에서 학자들은 갑상선 암 수술을 위해 시도한 각자의 방법이 옳다고 결론을 내리고 있으나, 사실 이런 결론들은 대부분 하나의 가설에 불구한 실정이다. 한 연구에서는 광범위한 수술이 옳다고 주장하기도 하며, 다른 연구에서는 이런 광범위하고 침습적인 수술 방법의 효과가 크지 않기 때문에 좀 더 보존적인 수술을 시행하는 것이 옳다고 주장하기도 한다. 절제 범위에 대해서는 갑상선의 절제 범위 뿐 아니라 림프절 절제 범위에 대해서도 상반된 주장들이 있다.[1] 그러나 연구를 진행하면서 갑상선암 종류에 따라 각기 다른 수술 범위 및 방법을 정해야 한다는 의견에는 학자들 대부분 동의하고 있다. 갑상선암 종류에 따른 수술 및 림프절 절제 범위에 대한 논점은 결국 유두암, 여포암, 수질암, 이 각각의 암에 대해 어떻게 수술 및 림프절절제술을 시행할 것인가에 대한 것이라고 볼 수 있다.

유두암과 여포암 같은 고분화 갑상선 암은 갑상선 암의 가장 흔한 유형으로 알려져 있다. 수질암은 전체 갑상선 암의 약 7%밖에 되지 않으나, 갑상선암에 의한 사망 중 15%를 차지한다. 또한 수질암은 갑상선암의 분화형으로 생각되나, 여포 곁세포(C cells)에서 기원하는 암으로 유두암이나, 여포암보다 생물학적인 행태가 좀 더 공격적인 것으로 알려져 있다.

갑상선 암의 예후는 병리 조직학적 유형, 원발종양의 갑상선 외부로의 침윤 정도, 진단 당시 원격전이 유무와 연관되어 있다. 갑상선 내부에 국한된 유두암인 경우, 예후는 양호하며 환자의 사망 원인이 유두암이 되는 경우는 드물다. 반면, 원격전이가 수반된 수질암의 경우에 예후는 불량하여 환자의 예상 수명은 짧아질 것으로 예상할 수 있다. 그 외에도 갑상선암 환자의 예후를 예측하는 인자로는 나이나 성별 같은 환자와 연관된 인자 또한 중요하다.

갑상선유두암, 여포암, 수질암의 경과는 서로 다르며, 이 중 유두암은 대부분 림프절 전이를 잘 한다. 그러나 림프절 전이가 유두암 환자의 예후에 영향을 미치는가에 대해서는 여전히 논란의 여지가 있다. 원격전이는 갑상선유두암 환자의 10%에서 발견되며, 불량한 예후인자로 알려져 있다. 여포암의 전이 양상은 원격전이가 더 흔하며, 림프절 전이는 유두암보다 흔치 않으나, 림프절 전이가 관찰되었을 경우, 이는 불량한 예후 인자이다. 수질암은 주변의 림프절 전이가 흔히 발견되며, 이는 불량한 예후인자로 알려져 있으며, 간으로의 원격전이 또한 흔한 것으로 알려져 있다.

수질암 환자의 수술은 갑상선 전절제술을 시행하게 되는 데 비해 유두암과 여포암인 경우에서도 무조건 갑상선 전절제를 시행하여야 하는지에 대해서는 논란의 여지가 있다. 유두암이나 여포암 수질암 같은 분화형의 갑상선암에 있어서 근치적 경부 림프절 곽청술(radical lymph node dissection)은 더 이상 필요하지 않다는 의견에 대해서는 더 이상 논란의 여지가 없다. 그 대신 변형근치경부곽청술(modified radical lymph node dissection)이 유두암, 여포암, 수질암의 림프절 전이가 발견되었을 때 시행하는 표준 술기로 자리 잡았다. 수질암 환자에서 모두 변형근치경부곽청술을 시행하자는 주장도 있으나 유두암에서는 주변의 림프절 전이가 하나의 예후 인자가 확실한가에 대한 의문에 여전히 논란의 여지가 있으므로 예방적인 변이 경부 림프절 곽청술의 장점에 대해서는 아직 명백히 밝혀진 바가 없다. 따라서 내분비 외과 의사들이 주장하는 가장 효과적인 치료 방법은 각자의 연구 결과와 경험에 근거하고 있는 경우가 대부분이다.

이번 장에서 저자들은 유두암, 여포암, 수질암에서 변형근치경부곽청술 시행의 근거와 술기에 대해 서술하고자 한다. 변형근치경부곽청술의 술기에 대해서는 이견이 없지만, 예방적으로 시행하였을 경우에 근거와 적응증에 대해서는 여전히 의견이 분분하다. 경부 혹은 종격동 림프절 전이가 있는 갑상선암 환자의 치료 시 가장 표준화된 치료 방법을 확립하기 위해서 우선 림프액의 배액 양상과 림프절 전이의 발생률 및 진단 당시 림프절 전이 병변의 위치 확인 등이 반드시 필요할 것이다. 적절한 림프절 곽청술을 하기 위하여는 갑상선의 림프액 배액에 대해 알아야 한다.

1. 갑상선과 연관된 경부 림프절의 해부적 고찰

갑상선은 다양한 방향으로 또한 광범위하게 림프액 배액을 하는 장기이다.[2,3] 갑상선여포들은 림프관으로 둘러 싸여 있으며 갑상선 내의 림프관의 구성은 광범위하고 복잡하여 한엽에서 반대측엽으로 또는 갑상선 피막 주변에 위치한 림프절까지 림프배액이 가능하다.[4] 주요 림프관은 갑상선에 혈액 공급 및 배액을 담당하는 동맥 및 정맥의 가지를 따라 크게 3방향(상부, 측부, 하부)으로 배액된다. 이 중 상부의 림프액은 상부 갑상선 혈관들을 따라 경정맥의 상부까지 배액된다. 갑상선 협부의 림프는 후두앞, 델피림프절을 따라 상부 경정맥 림프절까지 주행한다. 측부의 림프관은 안쪽 갑상선 정맥을 따라 중앙부 및 하부의 경정맥 림프절까지 이어지며, 하부의 림프관의 흐름은 기관앞, 기관 주위 림프절 및 하부 경정맥 림프절까지 이어진다. 앞쪽 종격동 림프절 및 인두 뒤 림프절과의 연결은 흔하게 관찰되나, 턱밑 샘과 목뿔위 부위의 림프절과의 연결은 흔하게 관찰되지 않는다. 림프관 배액은 갑상선 피막 주변, 기관 앞, 후두 앞 림프절의 연결을 따라 진행되어, 이 연결을 따라 갑상선암이 병변의 반대측으로 림프절 전이가 일어날 수 있다.[5] 다발성 갑상선암이 발생하는 원인으로 이러한 광범위하고 복잡한 갑상선 내부와 외부의 림프관 분포를 들 수 있다.[4] 초기의 림프절 전이는 대부분 중앙 경부 구획 및 기관앞, 기관 주위 림프절에 발생하는 경우가 많고, 순차적으로 측부 경부 구획으로 전이가 되며, 전반적으로 원발 종양의 크기가 클 경우, 다발성 종양인 경우, 더욱 광범위한 림프절 전이를 나타낸다고 알려져 있으나 잠복 원발 종양이 있는 경우에도 림프절 전이는 있을 수 있다.[6]

목의 해부적 구획을 나누는 경계에 대해 아는 것은 매우 중요한 일이다.[7] 최근에 Committee for Head and Neck Surgery and Oncology of the American Academy of Otolaryngology-Head and Neck surgery 에서 이전 지침과 비교하여 실질적으로 크게 변화를 두

지는 않았지만 경부 림프절 곽청술의 분류를 개정하였다.[8]

이 지침에서 가장 중요한 해부학인 기준점이 되는 것은 흉쇄유돌근이며, 이 흉쇄유돌근은 경동맥, 속경정맥 등의 주요 혈관을 보호해 주는 역할을 한다. 또한 이 분류에서 림프절은 6개의 구획으로 나누었다.

제1 구획(level I)의 경계는 아래턱뼈, 목뿔뼈, 두 힘살근의 뒤쪽 힘살로 구성되어 있으며, 상부 혹은 턱밑 그리고 턱끝 밑 삼각으로 명명하였다. 두 힘살근의 앞쪽 힘살은 앞쪽으로 턱끝 삼각, 뒤쪽으로 턱 밑 삼각으로 나누는 경계가 된다. 이 1구획 안에 턱밑샘이 들어 있다. 세 개의 경정맥 구획은 복장 목뿔근의 측면 변연부가 앞쪽, 흉쇄유돌근의 뒤쪽 가장자리가 뒤쪽의 경계를 이루고 있다. 상부 경정맥 림프절 구획으로 불리는 제2 구획

은 머리뼈 바닥부터 목뿔뼈를 평행하게 연장한 선까지이며, 이 선은 제3 구획의 상부 경계이기도 하다. 윤상연골의 하부 경계에서부터 빗장뼈까지를 제4 구획이라 일컬으며, 이 윤상연골의 하부 경계가 3구획과 4구획의 경계가 되겠다. 제5 구획은 경부의 후방 삼각이라고 불리우며, 이 구획의 상부 경계는 흉쇄유돌근과 등세모근이 만나는 부위이다. 제 5구획의 앞쪽 경계는 흉쇄유돌근의 뒤쪽 변연부이며, 뒤쪽 경계는 등세모근의 앞쪽 변연부가 되며, 하부 경계는 빗장뼈이다. 제6 구획은 앞쪽 경부 구획으로 불리며, 이 구획의 위아래 경계는 목 아래 패임부터 목뿔뼈까지이며, 내 외측 경계는 기관부터 경동맥 신경집까지이다. 이 구획은 되돌이후두신경 주변의 림프절, 반지 연골 앞쪽의 델피림프절, 기관앞, 기관 주위 림프절 등의 갑상선 주변의 갑상선 암의 전이가 흔

표 33-1 | **경부 림프절 구획에 대한 정의**

Submental groups	Lymph nodes within the triangular boundary of the anterior belly of the digastric muscles and the hyoid bone.
Submandibular group	Lymph nodes within the boundaries of the anterior and posterior bellies of the digastrics muscle and the body of the mandible. The submandibular gland is included in the specimen when the lymph nodes within this triangle are removed.
Upper jugular group	Lymph nodes located around the upper third of the internal jugular vein and adjacent spinal accessory nerve, extending from the level of the carotid bifurcation (surgical landmark) or hyoid bone(clinical landmark) to the skull base. The posterior boundary is the posterior border of the sternocleiodomastoid muscle and the anterior boundary is the lateral border of the sternohyoid muscle.
Middle jugular group	Lymph nodes located around the middle third of the internal jugular vein, extending from the carotid bifurcation superiorly to the omohyoid muscle (surgical landmark), or to the cricothyroid notch(clinical landmark) inferiorly. The posterior boundary is the posterior border of the sternocleidomastoid muscle, and the anterior boundary is the lateral border of the sternohyoid muscle.
Lower jugular group	Lymph nodes located around the lower third of the internal jugular vein, extending from the omohyoid muscle superiorly to the clavicle inferiorly. The posterior boundary is the posterior border of the sternocleidomastoid muscle, and the anterior boundary is the lateral border of the sternohyoid muscle.
Posterior triangle group	This group is comprised predominantly of the lymph nodes located along the lower half of the spinal accessory nerve and the transverse cervical artery.
Anterior compartment group	Lymph nodes in this compartment include the pre- and paratracheal nodes, precricoid(Delphian) node, and the perithyroidal nodes including the lymph nodes aling the recurrent laryngeal nerves. The lateral boundaries are the common caroted arteries, the superior boundary is the hyoid bone, and the inderiro boundary is the suprasternal notch.

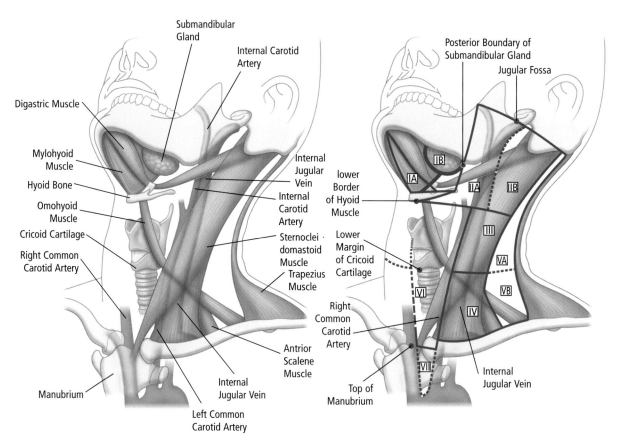

그림 33-1 | 경부 림프절 구획

한 림프절을 포함하고 있다. 제7 구획은 하부 경부 구획, 상부 종격동 림프절 구획으로 불린다. 이 구획은 목아래 패임에서 무명정맥까지의 공간이며, 기관 식도 고랑에 전이성 림프절이 있는 갑상선암 환자에서 이 구획까지 전이가 있을 가능성이 있다. 이 6구획과 구획을 통틀어서 바로 중앙 경부 구획이라고 일컫는다. 등세모근의 앞쪽 변연부 부위에서부터 림프절 곽청술을 시작하였을 때 수술 부위의 깊은 바닥층을 이루고 있는 것이 머리 널판근의 머리 부위와 어깨뼈 올림근과 척추 더부 신경이다. 이 목갈비근을 따라 팔신경 얼기가 지나가는데, 이는 앞 그리고 중간 목갈비근 사이에 위치한다. 가로막신경은 앞 중간 목갈비근을 따라 지나간다. 이 머리 널판근의 앞쪽으로는 미주신경, 경정맥과 경동맥 신경집이 위치한다. 혀밑 신경은 두힘살근 아래로 지나간다. 배

측으로는 후두근육, 식도, 기관, 갑상선이 위치하고 있고, 이 부위에 위 후두신경 과 되돌이후두신경과 부갑상선들이 위치하므로 특별한 주의를 요한다(표 33-1, 그림 33-1).

갑상선암 환자의 림프절 곽청술의 종류는 경동맥 신경집을 경계로 중앙부와 외측 경부 림프절 곽청술로 나눌 수 있다.[1] 경부 림프절을 둘러싸고 있는 지방 조직은 깊은 목근막의 첫 번째와 세 번째 층 사이에 위치한다. 목근막의 첫 번째 층은 흉쇄유돌근의 등쪽에 위치하고 있다. 이 첫 번째 층은 뒤쪽으로는 등세모근, 앞쪽으로는 두 힘살근, 그리고 띠근육에 둘러싸여 있다. 목근막의 세 번째 층은 기관, 식도를 덮고 있으며, 목갈비근 외측 및 어깨뼈 올림근과 머리 널판근을 지나 등세모근의 경부 표면에 있는 근막과 합쳐진다. 경부의 심부 근막

중 두 번째 층은 갑상선 앞 근막이라고 일컫는다. 갑상선 앞 근막은 경동맥 신경집부터 나온 하나의 널힘줄로 표면쪽으로는 띠근육을 둘러싸고 있으며, 뒤쪽으로는 목갈비근을 둘러싸고 있다. 경동맥을 둘러싸고 있는 이 널힘줄은 경부 림프관계를 중앙부와 외측부로 나누는 중요한 경계가 된다. 이 근막으로 각각 독립된 구획을 나타냄으로 외측면에 위치한 림프절들은 갑상선과 함께 일괄절제를 할 수 없다.[9] 따라서 경부 림프절 곽청술은 중앙부, 외측 림프절 곽청술로 나누어 부르게 된다.

중앙부 림프절 구획에서 갑상선은 기관을 따라 위치하고 있으며, 갑상선, 식도, 부갑상선, 되돌이후두신경이 하나의 내장면에 위치하고 있으며, 이 장기들은 띠근육 내부에 위치하고 있다. 중앙부 림프절 구획은 상부쪽으로는 목뿔뼈까지이며, 하부로는 상부 종격동의 무명 동맥까지로 경계 지을 수 있다. 측면으로는 경동맥 신경집이 위치하고 있으며, 이 경동맥 신경집이 외측부 림프절 구획에서도 내측 부위와 중앙부 경부 림프절 구획의 경계가 되는 구조물이 되겠다. 변이 경부 림프절 곽청술은 보통 목 정맥 주변 림프절 구획이라고 불리는 2~4구획과 뒤쪽 경부 삼각이라고 불리는 5구획의 림프절 곽청술을 시행하는 것이며, 아래턱 밑, 턱끝 밑 림프절을 포함하고 있는 경부의 위쪽 삼각 즉 목뿔뼈 위쪽 부위로의 림프절 전이는 흔치 않으므로, 변이 경부 림프절 곽청술 시행 시에 이 부위의 림프절 곽청술을 시행하지 않는다.

2. 갑상선암에서 림프절 전이의 양상

갑상선유두암과 수질암은 주변 림프절 전이가 잘 되는 것으로 알려져 있다. 여포암의 림프절 전이는 흔치 않으며, 만약 림프절 전이를 동반하고 있다면, 여포암 보다는 유두암의 여포형 변이일 가능성에 대해 고려해 봐야 한다. 갑상선유두암 환자에서 진단 당시 림프절 전이의 유무는 원발 종양의 크기와 연관이 있다는 보고가 있지만,[5,6,10] 크기가 작은 미세 유두암일 경우에도 림프절 전이가 발견된다는 보고도 있다.[10,11] 그러나 보통 유두암 환자에서 원발 종양의 크기가 1 cm 미만인 경우에서 주변 림프절 전이를 동반하고 있는 경우는 흔치 않다.[11-13] 종합해 보면 유두암의 림프절 전이가 암진행 정도와 반드시 비례하는 것은 아니다. 갑상선 암 병변을 촉진할 때 만져지지 않아도 림프절 전이를 동반하고 있는 경우도 있으며,[14-17] 수술 전 검사에서 림프절 전이가 확인되지 않은 환자에서 예방적으로 림프절 곽청술을 시행하였을 때 림프절 전이가 발견되는 경우가 30~80%에 달한다고 주장하는 보고들도 있다.[5,18-21] 또한 수술 전에 좀 더 주의 깊게 여러 가지 영상의학적 검사를 진행하였을 때 90%의 환자에서 림프절 전이를 발견할 수 있다.[5,18,19] 즉 처음 수술 당시에 갑상선 암 환자의 대부분이 임상적으로 발견되었거나 혹은 숨어 있는 림프절 전이를 가지고 있다고 할 수 있다. 또 다른 흥미 있는 사실 중 하나는 젊은 환자에서 경부 림프절 전이의 발생률이 더 높다는 사실이다.[12,16,17,22]

여포암 환자에서 림프절 전이는 갑상선 외부 연부 조직의 침범과 연관이 있으며, 이는 진행된 병기임을 시사하는 하나의 증거가 된다.[22]

수질암에서 임상적으로 림프절 전이가 관찰되는 경우는 25~60%에 이르는 것으로 알려져 있다.[23-27] 수질암 환자의 절반 이상에서 림프절 전이가 관찰되며, 더욱 특이한 것은 유전성 수질암 환자의 약 절반에서 림프절 전이가 발견된다는 것이다.[24,26-28] 즉 유전성의 수질암이 비 유전성의 수질암보다 림프절 전이가 더 흔하다는 것이다.[23,29] 유전성의 수질암인 경우 원발 종양이 갑상선 양측이 다 존재할 가능성이 크고 림프절 전이도 양측에 있는 경우가 흔하다. 다발내분비선종양 2B형(MEN type 2B)의 수질암이 2A형 환자들에서 동반된 수질암보다 림프절 전이가 더 흔하다고 알려져 있다.[30] 혈청 칼시토닌 수치는 갑상선수질암 환자에서 민감도와 특이도가 높은 검사로 알려져 있다. 특히 팬타가스트린 혹은 칼슘 유발 검사를 시행하는 경우에 더욱 뛰어난 검사로 알려져 있다.[31-34]

유두암과 수질암 환자의 대부분은 편측에만 림프절

전이가 있는 경우가 많으나 유전성의 수질암의 경우에는 양측 또는 원발 병변의 반대측의 림프절 전이가 동반되는 경우가 종종 있다.[5,6,16,19,23,35-37] 갑상선암의 림프절 전이가 가장 먼저 전이가 일어나는 림프절은 보통 병변의 동측에 있는 중앙부 림프절 구획이다.[5,10,37-42] 따라서 기관 주변의 지방 조직, 즉 되돌이후두신경과 기관 식도 고랑을 따라 발생하는 것이 가장 흔하며, 이 구획이 바깥쪽 경계는 경동맥이며, 이 구획은 6구획에 속해 있다. 림프절 전이는 또한 기관 앞 구획 즉, 상부 갑상선 혈관을 따라 일어나기도 한다. 외측 림프절 구획에 흔히 림프절 전이가 일어나지는 않지만, 갑상선 주변의 림프절에는 숨겨진 림프절 전이가 있을 수 있다.[5,9,16,34,35] 외측 림프절 구획에서 속목 정맥의 중부와 하부에 위치하는 림프절(3구획, 4구획)은 속목 정맥의 상부를 따라 위치하는 림프절 구획(2구획)과 뒷목 삼각이라고 불리 우는 빗장뼈 위 림프절(5구획)보다 림프절 전이가 더 흔하다. 림프절 전이가 있는 환자들 중 80%는 중앙부 경부 림프절 구획 및 속목 정맥의 중부, 하부 림프절 구획, 즉 6, 3, 4구획에 위치하게 된다. 광범위한 림프절 전이가 있는 경우에도, 아래턱 밑, 턱 끝 밑 림프절(1구획) 전이는 거의 발생하지 않는다.[5,16,19,43] 인두 뒤 림프절로의 림프액 배액이 있지만,[2] 이 구획으로의 림프절 전이는 흔치 않다. 유두암이나 수질암의 경우에서 상부 종격동으로의 림프절 전이가 비교적 흔하며, 수질암이 유두암보다 더 흔하다.[6,22,24,43,44] 수질암 환자에서 경부 양측의 림프절 전이를 보이는 환자는 종격동 림프절 전이가 동반되어 있을 가능성이 높다.[27,29,45] 때로는 상부 종격동으로의 림프절 전이가 원발 종양의 반대측에 위치하는 속경정맥 주변의 림프절 전이보다 더 흔하다고 보고하는 연구도 있다.[17,44,46] 그러나 국소 진행된 갑상선암 환자를 제외하고는 상부 종격동 림프절보다 아래쪽에 림프절전이가 있는 경우는 거의 없다.[44]

주변 림프절 전이가 동반된 두경부의 표피 모양암(epidermoid cancer)은 불량한 예후를 보이지만 유두암의 예후인자 중 림프절 전이는 비교적 중요하지 않은 인자

로 생각된다. 본 장에서 서술하고 있는 세 가지 갑상선암의 종류에 따라 림프절 전이가 예후에 어떠한 영향을 미치는지는 차이가 있다. 유두암 환자에서 현재까지 알려진 바로는 진단 당시의 림프절 전이는 재발에는 영향을 미치나 생존율에는 영향을 미치지 않는다는 것이다. 여포암 환자에서 주변 림프절 전이의 발생 빈도는 높지 않으나, 림프절 전이가 동반되어 있는 경우의 원발 종양은 더욱 공격적인 성향을 보인다. 수질암 환자의 림프절 전이는 생존율에도 악영향을 미치는 위험인자 중 하나이다.

갑상선여포세포에서 기원한 갑상선 암의 생존율을 좌우하는 가장 중요한 인자는 병기, 나이, 조직학적 유형, 주변 조직의 침습성, 적게는 성별도 좌우하는 것으로 알려져 있다.[12,15,22,26,47-57] 유두암과 여포암 환자에서 임상적으로 림프절 전이가 동반되어 있는 경우 생존율에 악영향을 미친다고 발표한 연구가 있으나,[6,49,53,58-60] 다른 연구에서는 림프절 전이가 있는 환자에서 재발률과는 연관이 있으나 생존율에는 크게 영향을 미치지 않는다고 주장하기도 하지만,[15,48,51,56,61-63] 모든 내분비 외과 의사들이 이에 동의하지는 않는다. 많은 연구에서 45세 이상 유두암 환자는 비교적 림프절 전이의 빈도가 높으며, 림프절 전이는 생존율에 영향을 미치는 독립적인 주요 인자라고 밝히고 있다.[6] 즉 저 연령의 환자와 고령의 환자의 예후의 차이는 바로 림프절 전이의 빈도 차이 때문이라는 것이다. 연령을 일치시켜 진행한 한 연구에서는 림프절 전이가 재발률을 증가시키고 생존율을 낮추는 하나의 인자라고 주장하고 있다.[58] 위 연구에서 림프절 전이가 있는 환자 중 12%는 여포암 환자였다고 밝히고 있으며, 여포암 환자에서 림프절 전이는 유두암 환자보다 예후에 더 악영향을 미친다고 주장하고 있다.[13,56,60,64] 유두상, 여포암 환자에서 림프절 전이의 임상적 중요성은 각각 따로 분리시켜 생각하여야 한다. 그러나 어떤 연구에서는 이를 분리시키지 않는데,[14,36,53,59,65,66] 이는 생존율 분석의 비교가 어렵고 서로 각기 다른 경부 림프절 곽청술을 시행하는 것이 아니기 때문이다.

우리나라에서는 대부분의 경우 예방적인 중앙부 경부림프절 곽청술을 시행하지만 대부분의 서양의사들은 유두암 환자들이 현미경적 림프절 전이를 보인다고 하여도 예방적인 경부 림프절 곽청술을 시행하지 않는데 그 이유는 육안상 림프절 전이가 관찰되지 않는 환자들의 재발률은 20% 이내로 낮기 때문이다.[10,13,15,21,36,48,51,67-70] 또한 중앙부 경부 림프절 전이가 있을 시에 외측 경부 림프절 전이가 동반되어 있을 가능성이 좀 더 높지만, 경정맥 주변, 외측 경부 림프절에 순차적으로 재발하는 경우는 드물다.[36]

잠재된 림프절 전이는 성장하지 않거나 사라질 수 있다. 유두암의 일차 치료 후에 발생하는 림프절의 재발은 고령 환자에서 생존율에 큰 영향을 미치는 독립적인 예후인자이지만 저연령의 환자에서는 그 영향력이 아직 확실하지 않다.[71]

림프절 전이가 동반된 수질암 환자는 불량한 예후를 나타내는데 특히 종격동 림프절 전이가 동반된 경우, 특히 예후가 불량하다고 알려져 있다.[23,24,26,27,72] 또한 3개 이상의 림프절 전이가 있거나 1 cm 이상의 림프절 전이가 동반되어 있는 경우 예후가 불량하다고 알려져 있다.[45] 재발의 여부를 알아보기 위해서는 칼슘과 펜타가스트린을 같이 혹은 따로 주입한 후에 혈중 내 칼시토닌 수치를 확인해 보는 것이 도움이 될 것이며, 이는 민감도가 높은 검사 방법이다.[31-33] 즉 이 칼시토닌, 그리고 암종 배아 항원 수치 등을 수술 후 경과 관찰 시 확인함으로 수질암의 잔류 혹은 재발 여부에 대한 감시를 시행할 수 있겠다.

3. 갑상선 암에서 경부 림프절 곽청술의 선택

경부 림프절을 제거하는 수술은 단순히 육안상 전이가 의심되는 림프절만 제거하는 것부터, 전통적인 근치적 경부 림프절 곽청술까지 다양하다. 1906년 Crile은 두경부 암의 국소 제어를 위해 전통적인 근치적 경부 림프절 곽청술을 최초로 시행하였다.[73] 근치적 경부 림프적 곽청술이 대부분의 두경부 암에서 표준술식으로 자리 잡았지만, 갑상선 암에서는 적용되지 않는다. 근치적 경부 림프절 곽청술은 미관상, 신체 기능상 결함을 남기지만 뛰어난 국소 제어와 완치의 확률을 높이는 것으로 알려져 있다.[9,14,415,18,26,35,38,55,74,75] 이에 비해 변형근치경부곽청술은 외과의사들에게 "기능적인" 경부 림프절 곽청술이라고 불리우며, 이 이름처럼 근육, 신경, 혈관 같은 기능적으로 중요한 구조물들을 보존하면서 경부의 림프절을 총괄적으로 제거할 수 있는 술식이다.[9,18,74] 이 변형근치경부곽청술은 합병증이 적고 미관을 덜 손상시킨다.[9,10,36]

중앙 경부 림프절 곽청술을 시행할 때에 가장 기본이 되는 것이 되돌이후두신경 및 부갑상선과 부갑상선으로 가는 혈류를 보존하는 것이다. 중앙부 경부 림프절 곽청술은 가슴샘 주변의 림프절 및 상부 종격동의 림프절을 제거하는 술식이다. 광범위하게 침습적인 유두암, 여포암과 더욱 흔하게는 수질암에서 앞쪽 상부 종격동의 림프절, 가슴샘, 모든 지방 조직을 제거하기 위한 정중 흉골 절개술이 때로 필요하기도 한다.[34]

전이성 림프절이 주변 구조물들을 직접적으로 침윤하는 경우는 흔하지 않아, 변형근치경부곽청술은 어렵지 않게 시행할 수 있다. 매우 광범위한 림프절 전이가 동반되어 있어도 흉쇄유돌근 조직 내의 림프절 전이는 흔치 않으므로,[9,36] 경부 림프절 곽청술 시에 흉쇄유돌근을 제거할 필요가 없다는 하나의 근거가 된다. 일반적으로 척수부신경은 주변 조직으로부터 잘 분리가 되므로 보존하기가 쉽고 또한 이 척수부신경을 보존함으로 목, 어깨의 변이를 막을 수 있다. 속목 정맥도 보존이 가능하다. 그러나 정맥을 따라 정맥의 아래쪽 끝까지 완벽하게 주변의 림프절 곽청술을 시행하여야 한다.[36] 양측의 변형근치경부곽청술을 시행할 때에 주의할 점 중 하나는 양쪽 중 적어도 하나의 속경정맥을 보존하여야 한다는 것이다. 양측의 속목 정맥 절단 시 심각한 얼굴의 종창 및 부종이 발생할 수 있기 때문이다. 여러 기관을 보존할 수 있는 이 변형근치경부곽청술은 경부 림프절 전이가 있는 갑상선 암 환자 치료에 있어서 표준 술기로 자리 잡았으며, 특히 갑상선의 유두암, 여포암, 수질암 환자의 대부분이 여성 환자들이므로 특이 효과적이라고 볼 수 있겠다.

감시 림프절 곽청술은 현재 유방암과 흑색종 환자에서 임상적으로 널리 사용되고 있으며, 수술적 치료의 하나의 변천사로 볼 수 있겠다. 수술 중 감시 림프절 생검이 현재 갑상선암 수술에도 시도되고 있다.[76-78] 이 술기는 인체에 무해한 염료를 사용하거나 방사성 추적자를 사용하여 시행하게 되며, 이 두 가지 방법을 같이 사용할 수도 있다. 모든 환자에게 중앙 경부 림프절 곽청술 및 변형근치경부곽청술을 시행하는 것이 아니지만, 감시 림프절 생검 시행 시 발생하는 위 음성률로 인해 감시 림프절 곽청술이 설득력 있는 방법으로 여겨지기 위해서는 경부 림프절의 다양성 및 신속히 전파되는 염료의 발견 및 임상적용에 대해 좀 더 많은 연구가 필요하다. 갑상선 유두암의 예후에 있어서 잠재된 림프절 전이가 얼마만큼의 영향을 주는가에 대해서는 논란의 대상이다. 따라서 현재 유두암 환자에게서 예방적 림프절 곽청술 시행 여부와 이런 림프절 곽청술의 역할에 대해서는 여전히 논란의 여지가 있다. 수질암에서는 대부분의 외과의사들이 표준 외측 경부 림프절 곽청술을 시행하는 것에 대해 찬성하므로 이런 경우 감시 림프절 곽청술을 적용해 보는 것이 도움이 될 것이다. 중앙 경부 림프절 전이가 없는 환자에서 외측 림프절 구획에서 감시 림프절을 확인하는 것은 반드시 외측 경부 림프절 곽청술을 시행하여야 한다는 주장에 반론을 제시하는 것이다. 이런 논쟁 거리에 대해 명료한 결론이 내려지려면 향 후 이에 대한 연구가 더욱 깊이 있게 진행되어야 할 것이다.

1) 갑상선유두암, 여포암에서의 림프절 곽청술

유두암과 여포암에서 일반적으로 변형근치경부곽청술을 예방적인 목적으로 시행하지는 않는다.[18,62] 일부의 연구에서 예방적인 목적의 변형근치경부곽청술을 시행하자고 주장하고 있으며, 대다수의 사람들은 이에 동의하지 않는다. 림프절 전이가 동반된 유두암, 여포암 환자에서 체계적인 경부 림프절 곽청술을 시행하는 것은 제한적인 림프절 생검만 시행하는 치료에 비해 암의 재발을 막는 효과적인 방법이라는 의견에는 이견이 없으나 경부 림프절 곽청술의 범위가 생존율에 어떠한 영향을 주는가에 대해서는 여전히 논란의 여지가 있다.[55,66,68,75] 어떤 연구에서는 갑상선유두암에서 발견되는 림프절 전이가 재발뿐 아니라 생존율에도 영향을 미친다는 보고가 있으나, 이런 경우에서 좀 더 침습적이고 광범위한 치료가 예후에는 크게 영향을 미치지 않는다고 보고하고 있다.[79] 이러한 의견들을 종합하였을 때 유두암과 여포암 환자에서 모든 림프절을 제거한다는 것은 환자의 치료에 있어서 합리적이지 못한 생각이며, 오히려 합병증만 증가시킬 가능성이 있다. 그렇지만 명백한 전이성 림프절이 있다면 림프절 곽청술이 합병증의 비율을 높일 가능성이 있더라도 반드시 제거하여야 할 것이다. 몇몇의 특히 서양의 내분비 외과 의사의 대부분은 중앙 경부 림프절 구획의 림프절에 대해 우선 자세히 조사하고 생검하여 동결 절편 검사를 시행해 본 후에 전이성 림프절이 발견되었을 경우에서 중앙부 경부 림프절 곽청술을 시행하는 것이 옳다고 주장한다.[38,49,69,81] 그러나 몇몇의 특히 대한민국이나 일본의 내분비외과 의사들은 갑상선 전절제술과 함께 중앙 경부 림프절 곽청술을 반드시 시행하여야 한다고 주장한다.[6,18,62,80,82] 과거에 대한 민국과 일본 등지에서는 한때 외측 경부 림프절 곽청술을 예방적으로 다 시행하는 경우가 있었으나 현재 동양이나 서양이나 외측 경부 림프절 곽청술에 대해서는 임상적으로 전이가 의심이 되는 경우에 시행하는 것이 추세이다.[1,9,14,39,41,48,52,58,62,69,82-84]

다변량 분석을 사용한 대다수의 연구에서 림프절 전이의 유무가 예후에 악영향을 미치지 않는다는 결론을 내려도 림프절 전이는 더욱 침습적이고 광범위한 갑상선 암과 연관되어 있다는 것은 이견이 없을 것이다. 일부의 내분비 외과 의사들은 변형근치경부곽청술 시행의 적응증을 림프절 전이를 보이는 모든 환자보다는 좀 더 광범위한 림프절 전이를 보이는 환자에서 시행하자고 주장하고 있고, 이런 일부의 제한적인 림프절 전이를 보이는 환자에서는 제한된 림프절 곽청술을 시행하자고 주장하고 있다.[39,47,73,81]

2) 갑상선수질암에서의 림프절 곽청술

수질암은 유두암, 여포암보다 생물학적으로 공격적인 성향을 지니고 있고, 수질암에서의 림프절 전이는 불량한 예후와 밀접한 연관을 보인다고 알려져 있다. 유두암과 여포암에서는 수술 후 보조요법으로 방사성 동위원소 치료를 시행할 수 있으나, 수질암의 경우 방사성요오드를 흡수하지 않으므로 시행의 의미가 없다.[26,57,85] 또한 대부분의 수질암은 항암 화학 요법 및 방사선 외부 조사에 효과가 미미하다. 이러한 사실은 수질암의 치료 시 유두암이나 여포암에 비해 좀 더 광범위한 수술적 치료를 시행하여 한다는 주장의 근거가 된다. 현재 수질암 환자 수술 시 갑상선 전절제 및 양측 중앙 경부 림프절 곽청술을 시행하는 것이 대부분 학자들의 의견이다.[25,28,29,34,35,45,57,63,65,86-92] 수술 전 임상적으로 림프절 전이가 없다고 판단된 환자들에게서도 때로 수술 후 검체에서 미세 림프절 전이가 발견되는 경우가 종종 있으므로, 이런 수질암 환자에게서 재발 시 우선 중앙 경부에 림프절 전이가 발생할 위험성이 가장 높으며, 또한 재수술 시에 합병증의 비율이 높은 것으로 알려져 있다.[34] 수질암 환자들에게 변형근치경부곽청술을 시행하는 것은 논란의 여지가 있으며, 어떤 연구에서는 모든 수질암 환자에게서 첫 수술 시에 동측의 속경정맥의 중간, 하부의 림프절에 대한 변이 경부 림프절 곽청술을 시행하는 것이 옳다고 주장하기도 한다.[45,57,65] 또 다른 연구에서는 원발 종양의 크기가 1.5 cm 이상인 경우에 동측의 변형근치경부곽청술을 시행하는 것이 옳다고 주장하기도 한다.[88,89] 대부분의 내분비외과 의사들은

중앙 경부 구획에 림프절 전이가 있는 모든 환자에게 있어 동측 변이 경부 림프절 곽청술을 시행하여야 한다고 주장한다.[29,37,90] 또한 일부의 내분비 외과 의사 중에서는 수질암 환자 모두를 동측, 혹은 양측의 변형근치경부곽청술을 시행해야 한다고 주장하기도 한다.[91,92] 물론 이런 경부 림프절 곽청술이 전체 생존율을 향상시키는가라는 의문에 대해서는 아직 정설이 없으며, 더욱 많은 연구가 필요할 것으로 보인다.

경부 림프절 곽청술을 시행 한 뒤에 정상 범위로 떨어진 칼시토닌 수치는 양호한 장기 예후를 나타낸다. 적절한 갑상선절제술 및 림프절 곽청술을 시행한 뒤에 혈중 칼시토닌 수치가 증가되어 있는 경우에 잔류 질환의 여부 및 잔류 질환의 위치를 찾기 위해 여러 비침습적인 검사 및 정맥 칼시토닌 체취 등의 침습적인 검사를 시행하여야 한다. 이러한 각종 검사를 모두 시행하였을 때 특이 소견이 관찰되지 않았을 경우에 이 환자에게서 초기의 수술이 적절하였다는 것에 확신을 가져야 하며, 칼시토닌 수치를 정상화 시키기 위해 탐색적인 수술을 시행한다는 것을 있을 수 없는 일이다.[57,93] 이렇게 적절한 수술에도 불구하고 혈청 칼시토닌 수치가 증가되어 있는 환자 군의 장기 생존율은 양호하다.[43,45,57]

수질암환자에서는 반드시 체계적이고 세밀한 미세 림프절 곽청술을 시행하여야 한다. 확대경을 사용하여 림프절 곽청술을 시행한다면 더욱 세밀한 미세 림프절 곽청술을 시행할 수 있다.[28,29,34] 상부 종격동을 포함한 중앙 경부 림프절 구획에 대해 미세 림프절 곽청술을 시행하였을 때에 이는 비 체계적이고 비 침습적인 림프절 곽청술에 비해 생존률 및 칼시토닌 수치를 정상화시키는데 더욱 양호한 효과를 보인다고 할 수 있다.[28,29,34]

상부 종격동의 림프절 전이가 발견되었을 때 정중 흉골 절개술을 통한 광범위한 림프절 곽청술을 시행하여야 한다는 주장도 있지만 이런 광범위한 수술이 그에 상응하는 효과가 있을지는 여전히 의문으로 남아 있다.[34] 어떤 연구에서는 위의 경우 환자의 25%가 혈중 내 칼시토닌 수치가 뚜렷하게 감소한다는 것이며, 다른 장점에

대해 증명하려면 더욱 장기간의 추적관찰이 필요할 것으로 보인다. 초기의 림프절 곽청술을 완전히 시행하지 않아 재수술을 시행하게 된다면 이전 수술로 인한 조직의 유착으로 수술의 술기가 어려워지고 합병증의 가능성이 높아지므로, 초기 수술 시 섬세하고 미세하게 완벽한 림프절 곽청술을 시행하는 것이 중요하다.[28]

수질암은 비교적 흔치 않은 암이며, 이 질환을 앓고 있는 환자들에게 가장 뛰어난 예후를 선물할 경험이 풍부한 내분비 외과 의사가 필요하다.

4. 수술 술기

중앙 경부 구획의 림프절들은 갑상선과 함께 절제한다. 이 림프절 곽청술을 시행할 때에 띠근육은 측면으로 당긴다. 수술 중 띠근육이 측면으로 잘 당겨지지 않을 때에는 하방부터 상방으로 서서히 분리하면 된다. 중앙 경

부 림프절 곽청술은 되돌이후두신경을 손상시킬 수 있고, 부갑상선의 혈류 공급을 담당하는 혈관을 손상시킬 위험성을 가지고 있다. 부갑상선은 갑상선에서 섬세하게 분리해내야 하며, 특히 부갑상선에 혈류 공급을 담당하는 미세한 혈관을 잘 보존해야 한다. 이때 만약 부갑상선으로 가는 혈관을 보존하지 못하였다면, 부갑상선을 떼어 내어 그 중의 일부의 조직을 동결 절편 검사를 통해 부갑상선임을 확인한 후 자가 이식을 시행하여야 한다. 이러한 구조물들을 잘 확인하면서 기관 식도 고랑 및 기관을 따라 주행하는 되돌이후두신경 주변에 있는 경동맥 신경집과 식도 사이의 림프절 및 지방 조직을 모두 제거해야 한다(그림 33-2).

림프절 전이가 광범위할 경우에 되돌이후두신경의 위치가 변이되어 신경을 찾기가 더욱 어려우므로 주의를 요한다. 주의를 기울인다면, 대부분의 환자에서 되돌이후두신경을 보존하면서 안전하게 림프절 곽청술을 시행할 수 있을 것이다. 광범위한 림프절 전이가 동반되어 있는 경우, 림프절 곽청술을 시행하는 동측의 하부

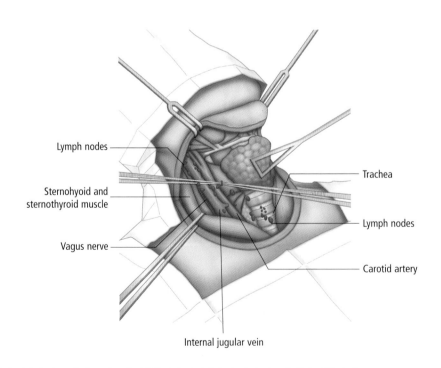

Lymph nodes

Sternohyoid and
sternothyroid muscle

Vagus nerve

Trachea

Lymph nodes

Carotid artery

Internal jugular vein

그림 33-2 | 갑상선 전절제 및 중앙 경부 림프절 곽청술과 속경정맥 중간 부위 림프절 생검 시행의 예

부갑상선은 보존하기 어려울 수도 있으나, 상부 부갑상선은 좀 더 등쪽에 위치하므로 보존하기 더 쉽다. 림프절 곽청술을 시행하는 동측의 부갑상선의 손상 가능성이 있으므로, 반대측의 부갑상선을 확인하고 보존하는 것은 필수적이라고 할 수 있겠다. 중앙 경부 림프절 곽청술은 양측의 되돌이후두신경을 따라 상부 종격동까지 시행하여야 한다. 이때 주의해야 할 것은 하부의 부갑상선으로, 상부 종격동 림프절 곽청술 시행 시 반드시 하부 부갑상선과의 연관관계를 확인한 후 가슴샘과 주위의 지방 조직들을 제거함으로 하부 부갑상선을 보존하면서 림프절 곽청술을 완성할 수 있다. 갑상선절제술을 시행하는 동안 하부 부갑상선을 찾을 수 없다면 가슴샘 상부에 위치하고 있을 가능성이 가장 높으며, 가슴샘의 상부 피막을 열었을 때 가슴샘 내 부갑상선이 노출되는 경우가 대부분이다. 가슴샘 내의 부갑상선 외에 다른 부갑상선을 확인할 수 없다면, 가슴샘을 그 위치에 놔두거나 확인된 가슴샘내의 부갑상선을 자가 이식한다. 림프절 곽청술은 무명정맥까지 시행해야 하며, 광범위하고 침습적인 갑상선암 수술 시에 정중 흉골 절개술이 필요할 때도 있다. 변형근치경부곽청술을 계획하였을 때 Kocher Transverse collar 절개법에서 측면으로 연장한 절개선(MacFee extension)을 사용하게 되는데, 이 절개법을 사용할 경우 대부분 수술을 진행하기에 충분히 주위 조직을 노출시켜 주며, 이 절개법은 미용적으로도 양호한 것으로 알려져 있다. 턱뼈의 각을 향해 수직의 절개선을 긋는 것도 주위 조직을 적절히 노출시킬 수 있으나 이는 미용적으로 불량하다. 오히려 최초 절개선과 평행하게 두 번째 절개선을 수평으로 긋는 것이 미용적으로 더 양호하다. 피부 피판의 박리면은 넓은 목근의 후방과 바깥 경정맥의 전방부이다. 아래턱뼈 하방으로 얼굴신경의 턱모서리 가지가 지나가므로 당김기를 사용할 때 눌릴 수 있으므로, 두부 쪽의 피부 피판을 당길 때에 특별한 주의가 필요하다. 얼굴신경의 턱모서리 가지 손상 시에 입꼬리에서 의도치 않게 침이 흐르는 합병증(Frey syndrome)이 발생할 수 있으므로 주의해야 한다. 보통 흉쇄유돌근을 가로 절단할 필요는 없다. 흉쇄유돌근을 내측과 측면으로 당기면서 그 하방에서 작업을 한다면 경부 림프절 곽청술을 시행하는데 큰 무리가 없으며, 이 흉쇄유돌근을 당길 때는 당김기나 고무 끈을 사용하는 것이 도움이 된다. 흉쇄유돌근을 빗장뼈와 흉골의 부착부위에서 일시적으로 끊는 방법도 있는데, 이때 흉쇄유돌근은 박리하여 꼭지돌기 방향으로 들어 올려야 한다. 흉쇄유돌근을 감싸고 있는 표재성 경부 근막은 세로 측으로 절개하여 박리한다. 바깥 경정맥과 큰귓바퀴 신경은 가능한 한 보존하여야 하며 혈관 고리를 사용하여 뒤쪽으로 당겨 놓는다. 표재성 근막의 앞부분은 근육으로부터 박리하고, 속경정맥과 인접한 림프절을 덮고 있는 근막은 보존하여야 한다.

림프절 곽청술은 속목 정맥의 하부와 빗장뼈의 접합점의 내측과 또한 등세모근과 빗장뼈의 접합점의 외측에서 시작한다. 저자들은 복장 빗장 관절 위의 속경정맥에서부터 림프절 곽청술을 시행하는 내측의 접근 방법을 더 선호한다. 좌측에서 특히 주의해야 하는 구조물은 가슴림프관으로 이는 무명정맥과 속경정맥과 빗장밑 정맥이 만나는 접합부위에 위치하고 있다. 가슴림프관은 이 혈관이 갈리는 부위에 있는 성근 조직의 압박으로 인해 팽창되어 있는 경우가 있는데, 이런 경우에 가슴 림프관을 확인하는 것은 어려운 일이 아니다. 이 가슴림프관이 손상되었을 경우에 유미루가 발생할 가능성이 있으므로, 가슴림프관을 철저하게 박리하여 결찰하여 주어야 한다.

속경정맥을 림프절이 포함되어 있는 주변 조직으로부터 완전히 박리하는 것이 변형근치경부곽청술의 시작이며, 특히 하부 속경정맥 뒤편에 있는 림프절 곽청술을 시행 시에 주의가 필요하다. 이 하부 속경정맥의 뒤편에 대한 시야를 좋게 만들기 위하여 정맥을 안쪽 또는 바깥쪽으로 당겨야 하는데, 이때 속경정맥에 열상이 생기지 않도록 주의해야 한다. 열상 발생 시 공기 색전증의 발생가능성이 있을 뿐 아니라 수술 시야가 나쁘게 되므로 조심스런 술기가 필요하다. 림프절 곽청술은 경동맥, 교감신경 얼기, 미주 신경이 드러날 때까지 계속하여야 한다.

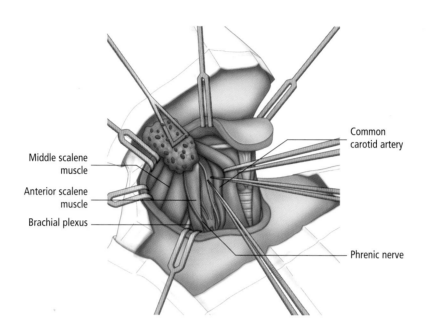

그림 33-3 | 변이 경부 림프절 곽청술의 예

림프절 및 지방 조직은 빗장뼈를 따라 외측 상부로 가동시켜서 외측 림프절 구획의 림프절 곽청술 검체의 하부를 만들기 시작한다. 이때 주의를 요하는 구조물은 가슴막이다. 검체를 외측 림프절 구획의 바닥에서부터 상부쪽으로 점차 박리해 나가면서 더욱 많은 검체를 획득할 수 있다. 가로막 신경은 앞쪽 갈비근에서 비스듬하게 주행한다. 그리고 팔신경 얼기는 앞목 갈비근과 중간목 갈비근 사이에서 확인할 수 있다(그림 33-3).

등세모근의 앞쪽 변연부를 박리하면서 이곳에서 약 1 cm 앞쪽에서 척수부신경을 확인할 수 있다. 등세모근은 외측 림프절 구획의 외측 변연부를 구성하는 구조물로 이 등세모근을 따라 척수부신경이 주행한다. 종양이 이 신경을 직접 침범하는 경우는 드물지만, 전이성 림프절에 둘러싸여 있는 경우가 종종 있어 흉쇄유돌근의 두부 위쪽에 있는 주위 조직 박리 시 척수부신경에 주의를 기울여야 한다. 척추 더부신경은 경부 후방 삼각의 표층에 위치하며, 경부 감각신경으로부터 나오는 신경 얼기들은 척수부신경, 횡경막 신경과 평행하게 미부에 위치하고, 이 신경들은 가능하다면 모두 보존하여야 한

다. 큰귓바퀴신경은 이 신경들 근처에서 흉쇄유돌근 쪽으로 돌아간다. 또한 이 구획에서 흉쇄유돌근에 부분적으로 혈액을 공급하는, 뒤통수 동맥의 가지를 반드시 조심스럽게 보존해야 하며, 이 뒤통수 동맥은 외측 구획의 후 상방 절제 한계점을 나타낸다. 림프절 곽청술은 등쪽으로는 척추 앞 근막까지 계속 시행해야 한다. 척추 더부신경의 위 아래로 있는 조직은 신경으로부터 잘 분리되고, 어깨뼈의 올림근과 머리 널판근의 위쪽으로 박리할 수 있다. 검체의 하부, 상부, 외측과 후면의 절제를 종료한 뒤 검체를 흉쇄유돌근을 외측으로 당긴 후에 하부쪽을 지나 통과 시킨다. 검체의 전방은 경동맥과 경정맥으로부터 잘 분리되어 있을 것이고, 림프절 곽청술을 경정맥의 중간과 위쪽 림프절을 분리하면서, 경정맥을 따라 위쪽으로 계속한다. 이때 안면 정맥 뒤편의 설하신경을 확인하여야 한다. 때로 이 안면 정맥은 경정맥의 위쪽 림프절을 제거하는 동안 혀 밑 신경을 적절히 확인하기 위해 결찰하고 잘라도 무방하다. 이 림프절 곽청술은 두 힘살근의 뒤쪽 힘살에서 종료한다. 갑상선 암 환자에서 아래턱 밑에 있는 림프절 전이는 거의 없으므로 이

구획에 광범위한 림프절 전이가 관찰되지 않는다면 제거하지 않는다. 두 힘살근은 림프절 곽청술 시행 시 위쪽 경계가 되는 부위이며, 이곳에서 림프절 곽청술로 인해 얻어진 검체를 떼어낼 수 있다. 림프절 곽청술을 시행한 부위에 완벽한 지혈을 시행하고 흡인 배액관을 삽입하면 된다. 흉쇄유돌근의 두부를 분리하였다면 접합하고 넓은 목근을 접합하고, 피부 봉합을 실시한다.

5. 경부림프절절제술의 합병증

림프절 곽청술을 시행 시 특히 중앙 경부 구획을 포함한 보다 넓은 부위에 걸친 림프절 곽청술을 시행하였을 때 부갑상선기능저하증과 다른 합병증의 위험성은 증가한다.[34,67] 중앙 경부 구획의 림프절 곽청술을 시행하면서, 되돌이후두신경과 부갑상선으로의 혈액 공급을 담당하는 혈관이 손상될 위험성이 있으며, 이는 특히 갑상선 전절제술을 함께 시행할 때에 더 위험성이 높아진다.[14,47,62,67,94-96] 이런 합병증의 가능성에 대해 미리 인식하고 수술에 임하였을 때 더욱 정확하고 세심한 절제 및 합병증을 줄일 수 있다. 이때에 확대경 및 양극성 응고 장치가 도움이 될 수 있으며, 수술 받는 환자에게 근 이완제를 다량 투여할 경우 수술 중 성대 근육의 감시가 어려워질 수 있다. 되돌이후두신경은 아래쪽에서 갑상선 방향으로 완전히 박리하여야 하며 이때는 특별한 주의가 필요하다. 이 되돌이후두신경이 편측의 마비가 발생하였을 때 환자들은 쉰 목소리를 내게 된다. 양측 되돌이 신경의 손상은 생명을 위협하는 중대한 합병증 중 하나이며, 이때에 응급기관 절개술을 시행해야 할 수도 있다. 피막을 통과하여 광범위하게 자라난 원발 종양을 수술할 경우에 기관과 식도 근육의 병합 절제가 필요한 경우도 있다.

변형근치경부곽청술은 합병증은 최소화 하면서 외측 경부에 있는 전이성 림프절을 모두 제거할 수 있는 술기이다. 숙련된 내분비 외과 의사에게 이 술기는 그리 위험하지 않으며, 합병증도 많은 빈도에서 발생하지 않는 것으로 알려져 있다.[10,36,94]

때때로 여러 가지 신경의 손상이 발생할 수 있는데 특히 척수부신경이 손상되었을 때에는 등세모근의 마비로 인해 어깨 처짐이나 팔의 외전의 감소 등의 증상이 나타날 수 있다. 등세모근의 마비는 기능의 손상뿐 아니라 외관상의 문제를 일으킬 수 있다. 변형근치경부곽청술 후, 양호한 미용적인 측면을 위해 척추 더부신경의 보존뿐 아니라 흉쇄유돌근의 보존, 그리고 알맞은 절개창의 선택이 중요하다. 횡격막신경의 손상은 횡격막의 마비를 일으킬 수 있으며, 교감 신경절의 손상은 Horner 증후군을 일으킬 수 있다. 경부 감각 신경 가지의 손상은 어깨의 감각 소실의 원인이 될 수 있다.

가슴림프관의 확인은 어려울 수 있다. 이 가슴 림프관이 손상되었을 경우 유미액이 고이거나, 유미낭이 생길 수 있으며, 이를 방치할 경우 때로는 유미루나 유미흉 등의 합병증으로 발전할 수 있으므로, 이런 합병증을 해결하기 위해서 가슴 림프관을 결찰하는 재수술이 필요할 수 있다.

양측 변이 림프절 곽청술과 종격동 위쪽의 림프절 곽청술로 인해 기흉이 발생할 수 있으며, 이러한 술기를 시행하였을 경우 수술 후 가슴 X선 촬영을 시행하는 것이 도움이 되겠다. 만약 기흉이 발생하였다면, 흉관을 삽입하고 밀봉 배액을 시행한다.

양측 경부 림프절 곽청술은 수술 후 심각한 부종의 원인이 될 수 있으며, 드물게는 일시적인 기관 절개술이 필요한 경우도 있다. 한쪽의 림프절 곽청술을 시행 시 속경정맥이 절제되었을 경우에 반대편의 경부 림프절 곽청술은 최소한 약 6주는 연기해야 한다. 갑상선절제술 및 림프절 곽청술 시행 시 창상 감염은 흔하지 않다(그림 33-3, 33-4).

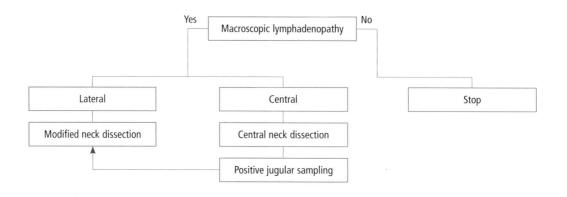

그림 33-4 | 갑상선유두암과 여포암의 주변 림프절 치료법에 대한 도표
변형근치경부곽청술은 중앙 경부 림프절 곽청술을 포함하며, 중앙 경부 림프절 곽청술 시 상부 종격동 부위의 림프절 곽청술이 포함된다. 중간, 하부 속목 정맥 주위의 림프절 생검은 선택사항이다.

6. 치료 전략

1) 갑상선유두암과 여포암

그림 33-3은 유두암과 여포암 환자들의 국소 림프절 치료 방법에 대한 전략을 보여주고 있다. 이 전략의 목적은 합병증의 위험은 최소화 시키면서 적절한 림프절 곽청술을 시행하는 것이다. 서양의 내분비 외과 의사들의 대부분은 예방적인 림프절 곽청술은 의미가 없다고 주장하며, 따라서 수술 시에 중앙 경부 림프절에 대한 감시 및 동결 절편 검사로 전이성 림프절이 발견될 경우, 중앙부 경부 림프절 곽청술을 시행하여야 한다고 주장한다. 대한 민국과 일본 등지의 동양에서는 예방적인 중앙 경부 림프절 곽청술이 널리 시행된다. 수술 전 검사에서 중앙 경부 림프절 구획을 비롯하여 외측 경부 림프절에도 전이성 림프절이 관찰될 경우 제2 구획에서부터 제5 구획까지 림프절 곽청술을 시행하여야 한다. 변형근치경부곽청술은 최소한의 합병증으로 시행 할 수 있는 술기이며, 중앙 경부 림프절 전이 없이 외측 경부 림프절 전이가 있는 경우에, 종격동 위쪽의 림프절을 비롯한 중앙 경부 림프절 곽청술 및 변형근치경부곽청술을 시행하여야 한다. 재발 가능성을 줄이기 위해서 제한된 절제술이나 선택적 림프절 곽청술보다는 총괄적인 구획 절제를 시행하는 것이 더 바람직하다. 이전에 갑상선 절제 및 림프절 곽청술을 시행하였고 재발하였을 경우 재수술을 한다는 것은 합병증의 위험도를 높일 수 있지만, 환자의 생존율을 높일 수 있는 방법임에는 틀림이 없다.

2) 갑상선수질암

그림 33-4는 수질암 환자들의 국소 림프절 치료 방법에 대한 전략을 보여주고 있다. 갑상선수질암 치료는 우선 갑상선 전절제 및 종격동 위쪽의 림프절 절제를 포함한 양측 중앙 경부 림프절 곽청술이 권유되고 있다. 미세 림프절 곽청술은 모든 림프 조직을 찾는데 도움을 주며, 완벽하게 양측 중앙 경부 림프절 곽청술을 시행할 수 있게 한다. 중앙 경부 구획에 림프절 전이가 있는 수질암 환자의 경우, 동측의 변형근치경부곽청술을 시행하여야 한다. 과거에는 경정맥 주변 외측 림프절을 예방적으로 생검하여 동결 절편 검사를 시행하였지만, 지금은 임상적으로 의심되지 않는다면 외측 구획을 아예 남겨 놓거나 체계적인 변형근치경부곽청술을 시행하고 있다. 이는 경정맥 주변 외측 림프절 생검을 시행하였을 때, 주변 조직 유착으로 인해 추후 재발 시 3, 4구획을 비롯한 외측

림프절 곽청술 시행이 어려워지기 때문이다. 원발 종양이 1.5 cm 이상인 경우에 환자들은 예방적 동측의 변형근치경부곽청술을 시행하여야 하며, 가족력이 있는 환자나, 양측에 종양이 있는 환자에게서는 양측 변형근치경부곽청술을 시행하여야 한다. 처음 수술 시 중앙 경부 림프절 전이가 없을 때는 변형근치경부곽청술을 시행하지 않기 때문에, 추후 외측 림프절 구획에 전이성 림프절이 생겨도 유착 때문에 수술이 어려워지지는 않을 것이다. 만약 수술 중 중앙 경부 구획에 림프절 전이 소견이 육안상 혹은 동결 절편 검사에서 보이지 않아 갑상선 전절제 및 중앙 경부 림프절 곽청술만을 시행하였던 경우 최종 조직 검사에서 중앙 경부 구획에 림프절 전이가 관찰되고, 혈청 칼시토닌 수치가 증가되어 있다면, 변형근치경부곽청술을 다시 시행하여야 한다. 수술 후에 환자들의 칼시토닌과 암 배아 항원 수치를 주의 깊게 관찰하여야 한다. 지속적으로 칼시토닌 수치가 상승하는 경우, 경부와 종격동에 대한 자기 공명 영상(MRI)과 같은 비침습적인 검사를 우선 시행하여야 한다. 일부의 환자에서는 선택적인 칼시토닌 정맥 체취나 림프절 곽청술을 시행하지 않은 경부 구획에 대한 미세 림프절절제술이 도움이 될 수 있다.[28,29,34,97] 경험이 풍부한 외과의사가 집도하는 미세 림프절절제술은 약 3분의 1의 환자에게서 혈청 칼시토닌 수치를 정상으로 감소 시킬 수 있다. 원격 전이가 있는 환자에게서는 원발 병변의 국소 치료는 중요하지만, 예방적인 림프절 곽청술은 그다지 추천되지는 않는다.

7. 갑상선 암에서 국소 재발의 치료

갑상선암의 재발은 대부분 경부 림프절에서 발생하게 된다.[47,66,69] 외측 경부 림프절 구획에서 재발이 일어날 경우 변형근치경부곽청술을 시행해야 하며, 초기 수술에서 변형근치경부곽청술 시행하였음에도 같은 구획

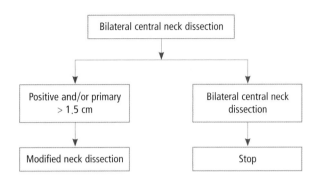

그림 33-5 │ **갑상선수질암의 주변 림프절 치료법에 대한 도표**
중앙 경부 구획에 림프절 전이가 관찰될 경우 동측의 변형근치경부곽청술을 시행한다. 원발 병변의 크기가 2 cm 이상인 경우 역시 동측의 변이 경부 림프절 곽청술을 시행한다. 중앙 경부 림프절 곽청술 시 상부 종격동 부위의 림프절 곽청술이 포함된다.

에서 재발하였다면, 역시 부분 림프절 생검 및 경부 림프절 곽청술은 반드시 시행하여야 한다. 이런 재수술의 결과가 양호하여도, 중앙 경부 림프절 구획에 대한 재수술 시행 시에는 합병증의 발생 빈도가 증가한다.[98] 즉 재수술 시 되돌이후두신경 및 부갑상선의 손상 위험이 증가한다. 유두암과 여포암 환자의 중앙 경부 림프절 구획의 재발 시에 수술적 절제를 우선 시행하여야 하며, 이에 방사성요오드 치료를 병합할 수 있다. 재발된 병변이 1 cm보다 작거나, 갑상선 하부에서 재발할 경우에 종양은 방사성요오드 치료나 방사선 외부 조사로 잘 조절되는 경우가 있으나 큰 종양은 반드시 수술로 절제하여야 한다. 여포암은 유두암보다 방사성요오드 요법에 더 잘 반응한다.[1,85,99] 수질암은 일반적으로 방사성요오드 치료에 잘 반응하지 않으며, 절제 불가능한 환자인 경우 방사선 외부 조사가 필요하다. 혈청 칼시토닌 수치 증가 및 종격동 내에 종양이 있는 환자는 정중 흉골 절개술을 시행하여 병변을 제거하여야 하며, 초기 수술 시 예방적인 중앙 흉골 절개술에 대해서는 논란의 여지가 있다. 식도나 기관 절제는 일부의 환자에게서 시행할 수는 있겠으며, 대부분은 큰 합병증은 일어나지 않는다.

요약

림프절 곽청술의 범위는 각각의 종양 종류나, 병기, 수술 당시 림프절 침범의 정도, 환자의 나이와 전반적인 상태와 같은 환자 관련 요인들에 기초하여 결정해야 하며, 수술을 집도하는 의사의 경험도 반드시 고려해야 한다. 적극적이며, 광범위한 수술이 유두암과 여포암 환자의 치료의 표준은 아니나, 유두암인 경우 중앙 경부 림프절 곽청술을 예방적으로 시행하는 것이 도움이 될 것이다. 미세전이에 대한 광범위한 검사가 반드시 필요한 것은 아니지만 유두암 환자의 대부분에게서 현미경에서나 보이는 미세한 림프절 전이가 있으므로 예방적 중앙 경부 림프절 곽청술은 도움이 될 것이라 사료된다. 림프절 곽청술은 국소 재발률을 낮추기 위해서 선택적으로 시행하는 것 보다는 구획과 관련된 림프절 곽청술을 시행하는 것이 더 나을 것으로 보이며, 중앙 경부에서 경동맥(제6 구획에서 종격동 상부까지)의 림프절 전이의 경우는 중앙 경부 림프절 곽청술, 외측 경부 림프절 전이가

있는 경우에는 2구획에서 5구획까지의 변형근치경부곽청술을 시행해야 한다.

갑상선수질암 환자는 유두암이나 여포암보다 더 공격적인 성향을 가지며, 방사성요오드 치료에 일반적으로 효과가 없으므로 초기 수술 시 좀 더 광범위한 수술적 치료가 필요하다. 따라서 대부분의 수질암 환자에게서는 갑상선 전절제 및 양측 중앙 경부 림프절 곽청술이 추천된다. 원발 1차적 종양의 크기가 1.5 cm 이상인 경우 2구획에서 5구획까지 편측 변형근치경부곽청술을 시행해야 하며, 유전적 수질암이나 양측에 종양이 있는 경우는 양측 변형근치경부곽청술이 필요하다. 수술 후에는 환자의 혈청 칼시토닌 수치와 암배아항원 수치를 주의 깊게 관찰해야 하며, 명백히 관찰되는 종양이 없으면서 칼시토닌 수치가 증가되어 있는 환자들에 있어서는 중앙 및 외측 경부 림프절에 대한 림프절 곽청술을 시행한 적이 없다면, 미세 수술 기법을 이용하여 림프절 곽청술을 다시 시행하는 것이 도움이 될 것이다.

REFERENCES

1. Van de Velde CJH. Hamming JF, Goslings BM, et al. Report of the Consensus Development Conference on the Management of Differentiated Thyroid Cancer in the Netherlands. Eur J Cancer Clin Oncol 1998;24:287.
2. Rouvière H: Anatomic des Lymphatiques de L'homme.Paris, Masson,1933.
3. Haagensen CD, Feind CR, Herter FP, et al(eds), The Lymphatics in Cancer. Philadelphia, WB Saunder, 1972.
4. Russel WD, Ibanez ML. Thyroid carcinoma. Cancer 1963;2:1425.
5. Noguchi S, Noguchi A, Murakami N. Papillary carcinoma of the thyroid: I. Developing pattern of metastasis. Cancer 1970;26:1053.
6. Scheumann GFW, Gimm O, Wegener G. Prognostic significance and surgical management of locoregional lymph node metastases in papillary thyroid cancer. World J Surg 1994;18:559.
7. Robbins KT, Medina JE, Wolfe GT, et al. Standardizing neck dissection terminology. Arch Otolaryngol Head Neck Surg 1991;117:601.
8. Robbins KT, Clayman G, Levine P. Neck dissection classification update. Arch Otolaryngol Head Neck Surg 2002;128:751.
9. Marchetta FC, Sako K, Matsuura H. Modified neck dissection for carcinoma of the thyroid gland Am J Surg 1970;120:452.
10. Noguchi S, Murakami N. The value of lymph node dissection in patients with differentiated thyroid cancer. Surg Clin North Am 1987;67:251.
11. Hay ID, Grant CS, van Heerden JA. Papillary thyroid microcarcinoma: A study of 535 cases observed in a 50-year period. Surgery 1992;112:1139.
12. Woolner LB, Beahrs OH, Black BM, et al. Thyroid carcinoma: General considerations and follow-up data on 1181 cases. In:Young S, Inman DR(eds), Thyroid Neoplasia. London, Academic press, 1968,p 51.
13. Hubert JP Jr, Kiernan PD, Beahrs OH, Occult papillary carcinoma of the thyroid. Arch Surg 1980;115:394.
14. Block MA, Miller JM, Horn RC. Thyroid carcinoma with cervical lymph node metastasis: Effectiveness of total thyroidectomy and node dissection. AM J Surg 1971;122:458.
15. McConahey WM, Hay ID, Woolner LB, et al. Papillary thyroid cancer treated at the Mayo Clinic. 1946 through 1970: Initial manifestations, pathologic findings, therapy, and outcome. Mayo Clin Proc 1986;61:978.
16. Frankenthaler TA, Sellin RV, Cangir A, et al. Lymph node metastasis from papillary-follicular thyroid carcinoma in young patients. Am J Surg 1990;160:341.

17. Carcangiu ML, Zampi G, and Pupi A, et al. Papillary carcinoma of the thyroid: A clinicopathologic study of 241 cases treated at the University of Florence, Italy Cancer 1985;55:805.

18. Attie JN, Khafif RA, Steckler RM. Elective neck dissection in papillary carcinoma of the thyroid. Am J Surg 1971;122:464.

19. Frazell EL, Foote FW. Papillary thyroid carcinoma: Pathological findings in cases with and without clinical evidence of cervical node involvement. Cancer 1955;8:1164.

20. Block MA, Miller JM, Brush BE. Place of radical neck dissection in thyroid carcinoma. Arch Surg 1959;78:706.

21. Huter RVP, Frazell L, Foote FW. Elective radical neck dissection: An assessment of its use in the management of papillary thyroid cancer. CA Cancer J Clin 1970;20:87.

22. Cady B, Sedgwick CE, Meissner WA, et al. Changing clinical, pathological, therapeutic, and survival patterns in differentiated thyroid carcinoma. Ann Surg 1976;184:541.

23. Cong GC, Beahrs OH, Sizemore GW, et al. Medullary carcinoma of the thyroid gland. Cancer 1975;35:695.

24. Bergholm U, Adami Ho, Bergstrom R, et al. Clinical characteristics in sporadic and familial medullary thyroid carcinoma; A nationwide study of 249 patients in Sweden from 199 through 1981. Cancer 198;63:1196.

25. Russell CF, van Heerden JA, Sizemore GW, et al. The surgical management of medullary thyroid carcinoma. Ann Surg 1983;197:42.

26. Saad MF, Ordonez NG, Rashid RK, et al. Medullary carcinoma of the thyroid: A study of the clinical features and prognostic factors in 161 patients. Medicine 1984;63:319.

27. Wells SA jr, Baylin SB, Gann DS, et al. Medullary thyroid carcinoma: Relationship of method of diagnosis to pathologic staging. Ann Surg 1978;188:377.

28. Tisell LR, Hansson G, Jansson S, et al. Reoperation in the treatment of asymptomatic metastasizing medullary thyroid carcinoma. Surgery 1986;99:60.

29. Dralle H, Damm I, Scheumann GFW, et al. Compartment-orientated microdissection of regional lymph nodes in medullary thyroid carcinoma. Surg Today 1994;24:112.

30. O'Riordian DS, O'Brien T, Weaver AL, et al. Medullary thyroid carcinoma in multiple endocrine neoplasia types 2A and 2B. Surgery 1994;116:1017.

31. Tashjian AH jr, Howland BG, Melvin KE, et al. Immunoassay of human calcitonin: Clinical measurement, relation to serum calcium, and studies in patients with medullary carcinoma. N Engl J Med. 1970;283:890.

32. Sizemore GW, Go VLW. Comparison of pentagastrin, calcium, and glucagon stimulation tests for diagnosis of medullary thyroid carcinoma. Mayo Clin Proc 1975;50:53.

33. Wells SA jr, Baylin SB, Linehan WM, et al. Provocative agents and the diagnosis of medullary carcinoma of the thyroid gland. Ann Surg 1978;188:139.

34. Buhr HJ, Kallinowski F, Raue F, et al. Microsurgical neck dissection for occultly metastasizing medullary thyroid carcinoma. Cancer 1993;72:3685.

35. Sako K, Marchetta FC, Razack MS, Shedd DP. Modified radical neck dissection for metastatic carcinoma of the thyroid: A reappraisal. Am J Surg 1985;150:500.

36. Attie JN. Modified neck dissection in the treatment of thyroid cancer: A safe procedure. Eur J Cancer Clin Oncol 1988;23:315.

37. Moley JF, De Benedetti MK. Patters of nodal metastases in palpable medullary thyroid carcinoma. Ann Surg 1999;229:880.

38. Crile G Jr. The fallacy of the conventional radical neck dissection for papillary carcinoma of the thyroid Ann Surg 1957;145:317.

39. Beahrs OH. Surgical treatment for thyroid cancer. Br J Surg 1984;71:976.

40. Noguchi M, Tanaka S, Akiyama T, et al. Clinicopathological studies of minimal thyroid and ordinary thyroid cancers. Jpn J sutg 1984;14:110.

41. Pollack RS. Cervical lymph node metastasis of thyroid cancer. Am J Surg 1961;102:388.

42. Sisson JC. Applying the radioactive eraser: I-131 to ablate mormal thyroid tissue in patients from whom thyroid cancer has been resected. J Nucl Med 1983;114:1078.

43. Ellenhorn JDI, Shah JP, Brennan MF. Impact of therapeutic regional lymph node dissection for medullary carcinoma of the thyroid gland. Surgery 1993;114:1078.

44. Block MA, Miller JM, Horn RC. Significance of mediastinal lymph node metastases in carcinoma of the thyroid. Am J Surg 1972;123:702.

45. van Heerden HA, Grant CS, Gharib H, et al. Long-term course of patients with persistent hypercalcitoninemia after apparent curative primary surgery for medullary thyroid carcinoma Ann Surg 1990;212:395.

46. Sugenoya A, Asanuma K, Shingu K, et al. Clinical evaluation of upper mediastinal dissection for differentiated thyroid carcinoma. Surgery 1993;113:541.

47. Mazzaferri EL, Young RL, Oertel JE, et al. Papillary thyroid carcinoma: The impact of therapy in 576 patients. Medicine 1977;56:171.

48. Rossi RL, Cady B, Silverman ML, et al. Current results of conservative surgery of differentiated thyroid carcinoma. World J Surg 1986;10:612.

49. Byar DP, Green SB, Dor P, et al. A prognostic index for thyroid carcinoma: A study of the EORTC Thyroid Cancer Cooperative Group. Eur J Cancer 1979;15:1033.

50. Franssila KO, Prognosis in thyroid carcinoma. Cancer 1975;36:1138.

51. Mazzaferri EL, Young RL. Papillary thyroid carcinoma: A 10-year follow-up report of the impact of therapy in 576 patients. Am J Med 1981;70:511.

52. Tennvall J, Biöklund A, Möller T, et al. Prognostic factors of papillary, follicular, and medullary carcinomas of the thyroid gland. Acta Radiol Oncol 1985;24:17.

53. Tubiana M, Schlumberger M, Rougier PH, et al. Long-term results and prognostic factors in patients with differentiated thyroid carcinoma. Cancer 1985;55:794.

54. Schelfhout LJDM, Creutzberg CM, Hamming JF, et al. Multivariate analysis of survival in differentiated thyroid cancer: the prognostic significance of the age factor. Eur J Cancer Clin Oncol 1988;24:331.

55. Cunningham MP, Duda RB, Recant W, et al. Survival discriminants for differentiated thyroid cancer. Am J Surg 1990;160:344.

56. Simpson WJ, McKinney SE, Carruthers JS, et al. Papillary and follicular thyroid cancer: Prognostic factors in 1,578 patients. Am J Med 1987;83:479.

57. Brunt LM, Wells SA Jr. Advances in the diagnosis and treatment of medullary thyroid carcinoma. Surg Clin North Am 1987;67:263.

58. Harwood J, Clark OH, Dunphy JE. Significance of lymph

node metastasis in differentiated thyroid cancer. Am J Surg 1978;136:107.

59. Sellers M, Beenken S, Blankenship A, et al. Prognostic significance of cervical lymph node metastases in differentiated thyroid cancer. Am J Surg 1992;164:578.

60. Witte J, Goretzki PE, Dieken J, et al. Importance of lymph node metastases in follicular thyroid cancer. World J Surg 2002;26:1017.

61. Block MA. Management of carcinoma of the thyroid. Ann Surg 1977;185:133.

62. Noguchi S, Noguchi A, Murakami N. Papillary carcinoma of the thyroid: II. Value of prophylactic lymph node excision. Cancer 1970;26:1061.

63. Salvosen H, Njolstad PR, Akslen La. Papillary thyroid carcinoma: A multivariate analysis of prognostic factors including and evaluation of the p-TNM staging system. Eur J Surg 1992;158:583.

64. 64.   Lang Wm Choritz H, Hundeshagen H. Risk factors in follicular thyroid carcinomas: A retrospective follow-up study covering a 14-year period with emphasis on morphological findings. Am J Surg Pathol 1986;10:246.

65. Rosen IB, Martland A. Changing the operative strategy for thyroid cancer by node sampling. Am J Surg 1983;146:504.

66. McHenry CR, Rosen IB, Walfish PG. Prospective management of nodal metastases in differentiated thyroid cancer. Am J Surg 1991;162:353.

67. Farrar WB, Cooperman M, James AG. Surgical management of papillary and follicular carcinoma of the thyroid. Ann Surg 1980;192:701.

68. Hamming JF, Van de Velde CJH, Fleuren GJ, et al. Differentiated thyroid cancer: A stage-adapted approach to the treatment of regional lymph node metastases Eur J Cancer Clin Oncol 1988;24:325.

69. Hamming JF, Van de Velde CJH, Goslings BM, et al. Perioperative diagnosis and treatment of metastases to the regional lymph nodes in papillary carcinoma of the thyroid gland. Surg Gynecol Obstet 1989;169:107.

70. Proye C. Carnaille B, Vix M, et al. Recidives ganglionnaires cervicales des cancers thyroidiens operes: De L'inutilite du curage ganglionnaire de principe (carcinomes medullaires exclus). Chirurgie 1992;118:448.

71. Voutilainen PR, Multanen MM, Leppaniemi AK, et al. Prognosis after lymph node recurrence in papillary thyroid carcinoma depends on age. Thyroid 2001;11:953.

72. Rossi RL, Cady B, Meissner WA, et al. Nonfamilial medullary thyroid carcinoma Am J Surg 1980;139:554.

73. Crile G. Excision of cancer of the head and neck with special reference to the plan of dissection based on one hundred and thirty-two operations. JAMA 1906;47:1780.

74. Bocca E. Pignataro O, Oldini C, Cappa C. Funtional neck dissection: An evaluation of review of 843 cases. Laryngoscope 1984;94:942.

75. McGregor GI, Luoma A, Jackson SM. Lymph node metastases from well-differentiated thyroid cancer: A clinical review. Am J Surg 1985;149:610.

76. Kelemen PR, Van Herle AJ, Giuliano AE, Sentinel lymphadenectomy in thyroid malignant neoplasms. Arch Surg 1998;133:288.

77. Arch-Ferrer J, Velazquez D, Fajardo R, et al. Accuracy of sentinel lymph node in papillary thyroid carcinoma. Surgery 2001;130:907.

78. Wiseman S, Hicks W, Chu Q, Rigual N. Sentinel lymph node biopsy in staging of differentiated thyroid cancer: A critical review. Surg Oncol 2002;11:137.

79. Noguchi M, Earachi M, Kitagawa H, et al. Papillary thyroid cancer and its surgical management. J Surg Oncol 1992;49:140.

80. Boom RPA. Problemen bij de chirurgische behandeling van hetgedifferentieerde schildkliercarcinoom, in het bijzonder bij reïnterventie.[Dissertation]. Amsterdam, University of Amsterdam, 1982.

81. Sisson GA, Feldman DE. The management of thyroid carcinoma metastatic to the neck and mediastinum. Otolaryngol Clin North Am 1980;13:119.

82. Gemsenjager E. Zur chirurgischen therapie der differenzierten schilddrusenkarzinome. Dtsch Med Wochenschr 1978;103:749.

83. Lennquist S. Surgical strategy in thyroid carcinoma: A clinical review. Acta Chir Scand 1986;152:321.

84. Ballantyne AJ. Neck dissection for thyroid cancer. Semin Surg Oncol 1991;7:100.

85. M. External radiotherapy and radioiodine in the treatment of thyroid cancer. World J Surg 1981;5:75.

86. Clark OH. Total thyroidectomy: The treatment of choice for patients with differentiated thyroid cancer. Ann Surg 1982;196:361.

87. Block MA. Surgical treatment of medullary carcinoma of the thyroid. Otolaryngol Clin North Am 1990;23:453.

88. Duh QY, Sancho JJ, Greenspan FS. Medullary thyroid carcinoma: The need for early diagnosis and total thyroidectomy. Arch Surg 1989;124:1206.

89. Moley JF, Medullary thyroid cancer. Surg Clin North Am 1995;75:405.

90. Kebebew E, Clark OH. Curr treat Options Oncol 2000;1:359.

91. Fleming JB, Lee JE, Bouvet M, et al. Surgical strategy for the treatment of medullary thyroid carcinoma. Ann Surg 1999;230:698.

92. Dralle H. Lymph node dissection and medullary thyroid carcinoma. Br J Surg 2002;89:1073.

93. Norton JA, Doppman JL, Brennan MD. Localization and resection of clinical inapparent medullary carcinoma of the thyroid. Surgery 1980;87:616.

94. Cheah WK. Arici C, Ituarte PHG, et al. Complications of neck dissection for thyroid cancer. World J Surg 2002;26:1013.

95. Sanlon EF, Kellogg JE, Winchester DP, et al. The morbidity of total thyroidectomy. Arch Surg 1981;116:568.

96. Harness JK, Fung L, Thompson NW, et al. total thyroidectomy: Complications and technique. World J Surg 1986;10:781.

97. Wells SA Jr, Baylin SB, Johnsrude IS, et al. Thyroid venous catheterization in early diagnosis of lamilial medullary thyroid carcinoma. Ann Surg 1982;196:505.

98. Levin KE, Clark AH, Duh QY, et al. Reoperative thyroid surgery. Surgery 1992;111:604.

99. Schlumberger M, Tubiana M, Devathaire F, et al. Long-term results of treatment of 283 patients with lung and bone metastases from differentiated thyroid carcinomas. J Clin Endocrinol Metab 1986;63:960.

내시경 갑상선절제술
Endoscopic Thyroidectomy

ㅣ 성균관대학교 의과대학 외과 **최준호**

1. 갑상선 수술의 역사

현대적 의미의 해부적 지식에 기초한 갑상선 수술은 1800년대 중반 이후 Theodor Bilroth와 Emil Theodor Kocher에 의해 발달하였으며, 특히 Kocher는 1870년대에 12.6%에 이르던 수술관련 사망률을 1898년에 0.2%까지 획기적으로 낮추었다.

한편 1985년 복강경을 이용한 담낭절제술이 시작된 이후 다양한 외과분야에서 복강경 또는 내시경을 이용한 수술법이 도입되었다. 내분비외과 영역에서는 1992년에 Gagner[1]가 복강경을 이용한 부신절제술을 성공적으로 시행한 것을 시작으로, 이후 1996년에 Gagner[2]가 내시경 경부접근법을 이용한 부갑상선절제술을, 그리고 1997년에 Hüscher[3]가 갑상선 일엽절제술을 성공적으로 시행하여 보고함으로써 본격적인 최소 침습수술의 시대가 열리게 되었다.

그러나 가장 다양한 내시경 갑상선수술을 개발하고 적극적으로 임상에 도입한 것은 일본과 대한민국으로서, Shimizu 등[4]은 1998년 무기하 전흉부 피판 거상법(Gasless Anterior Neck Skin Lifting Method)을 이용한 갑상선수술을 개발하였고, 비슷한 시기에 Ohgami 등[5]은 유방접근법(Breast Approach)을 통해 우수한 미용적 결과를 보고하였다. 한편 Ikeda 등은 1999년과 2000년에 걸쳐 전흉부접근법(Anterior Chest Wall Approach)과 액와접근법(Axillary Approach)을 개발하여 내시경갑상선절제술의 선구자적 역할을 하였다[6,7].

대한민국에서는 일찍이 박용래 등[8]이 직접 일본으로 건너가 Ohgami의 유방접근법을 배워 1998년 12월부터 국내에서 처음 시작하였으며, 1999년에는 김정수 등[9]이 무기하 전흉부 접근법(Gasless Anterior Chest Approach)을 독자적으로 고안한 견인장치를 이용하여 성공적으로 시행하였다. 이어서 2001년부터 정웅윤 등[10]은 독자적으로 고안한 거상기(lifting system)를 이용한 무기하 액와 접근법(Gassless Axillary Approach)을 개발하였고, 현재까지 가장 많은 병원에서 시행하는 수술법으로 자리잡게 되었다. 한편, 윤여규 등[11]은 다양한 내시경갑상선절제술 중 Ohgami와 Shimazu의 유방-액와 접근법이 미용적으로 가장 우수한 점에 착안하여 2004년 독자적인 양측 액와-유방 접근법(Bilateral Axillo-Breast Approach)을 개발하였고, 유일한 4 포트 방법으로서 갑상선전절제술을 안전하고 완전하게 시행할 수 있음을 보고하였다.

2. 다양한 내시경 갑상선수술법

1) 경부 접근법

Gagner 와 Inabnet 등[12]이 발전시켰으며 그림 34-1

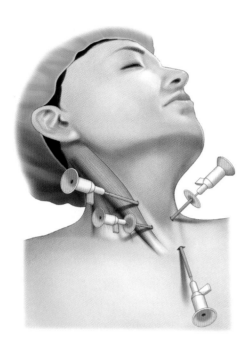

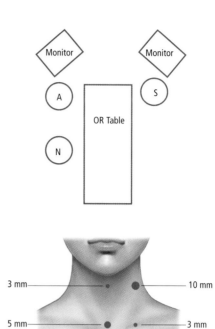

그림 34-1 | 경부 접근법.

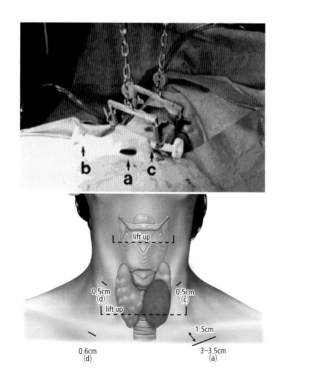

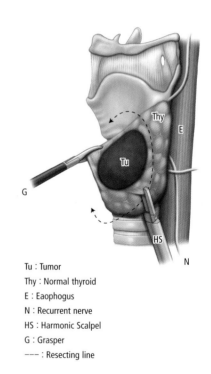

Tu : Tumor
Thy : Normal thyroid
E : Eaophogus
N : Recurrent nerve
HS : Harmonic Scalpel
G : Grasper
--- : Resecting line

그림 34-2 | 무기하 전흉부 피판 거상법(Gasless Anterior Neck Skin Lifting Method)

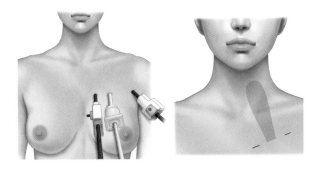

그림 34-3 | 전흉부 접근법(Anterior Chest Wall Approach)

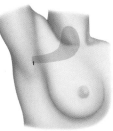

그림 34-4 | 액와 접근법(Axillary Approach)

과 같은 방법으로 수술을 진행하였다.

국내에서는 문병인 등(이화여대 목동병원 외과학교실)이 이 방법을 변이 발전시켜 내시경갑상선절제술을 시행하고 있다. 이러한 방법은 직관적이고, 최소침습수술의 정의에 보다 충실하다고 할 수 있으나, 절개선을 작게 분할하긴 하였어도 결국 경부에 흉터를 남기게 되며, 수술시야 확보 면에서 일반절개술에 비해 불리하여 수술 대상군 선정에 신중을 기해야 할 것이다(그림 34-1).

2) 무기하 전흉부 피판 거상법
Gasless Anterior Neck Skin Lifting Method

Shimizu 등[4]은 1998년 독자적으로 고안한 장치를 이용한 전흉부 접근법을 보고하였다. 그림 34-2에서 보는 바와 같이 환측 쇄골하에 3~3.5 cm의 절개선을 가하고 피판을 박리한 다음 거상기를 이용하여 공간을 확보하고 수술을 시행하였다(그림 34-2). 이러한 방법은 본격적인 내시경수술이라기보다, 최소침습경부수술법(Mini-

mally Invasive Video-assisted Thyroidectomy (MIVAT))의 개념에 충실한 수술법이라 할 수 있다. 또한, 전흉부의 흉터는 비후성 반흔(hypertrophic scar)을 형성하는 경우가 흔하므로, 환자의 미용적 측면에서의 만족도는 액와 또는 유륜 접근법보다는 떨어진다고 할 수 있다.

3) 전흉부 접근법 Anterior Chest Wall Approach**과 액와 접근법** Axillary Approach

Ikeda 등은 1999년 이산화탄소 가스를 이용한 전흉부 접근법을 고안하였다. 동시에 액와 접근법(Axillary Approach)도 같은 시기에 고안하여 갑상선 수술에 적용하였다(그림 34-3,4).

이후 전흉부 접근법, 액와 접근법과 개방 갑상선수술을 비교한 연구에서 액와접근법에 대한 환자의 미용적 측면에서의 만족도가 월등함을 보고하였다[6,7].

4) 유방 접근법 Breast Approach**과 액와-양측유방 접근법** ABBA

Ohgami 등[5]은 1998년 유방과 전흉부에 절개선을 가하고 CO_2 gas insufflation 후 갑상선 수술을 시행하는 Breast Approach 방법을 보고하였다(그림 34-5A). 박용래 등이 이 수술법을 국내에 도입하여 2002년 Surgical Laparoscopy and Endoscopy 지에 그 결과를 발표하였다. 한편, Shimazu 등[13]은 1999년부터 유방 접근법의 전흉부 절개를 액와로 옮겨 보다 미용적 만족도를 높인 수술법을 소개하였다.

5) 구강 접근법 Trans-oral Approach

Anuwong은 2014년부터 구강 내 아랫입술의 전정부(vestibule)에 절개를 가하여 3개의 포트를 이용한 내

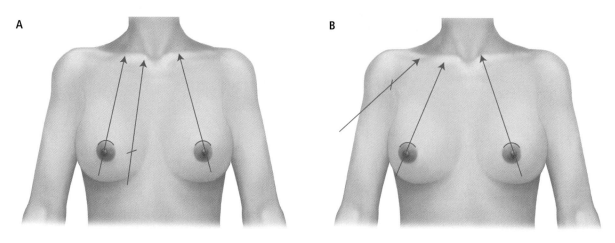

그림 34-5 | **A.** Breast Approach 모식도. **B.** Axillo-Bilateral Breast Approach (ABBA)

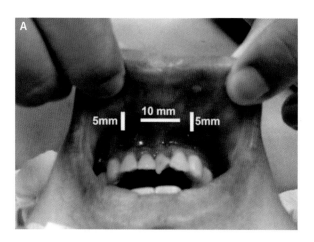
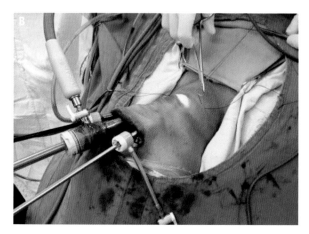

그림 34-6 | **구강 접근법 (Trans-oral Approach) A.** 전정부 절개선 위치, **B.** 내시경 삽입 후 수술 장면
(Anuwong, World J Surg (2016) 40:491−497)

시경 갑상선수술법을 개발하여 2016년 World Journal of Surgery에 보고하였다[14]. 여기서 Transoral endoscopic thyroidectomy vestibular approach의 약자로 TOETVA라 명명하였으며, 60예의 수술을 단 한 예의 경부절개 전환이나 감염사례 및 방법 특이적 합병증(method-specific complications) 없이 성공적으로 시행하였다고 하였다. 단, discussion 부분에서 본 수술이 청결 상처(clean wound)를 type-II 청결 오염 상처(clean-contaminated wound)로 만들기 때문에 수술 전 항생제 경정맥 투여, 수술 후에 1주간 경구항생제를 사용할 것

을 권고하였다(그림 34-6).

3. 대한민국의 내시경갑상선절제술

내시경갑상선절제술법은 최초로는 미국과 이탈리아 등지에서 개발되었으나, 다양한 접근법과 본격적인 적응증의 확대는 일본에서 이루어졌다고 할 수 있다. 국내에서도 일찍부터 다양한 내시경갑상선절제술법을 도입하

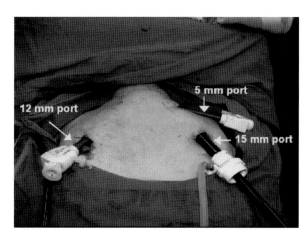

그림 34-7 │ 유방 접근법(Breast Approach by Park YL et al.)

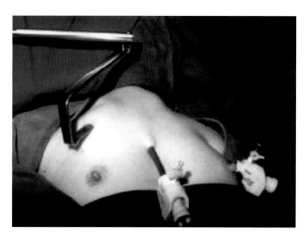

그림 34-8 │ 무기하 전흉부 접근법(Gasless Anterior Chest Approach)

고 자체적으로 발전시켜 현재에 이르러서는 세계 어느 나라보다도 다양한 내시경갑상선절제술이 시행되고 있으며, 누적된 임상경험은 이미 세계 최고 수준이라 할 수 있다.

1) 유방 접근법

1998년 Ohgami 등의 유방접근법을 도입하여 국내 최초로 박용래(성균관의대 강북삼성병원 외과학교실) 등이

내시경갑상선절제술을 시행하였다. 이 방법을 사용하여 1998년부터 2000년 사이 시행한 100예의 수술을 분석하여 2002년 Surgical Laparoscopy and Endoscopy 지에 보고하였다. 수술예 중 90예는 일측성 엽절제술이었으며, 6예는 개방절제술로 전환되었다[8](그림 34-7).

2) 무기하 전흉부 접근법

내시경갑상선절제술 도입 초창기부터 김정수 등(가톨

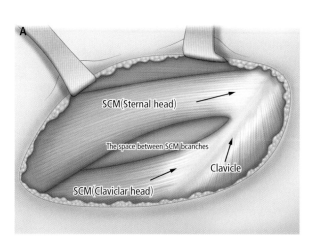

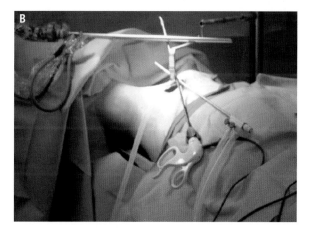

그림 34-9 │ 무기하 액와 접근법(Gassless Axillary Approach by Chung WY.)
A. 피판 디자인 모식도. **B.** 환자 자세와 거상기 장착 후 모습. Kang SW et al, Endocrine Journal 2009, 56(3), 361-369

릭 의대 의정부성모병원)이 1999년 자체 고안한 거상기를 이용하여 전흉부 접근법을 이용한 내시경갑상선절제술을 시행하였다[9](그림 34-8).

3) 무기하 액와 접근법

정웅윤 등(연세의대 신촌세브란스 병원)은 2001년부터 자체 고안한 거상기를 사용하여 무기하 액와 접근법을 발전시켰다. 이 방법을 이용하여 2007년까지 분화갑상선암에 대한 410예의 근치적 수술을 시행하였으며, 이 중 11예는 갑상선전절제술 및 일측성 변이경부절제술도 성공적으로 시행하여 2009년 Endocrine Journal에 발표하였다[10](그림 34-9).

4) 양측 액와-유방 접근법 Bilateral Axillo-Breast Approach

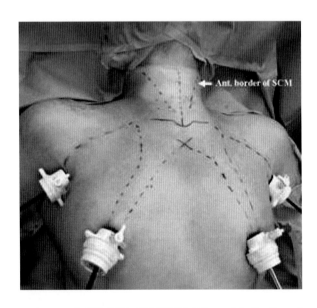

그림 34-10 | 양측 액와-유방 접근법 (Bilateral Axillo-Breast Approach, BABA)
양측 겨드랑이에 5mm 포트, 양측 유륜을 통해 12 mm 포트를 삽입한 모습. Choe JH et al, World J Surg 2007, 31:601-606

2004년 윤여규 등이 유방과 액와에 총 4개의 작은 절개를 가하여 시행하는 내시경갑상선절제술을 고안하였다(그림 34-10).

이후 2006년까지 시행한 103예의 BABA 내시경 갑상선 전절제술 환자와 개방 전절제술 198예를 비교한 논문에서 수술 3개월 후 갑상선글로불린 수치, 수술 후 요오드 스캔, 합병증 등 모든 면에서 유의한 성적 차이가 없음을 보고하여 초기 분화갑상선암에 대한 근치적 수술로 인정받을 수 있게 되었다[15].

4. 양측 액와 유방 접근법 BABA

현재 가장 많은 병원이 시행하고 있는 무기하 액와접근법은 대부분 로봇수술로 전환되어, 이 장에서는 양측 액와-유방 접근법을 이용한 갑상선수술법에 대하여 자세히 기술하고자 한다.

1) 적응증

- 양성갑상선 결절: 처음 시작하는 갑상선 전문의의 경우 3 cm 이하 크기가 적당하고, 학습곡선에 따라 조금씩 더 큰 결절을 수술하는 것이 권장된다.
- 여포성 종양
- 그레이브스병에 의한 미만성 갑상선종대: 수술 전 전산화단층촬영(CT)을 시행하여 갑상선 전체의 크기와 형태를 측정하여 내시경 가능 여부를 판단해야 한다.
- 기관지에 인접하지 않은 임상적 TxN0M0 분화갑상선암
- 완결 갑상선절제술

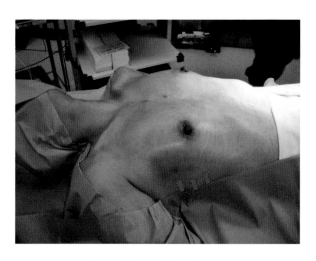

그림 34-11 | 수술 부위 확보. 화살표 방향으로 유방조직을 밀어 올리고 수술포를 붙이는 것이 좋다.

2) 자세잡기

누운 자세로 융포 등을 이용하여 어깨 밑을 받치고 목을 신전시킨다. 이 때 머리 높이가 너무 낮으면 수술 중 쇄골이 방해가 되므로, 후두부에 베개를 받쳐주는 것이 좋다. 양팔은 약간 벌린 상태에서 팔꿈치 밑에 소방 등을 접어서 받쳐 살짝 높이는 것이 좋다(그림 34-11).

3) 피판 디자인

그림 34-12A. 와 같이 갑상연골(V), 윤상연골 (-), 정 중선, 흉쇄유돌근 내측연, 쇄골 상연, 겨드랑이 절개선 과 윤상연골을 잇는 가상선, 흉골절흔(sternal notch) two finger breadth 하방(X), 유륜 절개선과 쇄골방향 예상박 리 경계 등을 마커로 표시한다.

4) 희석 에피네프린 용액 주사

1:200,000으로 희석된 에피네프린 용액을 사용하여 피하지방층과 근막 사이 공간을 수력박리(hydrodissec-tion) 한다. 보통 10 cc 주사기에 23 G 척추천자침(spinal needle)을 이용한다. 주사 중 반드시 흡인을 실시하여 에 피네프린이 혈관으로 주사되지 않도록 주의하여야 한다 (그림 34-12A).

5) 피부절개와 작업공간 만들기

양측 유륜경계를 따라 12시 방향에서 3시 사이 약

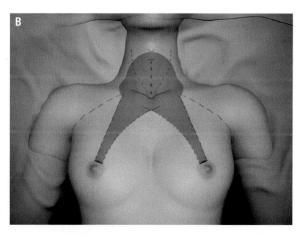

그림 34-12 | 피판 디자인 및 에피네프린 주사. **A.** 마커를 사용하여 주요 해부적 기준을 점선으로 표시한 후 희석 에피네프린 주사 위치 (붉은 점)를 표시한 모습. **B.** 붉은색으로 표시된 부분이 완성된 작업공간(working space)에 해당한다.

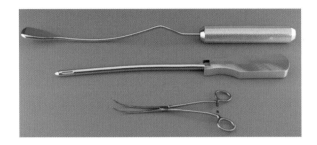

그림 34-13 │ 아래부터 Vagina packing forcep, Vascular tunneler, Dingman

1.2~1.5 cm의 절개를 가하고 Mosquito로 입구를 넓히고, 이어서 Vagina packing forcep과 vascular tunneler, Dingman (그림 34-13)을 이용하여 그림 34-12B와 같이 작업공간을 만든다. 피하지방층과 근막 사이 공간으로 올라가서 쇄골 상부 목에 이르러서는 넓은목근판 아래 부위(sub-platysmal plane)로 피판 두께를 맞추도록 한다. 이때 무리하게 정중선을 박리하려 하면 안되고, 우선 흉쇄유돌근의 내측경계를 따라 vascular tunneler를 진행시켜야 일정한 피판 두께를 얻을 수 있다.

이후 양측 유륜절개창을 통해 11~12 mm 포트를 삽입하고, 병변측 포트에 CO_2 가스를 4~5 mmHg 압력, 10~15 L/min 주입속도로 주입한 후, 10 mm flexible endoscope (OLYMPUS, Tokyo, Japan)로 보면서 초음파 절삭기 등 Energy device를 사용하여 작업공간을 완성한다. 이 과정에서 정중선을 내시경으로 보면서 정확한 두께를 확인하며 추가적 피판형성을 하는 것이 안전하며, 피부가 얇아서 수술 후 불규칙한 유착이 우려되는 경우, 선택적으로 근막하 피판(sub-fascial flap)으로 이행할 수도 있다. 이 후 양측 겨드랑이에 5 mm 정도의 절개를 가한 후 5 mm 포트를 삽입한다(그림 34-14).

6) 갑상선 절제술

개방 갑상선 절제술과 같은 방법으로 양측 띠근육 (strap muscle)이 합류하는 정중선에서 갈고리 전기소작기(monopolar electrocautery with hook, ENDOPATH®)를 이용하여 띠근육을 분리한다. 띠근육이 분리되면 갑상

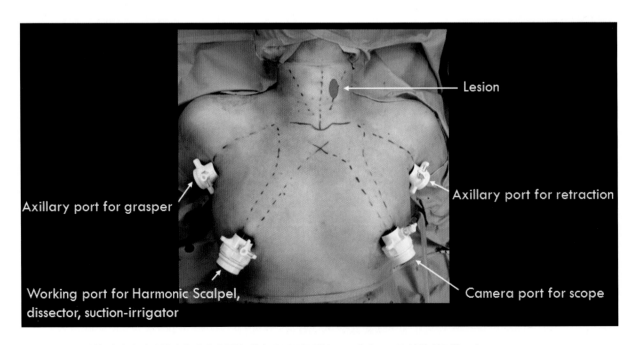

그림 34-14 │ 좌측 갑상선 결절 환자에 대하여 양측 액와-유방 접근법으로 4개의 포트를 삽입 완료한 모습

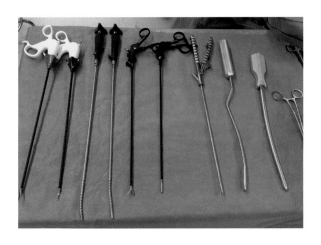 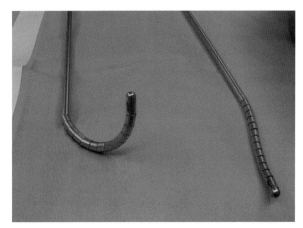

그림 34-15 | **A.** 내시경 BABA 수술에 사용되는 수술기구들. 좌측부터 Sharp dissector, 내시경용 가위, 3D retractor, smooth dissector, claw-tip grasper, needle holder, Dingman, vascular tunneler, vagina packing forcep 이다. **B.** 3D retractor(snake-retractor) 그림 좌측과 같이 구부릴 수 있어 갑상선 외측을 보여주고자 할 때 안정적인 시야를 확보해 준다.

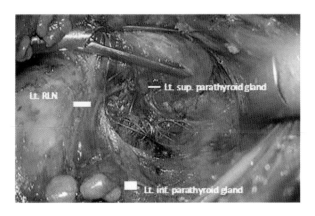 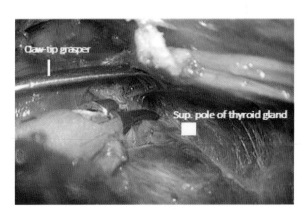

그림 34-16 | 갑상선 하부로부터 박리를 시작하여 주요 해부적 구조물을 노출시킨 모습. Lt. RLN: 좌측 되돌이후두신경(left recurrent laryngeal nerve)

그림 34-17 | Claw-tip grasper를 사용하여 상부 갑상선을 윤상갑상근 및 상후두신경외분지 손상을 최소화하며 박리하는 모습

선의 협부를 단극 전기소작기 또는 초음파 절삭기를 이용하여 협부절제술을 시행한다. 협부절제 시 피라미드엽을 같이 제거한다. 이후 제1 조수가 병변측 겨드랑이 포트를 통해 3D retractor (그림 34-15)를 사용하여 흉쇄유돌근 및 띠근육을 포함하여 외측으로 견인하면 경동맥 주행을 따라 외측을 완전하게 노출시킬 수 있다. 이때 집도의는 병변 반대편에서 energy device 및 dissector 등을 사용하여 갑상선 주변을 박리한다. 수술 진행

방향은 일반적으로 하부 갑상선 쪽에서 시작하여 하부 갑상선, 중앙림프구획과 경동맥이 노출되도록 외측을 박리한 후 상부로 올라가 상갑상선 동정맥을 결찰하는 것이 추천된다(그림 34-16). 특히 상후두신경외분지를 보존하고자 할 때, claw-tip grasper를 사용하여 윤상갑상근과 상부 갑상선 내측 사이를 벌려줌으로써 윤상갑상근 및 신경분지의 손상을 최소화할 수 있다(그림 34-17).

병변 쪽 갑상선엽 절제술이 완료되면 병변 반대측 유

방 포트로 endo-bag을 삽입하여 검체를 빼낸다. 3 cm 보다 큰 종양을 포함한 갑상선이나 미만성 갑상선종대의 경우에는 병변 반대측 겨드랑이 절개선을 필요에 따라 조금 더 절개한 후(5 cm 종양의 경우 3 cm 절개선 정도) vagina packing forcep을 이용하여 넓히고, 확장된 경로를 따라 검체를 빼내는 것이 추천된다. 검체를 빼낸 후에는 수술 부위를 세척하고 정중선을 3-0 vicryl®로 봉합한다. 병변 반대측 겨드랑이를 통해 잭슨-프랏 배액관(J-P drain)을 삽입하고 배액관 끝을 수술 부위에 위치시킨다. 유방 포트 제거 시 특히 출혈 여부를 확인하면서 천천히 제거하도록 한다. 피부봉합은 5-0 단일흡수사(monofilament absorbable suture material)가 미용적 측면에서 더욱 우수하므로 권장된다.

5. 수술 후 목운동

일찍이 Miyauchi A 등[16]은 갑상선 수술 후 다음날부터 바로 목운동을 시작하도록 하여 목운동을 하지 않은 환자군과 전향적으로 비교한 결과, 일찍 목운동을 시작한 환자군에서 수술 후 목당김이나 어깨결림, 두통 등이 유의하게 감소함을 보고하였다. 특히 이러한 차이는 수술 후 1년 후에도 여전히 차이를 보여, 기능을 고려해야 하는 정형외과 수술처럼, 갑상선수술 역시 조기 재활이 중요함을 보여주었다고 할 수 있다. 단, 수술 후 유착 관련 증상 중 연하곤란이나 목잠김 증상과 같이 기관지와 식도 운동의 장애에 대해서 평가한 것은 아니었다. 논문 중 소개한 목운동 그림을 보면, 수술 다음날부터 바로 시행할 수 있는 동작으로 구성하여 실제로 가장 중요하다고 할 수 있는 목 신전(neck extension)은 제외한 것을 볼 수 있다. 내시경 갑상선수술의 경우, 목에 절개창이 없으므로 수술 다음날부터 목의 신전을 포함한 다양한 운동이 가능하여 보다 적극적인 조기재활이 가능하다고 할 수 있으며, 이는 분명 환자의 삶의 질 면에서

이득이라 할 수 있을 것이다.

요약

갑상선 수술에 있어 내시경 수술법의 발전은, 환자의 고통을 줄이고 빠른 회복을 기하려는 최소침습수술의 개념 보다는 미용적 결과를 중요시하는 방향으로 발전되어 왔다고 할 수 있는데, 이는 대부분의 갑상선암이 분화갑상선암으로 예후가 매우 좋고, 주로 젊은 여성의 암이며, 우리나라의 경우 초음파검사를 포함한 조기 검진의 전국적 보급으로 초기 갑상선암의 발견이 많다는 점 등을 이유로 들 수 있겠다. 한 가지 갑상선 전문의로서 명심해야 할 것은, 시도하려는 수술법이 기존의 개방 갑상선절제술과 비교하였을 때 치료의 완전성이 대등한지, 특정 방법에 따른 방법 특이적 합병증(method specific complications)은 없는지 면밀히 검토한 후 시행해야 한다는 것이다. 또한 특정방법만을 고집하면서 일반화하려는 태도 또한 바람직하다고 할 수 없다. 환자와 수술방법에 대하여 상담할 때, 집도의가 시행할 수 있는 방법들의 장단점을 충분히 설명하고 환자 스스로 자신이 원하는 접근법을 고르도록 할 수 있다면 가장 이상적일 것이다. 다음으로 내시경을 사용할 것인지 로봇을 사용할 것인지를 환자의 상태에 맞게 적절히 판단하는 것이 필요하다. 김서기 등[17]이 289예의 내시경 양측액와 유방접근법(BABA)과 로봇 BABA 수술법을 일대일 성향점수매칭분석(1:1 propensity score matched analysis)을 이용하여 분석한 결과 로봇수술과 내시경 수술 사이에 로봇수술에서 약 1개의 중앙림프절이 더 제거된 것 이외에 thyroglobulin 수치, 재원일수, 합병증 등에서 차이가 없었고, 수술시간과 수술비용은 로봇수술이 월등히 높았다. 이러한 결과를 토대로 볼 때, 수술 전 초음파 등의 검사에서 중앙림프절 전이가 의심되어 갑상선 전절제술 및 완전한 중앙림프절절제술을 시행해야 하는 경우

를 제외하고, 림프절 절제가 필요 없거나 예방적 림프절 절제 정도로 충분하다고 판단되는 초기 갑상선암 또는 양성결절에 대해서는 로봇 BABA 보다는 내시경 BABA 를 시행하는 것이 바람직할 것으로 생각된다. 로봇수술의 최대 장점이 관절운동이 자유로운 수술기구에 있다고 할 수 있으므로, 체구가 큰 환자나 남성 환자의 경우와 같이 내시경 수술기구의 한계가 예상될 경우 로봇 수술이 선호될 수 있겠다.

REFERENCES

1. Gagner M, Lacroix A, Bolte E. Laparoscopic adrenalectomy in Cushing's syndrome and pheochromocytoma. N Engl J Med 1992;327:1033.

2. Gagner M. Endoscopic subtotal parathyroidectomy in patients with primary hyperparathyroidism. Br J Surg 1996;83:875.

3. Hüscher CSG, et al. Endoscopic right thyroid lobectomy. Surg Endosc 1997;11:877.

4. Kazuo Shimizu, et al. Video-assisted neck surgery: endoscopic resection of benign thyroid tumor aiming at scarless surgery on the neck. J Surg Oncol 1998;69:178-180

5. Ohgami M, Ishii S, Arisawa Y, et al. Scarless endoscopic thyroidectomy: breast approach for better cosmesis. Surg Laparosc Endosc Percutan Tech 2000;10:1□4.

6. Y. Ikeda, et al. Total endoscopic thyroidectomy: axillary or anterior chest approach. Biomed Pharmacother 56(2002) 72s-78s

7. Ikeda Y, Takami H, Sasaki Y, et al. Endoscopic neck surgery by the axillary approach. J Am Coll Surg 2000;191:336□40.

8. Yong Lai Park, et al. 100 cases of endoscopic thyroidectomy: Breast approach. Surg Laparosc Endosc Percut Tech 2003;13(1)20-25

9. Jung Soo Kim et al. 100 cases of gasless endoscopic thyroidectomy: Ant. Chest Approach. J Korean Surg Soc 2002;63:18-22

10. Gasless Endoscopic Thyroidectomy using Trans-axillary axillary approach; Surgical outcome of 581 patients. Sang-Wook Kang et al. Endocrine Journal 2009, 56(3), 361-369

11. Endoscopic Thyroidectomy Using a New Bilateral Axillo-Breast Approach Jun-Ho Choe et al World J Surg 2007;31: 601-606

12. M Gagner, WB Inabnet III. Minimally Invasive Endocrine Surgery (Textbook)

13. Kenzo Shimazu, et al. Endoscopic Thyroid Surgery Through the Axillo-Bilateral-Breast Approach. Surg Laparosc Endosc Percut Tech 2003;13(3): 196-201

14. Angkoon Anuwong. Transoral Endoscopic Thyroidectomy Vestibular Approach: A Series of the First 60 Human Cases. World J Surg 2016;40:491-497

15. . Chung YS, et al. Endoscopic thyroidectomy for thyroid malignancies: comparison with conventional open thyroidectomy. World J Surg 2007;31:2302-2306.

16. Yuuki Takamura, et al. Stretching Exercises to Reduce Symptoms of Postoperative Neck Discomfort after Thyroid Surgery: Prospective Randomized Study. World J Surg. 2005;29, 775-779

17. Seo Ki Kim, et al. Propensity score-matched analysis of robotic versus endoscopic bilateral axillo-breast approach (BABA) thyroidectomy in papillary thyroid carcinoma. Langenbecks Arch Surg 2017;402(2):243-250

로봇갑상선절제술
Robotic Thyroid Surgery

| 연세대학교 의과대학 외과 **정웅윤**

과학 기술의 발달과 더불어 개발된 의료용 로봇의 도입은 지난 10여 년간 다양한 외과적 수술 영역에 있어서 극적인 발전과 변화를 가져왔다. 로봇을 이용한 갑상선절제술은 기존의 고식적인 개경 수술법에 비해 뛰어난 미용적, 기능적 장점들을 제공하였으며, 정확하고 섬세한 로봇 기구의 조작을 통해 안전하고 용이한 수술 결과를 보여 주었다. 로봇을 이용한 갑상선절제술이 외과 수술에 도입된지 약 10여 년이 경과함에 따라 대상 환자군 선별 및 수술 방법에도 많은 발전이 이루어졌고, 수술 결과의 안전성에 대한 근거가 많이 마련되고 있어, 앞으로 더욱더 활발한 로봇 수술을 기대해 볼 수 있을 것으로 사료된다.

1. 의료용 기구 및 수술 로봇의 발전

요즘 대부분의 선진국에서는 간단한 가정일에서부터 산업, 군사, 과학적 다양한 분야의 복잡한 기술에 이르기까지 발전된 로봇 기술의 풍요로운 혜택들을 받고 있다. 이러한 추세는 의료 분야에도 역시 적용이 되어 지난 10여 년간 외과계의 수술용 로봇에 있어서도 눈에 띄는 발전을 이루게 되었다. 수술용 로봇의 간략한 역사를 살펴 보면, 1985년 Kwoh[1] 등이 신경외과적 조직 검사에 Puma 560이라는 주축성 고정(stereotactic fixture)에 로

봇을 처음 사용하면서 시작하게 되었고, 이후 Probot과 Robodoc이 인간의 생체조직을 제거하여 추출하는 자동기계로서 개발이 되었다.[2] 1995년에는 내시경적 수술에서 내시경용 카메라를 자동으로 고정하고 조작할 수 있는 AESOP (Automated Endoscopic System for Optimum Positioning : Computer Motion, Inc.,Goleta, CA, U.S.A.)이라는 로봇이 최초로 미국 FDA의 승인을 받게 되고, 이후 로봇 공학의 발전과 더불어 컴퓨터를 이용한 주종 관계의 원격 조절 시스템(master-servant, telemanipulator system)을 갖춘 ARTEMIS (Advanced Robotic Telemanipulator for Minimally Invasive Surgery (Forschungszentrum Karlsruhe, Karlsruhe, Germany), Zeus (Computer Motion, Inc.), Da vinci Robotic Surgical System (Intuitive Surgical, Sunnyvale, California, USA)과 같은 진정한 의미의 의료용 로봇들이 외과적 영역에 도입이 되게 된다. 현재는 전세계적으로 da Vinci Robotic System이 외과적 영역에 있어서 가장 널리 일반적으로 사용되고 있으며, 두경부 영역에서도 da Vinci Robotic System을 이용하여 구강, 인, 후두의 종양의 치료를 위한 TORS (transoral robotic surgery)와 갑상선 및 부갑상선절제술이 시행 되고 있다.[3,4] 하지만 로봇 수술이 외과 영역에 도입되었던 초창기에 두경부 영역에 로봇 수술을 적용하기에는 여러가지 제한점들이 있었다. 갑상선은 해부적으로 혈류 공급이 아주 풍부한 장기이며, 중요한 혈관들과 신경들로 둘러싸여 있으므로 내시경을 통한 수술 시야에 익

숙하지 않은 외과의들에게는 기술적으로 위험한 시도가 될 수 있었으며, 복부나 흉부와는 틀리게 기존의 공간이 없는 곳에서 작업 공간을 확보하고 수술을 진행해야 하므로 이중의 시간과 노력이 필요하였다. 또한 두경부 쪽은 공간이 아주 좁고 협소하여 두꺼운 로봇의 여러팔들 (robotic arms)이 들어가서 작동을 하기에는 잦은 부딪힘과 기구가 미치지 않는 사각지대가 생성이 되게 되었다. 2007년 무기하 액와를 이용한 로봇갑상선절제술이 이러한 여러 문제점들을 극복하면서 최초로 시행되었으며, 기존의 내시경적 갑상선절제술의 장점들을 포함하여 수술적 안전성과 용이함이 보고되었다.[5] 이러한 로봇갑상선절제술의 조기 경험 보고 이후, 수술적 기법에 대한 내용이나 로봇갑상선절제술 후 수술적 결과 및 기능적 우월성에 대한 여러 가지 연구들이 연쇄적으로 보고 되었으며, 현재는 갑상선의 외과적인 치료에 있어서 로봇을 이용한 갑상선 절제술은 최소 침습 기법의 새로운 중요한 영역으로 자리잡고 있다.

2. 갑상선 영역에 있어서의 최소 침습 수술: 개발

1909년 Theodor Kocher가 현대적인 마취와 수술 기법을 이용하여 처음으로 갑상선 절제술을 보고하여 노벨상을 수상한 이후 지난 100여 년 동안, 고식적인 개경 갑상선절제술(conventional open thyroidectomy)은 갑상선의 수술에 있어서 가장 안전하고 효과적인 표준 술식으로 계속 시행되어 왔다. 하지만 고식적인 개경 갑상선 절제술은 항상 노출이 되는 앞목 부위에 긴 수술 절개창이 동반되며, 이러한 절개창들은 경우데 따라서는 비후성 반흔이나 켈로이드를 남기기도 한다. 또한 수술 후 앞목 부위의 피부와 근육들의 섬유화과정 및 유착에 의해 발생하는 불편감이나 통증, 구음이나 연하 곤란 등의 증상들은 정도의 차이는 있으나 갑상선 수술 후에는 필연적으로 따라오는 불편감들이었다. 갑상선 질환이 특히나

젊은 여성들에게 있어 호발하는 점을 고려할 때, 이러한 개경 수술의 여러 가지 문제점들은 외과의에게 질환의 치료에 못지 않은 큰 고민이 되었으며 이를 해결해 보고자 하는 시도들이 계속되었다. 갑상선 및 부갑상선 수술에 있어 최소 침습 수술의 첫 시도는 1996년 Gagner[6] 등이 이차부갑상선기능항진증 환자에서 내시경을 이용한 부갑상선 아전절제술을 통해 보고되었으며, 순차적으로 Huscher와 Yeung 등이 1997년에 내시경을 이용한 갑상선 절제술을 성공적으로 시행하면서 갑상선 영역에서의 내시경 수술이 본격적으로 시작되게 되었다.[7,8]

이후 Shimizu[9] 등은 전흉부의 원위부 절개를 통해 접근, 외부 견인기를 이용하여 수술 공간을 유지하는 video-assisted neck surgery (VANS) 방법을 선보였으며, Ikeda[10] 등은 겨드랑이를 통해 접근하는 방법을, Ohgami[11] 등은 유륜상의 절개를 통해 접근하는 내시경적 갑상선 수술 방법을 2000년에 보고하게 된다. 내시경을 이용한 갑상선 절제술은 좀 더 나은 미용적인 결과를 얻기 위해 초창기에 시행된 경부 접근법 이외에도 평상시에 노출이 잘 되지 않는 원위부의 피부 절개창을 이용한 방법들이 다양하게 보고되었으며, 전흉부, 유방, 액와부, 액와-양측유방(ABBA), 양측 액와-유방(BABA), 후이개(posterior auricular), 경구(transvestibular) 접근법 등과 같은 다양한 방법들이 각각의 장단점에 따라 시행되고 있다.[12-20]

이 중 Ikeda 등에 의해 소개된 액와부를 통한 접근법은 갑상선의 측면에서 접근하는 방법으로 집도의에게 개경 수술과 유사한 각도와 시야를 제공하여, 갑상선의 상극과 하극을 쉽게 다룰 수 있고, 부갑상선과 되돌이후두신경을 용이하게 찾을 수 있다는 장점이 있다.[14,17,21] Ikeda는 CO_2 가스를 주입하여 수술 공간을 확보하고자 하였으나, 이러한 경우에 전기 소작기나 Ultrasonic shears와 같은 에너지 기구를 사용하였을 때 발생하는 연기와 증기에 의해 수술 시야가 쉽게 흐려지고 방해를 받는다는 단점이 있다.[22,23] 이를 극복하기 위해 외부 견인기를 이용해 수술 공간을 확보하고 견인기의 중간에 흡인기를 연결하여 지속적으로 수술 공

간의 연기와 증기를 제거하여 수술 시야의 가림을 방지하는 무기하 방법을 이용한 액와부 접근법이 소개되었다.[14,24] 또한 무기하 내시경 수술법에서는 과탄소혈증, 호흡성 산증, 빈맥, 피하기종, 공기 색전증과 같은 치명적인 합병증이 일어나지 않는다는 또 다른 장점이 있다. 결국 내시경갑상선절제술을 시행하는데 있어서 무기하 방법과 액와부 접근법을 동시에 이용함으로써 양쪽의 장점을 같이 취하려는 시도들이 활발히 진행되어 널리 보급되었다. 이 수술법을 시행함으로써 얻을 수 있는 가장 큰 장점으로는 측면을 통한 접근법을 이용하므로 delphian 림프절(prelaryngeal)부터 식도측, 후방부와 복장뼈 오목(substernal notch)의 아래 가장 깊은 곳에 위치한 림프절의 범위를 가지는 중앙경부림프절절제술을 온전하게 시행할 수 있다는 것이다. 이외에도 전경부쪽의 피하 피판을 박리하지 않음으로 앞목 부위의 섬유화 및 유착에 의한 통증이나 불편감, 감각소실이 적다는 장점이 있다.[14]

이러한 내시경적 갑상선절제술은 최소 침습 시술의 측면에서 여러 가지 장점을 제공하기는 하였지만, 기술적인 측면에서 다음과 같은 제한점들이 존재하였다. 1) 수술 시야의 불안정성(카메라를 잡는 보조의의 기술적 역량에 의존 및 손떨림), 2)Berry 인대(ligament of Berry) 주변과 되돌이후두신경 주변에서의 섬세한 박리가 어려움, 3) 직선형의 기구를 사용하므로 깊은 곳이나 꺾여진 부분에서 정교한 시술의 어려움(사각지대가 존재) 등이다.[25-27] 이와 같은 내시경 수술의 제한점들은 외과의들의 수술 술기가 향상되면서 기술적인 측면은 어느 정도 극복이 되었지만 기구상의 제한점까지 해결하기에는 한계가 존재하였고, 따라서 국소적으로 진행된 악성종양에서의 수술과 같은 복잡한 시술에서는 적응증이 되지 못하였다.

이후 3-D 확대 영상 카메라와 손떨림 방지, 7도의 자유도, 동작의 비례 축소와 같은 최첨단 기능이 내재된 로봇 팔을 가진 da Vinci Robotic System이 외과 수술 영역에 도입됨으로 이러한 한계점을 해결할 수 있게 되었다. 카메라를 비롯한 모든 로봇 팔을 집도의가 직접 조정하므로 보조의에 대한 의존도가 없어 졌으며, 다관절(multi-articulated)을 가진 로봇 기구를 이용하여 깊고 협소한 부분에서도 정확한 시술이 가능하게 되었다. 이러한 로봇 시스템의 장점을 배경으로 2007년 저자들은 최초로 로봇을 이용하여 무기하 액와접근법을 통한 갑상선 절제술을 성공적으로 시행하게 되었으며, 이후 연속적으로 본 시술의 기술적인 안전성과 용이성, 수술 후 기능적, 미용적 결과의 장점 등에 대한 결과들이 보고되었다.[25,28-38]

3. 진보

2001년부터 2010년까지 저자들은 갑상선 미세 유두암 환자 1,000예 이상에서 무기하 겨드랑이접근법을 통한 내시경갑상선절제술을 성공적으로 시행하였으며, 이러한 수술적 결과에서 나온 기술적인 안정성과 용이성을 바탕으로 동일한 수술법을 로봇을 이용한 갑상선 절제술에 적용하였다.[39] 로봇 수술 초기의 로봇 수술의 적용 대상은 병변의 크기가 2 cm 미만이면서 명백한 갑상선 피막 침범이 없는 고분화 갑상선암 또는 5 cm 미만의 여포 종양으로 제한을 하였다. 특히나 병변이 갑상선 후면의 피막 근처에 위치하여 기도나 식도, 되돌이후두신경의 침범 가능성이 있는 경우에는 병변의 크기가 작아도 대상군에서 제외를 하였다.

그러나 이후 점차 로봇 수술의 경험이 축적되면서, 수술전에 영상검사상 예상치 못했던 병변들[(병변의 전방 띠근육으로의 침범이나 여러 개의 림프절에 전이가 의심되는 경우도 개경 수술로의 전환 없이 로봇 기구로 띠 근육을 동반 절제하거나 광범위한 중앙 경부 림프절절제술(필요시 양측)]을 통해 수술이 가능하였으며, 나아가 되돌이후두신경이나 기도에 비세한 병변의 침습이 있는 경우도 로봇 가위등의 날카로운 기구 등을 이용하여 병변을 남기지 않고 박리가 가능하였다. 현재 본 기관에서는 로봇을 이용한 갑상선 절제술의 적용대상을 고분화암의 T4a 병변까지로 확대하여 수술하고 있다. 또한 다수의 로봇갑상선 절제술의 경험으로 축적된 로봇 기구의 이해 및 술기를 바탕으로 측경부 림프절 전이가 있어 변형근치경부곽청 술이 필요한 경우도 로봇을 이용한 수술을 어렵지 않게 시행할 수 있게 되었다. 현재는 전이된 측경부 림프절의 주변조직으로 암의 침윤이 심한 고분화 갑상선암 환자 를 제외한 N1b병변의 환자들에게 로봇 수술이 확대 적 용되어 시행하고 있다.

양성 갑상선 질환의 경우에 있어서도 초기에 크기의 제한(5 cm 미만)에서 술자의 역량에 따라 좀 더 확대하 여 대상군을 선정하고 있으며, 기존의 내시경적 수술로 는 하기가 힘들었던 그레이브스병(Graves disease) 환자 나 다결절성 갑상선종(multi-nodular goiter)에서도 로봇 을 이용한 갑상선 절제술을 별다른 합병증 없이 시행하 고 있다.

저자들은 2007년부터 현재까지 로봇을 이용한 갑성 선절제술을 5,000예 이상에서 시행하면서 초기의 방법 과 비교하여 몇 가지 수정과 변화를 이루어 왔다. 초기 의 술식은 4개의 로봇 팔들을 겨드랑이 및 전흉부의 추 가적인 절개를 통해 삽입하는 2군데의 피부 절개를 이용

한 수술 방법이었다. 2009년에 750예 이상의 로봇갑상 선절제술을 시행한 후부터는, 전흉부의 별도의 절개창 을 없애고, 겨드랑이에 이전과 동일한 크기의 절개만을 이용, 4개의 로봇 팔들을 장착하여 시행하는 단일 경로 수술법을 이용 현재까지 사용하고 있다. 이러한 로봇을 이용한 겨드랑이 단일 경로 갑상선 절제술은 이전의 술 식과 수술 후 결과는 동일하면서 외과적 침습도는 줄어 드는 장점을 가지고 있다.

4. 액와 접근법

1) 로봇갑상선절제술

(1) 수술 전 준비 및 환자 자세 Patient preparation

전신 마취 상태에서 환자는 앙와위(supine position)로 어 깨 밑에 배개를 받쳐 경부를 약간 신전시킨 상태를 유지 한다. 병변측의 어깨를 머리 위로 들어올려 고정시켜, 겨

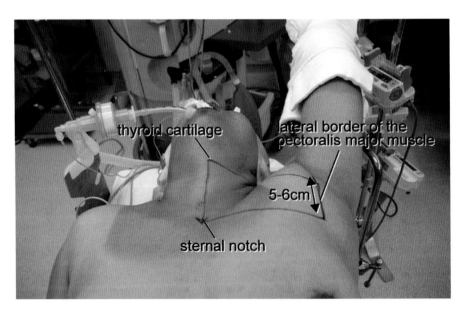

그림 35-1 │ 로봇을 이용한 갑상선절제술 시 환자의 자세

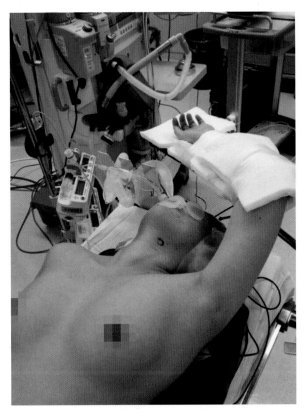

그림 35-2 │ 변이된 환자의 자세

드랑이에서 앞목까지의 거리를 최대한 단축시킨다(그림 35-1). 간혹 그림과 같이 어깨를 일자로 들어올리기 어려운 환자 및 비만한 환자의 경우는 환측 어깨를 들어올려

겨드랑이 부위를 노출시킨 후 팔꿈치 부분을 90도 각도로 구부려 최대한 환측의 어깨에 저항이 없는 자세로 고정시켜야 한다(그림 35-2). 저자들은 초기에 과다한 어깨 견인으로 인한 일시적인 팔신경얼기(brachial plexus) 마비를 경험한 이후로 어깨의 무리한 과신전(hyperextension)은 피하는 것을 원칙으로 하고 있다.[33]

(2) 작업 공간 만들기 Creation of working space

병변측의 겨드랑이에 약 5~6 cm 정도의 피부 절개를 한 후 직접 육안으로 보면서 전기 소작기를 이용하여 대흉근(pectoralis major muscle)의 앞부분을 넘어서 겨드랑이에서 전경부까지 넓은목근(platysma muscle)의 하방을 박리한다. 목빗근(sternocleidomastoid muscle)의 흉골기시부(sternal head) 및 쇄골기시부(clavicular head) 사이의 공간으로 접근하여 어깨목뿔근(omohyoid muscle)을 앞뒤로 박리시킨 후 띠근육 하방을 박리하여 갑상선을 노출시킨다. 이후 외부견인기(retractor blade)를 삽입하고 이를 거상기에 연결하여 상부 피판을 들어올린다. 적절한 작업 공간이 만들어졌음을 확인하는 방법으로는 견인기로 들어올린 상부 피판과 피부 절개 사이의 높이가 4 cm 이상(외부), 갑상선의 표면에서 외부 견인기와의 높이가 1 cm 이상(내부)임을 확인하는 것이 바람직하다(그림 35-3).

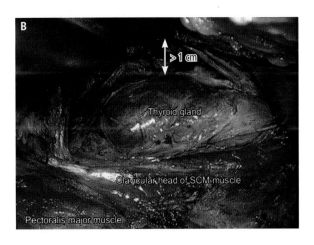

그림 35-3 │ 적절한 작업 공간의 확보
A. 외부. **B.** 내부

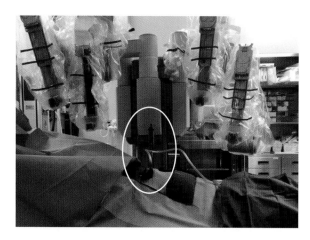

그림 35-4 | 로봇 기구의 위치(axis alignment)

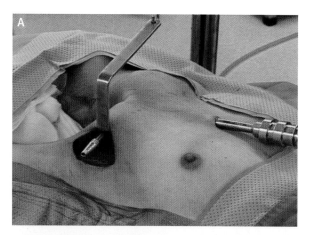

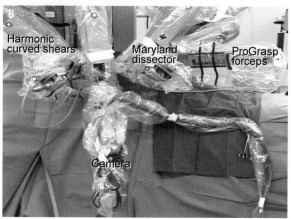

그림 35-5 | 이중 절개를 이용한 로봇갑상선절제술
A. 작업 공간 확보를 위한 외부 견인기(Chung's retractor)의 삽입과 전흉부의 트로카 위치. **B.** 로봇 팔들의 장착 후 외부 모습

(3) 로봇 기구의 위치 및 도킹 Robot positioning and docking

로봇카트는 환자의 병변 반대편에 위치한다. 환자의 수술침대를 움직여 로봇카트의 중앙 기둥(central column)과 피판을 들어올린 외부 견인기가 일직선 방향에 있도록 맞춘다(그림 35-4).

① 이중 절개를 이용한 갑상선 절제술

전흉부에 병변측 유두에서 상부로 2 cm, 내측으로 6~8 cm 떨어진 위치에 4번째 로봇팔 삽입을 위한 별도의 0.8 cm 피부 절개를 한다. 총 4개의 로봇 팔을 사용하는데, 3개의 팔은 겨드랑이를 통해, 1개는 앞가슴부위의 절개를 이용하여 수술 공간까지 위치시킨다. 겨드랑이를 통해 위치한 3개의 로봇팔들 중 중앙에는 30° down dual channel endoscope (Intuitive Inc.)을, 나머지 두 팔에는 Harmonic curved shears (Intuitive Inc.)와 Maryland dissector (Intuitive Inc.)를 장착시켜 피부 절개 양 끝에 위치하도록 한다. 마지막으로 앞가슴 부위에 피부절개창에 8 mm 트로카를 넣고 ProGrasp forceps (Intuitive Inc.)를 장착시킨다(그림 35-5).

② 단일 절개를 이용한 갑상선 절제술

이중 절개를 이용한 수술법과는 다르게 단일 절개를 이용하는 경우는 로봇의 모든 팔들이 겨드랑이의 절개창

을 통해서 들어가므로 각 팔들 사이의 부딪힘이나 방해를 피하기 위해서는 ProGrasp forceps의 위치와 각 팔들의 진입 각도와 팔들 사이의 거리 유지가 매우 중요하다. 실제 로봇 팔들의 위치는 ProGrasp forceps의 위치를 제외하고는 이중 절개를 이용한 수술법과 거의 유사하다. 오른쪽 병변의 경우를 예로 들면, 12 mm 트로카에 30° down dual channel endoscope을 장착하고 겨드랑이 절개의 중앙에 위치시킨다. 카메라는 절개창의 가장 아랫부분에 위치시킨 후 카메라의 끝은 위쪽을 향하도록 삽입한다. ProGrasp forceps은 카메라의 바로 오른쪽에 외부견인기(retractor blace) 흡인관과 평행하게 진행해서 위치시킨다. 이때 ProGrasp forceps은 가능한 한

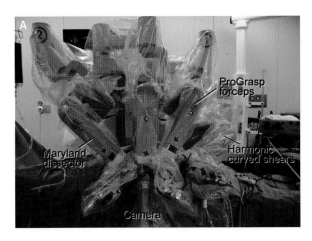
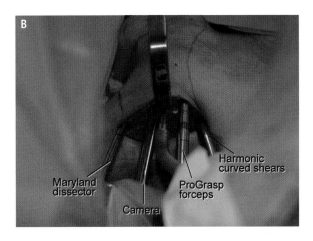

그림 35-6 | 단일 경로 로봇갑상선절제술
A. 로봇 팔들의 장착 후 외부 모습. **B.** 모든 로봇 팔들이 액와부의 절개를 이용해 삽입된 모습

견인기에 가까이 위치시킨다. Maryland dissector는 카메라의 왼쪽에, harmonic curved shears는 카메라의 오른쪽에 위치시키며 둘 다 카메라로부터 최대한 멀리 거리를 유지하며 위치시킨다(그림 35-6).

(4) 로봇갑상선절제술
Actual operation procedure for robotic thyroidectomy

수술과정은 경부절개 수술법 및 내시경적 수술법과 동일한 방법으로 진행한다. 총경동맥(Common carotid artery) 부위부터 림프절을 포함한 연부조직 박리를 진행하면서 갑상선의 외측을 박리한 후 갑상선의 상극(upper pole) 및 하극(lower ple) 부위의 혈관들을 결찰한다. ProGrasp forceps로 갑상선의 상극을 하내측으로 당기면서 Maryland dissector로 갑상선의 상부 혈관을 박리하여 Harmonic curved shears을 이용하여 각각의 혈관을 상후두신경(superior laryngeal nerve)의 외측 분지가 손상되지 않도록 갑상선에 인접하여 분리한다. 갑상선을 내측으로 견인한 상태에서 Maryland dissector를 이용하여 갑상선 주위 근막을 세심하게 박리하여 하부 갑상선 동맥과 되돌이후두신경을 확인한다. Harmonic curved shears을 이용하여 하부 갑상선 동맥을 갑상선과 인접하게 분리한 후 되돌이후두신경의 경로 및 상부 부갑상선

을 확인하고 안전하게 보존한다. 중앙 경부 림프절 청소 시, 상내측으로 갑상선을 견인한 후 되돌이후두신경의 주행 경로를 확인하면서 갑상선-흉선인대(thyro-thymic ligament) 부위의 연부조직을 박리한 후 이환 갑상선 및 림프절 포함 연부 조직을 기관으로부터 박리하여 절제한다. 특히, Berry 인대 주변에서는 세심한 박리로 되돌이후두신경의 손상을 방지한다. 갑상선 전절제를 시행하는 경우 병변측의 갑상선 절제 후 반대측 엽의 절제도 같은 내시경 시야하에서 갑상선을 전내측으로 견인하여 되돌이후두신경 및 부갑상선을 보존하면서 절제술을 시행한다. 절제된 검체는 겨드랑이의 피부 절개부위를 통해 적출하고 폐쇄 흡입 배액관을 삽입한 후 절개부위를 봉합한다.

갑상선의 절개 과정은 이중 절개 방법과 단일 절개 방법이 거의 유사하나 단일 절개에서는 ProGrasp forceps의 움직임에 약간의 차이가 있다. 이중 절개에서는 ProGrasp forceps의 외부 관절과 수술 공간 내부의 관절을 같이 사용하여 조직을 잡고 움직였으나 단일 절개를 이용한 술식에서는 내부의 관절만을 이용하여 조작을 하고 외부의 관절은 최대한 움직이지 않도록 조작하는 것이 중요하다. 이는 좁은 공간으로 4개의 로봇 팔들이 다 들어가기 때문에 각 팔들끼리의 부딪힘을 피하기

위해서는 조직을 traction하는 역할만 하는 ProGrasp forceps의 외부 관절 움직임을 최대한 자제함으로써 조절이 가능하다.

2) 로봇갑상선절제술과 변형근치경부곽청술

(1) 수술 전 준비 및 환자 자세 Patient preparation

전신 마취 상태에서 환자는 앙와위(supine position)로 어깨 밑에 배개를 받쳐 경부를 약간 신전시킨 상태를 유지한다. 병변쪽의 팔을 수술침대와 평행하게 외측으로 펴서 고정하고, 환자의 머리는 병변의 반대편으로 약간 돌려서 겨드랑이와 측경부 부위를 최대한 노출시킬 수 있는 자세를 취한다. 병변쪽 어깨 밑에 수술용 패드 등을 넣어서 환자의 갑상선부위의 높이와 비슷하도록 맞춰준다(그림 35-7).

(2) 작업 공간 만들기 Creation of working space

수술 공간 형성을 위한 피하 피판 형성의 기준점으로는 중앙부위로 목빗근(sternocleidomastoid muscle)의 앞쪽 경계 부위까지, 아래쪽으로는 복장뼈 오목(substernal notch), 위로는 턱밑샘(submandibular gland), 그리고 외측부로는 등세모근(trapezius muscle)의 앞쪽경계가 노출될때까지 박리를 진행한다. 겨드랑이 부위에 7~8 cm 정도의 피부 절개가 대흉근의 가족 경계에 의해 형성되는 피부의 접히는 부분을 따라 가해진다. 이후 직접 육안으로 보면서 전기 소작기를 이용하여 대흉근의 앞 근막 표면을 따라서 겨드랑이부위에서 전경부까지 넓은 목근의 하방을 박리한다. 목빗근의 외부 경계와 바깥목정맥(external jugular vein) 및 대이개신경(greater auricular nerve)이 교차하는 지점에서 바깥목정맥은 결찰한다. 외측부 피판 박리중에는 척수부신경(spinal accessory nerve)를 찾아 주행을 노출시켜 놓는다. 넓은 목근 하방의 박리가 끝나면 목빗근을 들어올려 근육의 아래쪽(근육의 뒷표면을 따라)으로 계속 박리를 진행하여 속목정맥(internal jugular vein), 띠근육을 노출시키고, 위쪽으로는 턱밑샘까지 노출시키도록 한다. 마지막으로 띠근육 하방을 박리하여 갑상선을 노출시킨다. 피하피판 형성 후 일반적인 갑상선 절제술보다는 좀 더 길고 넓은 외부 견인기(retractor blade)가 삽입되고, 작업 공간의 유지를 위

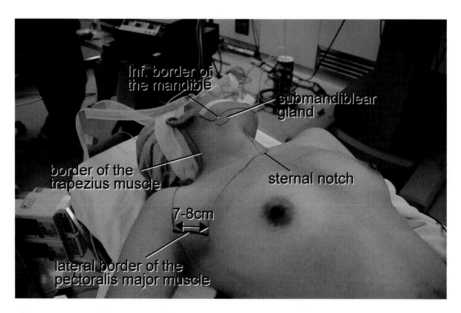

그림 35-7 | 로봇 변이 광범위 측경부림프절절제술 시 환자의 자세

해 피하 피판과 목빗근, 띠근육을 들어 올리며 갑상선과 측경부 부위를 노출시킨다.

(3) 로봇 기구의 위치 및 도킹 Robot positioning and docking
갑상선 수술법과 마찬가지로 로봇카트는 환자의 병변 반대편에 위치한다. 환자의 수술침대를 움직여 로봇카트의 중앙 기둥(central column)과 피판을 들어올린 외부 견인기가 일직선 방향에 있도록 맞춘다. 변형근치경부곽청술도 이중 절개를 이용한 방법과 단일 절개를 이용한 방법 두가지가 있다. 이중 절개의 두 번째 피부 절개 위치는 갑상선 수술법과 동일하다.

변형근치경부곽청술의 도킹 방법은 두 단계로 나뉜다. 먼저 갑상선 절제술과 중앙림프절절제술, 측경부 III, IV,Vb 부위를 진행하는 동안은 갑상선 절제술과 같은 방식으로 외부 견인기를 삽입하고 도킹을 시행한다. 이후 측경부 level II 림프절 절제를 위해 외부 견인기의 방향을 돌려서(턱밑샘 방향으로) 재위치를 시켜 다시 도킹을 시행한다(그림 35-7).

(4) 로봇갑상선절제술 및 변형근치경부곽청술 Actual operation procedure for robotic thyroidectomy with modified radical neck dissection
갑상선절제술은 위에 기술한 방법과 동일하다. 측경부 림프절절제술은 측경부의 level III, IV 부위부터 시작되며 이 부위의 림프절들과 연부 조직을 총경동맥(common carotid artery)과 미주신경(vagus nerve)에 손상을 피하면서 속목정맥(internal jugular vein)으로부터 세심하게 박리한다. 내경정맥의 박리는 level II와 III의 경계 부위까지 진행한 후 level IV의 아래쪽으로 이동한다. 이 부분에서는 내경정맥과 쇄골하정맥(subclavian vein)이 만나는 부위까지 림프절의 박리가 진행되며 가슴관(thoracic duct)이 유입되는 부분에서는 손상을 피할 수 있도록 세심한 주의가 필요하다. 어깨목뿔근(omohyoid muscle)의 뒷힘살 부분을 절단하고 외경정맥이 쇄골하 정맥으로 유입되는 부위에서 외경정맥을 결찰한 후 쇄골 주위 림프절들을 위쪽으로 들어올리면서 수술이 진행되며, 이 과정에서 가로목동맥(transverse cervical artery)과 횡격막신경(phrenic nerve)은 확인 후 보존한다. 이후 외측의 level V 부분으로 림프절 제거가 진행되며, 피하 피판 형성시 노출시킨 척수부신경을 경계로 그 앞쪽에 위치한

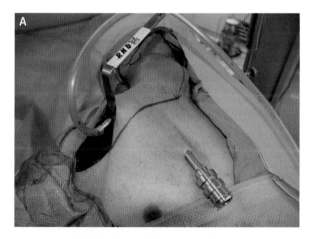
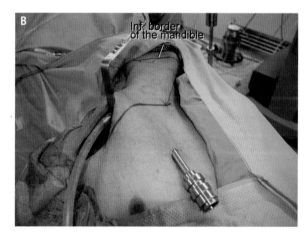

그림 35-7 │ 로봇 변이 광범위 측경부림프절절제술 시 외부 견인기의 위치와 방향
A. 처음 견인기의 위치와 방향은 일반적인 갑상선절제술과 동일하게 삽입한다. 이위치에서 갑상선절제술과 측경부의 level III, IV, V 부위 림프절 곽청술이 이루어진다. **B.** 측경부 level II 부위의 림프절 절제를 위해 외부 견인기를 턱밑샘 방향으로 재삽입하여 위치시킨다.

림프절과 연부조직을 깨끗이 박리하여 위쪽으로 들어올리면서 level Vb림프절을 제거한다. Level III, IV, Vb 부위의 림프절 제거가 끝나면 외부 견인기를 재위치 시켜 level II 림프절의 노출 및 절제가 용이하도록 한다. 이후 level IIa 림프절절제술이 진행되며 위쪽으로 턱밑샘과 이복근의 뒷힘살(digastric muscle posterior bally) 부위까지, 외측으로는 척수부신경까지 주변 조직을 깨끗이 제거한다. 검체는 겨드랑이의 피부 절개를 통해 제거하고 폐쇄 흡입 배액관을 삽입한 후 절개부위를 봉합한다.

5. 로봇갑상선절제술의 안전성 및 적정성

1) 안전성 및 종양학적 치료 효과

2007년 10월에 저자들이 전세계에서 최초로 갑상선 로봇 수술을 시작한 이후 현재까지 본원에서만 약 5,000예의 로봇갑상선절제술이 시행되었다. 또한 2009년 이후 미국을 중심으로 유럽, 아시아 등에서도 로봇갑상선절제술 술기를 습득하여 다양한 연구 성과를 발표하고 있다. 이러한 무기하 겨드랑이 절개를 이용한 로봇갑상선절제술에 대해서 2009년 말부터 현재까지 발표된 논문에서 갑상선 로봇 수술의 안전성(합병증)에 대한 다양한 연구 결과는 모두 양호하였다.[27,29,30,40-45]

국내 다양한 기관에서 로봇갑상선절제술을 개경 갑상선 수술 혹은 내시경갑상선절제술과 비교한 다양한 비교 연구가 활발히 이루어졌다. Lee 등이 266례의 개경 갑상선 수술과 192례의 로봇갑상선절제술 후의 종양학적 결과를 비교했을 때 두 방법간에 수술 결과의 차이가 없었으며, Lee등이 843례의 내시경갑상선절제술과 1,769례의 로봇갑상선절제술을 비교했을 때 내시경에 비해 로봇갑상선절제술에서 중앙경부림프절절제술 범위 및 수술 시간에서 훨씬 우수한 결과를 보였다.[34,36] 개경 갑상선 수술뿐만이 아니라 갑상선 및 변형근치경부곽청술에 있어서도 개경 및 로봇 수술이 차이가 없음을 보였다. 또한 Kim 등과 Lee 등이 발표한 로봇갑상선절제술과 개경 갑상선 수술 및 개경 갑상선 및 변형근치경부곽청술의 5년 후 결과를 비교한 연구 결과에서도 로봇 수술과 개경 수술간의 유의한 차이는 없었다[46,47]. 결론적으로 로봇 수술이 개경 수술에 비해 평균 수술 시간은 약간 길었지만, 수술 합병증 및 적절성에 대해서는 양군간의 차이가 없었다. 지금까지 로봇갑상선절제술의 단기간 및 5년간의 치료 효과는 입증이 되었으나, 향후 장기간의 추적관찰은 반드시 필요할 것으로 생각한다.[31,48-50]

2) 환자의 삶의 질 변화

갑상선암이 양호한 예후를 보임에 따라 갑상선 수술 후 삶의 질 변화에 대한 고민들이 여러 가지 방법의 갑상선 수술을 고안하게 된 이유라고 볼 수 있겠다. 갑상선 수술 후 환자의 입장에서 가장 중요하게 고려되는 측면은 미용적인 만족도, 통증, 감각이상, 목소리 변화, 연하불편감 등으로 다양한 기관에서 전향적인 연구를 통하여 개경 갑상선 수술 및 내시경갑상선절제술과의 비교 결과를 보고하였다. 수술 후 통증, 목의 불편감, 감각 이상의 회복 속도에서 로봇 수술이 개경 수술보다 양호한 결과를 보이고 있으며, 특히 미용적인 측면에서는 탁월한 우수성이 증명되었다. 또한 수술 후 목소리 변화 및 연하 장애의 정도에 있어서 로봇 수술이 개경 수술보다 양호 또는 동일한 결과를 보임이 입증되었다. 향후 객관적인 지표를 바탕으로한 대규모의 전향적인 연구가 이루어진다면, 로봇갑상선절제술의 장점에 대한 보다 정확한 근거 자료가 될 수 있을 것으로 생각한다.[31,32,37,49,51,52]

3) 외과 의사의 입장에서의 갑상선 로봇 수술

새로운 수술 술기의 도입에 있어 중요한 요소 중의 한가

표 35-1 | 갑상선 로봇 수술과 개경 및 내시경 수술 간의 장단점 비교

	Robotic thyroidectomy	vs	Open thyroidectomy	Robotic thyroidectomy	vs	Endoscopic thyroidectomy
Morbidity		=			≤	
Operation time		>			<	
Oncologic efficacy		=			>	
Cosmetic satisfaction		>>			NA*	
Patient's functional outcomes(pain, sensory changes, voice change, swallowing discomfort)		>			NA	
Learning curve		NA			<	
Surgeon's ergomonic consideration		<			<<	

*NA : no available data *참고문헌: European Thyroid Journal 2013;2:93-101 Robotic Surgery for Thyroid Disease Jandee Lee, Woong Youn Chung

지는 의사간의 수술 난이도 차이를 가능한 줄이고 표준적인 수술 술식을 정립하는 것이다. 수술시간을 단계적으로 줄여 학습 곡선을 최대한 단축시키는 방향으로 나아가는 것이다. 갑상선 로봇 수술의 학습 곡선(learning curve)에 대해서는 여러 차례 발표가 된 바 있는데 Lee 등에 의하면 단일 술자의 경우 내시경갑상선절제술의 학습곡선은 대략 50~60례였고, 로봇갑상선절제술의 경우 35~40례의 수술 후에 학습곡선이 극복된다고 하였다.[33,36] 또한 Park 등은 내시경 수술의 경험이 없는 초보 외과의의 경우에도 약 20례의 수술 후에 학습곡선이 극복되며, 학습곡선의 수를 줄이기 위해서는 표준화된 교육 프로그램이 필요하다는 발표를 한 바 있다.[53] 저자들은 외과의사의 입장에서 절개술, 내시경 수술 및 로봇 수술 후 발생하는 의사의 통증 및 불편감을 비교하기 위해 다기관 연구를 시행하였고, 수술 후 외과의사가 느끼는 통증이나 불편감이 가장 적은 술식은 로봇 수술이었다.[33]

요약 및 전망

수술 후 환자들의 미용적인 측면이나 기능적인 측면에서 뛰어난 우수성을 보이는 로봇갑상선절제술은 현재까지 개발된 최신의 기술과 기구를 이용한 수술 방법이기는 하지만 아직까지는 극복해야 할 몇 가지의 제한점들이 존재한다.

로봇갑상선절제술의 가장 문제 시 되는 단점으로는 고가의 수술비 및 고가의 수술 장비이다. 국가적인 의료보험제도의 차이에 따라 고가의 수술비는 향후 개선이 될 수 있다고 예상되지만, 로봇 수술 장비 및 설치에 필수적인 특수화된 수술실 등의 비용은 로봇 수술 준비 과정에서 큰 어려움이 될 수 있다. 또한 로봇 본체뿐 아니라, 직접 수술을 수행하는 로봇 팔 및 기타 장비의 크기가 커서 정교한 수술 시 팔들간의 부딪힘으로 어려움을 겪을 수 있다. 이러한 문제점에 대해서는 현재 기구의 크기를 최소화, 미세화하려는 노력과 비용의 개선에 다각도의 노력이 이루어지고 있으므로 문제의 해결책

이 제시될 수 있을 것으로 예상한다. 아직 상업화되지는 않았지만 다빈치 로봇 이외의 국내에서 개발, 연구 중인 로봇기구를 비롯하여 다양한 로봇 수술 기구의 등장이 향후 로봇 수술의 단점 보완에 도움을 줄 수 있을 것으로 기대한다.

현재 사용되는 로봇 기구의 또다른 제한점은 촉각 (tactile sensation)을 감지할 수 없다는 점이다. 로봇 수술의 초보외과의가 로봇 기구에 익숙해지기 전에 이런 점을 감안하지 않고 시술하는 경우 주요 구조물에 손상을 주거나, 열기구로 인한 화상의 위험 및 주요 혈관의 결찰에 있어 불안정한 시술이 이루어질 수 있다. 그러나 초보의에게는 수술 중 다양한 기구를 이용하여 갑상선의 견인 및 주위 구조물의 박리 시 감지되는 촉각이 중요한 요소가 되어, 수술의 경험이 쌓이고 학습곡선을 극복되면 촉각이 없는 상태가 큰 문제점으로 작용하지 않는다는 보고들이 있다.[32,38]

또 다른 영역으로, 수술 전 영상 검사 – high-definition, 3-dimensional CT scan 등을 통한 병변과 주변 조직들의 해부적인 정보를 3차원으로 재구성하여 영상

을 수술시야와 같은 각도로 로봇의 3차원 입체화면과 연계함으로써, 초보 수술자들이 본 시술을 시행하면서 되돌이후두신경과 부갑상선과 같은 중요 구조물들을 보존하는데 있어 좀 더 유익한 정보를 얻을 수도 있으며, 더 나아가서는 트레이닝을 위한 simulation program까지 개발이 가능하다. 향후 지속적인 기술 발전을 바탕으로 술 전 영상 정보를 컴퓨터를 통해 미리 프로그래밍하고 이를 바탕으로 로봇 혼자서 수술을 진행하는 Image-guided, pre-programmed robotic surgery도 현실화 될 수 있는 날이 멀지 않았다고 기대한다.

10여 년에 걸쳐 갑상선 로봇 수술은 이미 갑상선 수술에 있어 안전하고 유용한 술식의 하나로 자리매김하고 있다. 현재 진행중인 로봇 기구의 발달 및 기술의 축적으로 이미 갑상선 질환의 외과적 치료에 있어서 로봇 수술의 적용은 계속 확대되어 가고 있다. 또한 현재까지 축적된 데이터를 바탕으로한 기존의 연구 결과 및 향후 대규모의 전향적인 연구가 이루어진다면, 로봇 수술의 장점에 대한 정확한 근거 자료가 될 수 있을 것으로 기대한다.

REFERENCES

1. Kwoh YS, Hou J, Jonckheere EA, Hayati S. A robot with improved absolute positioning accuracy for CT guided stereotactic brain surgery. IEEE Trans Biomed Eng 1988;35:153-60.

2. Hockstein NG, Gourin CG, Faust RA, Terris DJ. A history of robots: from science fiction to surgical robotics. J Robot Surg 2007;1:113-8.

3. Hockstein NG, Nolan JP, O'Malley B W, Jr., Woo YJ. Robotic microlaryngeal surgery: a technical feasibility study using the daVinci surgical robot and an airway mannequin. Laryngoscope 2005;115:780-5.

4. Lobe TE, Wright SK, Irish MS. Novel uses of surgical robotics in head and neck surgery. J Laparoendosc Adv Surg Tech A 2005;15:647-52.

5. Kang SW, Jeong JJ, Yun JS, et al. Robot-assisted endoscopic surgery for thyroid cancer: experience with the first 100 patients. Surg Endosc 2009;23:2399-406.

6. Gagner M. Endoscopic subtotal parathyroidectomy in patients with primary hyperparathyroidism. Br J Surg 1996;83:875.

7. Huscher CS, Chiodini S, Napolitano C, Recher A. Endoscopic right thyroid lobectomy. Surg Endosc 1997;11:877.

8. Yeung HC, Ng WT, Kong CK. Endoscopic thyroid and parathy-roid surgery. Surg Endosc 1997;11:1135.

9. Shimizu K, Tanaka S. Asian perspective on endoscopic thyroidectomy -- a review of 193 cases. Asian journal of surgery 2003;26:92-100.

10. Ikeda Y, Takami H, Sasaki Y, et al. Endoscopic neck surgery by the axillary approach. Journal of the American College of Surgeons 2000;191:336-40.

11. Ohgami M, Ishii S, Arisawa Y, et al. Scarless endoscopic thyroidectomy: breast approach for better cosmesis. Surgical laparoscopy endoscopy & percutaneous techniques 2000;10:1-4.

12. Duncan TD, Ejeh IA, Speights F, et al. Endoscopic transaxillary near total thyroidectomy. JSLS 2006;10:206-11.

13. Duncan TD, Rashid Q, Speights F, Ejeh I. Endoscopic transaxillary approach to the thyroid gland: our early experience. Surg Endosc 2007;21:2166-71.

14. Kang SW, Jeong JJ, Yun JS et al. Gasless endoscopic thyroidectomy using trans-axillary approach; surgical outcome of 581 patients. Endocr J 2009;56:361-9.

15. Jeryong K, Jinsun L, Hyegyong K, et al. Total endoscopic thyroidectomy with bilateral breast areola and ipsilateral axillary (BBIA) approach. World J Surg 2008;32:2488-93.

16. Kitano H, Fujimura M, Hirano M, et al. Endoscopic surgery for a parathyroid functioning adenoma resection with the neck region-lifting method. Otolaryngology - head and neck surgery 2000;123:465-6.

17. Lombardi CP, Raffaelli M, Princi P, et al. Video-assisted thyroidectomy: report on the experience of a single center in more than four hundred cases. World journal of surgery 2006;30:794-800.

18. Miccoli P, Berti P, Raffaelli M, et al. Minimally invasive video-assisted thyroidectomy. Am J Surg 2001;181:567-70.

19. Chung EJ, Park MW, Cho JG, et al. A prospective 1-year comparative study of endoscopic thyroidectomy via a retroauricular approach versus conventional open thyroidectomy at a single institution. Ann Surg Oncol 2015;22:3014-21.

20. Anuwong A. Transoral Endoscopic Thyroidectomy Vestibular Approach: A Series of the First 60 Human Cases. World J Surg 2016;40:491-7.

21. Miccoli P, Elisei R, Materazzi G, et al. Minimally invasive video-assisted thyroidectomy for papillary carcinoma: a prospective study of its completeness. Surgery 2002;132:1070-3; discussion 1073-4.

22. Ikeda Y, Takami H, Sasaki Y, et al. Clinical benefits in endoscopic thyroidectomy by the axillary approach. Journal of the American College of Surgeons 2003;196:189-95.

23. Ikeda Y, Takami H, Sasaki Y, et al. Are there significant benefits of minimally invasive endoscopic thyroidectomy? World J Surg 2004;28:1075-8.

24. Jeong JJ, Kang SW, Yun JS et al. Comparative study of endoscopic thyroidectomy versus conventional open thyroidectomy in papillary thyroid microcarcinoma (PTMC) patients. J Surg Oncol 2009;100:477-80.

25. Giulianotti PC, Coratti A, Angelini M, et al. Robotics in general surgery: personal experience in a large community hospital. Archives of surgery 2003;138:777-84.

26. Lobe TE, Wright SK, Irish MS. Novel uses of surgical robotics in head and neck surgery. Journal of laparoendoscopic & advanced surgical techniques 2005;15:647-52.

27. Kang S, Jeong JJ, Yun J, et al. Robot-assisted endoscopic surgery for thyroid cancer: experience with the first 100 patients. Surgical endoscopy 2009;23:2399-406.

28. Kang SW, Jeong JJ, Nam KH et al. Robot-assisted endoscopic thyroidectomy for thyroid malignancies using a gasless transaxillary approach. J Am Coll Surg 2009;209:e1-7.

29. Kang S, Lee SC, Lee KY, et al. Robotic thyroid surgery using a gasless, transaxillary approach and the da Vinci S system: the operative outcomes of 338 consecutive patients. Surgery 2009;146:1048-55.

30. Kang SW, Lee SH, Ryu HR, et al. Initial experience with robot-assisted modified radical neck dissection for the management of thyroid carcinoma with lateral neck node metastasis. Surgery 2010;148:1214-21.

31. Lee J, Nah KY, Kim RM, et al. Differences in postoperative outcomes, function, and cosmesis: open versus robotic thyroidectomy. Surgical endoscopy 2010;24:3186-94.

32. Lee J, Chung WY. Robotic surgery for thyroid disease. European Thyroid Journal 2013;2:93-101.

33. Lee J, Kang SW, Jung JJ, et al. Multicenter study of robotic thyroidectomy: short-term postoperative outcomes and surgeon ergonomic considerations. Annals of Surgical Oncology 2011;18:2538-47.

34. Lee S, Ryu HR, Park JH, et al. Excellence in robotic thyroid surgery: a comparative study of robot-assisted versus conventional endoscopic thyroidectomy in papillary thyroid microcarcinoma patients. Ann Surg 2011;253:1060-6.

35. Kang S, Lee SH, Park JH, et al. A comparative study of the surgical outcomes of robotic and conventional open modified radical neck dissection for papillary thyroid carcinoma with lateral neck node metastasis. Surgical endoscopy 2012;26:3251-7.

36. Lee J, Yun JH, Nam KH, et al. Perioperative clinical outcomes after robotic thyroidectomy for thyroid carcinoma: a multicenter study. Surgical endoscopy 2011;25:906-12.

37. Lee J, Na KY, Kim RM, et al. Postoperative functional voice changes after conventional open or robotic thyroidectomy: a prospective trial. Annals of Surgical Oncology 2012;19:2963-70.

38. Lee J, Chung WY. Current status of robotic thyroidectomy and neck dissection using a gasless transaxillary approach. Current opinion in oncology 2012;24:7-15.

39. Hakim Darail NA, Lee SH, Kang SW, et al. Gasless Transaxillary Endoscopic Thyroidectomy: A Decade On. Surg Laparosc Endosc Percutan Tech 2014.

40. Ryu HR, Kang SW, Lee SH, et al. Feasibility and safety of a new robotic thyroidectomy through a gasless, transaxillary single-incision approach. J Am Coll Surg 2010;211:e13-19.

41. Kang SW, Park JH, Jeong JS, et al. Prospects of robotic thyroidectomy using a gasless, transaxillary approach for the management of thyroid carcinoma. Surg Laparosc Endosc Percutan Tech 2011;21:223-9.

42. Ban EJ, Yoo JY, Kim WW, et al. Surgical complications after robotic thyroidectomy for thyroid carcinoma: a single center experience with 3,000 patients. Surgical endoscopy 2014;28:2555-63.

43. Park JH, Lee CR, Park S, et al. Initial experience with robotic gasless transaxillary thyroidectomy for the management of graves disease: comparison of conventional open versus robotic thyroidectomy. Surg Laparosc Endosc Percutan Tech 2013;23:e173-177.

44. Lee J, Yun JH, Choi UJ, et al. Robotic versus Endoscopic Thyroidectomy for Thyroid Cancers: A Multi-Institutional Analysis of Early Postoperative Outcomes and Surgical Learning Curves. J Oncol 2012;2012:734541.

45. Lang BH, Wong CK, Tsang JS, Wong KP. A systematic review and meta-analysis comparing outcomes between robotic-assisted thyroidectomy and non-robotic endoscopic thyroidectomy. J Surg Res 2014.

46. Kim MJ, Lee J, Lee SG, et al. Transaxillary robotic modified radical neck dissection: a 5-year assessment of operative and oncologic outcomes. Surg Endosc 2016.

47. Lee SG, Lee J, Kim MJ, et al. Long-term oncologic outcome of robotic versus open total thyroidectomy in PTC: a case-matched retrospective study. Surg Endosc 2016;30:3474-9.

48. Lang BH, Chow MP. A comparison of surgical outcomes between endoscopic and robotically assisted thyroidectomy: the authors' initial experience. Surg Endosc 2011;25:1617-23.

49. Tae K, Song CM, Ji YB, et al. Comparison of surgical completeness between robotic total thyroidectomy versus open thyroidectomy. The Laryngoscope 2014;124:1042-7.

50. Landry CS, Grubbs EG, Morris GS, et al. Robot assisted transaxillary surgery (RATS) for the removal of thyroid and parathyroid glands. Surgery 2011;149:549-55.

51. Tae K, Kim KY, Yun BR, et al. Functional voice and swallowing outcomes after robotic thyroidectomy by a gasless unilateral axillo-breast approach: comparison with open thyroidectomy. Surgical endoscopy 2012;26:1871-7.

52. Tae K, Ji YB, Cho SH, et al. Early surgical outcomes of robotic thyroidectomy by a gasless unilateral axillo-breast or axillary approach for papillary thyroid carcinoma: 2 years' experience. Head & neck 2012;34:617-25.

53. Park JH, Lee J, Hakim NA, et al. Robotic thyroidectomy learning curve for beginning surgeons with little or no experience of endoscopic surgery. Head Neck 2015;37:1705-711.

새로운 수술 기구

New Energy-based Devices in Thyroid Surgery

| 경북대학교 의과대학 외과 **김완욱**

갑상선 수술은 갑상선의 해부적 구조의 이해와 수술 기법의 발전으로 많은 발전을 해왔다. 갑상선 수술의 기법은 19세기 말 Theodor Kocher에 의해 표준화 되었다.[1] 갑상선 수술의 역사를 거슬러 올라가면 19세기 중반까지 갑상선 수술 중 과다출혈 및 수술 후 패혈증 등으로 사망률은 약 40%까지 보고될 정도로 아주 안좋은 결과를 보였고 이러한 이유로 어떠한 갑상선 수술이든지 하지 말아야 되는 것으로 여겨졌었다. 하지만 수술 소독법 및 지혈을 위한 겸자 등의 수술 기기의 발달 및 주요 동맥의 봉합묶음술(suture ligation)의 소개로 사망률은 0.2%까지 감소하였다.[2]

갑상선은 혈관이 많이 발달해 있는 기관으로 수술 시 전통적인 방법인 혈관을 잡고 묶는 방법(clamp-and-tie technique), 봉합묶음술(suture ligation), 전기소작기(electrocautery; 단극(monopolar) 및 양극(bipolar coagulation))로 많은 혈관들을 지혈해야 한다.[3] 그러기 위해서 지혈하는 데 많은 시간이 소요되며 지혈이 잘 되지 않을 경우 수술 중 또는 수술 후에 출혈이 있을 수 있고, 출혈로 인해 깨끗한 수술 시야 확보가 안 될 경우 수술 시간의 지연 및 되돌이후두신경(recurrent laryngeal nerve) 및 부갑상선(parathyroid) 등 중요 구조물에 손상을 입힐 위험성이 증가한다. 그리고 수술 후 출혈은 수술 후 장액종(seroma)이나 혈종(hematoma)을 야기할 수 있고 그로 인해 재원기간(length of hospital stay)이 길어질 수 있으며 심한 출혈의 경우에는 혈종으로 인한 기도폐색으로

저산소성뇌손상 등의 심각한 문제를 일으킬 수 있어서 갑상선 수술에서 지혈은 아주 중요한 부분이라 생각된다.[4] 또한 이전에 사용된 전기소작기(electrocautery)에 의한 열전도(150~400℃)는 아주 높아서 신경 등의 주변 중요 조직에 심각한 손상을 줄 위험성이 높다.[5]

에너지 기반 기기(energy-based devices)는 압력과 에너지를 이용해서 조직을 결찰 및 절단하는 기기로 최근 외과 수술의 추세인 저침습성 수술(minimally invasive surgery)에 필수적이다. 그래서 최근 다양한 에너지 기반 기기들이 개발이 되어 다양한 수술에서 지혈 및 조직의 절단에 사용되고 있다. 에너지 기반 기기를 이용한 기기들은 이미 외과를 포함한 여러 과에서 복부, 흉부 수술 등에 사용되어 왔고 안전하고 효과적인 것으로 증명이 되었다.[6,7] 최근에는 전향성 무작위 연구(prospective randomized study)를 통해 갑상선 수술에서의 에너지 기반 기기 사용의 효용성, 수술 시간의 단축 및 수술 후 좋은 결과에 대해 보고된 바 있다.[8,9]

에너지 기반 기기에는 가장 먼저 개발 된 초음파절삭기(Ultrasonic Coagulation; Harmonic Scalpel®; Ethicon Endo-Surgery, Cincinnati, OH)와 리가슈어(Electroligation Vessel Sealing System; LigaSure®; Medtronic, Minneapolis, MN), 그리고 최근에 개발된 썬더비트(Thunderbeat®; Olympus Co Inc, Tokyo, Japan) 등이 있다. 이 기기들은 전기소작기의 단점인 큰 열전도를 최소화하여 상대적으로 주변 조직으로의 열손상을 최소화하고 보다 큰 혈관

347

들을 보다 빠르고 안전하게 지혈하기 위해 고안되었다.

에너지 기반 기기를 이용하여 조직에 작동(activtion)하게 되면 온도에 따른 조직의 변화가 생기는데 40~80℃에서 단백질의 변성(degeneration) 및 지혈이 되고, 80℃가 넘어가면서 콜라겐의 변성(degeneration) 및 조직의 탄화(carbonization)가 일어나게 된다. 이때 에너지 기반 기기의 압력(compressive pressure)이 셀수록, 조직이 건조(dry)할수록 조직의 지혈속도(sealing time) 및 절단속도(transection time)는 빨라지게 되는데 빠른 절단속도는 주변 조직의 급격한 온도 상승을 막아 주기 때문에 열손상(thermal damage)을 줄이는데 중요한 부분이라 할 수 있겠다.

에너지 기반 기기의 이상적인 조건은 외과의가 사용하기 편해야 하고, 안전하고 확실하게 지혈이 되어야 하고(reliable coagulation), 주변 조직에 열 손상이 적으며(less thermal damage), 환자 및 외과의에게 안전해야 하고, 빨리 잘 잘려야 하고(quick transection time), 박리 및 절단 등 다방면으로 활용할 수 있어야 하고(multifunctional), 탄화(carbonization)가 적고, 연기가 적게 나야 하며(less smoke), 가격대비 효과적(cost-effective)이어야 한다. 에너지 기반 기기를 이용한 수술의 장점으로는: 1) 영구적인 봉합을 할 수 있고(permanent sealing), 2) 수술시간을 단축시킬 수 있으며(shorter operation time), 3) 체내에 실, 클립 등의 이물질(foreign body)을 남기지 않아 이로인한 염증반응이 적으며, 4) 주변조직에 열 손상이 적고(minimal thermal effect to surrounding tissue), 5) 조직이 엉겨 붙거나 탄화(carbonization)되는 것을 최소화하며, 6) 결찰(ligation)을 위해 필요한 수술 공간을 줄여 피부 절개(skin incision)의 크기를 줄일 수 있고, 7) 결찰(ligation)을 생략할 수 있어 좀 더 빨리 수술을 할 수 있고, 보조의에 영향을 덜 받는(assistant-independent)다는 것이다.

1. 초음파절삭기 Harmonic scalpel

초음파절삭기(Harmonic scalpel)는 전기에너지를 초음파 진동으로 바꾸어 열을 발생시킴으로써 조직의 단백질을 변성(degeneration)시켜 지혈과 절단을 동시에 하는 기기로 1992년 국내에 출시되었고 2007년부터 갑상선 수술에 처음 적용되었다. 이 기계를 작동(activation)하게 되면 발생장치(generator)가 교류전류를 손잡이 기기(hand piece)에 보내게 되고 전류에너지가 세라믹 디스크(piezo-electric ceramic disks)를 통과하면서 물리적인 초음파 진동에너지로 변이되어 날(blade)을 통한 초음파 진동(1초 당 55,500번)으로 조직을 마찰하여 열을 발생시키는 원리이다. 기기의 날(blade)로 조직을 압착시켜 진동에너지와 마찰열로 조직의 단백질 수소결합(hydrogen bond)을 절단하고, 변성(degeneration)된 단백질이 응고물(coagulum)을 형성한다. 이와 동시에 끈적한 응고물이 갈라지면서 절단면의 양쪽 끝을 봉합하게 되어 낮은 온도(50~100℃)에서 조직의 절단과 봉합을 동시에 완성되게 된다.[10]

초음파절삭기 포커스(Harmonic focus®)는 2009년 한국에 출시되었는데 가위 형태(scissor type)로 좀 더 세밀한 박리가 가능하게 하여 주로 갑상선 절개수술에 많이 사용 되어 왔다. 초음파절삭기는 한번의 작동으로 빠른 지혈과 절단이 동시에 이루어져 편하고 수술시간을 의미있게 줄일 수 있고, 5~7 mm 크기의 혈관을 안전하게 지혈할 수 있으며, 초음파를 이용한 진동에너지로 단백질을 변성(degeneration)시키기 때문에 조직을 탄화(carbonization)시키지 않고, 열에 의한 주변 조직 손상을 최소화하여 주위 조직에 열손상이 거의 없으며, 날(blade)이 길고 날렵하고 휘어 있어(thin, curved shears) 갑상선 수술과 같이 좁은 수술 공간에서 충분한 시야확보하에 안전하고 정교하게 박리를 할 수 있고, 270도까지 다양한 각도에서 동작(activation button) 버튼을 쉽게 작동할 수 있고, 전기자극으로 인한 근육의 경련(twitch)이 없고, 환자에게 전류가 흐르지 않아 안전하고, 연기가 적게 발생되어 수술 시야 확보에 도움이 되고, 조직에 달라붙는 현상이 거의 없다는 장점이 있다.[11,12] 2014년도에 출시된 제품인 초음파절삭기 플러스[Harmonic Focus+, Harmonic ACE+, Harmonic ACE+7 (그림 36-1)] 제품

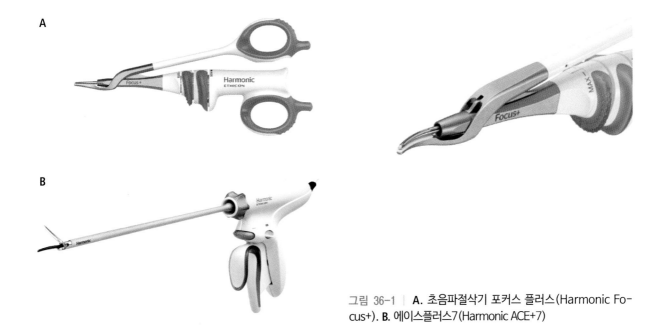

그림 36-1 │ **A.** 초음파절삭기 포커스 플러스(Harmonic Focus+). **B.** 에이스플러스7(Harmonic ACE+7)

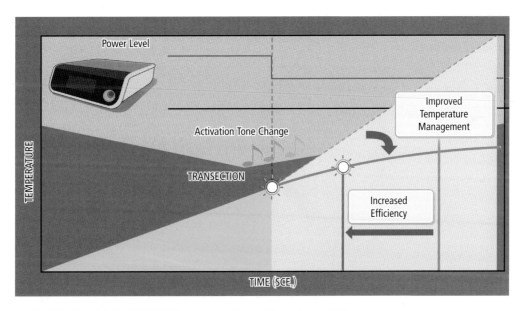

그림 36-2 │ 초음파절삭기 플러스의 조직적응기술(Adaptive Tissue Technology, ATT)
조직이 잘리기 시작되는 시점에서 발생장치(generator)에서 에너지 동력(power)을 줄여 급격한 온도상승을 줄여주고 조직의 절단 시간을 단축하여 주변 조직의 열손상을 최소화하는 기술이다.

은 조직적응기술(Adaptive Tissue Technology, ATT)이 적용되어 조직의 조건에 따라 조직이 잘리기 시작되는 시점을 파악하여 발생장치(generator)에서 에너지 전달을 조절하고 동력(power)을 줄여 온도가 급격히 상승하는 것을 막아주고 조직이 잘리는 시간을 단축하여(21% shorter transection times, 5.7s vs. 4.5s, p<0.001) 주변조직

으로의 열손상을 최소화하는 기술로 기존 초음파 절삭기에 비해 열전파(thermal spread)를 23%(2.2 mm vs. 1.7 mm, p<0.001) 줄여 보다 안전하게 사용할 수 있게 되었다(열전파; Focus+: 1.68 mm , ACE+: 1.7 mm).[13,14] 그리고 이전 초음파절삭기 포커스에 비해 날의 끝(tip of blade) 부분에서 압박(compression) 압력이 향상되어 날의 끝 부분을 이용한 지혈, 봉합 및 박리가 잘 되어 절단 시간(transection time)을 18~49% 단축시켰고, 기존 제품보다 길고 날씬해져서(slim) 좁은 공간에서 깊은 곳까지 수술하기 쉽다는 장점이 있다.

2. 리가슈어 LigaSure™ Small Jaw

리가슈어(LigaSure™ Small Jaw, 그림 36-3)는 2011년 갑상선 절개수술에 처음 사용되었는데, 양극 혈관 봉합시스템(bipolar vessel sealing system)을 이용한 기기로 (+)와 (-)전극사이에 양극성 고주파에너지를 흐르게 함으로써 열을 발생시키게 되고 이 열로 인해 혈관의 콜라겐(collagen)과 엘라스틴(elastin)을 변성(denaturation) 시키고 압력으로 재결합시킴으로써 영구적인 융합으로 조직을 봉합(sealing)시키고 조직을 절단하도록 되어 있다. 이렇게 봉합(sealing)한 혈관은 혈전에 의해 지혈을 하는 전기소작과는 달리 플라스틱과 같은 형태로 변하게 되어 영구적이며 7 mm 크기의 혈관까지 안전하게 봉합할 수 있고 평균 혈압의 3배 압력까지 견딜 수 있으며(burst pressure: 385 ± 76 mmHg), 림프관 결찰(lymphatics sealing)도 가능하여 FDA 승인을 받았다.[15,16] 조직의 절단 시간이 짧으며(6~7 mm 혈관의 절단 속도: 약 3.5초), 한번의 작동(activation) 후에 평균 외부 기기의 최고 온도(mean maximum external jaw temperature)는 58℃ 정도이고 여러 번의 작동(multiple activation)에도 기기의 온도가 80℃ 이상 올라가지 않아 주변에 열 손상이 아주 적으며(thermal spread <2 mm), 작동 후 기기의 온도가 60℃ 미만으로 식는 시간(cooling time)도 빠르고(약 1초), 기기의 무게가 가장 가볍고, 기기의 절연(insulation)으로 인해 탄화(carbonization)를 최소화할 수 있다는 장점이 있다. 또한 날(blade)의 끝부분(tip)에 열전도가 없고 칼날이 끝까지 나가지 않기 때문에 날의 끝부분으로 인한 손상이 적고 안전하다는 장점이 있다.

최근에 출시된 Valleylab™ FT10 에너지 플랫폼은 원

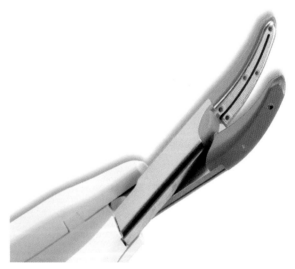

그림 36-3 | 리가슈어 LigaSure™ Small Jaw

그림 36-4 | 썬더비트 Thunderbeat

하는 조직에 정확하게 에너지를 전달할 수 있도록 향상된 기능의 고주파 에너지 시스템이다. 특히 초당 최대 434,000번(기존 제품 Force Triad™: 3,333번/초) 읽어낸 인체조직 저항 값 정보를 기반으로 최적화된 양의 에너지가 고주파형태로 해당조직에 전달되도록 한다. 그럼으로써 기존 제품(Force Triad™)보다 혈관의 봉합시간(sealing time)이 혈관 크기에 따라 각각 51%(1~3 mm), 26%(4~5 mm), 11%(6~7 mm) 빨라졌고, 주변 조직에 열전파를 더욱 감소시킨다는 장점이 있다. 또한 Valley-lab™ FT10는 하나의 통합된 장비로 향상되고 정확한 단극(monopolar) 및 양극(bipolar)에너지 그리고 리가슈어를 함께 사용할 수 있어 추가적인 변환기(transducer)가 필요하지 않다.

3. 썬더비트 Thunderbeat

썬더비트(Thunderbeat®, 그림 36-4)는 2014년 최초로 한국시장에 출시되었으며 양극성 에너지(bipolar energy)와 초음파 에너지(ultrasonic energy)를 통합해 사용할 수 있는 세계 최초의 하이브리드 에너지(hybrid energy) 기반 기기이다. 이것은 동시에 출력되는 두 종류의 에너지의 장점을 모은 것으로 초음파 에너지로 조직을 빠르게 절단하고 양극성 에너지로 즉각적인 지혈이 가능하도록 고안되었다. 그래서 안전한 혈관의 응고와 보다 빠른 절단이 가능하게 하여 수술의 효율성을 높이고 수술 시간을 단축시킬 수 있다. 아래쪽의 초음파탐침(ultrasonic probe)이 진동하며 마찰열을 발생시키고, 이 열을 이용하여 조직을 봉합 및 절단을 하고, 동시에 위쪽 턱(jaw)의 양 측면과 초음파탐침(ultrasonic probe)은 양극성 전극(bipolar electrode)으로서 전류를 흐르도록 하여 더 나

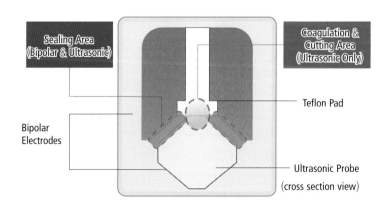

그림 36-5 | 썬더비트 Thunderbeat 단면 모식도

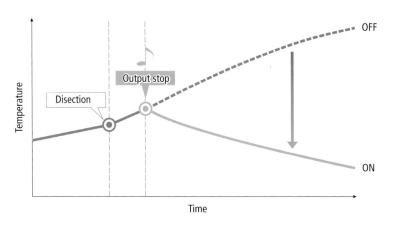

그림 36-6 | 안전보조(Safety Assist) 기능 On/Off에 따른 날(Blade)의 잔열 온도 변화

은 봉합능력(sealing capability)을 보이게 된다(그림 36-5).

활성화 방식(activation mode)은 2가지가 있는데 하나는 봉합 및 절단 방식(seal & cut mode)로 초음파와 양극성 에너지를 이용한 상승적인 에너지(synergistic energy)를 이용하여 7 mm 혈관까지 안전한 봉합과 빠른 절단을 할 수 있고, 다른 하나는 봉합 방식(seal mode)로 양극성 에너지를 이용하여 7 mm까지 안전하게 지혈할 수 있도록 하였다. 그리고 wiper-jaw mechanism으로 조직을 잡았을 때 날(blade)에 균일한 압력이 가해지도록 하였고, 톱니 모양의 턱(jaw)으로 조직을 잘 잡아 조직이 밀리지 않게 고안하였다.

2016년 썬더비트type S가 출시되었고 이는 지능조직감시(Intelligent Tissue Monitoring, ITM)라는 세계 최초의 초음파 에너지 자동정지(Ultrasonic Energy Auto-stop)기능을 이용하여 조직의 절단을 감지하여 자동으로 에너지 공급을 중단하는 기능을 가졌다. 그럼으로써 조직의 절단과 동시에 자동으로 에너지 공급을 멈추고 날(blade)의 온도가 의도치 않게 높이 올라가는 것을 방지할 수 있어 날(blade)의 잔열에 의한 조직 손상의 가능성을 줄여주어 보다 안전한 수술을 할 수 있도록 돕는 기능이다(그림 36-6).

4. 수술 시간

에너지 기반 기기를 이용한 갑상선 수술의 가장 큰 이점은 수술 시간의 단축으로 여러 논문에서 보고하고 있다. 특히 메타분석(meta-analysis)에서도 대부분 수술 시간의 단축을 장점으로 보고하였다. Cannizzaro 등이 총 14개의 연구(2,293명의 환자)를 분석한 메타연구에서 초음파절삭기를 이용 시 기존의 전통적인 수술법보다 −27.212분[95% 신뢰구간(confidence interval) −33.833~−20.592분, p=0.000] 수술 시간을 줄일 수 있었고, 리가슈어와의 비교에서는 초음파절삭기가 리가슈어보다 −9.673분 단축되었으나 통계적으로 차이는 없었다고 하였다(95% 신뢰구간 −20.267~0.921분; p=0.074).[17] Luo 등이 6,219명의 환자를 대상으로 47개의 무작위 대조군 연구(randomized control study)를 분석한 메타분석에서 기존의 전통적인 수술보다 초음파절삭기를 이용 시 −24.27분(95% 신뢰구간 −28.11~−20.44분; p<0.001), 리가슈어를 이용 시 −13.08분(95% 신뢰구간 −16.88~−9.27분; p<0.001) 수술 시간이 단축되었다고 보고하였고 네트워크 메타분석에서 초음파절삭기가 리가슈어보다 9.78분 수술 시간이 짧았고 통계학적인 차이를 보였다고 하였다(95% 신뢰구간 2.81~16.91분).[18] Upadhyaya 등이 발표한 초음파절삭기와 리가슈어를 비

교한 메타분석에서는 두 기기 모두 기존의 전통적인 수술법 보다 수술 시간을 의미 있게 줄일 수 있었고 초음파절삭기를 사용할 때 리가슈어보다 8.79분(95% 신뢰구간 −15.91~−1.67분; p=0.002) 수술 시간이 짧아서, 초음파절삭기를 이용할 때 가장 수술 시간이 짧았다고 하였다.[19] Contin 등이 35개의 무작위 대조군 연구를 분석한 메타연구에서도 초음파절삭기를 이용한 수술이 합병증의 차이 없이 기존의 전통적인 수술 뿐 아니라 리가슈어를 이용한 수술보다도 짧은 수술 시간이 걸렸다고 보고한 바 있다(22.26분 및 8.42분 단축).[20] 또한 그레이브즈병(Graves' disease)에서도 전향적 연구를 통해 초음파절삭기를 이용 시 수술 시간을 의미 있게 단축시킬 수 있었다고 하였다.[21] 썬더비트를 이용한 수술에 대한 결과는 아직까지 많이 보고되지 않았지만, 썬더비트와 초음파절삭기 포커스를 이용한 갑상선 수술의 비교 연구에서 수술 시간에 차이가 없었다.[22]

전통적인 수술 방법인 혈관을 잡고 결찰하는 방법(clamp-and-tie technique)으로 수술을 하게 될 때 지혈 및 결찰하는 데 시간이 많이 소요되며, 수술 시간이 보조의에 능력에 의해 영향을 많이 받는데 에너지 기반 기기를 이용하게 될 경우 대부분의 혈관을 결찰하지 않고 수술할 수 있어서 수술 시간을 많이 줄일 수 있고 보조의에 덜 의존하게 되어 수술 시간 단축에 큰 도움이 된 것으로 생각된다. 그리고 절개, 박리, 지혈, 절제 등을 에너지 기반 기기를 사용해서 할 수 있으므로 이를 위해 다른 기구로 바꾸는 시간을 줄일 수 있다. 에너지 기반 기기 사용에 따른 비용에 대한 연구에서 수술 시간의 단축은 짧은 마취 시간 및 수술 후 빠른 회복에도 도움이 되고, 같은 수술 단위(unit)에 많은 건수의 수술을 시행할 수 있어 수술 대기시간을 단축할 수 있고, 수술 후 통증의 감소, 배액량의 감소, 재원기간의 단축 등으로 일상으로의 복귀가 빠르기 때문에 전통적인 기존 수술법에 비해 차이가 없거나 오히려 전체적인 비용절감(50~60유로, euros)을 할 수 있었다는 연구도 있다.[23,24] 우리나라에서는 에너지 기반 기기에 대해 건강보험 선별급여가 적용이 되어 기기 사용에 따른 비용문제는 크지 않을 것으로 생각된다.

5. 열손상 thermal damage

Druzijanic' 등은 복막에서 초음파절삭기와 리가슈어의 가쪽(외측) 열손상(lateral thermal damage)의 범위를 1.27 mm, 1.44 mm로 보고한 바 있다.[25] Jiang 등은 갑상선 수술에서 초음파절삭기의 열손상의 범위에 대한 연구를 하였고 3초 미만의 적용 시간(duration of application)에서 가쪽(외측) 열손상(lateral thermal damage)의 범위는 2 mm 미만이고, 3단계 세기(power)에서 3초 미만의 적용 시간, 2 mm 이상의 거리는 안전하다고 하였고, 5초간의 적용 시간에서는 가쪽 열손상은 2 mm 이상 있을 것이라고 하였다.[26] 곽 등의 연구에 따르면 썬더비트는 갑상선 수술 시 지속적 수술 중 신경모니터링(continuous intraoperative neuromonitoring)을 이용한 연구에서 되돌이후두신경(recurrent laryngeal nerve)으로 부터 3 mm 거리를 두면 적용 시간(duration of application)에 상관없이 신경손상 없이 안전하게 사용할 수 있고 2 mm 거리에서는 8초 미만의 적용 시간이면 안전하다고 보고하였다.[27] 그리고 Luo 등의 메타분석에서 초음파절삭기는 전통적인 기존 수술방법보다 확실한 되돌이후두신경 마비(definitive recurrent laryngeal nerve palsy)가 적고 안전한 것으로 보고하였으나[교차비(Odds ratio) 0.275, 95% 신뢰구간 0.102−0.743; p=0.011], 일시적인(transient) 되돌이후두신경 마비는 차이가 없다고 하였다.[18]

35개의 무작위 대조군 연구(2,856명 환자)를 분석한 Garas 등의 메타연구에서 수술 후 부갑상선기능저하증의 위험에 있어서 초음파절삭기가 가장 안전하고 좋으며, 그 다음으로 리가슈어, 그리고 전통적인 수술 방법이라고 하였다.[28] 그리고 Revilli 등은 초음파절삭기를 이용한 수술과 기존의 전통적인 수술을 비교한 21개의 무작위 대조군 연구를 분석하였고 초음파절삭기 포커스를 이용한 수술은 기존의 전통적인 수술법보다 의미 있게 일시적 저칼슘혈증(transient hypocalcemia)이 적었다고 보고하였다(교차비 0.56; 95% 신뢰구간 0.39~0.81; p=0.002).[29] Contin 등의 메타연구에서도 초음파절삭기를 이용한 수술이 기존의 전통적인 수술법보다 수술 후 일시적 저칼슘혈증이 적었다고 보고하였다(p=0.006).[20] 영구적인 부갑상선기능저하증에 대해서는 빈도가 낮기 때문에 결론을 도출하기 쉽지 않으나 이에 대한 3개의 연구 중 2개의 연구에서 초음파절삭기가 좀 더 좋은 결과를 보였다고 하였다.[28,30] 이는 초음파절삭기의 경우 부갑상선에 전기의 흐름 없이 부갑상선에 직·간접적인 기계적인 손상 및 혈류 손상을 최소화하면서 부갑상선 피막(capsule)으로부터 떨어진 단면으로 부갑상선을 박리하는데 용이하기 때문이라고 하였다.[29] Cannizzaro 등의 메타연구에서는 초음파절삭기와 리가슈어 사이에 되돌이후두신경 마비, 부갑상선기능저하증의 합병증에서 차이를 보이지 않았다고 하였다(교차비 1.47; 95% 신뢰구간 0.982~2.12; p=0.061).[17] Upadhyaya 등이 발표한 초음파절삭기와 리가슈어를 비교한 메타분석에서도 두 기기간에 수술 중, 수술 후 저칼슘혈증에는 차이가 없다고 보고하였다.[19] 썬더비트와 초음파절삭기 포커스를 비교한 연구에서도 썬더비트는 수술 후 저칼슘혈증 및 신경손상에서 초음파절삭기 포커스와 대등하다고 하였다.[22]

이는 에너지 기반 기기들은 되돌이후두신경 및 부갑상선 등을 포함한 주변 중요 구조물 근처에서 적절하게 잘 사용하는 것이 가장 중요하고 그러할 때 열손상을 최소화하면서 안전하고 쉽게 사용할 수 있음을 보여주고 있다. 에너지 기반 기기 주변 조직의 온도는 날(blade)과의 거리(distance)와 적용 시간(duration of application)에 영향을 받는데, 거리가 가까울수록, 적용 시간이 길수록 온도는 더 많이 올라가고 신경의 열손상(thermal injury)의 위험성이 있을 수 있으므로, 원하는 목적에 따라 알맞은 세기(power level)와 안전한 거리를 두고 적절한 적용 시간으로 사용하는 것이 필수적이다. 일반적으로 에너지 기반 기기 작동 후 4~6초 사이에 조직이 잘 리브로(transection) 날(blade) 온도가 100℃ 이상 올라가지 않지만, 적용 시간이 길어질 경우 온도는 계속 증가할 수 있고 주변 중요 조직에 열손상(thermal injury)을 줄 수 있으므로 조심해야 한다. 그러므로 중요 구조물 근처에서는 기구를 지속적으로 오래 적용하기보다

는 간헐적인(intermittent) 적용으로 온도가 높이 올라가지 않도록 하고, 또한 작동이 끝난 직후 다른 조직에 닿으면 날(blade)의 남은 열(residual heat)로 조직에 손상을 줄 수 있으므로 젖은 거즈나 다른 조직(specimen)에 날(blade)을 대어 열을 식힌 후 다시 수술하는 기법을 사용해야 한다. 또한 주요 구조물 주변의 조직을 절단할 때에는 조직패드(tissue pad)를 주요 구조물 쪽으로 향하게 하고 날(blade)을 반대쪽으로 놓고 작동시키면 열손상을 좀 더 줄이며 안전하게 사용할 수 있다. 앞쪽 날(blade) 끝(tip)에 의한 열손상이 있을 수 있으므로 환상연골(cricoid cartilage)나 혈관, 근육, 신경 주변에서는 더욱 주의해야 한다. 그리고 중요한 혈관을 지혈할 때는 완전한 봉합(sealing)을 위해 조직의 긴장도를 풀고(less tissue tension) 에너지 기반 기기를 사용하는 것이 좋을 것으로 생각된다. 신경과 아주 가까울 때는 에너지 기반 기기를 사용하기 보다는 결찰하고 묶는 방법(clamp-and-tie technique)으로 처리하는 것이 권장된다.

6. 조직의 파열 압력 Burst pressure

에너지 기반 기기로 안전하게 지혈할 수 있는 혈관 크기의 한계는 논문마다 약간의 차이가 있지만 대개 최대 혈관 직경 5~7 mm 정도로 보고되고 있고, 견디는 압력(파열 압력)의 크기도 초음파절삭기 400~500 mmHg, 리가슈어 385 ± 76 mmHg로 큰 차이는 보이지 않았다.[31,32] Milsom 등의 동물실험 연구에 의하면 초음파절삭기 에이스, 리가슈어와 썬더비트를 작은, 중간, 큰 혈관에 대해 비교했을 때 세 기기간에 파열 압력은 차이가 없이 비슷하다고 보고하였다.[33] 그리고 상갑상선동맥(superior thyroidal artery)에 대한 에너지 기반 기기 사용 시 안전성과 효능에 대해 보고된 연구들이 많이 있다.[34,35] 미국 FDA에서도 에너지 기기의 안전한 지혈 범위를 7 mm 까지 인정하고 있다. 대부분의 상/하갑상선동맥(superior/inferior thyroidal artery)과 같은 큰 혈관을 포함한 모든 혈

관을 에너지 기반 기기로 지혈할 수 있고 그 중 크기가 약간 큰 혈관에 대해서는 2번의 분절의(segmental) 지혈을 실시하면 수술 후 출혈이나 혈종과 같은 합병증 없이 안전하게 지혈할 수 있을 것으로 생각된다.

7. 출혈량 및 배액량

Contin 등의 연구에 따르면 초음파절삭기를 이용한 수술은 전통적인 수술기법보다 수술 중(intra-operative) 및 수술 후(post-operative) 출혈량이 적고(−28.5 ml; p<0.001, −11.2 ml; p<0.001), Luo 등은 초음파절삭기를 이용한 수술은 수술 중 출혈량이 전통적인 수술기법보다 적은 것으로 보고하였고(평균차이: −36.170 ml, 95% 신뢰구간 −56.011~−16.329 ml; p<0.011), 리가슈어도 전통적인 수술기법보다 출혈량이 적다고 보고하였다(평균차이: −14.749 ml, 95% 신뢰구간 −27.441~−2.056 ml; p=0.023).[18,20] 그러나 수술 후 혈종/장액종의 합병증에서는 초음파절삭기, 리가슈어를 이용한 수술기법 및 전통적인 수술기법 간에 의미 있는 차이는 없다고 하였다. Cannizzaro 등의 메타분석에서도 초음파절삭기는 전통적인 수술기법에 비해 −17.838 ml(95% 신뢰구간 −25.69~−9.98 ml; p=0.00)의 적은 출혈량을 보고하였고 초음파절삭기와 리가슈어 간에는 출혈량에 있어서 차이는 없었다고 하였다(p=0.480).[17] Upadhyaya 등이 보고한 초음파절삭기와 리가슈어를 비교한 메타분석에서도 두 기기 간에 수술 중, 수술 후 출혈량에는 차이가 없다고 보고하였다.[19] 썬더비트와 초음파절삭기 포커스를 비교한 연구에서도 수술 중 출혈량에는 차이가 없었다.[22]

8. 재원기간

Cannizzaro 등의 연구에서 초음파절삭기를 이용한 수술 후 재원기간은 전통적인 수술기법보다 0.536일 단축되었고(95% 신뢰구간 −0.797~−0.275; p=0.00) 리가슈어와는 차이를 보이지 않았다고 하였다(p=0.778).[17] 그리고 Revilli 등의 메타연구에서 초음파절삭기는 전통적인 수술기법보다 재원기간이 0.57일 적었다고 보고하였다(평균차이 0.57; 95% 신뢰구간 −0.95~−0.17).[28] Upadhyaya 등이 보고한 초음파절삭기와 리가슈어를 비교한 메타분석에서도 두 기기간에 재원기간은 차이가 없었고, 썬더비트와 초음파절삭기 포커스를 비교한 연구에서도 재원시간에는 차이가 없었다.[19,22]

9. 수술 후 통증

Cannizzaro 등의 연구에서 초음파절삭기를 이용한 수술 후 통증은 전통적인 수술기법보다 적었고(평균차이 −1.88; 95% 신뢰구간 −2.352~−1.408; p=0.00) 초음파절삭기와 리가슈어와의 비교에서는 리가슈어를 이용한 수술에서 수술 후 통증이 적었다(평균차이 0.400; 95% 신뢰구간 0.094~0.706; p=0.010).[17] 그리고 Revilli 등의 메타연구에서 초음파절삭기는 전통적인 수술기법보다 수술 후 첫 24시간에 의미 있게 통증이 적었다고 보고하였다(평균차이 −0.87; 95% 신뢰구간 −1.27~−0.46).[28] 통증이 적은 이유로 목 및 완신경총(brachial plexus)의 신전(extension) 상태에서의 수술시간의 단축 및 조직 외상(tissue trauma)의 감소와 연관이 있을 것이라고 하였다.[28]

요약

에너지 기반 기기를 이용할 때 큰 장점으로는 수술절차(operation procedure)를 단순화시켜 쉽게 수술을 할 수 있고 대부분의 결찰하고 묶는 작업(clamp-and-tie technique)을 생략하고 안전하게 지혈을 할수 있다는 점이다. 각 연구간의 다양성(heterogeneity)으로 인해 에너지 기구간에 직접적인 비교에는 한계(limitation)가 있지만, 많은 메타분석에서 살펴보았을 때 에너지 기반 기기를 이용한 갑상선 수술은 기기를 적절하게 잘 사용하였을 때 전통적인 수술 방법에 비해 다른 합병증의 차이 없이 수술시간, 출혈량, 통증 그리고 저칼슘혈증을 의미 있게 줄일 수 있는 안전한, 유용한, 대안적인(alternative) 수술법으로 생각된다.

REFERENCES

1. Wiseman SM, Tomljanovich PI, Rigual NR. Thyroid lobectomy: operative anatomy, technique, and morbidity. Oper Tech Otolaryngol Head Neck Surg 2004;15:210-9.
2. Udelsman R, Chen H. The current management of thyroid cancer. Adv Surg 1999;33:1.
3. Lachanas VA, Prokopakis EP, Mpenakis AA, et al. The use of Ligasure Vessel Sealing System in thyroid surgery. Otolaryngol Head Neck Surg 2005;132(3):487-9.
4. Lang BH, Yih PC, Lo CY. A review of risk factors and timing for postoperative hematoma after thyroidectomy: is outpatient thyroidectomy really safe? World J Surg 2012;36:2497.
5. Cannizzaro MA, Fiocco S, Piazza L, et al. The superior laryngeal nerve: an anatomical structure at risk during thyroid surgery [in Italian]. Minerva Chir 1991;46:435-9.
6. Ohtsuka T, Wolf RK, Wurnig P, et al. Thoracoscopic limited pericardial resection with an untrasonic scalpel. Ann Thorac Surg 1998;65:855-6.
7. Deo SV, Shukla NK. Modified radical mastectomy using harmonic scalpel. J Surg Oncol 2000;74:204-7.
8. Zangh_1 A, Cavallaro A, Di Vita M, et al. The safety of the HarmonicVR FOCUS in open thyroidectomy: a prospective, randomized study comparing the HarmonicVR FOCUS and traditional suture ligation (knot and tie) technique. Int J Surg 2014;12 Suppl 1:S132-S5.
9. Scilletta B, Cavallaro MP, Ferlito F, et al. Thyroid surgery without cut and tie: the use of Ligasure for total thyroidectomy. Int Surg 2010;95:293-8.
10. Dhepnorrarat RC, Witterick IJ. New technologies in thyroid cancer surgery. Oral Oncol 2013;49:659-64.
11. Boddy SA, Ramsay JW, Carter SS, et al. Tissue effects of an ultrasonic scalpel for clinical surgical use. Urol Res 1987;15(1):49-52.
12. Gossot D. Ultrasonic dissectors in endoscopic surgery. Ann Chir 1998;52(7):635-42.
13. Bertke BD, Scoggins PJ, Welling AL, et al. Ex vivo and in vivo evaluation of an ultrasonic device for precise dissection, coagulation, and transection. Open Access Surgery 2015;8:1-7.
14. Broughton D, Welling AL, Monroe EH et al. Tissue effects in vessel sealing and transection from an ultrasonic device with more intelligent control of energy delivery. Med Devices (Auckl) 2013;6:151-4.
15. Youssef T, Mahdy T, Farid M, et al. Thyroid surgery: use of the LigaSure Vessel Sealing System versus conventional knot tying. Int J Surg 2008;6(4):323-7.
16. Lachanas VA, Prokopakis EP, Mpenakis AA, et al. The use of Ligasure Vessel Sealing System in thyroid surgery. Otolaryngol Head Neck Surg 2005;132(3):487-9.
17. Cannizzaro MA, Borzì L, Lo Bianco S, et al. Comparison between Focus Harmonic scalpel and other hemostatic techniques in open thyroidectomy: A systematic review and meta-analysis. Head Neck 2016;38(10):1571-8.
18. Luo Y, Li X, Dong J, Sun W. A comparison of surgical outcomes and complications between hemostatic devices for thyroid surgery: a network meta-analysis. Eur Arch Otorhinolaryngol. 2016 Aug 1. [Epub ahead of print] Review.
19. Upadhyaya A, Hu T, Meng Z, et al. Harmonic versus LigaSure hemostasis technique in thyroid surgery: A meta-analysis. Biomed Rep 2016;5(2):221-7.
20. Contin P, Gooßen K, Grummich K, et al. ENERgized vessel sealing systems versus CONventional hemostasis techniques in thyroid surgery-the ENERCON systematic review and network meta-analysis. Langenbecks Arch Surg 2013;398:1039-56.
21. Hallgrimsson P, Loven L, Westerdahl J, et al. Use of the harmonic scalpel versus conventional haemostatic techniques in patients with Grave disease undergoing total thyroidectomy: a prospective randomised controlled trial. Langenbecks Arch Surg 2008;393:675-80.
22. Van Slycke S, Gillardin JP, Van Den Heede K et al. Comparison of the harmonic focus and the thunderbeat for open thyroidectomy. Langenbecks Arch Surg 2016;401(6):851-9.
23. Lombardi CP, Raffaelli M, Cicchetti A, et al. The use of "harmonic scalpel" versus "knot tying" for conventional "open" thyroidectomy: results of a prospective randomized study. Langenbecks Arch Surg 2008;393:627-31.
24. Konturek A, Barczynski M, Stopa M, et al. Total thyroidectomy for non-toxic multinodular goiter with versus without the use of harmonic FOCUS dissecting shears - a prospective randomized study. Wideochir Inne Tech Maloinwazyjne 2012;7:268-74.
25. Druzijanic´ N, Pogorelic´ Z, Perko Z, et al. Comparison of lateral thermal damage of the human peritoneum using monopolar diathermy, Harmonic scalpel and LigaSure. Can J Surg 2012;55:317-21.
26. Jiang Y, Gao B, Zhang X, et al. Prevention and treatment of recurrent laryngeal nerve injury in thyroid surgery. Int J Clin Exp Med 2014;7(1):101-7.
27. Kwak HY, Dionigi G, Kim D, et al. Thermal injury of the recurrent laryngeal nerve by THUNDERBEAT during thyroid surgery: findings from continuous intraoperative neuromonitoring in a porcine model. J Surg Res 2016;200:177-82.
28. Garas G, Okabayashi K, Ashrafian H, et al. Which hemostatic device in thyroid surgery? A network meta-analysis of surgical technologies. Thyroid 2014;24(4):779-80.
29. Revelli L, Damiani G, Bianchi CB et al. Complications in thyroid surgery. Harmonic Scalpel, Harmonic Focus versus Conventional Hemostasis: A meta-analysis. Int J Surg 2016;28 Suppl 1:S22-32.
30. Cirocchi R, D'Ajello F, Trastulli S, et al. Meta-analysis of thyroidectomy with ultrasonic dissector versus conventional clamp and tie. World J. Surg. Oncol 2010;8:112.
31. Koutsoumanis K, Koutras AS, Drimousis PG, et al. The use of a harmonic scalpel in thyroid surgery: report of a 3-year experience. Am J Surg 2007;193:693-6.
32. Youssef T, Mahdy T, Farid M, Latif AA. Thyroid surgery: use of the LigaSure Vessel Sealing System versus conventional knot tying. International journal of surgery 2008;6:323-7.
33. Milsom J, Trencheva K, Monette S, et al. Evaluation of the safety, efficacy, and versatility of a new surgical energy device (THUNDERBEAT) in comparison with Harmonic ACE, LigaSure V, and EnSeal devices in a porcine model. J Laparoendosc Adv Surg Tech A 2012;22(4):378-86.
34. Shemen L. Thyroidectomy using the harmonic scalpel: analysis of 105 consecutive cases. Otolaryngol Head Neck Surg 2002;127:284-8.
35. Siperstein AE, Berber E, Morkoyun E. The use of the harmonic scalpel vs conventional knot tying for vessel ligation in thyroid surgery. Arch Surg 2002;137:137-42.

갑상선의 재수술

Reoperative Thyroid Surgery

| 인제대학교 의과대학 외과 **김상효**

모든 재수술과 마찬가지로 갑상선 질환의 재수술 역시 일차수술에 비하여 높은 수술합병증을 수반할 수 있다. 일차 수술로 인한 흉터, 섬유화 등으로 정상적 조직층이 소실되고 부갑상선, 반회후두신경의 확인이 어려우며, 내경정맥, 경동맥 등과의 유착 등으로 시술이 쉽지 않으나 숙련된 외과의의 시술이면 합병증은 그다지 높지 않다. 그러나 수술 합병증(쉰소리, 부갑상선기능저하증, 피부 당김, 유미루, 혈종 등)에 대한 설명과 환자의 동의를 받아 두는 것이 필수적이며 일차수술에서 종양을 남기지 않는 것이 가장 좋은 방법이다.

갑상선암 수술 후 림프절 재발이 의심되는 경우 수술 전 초음파검사와 CT 스캔을 통해 재발 부위를 확인하는 것이 필수이나 초음파검사는 모든 전이 림프절을 보여 주지 못하므로 CT스캔이 더 정확하다 할 수 있으며 암재발의 위양성 결과를 배제하기 위하여 수술 전 세침흡인생검으로 확인하는 것이 중요하다. 방사성요오드 스캔이나 최근에 상용화된 PET는 수술 전 검사로 큰 도움을 주지 못하며 재수술 전에는 굴곡후두경(fiberoptic laryngoscopy)으로 성대운동의 이상 유무를 필히 확인해 두어야 한다.[1]

1. 갑상선 재수술의 주요 적응증[2,3]

① 완결갑상선절제술(completion thyroidectomy)
② 갑상선암의 재발 또는 잔존암
③ 갑상선중독증의 재발
④ 증상을 동반한 결절성 갑상선종의 재발

2. 갑상선암 수술 후 재발요소

1) 불완전한 수술 전 평가

일차수술 전 고해상도 초음파검사와 CT스캔을 시행하고 숙련된 영상의학과 전문의가 판독하는 것이 중요하며 종종 영상검사에서 보이는 것보다 더 많은 전이 림프절이 발견될 수 있음을 명심하여야 한다.

2) 부적절한 수술 중 판단

중앙경부림프절절제술 후에 변형근치경부곽청술의 필요성에 대하여 신중히 결정하여야 하고 소위 선택적인 변형근치경부곽청술은 시술하지 않음보다 못한 경우가 많다.

3) 불완전하거나 간과된 수술

술자의 수기가 중요하며 특히 전이 림프절에 대한 정확한 박리는 많은 수술 경험을 요한다. Subdigastric node, Superior mediastinal node, Superficial or retro-jugular node, 등은 수술 중 간과하기 쉬운 부분이다.

4) 불완전한 수술 후 치료

방사성요오드치료, 외부방사선조사, TSH 억제요법 등 수술 후 보조요법을 등한시하면 재발의 위험을 더 높인다.

3. 재수술의 유형

1) 완결 갑상선 절제술

갑상선 엽절제술 후에 방사성요오드 치료가 필요해지거나 반대측 엽에 재발암이 진단된 경우 시행하며 유병률은 높지 않다.[4]

2) 교정 갑상선 절제술 Revision or remnant thyroidectomy

이전에 수술한 갑상선엽에 대한 재수술로, 갑상선기능항진증 혹은 암수술에서 아전절제수술을 시행하고 재발한 경우에 시행하는 경우이다.

3) 중앙경부 림프절절제술 후의 재수술

일차수술로 중앙경부림프절절제술 후 잔존 또는 재발한 중앙경부림프절 전이 또는 종격동림프절 전이가 확인된 경우에 시행한다.

4) 측경부 림프절절제술 후의 재수술

일차수술에서 측경부림프절절제술 시행 후 경정맥 림프절 재발이 발견되었을 경우, level 2, 3, 4, 5의 전부 혹은 부분을 절제하는 경우이다.

4. 수술 접근법

1) 전방 접근법 Anterior approach

이는 일차수술과 동일한 술식이며 완결갑상선절제술에서 유용하다. 흉터를 제거한 후 상하 피부판을 들어올린 뒤 정중선을 따라 열고 들어가 갑상선을 절제한다. 아래쪽 신경부위에 유착이 있으면 갑상선을 내측으로 들어올려서 되돌이후두신경을 확인한다(그림 37-1).

수술 전에 갑상선호르몬 치료가 없었으면 남은 갑상선은 약간 비후되어 있고 수술 합병증은 거의 없다고 할 수 있다.

2) 전측방 접근법 Anterolateral approach, Back door approach

완결갑상선절제술 혹은 교정갑상선절제술(revision thy-roidectomy)에서 유용하며 수술 전 갑상선호르몬치료가 있었다면 잔여 갑상선 조직은 위축되어 있다. 띠근육(sternohyoid muscle)과 흉쇄유돌근(SCM muscle) 사이를

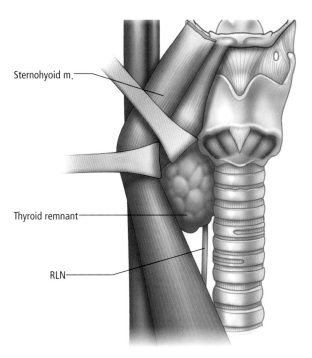

그림 37-1 │ **전방 접근법**(Anterior approach)

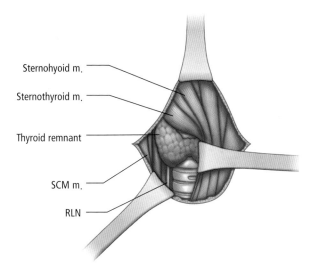

그림 37-2 │ **전측방 접근법**(Anterolateral approach, Back door approach)

열고 띠근육을 내측으로 견인하여 잔여 갑상선 조직을 절제한다.[5] 이 경우 대부분은 갑상선이 위축되어 있고, 상후방으로 당겨져 있으므로 상당히 위쪽으로 향하여 잔여 갑상선 조직을 확인하여야 한다(그림 37-2, 37-3).

3) 측방 접근법 Lateral approach, SCM splitting approach

이전 수술의 반흔 끝에서 외상방으로 절개창을 연장하여 상하 피부판을 들어올리고 흉쇄유돌근을 분리하여 견갑설골근(omohyoid muscle)을 확인 후 경정맥 림프절을 level 4, 3, 2, 5, 순서로 박리 절제할 수 있으며 recurrent superficial cervical nodes, retrojugular nodes, supraclavicular nodes, paratracheal nodes 등을 박리 절제할 수 있다(그림 37-4, 37-5). 이 술식은 완결갑상선절제술에서도 유용한 술식으로 섬유성 유착을 피하여 들어갈 수 있는 장점이 있다. Level 3, 4 림프절절제에서 횡격막신경, C4, transverse cervical artery의 손상을 조

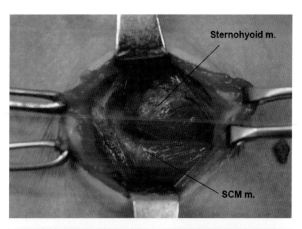

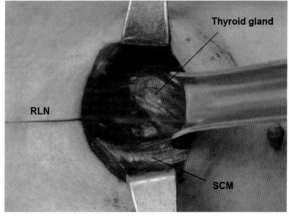

그림 37-3 │ **전측방 접근법**(Anterolateral approach, Back door approach)

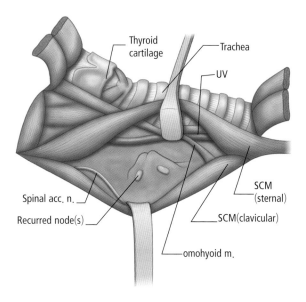

그림 37-4 | 측방 접근법(Lateral approach, SCM splitting approach)

심하여야 한다. 흉쇄유돌근을 외측으로 충분히 박리하면 동일 시야에서 level 5 림프절절제를 할 수 있다. 드물게 하부에서 팔신경얼기, 상부에서 척수부신경 손상에 주의하여야 한다.

4) 중앙 접근법 Central approach

이전에 수술한 부위에 재발 혹은 잔존해 있는 중앙경부나 상종격동 림프절 절제가 필요한 경우에 이전의 절개창 또는 새로운 절개창(vertical incision)을 통해 박리하며, 1 cm 이상의 전이 림프절 또는 다발성 림프절 등으로 유착이 심한 경우에는 역시 되돌이후두신경 손상을 주의하여야 한다.

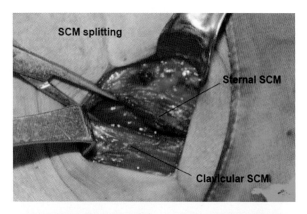

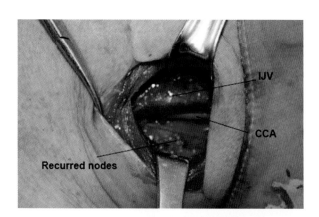

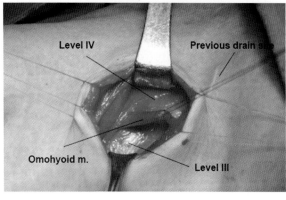

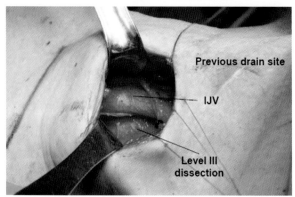

그림 37-5 | 측방 접근법(Lateral approach, SCM splitting approach)

5. 재수술의 수술 합병증

일차수술과 동일하나 그 빈도는 보다 높다고 할 수 있다.

1) 창상출혈

유착이 심할 경우 내경정맥을 아래 위로 미리 결찰하는 것을 고려하여야 한다.

2) 반회후두신경 손상

대부분의 경우에 신경의 확인은 쉬우나 재수술 전에는 필히 성대의 마비유무에 대하여 확인하여야 하며 특히 잔여 갑상선의 암 재발시 되돌이후두신경의 보존 및 절제 문합에 대하여 계획이 있어야 하고 대부분이 ansa hypoglossi를 이용한 신경연결을 요한다.[5-6]

3) 유미루 Chyle fistula

특히 좌측의 하부 경부 림프절 재수술에서 조심하여야 하고, 치료는 금식, 경정맥영양, 항생제 투여이며 하루 100 cc 정도의 배액이 있더라도 배액관을 가능한 빨리 제거하여 유착을 유도하는 것이 장기간의 유미루 예방에 중요하다. 재수술 후 배액은 폐쇄음압 배액보다는 wall suction을 이용한 개방성 배액이 더 효과적이다.

4) 부갑상선기능저하증

재수술에서 하부 부갑상선을 그 자리에 보존하는 것은 대단히 어려운 수기이며 절제한 조직에서 부갑상선을 확인하여 자가이식하는 것이 쉬운 방법이다.

5) 피부 유착 및 뒤당김(Retraction)의 방지

띠근육, 기도와 피부의 유착으로 생기는 연하장애 및 피부 추형(skin retraction)은 외관상 심각한 문제이며 피하에 유착방지의 제제(hyaluronic acid제제)를 도포하기도 하나 그 효과는 불확실하다.

6. 갑상선 재수술 시 되돌이후두신경의 보존

되돌이후두신경은 기관옆의 큰 종양이 경고하게 신경과 유착되어 있거나 신경을 싸고 있으면 선택적으로 절제하는 것이 타당하다. 그렇지 않으면 신경손상을 방지하기 위하여 hook wire electrodes를 vocal folds에 걸고 조심스럽게 박리하면서 수술 중 신경감시를 시행하는 방법이 있는데, 외과의에게 실용적이지는 않고 Medtronic Xomed NIMS-ETT를 사용하는 방법도 있다.[4-5]

신경은 이전에 박리하지 않았던 부위에서 확인하여 위로 추적하는 것이 쉬우며 가급적 전기소작기의 사용을 피하는 것이 좋고 앞에서 제시한 전측방 접근법이 유용하다.

7. 고식적 수술 Palliative or debulking surgery

3차, 4차 수술로 가더라도 육안적으로 확인된 종양은 제거하는 것이 좋다. 특히 기도를 누르는 종양은 감량수술(debulking resection) 또는 면도식절제(shaving)가 필요하며, 기관절개술을 시행한 후 외부방사선조사, 방사성요오드치료, 항암화학치료 등으로 생존율을 향상시킬 수 있다.

REFERENCES

1. Farrag TY, Agrawal NA,.Algorithm for safe and effective reoperative thyroid bed surgery for recurrent/persistent papillary thyroid carcinoma. 2007 Dec. Head & Neck -DOI 10.1002/hed.

2. Chao TC, Jeng LB, Lin JD, Chen MF. Reoperative thyroid surgery. World J Surg 1997;21:644-647.

3. Wilson DB, Staren ED, Prinz RA. Thyroid reoperations : Indication and Risks. The American Sugeons 1998;64:674.

4. DeGroot LJ, Kaplan EL. Second operations for "completion" of thyroidectomy in treatment of differentiated thyroid cancer. Surgery 1991;110:936-42.

5. Moley JF, Lairmore TC, Doherty GM, Brunt LM. Preservation of the recurrent laryngeal nerves in thyroid and parathyroid reoperations. Surgery 1999;125:673-9.

6. Kim MK, Mandel SH, Weber RS. Morbidity following central compartment reoperation for recurrent or persistent thyroid cancer.Arch Otolaryngol Head Neck Surg 2004;130:1214-6.

수술 합병증

Surgical Complications

SECTION

5

갑상선 수술 합병증을 줄이는 대책

Prevention of Complications

| 전남대학교 의과대학 외과 **윤정한**

갑상선 수술 술기의 발달 및 숙련도에 의해 갑상선 수술 후 사망률은 거의 무시할 수 있는 수준에 이르렀지만 술 후 합병증과 이환율은 내분비 외과의에게 지속적인 관심사가 되고 있다. 사실 대부분의 합병증은 정확한 해부학적 지식과 섬세한 수술 기법에 의해 예방될 수 있다. 또한 적절한 검사로 수술적 치료가 필요한 군과 비수술적 치료 또는 관찰이 필요한 군을 구분하고 수술의 범위를 술 전에 분명하게 계획하고 시행하는 접근법이 합병증을 줄일 수 있는 최선의 길이라고 판단된다. 여기서는 갑상선 수술과 관련된 합병증을 살펴보고 발생을 예방할 수 있는 방법과 후유증을 최소화할 수 있는 대책을 알아보고자 하였다. 갑상선 수술의 합병증은 크게 일반적 합병증과 특이적 합병증으로 구분할 수 있다. 일반적 합병증은 순환기계 및 호흡기계 관련 문제와 요로감염 등이 예가 될 수 있으며, 특이적 합병증은 수술기법과 관련된 합병증을 의미한다.

1. 일반적 합병증

가장 빈번한 일반적 합병증은 심혈관계 및 호흡기계 합병증을 포함한다. 특히 5년 이상 오래된 선종이나 거대선종을 가졌던 경우에는 호흡기계 합병증의 위험도가 있어 예방적 조치와 수술 후 치료가 필요할 수 있다.[1]

2. 특이적 합병증

1) 부종

안면, 목, 또는 기도 부종이 수술부위 정맥 또는 림프관 배액의 감소로 인해 나타날 수 있다. 갑상선 절제가 양측 림프절절제술과 동반되어 시행되면 더 잘 발생하며, 단독 갑상선 수술만으로 심한 부종 발생은 드물다. 머리 및 상체를 30도 정도 올리게 하거나, 스테로이드 제제를 사용하여 예방 혹은 발생을 감소시킬 수 있다.

2) 출혈

갑상선 수술 후 수술적 처치가 요하는 출혈은 0.38~0.96%에서 보고되며, 대부분 수술 후 6시간 이내에 발생한다.[2,3] 출혈 부위는 표재근막 위에 위치하는 표재혈관들과 갑상선 주변의 혈관 등이지만, 갑상선의 풍부한 혈류 공급도 중요한 이유가 된다. 수술 전후 출혈은 머리를 30도 정도 올리는 자세를 취하게 함으로써 줄일 수 있다. 수술 종료 시 가능한 출혈을 검사하기 위해서 머리를 아래로 기울게 하고, 폐를 과다팽창하여 흉강 내압 및 목 정맥들의 혈압을 올려본다. 수술 후에는 머리와 어깨를 30도 정도 올려주는 자세를 유지하도록 하여야 한다. 배관은 통상적으로 사용할 필요가 없으며 과도한 압박 드레싱 역시 오히려 합병증을 숨기고 창상 부위의 시진을 방해하므로 권장하지 않는다. 증상이 있는 혈종은 재수술 여부를 신중히 고려해 본다.

3) 창상 치유 이상과 감염

피부 절개는 목 돌기 위 약 2 cm, 또는 윤상연골 1 cm 하방에 위치하여야 미용적으로 우수하고, 낮은 절개는 비후성 반흔의 발생을 증가시킨다. 갑상선절제술 후 감염은 드물다. 만약 발생하였을 경우 창상 개방과 배농술로 처치하고, 새살 형성이 시작되면 절제 후 2차 봉합함으로써 양호한 미용적 결과를 얻을 수 있다. 장액 저류 시에는 천자가 필요할 수 있다.

4) 혈관 및 림프관 관련 합병증

갑상선 동맥의 결찰에 따른 혈류의 차단, 특히 하갑상선동맥의 결찰이 갑상선으로부터 멀리 떨어져 이루어질수록, 상하 부갑상선의 허혈을 유발한다. 유미 유출은 림프절 청소와 관련되어 발생하고, 림프관들이 내경정맥과 쇄골하정맥과의 이음부 위치에서 정맥계로 들어가는 부위의 흉관손상으로 자주 발생한다. 측경부 림프절 곽청술 후 4.5~8.3%의 빈도로 보고되고 있다.[4] 흉관손상 시에는 반드시 결찰해야 하지만, 누출 림프관을 확인하기 어려운 경우에는 관 누출부 상부의 주변 또는 심부 경부근막을 봉합하는 것도 고려해야 한다. 또한 전방사각근의 피복근막을 박리하여 누출부를 덮어줄 수 있는데, 이때는 횡격막신경에 주의하여야 한다. 성공적인 봉합결찰 후에는 콜라겐이 첨가된 피브린 밀봉제를 사용하여 보강도포를 하여야 한다. 흉관누출에 의한 유미배액 혹은 유미흉이 발생한 경우, 우선 금식 및 정맥영양제로 3주 정도 보존적 치료를 시행하지만, 장기간의 금식에도 효과가 없는 경우는 재수술도 고려하여야 한다.

5) 되돌이후두신경손상

되돌이후두신경의 손상의 증상은 목소리의 미세한 변화에서부터 반복적인 기도 흡인 혹은 기관지절개술이 필요할 정도의 심한 호흡곤란까지 다양하게 나타난다. 손상의 위험도는 크고 광범위한 수술 범위, 악성 갑상선 질환 수술, 재수술 시 더 높다.[5-8] 따라서 개개인의 수술적 기술과 경험이 강조되며 일부에서는 초음파결찰기 및 두극응고기의 사용이 더 안전하다고 보고하고 있다.[9,10] 되돌이후두신경의 손상 위험을 줄일 수 있는 방법으로는 되돌이후두신경의 모든 후두 외 궤도를 완전히 박리하여 육안적으로 확인하는 법이 가장 자주 사용하는 방법이다.[11] 육안적 확인과 함께 술 중 수술 시야의 전기적 신경 자극으로 윤상인두근의 수축을 관찰함으로써 되돌이후두신경의 존재, 기능, 경로 등을 확인할 수 있다.[12-15] 후방 윤상피열근에 장치된 전극을 통하여 후두근전도 활성도를 지속적으로 감시하여 박리 도중 되돌이후두신경의 조작에 의한 기계적 활성의 변화를 밝혀준다.[16-18]

되돌이후두신경은 다양한 변이가 존재한다. 우측 되돌이후두신경은 우측 쇄골하동맥 또는 팔머리동맥의 전방에서 기시하여, 목에서는 총경동맥 뒤로 올라오다가 내측, 전방으로 굴곡하여 윤상연골과 하수축근을 향하여 비스듬하게 상방으로 주행한다. 1% 이하에서 변이가 관찰되는데, 우측 되돌이후두신경이 회귀하지 않고 상방 또는 외측방으로부터 갑상선으로 들어갈 수 있다.[19-21] 이때는 우측 쇄골하동맥이 대동맥궁의 4번째 분지에서 나오는 변이우측쇄골하동맥(aberrant right subclavian artery, ARSA)을 동반하므로 수술 전 확인이 중요하다. 회귀와 반회귀 분지의 공존도 나타날 수 있다.[11]

좌측 되돌이후두신경은 대동맥활 왼쪽에서 미주신경으로부터 기시하며, 동맥관인대 부착 부위 뒤에서 활 주위를 감고, 전종격동 내로 올라가 목에서는 좀 더 내측에 위치하며 기관식도 고랑 내로 주행한다. 양측 신경은 결국 목으로 올라가 하갑상선동맥 위치에서 갑상선의 하부 외연을 가로지르며 갑상선의 후방을 지나 Berry 인대의 외측 후방으로 해 윤상갑상근을 통과하여 후두로 들어간다. 후두 내에서 각기 다른 후두근을 지배하는 2, 3개의 분지로 나누어지게 된다.[22-24]

후두 내에서의 정상적인 분지 형태에 추가하여 되돌이후두신경은 60~75%에서 목에서 후두외 상행으로 분지들을 내면서 되돌이후두신경 자체의 중복 외에도 후두로 들어가지 않지만 서로 연결해주는 분지들을 내는 등 결론적으로 되돌이후두신경은 단순히 목에서 상행하며 후두로 들어가는 단일 가닥이 아니라 비교적 복잡한 분지 형태를 보일 수 있다는 것을 기억하여야 한다.[25] 되돌이후두신경을 확인할 수 있는 가장 쉬운 장소는 하갑상선동맥이 갑상선 하부의 외연을 교차하여 지나는 곳이다. 그 외 확인하는 4가지 다른 방법이 있다.

(1) 신경이 총경동맥의 상, 내측 굴곡을 교차하는 부위

이 위치에서는 신경이 더 상부 단계보다는 후방에 위치하고 박리를 경동맥의 내, 상부면을 따라 시행하면서 기도와 식도를 향하여 외측방에서 내측 후방으로 탐색하면 언제나 확인할 수 있다. 이 접근법의 장점은 신경이 분지를 내기 전이어서 더 크다는 것이고 재수술인 경우 침습을 하지 않는 부위가 되므로 손상의 위험을 줄이면서 확인할 수 있다는 것이다. 단점은 주변 결체조직들의 박리 등의 수고가 필요하다는 것이다.

(2) 베리 인대 부위

장점은 이 위치에서 신경의 존재가 상당히 고정되어 있다는 것이지만 갑상선의 뒤쪽에 위치하여 접근이 어려울 수 있다. 덧붙여 이 부근은 혈관이 풍부하며 특히 Berry 인대의 상단을 주행하는 하후두동맥의 작은 분지로부터의 출혈이 회귀 신경의 도입부 가까이에서 쉽게 일어날 수 있다. 이 동맥에서의 출혈은 섬세한 봉합(5-0 또는 6-0 prolene) 또는 혈관묶개로 처치하여야 한다. 두극 투과열 지혈은 신경으로부터 적어도 5 mm 이상 떨어져 있어야 무난하므로 이 지역에서의 지혈방법으로는 선호되지 않는다.

(3) 촉진에 의한 확인법

하부 갑상선 끝 하방의 성긴 결체조직을 기관쪽으로 부드럽게 압박하면서 손가락을 천천히 전후방, 앞뒤로 움직이면 신경이 기도 면 위에서 움직이는 선처럼 느껴질 수 있다. 이런 느낌이 느껴지면 신경 방향에서 주변 결체조직을 조심스럽게 분리해 낼 수 있다.

(4) 신경학적 감시

앞에 기술한 바와 같이 회귀신경과 그 경로를 확인하는 것이다. 특히 재수술의 경우 도움이 될 수 있다. 영구적인 후두신경 마비는 1~3%, 일시적인 손상은 5~8%로 보고 되고 있지만[23] 검사하는 방법에 의해 2.3~26%까지 다양하게 보고되기도 한다.[26] 수술 후 쉰소리는 몇 가지 기전에 의해 발생될 수 있다. 술 후 첫 2~5일째 발생한다면 수술 시야에서의 부종에 기인하며 자연적으로 호전된다. 쉰소리(6개월 이내)는 되돌이후두신경이 온전하였더라도 과도한 뻗침으로 인해 축삭이 손상되었을 때 나타날 수 있다. 신경 주변의 혈관 고리에서의 견인도 신경 손상을 일으킬 수 있다. 신경 뻗침의 경우 새로운 축삭말단이 축삭싸개내로 성장이 필요한데 1 mm 성장에 1일이 필요하다.

되돌이후두신경의 부주의한 절단이나 죄기는 영구적인 쉰소리를 야기할 수 있다. 술 중 발견된 경우 수술 현미경과 10-0 prolene으로 재문합을 시행할 수 있으나 그 결과는 만족스럽지 못하다.[27-29]

양측 되돌이후두신경의 병변이 발생하면 환자는 호흡곤란을 일으키게 되며 재삽관이나 기관절개술을 하여야 한다. 대부분 약간의 기능이 회복되어지나 영구적인 경우에는 성대의 편측화 또는 레이저 치료가 요구된다. 목소리 변화가 있거나 악성으로 진단된 경우 또는 경부 탐색의 병력을 가지고 있는 모든 환자들에서는 술전 직접 또는 간접 후두경 검사가 시행되어야 한다. 술 후 후두경 검사는 통상적으로 할 필요가 없으나 관 제거 동안 후두경에 성대기능이상이 관찰된 경우와 갑상선 수술 후 목소리 변화가 있는 환자에서는 시행해 볼 수 있다. 성대기능이상이 1년 동안 계속되면 영구적일 가능성이 높지만 신경재문합을 한 경우에는 1~2년 후에도 호전이 가능하다.

호전되지 않는 경우에는 재활을 위한 수술적 치료를 고려할 수 있으며 성대확대술, 성대 내측화와 갑상성형술 또는 피열연골 내전술(후두구조 수술) 또는 되돌이후두신경 재분포 등 다양한 술식으로 성대판 재구성을 할 수 있다.[30]

6) 상후두신경 외분지 손상

상후두신경의 외분지 손상은 되돌이후두신경보다는 덜 심한 증상을 일으키므로 쉽게 간과된다. 이 신경은 되돌이후두신경에 비해 그 경로가 더 다양하여 그 해부적 지식이 중요하다. 상후두신경은 설골 위 신경절 결절의 하말단부 가까이에서 미주신경으로부터 기시한다. 그리고 내측 전방으로 내려오면서 외경동맥 또는 경동맥분지 뒤를 교차하고 그 위치에서 경동맥소체에 분지를 내고 설골 위치에서는 내분지(감각)와 외분지(운동)로 나누어진다.

상후두신경의 공동궤도와 그 내분지는 갑상선절제술 시 이용되는 박리 장소의 상부에 있으므로 통상적인 갑상선 수술 중에는 대면하지 못한다. 즉 내분지는 내측으로 굴곡하여 상후두동맥의 위에서 갑상설골막을 뚫고 말단분지들로 나누어진다. 이들 중 약간은 후두 내 또는 외부에서 되돌이후두신경의 분지들과 교통할 수 있다. 내분지는 혀 기저부에서 성대문까지 인후부 점막과 성문하 영역의 감각 신경분포를 제공한다. 따라서 손상 시에는 동측 점막의 감각소실을 일으켜 임상적으로는 삼킴 시 음식과 음료의 흡인으로 나타난다. 치료는 삼킴 시 환자가 호기하도록 훈련하는 특별한 물리치료법이다.

상후두신경외분지는 더 하방으로 상갑상선 동맥의 내측과 아주 밀접하게 주행한다. 갑상선 상단의 윗쪽에서 내측으로 굴곡하여 동측 성대의 긴장을 조절하는 윤상갑상근을 지배한다.

갑상선의 상단부에서 수술 시 손상되는 위험도를 결정하는 중요한 해부적 2가지 면이 있다.
① 신경이 갑상선의 상단부(혈관들)를 교차하는 위치
② 신경이 하인두수축근을 얕게 주행하는지 또는 근육에 덮혀 있는지

Cernea[32] 등에 의한 상후두신경외분지의 경로에 대한 분류법은 다음과 같다.

(1) Cernea 1형
신경이 내측으로 교차하여 갑상선 상단부으로부터 1 cm 이상에서 윤상갑상근으로 들어가는 경우로 2/3에서 나타난다.

(2) Cernea 2형
신경이 갑상선 상단부로부터 1 cm 이내로 주행하거나 더 하방으로 주행하여 상단부 근처에서 손상의 위험도가 높은 경우로 1/3에서 나타난다. 이는 또 신경이 얼마나 멀리 하방으로 연장되어 있는가에 따라 2a형과 2b형으로 세분되는데 2a형은 신경이 갑상선 상단부 위쪽에 남아있는 경우이고 2b형은 최하단부가 갑상선 상단부 하방에 놓여 있는 경우이다. 이런 위치는 갑상선 수술 시 갑상선의 상단줄기를 박리 및 결찰하는 동안 손상 위험이 높기 때문에 중요하다.

상후두신경 외분지를 확인하는 기술이 다수 보고되고 있다. 물론 가장 중요한 것은 충분한 피부 절개와 경부 백색선의 충분히 높은 분리에 의해 갑상선 상단부의 적절한 노출이다. 이어서 흉골갑상근과 흉골설골근을 갑상선으로부터 조심스럽게 박리하여 외측으로 제껴둔다. 신경을 확인하는 가장 우수한 술식은 Lennquist의 단계적 방법으로 다음과 같다.[31] ① 고리근 사이의 중중 절개, ② 갑상선을 외하방으로 견인하여 상단부와 윤상갑상근 사이의 공간을 개방, ③ 갑상선 혈관줄기의 조심스러운 박리, ④ 하인두 수축근의 조심스러운 시진의 순이다. 이 중 ②단계가 가장 중요하며 흉골갑상근의 상부가 외측, 상방으로 견인되어 갑상선의 상단부가 자유롭게 되는 것이다. 이런 견인이 계속되면 상갑상선 혈관들의 내측에 존재하는 성긴 결체조직이 개방되고 협부

에서 상단부까지의 갑상선의 전내측면을 조심스럽게 확인할 수 있게 된다. 만약 갑상선 표면에서 교차하여 내측으로 윤상갑상근으로 들어가는 신경분지들이 없다면 더 하방에서 갑상선 혈관줄기로 들어가는 신경을 두려워할 필요가 없다.

박리는 상단부 끝으로부터 윗쪽으로 1 cm까지 계속하며 상후두신경 외분지가 확인되거나 상갑상선혈관들이 충분히 길게 유리되어 확인되지 않는 신경이 혈관줄기에 포함되지 않는 것을 확인할 수 있을 때까지 진행한다. 상후두신경 외분지의 보존이 중요한 경우(예: 전문 성악가)에 신경의 해부적 확인이 실패하면 신경자극기의 사용도 고려하여야 한다.[32,33]

외분지 가까이에서 투과열 요법 사용도 신경손상을 일으킬수 있으므로 결찰을 선호하도록 한다. 갑상선 상단의 혈관들은 개별적으로 박리하여 가능한 한 아래쪽에서 갑상선 표면에서 결찰하도록 한다. 겸자사용도 피하고 얇은(4-0 또는 5-0) 흡수사를 사용한 봉합결찰을 권장한다.

또 하나의 중요한 소견은 좌우 신경들의 비대칭이다. 성악가에게 이 신경의 손상은 심각한 문제가 되지만 많은 환자들에서 증상이 최소화되고, 자주 간과되고 있다. 어떤 환자에서는 경증의 쉰소리, 목소리 약화 또는 피로, 음영역의 소실(특히 고음), 더 적은 성량 등을 호소한다. 좌우 상후두신경 외분지가 모두 손상되면 연하 이상을 경험하게 되고 폐렴의 위험성이 높아진다.

상후두신경 마비의 술 후 진단에 가장 정확한 검사법은 후두 근전도검사법이며 후두경에 의한 평가는 아주 어려울 수 있다. 환측의 성대가 언제나 굽어지고 반대측 성대에 비해 더 낮은 위치에 있게 된다. 덧붙여 손상되지 않는 반대측 윤상갑상근의 기능으로 전방후두가 반대측으로 약간 회전된다.

7) 부갑상선 기능저하증

대부분 갑상선의 후방외측에 4개의 부갑상선을 가지고 있으며, 상부갑상선의 80~86%, 하부갑상선의 90~95%가 하갑상선동맥에서 혈류를 공급받는다. 그러나 갑상선절제술 중 하갑상선동맥을 본체결찰하여도 분지결찰에 비해 부갑상선기능저하증이 더 잘 발생되지는 않는다.[34] 이는 상갑상선동맥이 부갑상선 혈액 공급에 의미있게 공헌하고 있고 갑상선 혈관들과 주변의 식도 및 기도 동맥들 간의 곁가지에 의해 충분한 부갑상선 혈류가 보장되기 때문이다.

상부갑상선은 언제나 Berry 인대 위치에서 되돌이후두신경의 외측방에 위치하고 있으며 더 외측, 후방의 위치 때문에 보존하기가 더 쉬운 부갑상선이다. 하부갑상선은 거의 언제나 되돌이후두신경의 전방에 위치하면서 되돌이후두신경이 하갑상선동맥을 교차하는 지점의 하방에 존재한다.

영구적인 부갑상선기능저하증(갑상선 수술 후 6주에서 6개월까지)은 3% 이하에서 발생되지만 일시적인 술 후 칼슘저하증은 더 흔하다.[35-37] 갑상선 암에서의 전절제술 후 영구적 부갑상선기능저하증은 1.5%, 일시적인 기능저하증은 27.5%로 보고한 국내 발표도 있으며 특히 T4종양과 재수술 시 그 빈도가 증가한다고 하였다.[38]

부갑상선의 허혈이나 제거가 일시적 또는 영구적 부갑상선 기능저하증을 유발한다. 부갑상선의 혈관화를 보다 더 잘 확인하기 위해 확대경(×2.5)이 도움이 될 수 있으며 과도한 박리를 피하도록 한다. 부갑상선을 좋은 혈관줄기로 갑상선으로부터 안전하게 박리할 수 없을 때에는 제거하여 흉쇄돌기근이나 비우세(nondominant) 팔의 완요골근에 자가이식하여야 한다. 따라서 부갑상선은 수술 중과 수술 후 확대경으로 주의깊게 관찰하는 것이 중요하며 허혈 소견이 보이면 제거하여 자가이식하도록 한다.

부갑상선의 육안적 확인에는 ① 위치, ② 갑상선과 무관한 이동성, ③ 갈색양 색깔, ④ 부드럽고 세밀한 과립상 표면, ⑤ 혈관줄기의 존재, ⑥ 조작 시 쉽게 출혈(특히 집게조작 시 파막하 혈종의 신속한 파급), ⑦ 조그만 지방덮개의 존재 등을 참고하여 확인한다.

술전 혈청 칼슘치는 양측 갑상선 수술을 시행하려는

각 환자에서 필히 검사해야 한다. 부갑상선 기능저하증에 기인하는 술 후 저칼슘혈증은 양측 갑상선 수술 후에는 나타나지만 과거 갑상선 수술력이 없는 경우 일측 갑상선절제술 후에는 거의 나타나지 않는다. 만약 임상증상이 있다면 경구 칼슘을 투여하여야 한다. 영구적인 부갑상선 기능저하증은 1년 후에도 혈청 칼슘이 2.25 mmol/L 이하이면 분명해지고, 비타민 D와 칼슘 치료가 필요하며, 이런 환자들은 또한 고인산염 수치를 가지고 있다. 영구적인 부갑상선 기능저하증은 평생 장애를 유발하며 잦은 검사와 조절에도 불구하고 무력증, 감각이상, 홍분 등을 자주 보인다. 영구적인 부갑상선 기능저하증을 가진 환자의 70~80%에서는 정상 칼슘 혈증의 검사소견에도 불구하고 백내장이 보고된다.[37]

8) 갑상선기능저하증

갑상선기능저하증은 전 또는 근전 갑상선절제술 후 나타나며 잔존 조직의 크기가 작을수록 빈도는 증가한다. Menegaux 등은 그레이브스병의 수술적 치료에서 양측 아전절제술을 포기하고 일측 전절제술 및 반대측 아전절제술(Dunhill 술식)을 선택한 이후의 수술결과를 비교한 결과 영구적인 되돌이후두신경마비와 재발 갑상선기능항진증의 빈도가 각각 1%에서 0%, 11%에서 3.7%로 감소한 반면 영구적 부갑상선기능저하증과 갑상선기능저하증의 빈도는 1%에서 1.9%, 13%에서 48.7%로 각각 증가함을 보고하였다.[39]

REFERENCES

1. Rahman GA. Possible risk factors for respiratory complications after thyroidectomy: an observational study. Ear Nose Throat J 2009;88:890-2.
2. Lee HS, Lee BJ, Kim SW, Cha YW, Choi YS, Park YH, et al. Patterns of Post-thyroidectomy Hemorrhage. Clin Exp Otorhinolaryngol 2009;2:72-7.
3. Jung SY, Kim HI, Yoon JH, Nam KH, Chang HS, Park CS. Clinical Features of Post-thyroidectomy Hematoma. J Korean Surg Soc 2004;67:286-9.
4. Roh JL, Kim DH, Park CI. Prospective identification of chyle leakage in patients undergoing lateral neck dissection for metastatic thyroid cancer. Ann Surg Oncol 2008;15:424-9.
5. Hermann M, Keminger K, Kober F, Nekahm D. Risk factors in recurrent nerve paralysis: a statistical analysis of 7566 cases of struma surgery. Chirurg 1991;62:182-7; discussion 8.
6. Menegaux F, Ruprecht T, Chigot JP. The surgical treatment of Graves' disease. Surg Gynecol Obstet 1993;176:277-82.
7. Misiolek M, Waler J, Namyslowski G, Kucharzewski M, Podwinski A, Czecior E. Recurrent laryngeal nerve palsy after thyroid cancer surgery: a laryngological and surgical problem. Eur Arch Otorhinolaryngol 2001;258:460-2.
8. Moley JF, Lairmore TC, Doherty GM, Brunt LM, DeBenedetti MK. Preservation of the recurrent laryngeal nerves in thyroid and parathyroid reoperations. Surgery 1999;126:673-7; discussion 7-9.
9. Siperstein AE, Berber E, Morkoyun E. The use of the harmonic scalpel vs conventional knot tying for vessel ligation in thyroid surgery. Arch Surg 2002;137:137-42.
10. Voutilainen PE, Haglund CH. Ultrasonically activated shears in thyroidectomies: a randomized trial. Ann Surg 2000;231:322-8.
11. Hermann M, Alk G, Roka R, Glaser K, Freissmuth M. Laryngeal recurrent nerve injury in surgery for benign thyroid diseases: effect of nerve dissection and impact of individual surgeon in more than 27,000 nerves at risk. Ann Surg 2002;235:261-8.
12. Marcus B, Edwards B, Yoo S, Byrne A, Gupta A, Kandrevas J, et al. Recurrent laryngeal nerve monitoring in thyroid and parathyroid surgery: the University of Michigan experience. Laryngoscope 2003;113:356-61.
13. Eltzschig HK, Posner M, Moore FD, Jr. The use of readily available equipment in a simple method for intraoperative monitoring of recurrent laryngeal nerve function during thyroid surgery: initial experience with more than 300 cases. Arch Surg 2002;137:452-6; discussion 6-7.
14. Dimov RS, Mitov FS, Deenichin GP, Ali MM, Doikov IJ, Yovchev IJ. Stimulation electromyography as a method of intraoperative identification of the recurrent laryngeal nerve in thyroid surgery. Folia Med (Plovdiv) 2001;43:17-20.
15. Jonas J, Bahr R. Intraoperative electromyographic identification of the recurrent laryngeal nerve. Chirurg 2000;71:534-8.
16. Otto RA, Cochran CS. Sensitivity and specificity of intraoperative recurrent laryngeal nerve stimulation in predicting postoperative nerve paralysis. Ann Otol Rhinol Laryngol 2002;111:1005-7.
17. Timon CI, Rafferty M. Nerve monitoring in thyroid surgery: is it worthwhile? Clin Otolaryngol Allied Sci 1999;24:487-90.
18. Thomusch O, Sekulla C, Walls G, Machens A, Dralle H. Intraoperative neuromonitoring of surgery for benign goiter. Am J Surg 2002;183:673-8.
19. Vuillard P, Bouchet A, Gouillat C, Armand D. [Non-recurrent inferior laryngeal nerve (15 operative cases)]. Bull Assoc Anat (Nancy) 1978;62:497-505.
20. Wijetilaka SE. Non-recurrent laryngeal nerve. Br J Surg 1978;65:179-81.

21. Ardito G, Manni R, Vincenzoni C, Modugno P, Guidi ML. The non-recurrent inferior laryngeal nerve. Surgical experience. Ann Ital Chir 1998;69:21-4.

22. Lekacos NL, Tzardis PJ, Sfikakis PG, Patoulis SD, Restos SD. Course of the recurrent laryngeal nerve relative to the inferior thyroid artery and the suspensory ligament of Berry. Int Surg 1992;77:287-8.

23. Leow CK, Webb AJ. The lateral thyroid ligament of Berry. Int Surg 1998;83:75-8.

24. Sasou S, Nakamura S, Kurihara H. Suspensory ligament of Berry: its relationship to recurrent laryngeal nerve and anatomic examination of 24 autopsies. Head Neck 1998;20:695-8.

25. Katz AD, Nemiroff P. Anastamoses and bifurcations of the recurrent laryngeal nerve--report of 1177 nerves visualized. Am Surg 1993;59:188-91.

26. Jeannon JP, Orabi AA, Bruch GA, Abdalsalam HA, Simo R. Diagnosis of recurrent laryngeal nerve palsy after thyroidectomy: a systematic review. Int J Clin Pract 2009;63:624-9.

27. Chou FF, Su CY, Jeng SF, Hsu KL, Lu KY. Neurorrhaphy of the recurrent laryngeal nerve. J Am Coll Surg 2003;197:52-7.

28. Damrose EJ, Huang RY, Ye M, Berke GS, Sercarz JA. Surgical anatomy of the recurrent laryngeal nerve: implications for laryngeal reinnervation. Ann Otol Rhinol Laryngol 2003;112:434-8.

29. Maronian N, Waugh P, Robinson L, Hillel A. Electromyographic findings in recurrent laryngeal nerve reinnervation. Ann Otol Rhinol Laryngol 2003;112:314-23.

30. Blumin JH, Merati AL. Laryngeal reinnervation with nerve-nerve anastomosis versus laryngeal framework surgery alone: a comparison of safety. Otolaryngol Head Neck Surg 2008;138:217-20.

31. Lennquist S, Cahlin C, Smeds S. The superior laryngeal nerve in thyroid surgery. Surgery 1987;102:999-1008.

32. Cernea CR, Ferraz AR, Furlani J, Monteiro S, Nishio S, Hojaij FC, et al. Identification of the external branch of the superior laryngeal nerve during thyroidectomy. Am J Surg 1992;164:634-9.

33. Eisele DW. Intraoperative electrophysiologic monitoring of the recurrent laryngeal nerve. Laryngoscope 1996;106:443-9.

34. Nies C, Sitter H, Zielke A, Bandorski T, Menze J, Ehlenz K, et al. Parathyroid function following ligation of the inferior thyroid arteries during bilateral subtotal thyroidectomy. Br J Surg 1994;81:1757-9.

35. Bellantone R, Lombardi CP, Raffaelli M, Boscherini M, Alesina PF, De Crea C, et al. Is routine supplementation therapy (calcium and vitamin D) useful after total thyroidectomy? Surgery 2002;132:1109-12; discussion 12-3.

36. Bourrel C, Uzzan B, Tison P, Despreaux G, Frachet B, Modigliani E, et al. Transient hypocalcemia after thyroidectomy. Ann Otol Rhinol Laryngol 1993;102:496-501.

37. Schwartz AE, Friedman EW. Preservation of the parathyroid glands in total thyroidectomy. Surg Gynecol Obstet 1987;165:327-32.

38. Nam KH, Yun JS, Lee YS, Jeong JJ, Chang HS, Chung WY, et al. Hypocalcemia after Total Thyroidectomy: Incidence and Risk Factors. J Korean Surg Soc 2008;74:182-6.

39. Menegaux F, Turpin G, Dahman M, Leenhardt L, Chadarevian R, Aurengo A, et al. Secondary thyroidectomy in patients with prior thyroid surgery for benign disease: a study of 203 cases. Surgery 1999;126:479-83.

되돌이후두신경 마비의
병태생리와 치료

Pathophysiology and Management of Recurrent Laryngeal Nerve Paralysis

▮ 조선대학교 의과대학 외과 **김권천**

갑상선 수술 중 발생할 수 있는 되돌이후두신경(recurrent laryngeal nerve) 손상으로 인한 후두신경마비(laryngeal nerve paralysis)는 심각한 합병증 중의 하나로, 나타날 수 있는 증상은 시간이 경과함에 따라, 혹은 개인별로 차이가 있다. 한쪽 신경이 마비되는 경우에는 주로 쉰 소리(hoarseness)가 나타나며 이보다는 덜 나타나지만 연하곤란이 생기기도 하는데 이는 성문(glottis)이 불완전하게 닫히는 결과로 나타난다. 이러한 한쪽 신경 손상으로 인한 증상은 시간이 경과하면서 저절로 좋아지는 경우가 많다. 반면에 양쪽 신경 손상으로 인한 마비는 흡기시 성대주름(vocal fold)이 열리지 않음으로써 숨을 쉴 수 없는 심각한 결과를 초래한다. 갑상선절제술을 시행하는 도중 되돌이후두신경이 절단될 경우, 이를 다시 문합할 것인가에 대해서는 문합 자체로 발생할 수 있는 기능저하와 신경재분포(reinnervation) 후의 결과를 예측할 수 없기 때문에 여전히 논란의 여지가 있다.

1. 증상

한쪽 후두마비는 종종 증상이 완전히 없을 수도 있으나, 대부분의 한쪽 후두마비 환자들은 다소 가벼운 성대 피로부터 심각한 쉰소리까지 다양한 증상이 나타날 수 있다. 드물게 성문의 위치가 부적절하여 연하 시 음식물이

흡인되거나 목소리를 내지 못하는 경우도 있다. 비록 목소리와 연하운동은 한쪽 후두신경 마비로 인해 심각하게 손상될 수 있지만 일반적으로 소아를 제외하고는 성문이 완전히 폐쇄되지는 않는다.

양쪽 마비에서는 기도가 항상 어느 정도 손상되어 있고 종종 급성이며, 심각한 상기도 폐쇄를 야기시켜 응급으로 기관절개술(tracheotomy)이나 기관내삽관(endotracheal intubation)이 필요한 경우가 많다. 그 밖의 환자들에서는 처음에는 충분한 기도 확보가 되다가도 시간이 지날수록 기도폐쇄가 심각해지는 경우도 있다.

후두가 마비된 쪽의 기능 회복과 반대쪽의 보상 기능의 발달, 중간선(midline)으로의 성대 주름의 위치 전위 등으로 인해 증상은 시간이 지남에 따라 변하는데, 이 중 신경손상 후 첫 몇 달 동안 점진적으로 마비된 쪽의 성대 주름이 중앙으로 이동하는 것은 오랫동안 임상적으로 잘 알려진 현상이다.[1] 이러한 자연스러운 이동은 한쪽 마비환자에서는 성대의 기능을 향상시키지만 양쪽 마비를 갖고 있는 환자에서는 기도의 압박감을 주게 된다.

이전부터 마비된 성대주름의 위치가 중간선과 가까이 있을 때 '정중(median)' 또는 '정중곁(paramedian)'으로 표현해 왔고, 성대 주름이 좀 더 외전되어 있을 경우 '사체(cadaveric)'로 묘사해 왔다. 성대 주름이 정중곁 위치일 때 발성을 하게 되면 성대 주름의 간격이 그리 넓지 않아 성대의 증상은 심하지 않으며, 갑상성형술(thyroplasty)이나 성대주름 주사와 같은 방법은 이러한 환자에

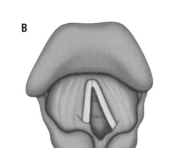
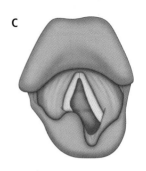

A   B   C

그림 39-1 | 성대주름 마비의 위치 변이
발성 전 호흡 동안의 전방 성문이 만드는 각이 위치를 측정하는데 좋은 방법이다. **A. 정상 호흡. B. 안쪽 마비. C. 바깥쪽 마비**

서 기능을 복원하는데 매우 효과적이다. 성대 주름이 좀 더 가쪽에 위치할 경우 발성 중 성문의 간격이 더 멀어지기 때문에 증상이 더 심해진다.

오랫동안 한쪽 후두마비환자의 후두 모양의 다양성과 시간의 흐름에 따른 위치 변화에 대해서는 여러 가지 이론들이 제시되었다. 그 중 가장 중요한 두 가지 이론은 Semon 법칙과 Wagner-Grossman 가설이다. Semon은 신경 손상이 진행되는 동안 외전근(abductor muscle)의 신경 섬유들이 첫 번째로 영향을 받기 때문에 성문의 개방이 가장 먼저 손상되며, 이후 내전근(adductor muscle)이 마비되어 성대주름이 가쪽으로 이동할 것이라고 가정하였다.[2] 그러나 이는 오랫동안 실제로 관찰되어 온 점진적인 내전과는 상반되는 개념이었다. Wagner-Grossman 가설에서는 상후두신경(superior laryngeal nerve)과 되돌이후두신경이 모두 손상 받게 되면 모든 후두 내전근을 비활성화 시키게 되어, 가쪽 혹은 사체 성대주름 위치에 결합된 손상이 생긴다고 주장했다.[3] 그러나 되돌이후두신경만 손상을 받았을 경우 상후두신경의 지배를 받는 윤상갑상근(cricothyroid muscle)은 여전히 활성화되어 성대주름을 가운데로 당기게 된다. 임상에서의 경과 관찰 결과와 일치하였기 때문에, Wagner-Grossman 가설은 여러 해 동안 널리 받아들여져 왔다.[4] 이를 지지하는 소견은 동물실험에서 윤상갑상근이 수축했을 때 뒤반지모뿔근(posterior crico-arytenoid muscle) 단독으로 수축했을 때보다 후두가 더

넓게 열릴 수 있었다는 점이다. 이들은 윤상갑상근과 뒤반지모뿔근이 동시에 수축했을 때 앞뒤 직경을 증가시킴으로써 성문의 단층 면적을 증가시킨다고 결론지었다. 이는 되돌이후두신경 단독 마비와 다른 모든 후두근이 불활성화 될 때 윤상갑상근이 성대주름을 중간선으로 당길 것이라는 일리가 있어 보이는 견해였다. 그러나 Wagner-Grossman 가설의 결점들이 점차 드러나게 되었다. 많은 임상 증례보고에서 성대주름의 위치와 윤상갑상근의 신경지배간의 상관관계를 확인하는데 실패했다.[5-7] 게다가, 후두근의 근전도 활성에 관한 계통적 연구에서 후두 마비환자의 대다수가 후두근이 완전히 탈신경(denervation)되지는 않았다는 결과가 나왔다. Hirano는 114명의 성대마비 환자 중 65%에서 근전도 활성을 발견하였으며 성대주름의 위치가 윤상갑상근의 상태가 아닌 근전도로 검출된 수많은 운동단위들과 상관성이 있다고 보고하였다.[5] 손상위치가 파악된 환자에 대한 연구에서는 손상부위가 되돌이후두신경 부위에 국한된 경우 성대주름의 위치가 더 다양하게 나타났다.[6] 모든 되돌이후두신경 손상 환자에서 같은 쪽의 방패모뿔근(thyroarytenoid muscle)에서 약간의 근전도 활성이 나타났다. 발성 전 들숨(inspiration) 동안 양쪽 주름에 의해 형성되는 각으로 측정된 마비된 성대주름의 위치 범위는 시상선에서 사체선에 걸쳐 나타났다(그림 39-1). 그러나, 미주신경 손상이 있는 환자에서 실질적으로 신경재분포는 감지되지 않았으며, 마비된 성대주름은 사체선

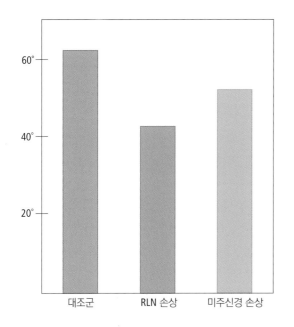

그림 39-2 │ 정상군, 되돌이후두신경(RLN) 손상군과 미주신경 손상군에서 성문각 측정에 의한 성대주름 위치

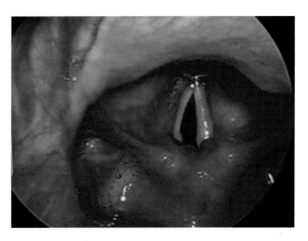

그림 39-3 │ 성대마비에서의 모뿔모양
이완마비(오른쪽). 모쪽 연골의 돌출이 증가한 것이 특징이다.

에 그대로 남아 있었다(그림 39-2). 따라서, 되돌이후두신경과 상후두신경의 동반 손상을 보이는 환자에서 좀 더 가쪽 성대 주름을 보이는 경우에 대한 임상 경과를 관찰한 결과 성대 주름의 위치는 윤상갑상근의 상태에 의한 것이 아닌 신경재분포의 차이에 의한 것으로 보인다.

최근의 합의된 의견은 마비된 성대주름의 위치는 잔류 혹은 되돌이 후두근의 활성에 의해 결정된다는 것이다. 완전히 탈신경된 반후두(hemilarynx)는 이완되며 성대주름은 가쪽에 위치하게 된다. 그러나, 잔류 또는 재생 신경섬유에 의한 근육 활성은 성대주름을 가운데로 끌어당기는 경향이 있으며 근육의 안정 시 근 긴장의 존재로 인해 성대주름이 이완되어 처지는 것이 방지된다(그림 39-3).[8]

임상적으로 성대주름이 마비된 상태에서 나타나는 근전도 활성은 본래의 불완전한 손상으로부터 잔류 신경이 재분포하였음을 의미한다. 이는 또한 재생된 되돌이후두신경 혹은 다른 신경으로부터의 발아에 의한 근육의 신경재분포를 의미하기도 한다. 많은 연구자들에 의해 시행된 동물실험에서 밝혀졌듯이 실제로 되돌이후두신경은 강한 재생력을 가지고 있다.[9] 되돌이후두신경 절단 후 발생한 재발성 증상과 함께 연축발성장애(spasmodic dysphonia)를 가진 환자를 외과적으로 탐구한 Netterville이 많은 구획을 제거하고 잘린 끝을 묶었음에도 불구하고 신경이 재생되는 것을 발견하여 인간에서 되돌이후두신경의 재생 능력을 증명한 바 있다.[10] 고양이 실험에서도 되돌이후두신경이 수 센티미터의 간격을 가로질러 꾸준히 재생하는 것이 증명되었다.[11] 재생된 신경에 전기적 자극을 주었을 때 후두의 단일수축이 유발되었다. 비록 근육은 신경재분포가 되었지만 호흡과 더불어 나타나야 하는 적절한 움직임은 관찰되지 않았다. 신경재생과 함께 성대 주름의 위치가 중간선으로 이동하여 흡기 시 성대 주름 사이의 평균 각도는 감소하였다. 실험 대상이 된 고양이 절반에서 되돌이후두신경을 따라 윤상갑상근으로 가는 신경이 절단되었으며, 양쪽 그룹에서 같은 중간선 경향이 관찰되었는데 이는 윤상갑상근이 성대 주름의 위치에 어떤 역할도 하지 않는다는 것을 의미한다(그림 39-4). 그 외 다수의 실험에서도 윤상갑상근이 성대 주름을 내전시킨다는 개념은 증명되지 않았다. 윤상갑상근은 흡기의 보조 근육으로 작용하고 호흡에 의해 특히 상부기도 폐쇄 시 동원된다.[12] 하지만, 윤상갑상근으로 가는 신경의 차단은 성문영역이

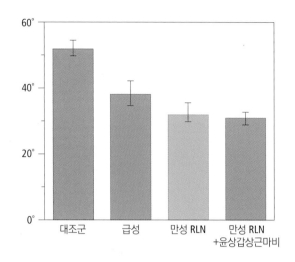

그림 39-4 │ 실험 고양이의 성문각으로 측정된 성대주름 위치
마비된 성대주름이 중간선으로 전위된 결과 급성마비시 각은 감소하며 만성마비시에는 그보다 더 감소된다.

나 전체적인 성대 저항, 심지어 호흡이 자극되는 동안에도 아무런 영향을 미치지 않았고 이러한 결과는 각각의 독자적인 실험에 의해 증명되었다.[13,14] 게다가 사체의 후두에서 윤상갑상근의 수축을 자극하였을 때 이는 성대 주름의 내전이 아닌 길이연장을 초래하였다.[15] 윤상갑상근 기능의 사체 연구에서 중요한 결과는 한쪽 윤상갑상근이 수축하면 양쪽 성대 주름이 동등하게 신장된다는 것이었다.[15] 따라서 상후두신경의 손상으로 인해 한쪽 윤상갑상근이 마비되면 양쪽 후두 모두에 영향을 미친다.

2. 신경재분포 후에도 지속되는 고정된 성대주름

일반적으로, 손상된 성대 주름의 운동을 가장 광범위하게 설명하는 것이 연합운동(synkinesis)이며 잘못된 방향으로 신경재분포된 신경 섬유는 부적절한 근육 수축과 짜임새 없는 운동을 초래한다. Crumley에 의하면 되돌이후두신경손상을 당한 환자에서 가장 흔한 문제는 탈

신경보다 비정상적이고 불충분한 신경재분포이다.[9] 연합운동은 얼굴이나 사지 등 다른 부위에서 신경 손상을 받은 후에 흔히 관찰된다. 광섬유 후두경검사(fiberoptic laryngoscopy)가 도입되면서 간접후두경(indirect mirror laryngoscopy)에서는 완전히 고정되어 있는 것처럼 보였던 미묘한 단일수축이나 연축운동이 성대주름에서 종종 관찰된다는 것이 밝혀졌다. 쥐를 대상으로 시행한 역행성 신경추적자(retrograde neurotracer) 연구에서는 잘못된 뇌줄기 신경세포(brainstem neuron)에 의한 후두근의 부적절한 신경재분포가 확인되었다.[16] Crumley는 연합운동을 '양호(good)'와 '불량(bad)'으로 분류하자고 주장하였다.[9] 양호한 연합운동에서 근육은 역운동을 하지 않으며, 대신에 성대 주름을 좋은 위치에 두고 근육 용적을 유지함으로써 성대 주름이 가늘어지거나 위축되지 않도록 한다. 불량한 연합운동에서는 흡기 시에 기이 내전(paradoxical adduction)을 하거나 말하기를 중단시키는 연축 등의 역작용을 한다. 드물게 되돌이후두신경이 손상되면 간헐적 성문 연축으로 인해 심한 재발성 기도 폐쇄가 초래되기도 한다.[17]

후두의 연합운동은 명확히 발생한다. 그러나 연합운동만으로는 신경 손상 후 성대 주름 형태의 변이를 완벽하게 설명할 수 없다. 예를 들어, 연합운동으로 인한 완전한 부동 현상은 반대로 작용하는 힘이 정확히 서로 상쇄되어야만 한다. 이는 신경재분포의 무작위 과정 특히, 반지모뿔관절 내에서 자유로운 가동 상태가 아니라 정확히 같은 힘과 정확한 직각 벡터를 의미하며, 많은 경우에서 신경재분포는 적절한 목표 근육에 도달하지만 생리적 운동 효과를 나타내기에는 불충분하다. 다른 가능성은 뒤반지모뿔근의 불충분한 신경재분포와 함께 내전근의 선택적인 신경재분포이다. 관절 강직은 마비된 성대 주름에서 나타나는 만성변화의 한 요소이다. 후두 외전근의 신경재분포 실험에서, van Lith-Bijl 등은 외전은 신뢰할만하게 빨리 복구되었으나 신경재분포는 9개월 지연되었고 근전도 검사 결과 11마리 고양이들 중에서 10마리가 회복되었음을 발견하였다.[18] 그러나, 이 중 단지 4마리만 외전에 성공하였고 관절 운동의 감소가 그

제한 요소로 생각되었다. 하지만, 명백한 관절 강직은 심지어 만성 마비에도 설명되지 않았는데, 그 이유는 만성 후두 마비를 가진 10개의 후두 표본의 조직학적 평가 결과 관절강직의 증거가 없음이 드러났기 때문이다. 게다가, 25년 동안 장기간의 마비를 보인 환자에서 모뿔연골 내전을 위한 관절 검사에서 관절 강직은 나타나지 않았으며 이는 신경인성 사지부동에서 잘 관찰되는 현상이다.[19] van Lith-Bijl 등은 실험 동물에서 가로막 신경에 의한 뒤반지모뿔근의 신경재분포를 연구하였는데 급성 신경재분포에서 외전은 회복되었으나 9개월 후 시행한 근전도에서 신경재분포가 증명되었음에도 불구하고 외전 운동은 관찰되지 않았다.[20] 관절은 강직되지 않았지만, 근육이 구축됨으로써 움직임은 제한되었다. 비록 모뿔연골이 회전은 용이하였지만, 성대 주름은 여전히 단축되어 연부 조직 구축이 운동을 제한함을 암시하였다.

3. 근구획과 후두운동

미묘한 운동 장애로 인해 후두 기능이 얼마나 크게 손상되는지를 이해하기 위해서는 후두의 복잡한 해부적 구조와 복합적인 운동에 대해 알아야 한다. 성대주름은 자동차 앞 유리의 와이퍼처럼 한 면에서 열리고 닫힐 뿐 아니라, 3차원적으로 움직이고 모양을 변화시킨다. 각각의 성대주름은 두 개의 별개 부분으로 이루어져 있는데 앞부분은 부드럽고 유연하며, 굴절성의 점막으로 덮인 근육으로 구성되어 있고 뒷부분은 모뿔연골의 안쪽 부분으로 이루어진 연골부위이다. 반지모뿔근을 제외하고 모든 후두 내인근(intrinsic muscle)은 모뿔연골에 붙어 있고, 모든 성대주름 운동은 능동적인 회전이나 모뿔연골의 이행에 영향을 받는다. 막 성대주름은 모뿔연골의 움직임에 의해 수동적으로 움직여진다.

모뿔연골은 얕은 구상관절에서 윤상연골(cricoid cartilage)과 접합되어 있어 후두가 넓은 범위를 움직일 수 있게 한다. 후두는 뒤반지모뿔근에 의해 열리는데, 뒤반

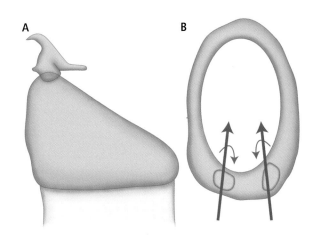

그림 39-5 | 사체 후두에서의 모뿔 연골 움직임
A. 뒤반지 모뿔근의 각각의 구획에서 수축. B. 모뿔 모음. 이것은 가쪽 반지모뿔근의 움직임과 유사하다. 굵은 직선의 검은 화살표가 유도한 근육 운동이 일어나는 축을 나타낸다.

지모뿔근은 모뿔연골을 위로, 성문 바깥쪽으로 당겨 성대돌기(vocal process)를 외상방으로 움직인다(그림 39-5).[21] 가쪽 반지모뿔근은 성대돌기를 내하방으로 움직임으로서, 후두를 닫는다. 후두를 위쪽에서 보면 이러한 움직임은 완전히 반대 방향으로 보이지만, 뒤반지모뿔근의 외전과 가쪽 반지모뿔근의 내전은 서로 다른 축으로의 회전을 포함한다(그림 39-5).[22] 정상적인 후두운동에는 방패모뿔근과 모뿔사이근(interarytenoid muscle)을 포함한 각각의 힘과 회전축의 벡터를 지닌 모든 후두 근육의 움직임이 포함된다. 방패모뿔근과 윤상갑상근은 점막 성대 주름의 모양 조절에도 관여한다. 윤상갑상근은 성대주름을 길고, 팽팽하게, 얇게 만드는 한편, 방패모뿔근은 짧고 두텁게 만든다. 후두 내인근은 기능별로 다시 세분된다. 예를 들면, 인간의 뒤반지모뿔근은 모뿔연골에 대해 서로 다른 힘의 벡터를 가지고 신경 분지를 분리하는 두 개의 힘살(belly)이 있다.[21,23] 방패모뿔근은 특히 미오신(myosin) 함유량과 근육방추의 농도에 있어서 상당한 차이를 보이는 각각의 해부적 구획으로 나뉘어 성문의 미세한 조절을 할 수 있다.[24]

그러므로 정상적인 발성을 위해서는 이러한 복합적인 계통의 정확한 협조가 필요하다. 성대돌기는 정확히

접합되고 성대 주름의 길이, 긴장도, 부피가 정확히 맞아야 의도하는 빈도로 양쪽이 동시에 진동할 수 있다. 가수들이 음조와 음질을 조절하려면 성문 배열이 더 정확하게 조절되어야 하므로 신경 손상이 커다란 영향을 끼칠 수 있다는 것은 놀라운 일이 아니다.

4. 절단된 신경의 급성기 치료

후두 마비의 증상이 다양한 것처럼, 절단된 되돌이후두신경의 문합 결과 또한 다양하다. 급성기에 절단된 신경을 문합하는 문제에 대해서는 오랫동안 상당한 논란이 있었으며, 많은 연구자들이 환자와 실험동물 모두에서 되돌이후두신경의 문합이 후두의 정상적 움직임을 회복시키지 못한다는 것을 반복해 관찰했고 실제로도 문합 이후에도 이상 운동과 기도 폐쇄가 관찰되었다. 되돌이후두신경이 치료적 중재 없이도 재생되는 경향이 강하다는 것도 또한 명백해졌다. 그러므로 자발적인 재생과 외과적 치료 중 어느 쪽이 기능적으로 더 나은 결과를 보이는가 하는 근본적인 의문에 대한 해답이 있어야 할 것이다.

이는 수많은 임상 관찰과 동물 실험 결과에도 불구하고 논란이 많은 주제로서, 몇몇 연구자들은 되돌이후두신경이 절단된 후 즉각적인 문합을 시행하여 그 후에 기능의 일부가 회복되었음을 보고했다.[25-29] 그러나 많은 연구자들이 후두의 비정상적인 역설적 움직임(paradoxical motion)으로 인한 기도 폐쇄, 외전근을 제외한 내전근만의 기능 회복, 좋지 않은 음성 등을 포함한 부작용을 발표하였다.[30-36]

근본적인 문제는 절단된 신경의 문합 여부에 관계없이 신경이 절단된 후 재생 시 많은 축삭(axon)들이 잘못된 근육에 분포하게 되면서 발생한다. 이는 Siribodhi 등이 1963년에 처음 발표한, 되돌이후두신경의 재생 후 기능적 운동을 제외한 근전도 활성의 회복을 발견한 실험에 기초한다.[37] Flint 등은 쥐에서 신경재분포된 후두근

육을 지배하는 뇌줄기 신경단위를 증명하기 위해 역행성 신경추적자를 이용하여 잘못 분포된 축삭에 관한 이론을 확립했다.[16] 그러나 이 이론에는 신뢰할 만한 패턴이 없었으며 신경 재생의 기능적 결과는 예측할 수 없었다. 몇몇 환자들은 근육 긴장도가 양호하고 부적절한 움직임이 없는 좋은 결과를 보여준 반면 다른 환자들은 기도나 발성에 문제를 보였다. 이상기능의 잠재적 가능성 때문에 많은 연구자들은 절단된 신경의 즉각적인 치료를 권고하게 되었다. 이는 회복되지 않은 신경으로 인한 이완성 마비나 부적절한 운동이 발생하지 않았을 때 유효하다. 그러나, 보고에 따르면 신경이 치료되든 그렇지 않든, 잘못된 신경재생은 가능하다.

van Lith-Bijl 등에 의한 광범위한 실험 결과, 되돌이후두신경이 절단된 후 문합되더라도 후두 외전근의 기능은 회복되지 않는다는 것이 밝혀졌다.[38] 부적절한 내전근의 운동 역시 관찰되었고, 이는 잘못 분포된 축삭 때문으로 보인다. 이와 반대로 신경지배가 적절하게 이루어질 때 근육은 정상적으로 움직일 수 있다. 되돌이후두신경이 그 분지부보다 원위부에서 절단되고, 각 분지가 분리되어 회복된다면, 외전이 내전보다 약할지라도 생리적 외전과 내전은 회복될 수 있다.[39] 불행히도, 이러한 이론은 갑상선절제술 시 신경이 손상되었다면 손상부위가 후두 외측이고 따라서 대개는 분지부위보다 근위부이기 때문에 적용될 수 없다. 또 다른 접근법은 가로막 신경을 외전근에, 목신경고리(ansa cervicalis)를 내전근에 접합하여 재분포 시키는 것인데, 이 방법은 실험동물에서 흡기 시에 외전과 내전근의 긴장도를 회복하는 것을 보여줬지만 능동적인 내전을 하지는 못했으며 또한 인간에서 그 결과를 판단할 만큼 충분하게 시험되지는 못했다.[40] 또한 가로막 신경을 희생시키는 것인 만큼 그보다도 더 많은 이득이 있어야 한다는 부담이 있다. 현재, 절단된 신경을 즉각적으로 문합하는 것은 신경재분포를 최대화할 수 있다는 점에서는 합리적인 치료법으로 생각되나 경련성 기능이상이 발생하여 botulinum 독소를 주사하거나 외과적 신경 절단술이 필요할 수 있다는 단점이 있다. 아무런 조치 없이 경과를 관찰

하는 방법도 어느 정도의 자연적인 신경재분포로 인해 이상 기능의 가능성이 줄어들 수 있으므로 하나의 방편이 될 수 있다. 그 외 대안으로 목신경고리의 한 분지를 신경 절단 끝의 원위부에 문합하는 방법이 제안된 바 있으나 이는 휴식 시 긴장도는 회복되지만, 유용한 움직임을 회복할 수 없고 연합운동에 위험성을 동반한다는 단점이 있다.

5. 한쪽 후두마비의 치료

일반적으로 손상 후 급성기 동안 가장 좋은 치료는 경과 관찰이다. 정상적인 목소리를 내는데 가장 좋은 방법은 성문에 대한 외과적 중재 없이 신경재분포만을 통해 회복하는 것이다. 몇몇 환자들은 자연적으로 혹은 언어 병리학자(speech pathologist)의 치료하에 보상적인 전략으로 기능을 상당 부분 회복하였다. 수술적인 치료로 최선의 결과를 얻으려면 환자의 상태가 안정적이고 변동이 없는 회복기에 도달했을 때 치료를 시행해야 한다. 자연적인 회복기는 대개 6~12개월이며 환자 개인별 회복의 가능성과 마비로 인해 받는 손상에 따라 예외는 있을 수 있다. 두개저 수술 시 미주신경이 절단되면 회복은 매우 어려우며 환자는 연하 시 심한 흡인과 함께 종종 목소리를 낼 수 없게 되므로, 이러한 환자에서는 즉각적인 수술적 처치가 필요하다. 되돌이후두신경 손상의 경우에는 어느 정도의 회복을 기대할 수 있으므로 경과를 관찰하는 것이 더 합리적일 수 있다. 환자의 증상이 명백하다면 성대주름에 gelfoam을 주사하여 회복을 기다리는 동안 일시적인 중앙화를 형성할 수 있다. 많은 연구자들은 가역적이며, 기능 회복 후에 이식물을 제거할 수 있는 즉각적인 1형 갑상성형술(type I thyroplasty)을 추천하고 있다. 그러나, 갑상성형술이 가역적이지 않고 그 흉터조직은 이식물이 제거된 이후에도 성대주름의 변이가 유지될 것이라는 증거가 있으며 이에 대한 자료는 불충분해서 현재로서는 어떠한 조치도 정당화될 수 없다.

정상적인 운동으로의 회복은 아직 임상적으로 개연성이 떨어지기 때문에 후두 마비의 표준치료는 재활이다. 한쪽 마비에서는 마비된 성대주름의 형태에 맞춰 움직일 수 있는 주름이 적절하게 성문을 폐쇄할 수 있도록 하는 방법이 선호된다. 이상적으로는 성대주름의 모양과 조화는 움직일 수 있는 쪽에서 보이는 것과 같은 점막의 파동을 가능케 할 수 있어야 한다. 정상적인 발성 시의 3차원적인 성문의 배열이 정확히 알려져 있지 않기 때문에 그 수술적 치료는 경험적으로 발전해 왔다. 후두 마비 시 첫 번째로 시도할 수 있는 효과적인 치료는 성대주름에 Teflon을 주사하는 것이다.[41] 이는 급성기에 염증성 변화가 적기 때문에 시술이 쉽고 즉각적인 효과를 볼 수 있다. 그러나 Teflon 주사의 한계는 수년이 흐르면서 명백해졌다. 첫 번째로, 마비된 주름이 매우 가쪽에 위치한 환자와 두 주름간의 수직적 위치 차이가 있는 환자에서 결과가 좋지 않았으며, 이러한 환자에서는 후방 간격이 존재하였다. 두 번째로, Teflon은 만성 육아종성 반응을 일으켜 몇몇 경우에서는 그 자체로 큰 육아종을 형성하였고, 성대주름을 일그러뜨리고, 말소리와 심하면 호흡까지도 심각하게 손상시켰다. Teflon 주사의 인기가 감소하면서 마비된 성대주름을 중간선에 더 가깝게 만들려는 다른 수많은 방법들이 생겨났다. 많은 방법들이 효과적으로 적용 되었으나 후두마비는 단순한 문제가 아니다. 위에서 언급했듯이 환자의 증상은 매우 다양하고, 후두의 복합적인 운동을 위해 성대주름의 고정된 모양이나 형태 또한 매우 다양하다. 환자의 증상과 남아있는 움직임, 마비된 성대주름의 해부적인 모양이나 형태에 기초하여 적절한 치료를 선택하는 것이 중요하다.

환자가 길고 지속적인 모음을 내게 될 가능성이 있다고 충분히 확신할 수는 없으며, 마비된 성대 주름이 적당한 곳에 위치해야 움직이는 주름이 과도한 보상성 비틀림 없이 쉽게 가까워질 수 있다. 운동의 범위가 넓기 때문에 정상적인 성대 주름은 주름끼리 종종 가까워 질 수 있는데 이는 너무 짧거나 가쪽이거나, 또는 정상적 발성 높이 위나 아래일 수 있다. 그리하여 환자는 자신

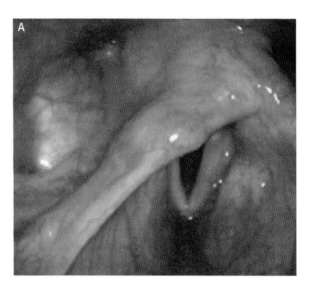
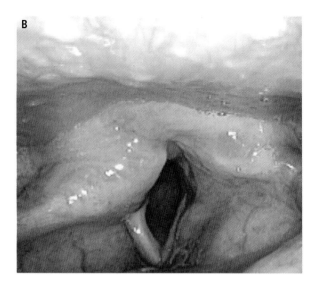

그림 39-6 | 가쪽 후두 마비에서 성문 닫힘의 제한
모뿔 체부가 닫히지 못하도록 성대돌기가 가쪽으로 회전하는 것이 특징이다. **A.** 발성시. **B.** 호흡시

이 원하는 합당하고 지속적인 모음을 낼 수 있다. 그러나 말을 이어가는 과정은 빠른 조절을 요하기 때문에 말하는 동안 성문 폐쇄가 약해지고, 말을 지속하게 되면서 음성의 피로가 발생할 수 있다. 이런 상황은 마치 한쪽 사지가 마비된 환자가 박수를 치려고 시도하는 것과 같다. 만약 마비된 손을 앞쪽에 고정시킨다면 일은 훨씬 쉽겠지만 그 손을 어깨 높이와 같은 기능성이 떨어지는 위치에 둔다면, 훨씬 어렵고 더 많은 노력이 필요하게 될 것이다. 일상적인 회화를 하는 동안 성대의 기능을 최대화하기 위해서는 마비된 성대 주름은 중간선 근처의 성대 돌기에 고정되어야 하고, 전방 경계로부터 적절한 높이와 거리를 유지해야 하며, 막 성대주름은 적절한 모양과 부피를 가져야 한다.

마비된 성대주름이 중간선 근처에 있을 때는 모뿔연골은 보통 좋은 위치에 있게 되고, 막 성대주름도 중앙쪽으로 움직이는데 대개 충분하게 된다. 지방이나 아교질, 진피 혹은 근막 등의 물질을 후두경을 통해 성대주름에 주사 혹은 이식함으로써 이를 이룰 수 있다. 성문의 간격을 넓히기 위해서는 주문제작 혹은 사전 제작된 다양한 이식물을 이용한 1형 갑상성형술이 널리 시행되

고 있다.

마비된 성대 주름이 가쪽에 있을수록 성문 간격은 더 넓어진다. 게다가 성대돌기는 더 가쪽에 있게 되고, 이는 모뿔연골이 중앙선에서 더 멀리 회전한다는 것을 의미한다. 뒤반지모뿔근의 수축과 함께 빗축(oblique axis)으로 후두를 회전시키기 위해 근육이 뒤쪽으로 당겨지면서 성대 주름이 위쪽과 가쪽으로 움직여서 성대주름의 외전이 이루어진다. 모뿔연골이 외전되어 있을 때 그 각은 막 성대주름과 모뿔연골의 성대 돌기에 의해 이루어진다(그림 39-6). 모뿔연골의 체부는 성대돌기가 서로 접근하지 못하도록 방해하며 성대 돌기가 중앙선에 가깝게 위치하도록 모뿔연골을 회전시켜야만 후방 폐쇄가 이루어지는데 이를 위해서는 모뿔연골의 내전이 필요하게 된다(그림 39-7).[42] 일부 연구자들은 후미가 있는 대형 갑상성형술에 이용되는 이식물을 통해서 성대 돌기가 중심선에 위치할 수 있다고 보고하였다. 그러나 대부분의 저자들은 모뿔연골의 내전이 유일하게 후방간격을 교정할 수 있는 방법이라고 생각하고 있다. 비록 모뿔연골이 적절한 위치에 있다 하더라도 방패모뿔근이 수축하게 되면 대개 성대의 부피가 감소되므로 결과적으로

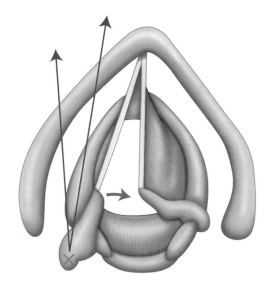

그림 39-7 | 모뿔 모음과정

성대돌기의 전방에 간격이 있게 된다. 그러므로 모뿔연골 내전술(arytenoid adduction)은 종종 1형 갑상성형술 혹은 성대주름 주사와 함께 사용된다.

이완성 마비에서는 뒤반지모뿔근의 지지가 소실되어 연골이 앞으로 처지게 되므로 모뿔연골은 다른 위치에 있게 된다. 성대돌기는 정상 주름보다 아래에 있게 되고 모뿔연골이 내전하면 더욱 꼬리 쪽으로 이동한다. 후방의 지지 봉합은 후방 지지와 모뿔연골을 수직 상태로 회복시키는데 이용된다.[43] 또 다른 접근방법으로는 내전피열연골고정술(adduction arytenoidopexy)을 들 수 있다.[44]

6. 양쪽 마비의 치료

양쪽 후두의 마비는 현재로서는 정상적인 기능을 회복시킬 수 있는 방법이 없기 때문에 치료하기 어려운 질환이다. 일부 환자들은 어떠한 중재적 치료 없이도 다행히 가장자리의 기도를 확보하고, 다양한 정도의 발성장애를 보이게 된다. 그러나 대부분의 기도 폐색은 중재적

치료가 필요한 심각한 상태이다. 기관절개술은 음성 기능의 손상 없이 기도를 확보하는데 좋은 방법이지만, 사회적으로나 기능적인 부작용은 다양하다. 외과적인 성문 기도 확장술은 기관절개를 시행하지 않고도 기도 폐쇄를 충분히 예방할 수 있는 방법이지만 기도를 확장시킴으로써 음성이 소실되거나 성문 폐쇄 기능이 손상될 수 있다. 흡기 시 역동적인 성문확장을 재건하는 방법은 마치 근육의 전기적 활동성이나 신경재분포처럼, 더 나은 해결책이 될 수는 있으나 이러한 방식은 아직 실험적이다. 그러므로 선택 가능한 방법은 꼭 필요한 경우 기관절개술을 시행하거나 혹은 성문 기도를 확장하는 방법이다. 일반적으로 기도를 크게 확장시키려면 뒤쪽의 연골부위를 제거해야 하지만 전 모뿔연골절제술은 흡인의 위험성을 동반하므로 좀 더 주의 깊은 방법으로 가쪽벽을 보존하면서 안쪽 혹은 부분 모뿔연골절제술을 시행하게 된다.[45] 또한 후두의 바깥쪽을 지나 성대 주름 주위를 거쳐 후두의 바깥쪽으로 다시 돌아와 묶는 봉합법이 성대주름을 중앙화시키는 방법으로 쓰이기도 한다. 이는 회복을 기다리는 동안에 일시적으로 성대주름을 편측화(lateralization)시키는 좋은 방법이다. 실험적 방법으로는 후두 박동조정기(layrngeal pacemaker)와 내전근을 약화시키기 위해 Botulinum 독소를 이용하는 방법 등이 연구 중에 있다.[46]

요약

후두신경마비는 갑상선 수술 후 발생할 수 있는 심각한 합병증이다. 증상은 손상의 정도와 신경재분포의 정확도에 따라 다르기 때문에 매우 다양하다. 절단된 신경의 급성기 관리는 아직 논쟁의 여지가 있음에도 불구하고 대부분의 연구자들이 직접 신경을 복구하거나 목신경고리의 분지에 문합하는 등의 신경재분포에 대한 시도를 지지하고 있다. 한쪽 마비에 대한 영구적인 수술적 치료는 환자가 심각한 증상이 없다면 회복이나 적응 정도에

따라 6~12개월 후로 연기하여 시행되어야 한다. Gelform 주사는 좋은 임시방편 중 하나이며, 한쪽 마비 시에는 환자들의 각각의 결손 정도에 맞춘 중앙화 수술을 시행하게 되면 대부분의 환자에서 정상 기능에 가깝게 회복할 수 있다. 양쪽 마비는 현재로서 효과적인 치료법

이 없기 때문에 무서운 합병증이다. 대부분의 환자에서 성대의 기능을 손상시키는 기관절개술이나 성대 기도를 확장하는 일부 시술이 필요하다. 더 좋은 치료법을 발전시키기 위해서는 지속적인 연구가 필요할 것이다.

REFERENCES

1. New GB, Childrey JH. Paralysis of the vocal cords: a study of 217 medical cases. Arch Otol 1932;16:143-59.
2. Semon F. On the proclivity of the abductor fibers of the recurrent laryngeal nerve to become affected sooner than the adductor fibers or even exclusively. Arch Laryngol 1881;2:197-222.
3. Grossman M. Contribution to the mutual functional relationships of the muscles of the larynx. Arch Laryngol Rhinol 1906;18:463-71.
4. Konrad HR, Rattenborg CC. Combined action of laryngeal muscles. Acta Otolaryngol 1969;67:646-9.
5. Hirano M, Nozoe I, Shin T, et al. Electromyography for laryngeal paralysis. In Hirano M, Kirchner J, Bless D, editors: Neurolaryngology: Recent Advances, Boston, 1987, College-Hill.
6. Woodson GE. Configuration of the glottis in laryngeal paralysis I: clinical study. Laryngoscope 1993;103:1227-34.
7. Koufman JA, Walker FO, Joharji GM. The cricothyroid muscle does not influence vocal fold position in laryngeal paralysis. Laryngoscope 1995;105:368-72.
8. Blitzer A, Jahn AF, Keidar A. Semon's law revisited: an electromyographic analysis of laryngeal synkinesis. Ann Otol Rhinol Laryngol 1996;105:764-9.
9. Crumley RL. Laryngeal synkinesis revisited. Ann Otol Rhinol Laryngol 2000;109:365-71.
10. Netterville JL, Stone RE, Rainey C, et al. Recurrent laryngeal nerve avulsion for treatment of spastic dysphonia. Ann Otol Rhinol Laryngol 1991;100:10-4.
11. Woodson GE. Configuration of the glottis in laryngeal paralysis II: Animal experiments. Laryngoscope 1993;103:1235-41.
12. Mathew OP, Sant'Ambrogio FB, Woodson GE, et al. Respiratory activity of the cricothyroid muscle. Ann Otol Rhinol Laryngol 1988;97:680-7.
13. Woodson GE, Sant'Ambrogio F, Mathew O, et al. Effects of cricothyroid contraction on laryngeal resistance and glottic area. Ann Otol Rhinol Laryngol 1989;98:119-24.
14. Amis TC, Brancatisano A, Tully A, et al. Effects of cricothyroid muscle contraction on upper airway flow dynamics in dogs. J Appl Physiol 1992;72:2329-35.
15. Woodson GE, Murry MP, Schweizer B, et al. Unilateral cricothyroid contraction and glottic configuration. J Voice 1998;12:335-9.
16. Flint PW, Downs DH, Colterera M. Laryngeal synkinesis following reinnervation in the rat. Ann Otol Rhinol Laryngol 1991;100:797-806.
17. Wani M, Woodson G. Paroxysmal laryngospasm after laryngeal nerve injury. Laryngoscope 1999;109:694-7.
18. Gacek M, Gacek RR. Cricoarytenoid joint mobility after chronic vocal cord paralysis. Laryngoscope 1996;106:1528-30.
19. Woodson GE, Murry T. Glottic configuration after arytenoid adduction. Laryngoscope 1994;104:965-9.
20. van Lith-Bijl JT, Mahieu HF, Stolk RJ, et al. Laryngeal abductor reinnervation with a phrenic nerve transfer after a 9-month delay. Arch Otolaryngol 1998;124:393-8.
21. Bryant NJ, Woodson GE, Kufman K, et al. Human posterior cricoarytenoid muscle compartments: anatomy and mechanics. Arch Otolaryngol Head Neck Surg 1996;122:133-6.
22. Neuman TR, Hengesteg A, Lepage RP, et al. Three-dimensional motion of the arytenoid adduction procedure in cadaver larynges. Ann Otol Rhinol Laryngol 1994;103:265-70.
23. Sanders I, Bai-Lian W, Liancai M, et al. The innervation of the human posterior cricoarytenoid muscle: evidence for at least two neuromuscular compartments. Laryngoscope 1994;104:880-4.
24. Sanders I, Han Y, Wang J, et al. Muscle spindles are concentrated in the superior vocalis subcompartment of the human thyroarytenoid muscle. J Voice 1998;12:7-16.
25. Horsley JS. Suture of the recurrent laryngeal nerve. Southern Surg Gynec Assoc 1909;22:161-7.
26. Blalock A, Crowe SJ. The recurrent laryngeal nerves in dogs: experimental studies. Arch Surg 1926;12:95-116.
27. Frazier CH, Mosser WB. Treatment of recurrent laryngeal nerve paralysis by nerve anastamosis. Surg Gynecol Obstet 1926;43:134-9.
28. Doyle PJ, Brummett RE, Everts EC. Results of surgical section and repair of the recurrent laryngeal nerve. Laryngoscope 1967;77:1245-54.
29. Green DC, Ward PH. The management of the divided recurrent laryngeal nerve. Laryngoscope 1990;100:779-82.
30. Hoover WB. Surgical procedures for the relief of symptoms of paralysis of the recurrent laryngeal nerves. Surg Clin North Am 1953;33:879-85.
31. Iwamura S. Functioning remobilization of the paralyzed vocal cord in dogs. Arch Otolaryngol 1974;100:122-9.
32. College L. On the possibility of restoring movements to a paralyzed vocal cord by nerve anastomosis. BMJ 1925;2:547.
33. Balance C. Some experiments on nerve anastomosis. Proc Mayo Clin 1928;3:317.
34. Gordon JH, McCabe BF. The effect of accurate neurorrhaphy on reinnervation and return of laryngeal function. Laryngoscope 1968;78:236-50.
35. Boles R, Fritzell B. Injury and repair of the recurrent laryngeal

nerves in dogs. Laryngoscope 1969;78:236-50.

36. Tashiro T. Experimental studies on the reinnervation of larynx after accurate neurorrhaphy. Laryngoscope 1972;82:225-36.

37. Sirabodhi C, Sundmaker W, Atkins JP. Electromyographic studies of laryngeal paralysis and regeneration of laryngeal motor nerves in dogs. Laryngoscope 1963;73:148-64.

38. van Lith-Bijl JT, Stolk RJ, Tonnaer JA, et al. Laryngeal abductor function after recurrent laryngeal nerve injury in cats. Arch Otolaryngol Head Neck Surg 1996;122:393-6.

39. Peterson KL, Andrews R, Manek A, et al. Objective measures of laryngeal function after reinnervation of the anterior and posterior recurrent laryngeal nerve branches. Laryngoscope 1998;108:889-98.

40. van Lith-Bijl JT, Stolk RJ, Tonnaer JA, et al. Selective laryngeal reinnervation with separate phrenic and ansa cervicalis nerve transfers. Arch Otolaryngol Head Neck Surg 1997;123:406-11.

41. Arnold G. Vocal rehabilitation of paralytic dysphonia: IX Technique of intracordal injection. Arch Otolaryngol 1962;76:358-68.

42. Isshiki N, Tanabe M, Sawada M. Arytenoid adduction for unilateral vocal cord paralysis. Arch Otolaryngol 1978;104:555-8.

43. Woodson GE, Picemo R, Yeung D, et al. Arytenoid adduction: controlling vertical position. Ann Otol Rhinol Laryngol 2000;109:360-4.

44. Zeitels SM, Hochman I, Hillman RE. Adduction arytenopexy: a new procedure for paralysis dysphonia with implications for implant medialization. Ann Otol Rhinol Laryngol Suppl 1998;173:2-24.

45. Wani M, Woodson GE. Paroxysmal laryngospasm after laryngeal nerve injury. Laryngoscope 1999;109:694-7.

46. Zealear DL, Rainey CL, Herzon GD, et al. Electrical pacing of the paralyzed human larynx. Ann Otol Rhinol Laryngol 1996;105:689-93.

갑상선 수술 중 신경모니터링의 현재와 미래

Present and Future of Nerve Monitoring During Thyroidectomy

| 고려대학교 의과대학 외과 **김훈엽**

지난 수년 동안 갑상선 수술에 있어, 새롭고 안전한 기술들이 개발 및 제안되었고 시행되어 왔다.[1] 내시경을 이용한 갑상선절제술은 수술 전후로 전반적인 삶의 질의 향상을 가져왔으며, 경부외 접근을 통한 갑상선 수술법은 미용적으로도 우수한 결과를 가져왔고 최소 침습수술은 수술 후 경과를 개선시켰다.[2] 갑상선절제술 후 부갑상선 호르몬의 정상여부를 초기에 측정하는 것은 수술 후 저칼슘혈증을 예방하는데 유용한 것으로 밝혀졌다.[3] 지혈과 박리 과정의 최신 장비들은 수술 중 출혈을 잘 제어할 수 있으며[4] 또한, 유전적 스크리닝(genetic screening)으로 갑상선암의 생존율이 향상되었다.[5]

생존율의 향상뿐 아니라 수술 후 기능 보존에도 많은 관심과 발전이 있었다. 갑상선 수술 후 후두 신경 마비를 예방하기 위해, 신경을 육안적으로 확인하는 것에 그치지 않고 수술 중 신경모니터링을 통해 후두 신경 기능을 유지하는 기술이 제안되었다.[6,7] 이 장에서는 수술 중 신경 모니터링을 이용한 갑상선 수술에 대한 저자의 경험과 관련 의학 문헌을 검토하고 모니터링의 기술적, 의학적 및 법적 측면을 제시하고자 한다.

1. 갑상선 수술에서 후두 신경 모니터링이 필요한 이유

1938년 Lahey는 3,000례 이상의 갑상선절제술을 하면서 되돌이후두신경을 육안으로 식별하였음을 처음 보고했다. Lahey는 되돌이후두신경의 주의 깊은 박리를 통해 신경의 손상을 확실히 감소시켰다고 발표하였다. 이후 되돌이후두신경의 손상률은 10%에서 0.3%로 떨어졌으며,[8] 해부에 중점을 둔 Lahey의 연구는 현대 갑상선 수술의 방향을 설정했다.[9]

1984년 Karlan, 1994년 Jatzko, 2002년 Hermann은 갑상선절제술 시 되돌이후두신경의 광범위한 박리 및 노출을 통해 신경의 안전함을 시각적으로 확인할 수 있다는 것을 보여주었으며, 따라서 수술 중 신경을 제한적으로 노출시키는 것보다 신경 보존률이 우월한 것으로 나타났다.[10-12] 저자들은 되돌이 후두신경의 마비확률을 1~2%로 보고하였다. 갑상선 수술 시 이미 시각적으로 확인 및 보존이 가능한 후두신경을, 수술 중에 신경 모니터링으로 확인하는 일이 왜 필요한지 그 이유에 대해 살펴보도록 하겠다.

되돌이후두신경 손상 원인은 다양하며, 대부분은 외과 기술의 실수로 인한 것이다: 신경의 절단(의도적 또는 부주의), 결찰 시 포획, 수술 시 발생하는 견인 손상, 겸자(clamping)손상, 압축, 타박, 압박, 과도한 박리로 인한 국소 허혈, 전기 또는 열에 의한 손상이 포함된다.[13,14]

몇몇 연구에 의하면 외과의사는 경험이 풍부한 사람 조차도 실제 되돌이후두신경 손상을 과소 평가한다고 보고하였다.[15-19] 외과의사가 수술 중에 되돌이후두신경 손상을 입힐 가능성은 7.5~15%이다.[15-19] 보이지 않는 되돌이후두신경의 손상(열, 견인, 압축, 타박 또는 압력)은 외과 의사의 눈만으로 감지되지 않기 때문에, 수술 중 모니터링을 통한 되돌이후두신경의 기능적 평가만이 그러한 손상을 확인할 수 있다. Harmonic® 및 Ligas-ure®와 같은 새로운 에너지 기반 장치는 후두 신경과 같은 인접 구조물에 보이지 않는 열 관련 손상을 가할 가능성이 있다.[20,21] Snyder는 갑상선 및 부갑상선 수술 중 되돌이후두신경 손상의 주요 원인이 견인임을 밝혔다.[14] 수술 중 신경모니터링을 통해 시각적으로는 여전히 신경이 손상되지 않아 보이는 경우에도 수술 중 되돌이후두신경 기능상실을 밝히는 데 도움이 된다.[13,14]

갑상선 수술 중 신경모니터링을 통해 되돌이후두신경 기능의 수술 중 평가는 다음과 같은 몇 가지 이유로 중요하다.[7,22]

① 수술 후 기능의 예측(예후)
② "갑상선의 단계적인 절제술"과 함께 양측 되돌이후두신경 손상 예방
③ 수술 중 신경모니터링을 통해 되돌이후두신경이 손상된 기전과 시기를 식별하고 손상된 신경의 위치를 정확하게 찾아낼 수 있다.
④ 음성변화가 되돌이후두신경과 관련되어 있는지 여부를 조기에 구별할 수 있다.

3. 후두 신경의 해부적 변이

되돌이후두신경은 갑상선을 전방으로 견인하고 후방의 혈관과 결합조직을 어느 정도 박리하여야 시야에 노출된다. 되돌이후두신경은 기관-식도 고랑(Tracheoesopha-geal groove)을 따라 평행하게 주행한다.

되돌이후두신경은 30~73%에서 후두외(extralaryn-geal) 분지를 하는 것으로 밝혀졌다.[23-30] 되돌이후두신경의 후두외(extralaryngeal) 분지는 인두, 후두, 기관, 상부 식도 및 하악 관절 근육에 대한 감각 및 운동 신경, 교감 신경 및 부교감 신경 분지를 전달한다.[22] Serpell은 (수술 중 신경 모니터링을 이용하여) 성대의 내전과 외전에 관여하는 되돌이후두신경의 운동 섬유가 신경의 앞쪽 분지에만 위치하는 것을 알아냈다.[31] 그리고, 되돌이후두신경의 외과적 손상이 분지 신경에서보다 더 흔하게 발생한다는 것을 보고하였다.[32]

또한, 우측에서 되돌이후두신경이 쇄골하동맥을 돌아오지 않고 쇄골하동맥 상방에서 미주신경으로부터 바로 내측으로 주행하여 후두로 들어가는 비회귀신경(non-recurrent nerve)이 존재하는 경우도 0.4~1% 사이이다.[33] 갑상선암, 갑상선 기능 항진증, 재수술, sub-sternal 갑상선종, 이전의 방사선 요법 및 갑상선염 환자에서 후두 신경의 확인이 어려울 수 있다.[13]

그러므로, 해부적 변이와 신경의 미확인 운동 분지가 있는지 확인하기 위해 갑상선절제술 동안 되돌이후두신경을 확인하는데 주의를 기울여야 한다. 외과의사는 시각적으로 식별된 신경을 신경 생리학적으로도 확인을 해야하며, 되돌이후두신경은 시각적, 기능적으로 식별되어야 한다. 오직 수술 중 신경모니터링만 두 분지 중 운동 분지가 있는 되돌이후두신경을 식별할 수 있다. 후방 감각 분지는 온전한 되돌이후두신경으로 오인되어 전방 운동 분지의 손상을 초래할 수 있다. 수술 중 신경모니터링은 되돌이후두신경의 운동 분지가 어디에 위치하는지를 확인함으로써 이러한 상황을 해결할 수 있다.[31,34] 갑상선절제술에서 되돌이후두신경 해부에 대한 명확한 이해는 신경 보호를 위한 필수조건이다.[7,22]

4. 되돌이후두신경 손상의 발생 빈도

되돌이후두신경 마비의 발생 빈도는 여러 가지 이유로 평가절하 되어 있다.[22] 갑상선 및 부갑상선 수술을 시

행하는 센터에서 일반적으로 내부 감사는 존재하지 않으며 모든 환자가 수술 후에 체계적인 후두 검사를 받지는 않는다. 되돌이후두신경 손상이 실제로 발생하는 비율을 알아보기 위해서는 모든 환자가 수술 전 및 수술 후 후두 검사를 받아야 하는데,[15,22] 부적절한 데이터가 있는 병원은 데이터를 보고할 가능성이 적어,[22,35] 양측 되돌이후두신경 마비 발병률에 대해 문헌에서 데이터 부족이 발생하며 신뢰성이 떨어지게 된다.[35]

되돌이후두신경 마비의 비율은 수술 후 성대 검사의 '시기'에 영향을 받는다. 수술 후 2일 이내의 후두 검사를 시행하는 기관에서는 수술 후 2~3주에 검사를 시행하는 기관에 비해 상대적으로 되돌이후두신경 마비가 더 많이 발생하는 것처럼 보고된다.[13] 합병증의 발생률은 평가 절차에 따라 다르고 그 절차가 더 정교하고 객관적일수록 합병증 가능성이 더 커지는 것처럼 보이게 된다. Jeannon은 갑상선 수술 후 되돌이후두신경 마비를 진단하는 다양한 방법으로 인해 갑상선 수술 후 되돌이후두신경 마비 발생 빈도에 상당한 차이가 있음을 보여주었다.[36] 조기에 효과적인 치료계획을 수립하고 여러 센터 간의 결과를 비교할 수 있도록 수술 후 되돌이후두신경 기능 평가의 통일되고 표준적인 기준이 필요하다. 수술 중 신경모니터링과 함께 수술 후 조기에 성대 검사를 시행하면 되돌이후두신경 마비의 실제 발생 빈도를 명확히 보여줄 수 있다.

5. 신경 모니터링과 수술 전후 환자 관리

신경 모니터링을 시행하기 전에 환자에게 모니터링법에 대해 정확히 설명하고 사전동의서를 받아야 한다. 갑상선 전절제술이 계획된다면, 한쪽 되돌이후두신경의 손상 유무가 반대 쪽 수술을 진행할지 결정하는 데에 도움이 된다. 따라서, 동의서를 받을 때에 갑상선절제제술 중 있을 수 있는 결과와 수술의 위험성 그리고 신경 모니터링의 결과에 대해서 기술해야 한다. 즉, 만약 먼저

갑상선을 제거하는 쪽의 후두신경에서 신호상실(loss of signals, LOS)이 나타날 경우라면, 양쪽 성대마비의 가능성을 방지하기 위해서 같은 날 반대편 수술을 진행하지 않고 시간이 흐른 뒤에 나머지 반대편 갑상선을 수술하는 식으로 단계적 수술이 진행될 수 있다는 가능성을 환자에게 수술 전 미리 설명해야 한다.[37] 그리고 실제로 신호상실이 나타났을 때 집도의는 수술 부위 신경이 일시적으로라도 손상되는지를 고려해야 해야 하며 이 신호상실이 진정으로 신경 손상을 의미하는 것인지를 확인하여 수술 진행의 범위를 결정해야 한다. Goretzki 등은 신경 손상이 명확한 85%와 절제한 첫 번째 쪽에서 신경 모니터링 자극에 반응하지 않는 56%에서 수술 후 양쪽 후두신경의 마비를 초래하지 않는 방향으로 수술적 전략을 변경하였다.[38] 이는 외과의가 첫 번째 갑상선 절제 측에 대한 기존 신경 손상이 실제 있거나, 손상 가능성 있는 것을 알지 못할 때 일어나는 양쪽 후두신경 마비가 17%의 환자에서 일어나는 것과 대비되었다 (P<0.05).[39] Dralle 등은 표준화된 신경 모니터링 방법 및 절차를 통해서 처음 절제된 쪽에서 신호가 상실된 후에 더 이상의 수술을 진행하지 않음으로써 양쪽 후두신경 마비를 방지할 수 있게 되어 의료과실 소송을 막는데 중요하다고 주목했다. 독일 외과의를 대상으로 한 설문에서 93.5%는 한쪽 LOS가 있을 때 양쪽 후두신경 마비를 막기 위해 수술 전략을 변경하겠다고 했으며, 이 중 84.7%는 양쪽 수술을 중단하고 8.8%는 예정된 수술 범위를 줄이겠다고 답했다.[40] Sadowski 등에 의하면, 환자들 또한 필요에따른 단계적인 갑상선절제술이 유익함을 완전히 이해하고 있기 때문에[41] 신경 모니터링이 전 세계적으로 확산이 되고 있음을 고려한다면, 양쪽 후두신경이 마비된 환자에서 만일 신경 모니터링이 국제적 기준에 따라 맨 처음 절제된 후 후두신경에 실시되지 않았다면 향후 의료과실 청구를 변호하기가 더 어렵게 될 수도 있다고 하였다.[37,42,43] 첫 번째 수술 측의 신호 상실에도 불구하고, 외과의가 반대쪽에 대한 수술을 지속하기로 결정한다면, 이유를 정당화해야 하며 이것을 의무기록에 명확하게 기술해야 하는 것이다.[37,42,43]

후두신경 손상이 있을 때 외과의의 과실에 대해서 평가하기는 쉽지 않다. 즉, 사례를 정확히 분석하기 위해서는 ① 환자 개개인별 상태에 대한 평가(예를 들면 갑상선 질환의 유무), ② 수술 방법(예를 들면 고위험군 수술이라는 사실), ③ 외과의의 역량, 즉 경험, 수련, 수술 수, ④ 신경 모니터링에 대한 집도의의 경험(예를 들면 표준화된 방법으로 모니터링을 시행하는지 여부), 그리고 특정 사례에서 신경 모니터링 사용의 이력 등을 포함한 전체 변수에 대한 정밀한 평가가 요구되기 때문이다. 따라서 신경자극 근전도 기록은 수술 전반의 과정을 검토하고 결론을 이끌어내는 데에 정당성을 부여할 뿐 아니라 필수적이다.[43] 그러므로, 갑상선절제술을 받은 환자의 수술 후 관리에는 의무기록에 적절한 EMG 기록이 포함되어야 할 것이다. 신경 모니터링은 근육 움직임을 인쇄될 수 있는 기록 가능한 EMG 신호로 변환하며, 후두 신경의 정상적인 신경생리적 신호의 기록을 통해서 목소리가 변화했을 때 후두신경과 관련이 있는지를 판단 가능하게 할 수도 있다. 따라서 신경 모니터링 국제 기준에 따라 한쪽 당 시간에 따른 V1, R1, R2, V2 자극 결과값을 기록한 값을 수술 전후 후두경 검사결과와 함께 기록해야 한다.

6. 수술 중 신경모니터링의 실제

수술 중 모니터링을 제대로 사용하려면 이에 대한 경험과 교육이 필수적이다. 수술 중 신경모니터링을 익히려면 마취과 의사와 외과 의사 모두 학습을 위한 일정기간이 필요하다. 수술 중 모니터링의 성공률은 수술 및 마취의 경험 정도에 따라 크게 달라진다. Jonas, Bähr 등에 따르면, 약 50~100건의 수술 후에 신경모니터링 술기에 숙련된다는 보고를 하였다.[44,45] 갑상선절제술 중 모니터링 기술 문제의 90%는 내시경 표면 전극과 성대의 완전하지 않은 접촉으로 인한 것이다. 회전등의 문제로 인한 튜브 위치변화가 초기 실패의 주요 원인이다.[44-46] 수술 중 모니터링 기술의 마취 방법 기준은 Chu, Lo 및 Bacuzzi의 논문에서 보고되었다.[46-48] 일반적으로 기관 내 마취의 초기 단계에는 석시닐콜린(Succinylcholine, 1mg/kg)이 사용되어야 하며, EMG 활동이 수술 중에 기록되므로 삽관 후에 추가적인 신경근 차단제 사용은 금지해야 한다. 현재 가장 많이 사용되는 모니터링 시스템은 Nerve Integrity Monitor이다(NIM-Response 2.0 System, Medtronic Xomed, Jacksonville, FL).[49] 이 시스템은 endotracheal tube의 벽에 결합된 두 쌍의 와이어(직경 1mm 이하)를 가진 전용 기관삽관튜브(endotracheal tube)를 기반으로 하며 최적의 양측 성대 점막 접촉을 위해 glottis level에서 30 mm를 노출시킨다(그림 40-1, 40-2). 이 디자인은 모니터 된 갑상선 및 부갑상선 수술에서 되돌이후두신경 및 미주신경의 자극 동안 좌, 우 갑상피열근(thyroarytenoid)의 EMG 모니터링을 유발할 수 있다. 튜브는 커넥터 박스를 통해 EMG 모니터와 상호작용하게 된다. 갑상선 수술의사는 두 성대의 EMG 활동을 보고 들을 수 있다.[22]

삽관 후에 튜브와 전극의 상대적인 위치가 바뀔 수 있으므로 머리와 목의 조절이 정확하게 이루어 지도록 주의를 기울여야 한다.[22,46] 모든 환자의 위치 결정이 끝나면 올바른 기관 튜브 전극의 위치는 다음과 같이 평가된다: 기존 또는 디지털 후두경(Glidescope®)을 사용하여 성대 점막과 표면 전극 간의 완벽한 접촉을 직접적으로 확인한다. 임피던스 값이 5 kΩ 미만이고 임피던스 불균형이 1 kΩ 미만 시 모니터 기능을 확인한다.[22,46]

수술 중 신경모니터링을 사용하여 무균, 일회용, 단극 자극기(Medtronic Xomed) 프로브를 적용하여 수술 부위에서 후두 신경의 위치를 확인, 자극하고 모니터링한다. 이 자극기는 손잡이가 10 cm, 프로브가 길이 9 cm이고, 유연하고 적응력이 있으며 조직을 손상시키지 않는 볼 팁이 0.5 mm이다. 프로브는 전류 충돌을 방지하기 위해 팁에 절연되어 있다. 자극 레벨은 0.5 mA와 2.0 mA(평균 = 1 mA), 30 Hz 주파수, 초당 4번의 자극, 자극 지속 시간 100 μs, 5 kΩ 미만의 임피던스로 설정된다. 손상되지 않은 신경은 기계에 의해 생성된 일련의 청각적 음향 신호를 통해 확인된다. 되돌이후두신경의 1 mA에서

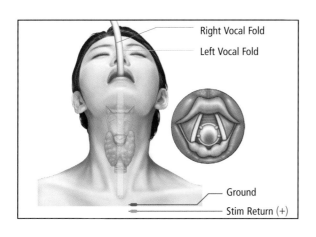

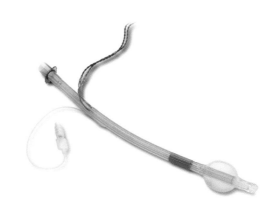

그림 40-1 | 기관 삽관 튜브(endotracheal tube)의 벽에 부착된 두 쌍의 와이어 전극을 통해 양측 성대 점막에 접촉함으로써 신경 자극에 따른 성대의 움직임을 감지하게 된다.

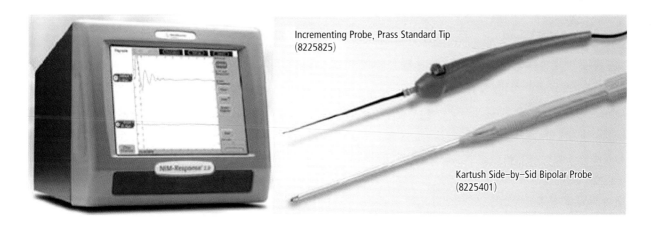

그림 40-2 | 신경 모니터링 시스템(NIM-Response 2.0 System, Medtronic Xomed, Jacksonville, FL)의 모니터 본체와 신경 자극기

자극을 받은 평균 초기 EMG 진폭은 약 900 μV(범위 = 500~1800 μV)이다.

7. 수술 중 신경모니터링의 표준화 4단계

최근 수술 중 신경모니터링 기술의 국제 표준화가 이루어졌다. Chiang은 다음의 4단계 과정을 제시하였다.[13]

(1) 갑상선 박리 전의 미주신경 자극(V1); (2) 처음 되돌이후두신경 확인 시 자극(R1); (3) 갑상선 박리 및 완전한 지혈(R2) 종료 시 되돌이후두신경 자극; (4) 갑상선절제술 및 지혈 완료 후 미주신경 자극(V2).

절제 전에 미주신경 자극(V1)은 모든 시스템 모니터링을 점검하는 근본이다. V1을 자극할 때 EMG 활동이 없다면 Randolph는 후두 경련을 평가할 것을 제안한다. 수술 중 후두의 윤상연골후부위(postcricoid)는 후하인두 벽을 통해 촉지되어 같은 측 되돌이후두신경 자극에 대한 후

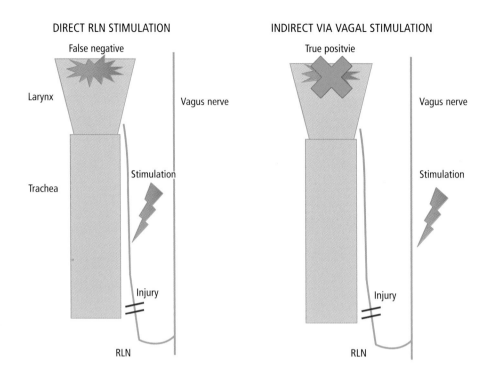

DIRECT RLN STIMULATION
False negative
Larynx
Trachea
Vagus nerve
Stimulation
Injury
RLN

INDIRECT VIA VAGAL STIMULATION
True positvie
Vagus nerve
Stimulation
Injury
RLN

그림 40-3 | 되돌이후두신경의 수술 후 신경 기능을 예측하려면 절제 후 미주신경 자극(V2)이 필수적이다. 신경손상부위의 원위부 자극은 위음성 신호를 생성할 수 있다.

윤상갑상근(cricoarytenoid muscle)의 수축을 감지한다.[22]

되돌이후두신경의 수술 후 신경 기능을 예측하려면 절제 후 미주신경 자극(V2)이 필수적이다. 되돌이후두신경의 손상부위로부터 원위부의 자극은 위음성 즉, 정상 수술 중 신경모니터링 신호를 생성할 수 있다(그림 40-3).[7,19] 오직 미주신경자극 및 추가적인 근전도 신호 등록만으로 모든 종류의 허상(artifact)을 쉽게 발견할 수 있다. 즉, 비논리적인 EMG 소견을 피하고 갑상선절제술에 대한 수술 중 모니터링의 실제 영향을 명확히 할 수 있다.[7] 따라서 되돌이후두신경 모니터링은 직접적으로 되돌이후두신경을 자극하거나 간접적으로 미주신경을 자극하여 모니터링 할 수 있다. Chiang에 따르면, 변경되지 않은 R2와 V2 신호는 100% 정상 성대 기능을 가지고 있다. R2와 V2 신호가 소실된 경우, 수술 중에 되돌이후두신경이 손상된 것이다.

8. 되돌이후두신경 모니터링

되돌이후두신경의 손상은 쉰 목소리, 발성 장애, 연하 곤란 및 흡인과 관련된 성대 마비의 주요 원인이다.[22] 문헌에 따르면 갑상선절제술 후 되돌이후두신경의 일시적인 마비는 0.4~3.9%, 영구적인 마비는 0~3.6%에 이른다고 보고했다.

수술 중 신경모니터링은 육안으로 확인되기 전에 되돌이후두신경을 찾을 수 있다. 이는 그레이브스병 및 재발성 갑상선질환과 같이 수술이 어려운 경우에 특히 중요하다. 삼출과 출혈을 방지하는데 있어서도 수술 중 신경모니터링은 유용하다. 기관식도고랑(Tracheoesophageal groove) 인접 조직에 프로브를 통과시켜 수술 초기에 육안적으로 보이지 않을 때 되돌이후두신경의 정확한 위치를 표시할 수 있다.[22] 수술 중 신경모니터링은 혈관과 신경을 구별할 수 있도록 해준다. 되돌이후두신경의

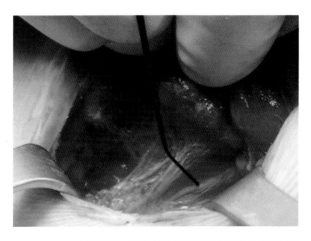

그림 40-4 │ 되돌이후두신경을 신경 자극기를 이용하여 전기자극을 주고 있다.

며, 이는 윤상갑상근(cricothyroid muscle)의 정상적인 수축 즉, 상후두신경의 외분지의 정상 신호로 간주된다. 그러나 상후두신경의 외분지는 하악 인두 수축근의 섬유 내에 위치하여 보이지 않는 경우가 종종 있는데, 신경 모니터링을 사용하여 박리 및 결찰 전에 상후두신경의 외분지의 존재여부를 확인할 수 있다. 신경 모니터링에 더하여 상후두신경의 외분지의 손상을 피하기 위해 상부 갑상선 혈관들을 갑상선 가까이에서 개별적으로 박리 및 결찰해야 한다. 또한, 갑상선 엽을 조심스럽게 견인하여 수술하는 것은 상후두신경의 외분지의 완전성을 보존하는데 도움을 줄 수 있다.

식별을 위해서는 2 mA의 전류로 신경을 자극해야 한다. 일단 신경이 확인되면 되돌이후두신경 식별 및 수술 중 모니터링을 위해 0.5 mA에서 1.0 mA까지의 전류를 사용하도록 권장되고 있다(그림 40-4).

되돌이후두신경과 미주신경 반응을 최적화하기 위해서는 엄격히 무혈 상태에서 연조직과 근막이 덮여 있지 않은 신경을 박리하는 것이 가장 좋다.[2] 수술 중 되돌이후두신경 자극 시 유발되는 파형의 크기는 신경 자극 전극 프로브 접촉 압력, 연조직과 근막의 겹침, 수분의 정도, 후두 전극의 위치, 온도 및 신경 건조도에 따라 다양하다.

9. 상후두신경의 바깥분지(EB-SLN) 모니터링

상후두신경의 외분지(EB-SLN) 손상은 높은 소리의 생성을 저해하고 목소리의 주파수를 변화시킨다.[50] 문헌에 보고된 상후두신경 외분지 손상의 비율은 1~58%에 이른다. 상후두신경의 외분지 모니터링 기술은 2000년 Jonas와 Bahr에 의해 처음으로 기술되었다. 프로브 자극 전류는 0.5 mA와 1.0 mA 사이로 권장하였다. 상후두신경의 외분지를 자극하면 소리로 신호를 확인할 수 있으

10. 지속적 수술 중 신경 모니터링

간헐적 수술 중 신경 모니터링(intermittent intraoperative neuromonitoring: 간헐적 신경 모니터링)은 사용하는데 있어서 근본적으로 제한점이 있는 것이 사실이다.[51] 즉 간헐적 신경 모니터링은 되돌이후두신경을 짧은 주기로 직접 자극하며 기능을 확인하기 때문에 직접 신경 자극을 하는 부위에서만 후두신경이 온전한지 알 수 있다. 따라서 신경의 근위부에서 손상이 있는데 신경의 원위부를 자극하게 될 경우 위음성적인 결과로써 정상적인 모니터링 결과가 나올 수도 있다. 또한 간헐적 신경 모니터링은 갑상선절제술 후 후두신경을 확인하는 것이기 때문에 이미 신경 손상이 일어난 후에야 확인 가능하다는 문제점이 있다.[51] 이러한 간헐적 신경 모니터링의 한계를 극복하기 위해, 지속적 수술 중 신경모니터링(Continuous intraoperative neuromonitoring: 지속적 신경 모니터링)이 고안되었다(그림 40-5). 지속적 신경 모니터링은 수술 중 미주신경(vagus nerve: VN)을 지속해서 전기적으로 자극하여 기관내 근전도(electromyographic endotracheal: EMG)의 진폭(amplitude)과 반응 시간(latency)의 변화를 소프트웨어를 통해서 평가한다(그림 40-6). 예비 결과를 보고한 논문들에 의하면, 이러

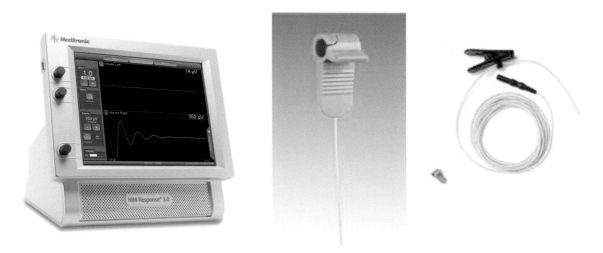

그림 40-5 │ 새로운 신경 모니터링 시스템(NIM 3.0, Medtronic Xomed, Jacksonville, FL)을 사용하여 지속적 신경모니터링을 할 수 있다.

한 지속적 신경 모니터링 방식은 수술 중인 외과의에게 현재 후두신경의 전도도(conductivity)에 대해 실시간으로 피드백을 주게 되어 박리하는 동안 후두신경의 기능을 평가할 수 있게 하며 후두신경을 일정하게 평가할 수 있게 한다.[52-55] 그러나 이와 같은 지속적 신경 모니터링을 본격적으로 사용하기 위해서는 다음의 몇 가지 사항들을 고려해야 한다. 원칙적으로 지속적 신경 모니터링은 수술 중에 후두신경이 손상될 수 있는 위험을 미리 감지할 수 있다. 즉, EMG 신호가 약하거나 감소하는 경우에 외과의는 수술 중 후두신경에 주고 있는 스트레스에 조기 반응할 수도 있으며 가역적인 손상의 경우 원상회복시킬 수도 있다. 따라서 이론적으로는, 외과의가 후두신경에 최종적으로 추가 손상을 주는 것을 피할 수도 있어서 신경을 보존할 수 있다. 지속적 신경 모니터링을 통한 신경의 추가손상 예방은 일시적인 신경 손상(neuropraxia)에서는 가능한 일이지만 이미 신경 파열이나 절단, 열손상이 발생한 신경의 경우에는 활용이 불가능하다. 최근의 관찰 연구들에 따르면, 견인손상은 후두신경 손상의 가장 흔한 원인이기 때문에 지속적 신경 모니터링은 점진적으로 반응시간(latency) 증가와 함께 EMG 진폭(amplitude)이 점차 감소하는 것을 감지하여 견인손상을 방지하는데 매우 유용하다.[52-55] 나아가

Schneider가 최근에 서술한 것처럼, 임상적으로 의미 있는 EMG 신호를 용이하게 해석하기 위해서는 진폭과 반응시간의 변화 모두 신경 손상을 의미하는 양적인 기준이 제공되어야 하며, 결론적으로 반응시간의 >10% 증가가 진폭의 >50% 감소와 동등한 의미를 갖는다고 하였다.[55] 따라서 향후 환자들에게 광범위하게 사용할 수 있기 위해서는 지속적 신경 모니터링을 통해서 얻은 신호의 변화를 정확하게 정성, 정량 분석 및 해석하기 위한 신경생리 및 신경해부적 임상연구들이 향후 진행되어야 할 것이다.[51] 또한 EMG 신호 자체가 믿을만 해야 한다. 실제로, 기관 내 표면전극 하에서는, EMG 진폭의 변화가 있을 때 전극과 성대간의 접촉 변화에 의해 일어나는지 진짜 신경 손상에 의해 일어나는지 여부를 말하기는 어렵다. 또한, 지속적 신경 모니터링 사용 중 나온 EMG 신호가 마취제의 종류, 기도의 조작, 그리고 미주신경 전극의 전위(dislocation) 등에 의해 변하게 된다면 의미가 없을 수도 있기 때문에 전극의 위치에 주의해야 한다.[51] 그리고 지속적 신경 모니터링용 미주신경 전극을 제대로 설치해야 한다.[56,57] 실제 총경동맥(common carotid artery) 및 속목정맥(internal jugular vein)과 관련한 미주신경의 위치는 A(전방), P(후방), PJ(내경정맥의 후방) 또는 PC(총경동맥의 후방)로 분류되는데, 대부분의 미

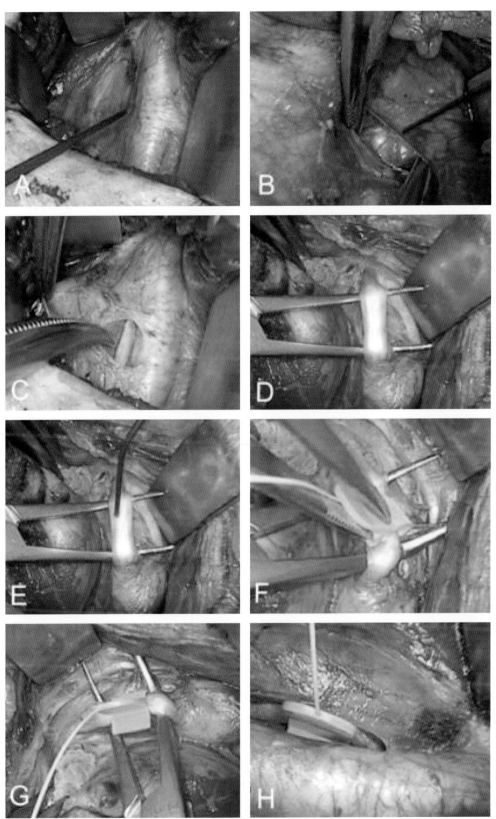

그림 40-6 | 지속적 신경모니터링을 위해 주기적자동신경자극기(APS: automated periodic stimulation)를 미주신경에 거치한 과정

A. 경동맥초(carotid sheath)를 노출시킨다. B. 신경자극기를 이용해 미주신경을 확인한다. C. 경동맥초를 1.5~2.0 cm 가량 절개한다. D. 미주신경을 360도 박리한다. E. 미주신경의 기능을 확인한다. F, G. APS 전극을 미주신경에 거치한다. H. APS 자극기를 경동맥초 안으로 위치한다.

주신경은 경동맥초의 후방 부위에 위치하여 두 혈관 사이에 있다.(95%).[56] 미주신경의 P(후방) 위치는 목의 좌우 양쪽에서 관찰되는 가장 흔한 위치이며, PC(15%)와 PJ(8%) 위치가 그 다음으로 많이 발견된다. 전체적으로, A위치 경우는 5% 미만으로 관찰된다.[56,57] 또한, 총경동맥은 내측에 위치하고 내경정맥은 전외측 또는 외측에 위치하는 것이 경동맥초 내의 가장 흔한 배열이다. 내경정맥이 내측에 위치하는 사례는 거의 관찰되지 않는다. 그러나 환자의 나이가 증가함에 따라서 경동맥의 비틀림, 구부러짐 또는 감김 등의 비정형적인 모습이 관찰될 수도 있다. 간헐적 신경 모니터링은 경동맥초(carotid seath)를 1 cm 정도로 작게 절개하고 미주신경을 부분적으로 조금만 박리하고도 사용할 수 있으며, 재수술, 매우 큰 갑상선종, 비대한 외측 갑상선암의 경우와 같이 경동맥초 절개가 어려운 경우, 경동맥초를 절개하지 않고서 전기 자극 탐침(probe)을 경동맥초로 생각되는 구조물 위에 대고 진폭을 2~3 mA로 증가시키는 것만으로도 쉽게 미주신경을 자극할 수 있다.[57] 그러나, 대부분의 지속적 신경 모니터링 방법은 VN 전극을 배치하기 위해 미주신경 주변 360° 박리를 해야만 한다. 따라서 수술 중 전극을 미주신경에 위치시키고 제거하는 작업이 주의를 요하고 시간이 걸리며, 미주신경 및 경동맥초에 손상을 줄 수도 있으므로 전극을 설치할 때에는 장력을 주지 않도록(tension-free) 주의해야 한다. 지속적 신경 모니터링이 기존의 신경 모니터링 법에 비해 수술 중 후두신경 기능을 보존하는데 있어서 매우 효과적이고 유용한 방법이지만 앞에서 언급한 것처럼 주의해야 할 부분들이 여전히 있는 것이 현실이므로 간헐적 신경 모니터링이 불필요한 것은 아니며 지속적 신경 모니터링과 병용해서 사용되어야 한다.

요약

정확한 수술 중 후두신경 모니터링법은 환자의 성대 기능을 예측하고, 수술 중 이에 따른 최적화된 전략을 세우고 대처함으로써 환자와 의사 모두 만족하는 최상의 갑상선 수술 결과를 얻을 수 있게 해주는 유용한 술기이다. 최상의 정확한 모니터링 결과를 얻는 데에는 외과의의 역할이 결정적으로, 마취과 의사와 함께 외과의는 전극과 자극 프로토콜이 적절한지 확인하고, EMG 튜브를 정확하게 위치해야 하며 마취제 용량이 적절한지 확인하여 EMG 신호, 특히 V1 신호를 최적화해야 한다. 국제 신경 모니터링 연구회 회원들은 500 mcV 이상의 V1 진폭을 확인하는것이 적당하다고 그 기준을 제시했으며,[58] 이러한 V1 신호는 기능적으로 손상되지 않은 후두신경을 정확하게 해석, 진단 및 확인할 수 있게 하며, '의미있게' 감소하는 신호, '재진입(reentry)' 신호(즉, 이후 수술 중 EMG 신호를 회복하고 정상적인 수술 후 성대 기능을 보여주는 신호)와 '신호상실'을 평가하여 결과를 정확히 평가할 수 있게 해주는 필수적인 신호이다. 고식적인 신경 모니터링은 자극을 주는 순간에만 후두신경의 기능을 평가하는데 사용된다. 하지만 이 기법을 사용하였을 때 간헐적 자극 사이에는 여전히 신경손상 위험이 있다. 즉, LOS (Loss of signal)가 감지될 때에는 이미 신경이 손상되어 있으며 LOS 전에 미리 대응할 수 없다. 따라서 미주신경을 자극하여 지속적인 후두신경 모니터링을 시행하고자 여러 형태의 전극들이 개발되었으며, 이를 통해서 수술 전체 과정 중 신경의 기능을 모니터링할 수 있게 되었다.[52-55] 일부 연구에서는 지속적 신경 모니터링이 수술 중에 후두신경이 손상될 수 있는 위험을 미리 감지할 수도 있고, EMG 신호가 약하고 감소하는 경우에 후두신경에 대한 최종적으로 추가 손상을 주는 것을 피할 수도 있어서 신경 손상을 방지하는 데 유용하다고 보고했다.[52-55] 현재, 고식적인 간헐적 신경 모니터링이 임상적 활용 면에서 지속적 신경 모니터링보다 아직까지는 더 대중적이라 할 수 있겠으나, 향후 갑상선 수술 중 신경 모니터링을 간단하고, 안전하고 정확하며 그리고 쉽게 사용할 수 있는 술기로 만들기 위해 지속적 신경 모니터링법에 대한 연구 및 발전이 계속될 것이다.

REFERENCES

1. Dralle H. Impact of modern technologies on quality of thyroid surgery. Langenbecks Arch Surg 2006;391(1):1-3.

2. Dionigi G. Evidence-based review series on endoscopic thyroidectomy: real progress and future trends. World J Surg 2009;33(2):365-6.

3. Barczyński M, Cichoń S, Konturek A, Cichoń W. Applicability of intraoperative parathyroid hormone assay during total thyroidectomy as a guide for the surgeon to selective parathyroid tissue autotransplantation. World J Surg 2008;32(5):822-8.

4. Dionigi G, Boni L, Rovera F, Dionigi R. Thyroid surgery: new approach to dissection and hemostasis. Surg Tech Intl 2006;15:75-80.

5. Dionigi G, Tanda ML, Piantanida E. Medullary thyroid carcinoma: surgical treatment advances. Curr Opin Otolaryngol Head Neck Surg 2008;16(2):158-62.

6. Eisele DW. Intraoperative electrophysiologic monitoring of the recurrent laryngeal nerve. Laryngoscope 1996;106(4):443-9.

7. Dralle H, Sekulla C, Lorenz K, et al. Intraoperative monitoring of the recurrent laryngeal nerve in thyroid surgery. World J Surg 2008;32(7):1358-66.

8. Lahey FH, Hoover WB. Injuries to the recurrent laryngeal nerve in thyroid operations: their management and avoidance. Ann Surg 1938;108(4):545-62.

9. Bliss RD, Gauger PG, Delbridge LW. Surgeon's approach to the thyroid gland: surgical anatomy and the importance of technique. World J Surg 2000;24(8):891-7.

10. Karlan MS, Catz B, Dunkelman D, et al. A safe technique for thyroidectomy with complete nerve dissection and parathyroid preservation. Head Neck Surg 1984;6(6):1014-9.

11. Jatzko GR, Lisborg PH, Müller MG, Wette VM. Recurrent nerve palsy after thyroid operations-principal nerve identification and a literature review. Surgery 1994;115(2):139-44.

12. Hermann M, Alk G, Roka R, et al. Laryngeal recurrent nerve injury in surgery for benign thyroid diseases: effect of nerve dissection and impact of individual surgeon in more than 27,000 nerves at risk. Ann Surg 2002;235(2):261-8.

13. Chiang FY, Lu IC, Kuo WR. The mechanism of recurrent laryngeal nerve injury during thyroid surgery-the application of intraoperative neuromonitoring. Surgery 2008;143(6):743-9.

14. Snyder SK, Lairmore TC, Hendricks JC, Roberts JW. Elucidating mechanisms of recurrent laryngeal nerve injury during thyroidectomy and parathyroidectomy. J Am Coll Surg 2008;206(1):123-30.

15. Bergenfelz A, Jansson S, Kristoffersson A. Complications to thyroid surgery: results as reported in a database from a multicenter audit comprising 3,660 patients. Langenbecks Arch Surg 2008;393(5):667-73.

16. Chiang FY, Wang LF, Huang YF, et al. Recurrent laryngeal nerve palsy after thyroidectomy with routine identification of the recurrent laryngeal nerve. Surgery 2005;137(3):342-7.

17. Lo CY, Kwok KF, Yuen PW. A prospective evaluation of recurrent laryngeal nerve paralysis during thyroidectomy. Arch Surg 2000;135(2):204-7.

18. Caldarelli DD, Holinger LD. Complications and sequelae of thyroid surgery. Otolaryngol Clin North Am 1980;13(1):85-97.

19. Patlow C, Norton J, Brennan M. Vocal cord paralysis and reoperative parathyroidectomy. Ann Surg 1986;203:282.

20. Dionigi G. Energy based devices and recurrent laryngeal nerve injury: the need for safer instruments. Langenbecks Arch Surg 2009;394(3):579-80.

21. Agarwal BB, Agarwal S. Recurrent laryngeal nerve, phonation and voice preservation-energy devices in thyroid surgery-a note of caution. Langenbecks Arch Surg 2009;394(5):911-2.

22. Randolph GW. Surgical anatomy of the recurrent laryngeal nerve. In: Surgery of the thyroid and parathyroid glands. Randolph GW (ed). Philadelphia: Elsevier Science, 2003.

23. Hisham AN, Lukman MR. Recurrent laryngeal nerve in thyroid surgery: a critical appraisal. ANZ J Surg 2002;72(12):887-9.

24. Makay O, Icoz G, Yilmaz M, et al. The recurrent laryngeal nerve and the inferior thyroid artery-anatomical variations during surgery. Langenbecks Arch Surg 2008;393(5):681-5.

25. Page C, Foulon P, Strunski V. The inferior laryngeal nerve: surgical and anatomic considerations. Report of 251 thyroidectomies. Surg Radiol Anat 2003;25(3-4):188-91.

26. Yalçin B. Anatomic configurations of the recurrent laryngeal nerve and inferior thyroid artery. Surgery 2006;139(2):181-7.

27. Sun SQ, Zhao J, Lu H, et al. An anatomical study of the recurrent laryngeal nerve: its branching patterns and relationship to the inferior thyroid artery. Surg Radiol Anat 2001;23(6):363-9.

28. Ardito G, Revelli L, D'Alatri L, et al. Revisited anatomy of the recurrent laryngeal nerves. Am J Surg 2004;187(2):249-53.

29. Monfared A, Gorti G, Kim D. Microsurgical anatomy of the laryngeal nerves as related to thyroid surgery. Laryngoscope 2002;112(2):386-92.

30. Toniato A. The Zuckerkandl tubercle. Am J Surg 2008;195(2):277.

31. Serpell JW, Yeung MJ, Grodski S. The motor fibers of the recurrent laryngeal nerve are located in the anterior extralaryngeal branch. Ann Surg 2009;249(4):648-52.

32. Sancho JJ, Pascual-Damieta M, Pereira JA, et al. Risk factors for transient vocal cord palsy after thyroidectomy. Br J Surg 2008;95(8):961-7.

33. Iacobone M, Viel G, Zanella S, et al. The usefulness of preoperative ultrasonographic identification of nonrecurrent inferior laryngeal nerve in neck surgery. Langenbecks Arch Surg 2008;393(5):633-8.

34. Barczyński M, Konturek A, Cichoń S. Randomized clinical trial of visualization versus neuromonitoring of recurrent laryngeal nerves during thyroidectomy. Br J Surg 2009;96(3):240-6.

35. Randolph GW, Kamani D. The importance of preoperative laryngoscopy in patients undergoing thyroidectomy: voice, vocal cord function, and the preoperative detection of invasive thyroid malignancy. Surgery 2006;139(3):357-62.

36. Jeannon JP, Orabi AA, Bruch GA, et al. Diagnosis of recurrent laryngeal nerve palsy after thyroidectomy: a systematic review. Intl J Clin Pract 2009;63(4):624-9.

37. Dionigi G, Frattini F. Staged thyroidectomy: time to consider intraoperative neuromonitoring as standard of care. Thyroid 2013;23:906-8.

38. Goretzki PE, Schwarz K, Brinkmann J, Wirowski D, Lammers BJ. The impact of intraoperative neuromonitoring (IONM) on surgical strategy in bilateral thyroid diseases: is it worth the effort? World J Surg 2010;34:1274-84.

39. Melin M, Schwarz K, Lammers BJ, Goretzki PE. IONM-guided

goiter surgery leading to two-stage thyroidectomy-indication and results. Langenbecks Arch Surg 2013;398:411-8.

40. Dralle H, Sekulla C, Lorenz K, Nguyen Thanh P, Schneider R, Machens A. Loss of the nerve monitoring signal during bilateral thyroid surgery. Br J Surg 2012;99:1089-95.

41. Sadowski SM, Soardo P, Leuchter I, Robert JH, Triponez F. Systematic use of recurrent laryngeal nerve neuromonitoring changes the operative strategy in planned bilateral thyroidectomy. Thyroid 2013;23:329-33.

42. Angelos P. Ethical and medicolegal issues in neuromonitoring during thyroid and parathyroid surgery: a review of the recent literature. Curr Opin Oncol 2012;24:16-21.

43. Dralle H, Lorenz K, Machens A. Verdicts on malpractice claims after thyroid surgery: emerging trends and future directions. Head Neck 2012;34:1591-6.

44. Jonas J, Bähr R. Intraoperative neuromonitoring of the recurrent laryngeal nerve-results and learning curve. Zentralbl Chir 2006 Dec;131(6):443-8.

45. Dionigi G, Bacuzzi A, Boni L, et al. What is the learning curve for intraoperative neuromonitoring in thyroid surgery? Intl J Surg. 2008;6(Suppl 1):S7-12.

46. Lu IC, Chu KS, Tsai CJ, et al. Optimal depth of NIM EMG endotracheal tube for intraoperative neuromonitoring of the recurrent laryngeal nerve during thyroidectomy. World J Surg 2008;32(9):1935-9.

47. Chu KS, Wu SH, Lu IC, et al. Feasibility of intraoperative neuromonitoring during thyroid surgery after administration of nondepolarizing neuromuscular blocking agents. World J Surg 2009;33(7):1408-13.

48. Bacuzzi A, Dionigi G, Del Bosco A, et al. Anaesthesia for thyroid surgery: perioperative management. Intl J Surg 2008;6(Suppl 1):S82-5.

49. Sturgeon C, Sturgeon T, Angelos P. Neuromonitoring in thyroid surgery: attitudes, usage patterns, and predictors of use among endocrine surgeons. World J Surg 2009;33(3):417-25.

50. Eckley CA, Sataloff RT, Hawkshaw M, et al. Voice range in superior laryngeal nerve paresis and paralysis. J Voice 1998;12(3):340-8.

51. Dionigi G, Van Slycke S, Boni L, Rausei S, Mangano A. Limits of neuromonitoring in thyroid surgery. Ann Surg 2013;258:e1-2.

52. Lamadé W, Ulmer C, Friedrich C, Rieber F, Schymik K, Gemkow HM, et al. Signal stability as key requirement for continuous intraoperative neuromonitoring. Chirurg 2011;82:913-20.

53. Schneider R, Bures C, Lorenz K, Dralle H, Freissmuth M, Hermann M. Evolution of nerve injury with unexpected EMG signal recovery in thyroid surgery using continuous intraoperative neuromonitoring. World J Surg 2013;37:364-8.

54. Schneider R, Przybyl J, Pliquett U, Hermann M, Wehner M, Pietsch UC, et al. A new vagal anchor electrode for real-time monitoring of the recurrent laryngeal nerve. Am J Surg 2010;199:507-14.

55. Schneider R, Randolph GW, Sekulla C, Phelan E, Thanh PN, Bucher M, et al. Continuous intraoperative vagus nerve stimulation for identification of imminent recurrent laryngeal nerve injury. Head Neck 2013;35:1591-8.

56. Dionigi G, Chiang FY, Rausei S, Wu CW, Boni L, Lee KW, et al. Surgical anatomy and neurophysiology of the vagus nerve (VN) for standardised intraoperative neuromonitoring (IONM) of the inferior laryngeal nerve (ILN) during thyroidectomy. Langenbecks Arch Surg 2010;395:893-9.

57. Dionigi G, Kim HY, Wu CW, Lavazza M, Ferrari C, Leotta A, et al. Vagus nerve stimulation for standardized monitoring: technical notes for conventional and endoscopic thyroidectomy. Surg Technol Int 2013;23:95-103.

58. Lorenz K, Sekulla C, Schelle J, Schmeiss B, Brauckhoff M, Dralle H; German Neuromonitoring Study Group. What are normal quantitative parameters of intraoperative neuromonitoring (IONM) in thyroid surgery? Langenbecks Arch Surg 2010;395:901-9.

부갑상선 기능저하증의 병태생리와 치료

Pathophysiology and Management of Hypoparathyroidism

| 전북대학교 의과대학 외과 **정성후**

부갑상선 기능저하증은 부갑상선의 기능 감소로 인한 호르몬 분비 저하로 발생하며 저칼슘혈증, 고인산혈증 소견을 보이는 내분비 장애 상태이다. 전체 원인의 75%는 수술에 의한 부갑상선의 손상으로 발생하는데 특히 갑상선과 부갑상선을 포함한 전경부의 수술이나 광범위한 두경부 수술 시 잘 발생한다.[1] 수술 후 부갑상선 손상에 의한 저칼슘혈증의 발생 빈도는 다양하여 일시적인 저칼슘혈증은 6.9~46%, 영구적인 경우는 0.4~33%까지 보고되고 있다.[2-5] 수술 후 발생하는 저칼슘혈증의 원인으로는 수술 중 부갑상선의 직접적인 손상이나 혈류 차단에 의한 간접적인 손상이 가장 흔한 원인으로 일반적으로 수술 범위가 넓거나 하부 갑상선 동맥을 기시부에서 결찰한 경우에 잘 발생하는 것으로 알려져 있다.[6] 숙련된 외과의가 수술한 경우 수술 후 저칼슘혈증의 빈도는 낮은 것으로 보고된다.[7] 갑상선 질환 중 그레이브스병(Grave's diease) 수술 후 발생 빈도가 가장 높으며 수술 전후 혈중 부갑상선호르몬과 비타민 D 농도 변화가 큰 경우와 수술 직후 혈중 칼슘 농도가 정상보다 현저히 낮은 경우 발생 빈도가 높은 것으로 보고되었다.[8] 부갑상선 기능항진증의 수술적 치료로써 부갑상선을 제거한 경우에 남아 있는 부갑상선의 일시적인 기능 저하가 올 수 있는데 이는 장기간 고칼슘혈증이 지속되어 부갑상선의 기능이 억제된 결과로 일반적으로 1주일이 지나면 혈중 칼슘 농도가 정상화된다.[6]

수술 후 부갑상선 기능저하증의 가장 흔한 원인인 부

갑상선 손상을 줄이기 위해서는 경부의 정확한 해부적 구조를 알고 섬세한 수술 술기를 익혀야 한다. 발생학적으로 상부갑상선은 4번째 아가미주머니(branchial pouch)에서 분화되어 하부 갑상선 혈관을 향해 갑상선의 후면을 타고 내려온 후 대부분 갑상선 후면의 상부 1/3 지점, 되돌이후두신경의 바깥 측에 위치하게 된다. 반면 하 부갑상선은 3번째 아가미주머니에서 발생하여 종격동 방향으로 내려와 갑상선의 하부 1/3 지점에 위치하는데 대부분 되돌이후두신경이 하부 갑상선 동맥과 교차하는 지점의 아래, 되돌이후두신경의 표면 부위에서 확인되나 그 위치는 상 부갑상선에 비해 다양하다. 부갑상선은 보통 4개인 경우가 많고 그 이상의 부갑상선 (supernumerary parathyroid glands)도 약 2.5~22%의 환자에서 관찰된다.[9]

수술 중 의도치 않게 제거되거나 혈류가 감소하여 색이 심하게 변한 부갑상선은 혈관 줄기(vessel pedicle)를 잘 확인하여 회복이 어렵다고 판단되는 경우에는 제거하여 자가이식을 해야 한다.[10] 이식된 부갑상선은 원래 상태의 부갑상선보다 더 나은 기능을 유지할 수 없기 때문에 수술 시 부갑상선이 손상되지 않도록 주의해야 한다.[11] 자가 이식 방법은 부갑상선을 칼이나 가위로 잘게 썰어서 근육에 심거나 주사기에 넣고 주입하는 방법을 사용한다.[12] 자세한 방법은 부갑상선을 1 mm 크기의 작은 조각으로 자른 후 한 조각은 조직학적으로 부갑상선임을 동결절편검사로 확인하고 나머지 조각을 차가운 생리 식염수에 담가 보관 후 흉쇄유돌근(sternocleido-mastoid muscle)이나 팔머리근육(brachio-cephalic muscle)에 자가 이식을 시행하는데 작은 주머니 형태의 공간을 만들어 칼이나 홍채가위(iris scissor)로 잘게 저민 부갑상선 조직을 근육에 넣어주거나 부갑상선을 1~2 mm³ 크기로 10~20개의 조직 절편을 만들어, 이 중 4~5개씩의 절편을 0.5 cc 생리식염수와 혼합하여 1 cc 주사기에 담은 후 18 G 바늘을 이용하여 근육에 1 cm 간격으로 5~6곳에 각각 피하에 주사한다.[13,14] 2 mm 이상의 큰 절편을 이식하거나 혈종이 발생하면 이식한 부갑상선 조직의 생존율이 감소하므로 주의한다. 이러한 조치로 영구적인 부갑상선 기능저하증의 발생을 1% 미만으로 줄일 수 있으나 장기간의 경과 관찰 결과 이식된 부갑상선도 섬유화로 인해 늦은 이식 실패(late failure)가 발생할 수 있으므로 주의 깊은 추적 관찰이 필요하다.[13-17]

부갑상선 손상에 의해 발생하는 증상은 주로 혈청 칼슘 수치의 변화와 관련되어 있다. 정상 혈청 칼슘 수치는 8.5~10.5 mg/dL로 약 50%는 단백질과 결합되어 있고, 나머지 50%는 활성화 형태인 이온화 칼슘(ionized calcium)이며 혈청 칼슘 수치를 정확히 측정하기 위해서는 교정 칼슘 수치(corrected calcium level)를 구해야 한다. 교정 칼슘 수치는 측정된 혈청 칼슘 수치(mg/dL) + 0.8 × [정상 알부민 수치(4.0 g/L) − 측정된 알부민 수치(g/L)]의 값으로 계산할 수 있다.[11] 저칼슘혈증은 교정 칼슘 농도가 8.5 mg/dL 혹은 이온화 칼슘 농도가 1.15 mmol/L 미만인 경우로 정의한다.[11]

부갑상선 기능저하증에 의한 저칼슘혈증의 증상은 지속 시기와 강도에 따라 구분할 수 있다. 즉, 수술 후 일시적으로 나타나는 급성 증상과 영구적 부갑상선 기능저하에 의한 만성 증상으로 구분할 수 있으며 일반적으로 영구적인 부갑상선 기능저하증은 증상이 12개월 이상 지속될 때로 정의한다.[11] 수술 후 발생하는 부갑상선 기능저하증의 증상은 주로 수술 후 24~48시간 이내에 나타나며 대부분 1주일 정도 경과 후 호전된다.[6] 저칼슘혈증과 관련된 증상은 혈청 이온화 칼슘(ionized calcium)의 감소로 발생하는데 초기 증상으로 경미한 입

주위의 감각 이상과 사지 말단의 저림을 호소하며 사지의 근육 경련(muscle cramping)과 불안 증세를 호소할 수도 있다. 가장 주의해야 할 증상은 근육 경직(tetany), 의식 변화, 경련(seizure), QT 간격의 연장(prolonged QT interval), 심부전, 기관 혹은 후두 경련이며 이러한 증상들은 즉각적인 조치가 필요한 응급 상황이다.[12]

저칼슘혈증의 진단을 위한 신체 진찰은 안면 신경(facial nerve)이 주행하는 귀의 앞쪽을 손가락으로 두드릴 때 발생하는 안면 근육의 경련 증상인 Chvostek's sign과 혈압계로 환자의 수축기 혈압보다 20 mmHg 이상의 압력으로 팔을 3분 정도 감을 때 발생하는 수부 경련인 Trousseau's sign이 있다. Chvostek's sign은 정상인의 20%에서도 관찰될 수 있으므로 수술 전에 유사한 증상이 없음을 미리 확인해야 한다. 합병증 없이 시행된 일측의 갑상선절제술에서는 대부분 저칼슘혈증이 발생하지 않으며, 경증의 저칼슘혈증은 환자가 알지 못하는 사이에 호전되고 혈액 검사를 하지 않으면 이를 확인할 수 없으므로 갑상선 전절제술을 시행할 예정이라면 수술 전 후에 혈청 칼슘치를 측정하기를 권장한다. 최근 연구에서 수술 후 측정된 혈중 칼슘과 부갑상선 호르몬 농도 측정이 수술 후 저칼슘혈증을 예측할 수 있는 것으로 보고되고 있다.[18-24] 수술 후 12시간 동안 혈중 칼슘 농도가 오히려 상승 하거나 정상 범위에 있는 경우 저칼슘혈증의 위험도는 적을 것으로 예상되는 반면,[18,20] 수술 후 4시간 안에 혈중 부갑상선 호르몬 농도가 10 mg/dL 이하로 측정된 경우에는 저칼슘혈증의 위험도가 높으므로 세심한 관찰이 필요하다.[21,24] 저칼슘혈증의 경과 관찰과 치료 반응을 살펴보기 위해 교정 칼슘 수치와 이온화 칼슘 농도 측정이 필수적이다.

수술 후 발생한 부갑상선 기능저하증의 치료는 저칼슘혈증의 강도와 발생 시기, 그리고 환자가 호소하는 증상의 강도에 의해 결정된다. 치료 목표는 혈중 칼슘 농도를 낮은 정상 수치로 유지하는 것과 혈중 인산 농도를 정상 범위로 유지하는 것이다. 혈중 칼슘 농도가 7.5 mg/dL 미만이거나 저칼슘혈증 증상이 심할 경우 경정맥으로 칼슘을 보충해 주는 것이 좋다. Calcium gluconate를 보충할 때에는 말초 정맥을 통해 주입이 가능하고 calcium chloride는 중심 정맥을 통해 보충해야 한다.[12] 주입 방법으로는 증상이 있을 때 간헐적으로 주입하는 방법과 지속적으로 주입하는 방법이 있는데, 증상이 심한 환자의 경우에는 혈중 칼슘 농도 변화가 적은 지속적 주입 방법이 적합하다. 지속적인 주입 방법은 calcium gluconate 10 앰플(90 mg calcium)을 5% dextrose 1 L에 섞어 시간 당 100 mL의 속도로 보충한다.[7] 투여 중 혈중 칼슘 농도를 측정하여 변화를 체크해야 하며 이러한 경정맥 칼슘 보충은 이후에 경구용 칼슘제와 비타민 D3제제로 대체하여 투여한다.

혈중 칼슘농도가 7.5~8.5 mg/dL면서 저칼슘혈증 증상이 없거나 경미한 경우에는 경구용 칼슘제와 비타민 D3제제를 투약하며 칼슘은 6시간 간격으로 1,000 mg (elemental calcium)을 투약하고, 비타민 D3는 0.25~2.0 μg/day로 보충한다. 이러한 용량은 증상과 혈중 칼슘 농도를 추적 관찰하며 조절해야 한다. 저마그네슘혈증(hypomagnesemia)이 있는 경우 말단 장기(end-organ)에서 부갑상선 호르몬의 작용에 내성(resistance)이 생겨 부갑상선 호르몬 분비가 비정상적으로 이루어질 수 있다.[25] 따라서 저칼슘혈증 환자에서 마그네슘 농도를 측정하여 부족한 경우 마그네슘의 보충이 필요하다. 급성기에는 마그네슘 100 mEq를 24시간에 걸쳐 주고 정맥 주입 시 대부분 소변으로 배출되므로 곧 경구용 제제로 바꿔줘야 하며 마그네슘 보충은 신장 손상이 발생할 수 있으므로 주의해야 한다.[26]

대부분의 저칼슘혈증은 일시적이므로 칼슘과 비타민 D3치료는 남아있는 부갑상선이 기능을 회복할 때까지의 단기간 치료로 충분하며 지속적인 저칼슘혈증(수술 후 6개월 이상 지속되는 경우)은 만성적인 위장관 불편함, 골대사의 변화, 백내장 발생 등 삶의 질이 떨어지는 결과를 초래하므로 이에 관한 주의가 필요하다. 칼슘 보충 시에는 치료에 대한 환자의 반응을 지속적으로 확인하고 부작용이 발생하지 않도록 주의해야 한다. 약물 투여에 의한 고칼슘혈증의 경우 경중에서는 식욕부진, 구역, 구토, 변비, 부정맥이 발생할 수 있으며, 증상은 주로 혈중 칼슘 농도가 11.5~12.0 mg/dL 이상으로 상승했을 때 발생하고 15~18 mg/dL 이상 증가한 경우는 심장마비까지 발생할 수 있으므로 특히 주의를 요한다.[27]

만성 부갑상선 기능저하증은 약물 투여 없이 정상 혈중 칼슘 농도로 회복되는 경우가 드물고 회복되는데 오랜 시간이 필요하기 때문에 이의 치료는 내분비 외과의에게 매우 어려운 사안이다.[28] 환자의 삶의 질 역시 중요한 문제인데 예측할 수 없는 돌발적인 저림 증상과 경직 증상은 삶의 질을 심각하게 저하시킨다. 또한 만성적인 칼슘제와 비타민제 복용으로 인해 골 대사에 악영향을 끼침으로서 부적절한 골 재형성(bone remodeling)이 발생할 수도 있다.[29] 따라서 만성 부갑상선 기능저하증 환자에서도 칼슘 농도와 부갑상선 호르몬 농도를 주기적으로 측정하여 적절한 용량의 약물을 투여해야 한다. 최근 재조합 부갑상선 호르몬(recombinant PTH) 투여가 만성 부갑상선 기능저하증 치료에 효과적인 것으로 보고되고 있으며, 기존의 칼슘제와 비타민제 투여에 효과가 없거나 부작용이 심한 환자에서 유용하다는 보고도 있다.[30-32] 또한 줄기세포(stem cell) 연구의 발전과 함께 만성 부갑상선 기능저하증 치료에서도 부갑상선 줄기세포 연구가 진행되고 있다.[33,34]

REFERENCES

1. Bilezikian JP, Khan A, Potts JT, et al. Hypoparathyroidism in the adult: epidemiology, diagnosis, pathophysiology, target-organ involvement, treatment, and challenges for future research. J Bone Miner Res Off J Am Soc Bone Miner Res 2011;26:2317-37.

2. Reeve T, Thompson NW. Complications of thyroid surgery: how to avoid them, how to manage them, and observations on their possible effect on the whole patient. World J Surg 2000;24:971-5.

3. Harness JK, van Heerden JA, Lennquist S, et al. Future of thyroid surgery and training surgeons to meet the expectations of 2000 and beyond. World J Surg 2000;24:976-82.

4. Ozbas S, Kocak S, Aydintug S, et al. Comparison of the complications of subtotal, near total and total thyroidectomy in the surgical management of multinodular goitre. Endocr J 2005;52:199-205.

5. Thomusch O, Machens A, Sekulla C, et al. The impact of surgical technique on postoperative hypoparathyroidism in bilateral thyroid surgery: a multivariate analysis of 5846 consecutive patients. Surgery 2003;133:180-5.

6. Robin M Cisco. Hypoparathyroidism and Pseudoparathyroidism. In: Clark OH, Duh Q-Y, Kebebew E, et al. Textbook of Endocrine Surgery. 3rd ed. JP Medical Ltd; p.901-904, 2016.

7. Sosa JA, Bowman HM, Tielsch JM, et al. The importance of surgeon experience for clinical and economic outcomes from thyroidectomy. Ann Surg 1998;228:320-30.

8. Edafe O, Antakia R, Laskar N, et al. Systematic review and meta-analysis of predictors of post-thyroidectomy hypocalcaemia. Br J Surg 2014;101:307-20.

9. Mohebati A, Shaha AR. Anatomy of thyroid and parathyroid glands and neurovascular relations. Clin Anat N Y N 2012;25:19-31.

10. Shaha AR, Jaffe BM. Parathyroid preservation during thyroid surgery. Am J Otolaryngol 1998;19:113-7.

11. Stack BC, Bimston DN, Bodenner DL, et al. American association of clinical endocrinologists and american college of endocrinology disease state clinical review: postoperative hypoparathyroidism - definitions and management. Endocr Pract. 2015;21:674-85.

12. Ted H. Leem, Erivelto Volpi, David W. Eisele. Non-Neural Complication of Thyroid andParathyroid Surgery. In: Randolph GW. Surgery of the Thyroid and Parathyroid Glands. 2nd ed, Elsevier Saunders; p.446-447, 2012

13. Wells SA Jr, Ross 3rd AJ, Dale JK, et al. Transplantation of the parathyroid glands: current status. Surg Clin North Am 1979;59:167.

14. Wells SA Jr, Gunnells JC, Shelburne JD, et al. Transplantation of the parathyroid glands in man: clinical indications and results. Surgery 1975;78:34-44.

15. Senapati A, Young AE. Parathyroid autotransplantation. Br J Surg 1990;77:1171-4.

16. Gauger PG, Reeve TS, Wilkinson M, et al. Routine parathyroid autotransplantation during total thyroidectomy: the influence of technique. Eur J Surg Acta Chir 2000;166:605-9.

17. Kikumori T, Imai T, Tanaka Y, et al. Parathyroid autotransplantation with total thyroidectomy for thyroid carcinoma: Long-term follow-up of grafted parathyroid function. Surgery 1999;125:504-8.

18. Nahas ZS, Farrag TY, Lin FR, et al. A safe and cost-effective short hospital stay protocol to identify patients at low risk for the development of significant hypocalcemia after total thyroidectomy. The Laryngoscope 2006;116:906-10.

19. Higgins KM, Mandell DL, Govindaraj S, et al. The role of intraoperative rapid parathyroid hormone monitoring for predicting thyroidectomy-related hypocalcemia. Arch Otolaryngol Head Neck Surg 2004;130:63-7.

20. Adams J, Andersen P, Everts E, et al. Early postoperative calcium levels as predictors of hypocalcemia. The Laryngoscope 1998;108:1829-31.

21. Vescan A, Witterick I, Freeman J. Parathyroid hormone as a predictor of hypocalcemia after thyroidectomy. The Laryngoscope 2005;115:2105-8.

22. Scurry WC, Beus KS, Hollenbeak CS, et al. Perioperative parathyroid hormone assay for diagnosis and management of postthyroidectomy hypocalcemia. The Laryngoscope 2005;115:1362-6.

23. Warren FM, Andersen PE, Wax MK, et al. Perioperative parathyroid hormone levels in thyroid surgery: preliminary report. The Laryngoscope 2004;114:689-93.

24. Lam A, Kerr PD. Parathyroid hormone: an early predictor of postthyroidectomy hypocalcemia. The Laryngoscope 2003;113:2196-200.

25. Rude RK, Oldham SB, Singer FR. Functional hypoparathyroidism and parathyroid hormone end-organ resistance in human magnesium deficiency. Clin Endocrinol (Oxf) 1976;5:209-24.

26. Melmed S, Polonsky KS, Larsen PR, et al. Williams Textbook of Endocrinology. Elsevier Health Sciences; 2011. 11589 p.

27. Hasse C, Bohrer T, Barth P, et al. Parathyroid xenotransplantation without immunosuppression in experimental hypoparathyroidism: long-term in vivo function following microencapsulation with a clinically suitable alginate. World J Surg 2000;24:1361-6.

28. Kim SM, Kim HK, Kim KJ, et al. Recovery from Permanent Hypoparathyroidism After Total Thyroidectomy. Thyroid 2015;2:830-3.

29. Hurxthal LM, Dotter WE, Vose GP, et al. Effect of postoperative hypoparathyroidism on bone density. Tex Rep Biol Med 1976;34:257-65.

30. Cusano NE, Rubin MR, McMahon DJ, et al. The Effect of PTH(1-84) on Quality of Life in Hypoparathyroidism. J Clin Endocrinol Metab 2013;98:2356-61.

31. Cusano NE, Rubin MR, McMahon DJ, et al. Therapy of hypoparathyroidism with PTH(1-84): a prospective four-year investigation of efficacy and safety. J Clin Endocrinol Metab 2013;98:137-44.

32. Sikjaer T, Amstrup AK, Rolighed L, et al. PTH(1-84) replacement therapy in hypoparathyroidism: a randomized controlled trial on pharmacokinetic and dynamic effects after 6 months of treatment. J Bone Miner Res Off J Am Soc Bone Miner Res 2013;28:2232-43.

33. Zhou Y, Lü B-J, Xu P, et al. Optimising gene therapy of hypoparathyroidism with hematopoietic stem cells. Chin Med J (Engl) 2005;118:204-9.

34. Woods Ignatoski KM, Bingham EL, Frome LK, et al. Differentiation of precursors into parathyroid-like cells for treatment of hypoparathyroidism. Surgery 2010;148:1186-90.

갑상선 수술 전후 후두검사
Perioperative Laryngeal Exam

| 서울대학교 의과대학 외과 **최준영**

목소리 변화는 갑상선 수술의 가장 흔하고도 심각한 합병증 중 하나이다. 대부분의 경우, 수술 후 쉰 목소리는 되돌이후두신경 손상으로 인한 것이나, 상부 후두신경의 외분지(external branch of the superior laryngeal nerve, EBSLN)의 손상도 음성 약화나 고음 장애 등 중요한 목소리 문제를 유발할 수 있다. 또 목소리 변화는 신경 기능의 이상 없이도 발생할 수 있으며 수술 전부터 있었을 가능성도 있어 수술 전후의 평가가 중요하다.

갑상선 수술 시 목소리 보존의 중요성이 높아짐에 따라 몇몇 전문기관에서 음성 및 후두 관리에 대한 지침들을 제시하기 시작하였다. 그러나 아직도 많은 경우 환자가 목소리의 변화나 불편감 등을 호소할 때만 후두 검사가 시행되고 있다. 이 장에서는 갑상선 수술 전후 후두검사의 적응증과 현재 사용되는 검사 방법들을 알아보고자 한다.

1. 갑상선 수술 전후 후두 검사의 적응증

1) 수술 전 후두 검사

갑상선 수술을 받는 환자들 중 최대 33%에서 수술 전이미 발성장애를 동반하고 있다고 한다.[1] 그러나 미미한 목소리 변화는 환자들도 쉽게 자각할 수 없고 의료인도 감지하기 힘들다. 또한 음성 증상과 객관적인 성대 기능 사이에는 상당한 차이가 있다. 최근 연구에서 음성 변화로 성대마비를 진단할 수 있을 가능성은 33~68%로 높지 않았고, 다른 연구에서는 수술 후 성대 마비를 보인 환자 중 3분의 1은 특별한 음성 증상을 나타내지 않았다.[2] 후두 검사상 성대의 움직임과 음성 증상 간의 불일치에는 성대의 잔여 기능, 영향을 받은 쪽 성대의 위치, 반대쪽 성대의 보상 움직임 등 여러 가지 요인이 작용할 수 있다. 이러한 불일치를 고려할 때 수술 전 후두검사가 필요하다는 주장을 해보지만 현재 갑상선절제술 환자의 6.1~54%만이 수술 전 후두 검사를 받는 것으로 알려져 있다.[3]

몇몇 갑상선 전문기관에서 음성 및 후두 검사에 대한 관리 지침들을 제시하기 시작하였는데, 독일내분비외과의사협회(German Association of Endocrine Surgeons)와 영국내분비갑상선의사협회(British Association of Endocrine and Thyroid Surgeons, BAETS)는 갑상선 수술을 받는 모든 환자에서 수술 전과 수술 후 후두 검사 시행을 권고하였다. 국제신경감시학회(International Nerve Monitoring Study Group, INMSG)는 갑상선 수술 예정인 모든 환자에서 수술 전후 후두 검사와 함께 수술 중 신경 모니터링 (IONM) 사용을 권장하였다. National Comprehensive Cancer Network (NCCN) 가이드 라인은 갑상선암 환자에 한하여 수술 전 후두 검사를 제안하고 있다. 미국갑상선학회(ATA) 임상 지침에서도 분화 갑상선암 환자에서 수술 전 음성 평가를 권장하고 있다.[4-7]

갑상선 수술 전 후두 검사의 의의는 다음과 같다. 첫째, 성대 마비는 특별한 증상을 동반하지 않을 수 있어 목소리만으로 되돌이후두신경이 정상적이라고 평가하기는 힘들다. 둘째, 수술 전 성대마비가 있다는 것을 알고 있다면 수술을 계획하는데 도움이 되고 양측 성대마비의 위험을 최소화할 수 있다. 셋째, 수술 전 신경 마비를 확인함으로써 장기적인 목소리 치료 계획을 수립할 수 있다. 넷째, 수술 후 발생할 수 있는 성대 기능 장애에 대한 의사의 책임 문제에 있어서도 수술 전 성대 기능 평가가 필요하다.[8]

2) 수술 후 후두 검사의 적응증

갑상선 수술로 인한 되돌이후두신경 손상의 발생률은 약 13%에 달하고, 재수술의 경우 30%까지 보고된다.[9] 갑상선절제술을 받은 25,000명의 환자를 대상으로 한 27편의 논문을 메타분석 한 결과, 9.8%의 환자에서 일시적인 성대 마비가 발생하였다.[10] 수술 후 목소리 변화는 신경 기능의 부전 없이도 윤상갑상근육(crocothyroid muscle)의 손상, 띠근육 손상, 유착 등으로 인해 발생할 수 있으며, 갑상선 수술 후 주관적인 목소리 변화를 호소하는 환자는 30~87%에 달한다.[11] 100명의 환자를 대상으로 한 연구에서 되돌이후두신경이 잘 보존된 환자의 1/3에서 주관적인 음성 변화를 호소하였다.[12]

성대마비는 주관적인 목소리 변화로 100% 예측할 수 없기 때문에 의사가 목소리 변화에만 의지하면 성대 마비를 가진 환자를 놓칠 수 있다. 2008년 스웨덴과 덴마크 내 26개 내분비 외과에서 수술 받은 갑상선 환자들 중 4.3%에서 성대 마비가 발생하였는데, 이 비율은 수술 후 후두 검사를 모두 시행했을 때 두 배가 되었다.[13]

그러나 수술 후 후두 검사의 시기는 논란의 여지가 있다. 수술 후 7~14일에 보이는 성대 마비는 수술 중

기관삽관 후 나타나는 부종 등으로도 야기될 수 있기 때문이다. 따라서 너무 빠른 후두 평가는 성대 마비 위양성 판정을 증가시킬 수 있다. 반대로 지연된 평가는 초기 치료 중재의 효과를 감소시키고 최종적으로 성대 기능 회복에 부정적인 영향을 줄 수 있다. 이러한 점을 고려할 때 미국 두경부외과학회(American Academy of Otolaryngology Head and Neck Surgery, AAOHNS)에서 정한 지침 대로 갑상선 수술 후 2주~2개월 사이에 목소리 변화 기록하고 후두 검사를 시행하는 것이 권고되고 있다.[14]

3. 후두 검사의 방법

1) 병력 청취 및 신체 검진

후두 검사는 세밀한 병력 청취와 목소리의 평가로 시작되며 갑상선 수술 전후 환자의 목소리의 변화는 추가 검사 결정에 중요한 역할을 한다. 환자의 목소리를 평가하는 데 음성평가척도를 사용할 수 있다. 가장 일반적인 척도는 Voice Handicap Index (VHI)-30과 이를 간소화한 VHI-10이 있으며, 설문을 통해 자기 목소리를 평가하도록 한다(표 42-1).[15] 한편, 일본의 GRBAS 척도는 임상의가 5가지 매개 변수를 이용하여 환자의 음성을 분류하는 척도이다. 전반적 등급(G, overall grade), 조조성(R, roughness), 기식성(B, breathiness), 무력성(A, asthenia), 긴장성(S, strained)의 항목을 포함한다.[16]

환자의 후두 검진을 위해 목을 촉진할 때는 설골, 갑상연골, 윤상갑상막 및 윤상연골을 확인하고 침을 삼킬 때 후두가 상방으로 정상적으로 움직이는지 확인한다. 기관편위가 있거나 갑상선 비대가 있는지도 확인한다.

표 42-1 │ 한국판 VHI-10 척도

다음의 질문에 대해 본인이 느끼는 증상이 어느 정도인지 숫자에 동그라미(또는 V표)로 표시하십시오.
(0=전혀 그렇지 않다 1=거의 그렇지 않다 2=가끔 그렇다 3=자주 그렇다 4=항상 그렇다)

1	목소리 때문에 상대방이 내 말을 알아듣기 힘들어한다	0 1 2 3 4
2	시끄러운 곳에서는 사람들이 내 말을 이해하기 어려워한다	0 1 2 3 4
3	사람들이 나에게 목소리가 왜 그러냐고 묻는다	0 1 2 3 4
4	목소리를 내려면 힘을 주어야 나오는 것 같다	0 1 2 3 4
5	음성문제로 개인 생활과 사회생활에 제한을 받는다	0 1 2 3 4
6	목소리가 언제쯤 맑게 잘 나올지 알 수가 없다(예측이 어렵다)	0 1 2 3 4
7	내 목소리 때문에 대화에 끼지 못하여 소외감을 느낀다	0 1 2 3 4
8	음성 문제로 인해 소득(수입)에 감소가 생긴다	0 1 2 3 4
9	내 목소리 문제로 속이 상한다	0 1 2 3 4
10	음성 문제가 장애로(핸디캡으로) 여겨진다	0 1 2 3 4

2) 거울 후두경 Mirror indirect laryngoscope

거울 후두경을 이용한 후두 검사법은 가장 오래된 방법 중 하나이다. 빠르고 간단하며 최소한의 장비로 성대와 후두를 볼 수 있다는 장점이 있어 오늘날까지도 사용되고 있다. 환자가 허리를 펴고 앉도록 하고 머리를 약간 앞으로 기울인 상태에서 혀를 거즈로 쥐고 부드럽게 앞쪽으로 당긴다. 혀는 환자가 스스로 잡아 당기게 해도 되고 의사가 직접 잡아당겨도 된다. 환자 스스로 혀를 당기게 하면 불안감이나 통증, 구역반사가 다소 감소하는 것으로 보인다. 헤드라이트를 이용하여 빛을 구강내로 비추고 후두경을 성대가 보일 때까지 입천장을 따라 집어넣고 환자에게 "아-" 소리를 내도록 하고 성대의 움직임을 평가한다. 숨을 쉬어보라고 하면 성대가 다시 열리는 것을 관찰할 수 있다. 후두경을 따뜻한 물에 담가두었다 쓰면 김서림을 줄일 수 있다.

이 방법으로 숙련된 검사자는 수 초 내에 후두 검사를 수행할 수 있으며 전반적인 성대 움직임을 평가할 수 있다. 그러나 거울 후두경 검사는 환자 구역반사에 의해 제한될 수 있고 후두의 일부 구역은 보기 어려울 수 있다.[17]

3) 경성 후두경 Rigid laryngoscope

경성 후두경은 선명한 영상과 섬세한 성대 운동을 관찰하기에 용이하여 발성장애를 평가하는 데 흔히 사용된다. 환자를 의자에 똑바로 앉게 한 후 거즈로 환자의 혀를 잡고 하방 70° 또는 90°의 경성 후두경을 연구개를 지나 구강 인두로 전진시킨 후 환자가 발성하는 동안 후두를 관찰한다.

경성 후두경 검사는 거울 후두경 검사보다 더 세밀하게 후두를 관찰할 수 있다는 장점이 있지만 마찬가지로 환자의 구역반사로 검사가 어려울 수 있다. 또, 후두의 제한된 움직임만 평가할 수 있으며 삼키는 기능을 평가할 수 없다는 단점이 있다.

4) 연성 후두경 Flexible laryngoscope

비후두경(nasolaryngoscope) 이라고도 하는 연성 후두경은 후두 검사를 위해 가장 널리 사용되는 후두경이다. 시술이 빠르게 끝나고 환자가 구역반사 없이 잘 견디며 비강 및 인후두 구조를 세밀하게 볼 수 있다.[17] 또 의사가 배우기 쉽다는 장점도 있다. 고화질 영상을 제공하고 비디오 장비를 연결하면 환자 및 보호자, 또는 다른 의료진과 화면을 보면서 설명을 할 수 있다. 또 후두의 스트로보스코프 검사(고속촬영)를 할 수 있고, 검사 결과를 기록하여 비교를 용이하게 할 수 있다.

연성 후두경을 이용해 후두를 보는 과정은 먼저 4% 리도카인과 옥시 메타설린의 에어로졸 50:50 혼합물로 코와 인두를 마취시키는 것으로 시작된다. 약물 투여 후 적절한 시간이 지나면, 환자의 머리를 가볍게 전방으로 당겨 꽃향기 맡는 자세를 취하도록 하고 후두경을 비강 내로 삽입한다. 검사자의 오른손으로 후두경을 조작하고 왼손은 환자의 코나 뺨에 부드럽게 올려 스코프를 고정한다.

후두경을 비강 중격과 하 비갑개 사이의 비강 바닥을 따라 진행시키다가 하방으로 전진시켜 후두를 확인한다. 코로 숨을 쉬게 하면 환자의 불편감이 덜하다. 환자에게 "아-" 또는 "이-"라고 소리 내게하여 성대 마비 또는 성대 위축, 결절 등의 이상을 확인한다.

5) 후두 근전도 검사 Laryngeal electromyography

후두경을 이용한 시각적 검사들은 성대의 운동성을 임상적으로 평가하는 데 가장 일반적으로 사용되는 방법이지만 성대마비가 신경손상에 의한 것인지 근육의 기계적 손상에 의한 것인지 감별할 수 없고, 회복 가능성에 대한 예후 정보를 제공할 수 없다. 후두의 근전도 검사(EMG)는 신경 자극에 반응하는 근육의 전기 활동을 측정하고 그 결과로 생긴 운동 단위 활동 잠재력을 표시한다. 후두 근전도는 후두 신경의 신경학적 무결성을 평가하고, 후두 근육의 기능을 평가하고, 성대 기능 마비의 원인을 감별하며, 음성 회복 예측, 신경 손상 후 치료시기 결정 등에 도움을 준다.[18]

이비인후과 또는 신경과 외래에서 경피 후두 근전도를 시행 받을 수 있으며 검사의 순서는 검사자의 선호도 및 검사가 필요한 특정 근육에 따라 갑상모뿔근, 뒤반지모뿔근 및 윤상갑상근의 평가 및 후두 신경의 기능에 대한 검사를 수행한다.

6) 후두 초음파

후두 검사에는 후두경을 이용한 방법이 가장 보편적으로 활용되고 있고, 임상적으로 유용한 방법이지만 환자가 불편하다고 생각할 수 있다. 최근 초음파를 이용하여 성대의 움직임을 시각화하는 방법이 소개되었고 비침습적이면서 손쉬운 방법으로 점차 널리 알려지고 있다. 초음파는 배우기 쉽고 비침습적이며 방사선 노출이 되지 않는다는 장점이 있으나 초음파 장비를 도입하여야 하는 점, 남자의 경우 발달한 갑상연골 때문에 성대가 잘 보이지 않는 점, 검사를 위해 바르는 젤리가 환자에게 주는 불편감 등의 단점도 존재한다.

검사는 목을 약간 뒤로 젖힌 상태에서 시작된다. 갑상선 초음파 영상을 얻는데 주로 쓰이는 선형 프로브를 환자의 갑상연골 주위에 대고 후두를 시각화한다. 환자에게 호흡과 발성("아-")을 시켜보면 성대의 움직임을 볼 수 있다. 초음파로 성대의 3가지 지표, 즉 섬유성 조직인 진성 성대(true cord)와 막성 구조인 가성 성대(false cord), 그리고 후면의 모뿔 연골(arytenoid)이다(그림 42-1) 가능하다면 3가지 지표를 모두 확인하는 것이 이상적이나 1개 이상의 지표 만으로도 검사의 정확도에는 영향이 없다.[19]

후두 초음파에서 정상적인 양측 성대 움직임이 확인될 경우 정상적으로 후두 신경이 기능한다는 증거로 간주되며, 민감도는 약 93%, 특이도는 98%에 이른다.[20] 환자의 목이 얇거나 갑상 연골이 발달한 남자의 경우 초

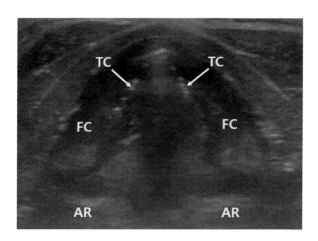

그림 42-1 │ 후두초음파 사진
TC, true cord; FC, false cord; AR, arytenoid

음파 프로브와 목 사이의 접촉을 유지하는 것이 어렵다. 이 경우 프로브를 갑상 연골의 면과 평행하게 기울여서 한쪽 성대씩 확인하는 방법이 있다. 식염수로 채워진 장갑이나 패드를 프로브와 환자의 피부 사이에 놓아 접촉면을 증가시키는 방법도 소개되었다.

요약

적절한 시기의 정확한 후두 기능 평가는 장기적인 치료를 위해 필수적이며 예후 및 치료 결과에 대한 중요한 정보를 제공한다. 갑상선 수술 후 성대 검사는 수술 후 음성장애가 있는 환자에서 발성 이상의 원인을 평가하고 예후를 예측하며 시기 적절한 치료 방향을 결정하는 데 도움을 준다. 그러나 수술 후 시행할 수 있는 여러 가지 음성 시술들은 수술 전후의 후두 검사 및 성대 운동의 정확한 평가 없이는 이루어질 수 없다. 갑상선 수술 후 경미한 음성장애가 있는 환자의 경우에도 후두 검사는 필요하며, 무증상 환자에서도 후두 검사를 통해 성대 움직임의 이상을 확인할 수 있고 추후 경부 수술이 필요할 때 반대쪽 신경 손상 위험을 최소화 할 수 있다. 진단되지 않은 무증상의 성대 마비는 특히 노인 환자에서 연하곤란 또는 흡인 등으로 심각한 합병증을 가져올 수 있다. 수술 후 정상적인 목소리가 나온다고 해도 이는 성대 기능의 객관적인 지표는 아니므로 수술 후 후두 검사는 수술 후 평가에 있어 중요하게 고려되어야 할 검사이다.

REFERENCES

1. McIvor NP, Flint DJ, Gillibrand J, Morton RP. Thyroid surgery and voice-related outcomes. Aust N Z J Surg 2000;70(3):179-83.

2. Randolph GW, Kamani D. The importance of preop- erative laryngoscopy in patients undergoing thyroid- ectomy: voice, vocal cord function, and the preoperative detection of invasive thyroid malignancy. Surgery 2006;139(3):357-62.

3. Chandrasekhar SS, Randolph GW, Seidman MD, et al. Clinical practice guideline: improving voice outcomes after thyroid sur- gery. Otolaryngol Head Neck Surg 2013;148(6S):S1-37.

4. Palazzo F. Pre and post operative laryngoscopy in thy- roid and parathyroid surgery. British Association of Endocrine and Thy- roid Surgeons. Consensus 2010. www.baets.org.uk/Pages/Vocal_ cord_check_consen- sus_document_2010_final.pdf.

5. Randolph GW, Dralle H, Abdullah H, et al. Electrophysiologic recurrent laryngeal nerve monitor- ing during thyroid and para- thyroid surgery: interna- tional standards guideline statement. Laryngoscope. 2011;121 suppl 1:S1-16.

6. Thyroid Carcinoma. National Comprehensive Cancer Network Clinical Practice Guidelines in Oncology. Version 2.2014. http:// www.nccn.org/professionals/ physician_gls/pdf/thyroid.pdf. Ac- cessed 2 Jun 2014.

7. Haugen BR, Alexander EK, Bible KC, et al. 2015 American Thy- roid Association Management Guidelines for Adult Patients with Thyroid Nodules and Differentiated Thyroid Cancer: The Ameri- can Thyroid Association Guidelines Task Force on Thyroid Nod- ules and Differentiated Thyroid Cancer. Thyroid 2016;26(1):1- 133.

8. Shindo ML, Kandil E, McCaffrey JC, et al. Management of inva- sive well-differentiated thyroid cancer: an American Head and Neck Society consen- sus statement. AHNS consensus statement. Head Neck 2014;36(10):1379-90.

9. Lo CY, Kwok KF, Yuen PW. A prospective evaluation of recur- rent laryngeal nerve paralysis during thyroid- ectomy. Arch Surg 2000;135:204-7.

10. Jeannon JP, Orabi AA, Bruch GA, Abdalsalam HA, Simo R. Di- agnosis of recurrent laryngeal nerve palsy after thyroidectomy: a systematic review. Int J Clin Pract 2009;63(4):624-9.

11. Musholt TJ, Musholt PB, Garm J, Napiontek U, Keilmann A. Changes of the speaking and singing voice after thyroid or para- thyroid surgery. Surgery 2006;140(6):978-88.

12. Soylu L, Ozbas S, Uslu HY, Kocak S. The evaluation of the causes of subjective voice disturbances after thyroid surgery. Am J Surg 2007;194(3):317-22.

13. Bergenfelz A, Jansson S, Kristoffersson A, et al. Complications to thyroid surgery: results as reported in a database from a multi- center audit comprising 3,660 patients. Langenbecks Arch Surg 2008;393(5):667-73.

14. Sinclair C, Bumpous J, Haugen B, et al. Laryngeal examination in thyroid surgery: An American Head and Neck Society Consen- sus Statement. 2015.

15. Jacobson BH, Johnson A, Grywalski C, et al. The Voice Handicap Index (VHI): Development and Validation. Am J Speech Lang Pathol 1997;6:66-70.

16. Hirano M. Clinical Examination of Voice. New York: Springer Verlag; 1981. p. 81-4.

17. Dunklebarger J, Rhee D, Kim S, Ferguson B. Video rigid laryn- geal endoscopy compared to laryngeal mir- ror examination: an assessment of patient comfort and clinical visualization. Laryngo- scope 2009;119:269-71.

18. Laeeq K, Pandian V, Skinner M, et al. Learning curve for compe- tency in flexible laryngoscopy. Laryngoscope 2010;120:1950-3.

19. Wong KP, Woo JW, Li JY, Lee KE, Youn YK, Lang BH. Using Transcutaneous Laryngeal Ultrasonography (TLUSG) to assess post-thyroidectomy patients' vocal cords: which maneuver best optimizes visualization and assessment accuracy? World J Surg 2016;40:652-8.

20. Wong KP, Lang BH, Ng SH, Cheung CY, Chan CT, Lo CY. A prospective, assessor-blind evaluation of surgeon-performed transcutaneous laryngeal ultrasonography in vocal cord examina- tion before and after thyroidectomy. Surgery 2013;154:1158-64.

분화갑상선암의 수술 후 치료

Postoperative Management of Differentiated Thyriod Carcinoma

SECTION

6

방사성요오드를 이용한 진단과 치료

Radioiodine Scanning, Ablation and Treatment

| 연세대학교 의과대학 외과　**이잔디**

분화갑상선암 진료 영역에서 방사성요오드는 다음과 같은 목적으로 사용되고 있다. 첫째, 갑상선암 전절제술 후 잔여 갑상선 조직을 제거하기 위해서, 둘째, 치료 후 재발여부 및 지속되는 갑상선암을 진단하기 위해서, 셋째, 이들의 치료를 위해서 사용되고 있다. 방사성요오드는 분화갑상선암 영역에서 진단과 치료에 장기간 사용되어 왔으나, 아직까지 그 사용 여부 및 정도에 대해 논란이 되는 부분들이 있다. 이번 장에서는 방사성요오드의 특성 및 이를 이용한 진단과 치료에 대해 간략히 정리하고, 최근 이슈가 되고 있는 분화갑상선암에서 방사선요오드 치료용량 및 방사성요오드 치료를 위한 유전자 재조합 인체 갑상선자극호르몬(rhTSH) 투여에 대하여 추가적으로 기술하고자 한다.

1. 방사성요오드

1) 물리적 특성

자연상태의 요오드 원자는 원자량이 127이며 53개의 양성자와 74개의 중성자로 핵을 구성하여 안정된 상태를 유지하지만 방사성요오드^{131}은 원자량이 131이며 53개의 양성자와 78개의 중성자로 핵을 구성하여 불안정한 상태로 존재하게 된다. 따라서 방사선 요오드^{131}은 원자량이 같고 안정화된 크세논(Xe)으로 변환되어 54개의 양성자와 77개의 중성자로 핵을 구성하게 된다. 이러한 자발적 변환 과정은 요오드^{131}에서 하나의 중성자가 전자를 방출하면서 양성자로 변환되는 과정이고, 이때 하나의 전자(베타입자)가 방출되면서 최대 606 keV, 평균 191 keV의 에너지가 발산된다. 요오드^{131}은 전자 방출 후 추가로 감마선을 방사하면서 안정된 크세논으로 전환된다.

방사성요오드^{131}은 반감기가 8.1일이며, 364 keV의 고에너지 베타와 감마 방사능 물질이며, 방사선요오드를 이용한 전신스캔에서 방사성요오드^{131}과 같이 많이 사용되는 방사성요오드^{123}은 반감기가 13시간이며, 159 keV의 저에너지 순수 감마 방사능 물질이며, 베타선이 없어 방사선요오드 치료에는 효과적이지 않다. 방사능 물질의 초당 붕괴되는 양은 baquerels (Bq) 단위로 표시하고, 1 g의 라디움(Ra)이 1초 동안 붕괴되는 양을 1 curie (Ci)로 표시하며 실질적으로 사용되는 단위인 1 mCi는 37 MBq에 해당한다.

임상에서 사용되는 방사성요오드^{131}은 화학적으로 요오드화나트륨이며 주로 경구용 캡슐 형태로 공급되어, 복용 후 주로 상부 소장에서 신속하고 완전하게 흡수된다. 경구로 섭취된 캡슐이 녹아 흡수되기 전에 방사능이 위장벽에 영향을 미칠 수 있으며 이를 약화시키기 위해 많은 양의 물을 방사성요오드와 동시에 복용하게 한다. 흡수장애가 있는 경우에는 액체형태의 방사성요오드를 정맥을 통해 주입하여 사용하는데 주입하는 동안 방사능에 노출될 위험이 있어 캡슐을 복용하는 것보다 더 위험하다.

2) 방사선 생물학

전리방사선은 세포 내 화학결합을 파괴하고 DNA 분자에 손상을 주며 세포의 기능장애를 유발하여 결국 세포를 죽게 한다. 방사선 흡수량은 질량 1 kg의 물체가 1 joule의 에너지 흡수를 의미하는 1 gray (Gy, 1 Gy=100 rad) 단위로 표시한다. 방사성요오드의 방사선은 주로 베타입자에 의해 전달되며 이는 조직 내부로 깊이 침투하지 못하여 대개 2 mm 두께까지만 침투할 수 있다. 따라서 조직에 흡수된 베타입자는 조직의 직경이 10 mm가 될 때까지는 직경에 비례하여 방사선량이 증가하지만 조직의 직경이 그 이상으로 커지면 베타입자에 의한 방사선량은 증가하지 않고 그대로 유지된다. 실제로 종양의 크기가 크면 종양 내 농축된 방사성요오드의 베타입자는 종양에서 탈출할 수가 없어 인근 주위 조직에 손상 없이 비교적 안전하게 고용량을 투여할 수 있는 장점이 있지만 그 치료효과 면에서는 제한적일 수밖에 없다. 방사성요오드에서 방사되는 감마선은 전체 방사선량의 10% 정도로 피부를 통하여 방출되며 환자와 주위 환경에 영향을 미치게 된다.

3) 방사선량 측정

조직에 전달되는 방사선량은 조직의 방사능 농도(기능하는 조직 량에 대한 흡수된 방사선량의 비)와 유효 반감기(조직 내에서 실제 흡수된 방사능의 반감기; 물리적인 반감기와 조직에서 제거되는 속도를 반영한 반감기)에 영향을 받게 된다. 정상 갑상선 조직의 방사능 농도는 투여된 방사선량의 1% 정도이고, 유효 반감기는 8일로 실제 방사성요오드 3.7 GBq (100 mCi)를 투여할 때 24시간 후에 흡수되는 조직의 방사선량은 500 Gy 정도이다. 그러나 갑상

선 암조직의 방사능 농도는 평균적으로 투여량의 0.1% (0.5~0.001%) 정도로 매우 낮고, 유효 반감기도 3일 이내로 실제로 흡수되는 방사선량은 매우 낮다. 실제로 방사성요오드 3.7 GBq (100 mCi)를 투여할 때 유효 반감기가 3일인 경우 암조직의 흡수방사선량은 갑상선암 조직에서 방사능 농도가 평균 0.1%이므로 30 Gy이지만, 유효 반감기가 1.5일인 경우에는 15 Gy밖에 되지 않는다. 또한 유효 반감기가 3일로 같고, 같은 양의 방사성요오드를 투여한 경우에도 방사선을 흡수하는 조직량에 따른 조직의 방사선량 농도에 의해 방사선량이 달라진다. 즉, 방사성요오드 3.7 GBq (100 mCi)를 투여할 때 종양 5 g이 투여량의 0.5%만 흡수한다 하여도 흡수 방사선량은 30 Gy에 해당하지만 종양이 100 g인 경우에는 투여량의 1%를 흡수할 수 있다고 하여도 흡수 방사선량은 3 Gy밖에 되지 않는다. 실제로 방사선량 측정은 계산된 근사치이고 영상검사에서 보이지 않는 전이 병소를 가진 환자에서는 측정할 수 없으며, 환자에 따라서 방사성요오드의 생물학적 반감기가 다르며, 같은 환자에서도 시간에 따라 변할 수 있어 측정이 어렵고, 방사성요오드가 흡수된 병소에서도 흡수된 방사선량의 분포가 균질하지 않은 문제가 있다. 따라서 대부분 기관에서는 표준량의 방사성요오드를 투여한 후 촬영한 전신 스캔에서 보이는 방사능 흡수 상태를 보고 치료량을 결정하게 된다. 잔존 갑상선 조직의 제거를 위해서는 30 Gy, 전이 갑상선암의 치료를 위해서는 100 Gy의 방사선량이 권장된다. 실제로 전이 갑상선암에서 충분한 방사선량을 흡수한 경우에도 단지 2/3 환자에서만 효과적 치료가 이루어지며, 따라서 방사성요오드 치료의 효과로 크기가 작은 종양의 제거는 기대할 수 있으나 큰 종양의 제거는 기대하기 어렵다.

방사성요오드 투여로 갑상선 이외의 조직에서 흡수되는 방사선량은 갑상선 조직의 1/1,000~1/10,000 수준으로 낮지만 치료 전에 갑상선기능 저하 상태를 유지하기 때문에 방사성요오드의 신장을 통한 배출이 늦어지고 체내 체류 기간이 길어지면 수학적으로 계산된 방사선량보다 증가할 수 있다. 실제로 3.7 GBq (100 mCi)를 투여 후 체내 림프구에서 흡수되는 방사선량은 갑상선

기능이 정상인 경우 500 mGy로 계산되지만 2~3배 높게 측정되며, 종양의 수 및 모양 등 여러 인자들에 의해서 크게 영향을 받아 변할 수 있다.

4) 방사능 안전과 부작용

방사성요오드 치료에 관련된 모든 종사자들은 방사선 조사에 폭로되지 않도록 노력해야 한다. 이러한 폭로를 줄이기 위해서는 방사성요오드에서 최대한 먼 거리를 유지하고, 폭로되는 시간을 최소화하며, 접촉 시에는 차단막을 이용해야 한다. 또한 환자와 관계자들에게 안전을 위한 교육을 충분히 시행하고, 치료 과정은 즉시 확인할 수 있도록 명문화하여 이에 따라 시행해야 한다. 방사성요오드의 부작용은 대개 일과성으로 미미하다. 경구로 복용한 후에는 구역질 및 위통이 발생할 수 있고, 흔히 타액선염이 발생하여 통증과 부종이 동반된다. 미각의 소실도 발생할 수 있지만 대개 수일 내 사라진다. 잔존하는 갑상선 조직이 많은 경우에는 경부에 심한 부종을 동반할 수 있어 이를 예방하기 위해 스테로이드를 투여해야 한다. 이상의 부작용을 줄이기 위해서는 경구로 충분한 수분을 섭취하도록 하고 레몬 주스, 설사제 등을 투여하여 체내 방사성요오드의 농도를 낮추도록 노력한다. 방사성요오드의 투여량이 18.5 GBq (500 mCi) 이상이 되면 백혈병 등 악성종양 발생 가능성이 보고되고 있으며, 임신 중에는 방사성요오드 치료를 시행해서는 안 되지만 고용량의 방사성요오드 투여 후 6~12개월 이후에는 임산부 및 태아에 미치는 영향은 없다고 알려져 있다.

2. 방사성요오드를 이용한 잔존 갑상선 조직 제거

방사성요오드[131]은 갑상선절제수술 후에도 미세하게 남아있는 갑상선 정상조직을 파괴하여 없애는 치료에 이용된다. 이 치료는 첫째, 수술 후 제거되지 않은 미세종양을 제거함으로 재발과 사망을 감소시키고, 둘째, 잔존하는 정상 갑상선 조직을 제거하여 혈청 갑상선글로불린이나 방사선 요오드[131] 전신스캔으로 조기에 재발을 확인하고, 셋째, 고용량의 방사성 요오드 투여 3~7일 후 전신스캔으로 이전에 확인되지 않았던 흡수부위를 발견하기 위해서 시행한다.

1) 이론적 배경

(1) 재발 및 사망에 미치는 영향

방사성요오드[131] 치료는 직경 1.0 cm 이하의 작고 갑상선내에만 국한된 단발성 혹은 다발성 암에서는 치료에 도움이 되지 않으며, 림프절 전이가 있는 미세유두암에서도 재발에 미치는 영향이 없다. 그러나 종양의 직경이 1.0 cm 이상이고, 다발성이며, 종양이 갑상선 밖으로 침윤하고, 림프절 전이가 있는 경우에는 치료의 효과에 대한 논란이 계속되고 있다. 1970년대 방사성요오드[131] 치료의 효과에 대하여 처음 언급한 Mazzaferri[1] 등의 연구에서는 직경 1.5 cm 이상의 갑상선암에서 방사성요오드 치료가 재발 및 사망을 감소시키는 효과가 있다고 하여, 갑상선암의 치료에 있어서 방사성요오드[131] 치료의 중요성을 강조하였으며, 캐나다에서 시행된 연구[2]나 Institut Gustave Roussy에서 시행된 연구[3] 결과에서는 수술 후 방사성요오드 치료를 추가한 군의 생존율이 높았다. 그러나 1,500명 이상을 대상으로 30년간 조사한 Mayo Clinic의 연구[4] 결과에서는 재발과 사망에 미치는 효과를 확인할 수 없었으며, Hay[5] 등의 연구에서는 MACIS 6점 이하의 저위험군 환자는 방사성요오드[131] 치료가 이득이 없기 때문에 저위험군 환자에서 잔존 갑상선 제거를 위한 방사성요오드[131] 치료는 권하지 않았다. 최근 미국 갑상선 학회도 저위험군 환자에 대한 방사성요오드[131] 치료를 권하지 않고 있다.[6] 이러한 다양한 논란에 대해서 '갑상선암의 위험정도에 따른 방사성요오드

[131] 치료 용량 결정'에 대한 최신지견을 다음 문단에 자세히 기술하였다.

(2) 혈청 갑상글로불린 측정과 방사성요오드[131]을 이용한 전신스캔

많은 경우에서, 갑상선 전절제술을 시행 시 갑상선의 피라미드엽, 갑상설관, 부갑상선 주위조직, Zuckerkandl 결절, 그리고 베리 인대 근처에서 소량의 정상 갑상선 조직이 남는 경우가 있다. 이러한 잔존 정상 갑상선 조직에서 만들어지는 갑상글로불린은 갑상선암 환자의 추적 관찰시 잔존암으로 오인 받을 수 있으며, 특히 갑상설관의 잔존은 추적 영상 검사에서 림프절의 재발로 오인 받을 가능성이 많다. 따라서, 방사성요오드로 잔존하는 정상 갑상선을 제거한 후에는 방사성요오드[131]을 이용한 전신스캔의 민감도가 향상되며, 재발 및 지속되는 질환을 확인하기 위한 혈청 갑상글로불린 측정법의 특이도가 상승한다. 그러나 갑상선 전절제술이나 아전절제술만으로도 혈청 갑상글로불린치를 충분히 낮출수 있어 티록신 투여 중인 경우에는 93%, 중단한 경우에는 80%에서 검출되지 않는다. 따라서 이들 환자에서 추적 검사로 혈청 갑상글로불린 검사를 유용하게 사용할 수 있다. 또한 수술 후 티록신을 복용하면서 수개월이 지나도 계속 혈청 갑상글로불린이 검출되는 저위험군도 방사성요오드[131]을 이용한 치료의 적응이 될 수 있다.

(3) 방사성요오드[131] 치료 후 전신스캔

방사성요오드 치료 후 전신스캔으로 갑상선 암을 진단할 수 있는 전신스캔의 민감도는 방사선량의 증가에 따라 향상되며, 검사 결과로 종양의 완전 절제 여부와 함께 갑상선 절제부 밖이나 림프절 혹은 원격 부위에서 흡수된 병변을 확인할 수 있다. 고용량 방사성요오드[131] 치료 후 약 10~26%의 환자에서 추가적인 전이 부위가 발견된다고 알려져 있으며, 고위험군 환자에서 이러한 결과는 방사성요오드를 복용한 날 측정한 갑상글로불린치와 밀접한 관계를 보인다.

2) 적응증

수술 후 시행하는 방사성요오드[131] 치료는 많은 비용과 심한 불편함을 감수해야 하는 어려운 절차를 겪어야 하기 때문에 이를 통해 분명하게 치료에 도움을 받을 수 있는 재발 및 사망의 고위험군에서 시행한다. 그 적응증으로는 1) 원격전이가 있거나, 2) 종양의 제거가 불완전한 경우, 3) 종양은 완전히 제거되었으나 다음 조건에 해당되는 경우 즉, 15세 이하 혹은 46세 이상의 나이, 병리조직학적으로 예후가 불량한 종류, 큰 종양, 갑상선피막 침범, 다른 조직에 침윤하거나, 림프절에 전이된 경우, 4) 수술 3개월 이후 혈청 갑상글로불린이 상승하는 경우가 해당된다. 특히, 광범위한 림프절 전이를 보이는 15세 이하의 갑상선암 환자는 흉부 영상에서는 발견되지 않는 폐전이가 동반될 가능성이 매우 높아 수술 후 방사성요오드[131] 치료의 적응증이 된다.

3) 시행절차

방사성요오드[131] 치료를 위해서는 치료 전 혈청 TSH가 30 μU/ml 이상 되어야 한다. 이를 위해 3~4주간 갑상선호르몬 복용을 중단하고 2주간의 요오드 섭취를 줄이는 식이요법을 시행하거나, 최근 개발된 재조합 인체 갑상선자극호르몬(rhTSH)을 사용하기도 한다. 투여량은 기관에 따라 차이가 있으나 대개 1.1 GBq (30 mCi) 혹은 3.7 GBq (100 mCi)를 사용하며, 1.1 GBq (30 mCi)의 저용량을 사용해도 85% 환자에서 잔존 갑상선을 완전히 제거할 수 있다고 여겨지고 있으나, 일부 연구에서는 고용량을 사용할수록 치료 후 전신스캔의 민감도가 향상되고, 잔존 암의 치료 효율이 높아진다고 주장하고 있다. 최근 미국 갑상선 학회에서는 잔존 갑상선 조직을 제거하기 위한 방사성요오드[131] 치료로 30 mCi 혹은 50 mCi를 사용하도록 권고하고 있다. 일부에서는 방사선량 측정법을 사용하기도 하지만 진단목적으로 사용한 방사성요오드를 흡수한 갑상선 조직은 추후 치료 목적으로 투

여되는 방사성요오드를 흡수하는 능력이 저해되어 치료
효율이 감소될 수 있다. 경험 많은 외과의사가 수술한
환자에서 치료 전 진단 목적으로 시행한 전신스캔 결과
로 갑상선 절제부 외에 흡수되는 방사선량은 투여량의
2% 정도이지만 5%를 넘는 경우에는 치료 전에 완결갑
상선절제술을 시행하는 것이 바람직할 수도 있다. 치료
후에는 갑상선호르몬을 투여하고, 갑상선절제술 부위
외에 흡수되는 방사능이 없는 경우 6~12개월 후 방사
선 요오드 74~185 MBq (2~5 mCi)를 투여하여 전신스
캔으로 확인한다. 갑상선 전절제 혹은 아전절제술을 받
은 환자에서 표준 용량 1.1 GBq (30 mCi) 혹은 3.7 GBq
(100 mCi)를 투여하면 80~90% 환자에서 잔존 갑상선을
완전히 제거할 수 있다.

4) 잔존 갑상선암의 치료

잔존 갑상선을 제거하기 위한 방사성요오드[131] 치료는
아직까지 그 효과에 대하여 논란이 많으나, 수술적으로
완전한 제거가 이루어지지 않은 잔존 갑상선암의 치료
에 있어 방사성요오드[131] 치료는 그 효과가 전세계적으
로 인정 받고 있는 추세이다. 국소적으로 진행된 (pT4)
갑상선암인 경우, 수술적 치료로 육안으로 보이는 갑상
선암을 완벽히 제거하였어도, 미세적잔존암(Microscopic
residual malignancy)이 남아 있을 수 있으며, 수술적으로
완전한 절제가 어려워 육안적잔존암(Gross residual ma-
lignancy)이 남아 있을 수 있다. 이러한 잔존암은 재발과
사망을 증가시키는 것으로 알려져 있다. 방사성요오드[131]
치료는 잔존암으로 인한 재발과 사망을 향상시키는 데
큰 역할을 하고 있으며, 치료를 위한 방사성요오드의 표
준 투여량은 3.7 GBq (100 mCi) 이상에서 그 효과가 나
타나지만, 최대 총투여량은 18.5 GBq (500 mCi) 미만까
지 허용되고 있다. 일부 그룹에서는 치료의 극대화를 위
해서 방사성요오드의 총투여량을 18.5 GBq (500 mCi)
이상까지 가능하다고 주장하고 있으나, 18.5 GBq (500
mCi) 이상의 고용량의 방사성요오드[131] 치료는 아직까지

그 효과가 입증되지 않았으며, 심각한 구강건조증, 연하
곤란, 골수억제를 야기할 수 있고, 백혈병, 림프종, 방광
암, 대장암등의 이차성 암을 발생시킬 가능성이 있어 권
고되지 않는다.

3. 방사선요오드 치료용량 결정

1) 위험군에 따른 방사선요오드 치료의 결정 및 치료 용량 결정

갑상선암 수술 후 방사선요오드 치료 결정은 치료에 의
해서 야기되는 위험과 이익을 모두 고려해서 결정하여
야 한다. 최근 갑상선암의 진단과 치료, 그리고 추적검사
에 있어 초음파의 역할이 두드러지게 됨에 따라 방사선
요오드를 이용한 전신스캔의 역할은 상대적으로 감소하
게 되었다. 이에 따라 방사선요오드 치료도 축소되는 경
향을 보이고 있으며 환자들의 삶의 질이 화두로 대두됨
에 따라 방사선요오드 치료 용량도 감소하는 추세이다.

방사선요오드 치료가 갑상선암에 있어 재발과 사망
을 낮추는 데 효과가 있는지의 여부를 밝히려는 연구는
과거부터 많이 행하여져 왔다. Mazzaferri[1] 등은 방사
성요오드 치료가 갑상선암의 재발과 사망을 유의하게
감소시킨다고 보고하였으며, Sawka[7] 등은 방사성요오
드 치료가 재발과 원격전이를 유의하게 감소시킨다고
보고하여 방사선요오드 치료는 갑상선암의 표준 치료로
자리 잡았다. 그러나, Jonklaas[8] 등은 갑상선암의 크기
가 2 cm 미만이고 림프절이나 원격전이가 없는 1 병기
환자군에서는 방사선요오드 치료에 따른 차이가 없음을
보고하였고, Schvartz[9] 등은 저위험군 갑상선암에서 방
사선요오드 치료는 재발과 사망에 영향을 주지 않는다
고 보고하여 방사선요오드 치료에 대한 재평가가 이루
어지고 있다. 최근 연구들을 요약하면, 고위험군이 아닌
갑상선암 환자에서의 방사선요오드 치료는 재발률 감소

표 43-1 | 위험도에 따른 갑상선암의 분류(미국 갑상선 학회)

초저위험군	• 1 cm 미만의 크기, 단일병변, 갑상선내 국한, 림프절 전이 없음
저위험군	• 갑상선내 국한된 갑상선암 • 림프절 크기 0.2 cm 미만의 5개 이하의 미세 림프절 전이
중간위험군	• 병리학적으로 예후가 불량한 갑상선암, • 미세한 갑상선피막침범, 혈관침습, • 혹은, 림프절 크기 0.2~3 cm의 5개 초과된 림프절 전이
고위험군	• 육안상 갑상선피막침범, • 종양의 불완전한 절제, 원격전이, • 혹은, 전이된 림프절 크기 3 cm 초과

에 대하여 아직 많은 논란이 있으나, 사망률 감소에 대한 효과는 없는 것으로 보인다.

2015년 미국 갑상선 학회는 이러한 연구 배경을 바탕으로 갑상선암 환자를 재발과 사망에 대한 위험도에 따라 분류하여 방사선요오드 치료를 결정하기를 권고하였으며, 위험도에 따른 분류는 초저위험군, 저위험군, 중간위험군, 그리고 고위험군으로 분류하였다(표 43-1).

(1) 초저위험군에서의 방사선요오드 치료

초저위험군의 경우 방사선요오드 치료는 하지 않는 것이 일반적이다. 과거에는 환자가 갑상선 전절제술이나 아전절제술을 받은 상태에서 경우에 따라 향후 재발에 대한 진단 용이성 등을 고려하여 저용량 방사선요오드 투여(30 mCi)를 고려하였지만, 현재는 치료를 권유하지 않는 경우가 대부분이다.

(2) 저위험군에서의 방사선요오드 치료

저위험군의 경우 방사선요오드 치료는 생략할 수 있는 것이 일반적이나, 30 mCi의 저용량을 투여하여 잔존 갑상선을 제거할 수도 있다. 최근에는 유전자 재조합 인체 갑상선자극호르몬 투여를 통하여 갑상선기능저하증을 피할 수 있고, 저요오드식이도 다양해져 방사선요오드 치료에 따른 불편감을 대폭 줄일 수 있게 되었다. 따

라서 향후 재발에 대한 진단 용이성 등을 고려할 때 이득이 더 많다고 판단될 시, 환자와 충분한 상의후에 저용량 방사선요오드 투여(30 mCi)를 고려해 볼 수도 있다. 저용량 방사선요오드 투여시, 용량에 따른 잔존 갑상선 제거 성공률에 대한 연구 결과 25 mCi 이상의 용량을 사용한 경우 유의한 차이가 없음을 보고하였고,[10] 100 mCi를 추가하여 시행한 연구에서도 성공률의 차이가 없음을 보고하였다.[11] 따라서 저위험군환자에서는 치료 성공률에서 저용량 방사선 요오드 치료만으로 충분하다는 결론을 보이고 있다.

(3) 중간위험군에서의 방사선요오드 치료

중간위험군의 경우 방사선요오드 치료의 필요성은 아직까지 논란이 많은 상황이며, 환자에 따른 선택적인 방사선요오드 치료를 권하고 있다. 치료 용량은 30~100 mCi의 방사성요오드를 투여하도록 권하고 있으며, 2012년 New England Journal of Medicine에 실린 논문에서 30 mCi와 100 mCi의 잔존 갑상선 제거 성공률은 차이가 없음을 보고하여, 방사선요오드 치료의 용량은 감소하는 추세이다.[12,13] 그러나 일부 논문에서는 방사선요오드의 용량이 높을수록 재발률에는 차이가 없으나, 잔존 갑상선 제거 성공률은 높아진다고 보고하기도 하였다.[14]

(4) 고위험군에서의 방사선요오드 치료

고위험군의 경우 방사선요오드 치료는 필요하며, 향후 재발과 사망을 감소시키는 효과가 있다고 알려져 여전히 적극적으로 행해지고 있다. 치료 용량은 150~175 mCi의 고용량의 방사성요오드를 투여하도록 권하고 있다.

4. 갑상선암환자의 추적검사

갑상선암 환자에서 시행되는 추적검사는 티록신 투여량을 조절하거나 재발 및 지속되는 질환의 조기 발견을 위

해서 필요하며, 경부 초음파검사, 혈청 갑상글로불린 측정, 방사성요오드[131] 전신스캔을 병합하여 시행한다.

1) 혈청 갑상글로불린 측정

갑상글로불린은 정상 갑상선여포세포나 갑상선 종양세포에서만 만들어지는 당단백질로 갑상선이 완전히 제거된 경우에는 검출되어서는 안 되며, 검출되는 경우에는 병이 지속되거나 재발된 것을 의미한다. 모든 갑상선유두암과 여포암은 갑상글로불린을 생산하며 위음성 결과를 보이는 경우는 낮다.

2) 측정법

현재 갑상글로불린의 측정을 위해 주로 사용되는 방법은 면역방사측정법으로 농도 1 ng/ml 이하까지 측정 가능하다. 갑상선암의 15~25%에서는 혈청 갑상글로불린 항체가 발견되며 이는 갑상글로불린과 결합하여 위음성 혹은 낮은 결과를 보일 수 있다. 따라서 혈청 갑상글로불린 측정에 앞서 이에 대한 항체가 있는지 검사하거나, 혹은 갑상글로불린의 측정과 함께 정해진 갑상글로불린을 검체 혈청에 투여하여 회수되는 양을 측정하여 70~80% 이상 회수될 때 갑상글로불린 항체에 의한 방해가 없다고 판단하고 그 이하에서는 항체에 의한 방해가 있다고 판단한다. 측정 결과 항체가 존재하면서 갑상글로불린이 검출되는 경우에는 갑상선조직이 남아있다는 것을 의미하며, 항체가 존재하면서 갑상글로불린이 검출되지 않고 회수량 검사에서 정상인 경우에도 조심스럽게 판단해야 한다. 갑상선 조직의 완전 제거가 이루어진 경우에는 혈청 갑상글로불린 항체가 평균 3년 안에 점차 낮아지거나 검출되지 않게 된다. 추적검사 중에 갑상글로불린이 지속되거나 증가하는 경우에는 질환이 지속되거나 재발된 것으로 생각할 수 있다.

3) 결과

혈청 갑상글로불린의 생산은 갑상선자극호르몬에 의해 결정되며 갑상선호르몬 복용을 중단하거나 rhTSH를 투여함으로 증가하게 된다. 혈청 갑상글로불린 측정치는 종양의 크기에 비례하며, 완전하게 갑상선 제거가 이루어진 경우에는 검출되지 않지만 약 10%에서는 5 ng/ml 이하의 낮은 농도로 검출될 수 있다. 갑상선호르몬을 복용 중인 환자에서는 갑상선 완전제거가 이루어진 경우 98%에서 갑상글로불린이 검출되지 않지만 실제 임상적으로 원격전이가 이루진 큰 종양은 혈청 갑상글로불린이 검출된다. 그러나 초음파검사로 림프절 전이의 진단을 받은 환자의 20%와 폐전이 병변이 작아 단순 폐촬영에서는 발견되지 않는 경우의 5%에서는 갑상글로불린이 검출되지 않으며, 미분화갑상선암으로 재발한 경우에도 지속적으로 낮은 농도로 검출될 수 있어 결과 해석에 주의를 요한다. 혈청 갑상글로불린은 매우 유용한 예후인자로 갑상선호르몬 중단 후 검사에서 검출되지 않으면 20년 이상 추적검사에서도 재발된 예가 없었으며, 반대로 측정치가 10 ng/ml 이상인 경우에는 74~185 MBq (2~5 mCi)로 시행한 방사성요오드 전신스캔에서는 전이 병소를 찾을 수 없었지만 고용량 투여 후 시행한 전신스캔에서 병변이 발견되었다는 보고가 있다.

4) 방사성요오드를 이용한 전신스캔

방사성요오드를 이용한 전신 스캔을 위해서는 갑상선호르몬 복용을 중단하여 TSH가 30 μU/ml 이상 상승한 후에 시행하며, 갑상선호르몬을 복용 중인 경우에는 재조합 인체 TSH 0.9 mg을 2일간 근육주사한 후 3일째 검사를 시행할 수 있다. 검사 전 환자는 요오드를 포함하는 약제나 음식을 피해야 하고 과량복용이 의심되는 경우에는 소변검사를 통하여 확인한다. 진단을 위한 방사성요오드[131] 투여량은 74~185 MBq (2~5 mCi)이며, rhTSH 주사 후에는 148 MBq (4 mCi)가 권장된다. 투여 후 2~3일 후 전신 스캔을 시행하며, 질환이 지속되거나 재발된 경우에 통상 사용되는 진단 용량으로 전이 병변이 확인되지 않으면 3.7 GBq (100 mCi) 이상을 투여하고 3~7일 후 전신스캔을 시행하여 확인한다. 이렇게 전신 스캔을 시행하여도 전이암 환자의 2/3에서만 병변이 확인된다. 또한 위양성 결과도 발생할 수 있어, 피부나 옷 등에 오염되거나 침샘이나 위장관, 방광, 유방, 간 등에서 생리적으로 섭취된 경우, 폐, 부비동 등의 염증, 기타 다른 기관의 종양 등이 있는 경우 이를 고려해서 판단하여야 한다.

5. 방사성요오드 치료를 위한 갑상선호르몬 투여 중단 및 유전자 재조합 인체 갑상선자극호르몬(rhTSH) 투여

방사성요오드131 치료를 위해서는 치료 전 혈청 TSH가 30 µU/ml 이상되어야 한다. 이를 위해 3~4주간 갑상선호르몬 복용을 중단하거나, 최근 개발된 유전자 재조합 인체 갑상선자극호르몬(rhTSH)을 사용하기도 한다.

1) 방사성요오드 치료효과 비교

유전자 재조합 인체 갑상선자극호르몬(rhTSH)을 이용한 방사선요오드 치료는 30~100 mCi의 용량을 사용할 시 갑상선호르몬 중단을 이용한 방사선요오드 치료와 효과 면에서 차이가 없음이 밝혀졌다. 최근 미국 갑상선 학회는 이러한 내용을 바탕으로 고용량의 방사선요오드 치료를 받지 않을 경우, 즉 저위험군과 중간위험군의 갑상선암 환자에서 방사선요오드 치료를 위해 갑상선호르몬 중단 대신 유전자 재조합 인체 갑상선자극호르몬 투여가 가능하다고 밝히고 있다. 또한, 갑상선암 환자의 추적관찰시 방사선요오드를 이용한 전신스캔의 효과도 갑상선호르몬 중단 시와 유전자 재조합 인체 갑상선자극호

르몬 투여 시에서 비슷한 결과를 보여준다. 한 연구에서는 유전자 재조합 인체 갑상선자극호르몬 투여를 이용한 방사선요오드 전신스캔은 재발 갑상선암 발견에 있어서 전통적인 갑상선호르몬 중단을 이용한 방사선요오드 전신스캔과 비슷한 민감도를 보인다고 보고하였다.[15] 이러한 내용을 바탕으로 저위험군과 중간위험군의 갑상선암 환자에서 유전자 재조합 인체 갑상선자극호르몬을 이용한 방사선요오드 진단 및 치료는 갑상선호르몬 중단을 이용한 방사선요오드 진단 및 치료와 동등한 효과를 보인다는 것을 알 수 있다.

2) 삶의 질에 미치는 영향 비교

방사성요오드 치료를 위한 갑상선호르몬 중단은 갑상선암 환자들의 삶의 질을 크게 저하시킬 수 있다. 갑상선암 환자의 추적관찰 과정에서 갑상선호르몬 중단이 삶의 질에 미치는 영향을 평가한 연구들에서 갑상선호르몬 중단에 따른 갑상선기능저하 상태에 있었던 환자들의 삶의 질은 일반 인구에 비해 유의미하게 낮은 것으로 보고하였고,[16,17] 다른 연구에서는 갑상선호르몬 재투여 후 삶의 질은 갑상선호르몬 중단 전 수준으로 점차 호전되는 경향을 보였다.[18] 이러한 연구결과들은 갑상선호르몬 중단에 의한 갑상선기능저하 상태가 갑상선암 환자들의 삶의 질을 저하시킬 수 있지만 갑상선호르몬 투여에 의해 갑상선기능상태가 정상화되면 삶의 질 역시 호전될 수 있음을 시사한다. 따라서 유전자 재조합 인체 갑상선자극호르몬 투여로 갑상선호르몬 중단 없이 내인성 TSH를 자극하는 방법은 정상 갑상선기능상태를 유지할 수 있으며, 갑상선암 환자들의 삶의 질을 크게 향상시킬 수 있다. 갑상선호르몬 중단을 시행한 군과 유전자 재조합 인체 갑상선자극호르몬을 투여한 군에서의 삶의 질을 평가한 무작위 대조 연구에서 유전자 재조합 인체 갑상선자극호르몬을 투여한 군의 삶의 질이 유의미하게 더 높았음을 알 수 있었다.[19] 결국 유전자 재조합 인체 갑상선자극호르몬을 투여하면 갑상선호르몬 중단에 의

한 삶의 질 저하 예방 및 최소화에 도움을 줄 수 있을 것으로 생각하며, 방사성요오드를 이용한 진단과 치료의 효과가 비슷하다면 유전자 재조합 인체 갑상선자극호르몬 투여를 고려하는 것도 적절하다고 생각한다.

6. 국소 및 구역 재발에서의 방사성요오드 치료

여러 가지 이유로 질환이 국소 및 구역에 재발 혹은 지속되는 경우에는 수술적 치료와 방사성요오드[131] 치료를 병합하게 된다. 방사성요오드 치료는 비록 75~85%의 높은 흡수율로 치료한다 해도 종양의 직경이 1 cm 미만인 경우에만 효과적이다. 종양의 크기가 큰 경우에는 치료 효과가 떨어져 반복해서 방사성요오드 치료를 해도 80%에서 혈청 갑상글로불린이 검출된다. 또한 종양에 따라 방사성요오드 흡수율이 다르기 때문에 수술적 치료와 병합해서 방사성요오드 치료를 시행하는 것이 바람직하다. 수술은 한 번에 완전하게 시행하는 것이 중요하며 이를 위해서 초음파, CT, MRI 등의 수술 전 검사를 통하여 절제 림프절 범위를 정하는 것이 매우 중요하다. 방사성요오드[131]을 이용한 전신스캔은 종양의 위치를 확인하는 데 매우 특이도가 높으며, 특히 고용량의 방사성요오드를 이용한 검사는 분화된 갑상선암의 전이를 발견하는데 가장 예민한 검사법으로 알려져 있다. 일부 기관에서는 국소 및 구역 재발을 보이는 환자에서 3.7 GBq (100 mCi) 방사성요오드를 투여한 후 3일에 전신스캔으로 병변을 확인하고 4일째 수술을 시행하며 수술 중 방사성 탐촉자를 이용하여 병변을 제거하고 6일째 다시 전신 스캔을 시행하여 병변의 제거를 확인하는 방사유도 절제술을 시행하기도 하며 이는 이전에 절제술을 시행한 부위에 재발한 경우에 매우 유용하다.

또한, 종격동 림프절에 전이된 경우에는 흉골 절제술 후 제거술을 시행하게 되며, 종격동 림프절 전이는 폐전이를 동반하는 경우가 많기 때문에 방사성요오드[131] 치

료가 필요하다. 따라서 수술 전 CT나 MRI 검사는 방사성요오드 치료 최소 6주 전에 시행해야 치료에 영향을 미치지 않는다. 수술적으로 완전한 절제가 불가능하거나, 방사성요오드[131] 치료가 효과가 없는 45세 이상 환자의 종격동 림프절 전이는 외부 방사선 조사의 적응증이 된다.

7. 원격전이에서 방사성요오드 치료

갑상선유두암과 여포암에서 원격전이의 발생 빈도는 약 10% 정도이고, 이들 중 5% 미만에서 처음 진단에서 발견된다. 대개 폐와 뼈에 전이되며, 주로 15세 이하 혹은 46세 이상의 연령 환자, 종양의 크기가 큰 경우, 종양이 갑상선 피막을 넘어선 경우, 림프절에 많이 전이된 경우, 광범위 침윤을 보이는 여포암에서 잘 발생한다. 젊을수록 주로 폐로 전이되고, 고령일수록 폐나 뼈 혹은 양쪽 모두에 전이될 가능성이 높다. 방사성요오드[131] 흡수는 전이 환자의 2/3에서 확인되며, 이와 관련된 인자는 조직형, 나이, 전이 병소의 크기를 들 수 있다. 조직형에 따른 흡수율은 유두암이나 분화가 잘 된 최소침습 여포암에서 80%, 분화가 불량하거나 광범위 침습을 보이는 여포암에서는 50%, 휘틀암에서는 거의 섭취가 이루어지지 않는다. 40세 미만에서는 90% 이상에서 섭취되지만 40세 이상에서는 50%에서만 섭취가 이루어진다. 흉부촬영에서 나타나지 않거나 미세결절로 확인되는 경우에는 90% 이상에서 섭취되지만 거대결절로 확인된 경우에는 1/3에서만 섭취가 이루어진다.

분화갑상선암의 원격전이의 치료방법으로는 수술적 치료, 방사성요오드 치료, 외부방사선 치료 및 항암화학요법 등이 적용된다. 그중 방사성 요오드 치료방법에 대해서만 살펴보면, 약 50년 전 방사성요오드 치료가 폐전이에 효과적이라는 첫 보고가 있은 후 효과적으로 사용되고 있으며 성인에서는 3.7~5.5 GBq (100~150 mCi) 용량으로 소아에서는 약 체중 1 kg당 약 37 MBq (1 mCi)를 사용하고 있다. TSH 자극 후 사용하고 있으며, 치료 효과는 용량과 관계되어 뼈전이에서는 7.4 GBq (200 mCi)를 사용하며, 방사선량 결정법의 효과는 확인되지 않고 있으며, 치료를 위한 치료 횟수는 한계가 있다. 계속적인 치료는 3~6개월 후 가능하며 1~2년간 시행할 수 있다. 이후에는 매년 시행하여 전신스캔에서 잔존하는 섭취가 완전히 없어질 때까지 시행한다. 전이 환자에서는 투여량의 제한 없으나 축적용량 18.5 GBq (500 mCi) 이상에서는 암이나 백혈병의 위험도가 높아지고 그 이상의 투여로 얻을 수 있는 치료 효과는 제한적이다. 전이 병변이 단순 촬영에서는 확인될 수 없을 정도로 초기에 발견하는 경우에는 치료에 필요한 용량을 줄일 수 있고 따라서 체내 방사선 피폭량도 줄일 수 있다. 전이 환자에서 진단 목적의 전신스캔은 치료 전략을 변경할 수 없어 그 의미가 없고 치료 시 투여되는 방사성요오드의 섭취를 방해할 수 있다. 원격 전이 환자에서 방사선요오드 치료가 효과가 있기 위해서는 ① 45세 이하의 젊은 나이이거나, ② 고분화암인 경우, ③ 전이 병변의 높은 방사선요오드 흡수율, ④ 크기가 작은 전이 병변, ⑤ 폐전이, ⑥ 느리게 진행하는 경우, ⑦ 양전자 단층 촬영에서 전이 병변이 잘 보이지 않을 경우, ⑧ 반복적인 방사성요오드 치료의 반응률이 85% 이상인 경우를 만족시켜야 한다.

1) 치료 결과와 예후 인자

치료 후 종양의 크기와 방사성요오드 섭취 및 갑상글로불린 치가 함께 감소하는 경우 양호한 결과를 보이지만 종양의 크기가 줄지 않으면서 방사성요오드 흡수가 감소하는 경우 종양의 진행을 의미한다.

완전관해의 경우 방사성요오드를 섭취하는 원격전이 환자에서 완전관해율은 33~50%정도이며, 분화갑상선암의 증식속도가 느린 점을 감안한다면 관해를 보이는 환자의 1/3은 치료 시작 후 5년 이상의 기간이 필요하게 된다. 방사성요오드 치료 후 방사선 요오드 섭취능력이

높고, 젊은 나이에 발견되고, 전이의 범위가 제한된 경우에 양호한 결과를 보인다. 즉 폐전이에서 전이 발견 당시 단순 촬영에 확인되지 않는 경우 완전완화율은 83%에 이르지만, 미세결절 상태로 발견된 경우는 53%, 거대결절 상태로 발견된 경우는 14%로 낮아진다. 조기에 전이를 발견하여 치료하는 것이 효과적이지만 전이 병소 발견 없이 갑상글로불린만 상승된 경우에 고용량의 방사성요오드 치료를 시행하는 것은 모든 환자에서 좋은 효과를 기대할 수 없고, 무작위 환자대조군 연구 결과가 없으며, 처음에 상승된 갑상글로불린도 다른 치료 없이 감소할 수 있기 때문에 최소한 2차례의 갑상글로불린 검사치가 증가하거나 계속 높은 상태로 유지되는 경우에만 고려해야 한다. 원격전이의 완전관해로 판단되는 환자에서 갑상글로불린은 낮은 농도로 검출될 수 있으며 예후에 미치는 영향은 크지 않은 것을 보고되고 있다. 폐전이 치료에 방사성요오드로 인한 폐섬유화를 방지하기 위해서는 3.7 GBq (100 mCi)를 6개월 간격으로 치료하는 것이 바람직하다.

원격전이 발견 후 10년 전체생존율은 25~40% 범위를 보이며, 원격전이가 갑상선암으로 인한 사망의 주된 원인이지만 많은 환자에서는 장기 생존이 가능하다. 생존과 관련된 예후 인자로는 다음의 5가지가 알려져 있으며, 진단 당시의 나이가 젊고, 병리조직학적 분류에서 유두암이나 고분화 최소침습 여포암이고, 방사성요오드 흡수가 잘 되고, 전이의 범위가 작은 경우 예후가 양호하고, 전이 장소는 독립적인 예후 인자로 작용하지 못하며, 전이된 범위에 따라서 예후가 결정된다. 치료 후 완전관해를 보인 경우 10년 생존율은 93%에 이르지만 그렇지 못한 경우에는 14%에 그친다. 전이 환자의 치료 효과는 1960년 방사성요오드[131] 전신스캔을 시행함으로 향상되었고, 1976년 혈청 갑상글로불린 측정법을 추적검사에 도입함으로 다시 한번 향상되는 기회를 가지게 되었다. 추가로 rhTSH의 도입이나 기타 새로운 치료법의 시도로 다시 한번 더 치료율이 향상되길 기대해 본다.

REFERENCES

1. Mazzaferri EL, Jhiang SM. Long-term impact of initial surgical and medical therapy on papillary and follicular thyroid cancer. The American journal of medicine 1994;97(5):418-28.

2. Simpson WJ, Panzarella T, Carruthers JS, Gospodarowicz MK, Sutcliffe SB. Papillary and follicular thyroid cancer: impact of treatment in 1578 patients. International journal of radiation oncology, biology, physics 1988;14(6):1063-75.

3. Tubiana M, Schlumberger M, Rougier P, et al. Long-term results and prognostic factors in patients with differentiated thyroid carcinoma. Cancer 1985;55(4):794-804.

4. Grebe SK, Hay ID. Follicular cell-derived thyroid carcinomas. Cancer treatment and research 1997;89:91-140.

5. Hay ID, Thompson GB, Grant CS, et al. Papillary thyroid carcinoma managed at the Mayo Clinic during six decades (1940-1999): temporal trends in initial therapy and long-term outcome in 2444 consecutively treated patients. World journal of surgery 2002;26(8):879-85.

6. Haugen BR, Alexander EK, Bible KC, et al. 2015 American Thyroid Association Management Guidelines for Adult Patients with Thyroid Nodules and Differentiated Thyroid Cancer: The American Thyroid Association Guidelines Task Force on Thyroid Nodules and Differentiated Thyroid Cancer. Thyroid : official journal of the American Thyroid Association 2016;26(1):1-133.

7. Sawka AM, Thephamongkhol K, Brouwers M, Thabane L, Browman G, Gerstein HC. Clinical review 170: A systematic review and metaanalysis of the effectiveness of radioactive iodine remnant ablation for well-differentiated thyroid cancer. The Journal of clinical endocrinology and metabolism 2004;89(8):3668-76.

8. Jonklaas J, Cooper DS, Ain KB, et al. Radioiodine therapy in patients with stage I differentiated thyroid cancer. Thyroid : official journal of the American Thyroid Association 2010;20(12):1423-4.

9. Schvartz C, Bonnetain F, Dabakuyo S, et al. Impact on overall survival of radioactive iodine in low-risk differentiated thyroid cancer patients. The Journal of clinical endocrinology and metabolism 2012;97(5):1526-35.

10. Bal CS, Kumar A, Pant GS. Radioiodine dose for remnant ablation in differentiated thyroid carcinoma: a randomized clinical trial in 509 patients. The Journal of clinical endocrinology and metabolism 2004;89(4):1666-73.

11. Bal C, Chandra P, Kumar A, Dwivedi S. A randomized equivalence trial to determine the optimum dose of iodine-131 for remnant ablation in differentiated thyroid cancer. Nuclear medicine communications 2012;33(10):1039-47.

12. Mallick U, Harmer C, Yap B, et al. Ablation with low-dose radioiodine and thyrotropin alfa in thyroid cancer. The New England journal of medicine 2012;366(18):1674-85.

13. Schlumberger M, Catargi B, Borget I, et al. Strategies of radioiodine ablation in patients with low-risk thyroid cancer. The New England journal of medicine 2012; 366(18):1663-73.

14. Fallahi B, Beiki D, Takavar A, et al. Low versus high radioiodine dose in postoperative ablation of residual thyroid tissue in patients with differentiated thyroid carcinoma: a large randomized clinical trial. Nuclear medicine communications 2012;33(3):275-82.

15. Haugen BR, Pacini F, Reiners C, et al. A comparison of recombinant human thyrotropin and thyroid hormone withdrawal for the detection of thyroid remnant or cancer. The Journal of clinical endocrinology and metabolism 1999;84(11):3877-85.

16. Tagay S, Herpertz S, Langkafel M, et al. Health-related Quality of Life, depression and anxiety in thyroid cancer patients. Quality of life research : an international journal of quality of life aspects of treatment, care and rehabilitation 2006;15(4):695-703.

17. Tagay S, Herpertz S, Langkafel M, et al. Health-related quality of life, anxiety and depression in thyroid cancer patients under short-term hypothyroidism and TSH-suppressive levothyroxine treatment. European journal of endocrinology / European Federation of Endocrine Societies 2005;153(6):755-63.

18. Dow KH, Ferrell BR, Anello C. Quality-of-life changes in patients with thyroid cancer after withdrawal of thyroid hormone therapy. Thyroid : official journal of the American Thyroid Association 1997;7(4):613-9.

19. Lee J, Yun MJ, Nam KH, Chung WY, Soh EY, Park CS. Quality of life and effectiveness comparisons of thyroxine withdrawal, triiodothyronine withdrawal, and recombinant thyroid-stimulating hormone administration for low-dose radioiodine remnant ablation of differentiated thyroid carcinoma. Thyroid : official journal of the American Thyroid Association 2010;20(2):173-9.

갑상선자극호르몬 억제 요법
TSH Suppressive Therapy

┃ 중앙대학교 의과대학 외과 **강경호**

갑상선 수술 후에 갑상선 호르몬을 복용하는 것은 두 가지 의미를 가진다. 첫째는 제거된 갑상선으로 인해 갑상선 호르몬 분비가 적어진 만큼 적절히 보충하여 갑상선기능저하증을 막는 것이다. 둘째는 생리적으로 필요한 갑상선호르몬보다 과량을 투약하여 TSH의 분비를 억제시키는 것이다. 여포세포에는 TSH 수용체가 존재하고, TSH는 갑상선여포세포 및 여포세포에서 생긴 유두암, 여포암 및 휘틀세포암의 가장 강력한 성장인자이다. TSH 억제요법의 목적은 혈중 TSH 농도를 정상이하로 낮게 유지함으로써 갑상선분화암의 성장을 억제하고, 결과적으로 재발률과 사망률을 낮추는 것이다. 이러한 TSH 억제요법은 갑상선분화암의 치료에 있어서 수술과 방사성요오드치료와 함께 중요한 치료의 한 축이 되어 왔다. 반면, C세포에서 유래한 수질암과 역형성암 등에서는 TSH 수용체가 없으므로 효과가 없다.

TSH를 억제시키기 위해서는 과량의 갑상선호르몬을 복용하여야 하고, 이러한 갑상선기능항진상태는 골밀도 감소, 심방세동, 심기능이상 등의 부작용을 일으킬 수 있다. 그러므로 각 환자의 암의 진행정도와 재발 가능성을 고려하여, 적절한 TSH 목표 범위를 설정하는 것이 필요하다.

1. TSH 억제요법의 효과 Effecs of TSH Suppressive Therapy

전통적으로 갑상선분화암에서 재발률 및 사망률을 낮추기 위해 TSH 억제요법이 사용되어 왔지만, 어떤 환자군에서 얼마만큼 억제해야 효과를 나타내는지에 대해 명확히 규명되었다고 보기는 어렵다. 1934~2001년 사이에 발표된 10개 논문들의 4,000여 명의 환자들을 분석한 한 메타분석에서 TSH 억제요법이 재발률, 사망률을 낮춘다고 보고하였다1(RR = 0.73 (CI = 0.60 - .88), p < 0.05). 반면에 일본 암병원의 Sugitani 등이 시행한 무작위대조군시험에서 TSH 억제를 시행한 환자군(TSH <0.01 mU/L)이 TSH 억제를 하지 않은 환자군(TSH 0.4-5.0 mU/L)과 비교해 유의한 재발률 및 사망률 감소를 보이지 못하였다.[2] 그러나 예후를 평가하기에는 평균 추적조사 기간이 짧고 표본수가 충분치 않다는 한계가 있었다(각각 6.9년, 441명). 갑상선분화암 환자를 고위험군과 저위험군을 나누어 분석한 연구들에서는 TSH를 0.1 mU/L 이하로 억제하는 것이 고위험군에서는 예후를 향상시킬 수 있었지만, 저위험군에서는 그렇지 않았다.[3,4] TSH를 0.03 mU/L 이하로 과도하게 억제시키는 것은 고위험군에서도 추가적인 이득이 없었다.[5]

3. TSH 목표 범위 Target Ranges of TSH

TSH를 억제시키기 위해 일반적으로 사용되는 약제는 T4(levothyroxine)이다. T4보다 반감기가 짧고, 활성도가 높은 T3는 장기간 치료에서는 잘 사용되지 않고, 갑상선 기능저하증을 단기간에 교정하거나, 전신스캔 전 처치로 사용된다. 성인에서는 T4를 2 μg/kg을 투여하고, 3개월 후에 혈청 TSH 수치를 보고 T4 용량을 조절한다. 소아에서는 계산된 양보다 증량, 노인에서는 감량이 필요하다.

TSH를 어느 정도까지 억제할 것인지에 대해서는 이를 지지할 확실한 증거가 아직 없다. TSH 억제요법은 골밀도 감소, 부정맥 등의 부작용이 있을 수 있으므로, 각 환자의 재발위험도를 평가하여 억제 정도를 지나치지 않게 적절히 정해야 한다.

미국갑상선학회(ATA, American Thyroid Association)에서는 2015년도에 개정된 갑상선 결절 및 분화암 가이드라인에서 ATA에서 상황에 따른 TSH 억제 정도를 다음과 같이 권장하고 있다.

초기 재발 위험군별 TSH 목표 범위

• 고위험군: <0.1 mU/L
• 중위험군: 0.1~0.5 mU/L
• 저위험군, 비자극(non-stimulated) Tg<0.2 ng/mL: 0.5~2 mU/L
• 저위험군, 비자극(non-stimulated) Tg ≥0.2 ng/mL: 0.1~0.5 mU/L
• 저위험군, 반절제: 0.5~2 mU/L

치료 반응 정도에 따른 재분류 후 TSH 목표 범위

• structural incomplete response: 영구적으로 <0.1 mU/L
• biochemical incomplete response: 0.1~0.5 mU/L
• excellent or indeterminate response, 고위험군: 5년간 0.1~0.5 mU/L, 이후 0.5~2 mU/L
• excellent or indeterminate response, 저위험군 또는

중위험군: 0.5~2 mU/L

4. 부작용 Side Effects

TSH 억제요법을 위해서는 생리적 요구량 이상의 과량의 T4를 복용해야 한다. 장기간 갑상선중독증 상태에 노출되면 폐경 이후의 여성에서는 골감소, 고령에서는 심부정맥, 심비후, 허혈성심질환 악화 등의 부작용이 생길 수 있고, 흔치 않지만 더위를 참지 못하거나, 피로, 체중 감소 등 갑상선중독증 증상도 나타날 수 있다.[6] 최근의 한 관찰연구에서는 나이, 성별, 심혈관 위험요인 유무와 상관없이 갑상선분화암을 가진 환자군에서 대조군에 비해 심혈관질환 사망률과 전 원인 사망률(all-cause mortality)이 높고, TSH 수치가 낮을수록 심혈관질환 사망률이 높다고 보고하였다.[7] 일본에서 시행된 한 무작위대조군연구에서는 분화갑상선암 수술 후 TSH 억제요법을 시행하지 않은 환자군에서는 수술 후 5년 동안 골밀도의 변화가 없었으나, TSH를 억제시킨 50세 이상의 환자군에서는 수술 1년 후부터 의미있는 골밀도 감소가 나타났다고 보고하였다.[8]

이러한 연구결과들은 갑상선분화암 환자들에서 수술 후 천편일률적으로 TSH 억제요법을 시행할 것이 아니라, TSH 억제요법의 재발 방지 효과와 이로 인한 부작용의 위험성을 개개인 환자 차원에서 잘 평가하여 치료 여부와 억제 정도를 결정해야 한다는 것을 시사한다. 그리고 부작용이 생길 위험이 큰 환자군에서 TSH 억제요법을 시행해야 하는 경우에는 부작용을 최소한으로 줄이기 위한 적절한 처치가 필요하다. ATA 및 NCCN 가이드라인에서는 폐경기 환자에서 TSH 억제요법을 시행할 경우 골밀도 감소를 최소화하기 위해 하루에 칼슘 1200 mg과 비타민D 1000 U를 복용할 것을, 고령의 환자에서는 심비대 및 빈맥을 감소시키기 위해 베타차단제 복용을 고려할 것을 권장하고 있다.[9,10]

REFERENCES

1. McGriff NJ, Csako G, Gourgiotis L, et al. Effects of thyroid hormone suppression therapy on adverse clinical outcomes in thyroid cancer. Ann Med 2002;34:554-64.

2. Sugitani I, Fujimoto Y. Does postoperative thyrotropin suppression therapy truly decrease recurrence in papillary thyroid carcinoma? A randomized controlled trial. J Clin Endocrinol Metab 2010;95:4576-83.

3. Cooper DS, Specker B, Maxon HR III, et al. Thyrotropin suppression and disease progression in patients with differentiated thyroid cancer: results from the National Thyroid Cancer Treatment Cooperative Registry. Thyroid 1998;8:737-44.

4. Pujol P, Daures JP, Jaffiol C, et al. Degree of thyrotropin suppression as a prognostic determinant in differentiated thyroid cancer. J Clin Endocrinol Metab 1996;81:4318-23.

5. Diessl S, Holzberger B, Verburg FA, et al. Impact of moderate vs stringent TSH suppression on survival in advanced differentiated thyroid carcinoma. Clin Endocrinol 2012;76:586-92.

6. Cooper DS, Doherty GM, Haugen BR, et al. Revised American Thyroid Association management guidelines for patients with thyroid nodules and differentiated thyroid cancer. Thyroid 2009;19:1167-214.

7. Klein Hesselink EN, Klein Hesselink MS, de Bock GH, et al. Longterm

8. cardiovascular mortality in patients with differentiated thyroid carcinoma: an observational study. J Clin Oncol 2013;31:4046-53.

9. Sugitani I, Fujimoto Y. Effect of postoperative thyrotropin suppressive therapy on bone mineral density in patients with papillary thyroid carcinoma: a prospective controlled study. Surgery 2011;150:1250-7.

10. Shargorodsky M, Serov S, Zimlichman R, et al. Long-term thyrotropin suppressive therapy with levothyroxine impairs small and large artery elasticity and increases left ventricular mass in patients with thyroid carcinoma. Thyroid 2006;16:381-6.

11. Taillard V, Sardinoux M, du CG, et al. Early detection of isolated left ventricular diastolic dysfunction in high-risk differentiated thyroid carcinoma patients on TSH-suppressive therapy. Clin Endocrinol 2011;75:709-14

외부방사선치료

External-beam Radiotherapy for
Thyroid Malignancy

▎아주대학교 의과대학 방사선종양학과 **오영택**

1. 분화갑상선암의 수술 후 외부방사선치료

분화갑상선암에서 수술과 수술 후 방사성요오드 치료의 역할은 명확하며, 동시에 우선적인 치료법으로 확립되어 있는 반면 수술 후 외부 방사선치료는 그 역할이 명확하지 않으며 제한적이다. 따라서 수술 후 방사선치료가 도움이 되는 환자를 정의하기 위한 전향적인 비교 임상연구가 필요하지만 아직까지 보고된 3상 임상연구 결과는 없다. 기존의 후향적인 연구 결과들을 토대로 수술 후 방사선치료의 대상, 치료 방사선량 및 방사선치료 범위 등을 결정하여야 하며, 일부 논란의 여지가 있다.

2. 대상

전통적으로 분화갑상선암의 수술 후 방사선치료는 불완전 절제가 되어 육안적인 잔류암이 있으면서 재발의 위험이 높은 인자들이 동반된 경우 시행되었으며, 이런 경우 수술 후 방사선치료가 국소 제어율을 향상시킬 수 있다는 많은 보고가 있다.[1,2] 구미의 갑상선암 진료지침도 이를 반영하여 수술 후 육안적인 잔류암이 있으며, 재 수술이나 동위원소 치료가 효과적이지 않을 것으로 예상 되는 경우에, 갑상선 밖으로 암종이 진행하여 수술

후 현미경적 잔류암의 가능성이 높을 경우, 절제 불가능한 경우, 육안적 종양이 있는데 방사성요오드 섭취가 충분하지 않은 경우에 외부 방사선치료를 시행하도록 권고하고 있다.[3,4]

이러한 권고의 기초가 된 보고들은 모두 후향적 연구 결과이며 대상 환자들도 연구마다 차이를 보이고 있어 수술 후 방사선치료의 효과 및 구체적인 대상에 대하여, 특히 수술 후 현미경적인 잔류암이 남은 경우 외부방사선치료의 효과에 대하여는 보고마다 차이가 있어 아직도 논란이 많다. 그러나 수술 후 외부 방사선치료의 효과가 없음을 보고한 연구들이 적은 수의 환자를 대상으로 한 오래된 연구인 것에 반해 최근의 연구들일수록 다양한 위험인자에서 수술 후 방사선치료가 효과적임을 보고하고 있다.[1,2]

Terezakis 등[5]은 메모리얼 슬로언-케터링 병원의 연구결과를 기초로 수술 후 병리학적으로 T4 병기이거나, 경부림프절 전이가 있거나, 현미경적인 잔류암이 있는 경우 수술 후 방사선치료가 효과적이라고 보고하였다. 우리나라에서도 Kim 등[6]은 T4 또는 N1 병기의 갑상선 유두암 환자에서 수술 후 외부 방사선치료를 시행하여 5년 국소제어율이 67.5%에서 95.2%로 상승함을 보고하였다. 또한 Keum 등[7]은 기관을 침범한 유두암 환자에서 수술 후 육안적 또는 현미경적인 잔류암이 있는 모든 경우에서 방사선치료가 효과적임을 보고하였고, Kwon 등[8]도 분화가 잘된 갑상선암이라도 진행성 병기

에서 수술 후 방사선치료가 효과적임을 보고하였다.

이러한 최근의 연구결과들을 기반으로 육안적으로 갑상선 주변 조직을 침범하고 있는 T4 갑상선암에서는 수술 후 외부방사선치료를 시행하는 것은 적절하다고 간주되고 있으며,[3,4] 우리나라의 갑상선 결절 및 암 진료권고안에서도 분화갑상선암의 수술 후 외부 방사선조사는 '수술할 당시 육안적으로 갑상선 밖으로 병소가 진행되어 미세병소가 남아있을 가능성이 높은 45세 이상의 환자, 추가적인 수술이나 방사성요오드 치료로 잘 낫지 않을 것 같은 육안으로 보이는 잔여병소가 있는 환자에게 고려한다'고 권고하고 있다.[9]

3. 방사선치료 방법

수술 후 방사선치료의 시점은 특별히 정해져 있지 않으나 일반적으로 수술 후 4~12주 사이에 시작한다. 그러나 방사성요오드와 같이 시행되는 경우에는 그 시점에 유의하여야 한다. 외부 방사선치료와 방사성요오드가 같이 시행될 경우 그 순서에 대하여 논란이 있을 수 있지만 대개의 경우 방사성요오드 치료 후에 외부방사선치료를 시행한다. 이는 외부 방사선치료를 먼저 시행할 경우 방사성요오드의 섭취를 저하시킬 수 있는 가능성이 있기 때문이다. 또한 방사성요오드 시행 후 약 8주 후에 외부 방사선치료가 시행되는 것이 일반적이지만,[9] 만약에 방사선치료 범위 내에 방사성요오드 섭취가 활발한 양상이라면 방사성요오드 치료 후 약 3개월 후에 외부방사선치료를 시행하는 것이 바람직하다.[4]

방사선치료 범위는 원래 갑상선이 위치하였던 부위와 침범이 가능한 주변조직과 상부 종격동 림프절까지 포함하는 것이 일반적이다.[4] 과거에는 기관용골 높이까지의 종격동을 모두 포함하여 외부 방사선치료를 시행하는 경우가 많았으나, 최근에는 상부 종격동까지만 포함하는 추세이며, 이는 bracheocephalic vein부터 carina level까지의 종격동 부위에서 단독 재발하는 경우가

드물기 때문이다.[10]

방사선량은 통상적인 분할 조사법을 사용하여 60 Gy 전후를 조사하는 것이 적절하다.[4] 2차원 방사선치료법이 사용되었던 시기에는 척추신경 등의 정상조직의 방사선량을 제한하기 위하여 45~50 Gy의 방사선량이 치료 선량으로 많이 사용되었으나 최근에는 여러 가지 3차원 방사선치료방법이 사용되면서 치료 선량이 증가하고 있다. 통상적인 분할 조사법으로 50 Gy 이하의 방사선량을 조사할 경우 50 Gy 이상에 비해 현저하게 국소 재발률이 높은 것을 고려할 때 최근 60 Gy 정도의 치료선량은 적절하다고 평가할 수 있다. 치료 부위의 재발 위험도에 따라 방사선량을 달리하는 것이 좋으며, 메모리얼 슬로언 케터링 병원에서는 저위험구역은 54 Gy, 고위험구역은 60 Gy 전후를, 육안적인 잔류암에는 70Gy까지 방사선량을 조사한다고 보고하였다.[5]

방사선치료의 효과는 치료선량뿐만이 아니라 방사선량의 전달이 얼마나 효율적으로 이루어질 수 있는가가 큰 영향을 미칠 수 있는데, 2차원적인 치료방법보다는 3차원 입체조형 방사선치료법이, 이보다는 세기조절방사선치료법과 같은 발전된 방사선치료법은 갑상선과 주변조직이 위치한 목 중앙부위, 경부 림프절과 상부 종격동 부위 등을 좀 더 효율적으로 치료할 수 있기 때문에, 향상된 치료결과를 기대할 수 있다. Schwartz 등[1]은 엠디 앤더슨 암센터의 수술 후 방사선치료 결과에 대한 보고에서 세기조절방사선치료가 3차원입체조형방사선치료법과 비교할 때 국소제어율에서는 통계적으로 유의한 차이가 없었지만 만성부작용은 현저하게 감소함을 보고하였다. 또한 우리 국립암센터의 방사선치료 결과에 대한 보고에서도 세기조절방사선치료를 시행하여 심각한 독성의 발생이 없었음을 보고하고 있다.[6,11]

육안적인 잔류암이 있는 경우 수술 후 방사선치료에도 국소 제어율이 높지 않고 그에 따라 생존율이 감소하는 만큼 세기조절방사선치료와 같이 부작용이 적은 치료 방법을 활용함으로써 부작용의 증가 없이 방사선량을 증가시킬 수 있으며, 이러한 치료선량의 증가가 국소 제어율을 높일 수 있는 방안으로 고려되어야 할 것이다.

REFERENCES

1. Schwartz DL, Lobo MJ, Ang KK, et al. Postoperative external beam radiotherapy for differentiated thyroid cancer: outcomes and morbidity with conformal treatment. Int J Rad Oncol Biol Phys 2009;74:1083-91.

2. So K, Smith RE, Davis SR. Radiotherapy in well-differentiated thyroid cancer: is it underutilized? ANZ J Surg 2016:86;696-700.

3. Perros P, Colley S, Boelaert K, et al. Guidelines for the management of thyroid cancer. Clin Endocrinol 2014:81(Suppl. 1);1-122.

4. American Thyroid Association (ATA) Guidelines Taskforce on Thyroid Nodules and Differentiated Thyroid Cancer. Revised American Thyroid Association guidelines for patients with thyroid nodules and differentiated thyroid cancer. Thyroid 2009:19;1167-214.

5. Terezakis SA, Lee KS, Ghossein RA, Rivera M, Tuttle RM, Wolden SL, et al. Role of exernal beam radiotherapy in patients with advanced or recurrent nonanaplastic cancer: Memorial Sloan-Kettering cancer center experience. Int J Rad Oncol Biol Phys 2009;73:795-801.

6. Kim TH, Yang DS, Jung KY, Kim CY, Choi MS. Value of external irradiation for locally advanced papillary thyroid cancer. Int J Rad Oncol Biol Phys 2003;55:1006-12.

7. Keum KC, Suh YG, Koom WS, Cho JH, Shim SJ, Lee CG, et al. The role of postoperative external-beam radiotherapy in the management of patients with papillary thyroid cancer invading the trachea. Int J Radiat Oncol Biol Phys 2006;65:474-80

8. Kwon J, Wu H, Youn Y et al. Role of adjuvant postoperative external beam radiotherapy for well differentiated thyroid cancer. Radia Oncol J 2013:31;162-70.

9. Kim WB, Kim TY, Kwon HS, Moon WJ, Lee JB, Choi YS, et al. Management Guidelines for Patients with Thyroid Nodules and Thyroid Cancer. J Korean Endocr Soc 2007;22:157-87.

10. Azrif M, Slevin NJ, Sykes AJ, Swindell R, Yap BK. Patterns of relapse following radiotherapy for differentiated thyroid cancer: Implication for target volume delineation. Radiother Oncol 2008;89:105-13.

11. Lee EK, Lee YJ, Jung YS et al. Postoperative simultaneous integrated boost-intensity modulated radiation therapy for patients with locoregionally advanced papaillary thyroid carcinoma: preliminary results of a phase II trial and propensity score analysis. J Clin Endocrinol Metab 2015:100;1009-17.

재발 갑상선암의 치료
Recurrent Thyroid Cancer

▎가톨릭대학교 의과대학 외과 **배자성**

갑상선암 그 중에 분화 갑상선암은 전세계적으로 발생률이 꾸준히 증가하고 있다. 결과적으로 재발 갑상선암의 발생률도 또한 증가하고 있다. 그러나 분화 갑상선암의 사망률은 상대적으로 변화하지 않고 있다.[1,2] 분화 갑상선암의 재발률은 일반적으로 첫 수술 후 10년 안에 30%까지 발생하는 것으로 알려져 있다.[3,4] 재발 갑상선암의 진단은 임상적 확인, 혈액학적 검사(hyperthyroglobulinemia), 영상학적 검사에 의해 이루어진다. 재발 갑상선암중 국소 재발은 갑상선 수술부위(thyroid bed)와 경부 림프절, 그리고 경부의 연 조직(soft tissue)의 재발을 포함하며 경부 림프절 전이가 전체 국소 재발의 60~70%를 차지한다. 원격 전이는 폐, 뼈 전이가 가장 흔하다. 재발 갑상선암은 공격적인 패턴을 가진 갑상선암(insular or poorly differentiated thyroid cancer)에서 특히 많이 발생한다. 이러한 갑상선암의 재발 위험도를 평가하기 위해 여러 평가 방법이 제시되었다(MACIS, AGES, GAMES and TNM). 그러나 이러한 방법들은 많은 논란이 있어 왔고 효과적인 갑상선암 재발 예측에는 실패하였다. 최근에 2015년 미국갑상선학회 가이드라인이 발표되면서 3단계 위험도 예측 모델(low, intermediate, or high risk)을 제시하였으며[5] 이 3단계 위험도 예측 모델을 바탕으로 갑상선암의 재발률을 예측하게 된다. 국소 재발 갑상선암의 생존율은 약 70~85%이며 원격전이 갑상선암의 생존율은 약 50% 정도이다.[6-9] 이와같이 국소 재발의 경우에도 비교적 좋은 예후를 나타내기 때문에 국소 재발이 진단된 경우에는 외과적 절제를 포함한 적극적인 치료를 고려해야 한다. 그러나 그전에 반드시 적절한 진단을 통해 원격 전이의 여부를 확인한 후 개개인에 가장 적합한 치료법을 선택해야 한다.

1. 국소 재발

1) 국소 재발의 진단.

일반적으로 국소 재발이 가장 많이 발생하는 곳은 중앙 구획 림프절(central compartment lymph node)이며 외측 림프절(lateral lymph node)도 흔히 재발이 발생 부위이다.[10] 그외에 갑상선 수술 부위와 연 조직에 발생할 수 있다.

(1) Thyroglobulin

갑상선암 재발 진단에 있어 혈중 thyroglobulin (Tg) 측정은 높은 민감도와 특이도를 가진다. 그러나 국소 재발에 있어 잔존 암(residual tumor)의 양이 작을 경우 특히 갑상선 호르몬 복용을 통한 갑상선자극호르몬(TSH) 억제 요법을 받고 있는 환자에서는 혈중Tg의 증가가 나타나지 않을 수 있다.[11-13] 또한 anti-Tg antibody가 수치가 증가하거나 암세포에서 Tg의 생산과 분비가 적거나 없을 경우에도 혈중 Tg의 증가가 나타나지 않을 수 있다.[11,12] 저분화(poorly) 갑상선암을 가진 환자에서도 재발이 있음에도 불구하고 혈중 Tg의 증가가 나타나지 않을 수 있다는 것도 중요하다.[14] 특히 원격 전이를 동반하지 않고 경부 림프절 전이만 있는 환자들은 TSH 억제 요법 중에는 많게는 20% 정도의 환자들에서 위 음성의 혈중 Tg 농도를 보일 수 있음을 유의하여야 한다. 혈중 Tg가 지속적으로 증가하는 경우에도 재발을 의심할 수 있으며 Tg 배가 시간(doubling time)도 재발을 예측하는데 사용할 수 있다.[15-17] 일부 연구에서는 혈중 anti-Tg antibody의 증가가 재발과 관련이 있다는 보고도 있다.[18]

(2) 초음파 및 세침흡인검사

경부 초음파는 갑상선암 국소 재발 발견에 가장 민감한 방법이다. 초음파 시행 시 갑상선 수술부위(thyroid bed), 중앙 구획 림프절뿐만 아니라 외측경부림프절을 볼 수 있도록 전체 경부 검사를 시행해야 한다. 전이 림프절의 초음파 소견은 위험도에 따라 3가지로 분류될 수 있다 (표 46-1).[19]

림프절의 크기 또한 악성을 예측하는데 도움을 줄 수 있다. 2015 ATA 가이드라인에 의하면 8~10 mm 이상의 의심되는 림프절이 발견될 경우 세침흡인검사 및 림프절에서의 Tg 측정을 권유하고 있다.[5] 전이 림프절 중 특히 크기가 작거나 낭성 림프절일 경우 세침흡인검사만 시행할 경우 20%까지 비진단적(nondiagnostic) 결과가 나올 수 있다.[20] 따라서 림프절 세척 액(washout fluid)에서의 Tg측정은 진단의 정확도를 높이는데 큰 도움이 된다.[21,22] 림프절 세척 액(washout fluid)의 Tg의 차단 수치(cutoff level)에 관해서는 아직 논란의 여지가 있다. 이는 각 병원마다 Tg의 측정 방식 차이에 기인한다. 그러나 최근 연구에서는 대부분 1 ng/ml를 차단 수치(cutoff level)로 사용하여 전이 여부를 판단하고 있다.[22-24] 혈청 anti-Tg ab가 양성일 경우에 림프절 Tg의 측정이 영향을 받을 수 있어 일부 연구에서는 혈청 anti-Tg

표 46-1 | 초음파를 이용한 경부 림프절의 전이 위험 평가

Category	US
Suspicious	• Cystic Change • Calcification (micro/macro) • Hyperechogenecity (focal or diffuse) • Abnormal vascularity (peripheral or diffuse)
Indeterminate	Loss of central hilar echo and absence of central hilar vascularity
Benign	• Central hilar echo • Central hilar vascularity

Ab가 양성일 경우 림프절 Tg의 차단 수치(cutoff level)를 낮추어야 한다는 주장도 있다.[25-27]

(3) 진단적 스캔 검사

방사성요오드를 이용한 전신 스캔은 국소 재발 진단에 오랫동안 사용된 검사이며 임상적으로 경부 림프절 재발이 의심되는 환자의 60~80%에서 재발을 진단할 수 있다. 요오드 131(I^{131})이 오래전부터 사용되어 왔으나 최근에는 요오드 123(I^{123})이 더 선호되고 있는데 요오드 131(I^{131})에 비해 스캔 사진의 품질이 더 좋고 신체의 방사선 조사량을 낮출 수 있다는 장점이 있다.[5,28,29] 최근 요오드 스캔과 함께 SPECT/CT가 재발 진단에 사용되고 있다. 많은 연구에서 SPECT/CT가 진단적 스캔 후에 국소 재발과 원격 전이의 진단적 정확도를 높이는데 큰 도움이 된다고 보고하고 있다.[30-32] SPECT/CT의 CT가 요오드 섭취 능이 없는(non-avid iodine) 종양의 위치를 찾는데 도움을 줄 수 있고 따라서 환자의 24~35%까지 치료 방침에 변화를 줄 수 있다.[5] 아직 국내에서는 의료보험 문제로 인하여 SPECT/CT의 사용에 한계가 있는 실정이다. 또한 SPECT/CT에서 국소 재발이 의심될 경우 다시 초음파를 시행하는 경우가 많아 그 효용성에 대해서는 좀 더 검증이 필요하다. 전반적으로 방사성요오드 스캔은 크기가 작은 림프절 전이를 진단하는데는 한계가 있으며 잔여 갑상선 조직이 남아 있는 경

우 경부의 중앙 구역 림프절을 찾아내는데 어려움이 있다. 또한 분화갑상선암의 재발과 전이 조직의 약 25%에서 방사성요오드 섭취가 일어나지 않으므로 방사성요오드 스캔에서 음성으로 나온 경우에도 위 음성의 가능성에 주의하여야 한다.[33] 많은 연구에서도 경부 림프절 재발을 발견하는 데 있어 요오드 스캔에 비해 초음파가 월등히 높은 발견율을 보이고 있어 국소 재발의 발견 특히 경부 림프절 재발 발견의 대부분은 경부 초음파를 통해서 이루어지고 있다.[34,35]

(4) [18]FDG-PET 스캔

[18]FDG-PET 스캔은 대부분의 고형암의 재발 진단에 널리 쓰이고 있다. 2015 ATA 가이드라인에 따르면 [18]FDG-PET 스캔은 ① 혈청 Tg>10 이상이고 요오드 스캔 음성일 경우, ② 저 분화 암이나 침습적 휘틀암(invasive Hurthle cell)의 처음 진단 시, ③ 전이 환자의 예후 측정을 위해 그리고, ④ 전신 치료나 국소 치료 후 치료 반응 측정을 위해 사용할 것을 권유하고 있다.[5] 그러나 국소 재발에 있어 [18]FDG-PET 스캔의 역할은 제한적이다. 이는 국소 재발을 발견하는데 있어 민감도와 특이도가 연구 결과에 따라 그 범위가 다양하기 때문이다.[36-38] 또한 가 양성의 비율이 상대적으로 높아 [18]FDG-PET 스캔 결과에 이상이 있을 경우 초음파와 세침흡인검사를 통하여 국소 재발 유무를 확인하는 것이 반드시 필요하다.

(5) CT and MRI

갑상선암 국소 재발의 진단에 있어 CT와 MRI의 효용은 분명치 않다.[39] 일반적으로 CT는 암의 크기가 클 경우 주변 조직의 침범 유무 즉 기도, 식도, 종격동 및 혈관 등의 침범 유무를 판단하기 위해 시행된다. 따라서 환자가 증상을 보일 경우(목소리 변화, 연하곤란, 고정된 혹, 호흡기 증상 등), 초음파에서 재발을 전체적으로 판단할 수 없을 경우 시행하는 것이 좋다. 그러나 CT에 사용되는 조영제 투여 후에 적어도 4~8주 후 방사성요오드 치료를 할 수 있다는 사실은 주지해야 한다.[5,40,41] MRI의

사용은 좀 더 제한적이다. 조영제를 사용하지 않기 때문에 CT를 찍기 어려운 일부 환자들에게서 도움이 될 수 있다. 또한 호흡소화관(aerodigestive) 검사가 필요한 경우 CT에 비해 좀 더 상세하게 기술할 수 있다는 장점이 있다.[42,43] 따라서 일부 국소 재발이 심한 환자를 제외하고는 자주 사용되지는 않는다.

2) 국소 재발의 치료

국소 재발의 치료법으로는 다음과 같다.
① 외과적 절제
② 관찰
③ 에탄올 주입(Ethanol injection) 혹은 고주파 치료(Radiofrequency ablation)
④ 방사성요오드 치료(Radioactive Iodine ablation)
⑤ 외부 방사선 치료(External Beam Radiation Therapy) 등이다.

(1) 외과적 절제

대부분의 국소 재발은 경부에서 발견되며 갑상선 바탕(thyroid bed), 중앙구역 림프절 및 외측 경부림프절에서 발생한다. 따라서 수술 전 초음파나 CT 등의 영상 검사를 통해 절제할 종양의 해부적인 위치를 파악하는 것이 중요하다. Charcoal tattooing 같은 방법으로 수술부위 위치 파악에 도움을 받을 수 있다.[44] 갑상선 바탕(thyroid bed) 혹은 중앙구역 림프절의 재수술은 주위에 기관, 식도, 그리고 되돌이후두신경이 위치하고 있기 때문에 내시경이나 후두경 등의 방법으로 수술 전 손상 유무를 파악하는 것도 수술에 도움이 된다. 수술 전 칼슘 검사를 통해 현재 부갑상선 상태를 파악해야 한다. 그리고 수술 전 환자의 다른 전이 여부를 정확히 파악하여 완치 의도 여부에 따라 수술 범위가 달라질 수 있다.

갑상선 바탕(thyroid bed) 및 중앙구역 림프절의 재수술은 일차 수술로 인한 섬유화와 유착으로 완전 제거가 쉽지 않다. 일부 연구에서는 갑상선 바탕(thyroid bed) 재

수술 시 완전 제거율은 45% 정도로 보고하고 있다.[45] 전반적으로 재수술 시 기술이 많이 필요하고 수술 시간도 오래 걸린다는 것을 염두해두어야 한다.

수술은 기존의 절개창을 이용하는 것이 바람직하며 충분한 시야를 확보하는 것이 중요하다. 필요에 따라서는 절개창을 좀 더 확장하는 것이 필요하다. 갑상선 바탕(thyroid bed)에 이전 수술 시 사용한 클립이나 매듭이 종양으로 오인될 수 있으므로 주의해야 한다. 띠 근육(Strap muscle)은 보통 주변 조직과 유착이 심하므로 수술 시야 확보를 위해서 적당한 유동화(mobilization)가 필요하다. 때로는 경동맥 부터 기도 방향으로 띠 근육(Strap muscle)을 유동화(mobilization)하는 방법이 선호되는데 경동맥이나 내경정맥은 처음 수술보다 기도에 가깝게 위치할 수 있으므로 정확한 위치를 파악하는 것이 중요하다.[46] 갑상선 바탕(thyroid bed) 혹은 중심구역 림프절 재수술 시 가장 중요한 것은 되돌이회귀신경과 부갑상선이다. 되돌이회귀신경은 첫 번째 수술 시 조작 여부 혹은 종양의 침범에 따라서 위치가 변경될 수 있다. 따라서 되돌이회귀신경의 위치 파악을 위해서는 첫번째 수술 시 조작하지 않았던 곳에서 먼저 찾거나 흉곽입구(thoracic inlet)에서 찾는 것이 도움이 된다. 최근에는 수술중 신경 모니터링(Intraoperative Neuromonitoring)기법을 이용하여 되돌이회귀신경을 찾는 방법이 사용되고 있으나 아직 그 효용성에 대해서는 논란의 여지가 있다.[47,48] 되돌이후두신경 손상의 빈도는 갑상선암 첫수술 시 1~5% 정도이지만 재수술 시 12%까지 발생할 수 있는 것으로 알려져 있으나,[46] 일부 연구에서는 합병증 발생의 차이가 없다고 보고하고 있다.[4,49]

부갑상선 역시 재수술시 발견하기는 쉽지 않은데 이는 주변 반흔 조직에 묻혀 있어 발견하기 어렵기 때문이다. 부갑상선의 절제가 의심될 경우에는 자가 이식을 시행해야 하며 반대쪽 흉쇄유돌근(Sternocleidomastoid muscle)에 이식을 시행하는 것을 추천한다. 또한 종양제거 후 수술 끝나기 전에 부갑상선이 포함되어 있는지 확인하는 작업도 반드시 필요하다. 특히 양측 갑상선 바탕(thyroid bed) 혹은 양측 중심구역 림프절 재수술 시에는

부갑상선 보존에 대해 더욱 주의해야 한다.

외측 경부 림프절 재수술 시에도 주변 신경, 경동맥, 내경정맥 그리고 흉관 같은 해부적 구조에 대해 정확히 인지하고 수술하는 것이 중요하다. 대개 갑상선 바탕(thyroid bed) 혹은 림프절 수술부위의 재수술 시 광범위한 주변 조직의 수술적 제거는 추천되지 않는다.

이외에 종양 조직의 위치에 따라 후두, 기도, 식도 혹은 되돌이후두신경을 직접 침범할 수 있다. 윤상연골(cricoid cartilage), 갑상연골(thyroid cartilage), 그리고 기도(trachea)를 침범한 경우에는 내강을 침범하지 않는 이상 면도날 기법(shaving procedure)이 일반적으로 선호되는 수술법이다. 그러나 일부 재발 예에서는 부분적 후두절제술(partial larygenctomy), 전체후두절제술(total laryngectomy), 식도절제술(esophagectomy) 등이 필요할 수도 있다.

(2) 관찰

일반적으로 재발 갑상선암의 관찰은 크기가 작거나 임상적으로 위험도가 낮은 경우 고려될 수 있다. 관찰 혹은 수술 여부를 결정할 때에는 환자 개개인에 따라 두 치료 사이에서 발생할 수 있는 효용성과 수술에 의해 생길 수 있는 합병증을 고려해야 한다. 수술 후 갑상선 바탕(thyroid bed)의 결절은 많게는 약 1/3까지 발생할 수 있는데 이들 중 10% 미만에서 후에 악성으로 판정되고 극히 일부에서 시간이 지남에 따라 크기가 커지는 것으로 알려져 있다.[50,51] 따라서 이러한 증례에서는 충분한 설명과 함께 지속적인 초음파와 혈중 Tg 측정하는 것도 고려할 수 있다. 2015 ATA 가이드라인에 의하면 재발 림프절의 검사 및 수술은 중앙구역 림프절 경우 8 mm 이상 외측구역 림프절일 경우 10 mm 이상일 경우 검사 및 수술을 권유하고 있다.[5] 그보다 작은 크기의 전이 림프절인 경우에는 지속적인 관찰이 필요하며 3 mm 이상 크기가 커질 경우에는 사망률이 증가한다는 보고도 있어 즉각적인 수술이 필요하다.[52]

전반적으로 국소 재발의 관찰 여부를 결정하기 위해서는 다음과 같은 여러가지 인자를 고려해야 한다.

① 원발 갑상선암의 임상병리학적특징(high-grade histology, Tg doubling time, RAI and FDG-PET avidity, molecular marker), ② 환자의 동반질병(comorbidity), ③ 재발의 해부적 위치, ④ 환자의 심리적 상태[5]

이러한 인자를 파악하고 환자에게 충분한 정보 제공하 대화를 통해 치료 방침을 결정하는 것이 중요하다.

(3) 방사능 동위원소 치료

국소 재발 갑상선암에서 방사능 동위원소 치료의 효과는 제한적이다. 치료가 필요한 국소 재발 갑상선암의 경우 요오드 섭취능이 있는 경우에도 일차 치료로 방사성요오드 치료는 선호하지 않고 수술 후 방사능 치료를 추천한다. 실제로 불완전한 수술적 절제가 시행된 경우라 할지라도 종양의 축소가 이후 방사성요오드치료의 성적을 향상시킨다는 보고들이 있다.[53-55] 경부 림프절 재발의 크기가 매우 작고 환자가 수술을 원하지 않는 경우에는 일차 치료로 방사성요오드 치료를 고려할 수도 있다.[56] 그러나 최근 치료 경향으로 볼 때 이 경우 방사성요오드 치료보다 적극적인 관찰을 고려할 수 있다. 재발 병변을 완전히 절제한 것으로 판단되는 경우 추후 방사성요오드 스캔 혹은 치료 시행 유무는 아직 의학적으로 충분한 연구결과가 부족하여 상황에 맞는 판단이 필요하다.[5]

(4) 외부 방사선 치료

재발 갑상선암에서 외부 방사선 치료의 효용성은 좀 더 많은 연구가 필요하다. 2016 미국 두경부 학회에서 발표한 가이드라인에 의하면 ① 45세 이하, 요오드 섭취능이 있는 육안조직을 가지고 있는 환자를 제외하고 수술후 육안 조직이 남아 있거나 제거 불가능한 병변이 있을 경우에 시행하며, ② 육안조직의 완전 제거후에는 보조적 요법으로서 일상적으로 사용되지 않으며, ③ 완전 제거후에는 45세 이상이면서 현미경적 육안조직이 남아 있고 방사성요오드 치료에 반응을 잘 하지 않는 경우에 고려할 수 있으며, ④ 경부림프절전이만 있을 경우에는 시행하지 않는다 라고 제시하고 있다.[58] 외부 방사선 치료의 합병증은 급성 합병증과 만성 합병증으로 나눌 수 있다. 급성 합병증으로는 피부염(dermatitis), 점막염(mucositis), 쉰소리(hoarseness) 그리고 연하곤란(dysphagia)이 있으며 만성 합병증으로는 경부 섬유화(neck fibrosis), 기도 혹은 식도 협착(tracheal or esophageal stenosis) 그리고 만성 후두 부종(chronic laryngeal edema) 등이 있다.[59-61] 대부분의 연구가 후향적 연구이지만 외부 방사선 치료의 결과는 상당히 좋은 편이다.[60-62] 또한 일부 연구에서는 항암치료, 방사성요오드 치료와 함께 치료할 경우 더 좋은 결과를 보고하기도 했다.[59,62] 그러나 외부 방사선 치료와 다른 치료를 같이 시행할 경우 생길 수 있는 합병증이 중복될 수 있어 합병증 관리에 더욱 유의해야 한다. 그리고 방사선 치료가 국소 재발을 억제하기는 하나 전신전이와 전반적인 생존율을 향상시키는 지에 관해서는 추가적인 연구가 필요하다.[63]

(5) 에탄올 및 고주파 절제 요법

에탄올 및 고주파 절제 요법에 관한 연구는 수술 혹은 방사선 요오드 치료후 다시 재발한 환자에서 대부분 수술에 대한 위험도를 갖거나 혹은 수술 거부 환자에게 시행되었다.

이들 치료는 덜 침습적이고 낮은 합병증 발생률과 외래에서 시행할 수 있다는 장점이 있다. 그러나 외과의사에게는 이 치료의 결과에 대한 확신이 아직 부족하다고 볼 수 있는데 이는 많은 연구에서 증례수가 적고 후향적 연구이며 아직 장기간 추적검사 결과가 나오지 않았기 때문이다.

지금까지 연구 결과에 대한 메타 분석에 의하면 혼합 비율(pooled proportion)에서 종양 볼륨 감소(>50%) 비율이 고주파 절제 요법에서는 100%, 에탄올 절제 요법에서는 89.5%를 보였으며 통계학적으로는 차이가 없었다. 완전 관해율에서는 고주파 절제 요법에서는 68.8% 에탄올 절제 요법에서는 53.4%였으며 역시 통계학적 차이는 없었다. 시술 후에 Tg수치의 변화에서는 고주파 절제 요법 후 71.6%가 감소하였으며 에탄올 절제 요법 후 93.8%가 감소하였다. 단기 추적검사에서 시술 후 재발은 에탄올 절제 요법 후 2.4%에서 나타났는데 두 요법의 통계학적 차이는 없었다.[64] 합병증은 두 요법 모두 전반적으로 매우 낮았으나 중증 합병증으로는 고주파 절제 요법 후 영구 되돌이후두신경 손상이 나타난 증례가 있었다.[65,66] 또한 경도 합병증으로는 피부 화상, 목소리의 일시적 변화, 통증, 불편감등이 나타날 수 있다.[67] 일부 크기가 큰 종양에서 고주파 요법을 실시한 경우 상대적으로 낮은 볼륨 감소 비율을 보였다.[68]

외과적 수술과 직접적으로 비교한 연구는 없지만 에탄올 절제 요법과 수술을 비교한 메타분석에서 치료 성공율은 수술이 94.8% 에탄올 절제 요법이 87.5%로 통계학적으로 유의하게 수술이 높았으며 재발률에서는 두 치료법에서 차이가 없었고 합병증 발생에서는 수술이 에탄올 절제 요법보다는 다소 높았으나(3.5% Vs 1.2%) 통계적 차이는 없었다.[69]

고주파 절제 요법이 에탄올 절제 요법에 비해 좀 더 좋은 효용성을 갖고 있다고 볼 수 있다. 첫 번째로 통계학적으로 차이는 없지만 볼륨감소, 완전관해율 그리고 재발률에 좀 더 이점이 있다. 두 번째로 고주파 절제 요법이 좀 더 광범위한 부위를 치료할 수 있기 때문에 상대적으로 큰 종양에서 치료할 수 있는 장점이 있다.[64] 그러나 광범위한 부위를 치료하는 만큼 발생할 수 있는 합병증에 대해서는 유의해야 하며 특히 되돌이후두신경 손상에 대해 유의해야 한다. 또한 치료 후에 현미경적으로 잔존 암에 대한 확인이 불가능하기 때문에 장기간의 추적관찰이 필요하며 향후 전향적 연구 같은 적극적인 추가 연구가 필요하다.

3. 원격전이

갑상선암 중 특히 분화 갑상선암의 원격전이는 전체 갑상선암 환자의 4~15% 정도로 알려져 있다.[6,70-72] 이들 원격전이 분화 갑상선암의 10년 생존율은 약 50% 내외로 보고되고 있다.[73-76] 원격 전이의 진단 시기

는 처음 갑상선암 진단과 동시에 약 1~9% 정도 발견되며,[75,77-79] 대부분의 환자는 5년 안에 진단되며 일부 환자들은 10년이 지난 후에도 발견될 수 있어 환자의 추적 관찰은 평생 지속되어야 한다.[54,80,81]

원격전이 위치는 폐(70%)가 제일 흔하고 그 다음이 뼈(20%)이며 그 외에도 종격동, 부신, 피부, 그리고 간에도 전이될 수 있다.[72,82] 다발 장기 원격전이는 약 10~20% 정도 발생하며 폐와 뼈가 가장 많이 발생한다.[83] 원격전이의 일차 진단은 대부분 방사성요오드 스캔을 이용한다. 원격전이 환자의 2/3 정도에서 방사성요오드 스캔에서 섭취를 보이게 된다. 이와 같이 상이한 방사성요오드 섭취를 보이는 데는 여러 인자가 작용하게 된다. 우선 원발 종양의 조직학적 분류에 따라 섭취능의 차이를 보이는데 유두암에서 80%, 미세침윤성 여포암에서는 96%, 그리고 분화 정도가 낮은 암에서는 50% 미만에서 섭취능을 보인다. 또한 젊은 환자에서 섭취능이 높으나 나이가 들수록 섭취능이 감소한다. 요오드 섭취능이 없는 원격전이 환자의 진단은 늦어질 수 있다. 이 경우 증상이 나타나거나 혈청 Tg 상승이 있는 경우에 다른 영상의학적 검사를 시행함으로서 진단할 수 있다. 영상의학적 검사로는 CT, MRI, 초음파, 그리고 ^{18}FDG-PET/CT 등이 사용될 수 있다. 특히 ^{18}FDG-PET/CT는 높은 위험도를 가진 갑상선암 환자에서 방사성요오드 스캔에서 의미 있는 소견이 보이지 않으며 혈청 Tg가 >10 ng/ml 이상일 때 시행되어야 한다.[5] 메타분석에 의하면 요오드 섭취능이 없는 갑상선암에서 ^{18}FDG-PET/CT의 민감도는 83% 특이도는 84%로 보고하고 있다.[84] 일부 연구에서 갑상선자극호르몬 자극 후 ^{18}FDG-PET/CT 시행할 경우 민감도를 높일 수 있다고 보고하고 있지만 임상적인 유용성에 대해서는 좀 더 많은 연구가 필요하다.[85] 일반적으로 원격전이 갑상선암 환자에서 ^{18}FDG 섭취가 있는 경우 방사성요오드 치료에 잘 반응하지 않고 예후도 좋지 않은 것으로 알려져 있다.[8,86,87] 2015 ATA 가이드라인은 원격전이 갑상선암의 치료 접근에 대한 원칙을 제시하고 있다. ① 이환율과 사망율은 원격전이 환자에게서 증가한다. 예후 인자

로는 갑상선암의 조직 종류, 전이 위치 및 다발 전이 여부, 진단시 나이, 암의 부하(tumor burden), FDG 및 요오드의 섭취능에 따라 달라진다. ② 생존율의 향상은 치료의 반응성과 관련이 있다. ③ 생존 이점이 없는 경우에도 이환율을 줄이기 위해 중재시술을 시행할 수 있다. ④ 원격전이가 있는 경우에도 특정 위치에 재발할 경우 환자 상태에 따라 치료를 고려해야 한다. 예를 들어 원격전이 환자의 5~20%는 경부 재발의 악화로 사망한다. ⑤ 환자 상태를 종합적으로 평가하고 중재시술의 이점과 위험을 평가해야 한다. ⑥ 방사성요오드 치료에 반응하지 않는 원격전이 환자는 다학제적 접근이 필요하며 경우에 따라 임상시험을 고려할 수 있다. ⑦ 전이암의 유전적 변이 검사는 환자의 예후 평가나 혹은 치료의 반응을 평가하는데 있어 아직 확실히 증명된 바 없다. 따라서 유전적 변이 검사가 일상적으로 추천되지 않는다.[5] 라고 하고 있다. 원격전이 갑상선암은 위의 여러가지 요소를 고려하여 개개인에 맞춤 치료를 시행해야 한다.

1) 폐전이

폐전이는 크기에 따라 거대결절성(macronodular), 1 cm 미만의 미세결절성(micronodular), 그리고 미만성(diffuse) 형태로 나타날 수 있다. 거대결절성(macronodular) 형태의 전이는 방사성요오드 스캔 및 흉부X-ray로 진단될 수 있으며 미세결절성(micronodular) 그리고 미만성(diffuse) 형태의 전이는 방사성요오드 스캔 및 흉부 CT로 진단된다. 미세결절성(micronodular) 형태의 폐전이의 경우 88~95%의 요오드 섭취능을 보이나 거대결절성(macronodular) 형태의 폐전이의 경우 50% 미만에서 섭취능을 보인다.[80] 방사성요오드 치료가 폐전이의 일차 치료이다. 방사성요오드 치료는 치료반응에 따라 6~12개월마다 치료를 반복하게 되며 요오드 치료의 용량은 경험적 치료로 100~200 mCi 정도 사용하게 되며 70세 이상의 환자는 100~150 mCi용량을 사용

한다.[5] 치료 반응을 평가할 때 혈청Tg 변화 그리고 종양 크기 변화를 평가해야 한다. 혈청Tg가 감소하더라도 종양의 크기가 증가할 경우 치료 반응이 없다고 평가해야 한다. 종양 크기 변화는 정기적인 흉부 x-ray나 흉부 CT로 평가하게 된다. 요오드 섭취능이 있는 미세결절성(micronodular) 폐전이 환자가 완전 관해율이 높고 예후도 가장 좋다.[80,88,89] 일부 연구에서는 10년 생존율을 92%까지 보고하고 있다.[83] 거대결절성(macronodular) 폐전이 환자에서도 요오드 섭취능이 있는 경우 상대적으로 좋은 생존율을 보이나 완전 관해율은 낮다.[80,89] 요오드 섭취능이 없는 경우가 가장 예후가 좋지 않으며 (10년 생존율 10~38%) 특히 나이가 40세 이상이고, 다장기 전이, 그리고 거대결절성(macronodular) 병변일 경우 예후가 좋지 않다.[80,90-92] 방사성요오드 치료가 반복됨에 따라 발생할 수 있는 합병증에도 유의해야 한다. 폐섬유화나 골수 억제가 발생할 수 있는데 폐기능 검사, 호중구수검사, 그리고 혈소판수검사로 평가할 수 있다.[5] 단발성 폐전이의 경우 수술적 치료를 고려할 수 있으나 예후에 관해서는 추가적인 연구가 필요하다.

2) 뼈전이

일반적으로 뼈전이는 폐전이에 비해 나쁜 예후를 나타내는 것으로 알려져 있다.[7,78,83,93,94]

이는 대체로 뼈전이의 진단이 늦고 완치가 어렵기 때문이다. 방사성요오드 섭취능이 있는 뼈전이는 방사성요오드 치료를 시행해야 하며 이는 생존율을 높이는데 도움이 된다. 치료 용량은 폐전이 치료 용량과 비슷하다.[5] 일부 국소 뼈전이 환자는 수술적 치료가 도움이 된다. 특히 증상이 있거나 방사성요오드 섭취능이 없는 경우에 고려할 수 있다. 몇몇 연구에서는 뼈전이의 수술적 제거가 생존율과 삶의 질을 향상 시키는데 도움이 된다고 보고하고 있다.[93,94] 수술적 치료가 어려운 경우 통증 경감 및 신경학적 증상 완화를 위해서 방사선 치료를 시행할 수 있다. 80% 이상의 환자에서 증상 완화가

이루어지며 이들 중 50% 이상에서 6개월 정도 지속성이 있다고 보고하고 있다.[63,93,95] 최근에는 반복적 방사선 치료의 한계를 극복하고자 정위적체부방사선치료(stereotactic body radiotherapy, SBRT)도 시행되고 있다. 일부 뼈전이에서는 고주파절제요법이나 동결절제요법이 사용되기도 한다.[96]

3) 뇌전이

갑상선암의 뇌전이는 매우 드문 편이지만 폐와 뼈를 제외하고는 가장 많이 발생하는 위치이며,[97] 높은 사망율을 보이고 있다.[6,98] 치료는 수술이 가능한 경우에는 수술을 시행하는 것이 원칙이며 불가능할 경우 방사선 치료를 시행한다.[98,99] 방사성요오드 치료를 고려하고 있을 경우 갑상선자극호르몬 자극에 의한 종양의 크기 증가 및 방사성요오드 치료에 의한 염증 반응을 최소화하기 위해 외부 방사선 치료와 스테로이드 치료를 먼저 시행하는 것을 추천한다.[5]

4) 방사성요오드 저항성 원격전이의 치료.

방사성요오드 흡수성 여부는 원격전이의 예후를 결정하는데 가장 중요한 요소이다. 10년 생존율을 비교했을 때 요오드 흡수성 원격전이는 92%까지의 생존율을 보이나 요오드 저항성 원격전이는 19%까지 생존율이 떨어진다.[83] 전체 갑상선 원격전이의 2/3 정도가 요오드 섭취를 보이고 이들 중 50%에서 반복적인 방사성요오드 치료로 치료된다. 방사성요오드 저항성 갑상선암은 4개 카테고리로 분류할 수 있다. ① 전이가 확인된 환자의 첫 번째 치료적 방사성요오드 스캔 검사에서 갑상선 수술 부위 외에 전이 조직에 요오드가 농축되지 않는 경우, ② 요오드 섭취의 근거가 있었으나 후에 방사성요오드 섭취능이 없어진 경우, ③ 일부 전이조직에서는 섭취능을 보이고 다른 전이조직에서는 섭취능을 보이지 않는

경우, ④ 요오드 섭취능을 보이나 전이가 지속되는 경우(새로운 병변의 발견, 병변 크기의 증가 혹은 혈청 Tg 수치의 지속적 상승)이다.[100]

지속적으로 병이 진행될 경우 전신요법(systemic therapy)을 고려해야 한다. 오래 전부터 세포독성전신화학요법(cytotoxic systemic chemotherapy)은 원격전이 환자에게 사용되어 왔다. Doxorubicin은 미국 US Food and Drug Administration (FDA)에서 승인된 유일한 세포독성약제이다. 시험에서는 약 30~40%의 부분 반응율을 보인다고 알려졌으나[101] 그러나 실제 임상에서는 반응률이 매우 낮았으며 다른 약제와의 혼합 사용에서도 뚜렷한 효과를 볼 수 없었다.[102]

현재 많은 티로신인산화활성억제제(tyrosine kinase inhibitor, TKI)가 방사성요오드 저항성 원격전이암 치료에 임상시험중에 있다. 이들 중 Lenvatinib, Sorafenib이 미국과 유럽에서 승인되어 치료에 쓰이고 있다. 국내에서도 현재 이 두 가지 약은 식약청 허가를 받아 사용할 수 있다. 티로신인산화활성억제제(TKI)는 많은 유해반응을 발생시킬 수 있다. 대표적인 유해반응으로 고혈압, 피부/점막 독성, 간독성, 심독성, 신독성, 갑상선기능저하, 췌장염, 혈액 독성 그리고 최기성(teratogenicity) 등이 있다. 따라서 이러한 유해반응을 지속적으로 감시하는 것이 반드시 필요하다.

Sorafenib은 전이성 신장암과 절제 불가능한 간암에서 먼저 사용 승인되었다.[103] Sorafenib은 다발성 표적(BRAF, VEGFR1 and VEGFR2)을 목표로 하는 경구 복용 다발성티로신인산화활성(multiple TKI) 억제제 이다. 용량은 하루 2번 400 mg이다. 여러 2상 임상 시험에서 sorafenib의 유용성이 확인되었다. 진행 갑상선암에서 시행된 Open-label 2상 임상 시험은 30명의 환자를 대상으로 하였다.[104] 최소 16주 치료 후에 7명의 환자(23%)에서 부분적 관해를 보였으며 이는 18주에서 84주까지 지속되었다. 16명의 환자(53%)들은 변화가 없었으며 14주에서 89주까지 지속되었다. 정중무진행생존율(median progression free survival, PFS)은 18개월이었다. 환자의 47%에서 약의 유해반응으로 인하여 용량 감소가

필요하였다. 다른 phase II 시험에서도 이와 비슷한 결과를 보였다.[105] DECISION 시험은 sorafenib을 이용한 무작위다기간이중맹검위약(multi-center double-blind, placebo controlled) 3상 임상 시험이다. 이 시험은 분화갑상선암만을 대상으로 하였다. 정중무진행생존율(median PFS)은 sorafenib 그룹에서(10.8개월) 위약 그룹보다(5.8개월) 통계적으로 의미 있게 증가하였다.[106] 유해반응은 Sorafenib은 손-발 피부 반응 가장 많이 발생하였으며 설사, 탈모, 발진 혹은 피부탈락(skin desquamation), 및 식욕부진 등이 일어났으며 대부분 grade 1 or 2 정도의 유해 반응이었다. 이러한 유해반응으로 인하여 환자의 1/3이 용량 조절이 필요하였다. BRAF 혹은 RAS 돌연변이는 예후 혹은 생존율 예측 인자로서 의미가 없었다.

Lenvatinib은 VEGFR 1-3, FGFR 1-4, RET, KIT 그리고 PDGFR을 타겟으로 하는 경구용 티로신인산화활성억제제(TKI)이다.[107,108] 용량은 매일 24 mg 경구투약한다. 58명의 환자가 참여한 2상 임상 시험에서는 부분 관해율이 50%였으며 정중무진행생존율(median PFS)은 12.6개월이었다. 70% 이상의 환자에서 grade 3~4의 유해반응이 발생하였다. 가장 흔한 유해반응은 고혈압(76%)이었으며, 체중감소, 설사, 단백뇨, 피로, 식욕감소 그리고 오심이 흔히 발생하는 유해반응이다. 이로 인하여 66%의 환자에서 약 용량 감소가 이루어졌으면 26%의 환자에서 투약이 중단되었다.[109] SELECT 임상 시험은 Levatinib을 이용한 무작위다기간이중맹검위약(multi-center double-blind, placebo controlled) 3상 임상 시험이다. Lenvatinib 환자는 261명 위약 환자는 131명이었다. 정중무진행생존율(median PFS)은 Lenvatinib 그룹에서(18.3개월) 위약 그룹보다(3.6개월) 통계적으로 의미있게 증가하였다. 전체적인 반응률은 64.8%였으며 이중 4명의 환자는 완전 관해를 보였다. 40%이상의 환자에서 유해반응을 보였으며 고혈압(67.8%), 설사(59.4%),

피로(59.0%) 순이었다. 37명(14.2%)의 환자가 유해반응으로 투약을 중단하였으며 67.8%의 환자에서 약 용량 감소가 이루어졌다. 특이점은 전체 환자의 118명이 사망하였는데 Lenvatinib 그룹의 6명은 병 진행에 의한 사망이 아닌 치료와 관련된 사망으로 보고되었다.[110]

티로신인산화활성억제제(TKI)를 선택해야 하는 경우 위의 두 약 중에 어느 약을 먼저 선택해야 하는지는 중요한 문제이다. 두 약의 3상 임상시험은 몇 가지 차이점이 있다. 환자 등록에 있어 Lenvatinib 투여군은 전에 티로신인산화활성억제제(TKI)를 투여한 군도 포함시켰으며 sorafenib 투여군은 포함시키지 않았다. 또한 Lenvatinib 임상시험은 중앙임상시험위원회에서 병의 진행을 판명하였으며 sorafenib 임상시험은 각 병원 임상시험위원회에서 병의 진행을 판명하였다. 임상시험 결과를 비교해보면 Lenvatinib 그룹에서 무진행생존율(PFS)이 더 높았으며 부분 관해율 비율도 Lenvatinib 그룹에서 더 높았다. 약 유해반응면에서는 약의 사용과 관련된 사망이 Lenvatinib 그룹에서 발생하였다. 그러나 그 원인이 비특이적으로 발생한 사망이다. 또한 유해반응으로 인한 용량 감소나 투여 중단은 두 임상시험에서 큰 차이는 없었다. 종합하면 Lenvatinib은 첫 번째 다른 티로신인산화활성억제제(TKI)치료 후 두 번째나 세 번째로 사용할 수 있다. 두 약 모두 세포증식억제제(cytostatic) 약이므로 암의 진행이 새로 발견되지 않는한 지속적으로 써야 한다. 이 경우 비용, 유해반응으로 인한 삶의 질 문제등을 고려하여 약 투여 기간을 고려해야 한다.

이외에도 미국 FDA의 승인은 되지 않았지만 axitinib, cabozantinib, pazopanib, sunitinib, vandetanib, vemurafenib, motesanib, selumetinib, everolimus 그리고 dabrafenib 등이 현재 임상시험 중에 있다.

REFERENCES

1. Davies L, Welch HG Increasing incidence of thyroid cancer in the United States, 1973-2002 JAMA 2006;295;2164-7.

2. Chen AY, Jemal A, Ward EM. Increasing incidence of differentiated thyroid cancer in the United States, 1988-2005 Cancer 2009;115;3801-7.

3. Mazzaferri EL, Jhiang SM Long-term impact of initial surgical and medical therapy on papillary and follicular thyroid cancer Am J Med 1994;97;418-28.

4. Shen WT, Ogawa L, Ruan D, et al. Central neck lymph node dissection for papillary thyroid cancer: comparison of complication and recurrence rates in 295 initial dissections and reoperations Arch Surg 2010:145;272-5.

5. Haugen BR, Alexander EK, Bible KC, et al. 2015 American Thyroid Association Management Guidelines for Adult Patients with Thyroid Nodules and Differentiated Thyroid Cancer: The American Thyroid Association Guidelines Task Force on Thyroid Nodules and Differentiated Thyroid Cancer Thyroid 2016:26;1-133.

6. Hoie J, Stenwig AE, Kullmann G, et al. Distant metastases in papillary thyroid cancer. A review of 91 patients Cancer 1988:61;1-6.

7. Ruegemer JJ, Hay ID, Bergstralh EJ, et al. Distant metastases in differentiated thyroid carcinoma: a multivariate analysis of prognostic variables J Clin Endocrinol Metab 1988:67;501-8.

8. Robbins RJ, Wan Q, Grewal RK, et al. Real-time prognosis for metastatic thyroid carcinoma based on 2-[18F]fluoro-2-deoxy-D-glucose-positron emission tomography scanning J Clin Endocrinol Metab 2006:91;498-505.

9. Shaha A. Treatment of thyroid cancer based on risk groups Journal of surgical oncology 2006:94;683-91.

10. White ML, Gauger PG, Doherty GM. Central lymph node dissection in differentiated thyroid cancer World journal of surgery 2007:31;895-904.

11. Bachelot A, Leboulleux S, Baudin E, et al. Neck recurrence from thyroid carcinoma: serum thyroglobulin and high-dose total body scan are not reliable criteria for cure after radioiodine treatment Clin Endocrinol (Oxf) 2005:62;376-9.

12. Giovanella L, Suriano S, Ceriani L, et al. Undetectable thyroglobulin in patients with differentiated thyroid carcinoma and residual radioiodine uptake on a postablation whole-body scan Clin Nucl Med 2011:36;109-12.

13. Cherk MH, Francis P, Topliss DJ, et al. Incidence and implications of negative serum thyroglobulin but positive I-131 whole-body scans in patients with well-differentiated thyroid cancer prepared with rhTSH or thyroid hormone withdrawal Clin Endocrinol (Oxf) 2012:76;734-40.

14. Robbins RJ, Srivastava S, Shaha A, et al. Factors influencing the basal and recombinant human thyrotropin-stimulated serum thyroglobulin in patients with metastatic thyroid carcinoma J Clin Endocrinol Metab 2004:89;6010-6.

15. Elisei R, Agate L, Viola D, et al. How to manage patients with differentiated thyroid cancer and a rising serum thyroglobulin level Endocrinol Metab Clin North Am 2014:43;331-44.

16. Schaap J, Eustatia-Rutten CF, Stokkel M, et al. Does radioiodine therapy have disadvantageous effects in non-iodine accumulating differentiated thyroid carcinoma? Clin Endocrinol (Oxf) 2002:57;117-24.

17. Pacini F, Sabra MM, Tuttle RM. Clinical relevance of thyroglobulin doubling time in the management of patients with differentiated thyroid cancer Thyroid 2011:21;691-2.

18. Spencer C, LoPresti J, Fatemi S. How sensitive (second-generation) thyroglobulin measurement is changing paradigms for monitoring patients with differentiated thyroid cancer, in the absence or presence of thyroglobulin autoantibodies Curr Opin Endocrinol Diabetes Obes 2014:21;394-404.

19. Dg N, YH L. Ultrasonography Diagnosis of Thyroid Nodules and Cervical Metastatic Lymph Nodes. Int J Thyroidol 2016:9;1-8.

20. Alexander EK, Heering JP, Benson CB, et al. Assessment of non-diagnostic ultrasound-guided fine needle aspirations of thyroid nodules J Clin Endocrinol Metab 2002:87;4924-7.

21. Torres MR, Nobrega Neto SH, Rosas RJ, et al. Thyroglobulin in the washout fluid of lymph-node biopsy: what is its role in the follow-up of differentiated thyroid carcinoma? Thyroid 2014:24;7-18.

22. Al-Hilli Z, Strajina V, McKenzie TJ, et al. Thyroglobulin Measurement in Fine-Needle Aspiration Improves the Diagnosis of Cervical Lymph Node Metastases in Papillary Thyroid Carcinoma Ann Surg Oncol 2016.

23. Moon JH, Kim YI, Lim JA, et al. Thyroglobulin in washout fluid from lymph node fine-needle aspiration biopsy in papillary thyroid cancer: large-scale validation of the cutoff value to determine malignancy and evaluation of discrepant results J Clin Endocrinol Metab 2013:98;1061-8.

24. Grani G, Fumarola A. Thyroglobulin in lymph node fine-needle aspiration washout: a systematic review and meta-analysis of diagnostic accuracy. J Clin Endocrinol Metab 2014:99;1970-982.

25. Jeon MJ, Park JW, Han JM, et al. Serum antithyroglobulin antibodies interfere with thyroglobulin detection in fine-needle aspirates of metastatic neck nodes in papillary thyroid carcinoma. J Clin Endocrinol Metab 2013:98;153-60.

26. Jo K, Kim MH, Lim Y, et al. Lowered cutoff of lymph node fine-needle aspiration thyroglobulin in thyroid cancer patients with serum anti-thyroglobulin antibody. Eur J Endocrinol 2015:173;489-97.

27. Shin HJ, Lee HS, Kim EK, et al. A Study on Serum Antithyroglobulin Antibodies Interference in Thyroglobulin Measurement in Fine-Needle Aspiration for Diagnosing Lymph Node Metastasis in Postoperative Patients PLoS One 2015:10;e0131096.

28. Alzahrani AS, Bakheet S, Al Mandil M, et al. 123I isotope as a diagnostic agent in the follow-up of patients with differentiated thyroid cancer: comparison with post 131I therapy whole body scanning. J Clin Endocrinol Metab 2001;86;5294-300.

29. Urhan M, Dadparvar S, Mavi A, et al. Iodine-123 as a diagnostic imaging agent in differentiated thyroid carcinoma: a comparison with iodine-131 post-treatment scanning and serum thyroglobulin measurement Eur J Nucl Med Mol Imaging 2007;34;1012-7.

30. Wong KK, Sisson JC, Koral KF, et al. Staging of differentiated thyroid carcinoma using diagnostic 131I SPECT/CT. AJR Am J Roentgenol 2010;195;730-6.

31. Maruoka Y, Abe K, Baba S, et al. Incremental diagnostic value of SPECT/CT with 131I scintigraphy after radioiodine therapy in patients with well-differentiated thyroid carcinoma. Radiology 2012;265;902-9.

32. Zilioli V, Peli A, Panarotto MB, et al. Differentiated thyroid carcinoma: Incremental diagnostic value of 131I SPECT/CT over pla-

nar whole body scan after radioiodine therapy. Endocrine 2016.

33. Maxon HR. Detection of residual and recurrent thyroid cancer by radionuclide imaging. Thyroid 1999;9:443-6.

34. Pacini F, Molinaro E, Castagna MG, et al. Recombinant human thyrotropin-stimulated serum thyroglobulin combined with neck ultrasonography has the highest sensitivity in monitoring differentiated thyroid carcinoma. J Clin Endocrinol Metab 2003;88:3668-73.

35. Torlontano M, Crocetti U, D'Aloiso L, et al. Serum thyroglobulin and 131I whole body scan after recombinant human TSH stimulation in the follow-up of low-risk patients with differentiated thyroid cancer. Eur J Endocrinol 2003;148:19-24.

36. Nahas Z, Goldenberg D, Fakhry C, et al. The role of positron emission tomography/computed tomography in the management of recurrent papillary thyroid carcinoma. The Laryngoscope 2005;115:237-43.

37. Weber T, Ohlhauser D, Hillenbrand A, et al. Impact of FDG-PET computed tomography for surgery of recurrent or persistent differentiated thyroid carcinoma Horm Metab Res 2012;44:904-8.

38. Caetano R, Bastos CR, de Oliveira IA, et al. Accuracy of positron emission tomography and positron emission tomography-CT in the detection of differentiated thyroid cancer recurrence with negative (131) I whole-body scan results: A meta-analysis. Head Neck 2016;38:316-27.

39. Johnson NA, Tublin ME. Postoperative surveillance of differentiated thyroid carcinoma: rationale, techniques, and controversies. Radiology 2008;249:429-44.

40. Padovani RP, Kasamatsu TS, Nakabashi CC, et al. One month is sufficient for urinary iodine to return to its baseline value after the use of water-soluble iodinated contrast agents in post-thyroidectomy patients requiring radioiodine therapy. Thyroid 2012;22:926-30.

41. Sohn SY, Choi JH, Kim NK, et al. The impact of iodinated contrast agent administered during preoperative computed tomography scan on body iodine pool in patients with differentiated thyroid cancer preparing for radioactive iodine treatment. Thyroid 2014;24:872-7.

42. Wang JC, Takashima S, Takayama F, et al. Tracheal invasion by thyroid carcinoma: prediction using MR imaging. AJR Am J Roentgenol 2001;177:929-36.

43. Wang J, Takashima S, Matsushita T, et al. Esophageal invasion by thyroid carcinomas: prediction using magnetic resonance imaging. J Comput Assist Tomogr 2003;27:18-25.

44. Hartl DM, Leboulleux S, Al Ghuzlan A, et al. Optimization of staging of the neck with prophylactic central and lateral neck dissection for papillary thyroid carcinoma. Ann Surg 2012;255:777-83.

45. Stojadinovic A, Shoup M, Nissan A, et al. Recurrent differentiated thyroid carcinoma: biological implications of age, method of detection, and site and extent of recurrence. Ann Surg Oncol 2002;9:789-98.

46. Kim MK, Mandel SH, Baloch Z, et al. Morbidity following central compartment reoperation for recurrent or persistent thyroid cancer. Arch Otolaryngol Head Neck Surg 2004;130:1214-6.

47. Alesina PF, Rolfs T, Hommeltenberg S, et al. Intraoperative neuromonitoring does not reduce the incidence of recurrent laryngeal nerve palsy in thyroid reoperations: results of a retrospective comparative analysis World journal of surgery 2012;36:1348-53.

48. Barczynski M, Konturek A, Pragacz K, et al. Intraoperative nerve monitoring can reduce prevalence of recurrent laryngeal nerve injury in thyroid reoperations: results of a retrospective cohort study World journal of surgery 2014;38:599-606.

49. Lang BH, Lee GC, Ng CP, et al. Evaluating the morbidity and efficacy of reoperative surgery in the central compartment for persistent/recurrent papillary thyroid carcinoma. World journal of surgery 2013;37:2853-9.

50. Rondeau G, Fish S, Hann LE, et al. Ultrasonographically detected small thyroid bed nodules identified after total thyroidectomy for differentiated thyroid cancer seldom show clinically significant structural progression. Thyroid 2011;21:845-53.

51. Robenshtok E, Fish S, Bach A, et al. Suspicious cervical lymph nodes detected after thyroidectomy for papillary thyroid cancer usually remain stable over years in properly selected patients J Clin Endocrinol Metab 2012;97:2706-13.

52. Tomoda C, Sugino K, Matsuzu K, et al. Cervical Lymph Node Metastases After Thyroidectomy for Papillary. Thyroid Carcinoma Usually Remain Stable for Years Thyroid 2016.

53. Pacini F, Schlumberger M, Harmer C, et al. Post-surgical use of radioiodine (131I) in patients with papillary and follicular thyroid cancer and the issue of remnant ablation: a consensus report. Eur J Endocrinol 2005;153:651-9.

54. Pacini F, Schlumberger M, Dralle H, et al. European consensus for the management of patients with differentiated thyroid carcinoma of the follicular epithelium. Eur J Endocrinol 2006;154:787-803.

55. American Thyroid Association Guidelines Taskforce on Thyroid N, Differentiated Thyroid C, Cooper DS, et al. Revised American Thyroid Association management guidelines for patients with thyroid nodules and differentiated thyroid cancer. Thyroid 2009;19:1167-214.

56. Reiners C, Dietlein M, Luster M. Radio-iodine therapy in differentiated thyroid cancer: indications and procedures. Best practice & research. Clinical endocrinology & metabolism 2008;22:989-1007.

57. Yim JH, Kim WB, Kim EY, et al. Adjuvant radioactive therapy after reoperation for locoregionally recurrent papillary thyroid cancer in patients who initially underwent total thyroidectomy and high-dose remnant ablation. J Clin Endocrinol Metab 2011;96:3695-700.

58. Kiess AP, Agrawal N, Brierley JD, et al. External-beam radiotherapy for differentiated thyroid cancer locoregional control: A statement of the American Head and Neck Society. Head Neck 2016;38:493-8.

59. Schwartz DL, Lobo MJ, Ang KK, et al. Postoperative external beam radiotherapy for differentiated thyroid cancer: outcomes and morbidity with conformal treatment. Int J Radiat Oncol Biol Phys 2009;74:1083-91.

60. Terezakis SA, Lee KS, Ghossein RA, et al. Role of external beam radiotherapy in patients with advanced or recurrent nonanaplastic thyroid cancer: Memorial Sloan-kettering Cancer Center experience. Int J Radiat Oncol Biol Phys 2009;73:795-801.

61. Romesser PB, Sherman EJ, Shaha AR, et al. External beam radiotherapy with or without concurrent chemotherapy in advanced or recurrent non-anaplastic non-medullary thyroid cancer. Journal of surgical oncology 2014;110:375-82.

62. Chow SM, Yau S, Kwan CK, et al. Local and regional control in patients with papillary thyroid carcinoma: specific indications of external radiotherapy and radioactive iodine according to T and N categories in AJCC 6th edition. Endocrine-related cancer 2006;13:1159-72.

63. Brierley JD, Tsang RW. External beam radiation therapy for thyroid cancer. Endocrinol Metab Clin North Am 2008;37:497-509, xi.

64. Suh CH, Baek JH, Choi YJ, et al. Efficacy and Safety of Radiofrequency and Ethanol Ablation for Treating Locally Recurrent Thyroid Cancer: A Systematic Review and Meta-Analysis. Thyroid 2016;26:420-8.

65. Guenette JP, Monchik JM, Dupuy DE. Image-guided ablation of postsurgical locoregional recurrence of biopsy-proven well-differentiated thyroid carcinoma. J Vasc Interv Radiol 2013;24:672-9.

66. Lee SJ, Jung SL, Kim BS, et al. Radiofrequency ablation to treat loco-regional recurrence of well-differentiated thyroid carcinoma. Korean J Radiol 2014;15:817-26.

67. Shin JE, Baek JH, Lee JH. Radiofrequency and ethanol ablation for the treatment of recurrent thyroid cancers: current status and challenges. Curr Opin Oncol 2013;25:14-9.

68. Park KW, Shin JH, Han BK, et al. Inoperable symptomatic recurrent thyroid cancers: preliminary result of radiofrequency ablation Ann Surg Oncol 2011;18:2564-8.

69. Fontenot TE, Deniwar A, Bhatia P, et al. Percutaneous ethanol injection vs reoperation for locally recurrent papillary thyroid cancer: a systematic review and pooled analysis. JAMA Otolaryngol Head Neck Surg 2015;141:512-8.

70. Clark JR, Lai P, Hall F, et al. Variables predicting distant metastases in thyroid cancer The Laryngoscope 2005;115:661-7.

71. Benbassat CA, Mechlis-Frish S, Hirsch D. Clinicopathological characteristics and long-term outcome in patients with distant metastases from differentiated thyroid cancer. World journal of surgery 2006;30:1088-95.

72. O'Neill CJ, Oucharek J, Learoyd D, et al. Standard and emerging therapies for metastatic differentiated thyroid cancer. The oncologist 2010;15:146-56.

73. Lin JD, Chao TC, Chou SC, et al. Papillary thyroid carcinomas with lung metastases. Thyroid 2004;14:1091-6.

74. Ito Y, Higashiyama T, Takamura Y, et al. Clinical outcomes of patients with papillary thyroid carcinoma after the detection of distant recurrence. World journal of surgery 2010;34:2333-7.

75. Lee J, Soh EY. Differentiated thyroid carcinoma presenting with distant metastasis at initial diagnosis clinical outcomes and prognostic factors. Ann Surg 2010;251:114-9.

76. Goffredo P, Sosa JA, Roman SA. Differentiated thyroid cancer presenting with distant metastases: a population analysis over two decades. World journal of surgery 2013;37:1599-605.

77. Shaha AR, Shah JP, Loree TR. Differentiated thyroid cancer presenting initially with distant metastasis. Am J Surg 1997;174:474-6.

78. Haq M, Harmer C. Differentiated thyroid carcinoma with distant metastases at presentation: prognostic factors and outcome. Clin Endocrinol (Oxf) 2005;63:87-93.

79. Sampson E, Brierley JD, Le LW, et al. Clinical management and outcome of papillary and follicular (differentiated) thyroid cancer presenting with distant metastasis at diagnosis. Cancer 2007;110:1451-6.

80. Schlumberger M, Challeton C, De Vathaire F, et al. Radioactive iodine treatment and external radiotherapy for lung and bone metastases from thyroid carcinoma. J Nucl Med 1996;37:598-605.

81. Lin JD, Huang MJ, Juang JH, et al. Factors related to the survival of papillary and follicular thyroid carcinoma patients with distant metastases. Thyroid 1999;9:1227-35.

82. Toubert ME, Hindie E, Rampin L, et al. Distant metastases of differentiated thyroid cancer: diagnosis, treatment and outcome. Nucl Med Rev Cent East Eur 2007;10:106-9.

83. Durante C, Haddy N, Baudin E, et al. Long-term outcome of 444 patients with distant metastases from papillary and follicular thyroid carcinoma: benefits and limits of radioiodine therapy. J Clin Endocrinol Metab 2006;91:2892-9.

84. Leboulleux S, Schroeder PR, Schlumberger M, et al. The role of PET in follow-up of patients treated for differentiated epithelial thyroid cancers. Nat Clin Pract Endocrinol Metab 2007;3:112-21.

85. Leboulleux S, Schroeder PR, Busaidy NL, et al. Assessment of the incremental value of recombinant thyrotropin stimulation before 2-[18F]-Fluoro-2-deoxy-D-glucose positron emission tomography/computed tomography imaging to localize residual differentiated thyroid cancer J Clin Endocrinol Metab 2009;94:1310-6.

86. Wang W, Larson SM, Tuttle RM, et al. Resistance of [18f]-fluorodeoxyglucose-avid metastatic thyroid cancer lesions to treatment with high-dose radioactive iodine. Thyroid 2001;11:1169-75.

87. Deandreis D, Al Ghuzlan A, Leboulleux S, et al. Do histological, immunohistochemical, and metabolic (radioiodine and fluorodeoxyglucose uptakes) patterns of metastatic thyroid cancer correlate with patient outcome? Endocrine-related cancer 2011;18:159-69.

88. Ilgan S, Karacalioglu AO, Pabuscu Y, et al. Iodine-131 treatment and high-resolution CT: results in patients with lung metastases from differentiated thyroid carcinoma. Eur J Nucl Med Mol Imaging 2004;31:825-30.

89. Ronga G, Filesi M, Montesano T, et al. Lung metastases from differentiated thyroid carcinoma. A 40 years' experience. Q J Nucl Med Mol Imaging 2004;48:12-9.

90. Mihailovic J, Stefanovic L, Malesevic M, et al. The importance of age over radioiodine avidity as a prognostic factor in differentiated thyroid carcinoma with distant metastases. Thyroid 2009;19:227-32.

91. Mihailovic JM, Stefanovic LJ, Malesevic MD, et al. Metastatic differentiated thyroid carcinoma: clinical management and outcome of disease in patients with initial and late distant metastases. Nucl Med Commun 2009;30:558-64.

92. Song HJ, Qiu ZL, Shen CT, et al. Pulmonary metastases in differentiated thyroid cancer: efficacy of radioiodine therapy and prognostic factors. Eur J Endocrinol 2015;173:399-408.

93. Bernier MO, Leenhardt L, Hoang C, et al. Survival and therapeutic modalities in patients with bone metastases of differentiated thyroid carcinomas. J Clin Endocrinol Metab 2001;86:1568-73.

94. Zettinig G, Fueger BJ, Passler C, et al. Long-term follow-up of patients with bone metastases from differentiated thyroid carcinoma -- surgery or conventional therapy? Clin Endocrinol (Oxf) 2002;56:377-82.

95. Muresan MM, Olivier P, Leclere J, et al. Bone metastases from differentiated thyroid carcinoma. Endocrine-related cancer 2008;15:37-49.

96. Kushchayeva YS, Kushchayev SV, Wexler JA, et al. Current treatment modalities for spinal metastases secondary to thyroid carcinoma. Thyroid 2014;24:1443-55.

97. Dinneen SF, Valimaki MJ, Bergstralh EJ, et al. Distant metastases in papillary thyroid carcinoma: 100 cases observed at one institution during 5 decades. J Clin Endocrinol Metab 1995;80:2041-5.

98. Chiu AC, Delpassand ES, Sherman SI. Prognosis and treatment of brain metastases in thyroid carcinoma. J Clin Endocrinol Metab 1997;82:3637-42.

99. Henriques de Figueiredo B, Godbert Y, Soubeyran I, et al. Brain metastases from thyroid carcinoma: a retrospective study of 21 patients. Thyroid 2014;24:270-6.

100. Schlumberger M, Brose M, Elisei R, et al. Definition and management of radioactive iodine-refractory differentiated thyroid cancer Lancet Diabetes Endocrinol 2014;2:356-8.

101. Gottlieb JA, Hill CS, Jr. Chemotherapy of thyroid cancer with adriamycin. Experience with 30 patients. N Engl J Med 1974;290:193-7.

102. Haugen BR Management of the patient with progressive radioiodine non-responsive disease. Semin Surg Oncol 1999;16:34-41.

103. Wilhelm SM, Carter C, Tang L, et al. BAY 43-9006 exhibits broad spectrum oral antitumor activity and targets the RAF/MEK/ERK pathway and receptor tyrosine kinases involved in tumor progression and angiogenesis. Cancer Res 2004;64:7099-109.

104. Gupta-Abramson V, Troxel AB, Nellore A, et al. Phase II trial of sorafenib in advanced thyroid cancer. J Clin Oncol 2008;26:4714-9.

105. Kloos RT, Ringel MD, Knopp MV, et al. Phase II trial of sorafenib in metastatic thyroid cancer. J Clin Oncol 2009;27:1675-84.

106. Brose MS, Nutting CM, Jarzab B, et al. Sorafenib in radioactive iodine-refractory, locally advanced or metastatic differentiated thyroid cancer: a randomised, double-blind, phase 3 trial Lancet 2014;384:319-28.

107. Matsui J, Funahashi Y, Uenaka T, et al. Multi-kinase inhibitor E7080 suppresses lymph node and lung metastases of human mammary breast tumor MDA-MB-231 via inhibition of vascular endothelial growth factor-receptor (VEGF-R) 2 and VEGF-R3 kinase Clin Cancer Res 2008;14:5459-65.

108. Okamoto K, Kodama K, Takase K, et al. Antitumor activities of the targeted multi-tyrosine kinase inhibitor lenvatinib (E7080) against RET gene fusion-driven tumor models. Cancer letters 2013;340:97-103.

109. Cabanillas ME, Schlumberger M, Jarzab B, et al. A phase 2 trial of lenvatinib (E7080) in advanced, progressive, radioiodine-refractory, differentiated thyroid cancer: A clinical outcomes and biomarker assessment. Cancer 2015;121:2749-56.

110. Schlumberger M, Tahara M, Wirth LJ, et al. Lenvatinib versus placebo in radioiodine-refractory thyroid cancer. N Engl J Med 2015;372:621-30.

내분비악성종양의 분자표적치료

Molecularly Targeted Therapies in Endocrine Malignancies

| 연세대학교 의과대학 외과 **김석모**

내분비악성종양은 다양한 종류의 내분비 세포에서 기원하는 비교적 드문 악성 종양이다. 여기에서는 우리나라 내분비외과의가 주로 다루고 있는 갑상선, 부갑상선, 부신에 발생한 악성 종양의 치료에 대해 살펴보고자 한다. 여포기원 분화갑상선암을 제외하면 대부분의 내분비악성종양은 조기에 발견하여 근치적 절제를 하는 것 외에는 효과적인 치료가 없으며 예후도 불량하다. 그러나 최근 내분비악성종양의 발병과 진행에 관한 새로운 지식이 급증하면서 이전과 달리 종양에 특이적인 새로운 치료들이 시도되고 있다. 소위 분자표적치료(molecularly targeted therapy)라고 하는 이런 새로운 방법의 치료에는 분화유도제, 단클론항체, 인산화효소(kinase) 억제제, 프로테오솜(proteosome) 억제제, 면역세포, 방사선핵종(radionuclide) 등이 다양하게 이용되고 있다. 여기에서는 내분비악성종양에서 수술 후 또는 절제 불가능한 경우에 현재 시행되고 있는 치료와 새롭게 시도되는 치료에 대해 살펴보고자 한다.

1. 여포 기원 갑상선암

여포 기원 분화갑상선암은 내분비악성 종양의 가장 흔한 유형으로 전세계적으로 발생 빈도가 증가하고 있는 질환이다.[1] 일반적으로 여포기원 갑상선암의 예후는

매우 좋지만, 일부에서 탈분화(dedifferentiation)를 통해 분화가 나쁜 암으로 바뀌면 예후가 불량해지며, 역형성 암으로까지 진행되면 수개월 이내 사망할 가능성이 높아진다.

대부분의 여포 기원 분화갑상선암은 일차적으로 갑상선 절제술과 필요시 림프절절제술의 대상이 되며, 수술 후에는 갑상선의 분화된 기능에 기반한 TSH 억제 치료나 방사성요오드 치료가 효과적인 보조 치료가 될 수 있다. 그러나 탈분화가 진행된 경우에는 이런 치료들의 효과를 더 이상 기대할 수 없게 된다. 요오드 흡착능이 없는 원격전이가 있는 경우 10년 생존율은 15% 미만이다.[2] 이 경우 항암화학요법이 적용되기도 하지만 독성이 심한 반면 치료효과는 매우 제한적이다. 가장 흔히 처방되는 약제는 doxorubicin으로 일시적이고 부분적인 반응을 보이는 경우가 20% 정도이다.[3] Cisplatin을 추가하면 반응률을 조금 상승시킬 수 있으나 독성의 증가가 더 심하다.[4] 따라서 항암화학요법은 일상적으로 적용되기 보다는 증상을 나타내거나, 빠르게 진행되는 경우에 제한적으로 적용될 수 있겠다.

이런 제한점을 극복하기 위해 사용된 것이 분화유도제(redifferentiating agent)이다. Retinoic acid는 대표적인 분화유도제로 전임상 실험에서 암세포 성장을 억제하고 방사성요오드 흡착능을 개선하는 효과가 있었으나,[5] 임상적으로는 치료 효과를 확인할 수 있는 경우가 대상 환자의 20% 미만으로 제한적이었으며, 개선된 방사성요

오드 흡착능 역시 치료 효과를 증대하기에는 역부족이었다.[6,7] 최근 retinoid 수용체인 RAR-ß와 RXR-γ 아이소형(isoforms)의 상태를 측정하여 retinoid 치료에 대한 반응성을 미리 예측하는 연구 결과가 보고되었다.[8] 특히 RXR (retinoid X receptors)은 다른 분화유도제인 PPARγ 작용제의 작용에 중요한 역할을 하고, 실제로 PPARγ 작용제와 RXR 작용 retinoids를 같이 투여하였을 때 분화유도 효과가 증대되었다.[9] 그러나 RXR 수용체에 대한 친화력이 높은 합성 retinoid인 Bexarotene은 방사성요오드 흡착을 유의하게 증가시키지 못했다.[10] Retinoid 외에도 분화요법제로 사용되는 방향성 지방산으로는 phenylacetate와 phenylbutyrate가 있다. 다양한 기전을 통해 암세포의 성장을 억제하고 분화를 유도하는데, 최근에는 PPARγ 활성화와 histone deacetylase (HDA) 억제 작용도 있음이 알려졌다. Phenylacetate는 전임상실험에서 세포성장을 억제하고, 방사성요오드 흡착을 증가시키며, VEGF분비를 억제하는 것이 보고되었다.[11]

Pax-8/PPARγ의 염색체 전위는 여포암의 중요한 원인으로 여겨지는데, PPARγ 촉진제인 troglitazone과 rosiglitazone는 전임상 실험에서 유의한 세포성장 억제를 보이며, CD97, NIS 발현을 변화시킨다.[12] 그러나 rosiglitazone을 이용한 임상 2상 연구는 심각한 부작용 없이, 일부에서 방사성요오드 흡착능 개선과 혈액내 티로 글로블린(Tg) 농도의 감소를 관찰하는데 그쳤다.[13] 분화관련 유전자의 불활성화는 유전자 자체의 변화도 중요하지만, acetylation 또는 methylation 등의 후생학적 변화(epigenetic changes) 역시 중요한 역할을 한다. HDA는 유전자 주위의 acetylation을 제거하여 nuclear chromatin을 압착함으로써 세포 성장과 분화를 조절하는 유전자의 전사를 억제한다. 구조적 유사성이 없는 여러 화합물이 HDA 억제제로 밝혀져 있는데, depsipeptide (FK228, romidepsin)와 suberoylanilide hydroxamic acid (SAHA, vorinostat)가 대표적이다. 구체적인 작용 기전은 아직 잘 알려져 있지 않지만 전임상실험에서 세포 성장 억제와 분화유도 효과(Tg, NIS 발현의 증가)를 나타

내었다.[14,15] 임상연구결과는 기대에 미치지 못했다.[16] DNA 메틸화(methylation) 역시 유전자 발현에 중요한 역할을 하는데, 메틸화(methylation) 억제제인 5'-Aza-cytidine과 5'-aza-2'-deoxycytidine (5'-azadeoxycytidine, decitabine)이 갑상선암에서 NIS 발현을 증가시켰다.[17] 이 외에도 천연 polyphenol phytoalexin인 resveratrol, HMG-CoA reductase억제제인 lovastatin 등이 전임상실험에서 갑상선암 세포의 증식 억제와 세포 사멸을 유도하였다.

갑상선암은 대부분의 다른 암과 마찬가지로 혈관내피성장인자(VEGF)의 과발현을 보인다. 혈관내피성장인자에 대한 단클론항체를 이용한 전임상실험에서 갑상선암 세포의 성장을 억제하는 기대할 만한 결과가 있었으나, 아직 임상시험의 결과는 없다.[18] 기형유발물질로 알려진 thalidomide는 혈관내피세포와 혈관내피성장인자의 작용에 관여하는데,[19] 진행성(치료불응성) 분화갑상선암 환자를 대상으로 한 임상 2상연구에서 제한적이긴 하지만 치료반응을 확인할 수 있었다.[20] 혈관내피-cadherin (VEcadherin)/β-catenin/AKT 신호전달계 역시 주요한 암치료의 표적이 될 수 있는데, 혈관내피-cadherin을 대상으로 하는 치료는 기존의 혈관신생 억제와 달리 종양 혈관의 폐쇄를 촉진한다.[21] 갑상선암에서도 VE-cadherin과 β-catenin의 발현이 증가되어 있고, 이들의 조절 장애가 역형성암의 발생과 연관되어 있는 것으로 추정된다.[22] Tubulin 결합 단백질인 Combretastatin A4 phosphate (CA4P)는 여기에 작용하여 종양 혈류를 억제하며, 갑상선역형성암 세포주를 이용한 전임상실험에서 항암효과를 나타내었다.[23] 임상 1상연구에서도 한 환자에서 30개월 동안 역형성암의 종양 감소 반응을 보였으며,[24] 초기 임상 2상시험에서도 약 25%의 환자에서 3개월 이상 질병 진행을 억제하였다.[25] 최근 갑상선암을 포함한 인체 여러암에서 암발생과 진행에 대한 새로운 지식이 급속히 증가하면서 새로운 치료 표적이 등장하고 있다. Ras/Raf/MAPK 신호전달계의 이상은 갑상선암에서 매우 흔해서 약 70%에서 발생한다.[26,27,28] 이들 이상은 RAS 돌연변이, 신호전

달계의 상위(upstream regulator)의 RET 또는 NTRK의 염색체재배열, 신호전달계의 하위(downstream effector) 의 BRAF 돌연변이에 의한 활성화로 야기된다. PI3K/ AKT 경로 역시 암화와 연관되어 있는데, 이 경로를 억제하는 PTEN 유전자 발현의 억제는 특히 여포암이나 역형성암과 관련이 있다.[29] 이런 발암과정과 연관된 유전자 발현 이상은 작은 분자의 억제제(small-molecule inhibitors)를 통해 치료에 응용되고 있다. 다양한 종류의 분자억제제가 개발되어 적용되고 있는데, 대부분 여러 종류의 악성종양에 공통으로 적용될 수 있는 치료제이지만, 작용 기전으로 볼 때 특히 갑상선 암의 치료에 유용할 것으로 기대되는 치료제도 일부 있다.

ISIS2503, ISIS5132 등과 같은 RAS에 대한 anti-sense 물질들이 대장암과 췌장암환자에서 일부 치료 효과를 나타내었다. 활성화된 ras가 세포막으로 이동할 때, farnesylation에 의한 유전암호해독 후 변이가 매우 중요한데, 여기에 관여하는 효소가 farnesyl protein transferase (FPTase)이다. Manumycin은 FPTase의 활성을 억제하여 항암 작용을 나타내는데, 역형성암 세포주를 이용한 전임상실험에서 세포 성장 억제 효과를 보였다.[30] 다른 종류인 Tipifarnib (Zarnestra, R115777)가 다중인산화 효소억제제인 sorafenib와 병합치료 형태로 임상1상시험이 시행되었는데, 갑상선유두암 환자 일부에서 질병진행을 억제하였다.[31] Erb 수용체의 일종인 표피성장인자수용체(EGFR)의 과발현은 갑상선암의 나쁜 예후와 연관이 있고, 암세포 침윤과 관련이 있다.[32] 표피성장인자 수용체 억제제인 gefitinib (Iressa, ZD1839)는 수용체 돌연변이가 있는 경우에 효과적인 것으로 알려져 있는데, 갑상선유두암과 역형성암에서는 이미 표피성장인자 수용체의 과발현이 보고된다. 전임상실험에서 효과가 관찰되어 임상 2상시험이 시행되었으나, 일부에서 질병진행을 막는 정도의 효과만 관찰되었다.[33] 갑상선암 환자에서 Her2/neu의 단클론항체인 Herceptin (Trastuzumab)을 이용한 임상시험 결과는 아직 없다.

현재 분자표적치료에서 가장 활발히 연구되고 임상에서 사용되고 있는 것은 다양한 종류의 다중 인산화효소(tyrosine kinase) 억제제이다. 하지만 다중인산화효소 억제제의 경우 설사, 피로감, 고혈압, 피부의 변화, 구역질, 몸무게 감소 등과 같은 가벼운 부작용이 있고, 혈전, 장천공, 심부전과 같은 생명을 위협할 수 있는 부작용이 나타나기도 한다.[34] 무작위 통제 위약 실험인 3상 실험을 통과한 갑상선 관련 다중인산화효소 억제제는 sorafenib, lenvatinib, vandetanib이 있다. 상기 3가지 약제는 미국 FDA와 국내 식약청의 승인을 받아 현재 임상에서 사용되고 있다. Sorafenib의 3상 임상실험에서 위약군과 비교시 약 5개월의 질병 진행을 막는 효과를 보였고, Lenvatinib의 경우는 약 14.7개월의 효과가 관찰되었다.[35] 다른 다중인산화효소 억제제 중 axitinib, pazopanib, cabozantinib, sunitinib 등도 2상 임상실험이 진행 중에 있다.

2. 갑상선수질암

갑상선수질암은 비교적 드문 암으로 여포곁C세포에서 기원하여 칼시토닌을 분비한다. 주위 림프절로 흔히 전이되며 진단시 폐, 뼈, 간 등으로 원격전이되어 있는 경우도 드물지 않다. 전반적인 예후는 나쁘지 않으나, 원격전이가 있는 경우에는 5년 생존율이 25% 10년 생존율이 10% 정도로 매우 나쁘다.[36,37] 수질암의 25% 정도는 유전성으로 다발내분비선종양(multiple endocrine neoplasia, MEN) 2A 또는 2B, 가족성수질암의 일환으로 발생하는데, 배아세포의 RET 종양유전자 점돌연변이가 원인이다. 유전성 수질암은 유전자검사를 통해 암발생 전에 예방적 갑상선절제를 시행하는 것이 최선이다. 유전성이던 속발성이던 이미 수질암이 발생한 경우에는 근치적 절제술이 가장 중요한 치료이다. 수술 후 잔존암이나 재발암의 경우 재수술 후에도 생화학적 근치를 달성하기는 어렵다.[38] 수술 후 시행할 수 있는 효과적인 보조 치료는 거의 없다. 수술 후 방사선 치료는 국소 재발을 줄이는 목적으로 시행될 수 있으나 생존율에 미치는 영향은 뚜렷하지 않다.[39,40] 항암화학요법으로는 Doxorubicin 단독 또는 cisplatin과의 병합요법,[41] doxorubicin-streptozocin과 5 fluorouracil-dacarbacine의 교대 투여[42] cyclophosphamide, vincristine, dacarbacine의 병합요법[43] 등이 시도되었는데 대체로 결과가 기대에 미치지 못한다. 수질암의 원격전이는 주로 증상 완화의 목적으로 치료가 시행된다. 간전이에 대한 화학색전술(chemoembolization)[44,45]과 골전이에 대한 외부방사선조사 및 bisphosphonate 투여[46] 등이 고려될 수 있다. 진행된 갑상선수질암에서 수술을 보조하거나 대신할 수 있는 새로운 치료의 개발은 매우 시급하다. 수질암의 발병에 중요한 역할을 하는 RET은 새로운 치료의 주요 표적이다. RET 단백질은 glial cell line-derived neurotrophic factor (GDNF, 교세포유도신경영양인자)계의 성장인자와 결합하는 신호전달 수용체로 Ras/RAF/MAP kinases, PI3/AKT 등의 다양한 신호전달계를 활성화 해 세포 생존과 증식, 분화 등에 관여한다.[47] RET의 활성화는 혈관내피세포성장인자의 과발현과도 밀접한 연관이 있다.[48] 현재 개발된 RET 인산화효소 억제제는 구조적으로 서로 다르지만 ATP와 경쟁하는 작은 분자들이다. 여기에는 Vandetanib (ZD6474, Zactima), Sorafenib (BAY43 -9006, N exavar), Motesanib, Sunitinib, XL184 (Cabozantinib), Semaxanib (SU5416, selective synthetic inhibitor of the Flk-1/KDR), RPI-168, pyrazolo[3,4-d]pyrimidines 계열인 PP169과 PP270, indolocarbazole 계열의 약제 CEP-701, CEP-75171 등이 있다.

전향적 무작위 배정 3상 임상실험에서 331명의 전이성 갑상선수질암 환자를 대상으로 진행된 연구에 따르면(National Clinical Trial [NCT]00322452), 위약군에 비해 vandetanib을 사용한 군에서 약 11개월의 병의 진행을 막는 효과가 있었고, 부분적 관해를 보이는 환자도 약 45%에서 관찰되었다. 부분적 관해를 보이는 환자는 약 22개월간 병의 진행이 되지 않는 효과가 있었다. 효과가 있었던 환자는 삶의 질이 향상되었고, 통증이 감소

하고 설사를 멈춰 정상적인 사회생활이 가능하도록 해주었다.[49] 또 다른 cabozantinib을 이용한 3상 임상실험에서는 이 약제를 사용한 환자군에서 약 7개월의 병의 진행을 막는 효과가 있었다. 전체 반응을 보이는 환자는 약 28%에서 관찰되었다. 하지만 설사, 복부 불편감, 피로, 고혈압, 장천공과 같은 부작용이 약 16%에서 관찰되었고, 약 79%에서 약 용량의 조절이 필요하였다.[50] 최근 연구결과에 따르면 RET이나 RAS 변이가 있는 환자에서 효과가 있는 것으로 나타나 진행성 수질암 환자에서 사용이 미국 FDA에서 승인되었다.

3. 부갑상선암

부갑상선암은 일차부갑상선기능항진증의 드문 원인으로 증상을 동반하는 고칼슘혈증을 나타내는 경우가 흔하다. 다른 내분비종양과 마찬가지로 국소적 침윤이나 폐, 간, 뼈 등으로 원격전이를 보이면 암으로 확진할 수 있다. 현재 근치적 절제를 통해서만 완치를 기대할 수 있다. 수술 후 시행하는 방사선치료나 항암화학요법은 생존율을 개선하지 못한다.[51,52]

그러나 완치를 기대할 수는 없더라도 증상 완화에라도 도움이 된다면 유효한 치료로써 고려해 볼 만하다. 사망의 주 원인이 난치성 고칼슘혈증이므로 고칼슘혈증의 치료가 주관건이 된다. 고칼슘혈증의 치료는 생리식염수 투여와 고리작용 이뇨제의 투여를 통해 신장에서의 칼슘 배설을 촉진시키는 것이 표준 치료이다. Bisphosphonates 또는 스테로이드와 칼시토닌을 사용할 수 있지만 오래 사용할 수 없다.[53] Amifostine (WR-2721)은 PTH 분비를 억제하여 혈청칼슘 농도를 낮추지만 심각한 독성으로 사용에 제한이 많다.[54] Octreotide 역시 혈청 PTH 농도를 어느 정도 줄일 수 있다.[55] calcimimetic 약제의 일종인 cinacalcet은 칼슘감지수용체 (CaSR, calcium-sensing receptor)의 민감도를 증가시키는

데, 최근 절제불가능한 29명의 부갑상선암 환자를 대상으로 한 다기관 임상시험에서 중대한 부작용 없이 62%의 환자에서 유의하게 혈청 칼슘농도를 낮추었다.[56] 잔존암의 부피를 줄이기 위한 고식적 수술이 필요할 수도 있는데, 호르몬을 분비하는 간전이는 고주파절제(radio-frequencyablation)와 카테터경유 동맥색전술(transcatheter arterial embolization)이 도움이 될 수 있다.[57]

현재 부갑상선암은 그 희소성으로 인해 발병에 대한 새로운 지식이 활발하게 분자 표적치료에 응용되지는 않고 있지만, 새로운 치료의 가능성은 보여주고 있다. Hypoparathyroidism jaw tumor syndrome (HPT-JT)에서 종종 부갑상선암이 병발할 수 있는데, HRPT2 유전자의 돌연변이와 이에 따른 parafibromin의 소실이 원인으로 알려져 있다.[58,59,60] Parafibromin은 Wnt 신호전달계의 일부로 작용하는데,[61] wild-type parafibromin를 과발현시키면 세포 증식을 억제하고, 세포주기 조절자인 cyclin D1의 발현을 저해한다.[62] Cyclin D1 또는 PRAD1 (parathyroid adenoma 1) 종양유전자는 부갑상선 선종의 약 5%에서 염색체 전위를 보이며,[63] cyclin D1 종양단백질(oncoprotein)은 부갑상선 선종의 약 18~40%, 부갑상선암의 90%까지에서 과발현을 보인다.[64] 부갑상선암세포의 telomerase 활성은 유의하게 증가되어 있는데, 부갑상선 암조직의 일차배양 세포를 항바이러스제인 azidothymidine (AZT)로 치료하였을 때 telomerase 활성과 세포증식이 억제되고 세포자멸사가 초래되었다.[65] 면역치료도 시도되고 있지만 아직 증례보고 수준이다. PTH에 대한 체액성 면역을 이용하는 방법은 24개월 이상 고칼슘혈증을 개선하고 그 증상을 완화시켰고, 폐전이의 크기를 감소시켰다.[66] 다른 방법으로 수지상세포를 암조직이나 PTH에 노출시킨 뒤 서혜부 림프절에 반복적으로 주사하여 CD8+기반의 cytotoxic T-cell response를 유도하는 방법이 시도되었으나 PTH, 혈청 칼슘, 폐전이에 유의한 영향을 주지 못했다.[67]

4. 부신피질암

부신피질암은 매우 드문 질환으로 대부분 스테로이드 분비 과잉의 증상이나 징후를 보이며, 근치적 절제가 표준치료이다.[68] 환자의 약 1/3은 진단 시 이미 폐나 간으로 원격전이를 보여 근치적 수술이 어렵다. 전이 병소에 대하여도 수술적 절제가 시도될 수 있지만, 간전이나 폐전이에 대한 고주파절제술이나, 간전이에 대한 화학색전술이 수술을 대신할 수 있다.[69,70] 대규모 후향적 다기관 연구의 결과 살충제인 dichlorodiphenyltrichloroethane (DDT) 유도체인 mitotane이 재발을 줄이고 사망률을 낮출 수 있다고 보고되며,[71] 일부에서는 방사선치료가 국소재발의 위험을 줄일 수 있다고 보고된다.[72] 그러나 수술 후 보조 치료에도 불구하고 근치적 수술 후 재발의 빈도는 50% 정도로 여전히 높다. 전이성 부신피질암의 경우에는 mitotane 기반의 항암화학요법이 시행되고 있는데, 치료반응을 보인 경우는 etoposide, doxorubicin, cisplatin을 병합한 경우 49%였고,[73] streptozotocin을 병합하는 방법에서는 36%로[74] 두 방법을 비교하는 임상 3상시험이 현재 진행 중이다. Mitotane을 사용하는 경우에는 부신기능저하에 대한 대처가 필요하다. 최근 독일의 암등록자료를 보면 부신피질암의 전반적인 5년 생존율은 45%이고, 원격전이가 있는 경우 평균 생존기간이 15개월 미만으로 만족스러운 결과를 보이지 못하고 있어 새로운 치료법의 개발이 절실하다.[75] 종양이 분비하는 호르몬 역시 환자의 삶의 질을 크게 저하하므로 적절한 치료가 필요하다. 특히 Cushing 증후군의 경우 종종 저칼륨혈증, 근육위축, 골절, 감염 등의 합병증을 수반한다. Mitotane은 작용이 느리고 농도에 따른 독성이 있어 호르몬 분비 과잉을 신속히 해결하지 못하는 경우가 많아, 스테로이드 호르몬을 생성하는 효소를 억제하는 ketoconazole, metyrapone, aminoglutethimide, etomidate 등이 사용된다.[76,77,78] 이들 약제 중 일부는 전임상실험에서 암세포 증식을 억제하였다.[79,80]

최근 부신피질암의 병인에 대한 새로운 사실들이 밝

혀지면서 이를 기반으로 한 분자표적 치료에 대한 관심이 증가하고 있다.[81,82,83,84] 그러나 현재까지의 결과는 대부분 기대에 미치지 못하고 있다. 대부분의 부신피질암에서 혈관내피세포성장인자(VEGF)나 그 수용체 발현이 증가되어 있다.[85] 그러나 혈관신생을 겨냥한 치료는 thalidomide를 이용한 1예에서 치료 후 유의한 관해를 보였을 뿐,[86] 혈관내피세포성장인자의 단클론항체인 bevacicumab와 capecitabine의 병합치료는[87] 뚜렷한 치료 효과를 확인할 수 없었다. Sunitinib는 치료 중 부신 독성이 관찰되는데, 이를 부신수질암 치료에 응용하여 현재 임상 2상연구가 진행 중이며, sorafenib와 paclitaxel의 병합투여 역시 진행 중이다. 또 다른 다중 인산화효소억제제인 Imatinib[88]는 뚜렷한 치료 효과를 확인할 수 없었다. 부신피질암세포에서도 표피성장인자 수용체(EGFR)의 과발현이 관찰되지만 임상적 소견과 연관이 불분명하며 구성적 활성화를 초래하는 돌연변이도 발견되지 않고 있고,[89] HER-2/neu 단백질은 거의 발현되지 않는다.[90] 표피성장인자 수용체에 작용하는 gefitinib나[91] erlotinib를[92] 이용한 치료는 효과가 없거나 제한된 효과만을 보여주었다. 산발 부신피질암에서 인슐린유사성장인자 2 (IGF-2) 과발현이 발견되는데,[93] 인슐린유사성장인자 2의 작용은 인슐린유사성장인자 1 수용체(IGF-1R)를 통해 나타난다. 전임상 실험에서 인슐린유사성장인자 1 수용체를 차단하여 부신피질암세포의 증식을 억제할 수 있어[94] 현재 기대되는 치료의 하나로 연구가 진행중이다. 부신종양에서는 부신피질자극호르몬(ACTH) 수용체의 활성화 돌연변이 보다는 오히려 이형접합성의 소실(LOH, loss of heterozygosity)에 의한 mRNA 발현 감소를 볼 수 있다.[95] 부신피질자극호르몬은 부신피질 세포의 분화를 유도하며 pro-opiomelanocortin (POMC)는 증식을 유도한다.[96,97] POMC를 억제하면서 동시에 ACTH를 투여하는 시도가 있었지만, 동물실험에서 뚜렷한 효과를 보이지 않았다.[98] 오랫동안 부신피질암은 항암화학요법에 잘 반응하지 않는다고 알려져 왔는데, 일부에서는 P-glycoprotein(다약제내성 단백질 MDR1)의 발현이 높아

능동적으로 항암제를 세포 밖으로 배출하며,[99] DNA 복구 유전자인 ERCC1에 의해 platinum 계열의 항암제에 저항성을 가진다는 것이 밝혀졌다.[100] 전자의 경우에 대하여 efflux pump 억제제인 tariquidar (XR9576)이 임상시험 중이며(NCI, NCT00073996), 후자의 경우에는 ERCC1 발현이 적은 암에서 platinum 계열 항암제 투여가 고려되고 있다. p53유전자 돌연변이와[101] Wnt 신호전달계의 β-catenin 유전자인 CTNNB1의 체성 돌연변이[102] 역시 일부 부신피질암의 발병과 연관되어 있으나 이를 표적으로 한 치료는 아직 시행되지 않고 있다. 이 외에도 다른 종양에서 효과를 보인 약제들이 실험되고 있는데, PPARγ 역시 다른 종양에서와 마찬가지로 부신피질암 세포주에서 과발현되며 thiazolidinediones에 의해 세포 성장이 억제된다.[103] Bisphosphonates는 부신피질암 세포주에서 세포성장을 억제하였다.[104]

방사핵종을 이용한 방법으로는 metomidate가 이용되는데, 이는 부신피질에 선택적으로 발현되는 cytochromeP450 계열의 11B 효소에 대한 분자 영상을 위한 추적자로 부신피질암의 병소를 찾는데 사용된다.[105] 현재 11C-iodometomidate를 치료적 용도로도 사용하는 연구가 진행 중이다.[106] 면역요법은 드물게 시행되고 있는데, 면역 수지상세포를 이용한 실험에서는 뚜렷한 임상적 효과가 없었다.[107]

5. 갈색세포종/부신경절종

갈색세포에서 기원하는 종양은 기원하는 부위에 따라, 부신에 발생하면 갈색세포종, 다른 부위의 교감신경계에서 발생하면 부신경절종으로 분류한다.[108] 매우 드문 질환으로 약 15% 정도에서 악성을 나타내는데, 다른 내분비암과 유사하게 원격전이나 국소침윤의 증거가 있어야 악성으로 진단할수 있다. 부신경절종의 약 40%, 갈색세포종의 약 10%에서 악성을 나타낸다.[109]

현재 근치적 수술을 통해서만이 완치를 기대할 수 있

으며 진행된 경우에는 근치적 수술이 어렵다.[110] 종양 부하를 줄여 증상을 완화하고 수술 후 치료를 용이하게 해주기 위해 수술이 시행되기도 하지만 생존율에 미치는 영향은 뚜렷하지 않다.[111] 현재 악성 갈색세포종에서 ^{131}I-metaiodobenzylguanidine (MIBG)를 이용한 치료가 유일한 효과적 보조치료로 전이 병소의 약 60%는 ^{131}I-MIBG를 흡착한다. MIBG는 guanethidine 유사체로 카테콜아민과 같은 기전을 통해 흡착되고 chromaffin storage granules에 저장된다. 최근의 메타분석 자료에 의하면 치료 대상 환자의 약 30%가 반응을 보이며 추가의 43% 환자에서 질병진행중지의 소견을 보인다.[112] 항암화학요법은 자료가 부족하지만, 가장 좋은 결과는 cyclophosphamide, vincristin, darcarbazine (CVD)의 병합 치료로 약 50%의 대상 환자에서 치료 반응을 확인할 수 있고 증상 완화를 초래했다는 것이다.[113] 그러나 치료 효과가 일시적이고 주로 증상 완화에 초점이 맞춰져 있다.[114] ^{131}I-MIBG 치료와 CVD 병합치료를 순차적으로 시행한 연구에서는 추가의 치료 효과를 찾아볼 수 없었다.[115] 골전이에 대한 방사선치료나 간전이에 대한 색전술, 동결절제(cryoablation), 고주파절제(radio-frequency ablation) 등도 이용된다.[116]

모든 환자에서 고혈압과 카테콜아민에 의한 증상을 조절해 주어야 하는데,[111] α-아드레날린 수용체 차단제로 먼저 조절하고 β-아드레날린 수용체 차단제를 추가로 사용할 수 있다. 칼슘통로차단제도 효과적일 수 있다. 심한경우 카테콜아민 생성을 억제하는 α-methyl-paratyrosine도 효과적이지만 독성에 유의해야 한다.[110]

현재 갈색세포종/부신경절종을 대상으로한 분자표적치료는 임상 2상 또는 3상시험의 결과 보고가 드물며, 대부분 방사선핵종 치료(radionuclide therapy)에 대한 것이다. 최근 50명의 전이성 갈색세포종 또는 부신경절종 환자를 대상으로 한 연구에서 ^{131}I-MIBG를 이용한 치료는 심각한 부작용이 수반되기는 했지만 22%의 환자에서 완전관해 또는 부분관해를 보였고, 35%는 일시적으로 반응을 보였으며, 8%에서는 질병진행을 평균 12개월 이상 정지하였다. 35%의 환자에서 치료 후 1년 내 질병진행을 보였으나 전체적인 5년 생존율은 64%로 선택된 일부 환자에서는 도움이 될 수 있음을 보고하였다.[117] 소마토스타틴(성장호르몬억제인자) 수용체는 갈색세포종에서 과발현되는데,[118] 방사성표지 소마토스타틴 유사체 [DOTA-Tyr3]-octreotide (DOTATOC)는 28명의 치료 불응성 환자에서 큰 부작용 없이 부분관해 2명, 일부 치료반응 5명, 질병진행정지 13명의 결과를 이끌었고, 반응을 보인 환자의 약 50% 정도에서 효과가 연구기간 동안 지속되었다.[119] 다중 소마토스타틴 수용체 유사체인 SOM230 (pasireotide) 역시 인간 갈색세포종의 일차배양에서 세포성장을 억제하였지만,[120] 방사성표지를 하지 않은 소마토스타틴 유사체는 임상시험에서 효과를 나타내지 않았다.[121]

이 외에도 적은 수의 갈색세포종 또는 부신경절종 환자가 신약을 이용한 임상시험에 포함된 경우가 있는데, 치료 효과는 기대에 미치지 못한다. 경구 투여 알킬화약제인 temozolomide와 thalidomide 병합치료와[122] 다중인산화효소억제제인 sunitinib는[123,124] 적은 수의 환자에서 일부 반응을 보였고, imatinib mesylate와[128] mTOR 억제제인 everolimus는[125]효과가 없었다.

새로운 분자표적을 이용한 전임상 실험의 결과는 다양 하게 보고되는데, 저분자량 quinazolinone 알칼로이드인 halofuginone은 collagen alpha 1과 matrix metal-loproteinase 2 (MMP-2)의 억제제로 동물실험에서 갈색세포종양의 성장을 억제하였다.[126] 대부분의 카테콜아민 분비 종양이 혈관내피성장인자의 과발현을 보이며, 악성의 경우 그 정도가 심하다. 혈관내피성장인자에 대한 항체는 동물실험에서 갈색세포종의 혈관신생과 종양성장을 억제한다.[127] 이 외에도 종양억제유전자 PTEN의 신호전달 경로에 있는 AKT의 활성화,[168] heat shock protein 90 (HSP90)와 telomerase (TERT)의 발현이[169] 악성 갈색세포종에서 높게 나타나 새로운 치료의 표적으로 연구되고 있다.

요약

대부분의 내분비악성종양은 조기 발견으로 근치적 절제를 시행하는 것이 가장 중요하다. 여포기원의 분화갑상선암을 제외하면 사실상 효과적인 수술 이외의 다른 치료 방법이 없기 때문이다. 최근 내분비악성종양의 발생과 진행에 대한 새로운 지식들이 축적되면서 전통적인 항암화학요법이나 외부방사선 조사의 방법에서 벗어나 좀 더 종양에 선택적으로 작용하는 특이적 치료가 시도되고 있다. 아직 내분비악성종양을 대상으로 하는 분자 표적치료의 결과는 제한적이지만, 일부 보고는 매우 희망적이다. 치료 결과를 분석하는데 있어 내분비악성종양의 이질성을 항상 염두에 두어야 하는데, 일부 환자에서는 특별한 치료 없이도 질병의 진행이 매우 늦을 수 있다는 점을 고려해야 한다. 또한 종양의 성장을 억제하는 것과 마찬가지로 종양에 의한 내분비교란을 제어하는 것 역시 매우 중요한 치료의 목표임을 잊지 말아야 한다. 지난 십여 년 동안 많은 새로운 지식이 축적되었지만, 여전히 내분비악성종양의 발병 기전과 관련하여 규명되어야 할 많은 부분이 남아 있다. 새로운 연구 방법론의 발달로 더 많은 지식이 축적되면 현재 우리가 알지 못하는 새로운 치료의 표적이나, 독성을 줄이는 새로운 치료 방법이 개발되어 가까운 시기에 획기적인 전기가 마련될 것으로 기대해 본다.

REFERENCES

1. Jemal A, Siegel R, Ward E, Hao Y, Xu J, Murray T, et al. Cancer statistics. CA Cancer J Clin 2008;58(2):71-96.

2. Durante C, Haddy N, Baudin E, Leboulleux S, Hartl D, Travagli JP, et al. Long-term outcome of 444 patients with distant metastases from papillary and follicular thyroid carcinoma: benefits and limits of radioiodine therapy. J Clin Endocrinol Metab 2006;91(8):2892-9.

3. Baudin E, Schlumberger M. New therapeutic approaches for metastatic thyroid carcinoma. Lancet Oncol 2007;8(2):148-56.

4. Shimaoka K, Schoenfeld DA, DeWys W D, Creech R H, DeConti R. A randomized trial of doxorubicin versus doxorubicin plus cisplatin in patients with advanced thyroid carcinoma. Cancer 1985;56(9):2155-60.

5. Schmutzler C, Brtko J, Bienert K, Kohrle J. Effects of retinoids and role of retinoic acid receptors in human thyroid carcinomas and cell lines derived therefrom. Exp Clin Endocrinol Diabetes 1996;104(Suppl 4):16-9.

6. Simon D, Körber C, Krausch M, Segering J, Groth P, Görges R, et al. Clinical impact of retinoids in redifferentiation therapy of advanced thyroid cancer: final results of a pilot study. Eur J Nucl Med Mol Imaging 2002;29(6):775-82.

7. Short SC, Suovuori A, Cook G, Vivian G, Harmer C. A phase II study using retinoids as redifferentiation agents to increase iodine uptake in metastatic thyroid cancer. Clin Oncol (R Coll Radiol) 2004;16(8):569-74.

8. Schmutzler C, Hoang-Vu C, Rüger B, Köhrle J. Human thyroid carcinoma cell lines show different retinoic acid receptor repertoires and retinoid responses. Eur J Endocrinol 2004;150(4):547-56.

9. Klopper JP, Hays WR, Sharma V, Baumbusch MA, Hershman JM, Haugen BR. Retinoid X receptor-gamma and peroxisome proliferator-activated receptor-gamma expression predicts thyroid carcinoma cell response to retinoid and thiazolidinedione treatment. Mol Cancer Ther 2004;3(8):1011-20.

10. Liu YY, Stokkel MP, Morreau HA, Pereira AM, Romijn JA, Smit JW. Radioiodine therapy after pretreatment with bexarotene for metastases of differentiated thyroid carcinoma. Clin Endocrinol (Oxf) 2008;68(4):605-9.

11. Kebebew E, Wong MG, Siperstein AE, Duh QY, Clark OH. Phenylacetate inhibits growth and vascular endothelial growth factor secretion in human thyroid carcinoma cells and modulates their differentiated function. J Clin Endocrinol Metab 1999;84(8):2840-7.

12. Park JW, Zarnegar R, Kanauchi H, Wong MG, Hyun WC, Ginzinger DG, et al. Troglitazone, the peroxisome proliferatoractivated receptor-gamma agonist, induces antiproliferation and redifferentiation in human thyroid cancer cell lines. Thyroid 2005;15(3):222-31.

13. Kebebew E, Peng M, Reiff E, Treseler P, Woeber KA, Clark OH, et al. A phase II trial of rosiglitazone in patients with thyroglobulin-positive and radioiodine-negative differentiated thyroid cancer. Surgery 2006;140(6):960-6.

14. Zarnegar R, Brunaud L, Kanauchi H, Wong M, Fung M, Ginzinger D, et al. Increasing the effectiveness of radioactive iodine therapy in the treatment of thyroid cancer using Trichostatin A, a histone deacetylase inhibitor. Surgery 2002;132(6):984-90.

15. Kelly WK, O'Connor OA, Krug LM, Chiao JH, Heaney M, Curley T, et al. Phase I study of an oral histone deacetylase inhibitor, suberoylanilide hydroxamic acid, in patients with advanced cancer. J Clin Oncol 2005;23(17):3923-31.

16. Woyach JA, Kloos RT, Ringel MD, Arbogast D, Collamore M, Zwiebel JA, et al. Lack of therapeutic effect of the histone deacetylase inhibitor vorinostat in patients with metastatic radioiodine-refractory thyroid carcinoma. J Clin Endocrinol Metab 2009;94(1):164-70.

17. Provenzano MJ, Fitzgerald MP, K rager K, Domann FE. Increased

iodine uptake in thyroid carcinoma after treatment with sodium butyrate and decitabine (5-Aza-dC). Otolaryngol Head Neck Surg 2007;137(5):722-8.

18. Soh EY, Eigelberger MS, Kim KJ, Wong MG, Young DM, Clark OH, et al. Neutralizing vascular endothelial growth factor activity inhibits thyroid cancer growth in vivo. Surgery 2000;128(6):1059-65.

19. D'Amato RJ, Loughnan MS, Flynn E, Folkman J. Thalidomide is an inhibitor of angiogenesis. Proc Natl Acad Sci U S A 1994;91(9):4082-5.

20. Ain KB, Lee C, Williams KD. Phase II trial of thalidomide for therapy of radioiodine-unresponsive and rapidly progressive thyroid carcinomas. Thyroid 2007;17(7):663-70.

21. Denekamp J. Review article: angiogenesis, neovascular proliferation and vascular pathophysiology as targets for cancer therapy. Br J Radiol 1993;66(783):181-96.

22. Wiseman SM, Grifith OL, Deen S, Rajput A, Masoudi H, Gilks B, et al. Identification of molecular markers altered during transformation of differentiated into anaplastic thyroid carcinoma. Arch Surg 2007;142(8):717-27.

23. Dziba JM, Marcinek R, Venkataraman G, Robinson JA, Ain KB. Combretastatin A4 phosphate has primary antineoplastic activity against human anaplastic thyroid carcinoma cell lines and xenograft tumors. Thyroid 2002;12(12):1063-70.

24. Dowlati A, Robertson K, Cooney M, Petros WP, Stratford M, Jesberger J, et al. A phase I pharmacokinetic and translational study of the novel vascular targeting agent combretastatin a-4 phosphate on a single-dose intravenous schedule in patients with advanced cancer. Cancer Res 2002;62(12):3408-16.

25. Cooney MM, Savvides P, Agarwala S, Wang D, Flick S, Bergant S, et al. Phase II study of combretastatin A4 phosphate (CA4P) in patients with advanced anaplastic thyroid carcinoma (ATC). ASCO Abstract J Clin Oncol 2006;24, 300S.

26. Fagin JA. How thyroid tumors start and why it matters: kinase mutants as targets for solid cancer pharmacotherapy. J Endocrinol 2004;183(2):249-56.

27. Ciampi R, Nikiforov YE. RET/PTC rearrangements and BRAF mutations in thyroid tumorigenesis. Endocrinology 2007;148(3):936-41.

28. Kundra P, Burman KD. Thyroid cancer molecular signaling pathways and use of targeted therapy. Endocrinol Metab Clin North Am 2007;36(3):839-53.

29. Hou P, Ji M, Xing M. Association of PTEN gene methylation with genetic alterations in the phosphatidylinositol 3-kinase/AKT signaling pathway in thyroid tumors. Cancer 2008;113(9):2440-7.

30. Yeung SC, Xu G, Pan J, Christgen M, Bamiagis A. Manumycin enhances the cytotoxic effect of paclitaxel on anaplastic thyroid carcinoma cells. Cancer Res 2000;60(3):650-6.

31. Hong DS, Sebti SM, Newman RA, Blaskovich MA, Ye L, Gagel RF, et al. Phase I trial of a combination of the multikinase inhibitor sorafenib and the farnesyltransferase inhibitor tipifarnib in advanced malignancies. Clin Cancer Res 2009;15(22):7061-8.

32. Yeh MW, Rougier JP, Park JW, Duh QY, Wong M, Werb Z, et al. Differentiated thyroid cancer cell invasion is regulated through epidermal growth factor receptor-dependent activation of matrix metalloproteinase (MMP)-2/ gelatinase A. Endocr Relat Cancer 2006;13(4):1173-83.

33. Pennell NA, Daniels GH, Haddad RI, Ross DS, Evans T, Wirth LJ, et al. A phase II study of gefitinib in patients with advanced thyroid cancer. Thyroid 2008;18(3):317-23.

34. Schutz FA, Je Y, Richards CJ, Choueiri TK 2012 Metaanalysis of randomized controlled trials for the incidence and risk of treatment-related mortality in patients with cancer treated with vascular endothelial growth factor tyrosine kinase inhibitors. J Clin Oncol 30:871-7.

35. Brose MS, Nutting CM, Jarzab B et al. Sorafenib in radioactive iodine-refractory, locally advanced or metastatic differentiated thyroid cancer: a randomised, double-blind, phase 3 trial. Lancet. 2014 Jul 26;384(9940):319-28) (Schlumberger M, Tahara M, Wirth LJ et al. Lenvatinib versus placebo in radioiodine-refractory thyroid cancer. N Engl J Med 2015;372(7):621-30.

36. Modigliani E, Cohen R, Campos JM, Conte-Devolx B, Maes B, Boneu A, et al. Prognostic factors for survival and for biochemical cure in medullary thyroid carcinoma: results in 899 patients. The GETC Study Group. Groupe d'etude des tumeurs a calcitonine. Clin Endocrinol (Oxf) 1998;48(3):265-73.

37. Schlumberger M. Treatment of advanced medullary thyroid cancer with an alternating combination of doxorubicin-streptozocin and 5 FU-dacarbazine. Groupe d'Etude des Tumeurs a Calcitonine (GETC). Br J Cancer 2000;83(6):715-8.

38. Giraudet AL, Vanel D, Leboulleux S, Auperin A, Dromain C, Chami L, et al. Imaging medullary thyroid carcinoma with persistent elevated calcitonin levels. J Clin Endocrinol Metab 2007;92(11):4185-90.

39. Brierley J, Tsang R, Simpson WJ, Gospodarowicz M, Sutcliffe S, Panzarella T. Medullary thyroid cancer: analyses of survival and prognostic factors and the role of radiation therapy in local control. Thyroid 1996;6(4):305-10.

40. Schwartz DL, Rana V, Shaw S, Yazbeck C, Ang KK, Morrison WH, et al. Postoperative radiotherapy for advanced medullary thyroid cancer - local disease control in the modern era. Head Neck 2008;30(7):883-8.

41. Schlumberger M, Carlomagno F, Baudin E, Bidart JM, Santoro M. New therapeutic approaches to treat medullary thyroid carcinoma. Nat Clin Pract Endocrinol Metab 2008;4(1):22-32.

42. Nocera M, Baudin E, Pellegriti G, Cailleux AF, Mechelany-Corone C, Schlumberger M. Treatment of advanced medullary thyroid cancer with an alternating combination of doxorubicin-streptozocin and 5 FU-dacarbazine. Groupe d'Etude des Tumeurs a Calcitonine (GETC). Br J Cancer 2000;83(6):715-8.

43. Wu LT, Averbuch SD, Ball DW, de Bustros A, Baylin SB, McGuire WP 3rd. Treatment of advanced medullary thyroid carcinoma with a combination of cyclophosphamide, vincristine, and dacarbazine. Cancer 1994;73(2):432-6.

44. Fromiguė J, De Baere T, Baudin E, Dromain C, Leboulleux S, Schlumberger M. Chemoembolization for liver metastases from medullary thyroid carcinoma. J Clin Endocrinol Metab 2006;91(7):2496-9.

45. Bourlet P, Dumousset E, Nasser S, Chabrot P, Pezet D, Thieblot P, et al. Embolization of hepatic and adrenal metastasis to treat Cushing's syndrome associated with medullary thyroid carcinoma: a case report. Cardiovasc Intervent Radiol 2007;30(5):1052-5.

46. Kebebew E, Clark OH. Medullary thyroid cancer. Curr Treat Options Oncol 2000;1(4):359-67.

47. Castellone MD, Carlomagno F, Salvatore G, Santoro M. Receptor tyrosine kinase inhibitors in thyroid cancer. Best Pract Res Clin Endocrinol Metab 2008;22(6):1023-38.

48. Petrangolini G, Cuccuru G, Lanzi C, Tortoreto M, Belluco S, Pratesi G, et al. Apoptotic cell death induction and angiogenesis inhibition in large established medullary thyroid carcinoma xenografts by Ret inhibitor RPI-1. Biochem Pharmacol 2006;72(4):405-14.

49. Wells SA Jr, Robinson BG, Gagel RF, et al. 2012 Vandetanib in patients with locally advanced or metastatic medullary thyroid cancer: a randomized, double-blind phase III trial. J Clin Oncol 30:134-41.

50. Elisei R, Schlumberger MJ, Müller SP, et al. 2013 Cabozantinib in progressive medullary thyroid cancer. J Clin Oncol 31:3639-46.

51. Rodgers SE, Perrier ND. Parathyroid carcinoma. Curr Opin Oncol 2006;18(1):16-22.

52. Busaidy NL, Jimenez C, Habra MA, Schultz PN, El-Naggar AK, Clayman GL, et al. Parathyroid carcinoma: a 22-year experience. Head Neck 2004;26(8):716-26.

53. Shane E. Clinical review 122: parathyroid carcinoma. J Clin Endocrinol Metab 2001;86(2):485-93.

54. Glover DJ, Shaw L, Glick JH, Slatopolsky E, Weiler C, Attie M, et al. Treatment of hypercalcemia in parathyroid cancer with WR-2721, S-2- (3aminopropylamino) ethyl-phosphorothioic acid. Ann Intern Med 1985;103(1):55-7.

55. Koyano H, Shishiba Y, Shimizu T, Suzuki N, Nakazawa H, Tachibana S, et al. Successful treatment by surgical removal of bone metastasis producing PTH: new approach to the management of metastatic parathyroid carcinoma. Intern Med 1994;33(11):697-702.

56. Silverberg SJ, Rubin MR, Faiman C, Peacock M, Shoback DM, Smallridge RC, et al. Cinacalcet hydrochloride reduces the serum calcium concentration in inoperable parathyroid carcinoma. J Clin Endocrinol Metab 2007;92(10):3803-8.

57. Artinyan A, Guzman E, Maghami E, Al-Sayed M, D'Apuzzo M, Wagman L, et al. Metastatic parathyroid carcinoma to the liver treated with radiofrequency ablation and transcatheter arterial embolization. J Clin Oncol 2008;26(24):4039-41.

58. Shattuck TM, Välimäki S, Obara T, Gaz RD, Clark OH, Shoback D, et al. Somatic and germ-line mutations of the HRPT2 gene in sporadic parathyroid carcinoma. N Engl J Med 2003;349(18):1722-9.

59. Cetani F, Pardi E, Borsari S, Viacava P, Dipollina G, Cianferotti L, et al. Genetic analyses of the HRPT2 gene in primary hyperparathyroidism: germline and somatic mutations in familial and sporadic parathyroid tumors. J Clin Endocrinol Metab 2004;89(11):5583-91.

60. Howell V M, Gill A, Clarkson A, Nelson A E, Dunne R, Delbridge LW, et al. Accuracy of combined protein gene product 9.5 and parafibromin markers for immunohistochemical diagnosis of parathyroid carcinoma. J Clin Endocrinol Metab 2009;94(2):434-41.

61. Mosimann C, Hausmann G, Basler K. Parafibromin/Hyrax activates Wnt/ Wg target gene transcription by direct association with beta-catenin/Armadillo. Cell 2006;125(2):327-41.

62. Woodard GE, Lin L, Zhang JH, Agarwal SK, Marx SJ, Simonds WF. Parafibromin, product of the hyperparathyroidism-jaw tumor syndrome gene HRPT2, regulates cyclin D1/PRAD1 expression. Oncogene 2005;24(7):1272-6.

63. Mallya SM, Arnold A. Cyclin D1 in parathyroid disease. Front Biosci 2000;5:D367-71.

64. Vasef MA, Brynes RK, Sturm M, Bromley C, Robinson RA. Expression of cyclin D1 in parathyroid carcinomas, adenomas, and hyperplasias: a paraffin immunohistochemical study. Mod Pathol 1999;12(4):412-6.

65. Falchetti A, Franchi A, Bordi C, Mavilia C, Masi L, Cioppi F, et al. Azidothymidine induces apoptosis and inhibits cell growth and telomerase activity of human parathyroid cancer cells in culture. J Bone Miner Res 2005;20(3):410-8.

66. Betea D, Bradwell AR, Harvey TC, Mead GP, Schmidt-Gayk H, Ghaye B, et al. Hormonal and biochemical normalization and tumor shrinkage induced by anti-parathyroid hormone immunotherapy in a patient with metastatic parathyroid carcinoma. J Clin Endocrinol Metab 2004;89(7):3413-20.

67. Schott M, Feldkamp J, Schattenberg D, Krueger T, Dotzenrath C, Seissler J, et al. Induction of cellular immunity in a parathyroid carcinoma treated with tumor lysate-pulsed dendritic cells. Eur J Endocrinol 2000;142(3):300-6.

68. Libé R, Fratticci A, Bertherat J. Adrenocortical cancer: pathophysiology and clinical management. Endocr Relat Cancer 2007;14(1):13-28.

69. De Baere T. Local treatment of adrenal cortical carcinoma metastases with interventional radiology techniques. In: X Bertagna. Montrouge editors. Adrenal Cancer. France: John Libbey Eurotext; 2006. pp 97-106.

70. Wood BJ, Abraham J, Hvizda JL, Alexander HR, Fojo T. Radiofrequency ablation of adrenal tumors and adrenocortical carcinoma metastases. Cancer 2003;97(3);554-60.

71. Terzolo M, Angeli A, Fassnacht M, Daffara F, Tauchmanova L, Conton PA, et al. Adjuvant mitotane treatment in patients with adrenocortical carcinoma. N Engl J Med 2007;356(23):372-80.

72. Fassnacht M, Hahner S, Polat B, Koschker AC, Kenn W, Flentje M, et al. Efficacy of adjuvant radiotherapy of the tumor bed on local recurrence of adrenocortical carcinoma. J Clin Endocrinol Metab 2006;91(11):4501-4.

73. Berruti A, Terzolo M, Sperone P, Pia A, Casa SD, Gross DJ, et al. Etoposide, doxorubicin and cisplatin plus mitotane in the treatment of advanced adrenocortical carcinoma: a large prospective phase II trial. Endocr Relat Cancer 2005;12(3):657-66.

74. Khan TS, Imam H, Juhlin C, Skogseid B, Gröndal S, Tibblin S, et al. Streptozocin and o,p'DDD in the treatment of adrenocortical cancer patients: long-term survival in its adjuvant use. Ann Oncol 2000;11(10):1281-7.

75. Fassnacht M, Johanssen S, Quinkler M, Bucsky P, Willenberg HS, Beuschlein F, et al. Limited prognostic value of the 2004 International Union Against Cancer staging classification for adrenocortical carcinoma: proposal for a Revised TNM Classification. Cancer 2009;115(2):243-50.

76. Feldman D. Ketoconazole and other imidazole derivatives as inhibitors of steroidogenesis. Endocr Rev 1986;7:409-20.

77. Miller JW, Crapo L. The medical treatment of Cushing's syndrome. Endocr Rev 1993;14:443-58.

78. Schulte HM, Benker G, Reinwein D, Sippell WG, Allolio B. Infusion of low dose etomidate: correction of hypercortisolemia in patients with Cushing's syndrome and dose-response relationship in normal subjects. J Clin Endocrinol Metab 1990;70:1426-30.

79. Fassnacht M, Hahner S, Beuschlein F, Klink A, Reincke M, Allolio B. New mechanisms of adrenostatic compounds in a human adrenocortical cancer cell line. Eur J Clin Invest 2000;30(Suppl 3):76-82.

80. Contreras P, Rojas A, Biagini L, Gonzalez P, Massardo T. Regression of metastatic adrenal carcinoma during palliative ketoconazole treatment. Lancet 1985;2:151-2.

81. Barlaskar FM, Hammer GD. The molecular genetics of adrenocortical carcinoma. Rev Endocr Metab Disord 2007;8(4):343-8.

82. Soon PS, McDonald KL, Robinson BG, Sidhu SB. Molecular markers and the pathogenesis of adrenocortical cancer. Oncologist 2008;13(5):548-61.

83. Giordano TJ, Kuick R, Else T, Gauger PG, Vinco M, Bauersfeld J, et al. Molecular classification and prognostication of adrenocortical tumors by transcriptome profiling. Clin Cancer Res 2009;15(2):668-76.

84. de Reyniès A, Assié G, Rickman DS, Tissier F, Groussin L, René-Corail F, et al. Gene expression profiling reveals a new classification of adrenocortical tumors and identifies molecular predictors of malignancy and survival. J Clin Oncol 2009;27(7):1108-5.

85. Zacharieva S, Atanassova I, Orbetzova M, Nachev E, Kalinov K, Kirilov G, et al. Circulating vascular endothelial growth factor and active renin concentrations and prostaglandin E2 urinary excretion in patients with adrenal tumours. Eur J Endocrinol 2004;150(3):345-9.

86. Chacon R, Tossen G, Loria FS, Chacon M. CASE 2. Response in a patient with metastatic adrenal cortical carcinoma with thalidomide. J Clin Oncol 2005;23(7):1579-80.

87. Wortmann S, Quinkler M, Ritter C, Kroiss M, Johanssen S, Hahner S, et al. Bevacizumab plus capecitabine as a salvage therapy in advanced adrenocortical carcinoma. Eur J Endocrinol 2010;162(2):349-56.

88. Gross DJ, Munter G, Bitan M, Siegal T, Gabizon A, Weitzen R, et al. The role of imatinib mesylate (Glivec) for treatment of patients with malignant endocrine tumors positive for c-kit or PDGF-R. Endocr Relat Cancer 2006;13(2):535-40.

89. Sasano H, Suzuki T, Shizawa S, Kato K, Nagura H. Transforming growth factor alpha, epidermal growth factor, and epidermal growth factor receptor expression in normal and diseased human adrenal cortex by immunohistochemistry and in situ hybridization. Mod Pathol 1994;7(7):741-6.

90. Saeger W, Fassnacht M, Reincke M, Allolio B. Expression of HER-2/neu receptor protein in adrenal tumors. Pathol Res Pract 2002;198(7):445-8.

91. Samnotra V, Vassilopoulou-Sellin R, Fojo AT. A phase II trial of gefitinib monotherapy in patients with unresectable adrenocortical carcinoma (ACC). J Clin Oncol 2007;suppl:abstr. 15527.

92. Quinkler M, Hahner S, Wortmann S, Johanssen S, Adam P, Ritter C, et al. Treatment of advanced adrenocortical carcinoma with erlotinib plus gemcitabine. J Clin Endocrinol Metab 2008;93(6):2057-62.

93. de Fraipont F, El Atifi M, Cherradi N, Le Moigne G, Defaye G,Houlgatte R, et al. Gene expression profiling of human adrenocortical tumors using complementary deoxyribonucleic acid microarrays identifies several candidate genes as markers of malignancy. J Clin Endocrinol Metab 2005;90(3):1819-29.

94. Barlaskar FM, Spalding AC, Heaton JH, Kuick R, Kim AC, Thomas DG, et al. Preclinical targeting of the type 1 insulinlike growth factor receptor in adrenocortical carcinoma. J Clin Endocrinol Metab 2009;94(1):204-12.

95. Latronico AC, Reincke M, Mendonca BB, Arai K, Mora P, Allolio B, et al. No evidence for oncogenic mutations in the adrenocorticotropin receptor gene in human adrenocortical neoplasms. J Clin Endocrinol Metab 1995;80(3):875-7.

96. Fassnacht M, Hahner S, Hansen IA, Kreutzberger T, Zink M, Adermann K, et al. N-terminal Proopiomelanocortin acts as a mitogen in adrenocortical tumor cells and decreases adrenal steroidogenesis. J Clin Endocrinol Metab 2003;88(5):2171-9.

97. Beuschlein F, Fassnacht M, Klink A, Allolio B, Reincke M. ACTH-receptor expression, regulation and role in adrenocortical tumor formation. Eur J Endocrinol 2001;144(3):199-206.

98. Coll AP, Fassnacht M, Klammer S, Hahner S, Schulte DM, Piper S, et al. Peripheral administration of the N-terminal proopiomelanocortin fragment 1-28 to Pomc-/- mice reduces food intake and weight but does not affect adrenal growth or corticosterone production. J Endocrinol 2006;190(2):515-25.

99. Flynn SD, Murren JR, Kirby WM, Honig J, Kan L, Kinder BK. P-glycoprotein expression and multidrug resistance in adrenocortical carcinoma. Surgery 1992;112(6):981-6.

100. Ronchi CL, Sbiera S, Kraus L, Wortmann S, Johanssen S, Adam P, et al. Expression of excision repair cross complementing group 1 and prognosis in adrenocortical carcinoma patients treated with platinum-based chemotherapy. Endocr Relat Cancer 2009;16(3):907-18.

101. Reincke M, Karl M, Travis WH, Mastorakos G, Allolio B, Linehan HM, et al. p53 mutations in human adrenocortical neoplasms: immunohistochemical and molecular studies. J Clin Endocrinol Metab 1994;78(3):790-4.

102. Gaujoux S, Tissier F, Groussin L, Libè R, Ragazzon B, Launay P, et al. Wnt/ beta-catenin and cAMP/PKA signaling pathways alterations and somatic beta-catenin gene mutations in the progression of adrenocortical tumors. J Clin Endocrinol Metab 2008;93(10):4135-40.

103. Ferruzzi P, Ceni E, Tarocchi M, Grappone C, Milani S, Galli A, et al. Thiazolidinediones inhibit growth and invasiveness of the human adrenocortical cancer cell line H295R. J Clin Endocrinol Metab 2005;90(3):1332-9.

104. Fassnacht M, Franke A, Dettling A, Hahner S, Zink M, Wudy S, et al. Clodronate inhibits adrenocortical cell proliferation and P450c21 activity. J Endocrinol 2002;174(3):509-16.

105. Hahner S, Stuermer A, Kreissl M, Reiners C, Fassnacht M, Haenscheid H, et al. [123 I]Iodometomidate for molecular imaging of adrenocortical cytochrome P450 family 11B enzymes. J Clin Endocrinol Metab 2008;93(6):2358-65.

106. Hahner S, Schirbel A, Kreissl M, Fassnacht M, Johanssen S, Hänscheid H, et al. 131I-Iodometomidate radiotherapy for metastatic adrenocortical carcinoma - first clinical experience. Endocrine; 2009:Abstracts (20) OC1.3 (11th European Congress of Endocrinology).

107. Papewalis C, Fassnacht M, Willenberg HS, Domberg J, Fenk R, Rohr UP, et al. Dendritic cells as potential adjuvant for immunotherapy in adrenocortical carcinoma. Clin Endocrinol (Oxf) 2006;65(2):215-22.

108. DeLellis R A, Lloyd RV, Heitz PU, Eng C. World Health Organization classification of tumours. Pathol Genet Tumours Endocr Organs 2004. p136.

109. Amar L, Servais A, Gimenez-Roqueplo AP, Zinzindohoue F, Chatellier G, Plouin PF. Year of diagnosis, features at presentation, and risk of recurrence in patients with pheochromocytoma or secreting paraganglioma. J Clin Endocrinol Metab 2005;90(4):2110-6.

110. Adler JT, Meyer-Rochow GY, Chen H, Benn DE, Robinson BG,

Sippel RS, et al. Pheochromocytoma: current approaches and future directions. Oncologist 2008;13(7):779-93.

111. Pacak K. Preoperative management of the pheochromocytoma patient. J Clin Endocrinol Metab 2007;92(11):4069-79.

112. Chrisoulidou A, Kaltsas G, Ilias I, Grossman AB. The diagnosis and management of malignant phaeochromocytoma and paraganglioma. Endocr Relat Cancer 2007;14(3):569-85.

113. Averbuch SD, Steakley CS, Young RC, Gelmann EP, Goldstein DS, Stull R, et al. Malignant pheochromocytoma: effective treatment with a combination of cyclophosphamide, vincristine, and dacarbazine. Ann Intern Med 1998;109(4):267-73.

114. Huang H, Abraham J, Hung E , Averbuch S, Merino M, Steinberg SM, et al. Treatment of malignant pheochromocytoma/ paraganglioma with cyclophosphamide, vincristine, and dacarbazine: recommendation from a 22-year follow-up of 18 patients. Cancer 2008;113(8):2020-8.

115. Sisson JC, Shapiro B, Shulkin BL, Urba S, Zempel S, Spaulding S. Treatment of malignant pheochromocytomas with 131-I metaiodobenzylguanidine and chemotherapy. Am J Clin Oncol 1999;22:364-70.

116. Scholz T, Eisenhofer G, Pacak K, Dralle H, Lehnert H. Clinical review: current treatment of malignant pheochromocytoma. J Clin Endocrinol Metab 2007;92(4):1217-25.

117. Gonias S, Goldsby R, Matthay KK, Hawkins R, Price D, Huberty J, et al. Phase II study of high-dose[131I]metaiodobenzylguanidine therapy for patients with metastatic pheochromocytoma and paraganglioma. J Clin Oncol 2009;27(25):4162-8.

118. Unger N, Serdiuk I, Sheu SY, Walz MK, Schulz S, Saeger W, et al. Immunohistochemical localization of somatostatin receptor subtypes in benign and malignant adrenal tumours. Clin Endocrinol (Oxf) 2008;68(6):850-7.

119. For rer F, R iedweg I , M aecke H R, M ueller-Brand J . Radiolabeled DOTATOC in patients with advanced paraganglioma and pheochromocytoma. Q J Nucl Med Mol Imaging 2008;52(4):334-40.

120. Pasquali D, Rossi V, Conzo G, Pannone G, Bufo P, De Bellis A, et al. Effects of somatostatin analog SOM230 on cell proliferation, apoptosis, and catecholamine levels in cultured pheochromocytoma cells. J Mol Endocrinol 2008;40(6):263-71.

121. Lamarre-Cliche M, Gimenez-Roqueplo AP, Billaud E, Baudin E, Luton JP, Plouin PF. Effects of slow-release octreotide on urinary metanephrine excretion and plasma chromogranin A and catecholamine levels in patients with malignant or recurrent phaeochromocytoma. Clin Endocrinol (Oxf) 2002;57(5):629-34.

122. Kulke MH, Stuart K, Enzinger PC, Ryan DP, Clark JW, Muzikansky A, et al. Phase II study of temozolomide and thalidomide in patients with metastatic neuroendocrine tumors. J Clin Oncol 2006;24(3):401-6.

123. Jimenez C, Cabanillas ME, Santarpia L, Jonasch E, Kyle KL, Lano EA, et al. Use of thetyrosine kinase inhibitor sunitinib in a patient with von Hippel-Lindau disease: targeting angiogenic factors in pheochromocytoma and other von Hippel-Lindau disease-related tumors. J Clin Endocrinol Metab 2009;94(2):386-91.

124. Joshua AM, Ezzat S, Asa SL, Evans A, Broom R, Freeman M, et al. Rationale and evidence for sunitinib in the treatment of malignant paraganglioma/ pheochromocytoma (MPP). J Clin Endocrinol Metab 2009;94(1):5-9.

125. Fraenkel M , Yarom N, B arak D, G ross DJ. A s tudy of RAD001 (everolimus) 10 mg/day in two patients with malignant pheochromocytoma. 5th annual ENETS conference Paris, France 2008;abstract C28.

126. Gross DJ, Reibstein I, Weiss L, Slavin S, Dafni H, Neeman M, et al. Treatment with halofuginone results in marked growth inhibition of a von Hippel- Lindau pheochromocytoma in vivo. Clin Cancer Res 2003;9(10 Pt 1):3788-93.

127. Zielke A, Middeke M, Hoffmann S, Colombo-Benkmann M, Barth P, Hassan I, et al. VEGF-mediated angiogenesis of human pheochromocytomas is associated to malignancy and inhibited by anti-VEGF antibodies in experimental tumors. Surgery 2002;132(6):1056-63 discussion 1063.

128. Fassnacht M , Weismann D, E bert S , Adam P, Zink M , Beuschlein F, et al. AKT is highly phosphorylated in pheochromocytomas but not in benign adrenocortical tumors. J Clin Endocrinol Metab 2005;90(7):4366-70.

129. Boltze C, Lehnert H, Schneider-Stock R, Peters B, Hoang-Vu C, Roessner A. HSP90 is a key for telomerase activation and malignant transition in pheochromocytoma. Endocrine 2003;22(3):193-201.

PART

II

부갑상선
Parathyroid Gland

개론

Introduction

SECTION

7

부갑상선 수술의 역사

Historical Perspective

❘ 경희대학교 의과대학 외과 **송정윤**

1. 부갑상선의 발견

부갑상선은 1850년에 영국의 왕립의과대학 헌터리언 박물관 해부학 교수였던 Richard Owen이 동물원에 있는 인디언 코뿔소의 사체를 부검하면서 처음으로 발견하였다.[1] Owen은 그 당시 부갑상선에 대해 "작고 조밀하며 노란 선 같은 구조물이 정맥이 나오는 곳에서 갑상선에 붙어 있었다."라고 짧게 서술하였다. 이것은 1862년도에 런던 동물학회에 발표되었다. 사람에서 처음으로 부갑상선을 확인한 사람은 1887년도에 스웨덴의 Uppsala 대학의 의대생 Ivar V Sandström이었다(그림 48-1). 그는 개, 고양이, 토끼, 황소, 말 등의 목을 절개하여 갑상선 주변에 있는 부갑상선을 관찰하였으며 후에 50구의 사람의 사체에서도 동일한 소견을 확인하였다. 이를 토대로 하여 부갑상선의 해부학적 위치, 혈액 공급, 다양한 위치 변이에 대해 조사하고 또한 검체를 가지고 여러 가지의 염색 기술을 사용하여 현미경적 연구를 시행하여 "On a new gland in man and several animals"란 제목의 연구 논문을 발표하였으나 해부학자인 Virchow가 편집장인 German journal에서 너무 내용이 길다는 이유로 거부되었다. 이후 1890년에 독일의 연보에 게재된 두 개의 초록에서 이러한 그의 중요한 업적이 재발견되었으며 모국인 스웨덴의 Uppsala medical journal에 발표[2]되었으나 불행하게도 그는 그의 업적을 인정받기도 전에 정신질환이 악화되어 자살하였다.

그림 48-1 ❘ Ivar Sandström (1852-1889)

2. 부갑상선의 기능에 대한 연구 및 자가이식술의 시행

1879년에 Theodor Billroth의 조수였던 Anton Wölfler가 갑상선 전절제술 후 발생한 테타니에 대해 처음으로 기술하였다.[3] 이 당시에 테타니의 원인은 갑상선 전절제술 후 발생한 뇌의 충혈로 인한 것으로 생각하였으며 이것이 해독이론(detoxification theory)의 시작이 되었다.

1891년 프랑스의 물리학자인 Eugene Gley는 부갑상선과 테타니 사이의 관련성을 밝혀냈는데 토끼와 쥐의 실험에서 선택적으로 부갑상선을 손상시켰을 때 테타니가 발생한다는 것을 확인하였다.[4] 그의 이러한 연구결과는 유럽의 갑상선 외과의사들에게 높은 평가를 받았다. 두 명의 이탈리아인인 Guilio Vassale와 Francesco Generali는 동물 실험에서 갑상선과 부갑상선을 모두 제거하였을 때 테타니가 발생되는 현상을 관찰하였고 부갑상선 절제술 후 유발되는 테타니에 대해 Gley의 결과를 확인하게 되었다.[5] 이러한 연구결과들을 통해 외과 의사들은 부갑상선이 갑상선을 수술하는 동안에 세심하게 주의를 기울여서 치료해야하는 중요한 기관임을 인식하게 되었고 부갑상선의 기능이 주요 관심사가 되었다.

처음으로 부갑상선의 자가이식은 1892년 Theodor Billroth의 제자이면서 Allgemeines Krankenhaus의 외과 교수인 Anton von Eiselsberg(그림 48-2)에 의해 이루어졌는데 고양이의 전복막강에 갑상선과 부갑상선을 이식하여 테타니의 치료와 이들의 제거로 테타니를 유발하는 것을 보고하였다.[6]

또한, 1903년에 존스 홉킨스 병원의 병리학자였던 William J MacCallum은 부갑상선의 기능에 대해서 처음으로 발표하였는데 부갑상선이 제거된 동물에서 부갑상선을 다시 주입하였더니 테타니가 완화되는 것을 발견하였다.[7] 그 후 1909년에 MacCallum과 Carl Voegtlin은 부갑상선 절제 후 테타니가 발생한 동물에서 부갑상선을 다시 투입하거나 칼슘을 투여하였을 때 테타니가 교정되는 것을 확인하였고 또한 그 동물들에서 조직 내의 칼슘이 감소되었고 소변과 대변에 칼슘이 과도하게 배출되며 나이트로젠의 뇨분비가 증가하는 것 또한 확인하였다. 이러한 결과물로 그들을 테타니의 원인은 해독이론이 아닌 불충분한 부갑상선의 분비로 인한 저칼슘혈증임을 확인하였다.[8]

1925년에 Albert 대학의 생화학자였던 James P Collip은 부갑상선이 칼슘을 조절하는 호르몬을 가지고 있다고 생각하였다. 그는 테타니나 만성 부갑상선 기능 저

그림 48-2 | Baron anton von Eiselsberg(1860-1939)

하증 환자에게 사용하기 위해 이러한 물질을 분리하였고 부갑상선이 절제된 동물들에게 경구, 피하, 정맥내로 투여하였을 때 테타니가 사라지는 것과 오랜 기간 투여했을 때 골다공증이 발생하는 것을 확인하였다.[9]

St. Louis에서 Henry Dixon 등은 부갑상선 기능항진증이란 용어를 처음으로 사용하였으며 그것의 특징은 골질환을 포함해서 근육 약화, 과칼슘뇨증, 신장 결석, 높은 혈중 칼슘 치수라고 서술하였다.[10] 그러나 이것은 1963년에 Solomon Berson과 Rosalyn Yalow 등에 의한 부갑상선 호르몬과 다른 펩타이드 등의 면역학적 검사법의 발전으로 부갑상선과 칼슘 대사가 명확하게 이해되어졌다.[11] 이 연구로 Berson과 Yalow는 노벨상을 수상하였다.

1907년에 Pfeiffer와 Mayer는 사람에서 부갑상선 조직의 자가이식을 시행하여 처음으로 임상적 성공을 거두었다.[12] 같은 해에 Halsted(그림 48-3)는 단 한 개의 부갑상선 이식이라 할지라도 생명을 구할 수 있다는 것을 증명하였다.

그는 "개의 생명이 단지 0.25 mm의 미세한 부갑상선 조직에 의해 유지될 수 있었고 그것을 제거한 후 다시

그림 48-3 | William Stewart Halsted(1852-1922)

테타니가 현저해졌다는 사실에 놀라웠으며 도저히 믿을 수 없었다"고 하였다.[13] 그는 갑상선절제술을 하는 동안에 부갑상선을 보존해야 한다고 주장하였고 갑상선절제술을 받은 동물에서 테타니의 치료를 위해 실험적으로 칼슘 글루코네이트를 정맥주사 하였다.[14] 1907년 이후부터 그는 존스 홉킨스 병원에서 근무하면서 만성 부갑상선기능저하증 환자들과 갑상선절제술로 유발된 급성 부갑상선기능저하증 환자들의 치료를 위해 부갑상선 이식과 칼슘 클로라이드 주사를 사용하였다.

또한, Halsted와 Harbert Evans는 함께 인간 부갑상선의 혈액공급에 대해 발표하였다. 여기서 그들은 각각의 부갑상선들은 얇은 단일 말단 동맥으로 혈액공급을 받으며 부행혈관은 없다고 하였다. 하부 갑상선 동맥은 양측 상, 하 부갑상선의 90% 이상의 혈액공급을 담당한다고 하였다. Halsted는 수술 시에 하부 갑상선 동맥은 가지가 없어서 부갑상선을 공급하는 말단 혈관의 근위부에서 결찰해야 한다고 주장하였다. 또한 갑상선절제술 후 발생하는 테타니는 부갑상선이 절제되었을 때 보다 부갑상선의 혈액순환이 안 좋을 때 흔하게 발생한다고 하였다.[15]

그 후 테타니와 부갑상선 사이의 관계에 대한 여러 연구가 발표되었고 많은 외과 의사들은 갑상선절제술을 하면서 부갑상선의 자가이식을 시도하였다. 1926년에 Lahey는 사람에게서 흉쇄유돌근에 부갑상선의 자가이식에 대해 발표하였다.[16]

이것은 1976년에 Sam Wells에 의해 비로소 부갑상선 절제 후 자가이식술로 발전되었다. 그는 일차 부갑상선 과증식증 환자에서 부갑상선 아전절제술을 시행하는 것 대신에 모든 부갑상선을 절제하고 전완의 근육에 부갑상선 조각들을 자가이식 하였다. 이러한 부갑상선 조각등은 나중에 부갑상선기능항진증이 재발하면 제거하였다.[17]

3. 부갑상선 기능항진증과 부갑상선 절제술

1891년에 Strasborg의 병리학 교수인 Frederich von Recklinghausen은 Virchow를 위한 기념 논문집에서 골질환을 가진 7명의 환자에 대해 발표하였다. 이 환자들 중 최소한 한 명은 낭포성 섬유성 골염을 가지고 있었고 von Recklinghausen's disease 용어의 유래는 저자가 당시에 비록 이 질환에 대해 많이 알고 있지는 못하였지만 그 후 10년 동안 사용되어 왔으며 부갑상선기능항진증과 연관이 있다고 생각하였다.[18] 1903년에 Askanazy는 큰 부갑상선 종양과 골질환을 가지고 있는 환자에 대해 처음으로 보고하였다.[19] 그러나 1906년에 Vienna에 있는 Jakob Erdheim의 연구에 의해 부갑상선과 골질환 사이의 연관성이 알려졌다. 그는 쥐의 부갑상선을 전기조작으로 파괴해서 Gley의 실험결과와 같이 테타니가 나타나는 것을 확인하였고 또한 쥐의 치아에 나타난 석회결손도 발견하였다. 또한 그는 골격계 질환으로 사망한 모든 환자들에 대해 부검을 시행하여 골연화증과 낭포성 섬유성 골염과 같은 심각한 골질환을 가진 다수의 사체에서 발견한 부갑상선 비대에 대하여 보고하였다.[20] 그는 뼈의 변화가 원인이 되어 부갑상선의 비대가 이차

그림 48-4 | Felix Mandl(1892-1957)

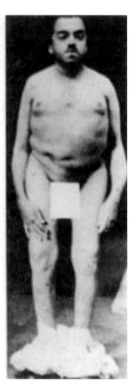

그림 48-5 | 부갑상선기능항진증을 앓기 전후의 해군대령 Charles Martell 사진

적으로 발생한다는 잘못된 믿음을 가지고 있었고 그는 그 시대에 영향력 있는 병리학자였기 때문에 그의 생각은 이 시기에 큰 영향을 미쳤었다. 그가 비록 잘못된 결론을 내렸을지라도 부갑상선의 이상과 골질환이 관련성이 있다는 것에 대해 처음으로 보고한 사람이었다.

그 후 Vienna의 Frederich Schlagenhaufer는 부갑상선의 비대가 일차적으로 나타나고 그 후에 골질환이 생기는 것으로 주장한 첫 번째 의사이다. 그는 커진 부갑상선을 수술로 제거하면 그 후에 골질환은 치유될 것으로 주장하기도 하였다.

흥미롭게도 부갑상선절제술은 1925년에 비로소 Vienna의 Felix Mandl(그림 48-4)에 의해 시행되었는데 그의 치료초기 배경에는 Jakob Erdheim의 가설이 있었다. 기차운전수인 Albert Gahne는 낭포성 섬유성 골염을 앓고 있었으며 대퇴골이 골절되어 Mandl의 환자로 치료받게 되었는데 입원해서 시행한 검사상 혈중칼슘과 뇨칼슘수치가 증가되어 있었다. 그는 먼저 Gahne씨에게 사체에서 추출된 신선한 부갑상선 조직을 이식하였고 결과는 실패였다. 그는 실패의 원인이 이식된 부갑상선조직의 양이 너무 적었다고 결론지었다. 또, 이러한 시

술에 대해 비엔나 외과 학회에서는 그를 비판하였는데 왜냐하면 이식된 조직이 부갑상선인지 현미경적으로 확인이 안 되었기 때문이었다.

이후 Mandl의 생각은 바뀌었고, 1925년 7월에 Gahne의 경부를 절개 수술하여 21×15×12 mm의 부갑상선 종양을 제거하였고 후향적으로 부갑상선암이라고 생각하였다. 수술 후 일주일 이내에 증상이 많이 호전되었으나 다시 과칼슘혈증이 재발하였고 2차 수술 후 머지않아 사망하게 되었다.[21] Mandl에 의해 부갑상선 수술이 시행된 후 6개월이 되지 않아 E.J Lewis는 1926년 1월에 미국에서 처음으로 시카고에 있는 Cook hospital에서 부갑상선 종양을 가진 29세 여자 환자에서 부갑상선절제술을 시행하였는데 나중에 이 환자는 부갑상선암으로 확인되었다.[22]

이소성 부갑상선종의 발견은 해군대령인 30세 Charles Martell(그림 48-5)에 의해서 밝혀졌다. Martell

그림 48-6 | Edward D Churchill

그림 48-7 | Oliver Cope

은 뉴욕에 있는 Bellevue 병원에서 1926년에 Eugene F Dubois에 의해 처음으로 부갑상선기능항진증을 진단받았다. 그는 메사추세츠 종합병원의 외과과장이었던 Edward Richardson에 의해 두 차례의 수술을 받았는데 질환의 원인이 될만한 부갑상선을 발견하지 못하였다. 1929년에 Martell 대령은 뉴욕에 다시 재입원하게 되어 Russell Patterson에 의해 3번째 수술을 시행받게 된다. 이번에도 역시 수술로 치료를 하지 못하였다. 신기능이 감소되고 증상이 심해져 1932년 3월에 메사추세츠병원으로 다시 입원하여 Albright와 Castleman에 의해 18개월 이상 검사 및 연구가 시행되었다. 1932년 초에 여러 차례 성공적 부갑상선절제술을 시행한 Oliver Cope는 Martell에게 그 후 3번의 수술을 시행하였지만 목에서는 어떠한 이상도 발견하지 못하였다. 흥미롭게도 환자 자신이 하버드 의과대학 도서관에서 부갑상선의 다양한 해부학적 위치변이에 대해 광범위하게 공부한 후 종격동 검사를 요구하였다.[23] 그는 7번째 수술은 Edward Churchill(그림 48-6)과 Oliver Cope(그림 48-7)에 의해 시행되었고 종격동에서 비로소 3×3 cm의 선종을 제거하였다.[24] 마지막 수술이 성공적이었음에도 불구하고 수술 후 3일째 테타니가 발생하였고 수술 후 6주째 요로결석 수술을 시행하던 중 후두마비로 사망하였다. 역사상 Martell 대령에서와 같이 광범위한 연구를 시행했던 환자는 없었다.

1931년 런던의 James Walton은 부갑상선 수술을 할 때에는 광범위하게 노출시켜 모든 부갑상선을 확인해야 할 뿐만 아니라, 기관지나 종격동 뒤까지 면밀히 살펴보아야 한다는 주장을 하기도 했다.[25] 1936년에 Churchill과 Cope는 30례의 수술을 통해 얻은 우수한 결과를 발표하였다. 그들은 Walton에 의해 기술된 부갑상선 수술의 원칙에 대해 상세하게 저술하였다. Churchill의 경험에서 "부갑상선 수술의 성공은 부갑상선을 확인할 줄 알아야 하고, 부갑상선의 분포를 알아야 하며, 그들이 어디에 숨겨져 있는지, 그리고 또한 이러한 지식을 사용할 수 있을 정도로 기술적인 면에 있어서 충분히 섬세한지 이러한 모든 것들이 외과의사의 능력에 달려있다"라고 말하였다.[26,27]

20세기 중반 이후 부갑상선호르몬 검사가 보편화되면서 무증상의 부갑상선기능항진증의 발생률이 높아짐에 따라 구미에서는 내분비 외과의사가 흔히 접하는 질환이 되었다.

우리나라에서는 1963년 세브란스병원의 주정빈 선생

이 최초로 부갑상선 기능항진증 환자에서 성공적인 부갑상선 절제술을 발표한[28] 이후 점점 발생빈도가 증가하고 있으며 진단 기술의 발전에 힘입어 수술 또한 축소되는 경향이다. 21세기는 수술 경험의 축적과 발전하는 기술이 더해져 부갑상선의 병태생리 및 치료에 있어 많은 발전이 있을 것이다.

REFERENCES

1. Owen R. On the anatomy of the Indian rhinoceros (Rh. Unicornis,L). Trans Zool Soc Lond 1862;4:31-58.

2. Sandström IV. On a new gland in man and several mammals - glandulae parathyroideae. Upsala Läk Förenings Förh 1879-1880;15:441-71.

3. Wölfler A. Die kropfextirpationen an hofrat billroth's klinik von 1877 bis 1881. Wien Med Wochenschr 1882;32:5.

4. Gley E. Functions of the thyroid gland. Lancet 1892;142:162.

5. Vassale G, Generali F. Sugli effetti delle stirpazione delle ghiandole paratirodee. Riv Patol Nerv Ment 1896;1:249-52.

6. Von Eiselsberg A. Ueber erfolgreiche Einheilung der Katzenschilddrüse in die Bauchdecke und Auftreten von Tetanie nach deren Extirpation. Wien Klin Wochenschr 1892;5:81-5.

7. MacCallum WJ. The physiology and the pathology of the parathyroid glands. Bull Johns Hopkins Hosp 1905;16:87-9.

8. MacCallum WJ, Voegtlin C. On the relation of the parathyroid to calcium metabolism and the nature of tetany. Bull Johns Hopkins Hosp 1908;19:91-2.

9. Collip JP. Extraction of a parathyroid hormone which will prevent or control parathyroid tetany and which regulates the levels of blood calcium. J Biol Chem 1925;63:395-438.

10. Welbourn RB. The history of endocrine surgery, New York. 1990, Praeger Publishers.

11. Berson SA, Yalow RS, Aurbach GD, Potts JR. Immunoassay of bovine and human parathyroid hormone. Proc Natl Acad Sci USA 1963;49:613-7.

12. Pfeiffer H, Mayer O. Üeber die funktionstü chtige Einheilung von transplantierten Epithelkö rperchen des Hundes. Wien Klin Wochenschr 1907;23:699-715.

13. Halsted WS. Hypoparathyreosis, status parathyreoprivus, and transplantation of the parathyroid glands. Am J Med Sci 1907;134:1-12.

14. Halsted WS. Auto and isotransplantation in dogs of the parathyroid glandules. J Exp Med 1909;11:175.

15. Halsted WS, Evans HM. The parathyroid glandules: their blood supply and their preservation in operation upon the thyroid gland. Ann Surg 1907;46:489-506.

16. Lahey F. The transplantation of parathyroids in partial parathyroidectomy. Surg Gynecol Obstet 1926;62:508.

17. Wells SA et al. Parathyroid autotransplantation in primary parathyroid hyperplasia. N Engl J Med 1976;295:57.

18. von Recklinghausen FD. Die fibrose oder deformative ostitis, die osteomalacie und die.

19. Askanazy M. Üeber ostitis deformans ohne osteides Gewebe. Arb Pathol Inst Tübingen 1904;4:398-422.

20. Erdheim J. Tetania parathyreopriva. Mitt Grenzgeb Med Chir 1906;16:632-744.

21. Mandl F. Attempt to treat generalized fibrous osteitis by extirpation of parathyroid tumor. Zentralbl F Chir 1926;53:260-4. Presentation at the Medical Society of Vienna, December 4, 1925. English translation, courtesy of Dr Claude Organ, 1984.

22. Guy CC. Tumors of the parathyroid glands. Surg Gynecol Obstet 1929;48:557-65.

23. Bauer W, Albright F, Aub JC. A case of osteitis fibrosa cystic (osteomalacia?) with evidence of hyperactivity of the parathyroid bodies, metabolic study. J Clin Invest 1930;8:229-48.

24. Organ CH Jr. The history of parathyroid surgery, 1850-1996: The Excelsior Surgical Society 1998 Edward D. Churchill Lecture. J Am Coll Surg 2000;191:284-99.

25. Walton AJ. The surgical treatment of parathyroid tumors. Br J Surg 1931;19:285.

26. Churchill ED, Cope O. The surgical treatment of hyperparathyroidism. Ann Surg 1936;104:9.

27. Cope O. The story of hyperparathyroidism at the Massachusetts General Hospital. N Engl J Med 1966;274:1174.

28. 주정빈 외. A Case of Primary Hyperparathyroidism. Korean J Endocr Surg 2003;3:52-6.

부갑상선의 발생과 해부

Embryology and anatomy

| 여수전남병원 외과 **정종길**

1. 부갑상선의 발생

부갑상선은 상 부갑상선과 하 부갑상선의 2개의 짝으로 배열되어 있다.[1] 임신 5주와 6주에 배아의 인두는 외부로는 외배엽 기원의 아가미틈새(branchial cleft)가 내부에서는 내배엽 기원의 아가미주머니(branchial pouch)가 저명해진다. 이 아가미틈새와 아가미주머니 사이를 인두굽이(branchial arch)라 하며 아가미틈새, 아가미주머니, 인두굽이를 모두 통틀어 아가미기관(branchial apparatus)이라 한다.[2] 이 아가미 기관에서 갑상선, 흉선, 귀인두관(Eustachian tube), 중이, 외이도, 아가미끝소체(ultimo-branchial body) 등이 만들어 지며 부갑상선은 3~4번째 아가미주머니의 내배엽 표피가 두꺼워지면서 발생하게 된다(그림 49-1).

3번째 아가미주머니의 배쪽에서는 흉선이, 등쪽에서는 하 부갑상선이 발생하는데, 흉선은 이 아가미 기관으로부터 분리되어 하 부갑상선을 끌어당기면서 같이 하방 및 내측으로 이동한다. 이때 흉선은 흉강 내로 이동하면서 반대편과 융합하여 두 엽(bilobed)으로 구성된 모양으로 흉선을 형성하여 흉강의 앞쪽으로 자리를 잡으며 꼬리 부분은 갑상선의 하부에 묻히거나 때로는 단독으로 흉선 둥지로 남아 있기도 한다. 하 부갑상선은 이러한 흉선과의 연관성 때문에 흉선의 하강 경로의 어느 곳에서나 발견될 수 있다(그림 49-2).[3]

4번째 아가미주머니의 등쪽에서는 상 부갑상선이 발생하여 갑상선에 부착된 채로 하강하게 된다. 한편 갑상선의 소포곁세포(parafollicular cell)의 기원이 되는 아가미끝소체도 4번째 아가미주머니에서 발생하여 상 부갑상선과 같이 하강하게 되는데 갑상선 내부로 파묻히기도 하고 종종 갑상선의 후방 내측에서 Zuckerkandl 결절의 형태로 남아 있으면서 되돌이 후두 신경과 상 부갑상선을 찾는 지표가 된다.[4]

2. 부갑상선의 형태

부갑상선은 1880년 스웨덴 의대생인 Ivar Sandstrom에 의해 인간의 주요 장기 중 가장 최근에 발견된 내분비기관이다.[5] 정상적으로 4개가 존재하며 탄력 있는 타원형에 각각 평균 4 × 3 × 1.5 mm의 크기이다. 드물게 5개 이상의 개수를 가지는 경우도 있다. 부갑상선의 무게는 189구의 부검연구에서 4개의 부갑상선 무게의 합은 남자의 경우 평균 117.6 ± 4 mg, 여자의 경우 131.3 ± 5.8 mg이라 보고 되었다.[6] 부갑상선의 색은 적갈색 또는 밝은 황갈색을 띠며 이는 각 개인의 나이, 영양상태, 활동 정도에 따라 다르게 함유하고 있는 지방의 내용이나 양에 따라 결정된다. 신생아 때는 회색이나 투명한 색깔을 띠다가 청소년기에는 밝은 분홍빛, 성인에서는 지방성분이 증가하면서 점점 노란빛을 띠며 나이를

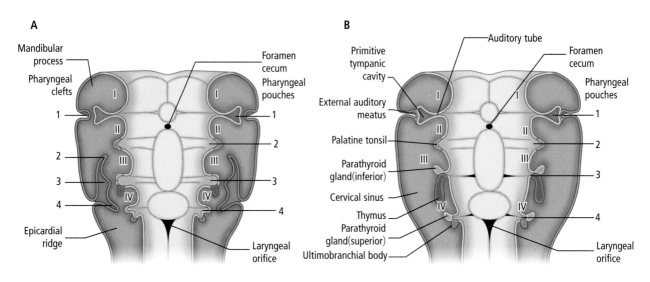

그림 49-1 | **A.** 아가미틈새(branchial cleft), 아가미주머니(branchial pouch)의 발생. 2번째 인두굽이(branchial arch)는 점점 길어져서 3, 4번째 인두굽이를 덮다. **B.** 2~4번째 아가미틈새는 목굴(cervical sinus)을 형성하고 정상적으로 나중에 막힌다.

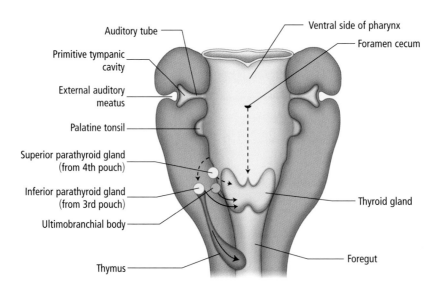

그림 49-2 | 흉선, 부갑상선, 아가미끝소체(ultimobranchial body)의 이동
갑상선은 막구멍(foramen cecum)의 높이에서 정 중앙에서 발생하여 첫 번째 기관연골고리 위치까지 하강한다.

먹으면서 점점 색깔이 진해진다.[7]

3. 부갑상선의 위치

부갑상선은 대개 갑상선의 후면에서 발견되며 각각의 결합조직의 피막에 의해 싸여져 있다. 하지만 갑상선 피막에 묻혀 있는 경우도 있으며 심지어 갑상선으로 공급되는 혈관을 따라 갑상선 조직의 고랑내부로 깊이 위치하는 경우도 있다.[8]

하 부갑상선은 3번째 아가미주머니에서 발생하여 흉선과 같이 이동, 대개 갑상선의 아래쪽 끝 혹은 이보다 약간 후방에 위치하나 목, 세로칸 상부의 흉선 피막 안에서도 흔히 발견되고, 드물게 갑상선 위쪽 끝의 상부, 목혈관신경집(carotid sheath) 안쪽, 그리고 아주 드물게는 심장이나 대동맥-폐동맥창(aortopulmoary window) 주위에서 발견될 수도 있다.[9]

상 부갑상선은 4번째 아가미주머니에서 발생하여 갑상선에 부착된 상태로 하강하여 갑상선의 후면의 피막 바로 밑에 위치하고, 대개 하갑상동맥과 되돌이후두신경이 만나는 곳에서 반경 1 cm 내에 있게 되며, 제한된 이동 경로 때문에 하 부갑상선에 비해 비교적 일정한 위치에서 발견되는 경우가 많으나, 드물게 갑상선 위쪽 끝의 상부, 식도 주위나 식도 후면에서 발견되는 경우도 있다. 대개 하갑상동맥이 갑상선으로 들어가는 부위부터 시작해서 상 부갑상선은 약 1 inch 상방에, 하 부갑상선은 0.5 inch 하방에 위치하며 만약 이 위치에서 하 부갑상선이 발견되지 않는다면 이보다 더 하방에 위치할 가능성이 많다.

4. 부갑상선의 개수

대개는 부갑상선은 4개가 존재하지만 더 많거나 적은 경우도 흔하며, 특히 4개보다 적게 발견되는 경우는 실제로는 다른 곳에 부갑상선이 있어서 발견하지 못했을 가능성이 많다. 어떤 경우에서는 두 개의 부갑상선이 합쳐져서 정상보다 개수가 적게 관찰되는 경우도 있다. 4개보다 더 많은 부갑상선이 있는 경우는 약 2.5~22% 정도 된다고 한다.[10] Glimmour and Martin의 527구의 부검 연구에 의하면 0.2%에서 6개, 5.2%에서 5개의 부갑상선을 가지고 있는 것으로 관찰되었다.[6]

Hooghe 등[11]은 416예의 부갑상선 절제술을 시행하고 5%의 환자에서 4개 이상의 부갑상선이 존재하였다고 하였다.

4. 부갑상선과 되돌이후두신경과의 관계

일반적으로 부갑상선의 위치는 갑상선 위쪽 끝(상방), 갑상선 아래쪽 끝에서 4 cm 하방의 기관(하방), 갑상선과 기관(전면), 식도(후면)로 이루어지는 가상의 사각형 안에 존재한다. 되돌이후두신경은 이 사각형을 두 삼각형으로 나누는데, Pyrtek과 Painter[12]는 상 부갑상선은 이 신경의 후 상방, 하 부갑상선은 전방에 있는 등 93%에서 부갑상선의 위치는 되돌이후두신경과의 관계는 예측할 수 있는 범위 내에 있다고 하였다.

5. 부갑상선의 혈액공급

보고자에 따라 빈도의 차이는 약간 있으나, 대부분의 부갑상선은 모두 하갑상동맥에서 혈액 공급을 받는다. Alveryd[13]에 따르면 354명의 부검 연구에서 우측 부갑상선은 86.1%가, 좌측 부갑상선은 76.8%가 하갑상동맥에서 동맥 공급을 받았으며, 하갑상동맥이 없는 경우에는 대부분에서 상갑상동맥에서 모두 상/하 부갑상선에 혈액공급을 한다고 하였다.

표 49-1 | 354명의 부검에서 확인된 1,405개의 부갑상선의 혈액공급의 다양성

	Right SXide (%)			Left Side (%)		
	1 Parathyroid	2~3 Parathyroids	Total	1 Parathyroid	2~3 Parathyroids	Total
Inferior thyroid artery	12.4[†]	86.4	98.8	20.1[†]	76.8	96.9
Superior thyroid artery	8.7	0.6	9.3	15.0	2.8	17.8
Thyroid ima artery	0.6		0.6	0.6		0.6
Artery from larynx, trachea, esophagus, or mediastinum	1.7		1.7	2.0		2.0

† Includes 10 cases (right side) and 13 cases (left side) in which only one gland was identified.
Source: Skandalakis JE, Gray SW, Rowe JS Jr. Anatomical Complications in General Surgery. New York: McGraw-Hill, 1983; with permission.

한편 위치에 따라서 뚜렷한 혈관이 관찰되지 않고 갑상선 피막으로부터 직접 혈액 공급을 받는 경우도 있다. 상 부갑상선은 상갑상동맥과 하갑상동맥의 문합부 분지에서 혈액을 공급받기도 한다(표 49-1). 부갑상선의 정맥은 상, 중, 하갑상선 정맥으로 배액 된다. 갑상선 수술 시 부갑상선의 기능을 유지하기 위해서는 부갑상선의 종동맥(end artery)을 살리는 것과 동시에 배액되는 정맥을 같이 살리는 것에도 주의를 해야 한다.

REFERENCES

1. Moore K, Persaud T. The developing human. 6th ed. Philadelphia: WB Saunders; 1998.

2. Sadler TW. Langman's medical embryology. 12th ed. London: Williams & Wilkins; 2012.

3. Gray SW, Skandalakis JE, Akin JT Jr. Embryological considerations of thyroid surgery: Developmental anatomy of the thyroid, parathyroid, and the recurrent laryngeal nerve. Am Surg 1976;42:621-8.

4. Johnathan G.H. Hubbard, William B. Inabnet, Chung-Yau Lo. Endocrine surgery : Principles and Practice. London: Springer-Verlag; 2009.

5. Carney JA. The glandulae parathyroidea of Ivar Sandstrom. AM J Surg Pathol 1996;20:1123-44.

6. Glimour JR, Martin WJ. The weight of the parathyroid glands. J Pathol Bacteriol 1937;44:431-62.

7. Gray SW, Skandalakis JE, Akin JT, et al. Parathyroid glands. Am Surg 1976;40:653.

8. Orlo Clark, Quan-Yang Duh, Electron Kebebew. Textbook of endocrine surgery. 3rd ed. Philadelphia:Elsevier Saunders; 2016.

9. McMinn RM. Lasts Anatomy. 8th ed. Edinburgh: Churchill Livingstone; 1990.

10. Akerström G, Malmaeus J, Bergström R. Surgical anatomy of human parathyroid glands. Surgery 1984;95:14-21.

11. Hooghe L, Kinnaert P, Van Geertruyden J. Surgical anatomy of hyperparathyroidism. Acta Chir Belg 1992;92:1.

12. Pyrtek LJ, Painter RL. An anatomic study of the relationship of the parathyroid glands to the recurrent laryngeal nerve. Surg Gynecol Obstet 1964;40:657.

13. Alveryd A. Parathyroid gland in thyroid surgery. Acta Chir Scand 1968;389(suppl):1-120.

부갑상선의 생리
Physiology

| 가천대학교 의과대학 외과 **정유승**

1. 칼슘의 항상성과 조절

칼슘은 혈청 단백질, 주로 알부민에 결합된 상태(45%) 또는 인산염(phosphate), 구연산염(citrate) 같은 음이온에 결합된 상태(15%)로 혈액 내에 존재하며, 나머지 부분인 약 40%가 이온화 칼슘으로 생물학적으로 활성을 나타낸다. 이온화 칼슘(serum ionized calcium)의 정상범위는 4.4~5.2 mg/dL (1.1~1.3 mmol/L)이며, 총 혈중 칼슘의 정상범위는 8.5~10.5 mg/dL (2.1~2.6 mmol/L)이다. 총 칼슘 수치는 혈청 단백질, 특히 알부민 수치와 관련성이 있어, 다음 식과 같이 알부민 수치의 변화에 따라 총 칼슘 수치가 변동된다.

Corrected calcium (mg/dL) = measured total calcium (mg/dL) + 0.8 [4.0–serum albumin (g/dL)]

그러나 이온화 칼슘 수치는 크게 변화하지 않는다.

적정농도의 혈중 칼슘 수치를 유지하는 것은 호르몬 분비, 근육수축, 신경전달, 혈액응고기전 등 다양한 생리학적 기능을 수행하는데 매우 중요하다. 혈청 칼슘의 조절과 관련된 인자는 주로 부갑상선호르몬(PTH)과 비타민 D이며, 칼시토닌의 역할은 인간에 있어서 칼슘 항상성유지에 동물에 비하여 중요성이 크지 않다. 부갑상선의 주세포(chief cell)는 혈중의 이온화 칼슘 농도가 조금만 감소하더라도 이에 민감하게 반응하여 PTH를 분비한다(그림 50-1). 분비된 PTH는 골흡수(bone resorption)와 신장에서의 칼슘재흡수 증가를 통해 직접적으로 혈중 칼슘 농도를 증가시킴과 동시에 신장에서의 활성형 비타민 D (1,25(OH)$_2$Vitamin D$_3$)의 형성을 자극함으로써 내장에서의 칼슘흡수를 증가시켜 간접적으로 혈중 칼슘 농도를 증가시키기도 한다. 혈청 이온화 칼슘과 활성형 비타민 D인 1,25(OH)$_2$VitD$_3$는 음성되먹임(negative feedback)에 의해 부갑상선의 PTH 분비를 억제하는데 반해, 혈청 인(phosphate)은 PTH의 분비를 증가시킨다. 이렇듯 혈청 칼슘, PTH, 1,25(OH)$_2$VitD$_3$ 그리고 인이 밀접한 상호작용을 함으로 인해, 경구로 섭취되는 칼슘의 양이 다양함에도 불구하고 혈중 이온화 칼슘이 매우 좁은 정상범위를 유지할 수 있다.

2. PTH의 구조와 유사체들

PTH는 하나의 사슬로 연결된 84개의 아미노산으로 이루어진 약 9,500 Da의 분자량을 가진 폴리펩티드 호르몬으로 부갑상선에서만 합성, 분비된다. PTH의 생물학적 활성은 아미노말단부(amino-terminal fragment)인 1-34 분절에만 있으며 중간부위(middle-)와 카르복시말단부(carboxy-terminal fragment)에는 생물학적 활성이 없다.[1,2] PTH와 유사한 구조를 가지고 있는 단백질로 PTH-related peptide (PTHrP)가 있는데, PTH와 아미노말단부가 동일하며,[3] PTH와 같은 수용체와 결합하여

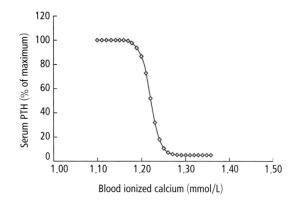

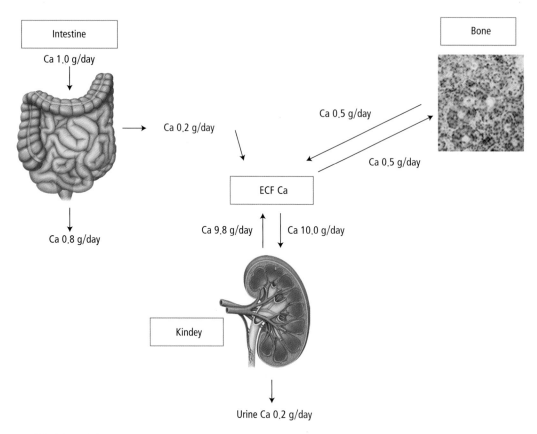

작용한다. PTHrP는 악성종양에서 고칼슘혈증을 일으키는 물질로 처음 알려졌으며,[3-5] 이후에 발생기에 뼈와 유선의 형성과 발달에 중요한 역할을 하는 것이 밝혀졌다.[6]

3. PTH의 기능

PTH의 중요한 역할은 혈청 칼슘의 농도를 유지하는 것이다. 다시 말하면 PTH는 뼈, 신장, 그리고 비타민 D와의 상호작용을 통해 혈청 칼슘의 농도를 증가시키는 기능을 한다(그림 50-2). PTH는 PTH 수용체에 결합하여

그림 50-1 | 혈중 이온화 칼슘 농도와 부갑상선호르몬 농도의 관계
정상인에서 혈중 이온화 칼슘이 정상범위 부근에서의 미세한 변화에도 부갑상선호르몬의 농도는 매우 큰 폭으로 변화한다. 이러한 반응은 수 초 혹은 수 분 이내에 일어나며 부갑상선호르몬은 신장과 뼈에서 매우 신속하게 칼슘의 흡수와 배설을 조절하여 정상 이온화 칼슘 농도를 유지하게 된다.

그림 50-2 | 체내칼슘의 평형
정상 성인에서 하루 약 1 g의 칼슘(Ca^{2+})을 섭취하고 이 중 200 mg이 장에서 흡수된다. 체내에서 약 1 kg의 칼슘이 뼈에 저장되어 있으며 하루에 약 500 mg 정도가 골흡수(bone resorption)를 통해 유출되고, 골형성(bone formation)을 통해 축적된다. 또 하루에 10 g 정도가 신장을 통해 여과되는데 그 중에서 200 mg 이하만 소변을 통해 배출되며 나머지는 신장에서 재흡수된다.

장기의 기능을 활성화시킨다.[7] 1991년에 처음 발견된 PTH 수용체는 PTH1R로 유방, 피부, 심장, 췌장에도 분포하지만, 뼈와 신장에서 가장 많이 발견된다. PTH1R은 intact PTH와 PTHrP 모두에 작용한다. PTH2R은 PTH와만 결합하며 위장관, 심혈관, 중추신경계에 나타난다.[8] PTH 수용체가 활성화되면, 여러 단계의 세포 내 전달체계를 통해 세포 내에 저장된 칼슘이 방출된다.

1) 뼈에서의 작용

PTH는 칼슘의 가장 큰 저장고인 골조직에 두 가지 방법으로 작용한다. 즉각적인 작용은 골조직에 저장된 칼슘을 즉시 이동시켜 세포외액과 평형을 이루게 하는 것이며, 이후 골흡수 작용을 통해 칼슘과 인을 방출시키도록 한다. 파골세포(osteoclast)의 정상적인 골 파괴작용인 골흡수를 촉진함으로써 혈청 칼슘의 농도를 올리는데, PTH의 파골세포에 대한 작용은 PTH의 수용체를 가지고 있는 조골세포(osteoblast)를 매개로 하는 간접적인 것으로 알려졌다. 그 과정을 살펴보면 PTH가 조골세포와 결합하면 조골세포에서 RANKL (Receptor Activator for Nuclear Factor κ B Ligand)의 발현이 증가하고, RANKL은 파골세포의 전구체에 존재하는 수용체인 RANK과 결합하여 새로운 파골세포들의 형성을 자극하여 골흡수가 촉진된다.

2) 신장에서의 작용

PTH는 신장에서 작용하여 혈청 칼슘의 농도를 높인다. 사람은 매일 10 g의 칼슘을 신장을 통해 배설하지만 98~99%의 칼슘이 신장의 요세관(renal tubule)에서 재흡수된다. 근위곡요세관(proximal convoluted tubule)에서 60~70%, 헨레고리(thick ascending limb of Henle's loop)에서 20%, 원위곡요세관(distal convoluted tubule)에서 10%, 집합관(collecting duct)에서 5% 정도에서 재흡수된

다.[9]

그러나 더 중요한 효과는 근위요세관(proximal tubule)에서 인산의 재흡수를 감소시켜 인산의 배설을 증가시키는 것이다. PTH에 의한 골흡수로 칼슘과 함께 인산이 혈중으로 유출되지만, PTH가 인산의 신장 배설을 촉진시켜 실질적인 혈중 인산의 농도는 감소하게 된다. 인산은 칼슘과 결합하여 water-insoluble salts를 형성하는데, 인산농도가 낮아짐에 따라 인산에 대한 칼슘의 비가 높아지고, 인산-칼슘 결합이 줄어 실질적인 생리적 역할을 수행하는 이온화 칼슘의 농도가 상대적으로 상승하는 효과를 나타낸다.[10]

3) 비타민 D 합성

PTH는 신장에서 활성형 비타민 D3인 1,25(OH)$_2$VitD$_3$ (1,25-dihydroxycholecalciferol, calcitriol)의 생성을 촉진시켜 장에서 칼슘의 흡수를 증가시킨다. 피부에 존재하는 7-dehydrocholesterol (7-DHC)이 vitamin D3 (cholecalciferol)의 전구체이며 7-DHC와 자외선(UVB)에 의해 vitamin D3가 형성된다. Vitamin D3는 자체로는 생물학적으로 활성이 없는 상태이며, 혈중에서 vitamin D-binding protein (DBP)와 결합하여 간과 신장에서 차례로 대사된다. 간에서 vitamin D3는 cytochrome P-450 효소들에 의해 수산화과정을 거쳐 전호르몬 (prohormone)이라고 할 수 있는 25(OH)VitD$_3$ (25-hydroxycholecalciferol, calcidiol)가 된다(그림 50-3). 간의 cytochrome P-450 효소들은 기질인 vitamin D3에 비해 충분한 양이 존재하므로, 혈청 25(OH)VitD$_3$는 체내의 vitamin D3의 저장량을 반영하는 지표로 흔히 이용된다. 25(OH)VitD$_3$는 근위요세관(proximal tubule)의 상피세포에서 생성되는 1-alpha hydroxylase에 의해 또 한번의 수산화 과정을 거쳐서 비로소 생물학적 활성을 가지는 1,25(OH)$_2$VitD$_3$ (1,25-dihydroxycholecalciferol, calcitriol)가 된다. PTH는 1-alpha hydroxylase를 전사(transcription)단계에서 분비를 자극하여 결과적으로 활성형 비타

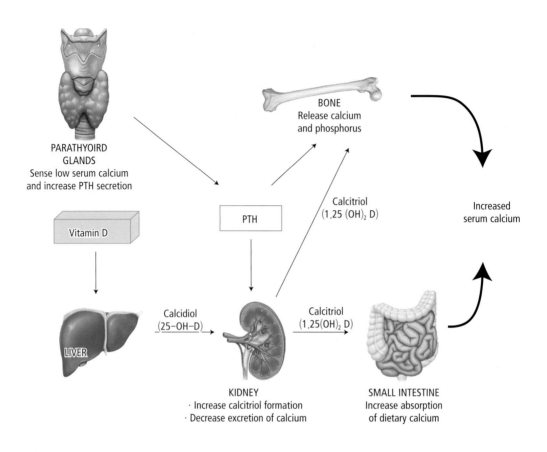

BONE
Release calcium
and phosphorus

**PARATHYOIRD
GLANDS**
Sense low serum calcium
and increase PTH secretion

Vitamin D

PTH

Calcitriol
(1.25 (OH)$_2$ D)

Increased
serum calcium

Calcidiol
(25-OH-D)

Calcitriol
(1.25(OH)$_2$ D)

LIVER

KIDNEY
· Increase calcitriol formation
· Decrease excretion of calcium

SMALL INTESTINE
Increase absorption
of dietary calcium

그림 50-3 │ 부갑상선호르몬의 기능

민 D3의 생성을 촉진시킨다.

1,25(OH)$_2$VitD$_3$의 대표적인 작용은 장관의 상피세포에 작용하여 칼슘의 흡수를 증가시키는 것이다. 이는 1,25(OH)$_2$VitD$_3$이 calbindin이라는 칼슘결합단백의 생성을 유도해 장내 내용물로부터 상피세포로의 칼슘의 확산(diffusion)을 촉진시기 때문인 것으로 생각된다. 최근에는 1,25(OH)$_2$VitD$_3$에 의해 유도되고 calbindin과 함께 위치해 있는 TRPV6라는 calcium selective channel이 발견되어, 1,25(OH)$_2$VitD$_3$에 의한 칼슘의 장 흡수에 핵심적인 역할을 할 것으로 제시되고 있다.[11,12] 이 외에도 1,25(OH)$_2$VitD$_3$은 뼈에 직접 작용하여 골형성을 촉진시키거나 연골세포(chondrocyte)에 작용하여 뼈 형성에 관여한다. 칼슘이 부족한 경우에는 뼈의 골흡수를 통해 혈중 칼슘농도를 증가시킨다.[13-15] 신장의 원위요

세관(distal tubule)에서 PTH의 수용체를 증가시켜 PTH의 칼슘 재흡수 작용을 돕고, 원위요세관의 calbindin 합성을 유도하는 작용도 보고되었다.[16,17]

4. PTH의 합성과 분비

PTH는 하나의 사슬로 연결된 84개의 아미노산으로 이루어진 폴리펩티드 호르몬이다. PTH는 부갑상선의 주세포(chief cell)로부터 분비되며, 혈중 칼슘, 1,25(OH)$_2$VitD$_3$, 카테콜아민, 저마그네슘농도에 의해 분비가 조절된다. 유전자는 11번 염색체의 단완에 위치해 있다. 이 유전자로부터 번역된 단백질은 PTH의 전구체

인 115개의 아미노산의 prepro-PTH이며, 이는 25개 아미노산의 pre sequence와 6개 아미노산의 pro sequence 그리고 84개 아미노산의 PTH sequence로 이루어져 있다.[18] Pre sequence는 prepro-PTH가 세포질그물(endoplasmic reticulum, ER)의 막을 통과하여 내부로 들어가는데 중요한 역할을 하며, ER 내에서 pre sequence는 분리되어 pro-PTH가 된다. Pro-PTH는 골지체를 통과하면서 pro sequence도 제거되어 성숙한 PTH (intact-PTH, 1-84)가 되어 분비소포(secretory vesicle) 내에 저장된다. 분비소포 내의 PTH는 온전한 형태로 세포외로 유출되어 혈액 내에서 호르몬으로서의 역할을 하게 되기도 하지만, 주로 과칼슘혈증 상황에서는 분비소포 내에 존재하여 칼슘에 반응하는 단백분해 효소(calcium-sensitive protease)에 의해 분해되어 아미노말단부(1-34)가 떨어져 나가 생리적으로 활성이 없는 카르복시말단 형태로 분비되기도 한다.[19] 이러한 intact-PTH(1-84)의 비활성화는 간, 신장과 같은 말초기관에서도 이루어진다.[20] 혈중에 순환하는 주요형태는 intact-PTH와 아미노말단이 제거된 카르복시말단 형태이며, 아미노말단 형태의 호르몬은 잘 검출되지 않는다. Intact-PTH의 생리적 반감기는 2~5분 정도이며, 카르복시말단 형태는 혈중에 오래 머무르다 신장에서 배설된다.

5. PTH 분비의 조절

1) 칼슘에 의한 조절

부갑상선은 혈중 이온화 칼슘의 농도를 좁은 정상범위 내로 유지하기 위해 작은 변화에도 민감하게 반응하여 PTH의 합성과 분비를 조절한다. 이러한 혈중 이온화 칼슘의 농도와 PTH의 분비의 관계는 가파른 역S자 형태를 보이게 된다(그림 50-1). 혈중 이온화 칼슘 농도의 변화는 여러 가지 기전을 통해 intact-PTH의 분비

를 조절한다. 단기간의 혈중 이온화 칼슘의 증가는 부갑상선세포 내의 이온화 칼슘 농도를 올림으로써, 분비소포 내의 단백분해 효소를 자극하여 intact-PTH가 활성이 없는 카르복시말단 형태로 대사되는 것을 촉진한다. 혈중 이온화 칼슘의 증가는 부갑상선세포의 분비소포 내에 저장된 intact-PTH의 분비를 직접 억제시키기도 한다. 식이칼슘의 섭취이상 등으로 인한 장기간의 혈중 칼슘농도의 변화는 PTH 유전자의 발현과 부갑상선세포의 크기와 수의 변화를 가져온다. 혈중 이온화 칼슘은 부갑상선세포의 세포막에 존재하는 특이한 수용체에 의해 감지되어 PTH의 분비를 조절하는데, 이 수용체를 칼슘감지수용체(calcium-sensing receptor, CaSR)라고 한다. CaSR은 G protein-coupled receptor (GPCR) 중 하나로, 칼슘 리간드와 결합하는 세포외 영역(extracellular amino-terminal domain), 7개의 막통과 영역(seven-transmembrane domain)과 G 단백질과 결합하여 세포 내부로 신호전달(signal transduction)을 하는 세포내 영역(intracellular carboxyl-terminal domain)으로 이루어져 있다(그림 50-4).[21,22] 혈중 이온화 칼슘이 증가하여 부갑상선세포의 표면에 존재하는 CaSR과 결합하면 G 단백질을 활성화시키는데, CaSR의 G 단백질은 phosphlipase C (PLC)를 자극하는 Gq/11와 adenylate cyclase를 억제시키는 Gi로 이루어져 있어, 결과적으로 부갑상선세포 내의 칼슘을 증가시키고, cAMP를 감소시켜 분비소포내의 PTH 세포외 분비를 억제시키게 된다.[23-25] 반대로 혈중 이온화 칼슘이 감소하면 CsSR로부터의 신호전달이 감소하여 부갑상선세포의 PTH 분비가 증가한다. 혈중 칼슘농도가 감소할때, 부갑상선의 mRNA-encoding PTH가 증가한다.[26]

　CaSR 유전자의 돌연변이로 인해 기능을 소실하였을 때의 임상양상을 살펴보면 CaSR의 역할은 명확히 알 수 있다. CaSR 유전자의 돌연변이가 이종접합 상태(heterozygous state)일 때 가족성 저칼슘뇨 고칼슘혈증(Familial hypocalciuric hypercalciemia, FHH)을 일으키게 되는데, 부갑상선과 신장에 존재하는 CaSR의 수가 감소함에 따라, 혈중 칼슘 농도가 상승함에도 불구하고 PTH 분비의

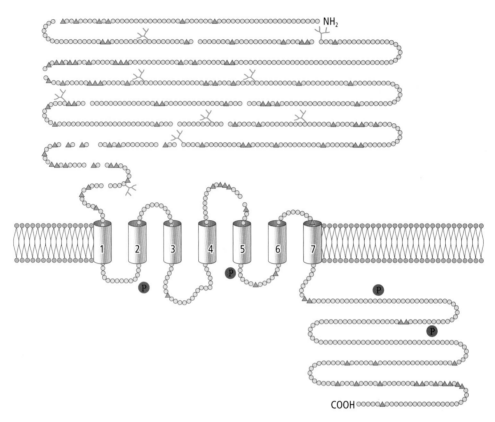

그림 50-4 | 칼슘감지수용체(calcium-sensing receptor, CaSR)의 구조
1,078개의 아미노산으로 이루어져 있고, 큰 세포외 영역과 7개의 막통과 영역 및 세포 내 영역으로 구성되어 있다.

억제와 신장에서의 칼슘의 배설이 충분히 일어나지 않는 임상상을 보인다.[27,28] FHH가 특별한 치료를 요하지 않는 양호한 임상경과를 보이는 반면, CaSR 유전자의 돌연변이가 동종접합 상태(homozygous state)인 경우에는 출생 시부터 매우 극심한 PTH의 상승과 함께, 치명적인 고칼슘혈증을 일으키는데, 이를 신생아 중증 일차성 부갑상선기능항진증(neonatal severe primary hyper-parathyroidism)라고 부른다.

반대로 체세포 우성형태로 유전되는 CaSR 유전자 돌연변이로 인해 지속적으로 CaSR가 활성화되는 예도 보고되었는데(autosomal-dominant hypoparathyroidism), 이 경우에는 저칼슘혈증과 고칼슘뇨증이 나타난다. CaSR의 돌연변이로 인해, 낮은 농도의 칼슘을 정상으로 인지하기 때문인 것으로 알려져 있다.[27,28]

CaSR은 부갑상선세포외에 신장, 갑상선의 C 세포, 위장관, 뼈, 연골 등에도 존재한다.[27,29] CaSR은 신장에서 (1) PTH의 근위요세관에서의 인산재흡수억제를 감소시키고, (2) 신피질의 헨레고리에서 칼슘 재흡수를 억제하고 (3) 바소프레신의 기능에 길항하여 집합관에서의 요 농축을 감소시키는 기능을 한다. 이러한 기능에 의해 PTH와는 독립적으로 혈중의 칼슘 농도에 따라 신장에서 칼슘의 배설을 조절하는 것이 가능하다. 다른 조직에서의 CaSR의 역할에 대해서는 명확히 밝혀지지 않았으나, 연골세포와 조골세포에서 CaSR은 연골 내 골화를 통한 뼈 성장에 중요한 역할을 할 것으로 추정된다.

CaSR에 작용하는 몇 가지 약물들이 개발되어 왔는데, 칼슘유사체(calcimimetics)라고 불리는 것들이다.[28,30] 이 약물들은 CaSR의 막통과 영역과 결합하여 혈중 칼슘 농도에 대한 CaSR의 민감도를 높이는 작용을 하여 결과적으로 PTH의 분비를 억제한다. 대표적인 약물로는 cinacalcet이 있고 주로 부갑상선기능항진증의 내과적 치료의 일환으로 사용되고 있다.

2) 비타민 D3에 의한 조절

비타민 D3의 부족이 PTH의 과다 생성과 관련이 있다는 사실은 오래 전부터 잘 알려져 있다. 이는 활성형 비타민 D3인 $1,25(OH)_2VitD_3$와 혈중의 칼슘에 의한 PTH 억제작용이 감소하기 때문이다. 만성신부전 환자에서 $1,25(OH)_2VitD_3$의 생산이 감소하고, 혈중 인의 농도는 증가하면서 혈중 칼슘의 농도가 감소하는 상황에서 PTH의 농도가 증가하는 상황이 바로 이 같은 경우이다. $1,25(OH)_2VitD_3$의 PTH억제 작용은 $1,25(OH)_2VitD_3$에 의해서 $VitD_3$의 수용체가 PTH 유전자의 촉진부(promotor) 내의 억제조절 요소(negative regulatory element)와 결합하여 PTH 유전자의 전사를 억제시킴으로써 발생하는 것으로 알려졌다.[31,32] $1,25(OH)_2VitD_3$와 칼슘은 상

호 협력 작용을 통해 PTH 유전자의 발현과 부갑상선세포의 증식을 억제하게 된다.

3) 인산에 의한 조절

만성신부전에서와 같이 고인산혈증(hyperphosphatemia)이 부갑상선증식증과 부갑상선기능항진증을 일으킨다는 사실은 오래 전부터 알려져 있다. 이는 혈중 인산이 이온화 칼슘과 결합하여 이온화 칼슘의 농도를 낮춤으로 인해 PTH의 생산과 분비, 그리고 부갑상선세포의 증식을 자극하기 때문으로 설명되지만,[33] 혈중 인산이 부갑상선 PTH의 mRNA의 안정성을 높임으로써 직접적으로 PTH의 합성을 증가시키기 때문이기도 하다.[34-36] 또 고인산혈증은 골세포와 골모세포에서 fibroblast growth factor 23 (FGF23)의 분비를 자극하고, FGF23은 신장에서 인산의 재흡수를 억제하고 장에서의 인산흡수를 억제하여 저인산혈증을 유발하고,[37] 부갑상선에 직접 작용하여 PTH의 합성과 분비를 억제하는 작용을 가지고 있다.[38]

REFERENCES

1. Potts JT Jr, Tregear GW, Keutmann HT, et al. Synthesis of a biologically active N-terminal tetratriacontapeptide of parathyroid hormone. Proc Natl Acad Sci U S A 1971;68:63-7.

2. Brewer HB Jr, Fairwell T, Ronan R, et al. Human parathyroid hormone: amino-acid sequence of the amino-terminal residues 1-34. Proc Natl Acad Sci U S A 1972;69:3585-8.

3. Strewler GJ, Stern PH, Jacobs JW, et al. Parathyroid hormone-like protein from human renal carcinoma cells. Structural and functional homology with parathyroid hormone. J Clin Invest 1987;80:1803-7.

4. Broadus AE, Mangin M, Ikeda K, et al. Humoral hypercalcemia of cancer. Identification of a novel parathyroid hormone-like peptide. N Engl J Med 1988;319:556-63.

5. Suva LJ, Winslow GA, Wettenhall RE, et al. A parathyroid hormone-related protein implicated in malignant hypercalcemia: cloning and expression. Science 1987;237:893-6.

6. Gensure RC, Gardella TJ, Juppner H. Parathyroid hormone and parathyroid hormone-related peptide, and their receptors. Biochem Biophys Res Commun 2005;328:666-78.

7. Jüppner H, Abou-Samra AB, Freeman M, et al. A G protein-linked receptor for parathyroid hormone and parathyroid hormone-related peptide. Science 1991;254:1024-6.

8. Usdin TB, Gruber C, Bonner TI. Identification and functional expression of a receptor selectively recognizing parathyroid hormone, the PTH2 receptor. J Biol Chem 1995;270:15455-8.

9. Blaine J, Chonchol M, Levi M. Renal control of calcium, phosphate, and magnesium homeostasis. Clin J Am Soc Nephrol 2015;10:1257-72.

10. Sutters M, Gaboury CL, Bennett WM. Severe hyperphosphatemia and hypocalcemia: a dilemma in patient management. J Am Soc Nephrol 1996;7:2056-61.

11. Hoenderop JG, Nilius B, Bindels RJ. Epithelial calcium channels: from identification to function and regulation. Pflugers Arch 2003;446:304-8.

12. Peng JB, Chen XZ, Berger UV, et al. Molecular cloning and characterization of a channel-like transporter mediating intestinal calcium absorption. J Biol Chem 1999;274:22739-46.

13. Veldurthy V, Wei R, Oz L, et al. Vitamin D, calcium homeostasis and

aging. Bone Res 2016;4:16041.

14. St-Arnaud R. The direct role of vitamin D on bone homeostasis. Arch Biochem Biophys 2008;473:225-30.

15. Gardiner EM, Baldock PA, Thomas GP, et al. Increased formation and decreased resorption of bone in mice with elevated vitamin D receptor in mature cells of the osteoblastic lineage. FASEB J 2000;14:1908-16.

16. Sneddon WB, Barry EL, Coutermarsh BA, et al. Regulation of renal parathyroid hormone receptor expression by 1, 25-dihydroxyvitamin D3 and retinoic acid. Cell Physiol Biochem 1998;8:261-77.

17. Sooy K, Kohut J, Christakos S. The role of calbindin and 1,25dihydroxyvitamin D3 in the kidney. Curr Opin Nephrol Hypertens 2000;9:341-7.

18. Kemper B, Habener JF, Mulligan RC, et al. Pre-proparathyroid hormone: a direct translation product of parathyroid messenger RNA. Proc Natl Acad Sci U S A 1974;71:3731-5.

19. Habener JF, Kemper B, Potts JT, Jr. Calcium-dependent intracellular degradation of parathyroid hormone: a possible mechanism for the regulation of hormone stores. Endocrinology 1975;97:431-41.

20. D'Amour P. Circulating PTH molecular forms: what we know and what we don't. Kidney Int Suppl 2006:S29-33.

21. Brown EM, Gamba G, Riccardi D, et al. Cloning and characterization of an extracellular Ca(2+)-sensing receptor from bovine parathyroid. Nature 1993;366:575-80.

22. Brown EM, Vassilev PM, Quinn S, et al. G-protein-coupled, extracellular Ca(2+)-sensing receptor: a versatile regulator of diverse cellular functions. Vitam Horm 1999;55:1-71.

23. Kumar R, Thompson JR. The regulation of parathyroid hormone secretion and synthesis. J Am Soc Nephrol 2011;22:216-24.

24. Brown EM, MacLeod RJ. Extracellular calcium sensing and extracellular calcium signaling. Physiol Rev 2001;81:239-97.

25. Brown EM. Extracellular Ca2+ sensing, regulation of parathyroid cell function, and role of Ca2+ and other ions as extracellular (first) messengers. Physiol Rev 1991;71:371-411.

26. Naveh-Many T, Silver J. Regulation of parathyroid hormone gene expression by hypocalcemia, hypercalcemia, and vitamin D in the rat. J Clin Invest 1990;86:1313-9.

27. Egbuna OI, Brown EM. Hypercalcaemic and hypocalcaemic conditions due to calcium-sensing receptor mutations. Best Pract Res Clin Rheumatol 2008;22:129-48.

28. Hu J, Spiegel AM. Structure and function of the human calcium-sensing receptor: insights from natural and engineered mutations and allosteric modulators. J Cell Mol Med 2007;11:908-22.

29. Vezzoli G, Soldati L, Gambaro G. Roles of calcium-sensing receptor (CaSR) in renal mineral ion transport. Curr Pharm Biotechnol 2009;10:302-10.

30. Steddon SJ, Cunningham J. Calcimimetics and calcilytics--fooling the calcium receptor. Lancet 2005;365:2237-9.

31. Silver J, Russell J, Sherwood LM. Regulation by vitamin D metabolites of messenger ribonucleic acid for preproparathyroid hormone in isolated bovine parathyroid cells. Proc Natl Acad Sci U S A 1985;82:4270-3.

32. Okazaki T, Igarashi T, Kronenberg HM. 5'-flanking region of the parathyroid hormone gene mediates negative regulation by 1,25-(OH)2 vitamin D3. J Biol Chem 1988;263:2203-8.

33. Naveh-Many T, Rahamimov R, Livni N, et al. Parathyroid cell proliferation in normal and chronic renal failure rats. The effects of calcium, phosphate, and vitamin D. J Clin Invest 1995;96:1786-93.

34. Moallem E, Kilav R, Silver J, et al. RNA-Protein binding and posttranscriptional regulation of parathyroid hormone gene expression by calcium and phosphate. J Biol Chem 1998;273:5253-9.

35. Nielsen PK, Feldt-Rasmussen U, Olgaard K. A direct effect in vitro of phosphate on PTH release from bovine parathyroid tissue slices but not from dispersed parathyroid cells. Nephrol Dial Transplant 1996;11:1762-8.

36. Kilav R, Silver J, Naveh-Many T. Parathyroid hormone gene expression in hypophosphatemic rats. J Clin Invest 1995;96:327-33.

37. Fukumoto S. Physiological regulation and disorders of phosphate metabolism--pivotal role of fibroblast growth factor 23. Intern Med 2008;47:337-43.

38. Ben-Dov IZ, Galitzer H, Lavi-Moshayoff V, et al. The parathyroid is a target organ for FGF23 in rats. J Clin Invest 2007;117:4003-8.

부갑상선의 영상진단
Imaging

┃ 연세대학교 의과대학 영상의학과 **곽진영**

부갑상선기능항진증의 평가를 위해 부갑상선 영상검사가 진행되는 경우가 많고 경부 초음파를 하면서 우연히 부갑상선병변을 고민하게 되는 경우가 있다. 본 chapter에서는 부갑상선기능항진증에서의 영상학적 접근과 경부초음파에서 발견되는 부갑상선병변의 진단적 접근에 대해서 분리하여 다루고자 한다.

1. 초음파

부갑상선초음파는 갑상선 등의 경부초음파와 동일하게 10 MHz 이상의 고해상도 선형탐촉자를 이용해 주로 검사를 한다. 환자는 누운 자세에서 목을 약간 뒤로 젖힌 상태가 초음파검사에 용이하나 목에 문제가 있는 환자의 경우는 필요에 따라 자세를 적절히 조절할 필요가 있다. 갑상선의 뒤쪽을 면밀히 관찰해야 하며 초음파롤 볼 수 있는 가장 아래까지 꼼꼼히 초음파검사를 시행해야 한다.

정상부갑상선은 위, 아래와 좌, 우 4개로 이루어져 있고, 간혹 2~8개까지 다양하다. 상부보다는 하부의 부갑상선이 더 크다. 정상부갑상선은 경부초음파에서 보이지 않는 것으로 알려져 있으나 현재의 초음파는 해상도가 높아 경부초음파를 꼼꼼히 하게 된다면 이론적으로 갑상선 후면에 있는 작은 정상부갑상선을 발견할 가능

성이 높다.

2. 부갑상선기능항진증에서의 영상학적 접근

일차부갑상선기능항진증 환자의 경우 단일 부갑상선 선종(80~85%)이 가장 흔한 원인이고, 그 외 부갑상선과다형성(12~15%)과 다발성부갑상선 선종(2~3%), 부갑상선암 (1% 이하)의 순서이다.[1-4] 일차부갑상선기능항진증의 수술은 전통적으로 외과의사가 수술실에서 양측 경부를 열어서 모든 부갑상선을 수술실에서 확인하여 제거하는 방법으로 수술성공률은 95% 이상으로 매우 높다. 하지만 전통적인 수술방법은 수술 전 위치결정은 필요 없으나 전신마취가 필요하고 수술범위가 넓어서 수술시간이 길다. 이에 비해 필요한 부위를 최소절개하여 병이 있는 부갑상선 결절만 제거하는 최소침습부갑상선수술법 (minimally invasive parathyroidectomy)은 수술실에서 모든 부갑상선을 눈으로 확인할 수는 없으나 고식적 수술에 비해 절개부위의 최소화, 수술시간 단축, 반회후두신경 손상 감소 등의 장점이 있고 많은 경우 이 수술을 하는 추세이다.[5-8] 최소침습부갑상선수술법이 성공하려면 부갑상선 선종의 수술 전 위치파악이 필수적이다.

부갑상선종의 위치결정을 위해서 주로 사용하는 영

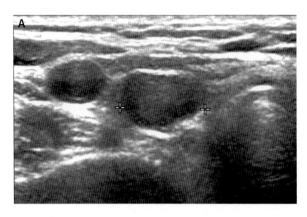
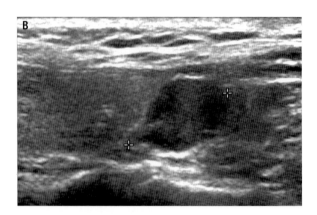

그림 51-1 | 64세 여자 환자로 혈중 칼슘수치가 증가되어 초음파가 의뢰되었다(A. 가로영상. B. 세로영상).
갑상선 우엽의 아래부분에 1 cm 크기의 경계가 명확한 저에코 병변에 있으며 세로영상에서 B 병변은 갑상선 아래부분에 있는 것을 알 수 있다.

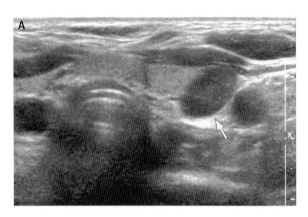
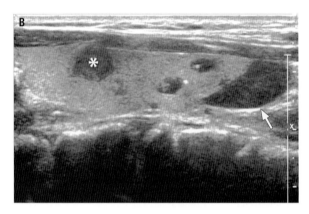

그림 51-2 | 50세 여자 환자로 갑상선암이 발견되어 병기결정을 위한 초음파를 시행하였다(A. 가로영상. B. 세로영상).
갑상선암은 좌엽의 중간에 관찰되며(*) 갑상선의 하단에 길쭉한 모양의 저에코병변에 발견되어(화살표) 세침흡인검사를 시행하였다. 세침흡인검사결과는
갑상선종양의 가능성을 시사하였으나 세척액의 PTH 값이 2,450 pg/ml였다. 수술을 시행하여 부갑상선 선종으로 진단되었다.

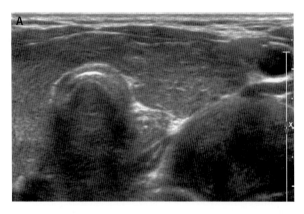
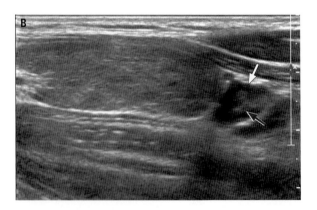

그림 51-3 | 35세 여자 환자로 하시모토 갑상선염으로 초음파를 시행하였다(A. 가로영상. B. 세로영상).
갑상선의 에코가 비균질하여 미만갑상질환을 시사하며 세로영상에서 갑상선의 아래에 저에코의 난원형의 결절이보이는데(흰색 화살표) 이는 부갑상선결절
처럼 보이는 반응림프절이다. 이 결절의 내부에 에코가 약간 증가된 부분이 지방문으로 생각된다(빨간색 화살표).

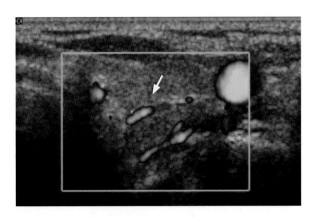

그림 51-4 | 43세 여자 환자로 갑상선 좌엽의 뒤쪽에 경계가 분명한 저에코 병변이 있고(화살표) 병변의 주변부에 혈류가 있다. 부갑상선 선종의 예이다.

상방법은 초음파와 Tc-99m sestamibi 영상이다. 초음파에서 상부갑상선종은 갑상선의 중간부위 뒤에 보이는 것이 전형적이며 하부갑상선종은 변이가 많지만 갑상선 하단부에서 주로 발견된다(그림 51-1, 51-2). 그렇지만 가끔 갑상선 주변에 커진 경부림프절이 부갑상선 결절과 구분이 힘든 경우가 있는데 반응림프절은 내부 고에코의 지방문이 보이면 감별이 용이하고 색도플러검사에서 중앙 문(hilar) 혈류 패턴을 확인한다면 경부림프절로 진단할 수 있다(그림 51-3).[9] 부갑상선 결절인 경우 바깥에서부터 혈류가 결절로 들어오는 양상을 보이므로 경부림프절과는 구분할 수 있다(그림 51-4). 부갑상선항진증이 있는데도 불구하고 부갑상선이 위치해 있는 곳에 초음파를 검사해서 전혀 병변이 보이지 않는다면 초음파검사를 할 경우 압박의 강도를 달리하면서 병변을 찾을 수 있다. 부갑상선 결절이 갑상선 후면에 위치하므로 평소보다 강한 압박을 가하여 초음파를 시행하면 부갑상선 결절을 찾을 수도 있다.[10] 이때 환자가 압박으로부터 불편을 느끼지 않도록 주의하여야 한다. 이소성부갑상선에 의해 기능항진증이 생길 수도 있으므로 초음파검사는 갑상선의 상극에서 시작하여 흉골절흔(sternal notch)까지 하방으로 검사를 한다. 쇄골의 바로 위에서 탐촉자는 각을 하방으로 향하여, 쇄골하정맥이 보이는 위치까지 검사를 하여야 한다. 경험많은 의사가 초음파

를 시행하는 경우 부갑상선병변의 진단이 우수하다. 그러나 이소성부갑상선병변의 진단에 초음파는 여전히 제한적이다. 상부갑상선 병변의 이소성위치는 인두 후방, 식도 후방, 또는 식도 주위나 기관식도 구에 있을 수 있다. 하부갑상선 병변의 이소성위치는 일차부갑상선기능항진증의 10~13%를 차지한다. 가능한 위치로는 하악각(submandibular angle)에서부터 종격동에 이르기까지 모두 가능하다. 드물게는 경동맥초(carotid sheath), 미주신경, 갑상선, 식도후방, 흉선, 종격동, 대동맥폐동맥개창(aortopulmonary window), 심낭막 등에 위치할 수 있다. 환자의 목을 완전히 뒤로 젖힌 후 검사를 하면 상완두정맥(brachiocephalic vein) 근처에 있는 선종은 발견할 수 있지만 흉골 아래로 들어가 있는 병변은 보이지 않는다. 초음파를 이용한 위치결정술은 매우 유용한 검사이나 검사자의 숙련도나 기기에 의해 많은 영향을 받으며 성공률은 70~90%이다.[11,12] 최소침습부갑상선수술법을 계획한 일차부갑상선기능항진증 환자는 대부분 초음파와 Tc-99m sestamibi 검사를 이용하여 수술계획을 정한다. 기관마다 외과의마다 약간의 차이가 있겠지만 초음파와 Tc-99m sestamibi 검사에서 동일한 위치에서 병변이 발견되면 그 부위를 최소침습부갑상선수술법으로 진행이 가능하다.

CT와 MRI는 일상적으로 이용되지는 않으며 이소성부갑상선 선종이 의심되는 경우 시행할 수 있다(그림 51-5). 이런 위치결정으로 단일부갑상선 선종이 발견되면 일측 경부절제로 충분하고, 수술시간 단축을 할 수 있다는 부가적 장점이 있다.[13-16] 비교적 최근 4D multiphase CT가 병변의 위치결정에 도움을 준다는 보고들이 있다. 이 검사법의 원리는 기능항진이 된 부갑상선조직은 동맥기에 조영증강이 되고 정맥기에 조영제가 빠져나가는 점에 기반을 둔다.[17,18] 따라서 CT 영상은 조영증강전, 동맥기, 그리고 정맥기에 영상을 얻어 혈류역동학적인 정보를 이용해 진단을 하는 방법이고 여러 영상을 얻기 때문에 방사선 노출은 피할 수 없는 단점이다.

이차부갑상선기능항진증을 가진 환자에서 병변의 위치결정(localization)에도 초음파가 이용될 수 있는데 이 경

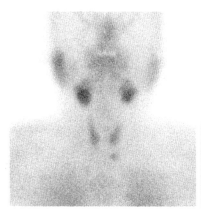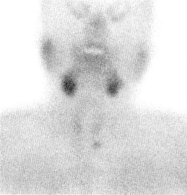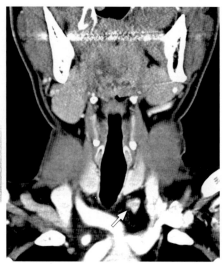

10MIN ANT   2HRS ANT

그림 51-5 | 46세 여자 환자로 일차부갑상선기능항진증이 의심되었다.
99mTc sestamini scan에서 **A.** 왼쪽 아래부위에 부갑상선 결절이 의심되었으나 초음파에서 병변은 보이지 않았다. CT 관상면에서 **B.** 갑상선 좌엽의 아랫 부분에 지방으로 둘러싸인 조영증강이 잘 되는 부갑상선 결절이 있다(화살표). 수술로 부갑상선 선종으로 진단되었다.

우 4개의 부갑상선이 모두 커져있는 경우가 많아, 치료는 수술로 양측 경부를 진찰하여 4개의 부갑상선을 다 제거하는 것이므로 초음파의 역할은 제한적이라고 할 수 있다.

3. 경부초음파에서 발견되는 부갑상선병변의 진단적 접근

최근 경부초음파의 광범위한 사용으로 인해 만져지지 않는 작은 갑상선 결절을 발견할뿐만 아니라 정상부갑 상선, 반응림프절, 그리고 부갑상선우연종도 발견될 가 능성이 높아졌다.[19-21]

부갑상선우연종은 부갑상선질환이 아닌 경부영상검 사에서 발견되는 부갑상선 결절을 부갑상선우연종이라 한다.[20] 부갑상선우연종의 빈도는 수술, 초음파, 또는 FNA에서 0.4∼0.6%의 빈도로 발견된다.[20,22,23] 초음 파에서 부갑상선 선종이나 부갑상선과다형성은 난형 또 는 난원형의 균질한 고형종괴로 주로 보이나 내부 낭성 변화를 보일 수도 있다(그림 51-6). 종종 부갑상선 선종이

커지면 길죽한 튜브모양으로 보일 수 있다.[9,21,23] 경부 초음파에서 부갑상선병변이 의심되면 바로 FNA를 시행 할 것이 아니라 환자가 부갑상선항진증이 있는지를 먼 저 파악하는 것이 중요하다. 부갑상선항진증이 있다면 초음파에 보이는 병변에 대해 FNA로 접근하는 것이 아 니라 병변의 위치결정을 하여 수술에 도움을 주는 것이 우선이라 할 수 있다. 부갑상선항진증이 없으나 초음파 에서 여전히 부갑상선병변이 의심되어 FNA를 시행한다 면 세포검사에서 갑상선과 부갑상선세포의 구분이 불가 능한 경우가 많으므로 FNA시에 흡인된 검체를 생리식 염수로 희석하여 추가적으로 부갑상선호르몬을 측정하 는 것이 진단에 도움을 준다.[19,20,24-27]

4. 부갑상선병변의 FNA

임상적으로 일차부갑상선기능항진증이 의심이 되는 환 자에서 영상검사로 부갑상선결절에 합당한 소견이 있는 경우 FNA나 세침세척액내의 부갑상선호르몬 수치 측정

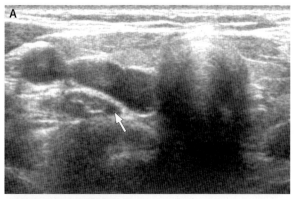

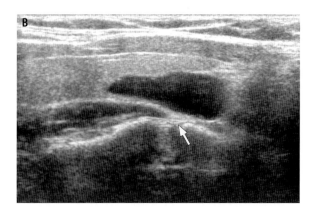

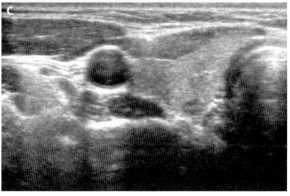

그림 51-6 | 54세 여자 환자로 갑상선초음파가 의뢰되었다(**A.** 가로영상. **B.** 세로영상). 갑상선의 뒤, 아래에 경계가 명확한 무에 코의 병변이 있어(화살표) 부갑상선 낭종이 의심된다. 세침흡인검 사 시 무색의 액체가 검출되었으며 검체 내 PTH값이 2,015 pg/ ml였다. 혈중 PTH값은 정상이었다. **C.** 2년 후 추적초음파에서 병 변은 크기가 작아졌다(화살표).

이 필요하지 않다. 그 이유는 외과의마다 견해차이가 있을 수 있지만 부갑상선 선종을 세침흡인한 후 주변조직에 심한 섬유화, 유착, 또는 염증 등으로 인해 수술이 방해받을 수 있기 때문이다.[28,29] FNA는 Tc−99m sesta-mibi에서 음성이거나, 여러 개의 커진 부갑상선소견을 보이거나 부갑상선결절과 갑상선 결절의 구분이 어려운 경우는 도움이 될 수 있다.[30]

REFERENCES

1. Thompson NW. Localization studies in patients with primary hyperparathyroidism. Br J Surg 1988;75:97-8.

2. Gooding GA, Okerlund MD, Stark DD, Clark OH. Parathyroid imaging: comparison of double-tracer (T1-201, Tc-99m) scintigraphy and high-resolution US. Radiology 1986;161:57-64.

3. Gooding GA. Sonography of the thyroid and parathyroid. Radiol Clin North Am 1993;31:967-89.

4. Price DC. Radioisotopic evaluation of the thyroid and the parathyroids. Radiol Clin North Am 1993;31:991-1015.

5. Jacobson SR, van Heerden JA, Farley DR, et al. Focused cervical exploration for primary hyperparathyroidism without intraoperative parathyroid hormone monitoring or use of the gamma probe. World J Surg 2004;28:1127-31.

6. Arkles LB, Jones T, Hicks RJ, De Luise MA, Chou ST. Impact of complementary parathyroid scintigraphy and ultrasonography on the surgical management of hyperparathyroidism. Surgery 1996;120:845-51.

7. Wei JP, Burke GJ. Analysis of savings in operative time for primary hyperparathyroidism using localization with technetium 99m sestamibi scan. Am J Surg 1995;170:488-91.

8. Howe JR. Minimally invasive parathyroid surgery. Surg Clin North Am 2000;80:1399-426.

9. Kwak JY, Kim EK, Park SY, et al. Findings of extrathyroid lesions encountered with thyroid sonography. J Ultrasound Med 2007;26:1747-59.

10. Reeder SB, Desser TS, Weigel RJ, Jeffrey RB. Sonography in primary hyperparathyroidism: review with emphasis on scanning technique. J Ultrasound Med 2002;21:539-52; quiz 53-4.

11. De Feo ML, Colagrande S, Biagini C, et al. Parathyroid glands: combination of (99m)Tc MIBI scintigraphy and US for demonstration of parathyroid glands and nodules. Radiology 2000;214:393-402.

12. Lumachi F, Zucchetta P, Marzola MC, et al. Advantages of combined technetium-99m-sestamibi scintigraphy and high-resolution ultrasonography in parathyroid localization: comparative study in 91 patients with primary hyperparathyroidism. Eur J Endocrinol 2000;143:755-60.

13. Russell CF, Laird JD, Ferguson WR. Scan-directed unilateral cervical exploration for parathyroid adenoma: a legitimate approach? World J Surg 1990;14:406-9.

14. Satava RM, Jr., Beahrs OH, Scholz DA. Success rate of cervical exploration for hyperparathyroidism. Arch Surg 1975;110:625-8.

15. Mattar AG, Wright ES, Chittal SM, Kennedy CG, Kwan AH. Impact on surgery of preoperative localization of parathyroid lesions with dual radionuclide subtraction scanning. Can J Surg 1986;29:57-9.

16. Tibblin S, Bondeson AG, Ljungberg O. Unilateral parathyroidectomy in hyperparathyroidism due to single adenoma. Ann Surg 1982;195:245-52.

17. Chazen JL, Gupta A, Dunning A, Phillips CD. Diagnostic accuracy of 4D-CT for parathyroid adenomas and hyperplasia. AJNR Am J Neuroradiol 2012;33:429-33.

18. Gafton AR, Glastonbury CM, Eastwood JD, Hoang JK. Parathyroid lesions: characterization with dual-phase arterial and venous enhanced CT of the neck. AJNR Am J Neuroradiol 2012;33:949-52.

19. Pesenti M, Frasoldati A, Azzarito C, Valcavi R. Parathyroid incidentaloma discovered during thyroid ultrasound imaging. J Endocrinol Invest 1999;22:796-9.

20. Frasoldati A, Pesenti M, Toschi E, Azzarito C, Zini M, Valcavi R. Detection and diagnosis of parathyroid incidentalomas during thyroid sonography. J Clin Ultrasound 1999;27:492-8.

21. Solbiati L, Osti V, Cova L, Tonolini M. Ultrasound of thyroid, parathyroid glands and neck lymph nodes. Eur Radiol 2001;11:2411-24.

22. Katz AD, Kong LB. Incidental preclinical hyperparathyroidism identified during thyroid operations. Am Surg 1992;58:747-9.

23. Kwak JY, Kim EK, Moon HJ, et al. Parathyroid incidentalomas detected on routine ultrasound-directed fine-needle aspiration biopsy in patients referred for thyroid nodules and the role of parathyroid hormone analysis in the samples. Thyroid 2009;19:743-8.

24. Sacks BA, Pallotta JA, Cole A, Hurwitz J. Diagnosis of parathyroid adenomas: efficacy of measuring parathormone levels in needle aspirates of cervical masses. AJR Am J Roentgenol 1994;163:1223-6.

25. Marcocci C, Mazzeo S, Bruno-Bossio G, et al. Preoperative localization of suspicious parathyroid adenomas by assay of parathyroid hormone in needle aspirates. Eur J Endocrinol 1998;139:72-7.

26. Barczynski M, Golkowski F, Konturek A, et al. Technetium-99m-sestamibi subtraction scintigraphy vs. ultrasonography combined with a rapid parathyroid hormone assay in parathyroid aspirates in preoperative localization of parathyroid adenomas and in directing surgical approach. Clin Endocrinol (Oxf) 2006;65:106-13.

27. Erbil Y, Barbaros U, Salmaslioglu A, et al. Value of parathyroid hormone assay for preoperative sonographically guided parathyroid aspirates for minimally invasive parathyroidectomy. J Clin Ultrasound 2006;34:425-9.

28. Bancos I, Grant CS, Nadeem S, et al. Risks and benefits of parathyroid fine-needle aspiration with parathyroid hormone washout. Endocr Pract 2012;18:441-9.

29. Norman J, Politz D, Browarsky I. Diagnostic aspiration of parathyroid adenomas causes severe fibrosis complicating surgery and final histologic diagnosis. Thyroid 2007;17:1251-5.

30. Abraham D, Duick DS, Baskin HJ. Appropriate administration of fine-needle aspiration (FNA) biopsy on selective parathyroid adenomas is safe. Thyroid 2008;18:581-2; author reply 3-4.

부갑상선의 핵의학 영상진단
Nuclear Imaging

| 충북대학교 의과대학 내과/핵의학과 **궁성수**

부갑상선기능항진증에서, 수술적 치료 전 부갑상선 선종의 위치 확인 및 국소화는 수술시간을 단축시키고 수술범위를 축소시켜, 수술 후 부작용 및 재발을 낮추는 데에 중요하다.[1,2] 부갑상선의 위치 확인을 위하여 다양한 진단방법이 시도되어 왔다. 그 중 초음파의 진단 예민도는 27~97%로 검사자의 경험에 따라 다양하고,[3,4] 부갑상선 조직이 이소성인 경우 혹은 기관, 식도 뒤나 종격동에 위치하는 경우에는 한계가 있었다.[5] CT와 MRI의 경우에도 예민도가 35~76% 및 50~93% 정도로, 보고자에 따라 다양한 성적을 보였다.[6]

부갑상선스캔은 판독의 용이성과 높은 예민도로 수술 전에 초음파와 함께 부갑상선 선종의 국소화에 이용되어왔다.[7] 또한 비교적 최근부터는 SPECT 및 SPECT/CT의 발전에 의해 추가적인 해부적 정보를 제공할 수 있게 되었으며, 이에 따라 최소침습 수술에 적합한 환자 선택 및 수술 계획에 많은 도움을 주고 있다.[8]

이 영상화된 ^{201}Tl 영상에서 갑상선이 영상화된 ^{99m}Tc 영상을 감영하여 부갑상선 선종 등의 질환을 영상화할 수 있다(그림 52-1).

검사 시간은 약 30분 내외이며 검사 시 환자가 움직이거나, 컴퓨터를 이용하여 감영스캔을 만드는 과정에서 관심영역을 제대로 설정하지 못하면 부정확한 검사가 된다.

갑상선의 비후성결절이나 악성종양, 다결절성갑상선종, 유육종성림프절, 경부 악성전이 등에서 위양성이 나

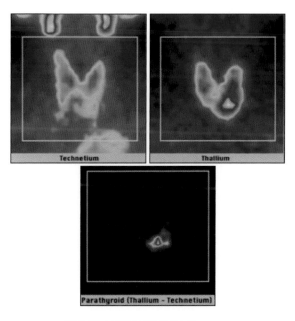

그림 52-1 | ^{201}Tl/^{99m}TC 감영 부갑상선스캔

1. ^{201}Tl/^{99m}Tc 감영스캔

환자에게 갑상선과 부갑상선에 모두 섭취되는 ^{201}Tl과 갑상선에만 섭취되는 ^{99m}Tc을 순차적으로 투여하고 각각의 영상을 얻는다. 컴퓨터를 이용하여 갑상선과 부갑상선

올 수 있음에 주의해야 한다.

2. ^{99m}Tc MIBI 부갑상선 SPECT

1) 방법

^{99m}Tc-MIBI(^{99m}Tc-methoxyisobutylisonitrile)는 심근관류를 평가하는 방사성의약품으로, 세포 내 미토콘드리아에 섭취되는 것으로 알려져 있다.[9] ^{99m}Tc-MIBI는 혈류에 비례하여 갑상선 및 부갑상선 조직에 모두 섭취되어 미토콘드리아에 집적된다. 부갑상선 선종에는 갑상선 조직 및 정상 부갑상선 조직에 비해 미토콘드리아가 풍부하여 ^{99m}Tc-MIBI의 섭취가 더 많으며, 갑상선 조직에 비하여 더 천천히 배출된다(differential washout).

^{99m}Tc-MIBI는 주사 후 4∼5분에 부갑상선에서 최대 방사능섭취를 보인다. 갑상선도 이때 최대 섭취를 보이나, ^{99m}Tc-MIBI가 갑상선세포에서 제거되는 속도가 부갑상선세포에 비하여 빠르다. 이에 따라, 주사 후 2∼3시간 후에 영상을 얻으면 가장 대조도가 높은 부갑상선 영상을 얻을 수 있다.

검사법은 ^{99m}Tc-MIBI 20-25 mCi을 정맥주사하고 10∼15분(조기영상)과 2-3시간(지연영상)에 각각 10분간 영상을 얻는다. 이때 조기영상은 갑상선과 부갑상선이 모두 보이고 지연영상은 갑상선이나 정상 부갑상선은 보이지 않고 부갑상선 선종과 같이 기능이 증가한 부갑상선만이 보인다.

^{99m}Tc MIBI 부갑상선 SPECT을 촬영할때 바늘구멍 조준기나 평행조준기를 사용한다. 바늘구멍조준기를 사용한 경우 영상의 해상도가 높아 일차부갑상선기능항진증의 진단예민도(87%)가 평행조준기(82%)보다 높다.[10] 그러나 바늘구멍조준기를 사용하는 경우 촬영 가능한 영상부위가 좁아 이소성부갑상선을 놓칠 가능성이 높다(그림 52-2A). 그러므로 이소성부갑상선을 찾기 위해서는 영상범위가 넓은 평행조준기를 사용하여 턱 밑으로부터 심장첨부까지 포함하는 넓은 부위의 영상을 얻는다(그림 52-2B). 지연 영상에서 이소성부갑상선 의심 소견이 있을 경우 곧바로 SPECT/CT를 시행하면 추가적인 해부학적 정보를 얻을 수 있다(그림 52-3).

^{99m}Tc-MIBI는 부갑상선조직에만 섭취되지 않고 갑상선조직에도 섭취되므로 이러한 단점을 보완하기 위하여 갑상선조직에만 섭취가 되는 ^{123}I 갑상선스캔을 조합하여 감영영상을 얻기도 한다.

부갑상선 선종이 갑상선내부에 위치하거나 목 깊숙

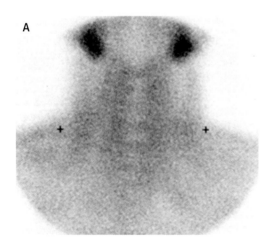
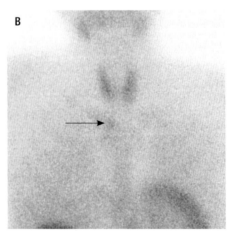

그림 52-2 | 바늘구멍 조준기(A)와 평행조준기(B)를 사용한 부갑상선 스캔의 영상범위.

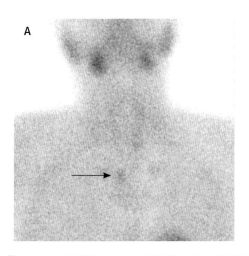
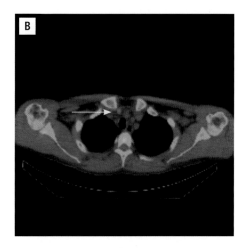

그림 52-3 | ^{99m}Tc MIBI 부갑상선 SPECT의 횡단면상(A), 종단면상(B)에서 보이는 이소성 종격동 부갑상선 선종

한 조직에 있을 때는 해상도를 높이고, 수술을 위한 해부적 위치정보를 정확히 하기 위하여 지연영상 촬영 후 곧바로 SPECT 영상을 추가 촬영한다. ^{99m}Tc-MIBI 부갑상선 SPECT/CT와 초음파를 함께 시행하는 경우, 95%의 예민도 및 91%의 특이도를 보인다.[8]

2) 영상소견

정상 부갑상선은 부갑상선 스캔에 섭취증가가 보이지 않는다. 따라서 국소적으로 섭취증가를 보이면 부갑상선 선종을 의심해야 한다(그림 52-4).

병소가 두 개 이상일 경우 부갑상선증식증이나 드물게 다발성선종이 있을 수 있다(그림 52-5).

흔한 위양성 원인으로 갑상선 결절이 있다. 또한 갑상선호르몬을 복용하고 있는경우 ^{99m}Tc-MIBI의 섭취가 낮아 위양성이 될수있고, 이외에 사르코이드증(sarcoidosis), 갑상선암, 림프종등의 종양도 위양성의 원인이 된다. 위음성의 원인으로 부갑상선 선종양세포가 ^{201}Tl이나 ^{99m}Tc-MIBI를 섭취하지 않는 경우와 부갑상선선종양의 크기가 아주 작은 경우로, 일반적으로 부갑상선스캔으로 진단할 수 있는 크기는 0.3~0.5 g 이상이다.

3. 임상적 이용

1) 부갑상선기능항진증 환자의 수술 전 검사

일차부갑상선기능항진증의 가장 흔한 원인은 단일부갑상선 선종이다. 이 중 약 15%의 환자에서 한 개 이상의 부갑상선 선종이 있을 수 있어, 수술 전 병변의 국소화를 위한 영상 검사가 필요하다. 수술 시 병변의 위치가 확실하지 않은 경우 수술 후 5~10%의 환자에서 고칼슘혈증이 지속되거나 재발하여 재 수술이 필요하게 된다.

^{99m}Tc MIBI 부갑상선 SPECT은 판독이 용이하고, 이소성 선종의 진단에 유리한 장점이 있다. 진단 예민도는 다양한 연구에서 54~96%로 보고되었다. 진단 예민도는 선종의 크기와 연관성이 높으며, 크기가 클수록 진단 예민도가 높다. 부갑상선 선종의 무게가 0.6~0.8 g 이하이면 위음성 소견을 보일 가능성이 있다.[11] 또한 혈청 PTH 혹은 칼슘 농도가 높을수록 진단 예민도 높다.

Ruda 등은 메타분석에서 약 2만 명의 일차부갑상선기능항진증 환자를 분석하고 ^{99m}Tc-MIBI 부갑상선스캔의 진단 예민도는 단일선종의 경우 88%, 두 개의 선종인

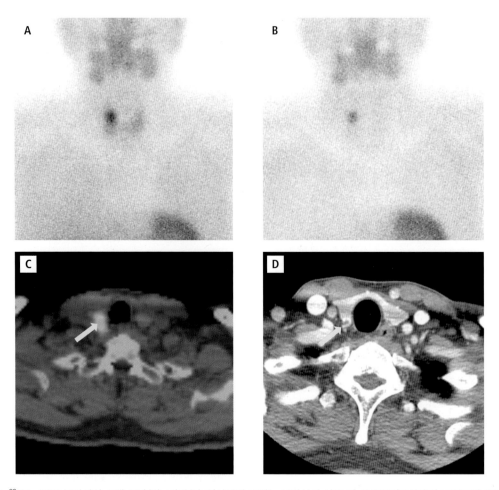

그림 52-4 | ^{99m}Tc-MIBI 부갑상선 스캔 조기(A), 지연(B) 영상에서 보이는 부갑상선 선종 및 SPECT/CT(C)와 조영증강 CT 소견(D)

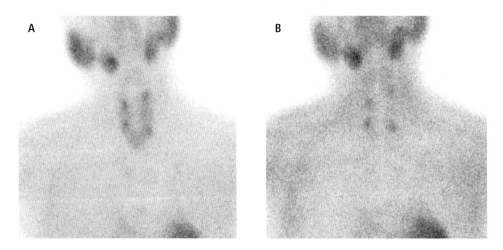

그림 52-5 | ^{99m}Tc MIBI 부갑상선 스캔의 조기(A), 지연(B) 영상에서 보이는 부갑상선증식증

경우 29.9%, 다발성증식증의 경우 44%로 보고하였다. 특이도는 95%였다.[3]

위양성은 악성 혹은 양성 갑상선 결절에서 나타날 수 있으며, 특히 여포선종과 휘틀세포선종(Hurthle cell adenoma)에서 위양성 소견을 보일 수 있다.[12] 갑상선염과 경부림프절염도 위양성의 원인이 될 수 있다.

비교적 최근에 도입된 SPECT 및 SPECT/CT는 ^{99m}Tc MIBI 부갑상선 SPECT과 함께 시행했을 때 추가적인 해부적 정보를 제공하여 병변의 국소화에 도움을 주고 있다. 갑상선에 의해서 가려질 수 있는 후인두 위치의 선종 진단에 유리하며, 갑상선 결절이나 경부림프절염에 의한 위양성을 감별하는 데에 도움을 줄 수 있고, 이소성 선종의 해부적 위치를 명확히 확인할 수 있다. Lavely 등은 planar, SPECT 및 SPECT/CT 검사를 비교하여 SPECT/CT 검사의 진단적 정확성이 높음을 보고한 바 있다.[13]

이차나 삼차부갑상선기능항진증의 경우 수술 전에 이소성 부갑상선이나 정상보다 많은 개수의 부갑상선이 존재하는지를 평가하기 위하여 스캔을 이용할 수 있다.[14]

2) 부갑상선기능항진증환자의 재수술

부갑상선기능항진증 환자에서 수술 후 재발의 가장 흔한 원인은 수술 중 발견되지 않은 이소성부갑상선 선종이다. 이소성선종은 대개 경동맥초(carotid sheath), 기관식도구부(tracheoesophgeal groove), 흉선, 상부종격동에 위치 한다.

수술 직후 또는 6개월 이내에 고칼슘혈증이 발생하면 부갑상선기능항진증이 지속된다고 판정하는데 이 중 3분의 2는 선종을 제거하지 못한 경우이고, 나머지는 다발성 병변이 일부 남은 경우이다.

6개월 이상 정상으로 지내다가 고칼슘혈증이 되는 경우 재발로 간주하며 주 원인은 부갑상선증식증의 불완전한 절제에 기인한다. 일부 부갑상선암의 재발이나 부갑상선 선종의 국소 재발에 의한 경우도 있다.

일차 수술이 실패하여 고칼슘혈증이 지속되거나 재발한 경우 부갑상선스캔이 중요한 역할을 한다.

부갑상선재수술의 경우 치료 실패율이 일차 수술보다 높고 합병증의 발생률도 높아 영구적 저칼슘혈증의 가능성이 10% 이상이며, 회귀인후신경손상 확률이 5배정도 많다.[15]

따라서 재수술 전 병변의 국소화를 위한 부갑상선 영상은 매우 중요하며 부갑상선스캔은 과거에 수술을 받았더라도 예민도와 특이도가 영향을 받지 않는 장점이 있어 수술 후 부갑상선기능항진증 재발 시 병변의 국소화에 유리하다.

REFERENCES

1. Taillefer R, Boucher Y, Potvin C, Lambert R. Detection and localization of parathyroid adenomas in patients with hyperparathyroidism using a single radionuclide imaging procedure with technetium-99m-sestamibi (double-phase study). Journal of nuclear medicine. 1992;33(10):1801-7.

2. van Dalen A, Smit CP, van Vroonhoven TJ, Burger H, de Lange EE. Minimally invasive surgery for solitary parathyroid adenomas in patients with primary hyperparathyroidism: role of US with supplemental CT. Radiology. 2001;220(3):631-9.

3. Ruda JM, Hollenbeak CS, Stack BC. A systematic review of the diagnosis and treatment of primary hyperparathyroidism from 1995 to 2003. Otolaryngology-Head and Neck Surgery. 2005;132(3):359-72.

4. Uruno T, Kebebew E. How to localize parathyroid tumors in primary hyperparathyroidism? Journal of endocrinological investigation. 2006;29(9):840-7.

5. Patel C, Scarsbrook A. Multimodality imaging in hyperparathyroidism. Postgraduate medical journal. 2009;85(1009):597-605.

6. HÄnninen EL, Vogl TJ, SteinmÜller T, Ricke J, Neuhaus P, Felix R. Preoperative contrast-enhanced MRI of the parathyroid glands in hyperparathyroidism. Investigative radiology. 2000;35(7):426-30.

7. De Feo ML, Colagrande S, Biagini C, Tonarelli A, Bisi G, Vaggelli L, et al. Parathyroid glands: combination of 99mTc MIBI scintigraphy and US for demonstration of parathyroid glands and nodules. Radiology. 2000;214(2):393-402.

8. Patel C, Salahudeen H, Lansdown M, Scarsbrook A. Clinical utility of ultrasound and 99m Tc sestamibi SPECT/CT for preoperative localization of parathyroid adenoma in patients with primary hyperparathyroidism. Clinical radiology. 2010;65(4):278-87.

9. Coakley A. Parathyroid imaging. LWW; 1995.

10. Johnson NA, Tublin ME, Ogilvie JB. Parathyroid imaging: technique and role in the preoperative evaluation of primary hyperparathyroidism. American Journal of Roentgenology. 2007;188(6):1706-15.

11. Erbil Y, Barbaros U, Tükenmez M, İşsever H, Salmaslıoğlu A, Adalet I, et al. Impact of adenoma weight and ectopic location of parathyroid adenoma on localization study results. World journal of surgery. 2008;32(4):566-71.

12. Vattimo A, Bertelli P, Cintorino M, Burroni L. Hurthle cell tumor dwelling in hot thyroid nodules: preoperative detection with technetium-99m-MIBI dual-phase scintigraphy. The Journal of Nuclear Medicine. 1998;39(5):822.

13. Lavely WC, Goetze S, Friedman KP, Leal JP, Zhang Z, Garret-Mayer E, et al. Comparison of SPECT/CT, SPECT, and planar imaging with single-and dual-phase 99mTc-sestamibi parathyroid scintigraphy. Journal of Nuclear Medicine. 2007;48(7):1084-9.

14. Pham TH, Sterioff S, Mullan BP, Wiseman GA, Sebo TJ, Grant CS. Sensitivity and utility of parathyroid scintigraphy in patients with primary versus secondary and tertiary hyperparathyroidism. World journal of surgery. 2006;30(3):327-32.

15. Richards ML, Thompson GB, Farley DR, Grant CS. Reoperative parathyroidectomy in 228 patients during the era of minimal-access surgery and intraoperative parathyroid hormone monitoring. The American Journal of Surgery. 2008;196(6):937-43.

16. 대한갑상선내분비외과학회, 내분비외과학, 군자출판사. 2011;368-371

부갑상선의 병리
Surgical Pathology

┃ 경북대학교 의과대학 병리학교실 **박지영**

1. 정상 부갑상선의 병리

정상 성인의 90%는 4개의 부갑상선을 가지고 있으나, 많으면 6개, 적으면 2개를 가지는 경우도 있다. 일반적인 부갑상선 1개의 무게는 평균 31.1 mg(남자)~29.8 mg(여자)이고, 각각의 길이는 3~6 mm이고 폭은 2~4 mm이며, 두께는 0.5~2 mm 정도이다.[1] 주변조직에 눌리는 정도에 따라 선의 모양은 다양하지만, 일반적으로 납작하게 눌린 타원형의 소 결절 모양이다. 부갑상선은 피막으로 둘러싸인 구조이며 실질조직과 지방이 풍부한 기질조직으로 이루어져 있다(그림 53-1). 부갑상선을 둘러싸고 있는 피막은 얇고 투명하며, 미세혈관이 많다. 피막은 주위의 갑상선, 흉선 및 지방조직과 부갑상선을 분리하고 있다. 피막아래의 부갑상선 실질이 포함하고 있는 지방의 양 혹은 호산성세포의 비율 및 혈관형성 정도에 따라 노란색에서 황갈색까지 다양하다. 부갑상선의 실질은 주세포와 호산성 세포로 이루어져 있다. 주세포는 부갑상선의 기능과 관련이 있는 세포로 판모양, 끈, 잔기둥 또는 결절의 형태로 기질조직의 지방세포 사이에 배열하고 있다. 주세포의 모양은 둥글고 직경 8~12 μm이며 세포의 경계는 불분명하다. 세포질은 약간 호산성이며 주세포의 70~80%가 세포질 내에 큰 지방을 가지고 있다. 현미경소견에서 활성 주세포를 알아보기는 쉽지 않고 다만 불활성 주세포는 세포질이 지방, 글라이코겐 및 라이소좀으로 가득 차 있어서 공포가 있는 투명한

세포질을 인지하는 것으로 구별할 수 있다. 이들 세포는 많은 분비과립, 리포푹신 과립 및 큰 골지체를 가지는 것이 특징이며, 이들 분비과립은 부갑상선호르몬(PTH)과 크로모그라닌(chromogranin)을 함유하고 있는 것이라 여겨진다. 주세포의 핵은 둥글고, 가운데에 있으며 핵막은 뚜렷하며 작은 핵소체가 드물게 보이기도 한다.[1] 호산성세포는 크기가 12~20 μm 정도로 주세포보다 크고, 수는 적다. 주세포 사이사이에 개개의 세포로 존재하거나 판 또는 크고 작은 결절의 형태를 이루기도 한다. 이는 호산성세포가 주세포로부터 이행함과 더불어 클론성 증식을 있음을 의미한다. 세포막은 뚜렷하며 핵은 응축되어 있고 세포질은 풍부한데 호산성의 과립을 가지고 있다. 전자현미경으로 보면 세포질은 미토콘드리아로 가득차 있으며 드물게 라이소좀과 리포푹신 과립이 보이기도 한다. 주세포와는 달리 호산성 세포는 PTH생성에 관여하지는 않는 것으로 보인다. 호산성세포는 사춘기때부터 나타나기 시작하여 나이가 들수록 수가 증가하는데 노령층에서 흔히 호산성결절을 이룬다(그림 53-2). 이행호산성세포는 호산성세포에 비해 크기가 좀 더 작고, 세포질 내 미토콘드리아의 수가 적어서 세포질의 호산성의 정도가 약하다.

기질조직의 지방세포는 연령이 증가함에 따라 수가 증가하는데 여성에서 보다 더 많다. 기질의 지방의 분포나 양은 한 선에서도 서로 다르고, 같은 사람에서도 각각의 선간에 차이가 있으며, 동일 연령대의 개인간 차이

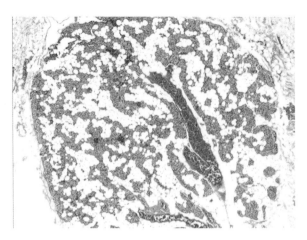

그림 53-1 | 정상 성인 부갑상선의 현미경 사진
얇은 피막아래 실질세포와 기질의 지방세포가 서로 혼재되어 있다(H&E, ×40).

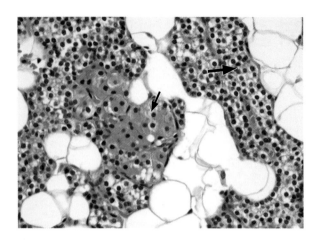

그림 53-2 | 부갑상선의 실질세포
세포질이 약간 호산성 또는 투명한 주세포로 구성된 소엽(굵은 화살표) 사이에 호산성세포들의 군집이 있다. 호산성 세포는 주위의 주세포보다 크기가 크고 세포질이 과립성 호산성을 띤다(얇고 긴 화살표)(H&E, ×400).

도 다양하다. 대략 부갑상선의 용적의 20% 정도를 이룬다.[2] 이들 지방의 양은 체내 지방에 영향을 미치는 인자들에 의해 동일하게 영향을 받는데, 식이나 영양 및 질병상태에 따라 다르다. 지방의 양은 나이와 영양상태에 따라 다양하다. 정상 부갑상선에서 기질조직의 지방은 주변의 실질조직을 누르는 것처럼 갑상선 전체에 골고루 분포하고 있으나 증식성 병변 또는 선종의 경우 상대적으로 실질 세포 사이에 간간히 존재한다.

2. 부갑상선 선종의 병리

부갑상선 선종은 주세포, 호산성세포, 이행호산성세포 또는 이들의 혼합으로 이루어진 양성 종양이며, 대부분의 경우 한 개의 부갑상선을 침범하여 일어난다. 부갑상선 선종은 일차부갑상선기능항진증을 유발하는 원인의 80~85%를 이루고 있다.[3] 부갑상선 선종으로 인한 일차부갑상선기능항진증은 전 연령에서 발생 가능하나 특히 50~60세 사이가 가장 많으며, 남녀의 비는 3:1로 여자에게 흔하다.[4] 발생원인은 아직 명확히 규명된 것은 아니나 두경부의 방사선 조사가 병의 발생에 영향을 끼

치는 것이 알려져 있다. 대부분의 부갑상선암은 산발적으로 일어나지만 다발내분비종양과 연관하여 일어나기도 한다. 초기에는 부갑상선 선종은 glucose-6-phosphate dehydrogenase의 발현형식에 기초한 다클론성 증식이라고 알려졌으나, 최근의 연구들은 이들의 클론성 증식을 보여주고 있다.[5] 그러나 일차 및 이차 부갑선증식의 상당부분도 클론성 증식을 하는 것으로 밝혀지고 있다.[6]

대부분의 선종은 정상적으로 위치한 선에 발생하지만 정상 부갑상선이 발견되는 곳은 어디든지 발생할 수 있다. 선종의 90%는 상부 또는 하부 선에서 발생한다. 나머지 10%는 종격동, 후식도 연부조직, 갑상선 내부 또는 식도에서 발생가능하다.[3] 드물게 미주신경, 턱의 연부조직, 심내막 등에서도 보고된다.[7] 심각한 뼈질환과 동반한 경우, 무게가 10 gm에 이르기도 하지만, 뼈질환과 동반하지 않는 부갑상선 선종의 평균무게는 약 1 gm으로 대부분 0.5 gm 미만이다.[3] 이 중 무게가 0.1 gm 미만의 작은 선종으로 피막이 없는 작은 선종을 부갑상선미세선종이라 한다.

부갑상선 선종은 얇은 피막으로 둘러싸여 있으며, 표면은 매끈하고, 색깔은 황갈색 또는 붉은 갈색을 띠는

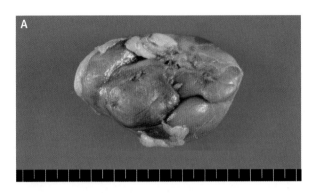

그림 53-3 │ 부갑상선 선종
A. 표면은 매끈하며 얇은 섬유성 피막으로 덮여 있는 타원형의 종괴로 다엽성 경계를 보인다. **B.** 선종의 단면은 황갈색의 균질한 조직으로 이루어져 있고 때로 출혈이나 낭성 변화를 보이기도 한다.

타원형의 모양을 보인다(그림 53-3). 그러나 간혹 다엽 형태가 있을 수 있으며 매끈한 타원형의 전형적인 선종에 비해 불완전한 수술적 절제의 위험도가 높다. 절단면은 균일하나 결절성증식이 보이기도 한다. 크기가 큰 선종의 경우 맑은 장액성 또는 갈색 낭액으로 찬 낭성변화를 보이기도 한다. 섬유화, 석회화 및 출혈성 변화가 보이기도 하고 낭성변성으로 인해 주위조직과 유착 또는 피막이 두꺼워지기도 한다. 부갑상선 선종의 약 50~60%에서 노르스름한 갈색의 정상 부갑상선조직으로 이루어진 테두리를 종양의 변연부에서 볼 수 있으며, 종종 섬유성 피막에 의해 종양부위와 나뉘어진다(그림 53-4A). 정상조직으로 이루어진 테두리를 확인하는 것이 선종과 부갑상선 증식증을 구별하는 데에 도움을 주기는 하지만, 선종의 크기가 큰 경우 정상 부갑상선 조직의 유무를 확인하기가 어려운 경우도 있고, 증식증 중 일부의 증례에서도 변연부 정상 부갑상선 조직을 확인할 수 있다. 종양을 구성하고 있는 세포의 대부분은 치밀하게 구성된 주세포들로 각기 다양한 분비주기를 보인다. 이들 세포들은 주로 띠 모양, 작은 군집, 선형성 또는 판의 형태로 배열하거나 서로 혼합된 모양의 분포를 보인다. 주세포 외에도 호산성세포 및 이행 호산성세포 등이 주세포 사이사이에 존재하기도 한다(그림 53-4B~4D). 선종의 주세포는 주변의 정상조직에서 볼 수 있는 주세포보다 크기가 크며 다각형으로 세포경계가 불명하다. 세포질은 연한 호산성의 분홍색을 띠지만 때로 투명하게 나타나기도 한다. 경우에 따라 세포질내 공포가 있거나 핵주위 투명대를 보이는 세포가 있기도 한다. 또한 종양의 주세포는 정상 주세포와 달리 세포질내 지방이 없거나 있더라도 미세하다. 핵은 둥글며 염색질은 진하고 드물게 작은 핵소체가 보인다. 경우에 따라 핵의 다형성을 보이기도 한다(그림 53-5). 그러나 이러한 핵의 다형성 자체가 악성을 시사하는 소견은 아니다. 유사분열은 드물게 나타나고 아예 없거나 1개 정도 있을 수 있다. 정상 조직과 달리 기질의 지방세포는 없거나, 있다 하더라도 작은 군집을 이루며 종양의 변연부에 모여있다. 종양의 기질 성분은 거의 없으나 혈관은 풍부하다. 석회화 또는 뼈를 형성할 정도의 석회화가 섬유화 지역에서 볼 수 있으며, 때로 세침 흡인 이후에 대량의 고사가 일어날 수도 있다. 부갑상선 선종의 조직학적 아형으로는 호산성선종, 투명세포 선종(water-clear adenoma), 지방선종, 비정형 선종 등이 있다.

호산성선종은 종양의 대부분이 호산성 세포로 이루어져 있어 절단면은 붉은 갈색으로 보인다. 종양세포는 고형의 판이나, 잔기둥, 서로 연결되는 띠 모양으로 배열하고 있다. 핵은 크고 염색질은 진하다 그러나 핵의 다형성이 때로 보인다. 또한 핵소체는 뚜렷하다. 정상조직에서도 노령층에서는 호산성세포의 수가 많아지고 이들이 큰 결절형태로 뭉치기 때문에 때로 종양과의 감별

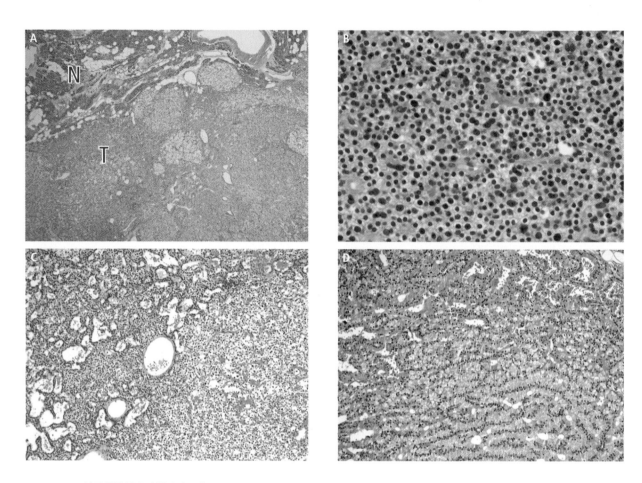

그림 53-4 | 부갑상선 선종의 현미경소견

A. 선종(T)의 변연부에 정상 부갑상선 조직으로 이루어진 테두리(N)가 있다. 선종은 정상과 달리 기질지방세포가 거의 없고 종양세포로만 이루어져 있다. 투명한 세포질을 가진 세포들로 이루어진 결절들이 여러 개 종양 내부에 흩어져 있다(H&E, ×40). B. 모양이 일정한 종양세포가 미만성으로 배열하고 있다. 종양세포는 주로 주세포이며 세포질이 투명하거나 약한 호산성을 띠고 있다(H&E, ×200). C. 종양세포가 선모양, 띠 모양, 미만성배열 등 다양한 배열을 하고 있다(H&E, ×200). D. 세포질 내 호산성 과립을 가진 호산성세포들이 잔기둥 배열을 하고 있다(H&E, ×200).

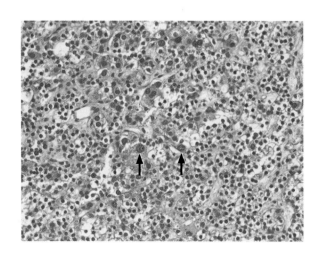

그림 53-5 | 부갑상선 선종

크고 진한 다형성 핵을 가진 세포가 풍부한 세포질을 가진 종양세포들 사이에 흩어져 있다(화살표)(H&E, ×400).

이 어렵다. 한 조사에 따르면 160예의 부갑상선 선종의 6.25%가 호산성 선종이었다.[8]

투명세포 선종(water-clear adenoma)은 드물게 보고되는 종양으로 대부분 종양세포는 다수의 공포를 가지는 투명양세포이고 풍부한 글라이코겐을 함유하고 있다.

지방선종은 실질 및 기질성분 모두의 증식에 의한 종양이다. 과오종이라고 여겨지는 양성 종양으로 흔히 부갑상선기능항진과 연관되어 있다. 피막으로 잘 둘러싸인 종괴로 절단면은 부드럽고 황갈색의 엽상단면을 보인다. 종양의 무게는 0.5~420 gm에 이르기까지 다양하다. 종양의 기질은 특징적으로 다량의 지방조직이 있는데 섬유화 또는 점액양 변화를 보이는 부분을 동반한다. 증례에 따라 림프구의 침윤이 보인다. 주된 종양세포는 주세포나 기질의 풍부한 지방으로 인해 그 수가 적고, 일부 호산성 세포가 얇은 띠 모양으로 배열하고 있다.

비정형 선종은 명확한 피막침윤이나 혈관침윤과 같은 부갑상선암을 시사하는 특징은 없으나, 철혈소가 동반되기도 하는 넓은 섬유성 격막, 유사분열, 잔기둥양 성장형태, 두꺼운 섬유성 피막내의 종양세포군집 등 비정형 요소를 보이는 종양을 말한다. 그러나 상기의 어느 것도 악성에 진단적이지는 않다. 이들 종양은 종종 주변 갑상선 혹은 연부조직에 유착되어 있는 경우 불명확 악성 종양(atypical adenoma with uncertain malignant potential)이라 여긴다. 한 연구에 따르면 12례의 비정형 선종에서 2예에서 흡배수체 DNA형태를 보였고, 이들에서 병의 재발이 있었으나 나머지 10예의 환자들은 평균 25개월의 추적관찰에서 양성경과를 보였다.[9] 선종-연관 부갑상선들은 실질세포의 수는 감소하고 기질의 지방이 증가한 양상을 보인다.

3. 부갑상선암의 병리

부갑상선암은 부갑상선의 실질세포에서 유래한 악성종양으로 매우 드물며 일차부갑상선기능항진증 환자의

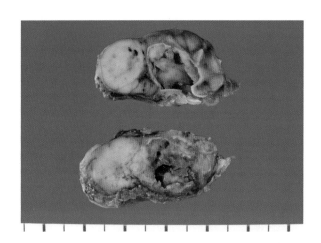

그림 53-6 | **부갑상선 암종**
회갈색의 고형성 종괴로 여러 개의 결절양 증식을 하고 있으며 종괴의 중앙에 괴사 및 낭성변화가 있다.

1% 미만에서 발생한다.[4] 발생원인은 잘 모르지만 일부 부갑상선기능항진-턱 증후군(hyperparathyroidism-jaw tumor syndrome)과 같은 유전적 전구상태가 연관된 질환의 발생이 있다. 또한 이차부갑상선기능항진과 목 부위의 방사선 조사도 가능한 위험인자이다. 국소 재발의 위험이 높고, 주변 림프절이나 원격 장기로의 전이가 병의 경과 중 후기에 발생한다. 임상적 증상은 일차적으로 과도한 부갑상선호르몬 분비에 의한다. 촉지 가능한 경부 종괴의 출현은 부갑상선암의 75%에서 나타나는데, 이는 부갑상선 선종에서는 거의 없는 증상이다.[9] 육안적으로 부갑상선 선종과 부갑상선암을 구별하는 것은 불가능하다. 그러나 악성종양이 크기가 더 크고, 주위 조직, 갑상선 또는 식도주위조직과 강하게 유착되어 있는, 경계가 좋지 않은 종괴의 형태로 흔히 나타난다. 주위 조직과의 유착은 악성을 시사하기는 하지만 진단적이지 않은데, 이는 악성종양에서도 피막형성이 잘 되어 있는 경우가 있고, 반대로 양성 종양에서도 출혈 후 선 주위조직에 반응성 섬유화로 인한 유착이 있을 수 있기 때문이다. 따라서 악성종양의 진단은 이들 유착부위에서 악성 세포의 침윤을 증명하여야 한다. Wang and Gaz[10]에 따르면, 종괴의 크기는 1.5~6 cm, 무게는 1.5~27 gm이다. 단면에서 부갑상선암은 좀 더 단단하

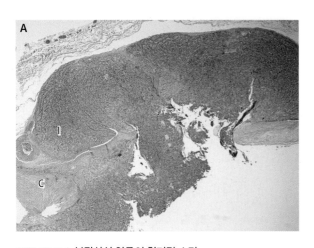
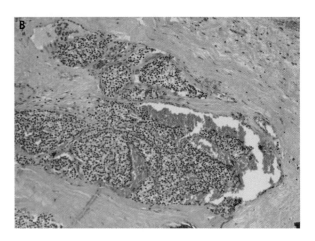

그림 53-7 | 부갑상선 암종의 현미경 소견

A. 종양세포들에 의한 피막 침윤이 있다. 두꺼운 섬유성 피막(C) 전층을 침범하는 종양세포 침윤(I)이 있다(H&E, ×40). **B.** 혈관구조 내 종양세포 침윤이 있으며 일부 종양세포는 혈관벽에 닿아 있고 내피세포로 피복되어 있다(H&E, ×400).

고 회백색을 띠며, 간혹 괴사가 있을 수 있다(그림 53-6). 부갑상선암의 병리조직학적 양상은 선종과 거의 유사한 것에서부터 확연히 악성인 증례에 이르기까지 다양하다. 종양을 이루고 있는 세포는 주세포 또는 호산성 세포 혹은 이들의 혼합이다. 지금까지 여러 연구자들이 부갑상선암의 진단 기준을 다양하게 제시하였고,[11,12,13] WHO[4]에 따르면 명확한 혈관침윤, 신경주위조직의 침윤, 주변조직으로의 침윤을 동반한 피막의 침윤과 그외 원격장기로의 전이가 있는 경우에 한하여 악성진단을 하도록 하고 있다. 피막침윤은 피막을 완전히 관통하는 침윤이어야 한다(그림 53-7A). 혈관침윤은 종양의 피막내 혈관 침윤 또는 주위 연부조직내의 혈관에 종양세포의 침윤이 있는 경우이고, 암의 진단에 가장 특이적이지만 전체의 10~15%에서만 나타난다(그림 53-7B).[14] 부갑상선증식 또는 선종의 불완전 절제에 따른 부갑상선 조직 착상과 악성종양에 의한 주변 조직 침윤(그림 53-8)을 면밀히 구별하여야 한다. 그외에 두꺼운 섬유성 격막형성(그림 53-9), 유사분열수의 증가, 혈철소 침착, 고형성 또는 잔기둥양 성장형태, 균일하거나 다양한 핵의 모양, 높은 세포질-핵간 비율, 큰 핵소체, 건락성 종양괴사등의 소견이 나타날 수 있으나 양성 종양에서도 보일 수 있어

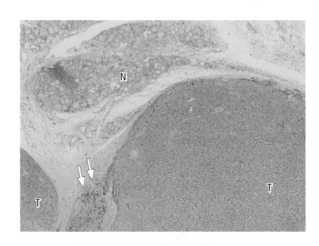

그림 53-8 | 부갑상선 암종의 주변조직 침윤

종양세포(T)가 결절의 형태로 주변 갑상선조직(N)으로 침윤하고 있다. 결절의 경계가 되는 섬유성 격막을 따라 혈철소 침착이 있다(화살표)(H&E, ×40).

진단에 특이적이지는 않다. 또한 5/50 HPF를 넘는 유사분열, 거대핵소체와 괴사 등은 종양의 악성도와 연관이 있다.[13] 유사분열지수와 더불어 Ki-67 지수는 종양의 예후를 예측하는 인자로 유용하다. 선종과 암종간 면역조직화학염색의 결과들은 서로 차이가 있으며, 결과는 표 53-1[4]과 같다.

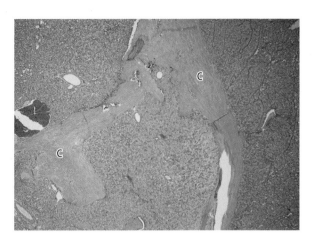

그림 53-9 | 부갑상선 암종
종양의 내부에 두꺼운 섬유성 격막(C)이 불규칙하게 자라 있다(H&E, ×40).

표 53-1 | 부갑상선 선종과 암종의 감별을 위한 면역조직화학 염색[4]

Marker	Parathyroid adenoma	Parathyroid carcinoma
P53	−	+
Bcl-2	+	−
P27	+	
Cyclin D1	−	
Ki-67	−(Index : 0.5–5.1%)	+(Index : 0.4–26%)
Rb	+	−
Mdm-2	+	−
Galectin-2	−	+

4. 일차 주세포증식증

두개 혹은 그 이상의 부갑상선이 커져 있는 경우 일차 주세포 증식을 의심하여야 한다. 일차 주세포 증식증은 부갑상선호르몬의 증가를 유발하는 다른 원인이 없고, 주세포, 호산성세포 및 이행세포들의 순수한 증식에 의해 부갑상선의 크기가 커지고, 이것이 여러 개의 부갑상선에 발생하는 질환을 말한다. 이들 실질세포의 증식이 종종 결절의 형태로 배열하므로 결절성 증식이라고도 한다(그림 53-10).[4] 주세포증식증은 약 75%가 산발적 또는 자연발생이고, 25%가 가족성부갑상선기능항진증 또는 다발성 내분비 종양증후군의 하나로 일어난다. 실제로 제1형 다발성내분비 종양증후군 환자의 대부분과 II-A 환자의 약 1/3은 일차 부갑선기능항진증을 보이지만, II-B형 또는 가족성 수질암에서는 일차 부갑상선 증식이 없다. 이환된 증례의 50%가 대칭적 부갑상선 크기증가를 보이나 나머지에서는 비대칭적이다. 비대칭적 증식과 부갑상선 선종간의 구별은 매우 어렵고, 몇 가지 진단 기준이 있다. 이환된 각 선의 무게는 150 mg에서 10 gm이 넘는 것까지 다양하다. 현미경적 소견은 선종과 유사한 소견을 보인다. 주세포의 증식으로 실질조직의 양이 증가하고, 세포는 미만성이거나 결절성으로 자

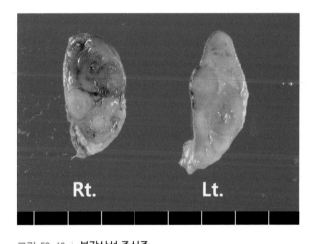

그림 53-10 | 부갑상선 증식증
두 개의 선이 비슷한 크기를 보이고, 단면은 경계가 명확하지 않은 다결절 형태를 보인다. 노르스름하고 균일한 조직으로 이루어진 단면을 보인다. Rt, Right; Lt, Left

라는데 이때 기질의 지방의 양은 현저히 감소한다(그림 53-11). 증식하는 세포는 대부분 주세포이나 호산성 세포 및 이행세포도 있을 수 있다. 일부의 예에서는 기질의 지방이 풍부한 경우도 있는데 이를 지방증식이라 한다. 기질의 지방세포의 분포가 부위에 따라 다양하여, 작

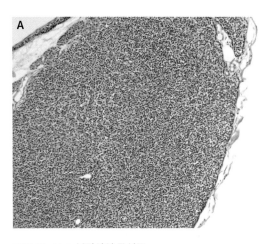
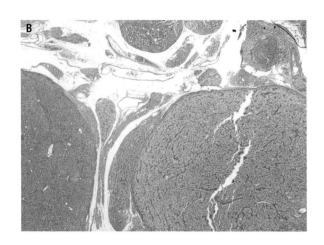

그림 53-11 | 부갑상선 증식증
A. 선종에서 흔히 보는 것과 달리 종양의 주위에 정상조직의 테두리가 없고, 미만성 증식을 보이는 세포의 대부분은 주세포이다(H&E, ×40). **B.** 주세포 혹은 이행세포들로 이루어진 다양한 크기의 여러 결절들이 부갑상선전반에 분포하고 있다(H&E, ×40).

은 생검조직에서 증식성 선이 마치 정상 갑상선 조직처럼 보일 수도 있다. 때때로 유사분열이 있을 수 있으며, 핵의 크기가 조금씩 차이가 있으며 간혹 크고 진한 핵을 볼 수 있다. 그러나 선종에 비하면 그 정도가 미미하다. 그 외에도 선종에서 보이는 것과 같이 섬유성 변화를 동반한 낭성 변성, 혈철소침착 등이 있을 수 있다. 부갑상선의 증식과 더불어 목주위의 연부조직이나 종격동내에 주세포의 군집이 있을 수도 있는데(parathyromatosis), 부갑상선 증식증으로 부분적출술을 받은 환자들의 증상이 이후 지속되거나 재발하는 경우의 원인의 하나이다.

　부갑상선 선종과의 감별은 주세포 증식증의 경우 통상 적어도 두개의 부갑상선이 커져 있는 반면 대부분의 선종은 한 개의 선에서만 생긴다. 따라서 정상크기의 다른 세 개의 선을 확인하는 것이 실제로 진단적이다. Bondeson[15] 등은 두개의 선을 완전 절제하고 지방염색을 하는 것이 두 질환을 감별하는 데 매우 유용하다고 하였다. 크기 외에도 변연부 정상조직을 확인하는 것이 감별에 도움이 되지만, 크기가 큰 선종의 경우는 없을 수도 있고, 증식증에서도 가성 변연부 조직이 보일 수 있어서, 한 개의 선만 절제하여 검사할 경우 실제로 두 질환간 감별이 불가능할 수 있다. 수술 중 동결절편을 통한 지방세포 염색은 감별진단에 유용하지 않다.

5. 일차 투명세포증식증

특징적으로 공포화 투명세포(water-clear cell)의 증식이 여러 부갑상선에 이환되어 있는 질환이다. 일반적으로 고칼슘혈증의 정도가 주세포 증식증보다 더 심하다. 특징적으로 네 개의 선 모두에 발생한다. 현미경적으로 미만성 성장양상을 보이는 다각형의 경계가 뚜렷한 투명세포로 이루어져 있다. 증식성세포는 골지소체에서 유래한 다수의 작은 세포질 내 공포가 있어서 세포질이 투명하게 보인다(그림 53-12). 핵은 둥글거나 타원형이며 진하다. 다핵세포가 상대적으로 흔히 보인다.

6. 이차 부갑상선 증식증

일차과는 달리 부갑상선호르몬 증가를 일으키는 다른 원인이 있고, 이로 인해 점차 부갑상선의 실질세포의 증식으로 실질조직의 크기가 커지는 경우를 말한다. 질병의 초기에 육안적으로 일차증식증에 비해 크기가 더 일정한 경향이 있다. 병이 진행함에 따라 선간 크기의 차이가 현격해진다. 부갑상선 증식의 정도는 일반적으로

그림 53-12 │ 일차 투명세포 증식증
다각형의 경계가 뚜렷한 투명세포들이 미만성으로 배열하고 있다(H&E, ×400).

기저질환의 상태에 영향을 받는다. 가장 먼저 일어나는 변화는 기질조직의 지방세포 수의 감소와 이를 대치하는 주세포의 증식이다. 증식하는 부위는 미만성으로 자라고 다른 부위는 띠 모양 혹은 잔기둥양 성장양태를 보인다. 진행단계에서는 주세포와 호산성세포들의 결절성 증식이 특징적이다. 섬유성 피막이 결절양증식부위를 싸고 있어서 선종처럼 보이기도 한다. 그외 섬유화, 출혈, 만성 염증 및 낭성 변화가 있다. 특징적 세포는 6~8 μm 크기의 공포성 주세포인데 핵은 작고 진하며 세포질내 한 쪽으로 치우쳐 있다. 공포성 주세포의 세포질은

클라이코겐이 풍부한 반면 세포질내 지방은 적다. 그외에도 호산성 세포 및 이행세포의 수도 증가한다. 실제로 일차 증식과 이차 증식의 현미경 소견은 동일하여 감별하지 못하기 때문에 임상적으로 기저 질환을 진단하여야 한다. 또한 이차 증식증이 오랫동안 지속된 경우, 부갑상선암과 이차 증식증을 감별하기가 불가능할 수 있는데, 섬유화와 유사분열이 두 질환 모두에서 보이기 때문이다. 그러나 증식성 질환에서는 주변 조직이나 혈관 침윤 등이 없다.

7. 부갑상선의 기타 질환

부갑상선 낭종은 아주 드물고, 목이나 종격동에 발생한다. 특히 흉선과 부갑상선 조직을 포함한 낭종을 삼차 인두낭종(third pharyngeal pouch cyst)이라 한다. 부갑상선 낭종은 크게는 10 cm까지 자라고, 갑상선에 느슨히 붙어 있으나 명확히 분리된다. 낭벽은 막이나 종이처럼 얇고, 회백색으로 투명하고, 낭액은 연한 물 또는 지푸라기 색깔이다. 낭을 이루는 세포는 납작한 주세포형태이다. 이차 종양은 대부분 주위 갑상선 또는 기관에서 유래한 종양의 침윤이거나 유방암, 백혈병, 악성 흑색종 및 폐암종의 원격전이이다.

REFERENCES

1. Abu-Jawdeh GM, Roth SI: Parathyroid glands. In Sternberg SS, editor: Histology for pathologists, New York, 1992,Raven
2. Dufour DR, Wilkerson SY. The normal parathyroid revisited: percentage of stromal fat. Hum Pathol. 1982 ;13:717-21.
3. DeLellis RA. Tumors of the parathyroid glands. Atlas of tumor pathology, 3rd series, fascicle 6. Washington DC: Armed Forces Institute of Pathology, 1993.
4. Bondeson L, Grimeluis L, DeLellis RA, et al. Parathyroid carcinoma. In: DeLellis RA, Lloyd RV, Heitz PN, Eng C, eds. Pathology and genetics of tumours of endocrine organs(WHO classification). Lyon: IARC, 2004. p. 124-33.
5. Arnold, A., T. M. Shattuck , and S. M. Mallya. et al. Molecular patho-

genesis of primary hyperparathyroidism. J Bone Miner Res2002. 17:N30-N36.
6. DeLellis RA, Mazzalia P, Mangray S. Primary hyperparathyroidism: a current perspective. Arch Pathol Lab Med 2008:132:1251-62
7. Rattner DW, Marrone GC, Kasdon E, Silen W. Recurrent hyperparathyroidism due to implantation of parathyroid tissue. Am J Surg. 1985;149:745-8.
8. Bedetti CD, Dekker A, Watson CG. Functional oxyphil cell adenoma of the parathyroid gland. A clinicopathologic study of then patients with hyperparathyroidism. Hum Pathol 1984:15:1121-6.
9. Levin KE, Galante M, Clark OH. Parathyroid carcinoma versus parathyroid adenoma in patients with profound hypercalcemia.

Surgery. 1987;101:649-60.

10. Wang CA, Gaz RD. Natural history of parathyroid carcinoma. Diagnosis, treatment, and results. Am J Surg. 1985;149:522-7.

11. Schantz A, Castleman B. Parathyroid carcinoma. A study of 70 cases. Cancer. 1973;31:600-5.

12. Norris EH. Carcinoma of the parathyroid glands with a preliminary report of 3 cases. Surg Gynecol Obstet. 1948;86:1-21.

13. Bondeson L, Sandelin K, Grimelius L. Histopathological variables and DNA cytometry in parathyroid carcinoma. Am J Surg Pathol. 1993;17:820-9.

14. DeLellis RA. Parathyroid carcinoma. An overview. Adv Anat Pathol 2005;12:53-61.

15. Bondeson AG, Bondeson L, Ljungberg O, Tibblin S. Fat staining in parathyroid disease--diagnostic value and impact on surgical strategy: clinicopathologic analysis of 191 cases. Hum Pathol. 1985;16:1255-63.

일차부갑상선기능항진증

Primary Hyperparathyroidism

SECTION

8

일차부갑상선기능항진증의 병태생리
Pathophysiology

| 원광대학교 의과대학 외과 **최운정**

일차부갑상선기능항진증(primary hyperparathyroidism, PHPT)은 한 개 혹은 두 개 이상의 부갑상선이 활동이 과다해져 부갑상선호르몬(parathyroid hormone, PTH)의 분비가 증가되어 혈청 내 칼슘이 상승되고 이로 인하여 콩팥 돌, 콩팥 기능저하, 뼈의 광물질 소실(demineraliza-tion), 췌장염, 십이지장궤양 및 근육약화 등의 증상을 동반하는 경우를 말한다.

부갑상선에서 분비되는 PTH의 주된 기능은 칼슘과 인산염의 항상성(homeostasis)을 유지하는 것이다. 세포 외 칼슘(extracellular calcium)은 몸의 여러 분야의 생리적 기능 즉 뼈 형성, 혈액응고, 그리고 신경 근육 등과 같은 정상 활동을 유지하는데 꼭 필요하다. 칼슘은 또한 세포 내 조절계통과 c-AMP 신호전달계를 포함한 2차 신호전달계통에 중요한 역할을 한다.[1]

PTH는 콩팥과 뼈에는 직접적으로, 위장관에는 간접적으로 작용하여 세포외액의 칼슘 양을 조절한다. 즉, 혈중 칼슘의 조절에 있어서 PTH의 작용은 ① 칼슘의 콩팥 세뇨관 재흡수를 증가시켜 칼슘을 축적하고 ② 콩팥에서 비타민 D의 활성형인 이수산화 콜레칼시페롤(1,25-dihydroxy-vitamin D, 칼시트리올)형태로의 전환을 촉진시키며 ③ 소변에서의 인산염의 배출을 증가시켜 혈중 인산염의 농도를 감소시키고 ④ 위장관 내 칼슘 흡수를 증가시킨다.[2] 그리고 부갑상선에서의 PTH 분비는 세포외액의 칼슘 농도에 의해 그 분비가 조절된다. 부갑상선에 있는 으뜸세포(chief cell)의 세포막에 칼슘-

감지수용체(calcium-sensing receptor, CaSR)가 있어 세포 외액의 칼슘 농도를 감지한다. 세포외액의 칼슘 농도가 증가(고칼슘혈증)하면 으뜸세포에서 PTH의 분비가 감소된다.

칼슘 항상성에 대한 현재의 이해는 칼슘이 칼슘 항상성을 유지시키는 PTH와 칼시트리올과 작용하는 이 CaSR의 발견에 의해 발전되었다.[3] 세포외액의 칼슘이 부갑상선 세포의 CaSR과 결합했을 때 PTH 분비와 부갑상선 세포의 성장은 억제된다. 콩팥에서 칼슘과 CaSR의 이 상호작용은 25-hydroxy-vitamin D의 1-수산화를 방해한다. 칼슘은 갑상선 C 세포에 작용하여 칼시토닌 분비를 자극하고, 뼈에서 뼈흡수(bone resorption)를 강력하게 조절한다.[4] 일차부갑상선기능항진증에서 CaSR 유전자의 돌연변이는 아직 확인되지 않으나, 부갑상선 종에서 칼슘 수용체 mRNA 수치의 현저한 감소는 발견되었다.[5] 그 감소는 일차적 원인이 아니라 만성 고칼슘혈증의 이차적 원인이 될 수 있기 때문에 이 발견의 병태생리적 중요성은 불명확하다. 그리고 칼슘 항상성에서 중요한 역할을 하는 CaSR은 정상 부갑상선의 표면 뿐 아니라 콩팥 세뇨관, 골수, 뼈 파괴세포(osteoclast), 유방 조직, 갑상선의 여포곁세포(parafollicular cell), 그리고 위 점막의 G 세포를 포함하는 인체의 많은 다른 부위에서도 발견된다. 선종성 세포는 정상 세포에 비해 감소된 CaSR 농도를 가지고, 설정점(set point)을 변화시키며, 이는 정상 또는 높은 혈청 칼슘 수치에도 불구하고 부적

절하게 PTH를 분비하게 한다.[6]

PTH 분비가 억제되는 이온화 칼슘 수준에서 설정점의 변화는 부갑상선기능항진증(hyperparathyroidism, HPT) 환자에서 또한 증명되었으나, HPT의 발생을 시작시키는데 있어서 이 생리적 이상의 역할은 불분명하다.[1]

일차부갑상선기능항진증란 용어는 1920년대에 뼈 질환, 콩팥 돌, 피로감, 고칼슘혈증과 고칼슘뇨증 등을 특징으로 하는 증후군으로 처음 기술되었다.[7] 1970년대에 자동화 혈액 생화학분석기의 도입에 따라 칼슘을 기본항목으로 검사하게 되어 고칼슘혈증을 쉽게 찾아 냄으로써 일차부갑상선기능항진증의 발생빈도가 높아졌다.

일차부갑상선기능항진증은 하나 또는 그 이상의 부갑상선에 의한 PTH의 과다 분비의 결과이다. 비록 PTH 과분비는 칼슘 자극에 반응하여 생리적으로도 발생할 수 있지만, 일차부갑상선기능항진증은 상승된 혈청 칼슘 농도와 함께 고농도의 PTH를 특징으로 한다.

대부분 일차부갑상선기능항진증 환자는 명확한 원인이 없이 산발적(sporadic)으로 나타난다. 현재 알려진 원인으로는 얼굴과 목 부위에 방사선조사 병력,[8] 장기간 리튬사용[9] 그리고 부갑상선기능항진증의 가족력[10] 혹은 MEN (MEN 1과 MEN 2A) 등이 있다. 그러나 갑상선 중독증의 치료로 사용되는 방사성요오드는 일차부갑상선기능항진증의 발생률을 높인다는 보고는 없다.[11]

일차부갑상선기능항진증을 일으키는 부갑상선 병변은 선종(adenoma)이 85~95%, 일차 증식증(미만성 혹은 결절성) (primary hyperplasia, diffuse or nodular)이 5~10% 그리고 1% 미만에서 부갑상선 암종(parathyroid carcinoma)을 보인다.[2] 따라서 일차부갑상선기능항진증의 가장 흔한 부갑상선 병변은 산발(sporadic, 비가족성)로 발생하는 단일 부갑상선종이며, 가족성으로 오는 일차부갑상선기능항진증은 5% 정도[12]로 드물지만 대부분 증식증(hyperplasia)의 형태로 나타나며 일차부갑상선기능항진증의 발생기전에 독특한 양상을 보인다. 이러한 일차부갑상선기능항진증에서의 부갑상선 병변의 분류와

발생률에는 논란이 많다.[13, 14] 이렇게 병리학적 병변에 대해 여러 보고자들 간에 의견이 일치하지 않는 가장 중요한 이유는 육안이나 조직검사에 의해 정상과 비정상 또는 선종과 증식증을 감별하기 어려울 뿐 아니라, 가족성 일차부갑상선기능항진증를 포함하느냐 하지 않느냐에 따라 달라질 수 있기 때문이다.

HPT는 어떤 경우라도 부갑상선 실질의 질량 증가, 즉, 부갑상선 세포의 증식과 연관되어 있다. 그러나, 실질 세포의 무게는 단지 미세하게 상승되어 있고, 고칼슘혈증은 개개의 정상 부갑상선 조직보다 적은 무게의 병적 샘을 제거함으로써 경감될 수 있다. 이러한 양상은 증가된 세포 질량보다 분비 조절의 혼란이 혈청 PTH 값을 상승 시키고 HPT의 고칼슘혈증의 주요한 원인임을 알려준다. 실로, 분비 설정점을 증가시키는 일차 돌연변이가 세포 분화를 시작시키고 자극시킨다는 것과 이 자극이 유전자 결정 수준에서의 혈청 칼슘이 안정화 될 때 자극이 감소한다는 것이 밝혀졌다.[15] 그럼에도 불구하고 증가된 세포 질량은 칼슘에 의해 억제되지 않고 PTH 분비 부위를 결정하고,[16] 이로 인하여 고칼슘혈증은 세포 수와 단위 세포당 호르몬분비 속도를 증가시키는 혼합 복합체와 관련되어 있다. 부갑상선 세포의 전환(turnover)은 정상적으로 매우 느리고, 세포는 저칼슘혈증과 칼시트리올 부족에 의해 정지 G0기를 떠나게 유발된다.[17] 이 소견은 감소된 칼시트리올 수치가 무증상의 콩팥 기능장애가 있는 상태에서도 특징적으로 발견되기 때문에 임상적으로 의미가 있다. 이 경우는 또한, 일차부갑상선기능항진증의 발생이 드문 경향을 보이는 고령의 사람들, 특히 태양 노출이 제한된 기후에 있는 사람을 포함한다.[18] 배양된 부갑상선 세포는 칼슘과 PTH 분비에 대한 칼슘 불감성이 점점 증가함을 보여주는데, 이는 세포의 분화를 촉진한다.[19] 칼시트리올은 비대가 아닌 증식을 억제하고 배양된 세포의 구조적 탈분화를 억제한다. 지금까지 혈중에서의 미확인 요소들이 증식 기능의 결합과 상호작용을 했을 것으로 생각되어지는데, 왜냐하면 실험적으로 혈청을 제거한 배양이 증식을 파괴하고 배양 세포의 칼슘 민감도를 감소시키기 때문이

다.[20] 이러한 관계에 있어서 부갑상선 세포의 복제를 자극하는 능력을 가진 분열촉진인자가 MEN 1 환자의 혈청에서 보고되었다는 연구결과는 매우 흥미롭다.[21]

최근의 분자 연구들은 일부 환자군에서 환자에서 부갑상선 종양의 발생과 연관되는 유전적 요소를 확인하기 시작했다.[22, 23] 두 개의 특수한 유전자가 부갑상선종의 발병기전에 연관되어 있는데 cyclin D1/PRAD1 종양유전자와 MEN 1 종양 억제유전자이다. Cyclin D1은 세포 주기의 주요한 조절인자이다. 염색체 11번의 동원체 주위의 역위 (inversion)는 cyclin D1 유전자(정상적으로 염색체 11q위에)의 재배치가 일어남으로써 PTH 유전자(염색체 11p위에)의 5'-flanking 부위와 인접하여 위치한다. 이 변화의 결과로써 PTH 유전자의 5'-flanking 연쇄로부터의 조절 요소는 세포를 증식시키게 하는 cyclin D1 단백을 과발현하게 한다. 선종의 10~20%에서 이 클론 유전자 결함을 갖고 있다. 더불어 부갑상선종의 약 40%에서 cyclin D1이 과발현 되는데, 이는 cyclin D1 유전자의 역위 외의 기전이 그것을 활성화 시킨다는 것을 암시한다. MEN 1 유전자는 염색체 11q13에 지도화 되어있고, 세포-신호전달의 포스포리파아제 Cβ3를 포함한다.[24] 이 우성 유전되는 질환의 구조적 돌연변이는 야생형 대립유전자의 소실로 인해 나타나는데, 이는 종양형성이 MEN 1 유전자 자리의 종양 억제유전자의 비활성화와 관련이 있음을 시사한다.[24, 25] 비슷한 대립유전자의 소실이 산발 부갑상선종의 20-30%에서 발견되었고, 그 결과로 부갑상선 성장의 중요한 촉진인자로 나타난다.[26] X-염색체 불활성화 분석 양상과 일치하여 맹백하게 커진 MEN 1 부분과 산발 부갑상선종의 주요 부분은 단세포군의 종양인데, 그럼에도 불구하고 이는 다세포군 증식증으로 발전한다.[27, 28]

산발과 MEN 1과 연관된 일차부갑상선기능항진증에서 보이는 뭇샘 부갑상선(multiglandular parathyroid)병변에서, 500-kd의 칼슘 감지기 단백의 발현에서 의미있는 변이가 있다. 이 표현형 변이는 각각의 샘들의 으뜸세포결절[29]과 개개의 세포 클론으로 대표되는 균일한 모습의 결절 사이에서 특히 현저하다. 증식 부갑상선 조직은

제한절편 길이 다형성분석(analysis of restriction fragment length polymorphism)에서 단세포군 양상으로 나타나는 것이 발견된 적이 없다.[30] 그러나 이런 상황에서, X-염색체 불활성화의 분석에 의해 제시된 다수의 단세포군 손상 부위의 존재를 배제하지 않는다.[31] 비슷하게, 특징적으로 요독성 HPT에서 뭇샘의 비대칭적인 부갑상선의 비대는 비타민 D 부족과 부갑상선의 비타민 D 저항성의 복합 혼합물과 함께 단세포군과 다세포군 모두에서 나타난다. 실제로, 요독성 HPT의 고칼슘혈증을 가진 환자의 커진 결절은 11번 염색체의 MEN 1 유전자를 포함한 클론의 대립 유전자의 소실이 나타난다.[32] 또한, 선종이 아닌 부갑상선암종은 망막모세포종 유전자(retinolblastoma gene)의 대립 유전자 소실을 나타내고, 부갑상선 세포 증식과 관련이 있는 원발암 유전자인 c-myc과 c-fos의 발현이 증가한다.[33] 산발 부갑상선암종은 종종 파피브로민(parfibromin) 단백을 암호화한 HRPT2 유전자의 돌연변이를 포함하고, 이 HRPT2 돌연변이는 병인론적 의미를 갖고 있다.[34] 이것들과 지금까지 인식되지 않은 이차적 유전자 변이는 병적인 부갑상선 조직의 분석을 통하여 복잡하고 이질적인 특징의 발견에 기여하였으나, 부갑상선의 성장과 HPT에서 분비 장애에 기여하는 원인과 병인론적인 원리에 대한 현재 우리 지식의 한 계를 보여준다.

유전적 결함은 가족성인 MEN 1과 2A 환자에서도 역시 확인되는데, 이 둘은 부갑상선 증식증과 보통염색체 우성양상(autosomal dominant inheritance)으로 표현된다. 부갑상선기능항진증-턱종양증후군(hyperparathyroidism jaw-tumor syndrome)은 턱의 골화 종양, 윌름씨 종양(Wilms' tumor), 콩팥낭, 그리고 콩팥 과오종의 특징을 가진다. 이는 보통염색체 우성소질로 유전되고 염색체 1q24의 돌연변이에 의해 야기된다. 가족성저칼슘뇨증 고칼슘혈증(familial hypocalciuric hypercalcemia, FHH)과 신생아 중증 부갑상선기능항진증(neonatal severe hyperparathyroidism)의 증후군들은 염색체 3의 CaSR의 돌연변이의 결과로 일어난다.[35]

일차부갑상선기능항진증 환자들은 고칼슘혈증에 대

해 정상적으로 방어하는 적응 기전이 결핍되어 있다. 콩팥에 직접적인 영향과 비타민 D를 통한 장에서의 간접적인 작용을 갖는 PTH의 과분비는 소변과 장의 칼슘 손실에서 보상적인(compensatory) 증가가 발생되는 것을 막는다. 경증의 고칼슘혈증(11.5 mg/dL 이하) 상태에서는 칼슘은 콩팥에 의해 효율적으로 재흡수되고, 소변 칼슘 수치는 정상으로 남아 있다. 그러나 더욱 중증의 고칼슘혈증에서는 콩팥 세뇨관의 기전이 작동하지 못하여 고칼슘뇨증이 나타난다. 콩팥 세뇨관에서 인산염 재흡수의 감소는 증가된 소변 인산염 배설과 저인산염혈증을 초래한다. 또한 과도한 PTH분비는 감소된 소변 수소이온 배설과 증가된 중탄산염 배설을 초래하여 고염소혈증 산증(hyperchloremic metabolic acidosis)을 초래하는데 이는 혈중에서 이온화 칼슘 분율의 증가로 인하여 고칼슘혈증의 작용을 더욱 악화시킨다. FHH 또는 가족성 양성 고칼슘혈증은 무증상의 또는 경미한 증상의 고칼슘혈증, 저칼슘뇨증, 고마그네슘혈증, 그리고 정상 또는 낮은 PTH 수치를 특징으로 하는 아주 드문 상태이다. 이 질환은 출생 얼마 후 진단되는 표현형을 지닌 보통염색체 우성소질로 유전되고, 부갑상선은 보통 정상 크기이거나 약간 커져있다. 비록 FHH의 유전 침투도는 100%에 달하지만, 병에 걸린 개인들은 일반적으로 고칼슘혈증에 연관되어 이환되는 경우는 사실상 없다. FHH 환자들의 생리적, 생화학적 연구들은 칼슘에 대해 콩팥과 부갑상선 모두가 이상반응을 보인다. 비록 정확한 유전자 결함은 모르지만, 연관 분석은 대부분의 FHH 가족들의 질병 유전자 자리가 염색체 3의 장완(long arm)에 위치하고 한 가족에서는 FHH의 유전자 자리가 염색체 19p32에 유전자 지도화 되어 있음이 증명됐다. FHH의 발병에 기초할 때 부갑상선 설정점을 조절하고 세포외액 칼슘 농도를 조절하는 염색체 3의 CaSR 유전자에서 돌연변이가 나타난다.[35] FHH 환자들은 보통 무증상이고 부갑상선절제술로 정상 칼슘치로 환원되지 않는다. FHH는 낮은 24시간 소변 칼슘 배설을 보임으로써 일차 HPT와 구별될 수 있다. 신생아 중증 HPT는 매우 높은 혈청 칼슘 농도(>15 mg/dL)를 특징으로 하는 드물

고 생명을 위협하는 질환이다. 신생아 중증 부갑상선기능항진증이 있는 FHH 가족들의 유전자 분석은 염색체 3q2의 FHH 유전자 자리(교차비 > 350,000:1)와 밀접하게 연관된 보통염색체 열성 소질로 전달된다는 것을 알아냈다.[36] 중증 신생아 부갑상선기능항진증을 갖는 개인들은 FHH 돌연변이의 동종접합이고, 이형접합 돌연변이는 질병의 경한 형태와 관련되어 있다.

일차부갑상선기능항진증의 전형적인 증례는 고칼슘혈증, 저인산혈증, 콩팥의 인산염 문턱값(threshold)의 저하, 고칼슘뇨증, PTH 수치의 상승, 칼시트리올 농도의 상승, 그리고 콩팥성 cAMP의 분비 증강 등의 생화학적 소견으로 특징지어진다. 비록 일정하지는 않지만 다른 연관된 화학적 소견은 혈청 알칼리성 인산분해효소의 상승이다. 비록 고칼슘혈증이 전통적으로 HPT의 생화학적 지표의 하나였지만, 정상 혈청 칼슘농도인 일차부갑상선기능항진증도 충분히 입증된 예들이 있다.[37]

생화학적 선별검사의 광범위한 사용으로 일차부갑상선기능항진증 환자들의 대부분은 진단 당시 무증상이거나 있어도 경한, 비 특이적인 증상들(근육 약화 그리고 피로)인 경우가 많다. 증상이 있는 일차부갑상선기능항진증의 경우에는 전통적으로 콩팥 및 뼈 소견, 그리고 기타 장기 소견 등으로 나타난다.[38]

이들 소견 중 콩팥의 병리적 변화에 의한 소견이 가장 흔하고, 일차부갑상선기능항진증 환자들의 20~25%에서 일어난다. 콩팥 돌증(nephrolithiasis)은 모든 콩팥 관련 합병증에서 사실 상 대부분을 차지한다. PTH는 콩팥의 칼슘 흡수, 콩팥 인산염 배설, 그리고 1α-hydroxylase의 활성을 증가시킨다. 1α-hydroxylase는 그것의 활성화 형태인 비타민 D로 전환하고, 이는 장에서 칼슘 흡수를 증가시킨다. 흡수에 비해 과도하게 여과된 칼슘은 고칼슘뇨증과 칼슘 돌(calcium stone)의 소인이 되게 한다. 또한 HPT는 사구체 거름률(glomerular filtration rate)의 감소와 경한 대사성 산증을 일으킨다. 콩팥 석회화증(nephrocalcinosis)은 HPT의 드문 합병증이고 콩팥 세뇨관 부위와 실질에 광범위한 석회화가 있고, 이는 복부 단순촬영에서 확인할 수도 있으며[39] 이

들 콩팥 병변은 종종 고혈압을 일으킨다. 골격의 변화와는 대조적으로, 콩팥 병변들은 부갑상선 병변을 제거한 후에도 여전히 진행된다. 만약 칼슘-인산염 용해도 산물이 70을 넘으면, 연조직에 칼슘-인산염 결정의 축적으로부터 골격외의 석회화가 발생할 수 있다. 즉 석회 힘줄염(calcifictendinitis)과 관절통을 동반한 연골 석회화증(chondrocalcinosis)도 생길 수 있다.

일차부갑상선기능항진증의 뼈 소견은 콩팥에 이어 두 번째로 자주 나타난다. 낭성 섬유뼈염(osteitis fibrosa cystica), 갈색세포종양, 그리고 골절은 HPT가 있는 환자에서 과거에는 흔히 나타나는 변화였으나 현재는 거의 드물게 볼 수 있다. 낭성 섬유뼈염의 주요한 방사선적 소견은 집게손가락(index finger)의 끝마디뼈에서 가장 잘 보이는 골막하 뼈흡수이다. 골막하 미란(erosion) 발생을 볼 수 있는 다른 부위는 근위 정강뼈(proximal tibia)와 넙다리뼈(femur), 원위 빗장뼈(distal clavicle), 그리고 머리뼈(skull)를 포함한다. 그러나 일차부갑상선기능항진증이 일찍 발견되면 뼈의 변화는 골감소증 또는 전신 골격탈회 그리고 뼈 통증으로 나타나는 것이 대부분이다. 일차부갑상선기능항진증과 연관된 골감소증은 환자의 25%정도에서 발생하고 이는 골다공증과 척추 뼈와 다른 뼈의 골절의 장기적인 위험이 증가할 수 있다. 이 전신 골감소는 단순촬영에서는 잘 보이지 않지만, 뼈 밀도 측정으로 조기에 확인이 가능하다. 골밀도를 평가하기 위해 dexascan이 사용되고, 이 밀도의 변화는 전형적으로 허리뼈, 대퇴골 목, 그리고 요골 원위부에서 볼 수 있다. HPT는 해면뼈(trabecular bone) 보다 겉질뼈(cortical bone)에서 골밀도가 감소하고, 그러므로 원위부 요골이 가장 잘 이환된다. 골밀도는 T-점수로 보고되는데, 이는 정상에서부터의 표준편차로 밀도를 나타내고, T-점수 -2.5는 보통 HPT의 수술적 치료의 적응증의 기준으로 사용되기도 한다.[40]

HPT의 다른 장기에서의 병리적 변화에 의한 소견들은 고혈압, 소화궤양, 급성과 만성 췌장염, 그리고 정신 장애 등이 있다. 소화성궤양은 보통 샘창자(duodenum)에서 그리고 남성에서 더 흔하다.[41] 이는 과 항진된 부갑상선을 제거하면 종종 치유되는 것을 볼 수 있다.

드물게, 매우 높은 혈청 칼슘 수치 때문에 급성 위장관, 심장혈관, 또는 중추신경계통 증상들이 나타난다. 부갑상선 위기(parathyroid crisis)라고 일컬어지는 이 상태는 병적 부갑상선 또는 샘들을 빨리 제거하지 않으면 생명이 위험할 수도 있다.[42]

REFERENCES

1. O'leary JP, Tabuenca A. The Physiologic Basis of Surgery. 4th ed. Lippincott Williams & Wilkins; 2008.
2. Kumar V, Abbas AK, Fausto N, Aster JC. Robbins and Cotran Pathologic Basis of Disease. 8th ed. Saunders; 2010.
3. Brown EM, Gamba G, Riccardi D, Lombardi M, Butters R, Kifor O, et al. Cloning and characterization of an extracellular Ca2+-sensing receptor from bovine parathyroid. Nature; 1993. 366:575-80.
4. Brown E, Pollak M, Hebert SC. The extracellular calcium-sensing receptor: its role in health and disease. Annu Rev Med 1998;49:15-29.
5. Kifor O, Moore FD Jr, Wang P, Goldstein M, Vassilev P, Kifor I, et al. Reduced immunostaining for the extracellular Ca2+-sensing receptor in primary and uremic secondary hyperparathyroidism. J Clin Endocrinol Metab 1996;81:1598-606
6. Brown EM. The pathophysiology of primary parathyroidism. J Bone Miner Res 2002;17 (suppl2):N24-N29.
7. Organ, C. The history of parathyroid surgery, 1850-1996; the excelsior surgical society 1998 Edward D Churchill lecture. J Am Coll Surg 2000;191:284-99.
8. Stephen AE, Chen KT, Milas M, Siperstein AE. The coming of age of radiation-induced hyperparathyroidism: evolving patterns of thyroid and parathyroid disease after head and neck irradiation. Surgery 2004;136 (6):1143-53.
9. Hundley JC, Woodrum DT, Saunders BD, Doherty GM, Gauger PG. Revisiting lithium-associated hyperparathyroidism in the era of intraoperative parathyroid hormone monitoring. Surgery 2005;138 (6):1027-31.
10. Cetani F, Pardi E, Ambrogini E, Lemmi M, Borsari S, Cianferotti L, Vignali E, Viacava P, Berti P, Mariotti S, Pinchera A, Marcocci C. Genetic analyses in familial isolated hyperparathyroidism: implication for clinical assessment and surgical management. Clin Endocrinol 2006;64 (2):146-52.
11. Ramunson T, Tavelin B, Risk of parathyroid adenomas in patients with thyrotoxicosis exposed to radioactive iodine. Acta Oncol 2006;45:1059-61.
12. Miedlich S, Krohn K, Paschke R. Update on genetic and clini-

cal aspects of primary hyperparathyroidism. Clin Endocrinol 2003;59:539-554.

13. Black WC III, Utley JR. The differential diagnosis of parathyroid adenoma and chief cell hyperplasia. Am J Clin Pathol 1968;49: 761-775.

14. Haff RC, Black WC III, Ballinger WF II. Primary hyperparathyroidism. Changing clinical, surgical and pathological aspects. Ann Surg 1970;171:85-92.

15. Parfitt AM, Willgoss D, Jacobi J, et al. Cell kinetics in parathyroid adenomas: Evidence for decline in rates of cell birth and tumour growth, assuming clonal origin. Clin Endocrinol (Oxf) 1991;35:151.

16. Khosla S, Ebeling PR, Firek AF, et al. Calcium infusion suggests a "set-point" abnormality of parathyroid gland function in familial benign hypercalcemia and more complex disturbances in primary hyperparathyroidism. J Clin Endocrinol Metab 1993;76:715.

17. Sakaguchi K, Santora A, Zimering M, et al. Functional epithelial cell line cloned from rat parathyroid glands. Proc Natl Acad Sci USA 1987;84:3269.

18. Kebebew E, Duh QY, Clark OH. Parathyroidectomy for primary hyperparathyroidism in octogenarians and nonagenarians: A plea for early surgical referral. Arch Surg 2003;138:867.

19. Nygren P, Larsson R, Johansson H, et al. 1,25 (OH)2D3 inhibits hormone secretion and proliferation but not functional dedifferentiation of cultured bovine parathyroid cells. Calcif Tissue Int 1988;43:213.

20. Nygren P, Larsson R, Johansson H, et al. Inhibition of cell growth retains differentiated function of bovine parathyroid cells in monolayer culture. Bone Miner 1988;4:123.

21. Brandi ML, Aurbach GD, Fitzpatrick LA, et al. Parathyroid mitogenic activity in plasma from patients with familial multiple endocrine neoplasia type 1. N Engl J Med 1986;314:1287.

22. Arnold A. Molecular genetics of parathyroid gland neoplasia. J Clin Endocrinol Metab 1993;77:1108-1112.

23. Sherr CJ. Cancer cell cycles. Science 1996;274:1672-1677.

24. Karges W, Schaaf L, Dralle H, Boehm BO. Clinical and molecular diagnosis of multiple endocrine neoplasia type 1. Langenbecks Arch Surg 2002;386:547.

25. Bystrom C, Larsson C, Blomberg C, et al. Localization of the gene for multiple endocrine neoplasia type 1 to a small region within chromosome 11q13 by deletion mapping in tumors. Proc Natl Acad Sci USA 1990;87:1968.

26. Friedman E, de Marco L, Gejman PV, et al. Allelic loss from chromosome 11 in parathyroid tumors. Cancer Res 1992;52:6804.

27. Friedman E, Sakaguchi K, Bale AE, et al. Clonality of parathyroid tumors in familial multiple endocrine neoplasia type 1. N Engl J Med 1989;318:213.

28. Friedman E, Bale AE, Marx SJ, et al. Genetic abnormalities in sporadic parathyroid adenomas. J Clin Endocrinol Metab 1990;71:293.

29. Juhlin C, Rastad J, Klareskog L, et al. Parathyroid histology and cytology with monoclonal antibodies recognizing a calcium sensor of parathyroid cells. Am J Pathol 1989;135:321.

30. Arnold A, Staunton CE, Kim HG, et al. Monoclonality and abnormal parathyroid hormone genes in parathyroid adenomas. N Engl J Med 1988;318:658.

31. Arnold A, Brown M, Urena P, et al. X-inactivation analysis of clonality in primary and secondary parathyroid hyperplasia [Abstract]. J Bone Miner Res 1992;7 (Suppl 1):S153.

32. Falchetti A, Bale AE, Amorosi A, et al. Progression of uremic hyperparathyroidism involves allelic loss on chromosome 11. J Clin Endocrinol Metab 1993;76:139.

33. Kramer R, Bolivar I, Golzman D, et al. Influence of calcium and 1,25-dihydroxycholecalciferol on proliferation and proto-oncogene expression in primary cultures of bovine parathyroid cells. Endocrinology 1989;125:235.

34. Shattuck TM, Valimaki S, Obara T, et al. Somatic and germ-line mutations of the HRPT2 gene in sporadic parathyroid carcinoma. N Engl J Med 2003;349:1722-1729.

35. Pollak MR, Brown EM, Wu Chow YH, et al. Mutations in the human Ca2+ sensing receptor gene cause Familial hypocalciuric hypercalcemia and neonatal severe hyperparathyroidism. Cell 1993;75:1297-1303.

36. Brown EM. Familial hypocalciuric hypercalcemia and other disorders with resistance to extracellular calcium. Endocrinol Metab Clin North Am 2000;29:503-522.

37. Wills MR. Normocalcaemic primary hyperparathyroidism. Lancet 1971, 1: 849-853.

38. Silverberg SJ, Shane E, Jacobs TP, Siris E, Bilezikian JP. A 10-year prospective study of primary hyperparathyroidism with or without parathyroid surgery. N Engl J Med 1999, 341: 1249-1255.

39. Ahmad R, Hammond JM. Primary, secondary, and tertiary hyperparathyroidism. Otolaryngol Clin North Am 2004;37:701-713.

40. AACE/AAES Task Force on Primary Hyperparathyroidism. The American Association of Clinical Endocrinologists and the American Association of Endocrine Surgeons position statement on the diagnosis and management of primary hyperparathyroidism. Endocr Pract 2005;11:49-54.

41. Paloyan E, Lawrence AM. The rationale for subtotal parathyroidectomy. In Varco RL, Delaney JP (eds): Controversy in surgery. Philadelphia, 1976, W.B. Saunders.

42. MacLeod WAJ, Holloway CK. Hyperparathyroid crisis. A collective review. Ann Surg 1967, 166: 1012-1015.

일차부갑상선기능항진증의 진단

Diagnosis

| 건양대학교 의과대학 외과 **윤대성**

일차부갑상선기능항진증은 고칼슘혈증을 일으키는 주요 내분비 질환으로 알려져 있으며 1970년대 초 혈청 자동 분석기를 이용한 칼슘 측정이 보편화 되면서 발견 빈도가 증가하고 있다.[1] 발생 빈도는 외국문헌에서 약 인구 10만 명당 25예 정도로 보고되며[2] 우리나라의 발생 빈도에 관한 정확한 통계는 없으나 1963년 첫 증례보고[3] 이후 증가하고 있다.[4] 원인이 다양하고, 부갑상선의 해부적 위치의 다양성 때문에 정확한 진단이 치료의 효과를 높이는 데 중요하다. 특히 고칼슘혈증을 일으키는 질환들과의 감별진단이 필수적이다(표 55-1). 일차부갑상선기능항진증은 외래환자에서 고칼슘혈증의 가장 흔한 원인인 반면 악성종양은 입원환자에서 고칼슘혈증의 가장 흔한 원인이다.[5] 일차부갑상선기능항진증은 다양하며 비특이적인 임상증상을 보여 검사실 소견과 영상의학적 검사를 통해 진단된다.

1. 임상증상

일차부갑상선기능항진증의 대표적인 증상으로는 골 증상, 요로계 결석, 위궤양, 췌장염, 신경계증상 등이 있다.[6] 이러한 증상들이 나타나기 전 초기 단계를 무증상 부갑상선기능항진증(asymptomatic hyperparathyroidism)이라고 하는데, 피로감, 복통, 고혈압의 악화, 우울증, 성격변화 및 불안감 같은 비특이적인 증상들이 나타난다(표 55-2).[7] 국내의 보고에서도 최근 들어 우연히 발견되는 비율이 증가하고 있다.[4]

표 55-2 | 일차부갑상선기능항진증의 증상 및 연관 질환

증상	연관 질환
• 피로	• 신석증
• 탈진	• 혈뇨
• 쇠약	• 골절
• 다음증(多飮症)	• 통풍
• 다뇨증	• 관절부종
• 야뇨증	• 체중감소
• 골통	• 십이장궤양
• 요통	• 위궤양
• 변비	• 췌장염
• 우울증	• 고혈압
• 기억손실	
• 관절통	
• 식욕감퇴	
• 구획	
• 가슴쓰림	
• 가려움	

표 55-1 | 고칼슘혈증의 감별질환

- 일차부갑상선기능항진증
- 악성종양
- 육아종성 질환 – 사르코이드증, 결핵, 베릴륨증독증
- 내분비 질환 – 애디슨병, 갑상선기능항진 및 저하증, 갈색세포종, 혈관작용작자펩티드종양
- 가족성저칼슘뇨증고칼슘혈증
- 약물 – 티아자이드 이뇨제, 칼슘 보충제, 리튬(lithium), Vit. D, Vit. A
- 우유알카리증후군
- 부동(immobillization)

피로, 쇠약, 탈진, 다음증(polydipsia), 다뇨증, 야뇨증, 관절통, 골통, 변비, 우울증, 식욕부진, 구획, 가슴쓰림, 신석이나 혈뇨와 같은 연관 증상들이 흔하며, 특히 피로, 골통과 체중 감소만이 고칼슘혈증의 중증도와 연관되어 있다.[8] 젊은 환자일수록 피로나 무기력감과 같이 비특이적인 증상을 나타내는 경향이 많다.[9]

일차부갑상선기능항진증을 가진 환자들은 골절, 근력의 약화 및 심혈관계 질환의 발생률이 증가된 것으로 보고되었다.[10,11]

일차부갑상선기능항진증의 흔한 증상은 아니지만 띠 모양 각막병증(band keratopathy), 눈의 보우만씨 막에 칼슘의 침착[12]과 섬유-뼈 턱 종양(fibro-osseus jaw tumor)[13]을 보일 수 있다. 14 mg/dL 이상의 고칼슘혈증을 보이는 부갑상선기능항진증을 제외하고는 종양이 촉지되는 경우가 흔치 않으며, 부갑상선암은 30~50%에서 촉지된다.[14]

2. 검사실 소견

일차부갑상선기능항진증의 생화학적 지표로는 혈중 칼슘 농도의 증가와 혈중 PTH (parathyroid hormone) 수치의 증가이며, 고칼슘혈증을 보이는 다양한 질환과 일차부갑상선기능항진증의 여러 원인들을 감별하고, 특히 수술의 적응증을 제시하기 위해, 혈청 칼슘, 24시간 요중 칼슘 배설, 혈청 염소농도, 혈청 염소이온 대 인산의 비, 혈청 알칼리성 인산분해효소, 세뇨관 인 재흡수율, 산-염기 상태, BUN/Cr, 크레아틴 청소율, 혈청 단백질 전기영동 등을 측정할 수 있다.[15] Two-site PTH나 iPTH (intact parathyroid hormone) 분석은 부갑상선 이외의 암에서 분비되는 가장 흔한 펩티드인 PTHrP (PTH-related peptide)와 교차반응을 하지 않기 때문에 고칼슘을 보이는 전이성 유방암의 감별 진단으로 가장 좋은 방법이다.[16] 혈중 산-염기평형 조사에서 부갑상선기능항진증 시 고염소성 대사성 산혈증(hyperchloremic metabolic acidosis)을 보이나 저칼륨성 저염소성 알칼리혈증(hypokalemic hypochloremic alkalosis) 시에는 원인 중에 악성 종양의 가능성을 고려해야 한다. 종양으로부터 배출되는 정맥뿐만 아니라 경부와 종격동의 정맥의 iPTH에 대한 선택적 정맥도관삽입술은 고칼슘혈증이 종양에 의한 것인지 공존하는 일차부갑상선기능항진증에 의한 것인지 밝혀내는데 유용하다.[17] 상염색체우성(autosomal dominant inheritance)으로 유전이 되며, 칼슘에 반응하

표 55-3 | 가족성저칼슘뇨증고칼슘혈증과 일차부갑상선기능항진증 비교

	가족성저칼슘뇨증고칼슘혈증	일차부갑상선기능항진증
나이	< 40	> 50
성별	남=여	주로여성
증상	칼슘과 무관함	칼슘과 연관성
혈청 칼슘(알부민-보정, mmol/L)(2.2-2.5)	2.55~3.5	2.55~4.5
iPTH(pmol/L)(1.5-6.83)	참고치 내(0.9~11.0; 중간값 3.0)	참고치이상(2.5~84.5;중간값 8.2)
혈청 마그네슘(mmol/L)(0.65-1.05)	높은 경향(0.78~1.18; 중간값 0.94)	낮은 경향(0.34~1.03; 중간값 0.84)
혈청 Vit. D(pmol/L)(4.8-52.8)	참고치내(54~134; 중간값 87)	종종 상승(62~212; 중간값 105)
혈청 칼슘대 크레아티닌의 청소율	대부분 < 0.01	대부분 > 0.02

는 수용체 유전자(calcium-sensing receptor gene, CASR)의 돌연변이에 대해 이형접합체를 가지고 있는 가족성저칼 슘뇨증고칼슘혈증(Familial hypocalciuric hypercalciemia, FHH)은 혈중 칼슘과 iPTH가 같이 증가되어있으나 부 갑상선절제술에 대한 이득이 없기 때문에 감별 진단이 필요하다. FHH는 24시간 소변의 칼슘 배출양이 100 mg 미만이며, 혈청 칼슘대 크레아티닌의 청소율은 보통 0.01 이하이지만 일차부갑상선기능항진증에서는 0.02 이상인 것이 전형적이다(표 55-3).[18]

일차부갑상선기능항진증에서 종종 혈중 인 수치가 낮거나 정상범위의 낮은 부분에 속하며 염소 대 인의 비 율이 증가되는 것을 볼 수 있으며, 경한 과염소혈증성 대사성 산증도 보일 수 있으며, 요산 증가는 관찰되나, 알칼리성 인산분해효소 증가는 뚜렷하지 않다.[19,20]

일차부갑상선기능항진증이지만 혈청 칼슘이 정상인 경우 대부분은 신석이나 골다공증으로 발견되는데 비타 민 D 부족, 저알부민혈증, 췌장염, 인산염 섭취 증가, 과 다한 수분 섭취상태인 경우이다.[21] 정상 혈청 칼슘 수 치를 보이는 부갑상선기능항진증은 증가된 이온화된 칼 슘 수치와 상관없이 증가된 총 PTH로 진단된다.

3. 영상의학적 소견

일차부갑상선기능항진증 환자의 수부 방사선 촬영에서 중간과 원위부 손가락뼈에서 뼈막밑 뼈흡수가 잘보인다. 중증의 일차부갑상선기능항진증에서 볼 수 있는 골격계 에 발생하는 다른 소견에는 뼈낭종(bone cysts), 파골세포 종(osteoclastoma), 병적골절 그리고 전반적인 광물제거 (demineralization) 등이 있다. 두개골에서는 안쪽과 바깥 쪽 피질층이 손실됨으로써 작은 얼룩들이 보이거나 간 유리 모양으로 나타나기도 한다.[22] 단순 복부 촬영이나 복부 초음파에서는 신장 결석이 관찰되기도 한다.

골밀도 검사는 주로 요골 원위부의 피질 부위에서 뼈 의 손실을 보이며, 요추와 같이 해면뼈로 이루어진 곳 의 골밀도는 비교적 유지가 된다. 폐경기 여성에서는 요 추가 뼈 무기질 손실의 주요 표적이 된다. T-score가 2.5 SD 미만이면 수술의 적응증이 되며 골밀도는 부갑상선 절제술 후 1년 내에 호전이 될 수 있다.[23]

임상적으로 일차부갑상선기능항진증을 진단 및 확진 위해 국소화 검사방법인 초음파, sestamibi 스캔, MRI, CT를 이용하지만 일차부갑상선기능항진증은 대사에 관 련된 검사로 진단되며, 위와 같은 국소화 검사 방법은 종종 종양의 위치확인을 위해 사용할 뿐 진단을 할 수는 없다.[24]

REFERENCES

1. Mazzaglia PJ, Berber E, Kovach A, Milas M, Esselstyn C, Siperstein AE. The Changing Presentation of Hyperparathyroidism Over 3 Decades. Arch Surg 2008;143(3):260-6.
2. Bilezikian JP, Silverberg SJ. Clinical practice. Asymptomatic primary hyperparathyroidism. N Engl J Med 2004;350:1746-51.
3. Park BM, Chu CB. A case of primary hyperparathyroidism. J Korean Surg Soc 1963;6(6):391-5.
4. Kwon WI, Jang MC, Noh DY, Youn YK, Oh SK. Primary Hyperparathyroidism: A 26-year Experience at Seoul National University Hospital Korean. J Endocrine Surg 2007;7:147-54.
5. Clark OH, Duh QY. Primary hyperparathyroidism. A surgical perspective. Endocrinol Metab Clin North Am 1989;18:701.
6. Inaba M, Ishikawa T, Imanishi Y, Ishimura E, Nakatsuka K, Morii H, et al. Pathophysiology and diagnosis of primary hyperparathyroidism -strategy for asymptomatic primary hyperparathyroidism. Biomed & Pharmacother 2000;54 Suppl 1:7-11.
7. Roman SA, Sosa JA, Mayes L, Desmond E, Boudourakis L, Lin R. et al. Parathyroidectomy improves neurocognitive deficits in patients with primary hyperparathyroidism Surgery 2005;138:1121-9.
8. Clark OH, Wilkise W, Siperstein AE, Duh QY. Diagnosis and management of asymptomatic hyperparathyroidism: Safety, efficacy, and deficiencies in our knowledge. J Bone Miner Res 1991;6;S135.
9. Loh KC, Duh QY, Shoback D, Gee L, Speiperstein A, Clark OH. Clinical Profile of primary hyperparathyroidism in adolescents and young adults. Clin Endocrinol 1998;48;435-43.
10. De Geronimo S, Romagnoli E, Diacinti D, D'Erasmo E, Minisola S. The risk of fractures in postmenopausal women with primary hyperparathyroidism. Eur J Endocrinol 2006;155(3):415-20.

11. Lind L, Jacobsson S, Palmér M, Lithell H, Wengle B, Ljunghall S. Cardiovascular risk factors in primary hyperparathyroidism: a 15-year follow-up of operated and unoperated cases. J Intern Med 1991;230(1):29-35.

12. Klaassen-Broekema N, van Bijsterveld OP. Limbal and corneal calcification in patients with chronic renal failure. Br J Ophthalmol 1993;77(9):569-71.

13. Iacobone M, Masi G, Barzon L, Porzionato A, Macchi V, Ciarleglio FA, et al. Hyperparathyroidism-jaw tumor syndrome: a report of three large kindred. Langenbecks Arch Surg 2009;394(5):817-25.

14. Kebebew E. Parathyroid carcinoma. Curr Treat Options Oncol 2001;3:347.

15. Heath DA. Primary hyperparathyroidism: clinical presentation and factors influencing clinical management. Endocrinol Metab Clin North Am 1989;18:631-46.

16. Budayr AA, Nissenson RA, Klein RF, Pun KK, Clark OH, Diep D. et al. Increased serum levels of a parathyroid hormone-like protein in malignancy-associated hypercalcemia. Ann Intern Med 1989;15;111(10):807-12.

17. Strewler GJ, Budayr AA, Clark OH, Nissenson RA, Production of parathyroid hormone by a nmalignant nonparathyroid tumor in a hypercalcemic patient. J Clin Endocrinolo Metab 1993;76:1373.

18. Woo SI, Song H, Song KE, Kim DJ, Lee KW, Kim SJ et al. A case report of familial benign hypocalciuric hypercalcemia: a mutation in the calcium-sensing receptor gene. Yonsei Med J 2006;30;47(2):255-8.

19. Fraser WD. Hyperparathyroidism. Lancet 2009;11;374(9684):145-58.

20. Duh QY, Morris RC, Arnaud CD, Clark OH. Decrease in serum uric acid level following parathyroidectomy in patients with primary hyperparathyroidism. World J Surg 1986;10:729.

21. Siperstein AE, Shen W, Chan AK, Duh QY, Clark OH. Normocalcemic hyperparathyroidism. Biochemical and symptom profiles before and after surgery. Arch Surg 1992;127(10):1161-3.

22. Cooper KL. Radiology of metabolic bone disease. Endocrinol Metab Clin North Am 1989;18(4):955-76.

23. Abdelhadi M, Nordenström J. Bone mineral recovery after parathyroidectomy in patients with primary and renal hyperparathyroidism. J Clin Endocrinol Metab 1998;83(11):3845-51.

24. Arici C, Cheah WK, Ituarte PH, Morita E, Lynch TC, Siperstein AE, Duh QY, Clark OH. Can localization studies be used to direct focused parathyroid operations? Surgery 2001;129(6):720-9.

치료하지 않은 일차부갑상선기능항진증의 자연사, 무증상 일차부갑상선기능항진증

Natural History of Untreated Primary Hyperparathyroidism, Asymptomatic Primary Hyperparathyroidism

| 충남대학교 의과대학 외과 **김제룡**

1. 치료하지 않은 일차부갑상선기능항진증의 자연사

1) 역학

일차부갑상선기능항진증(HPT)의 유병률에 대한 역학적 자료는 드물다. 스웨덴 인구를 대상으로 한 부검에서 부갑상선 선종이 2.4%, 미세결절성 주세포 증식(micronodular chief cell hyperplasia)으로 나타난 무증상 질환이 7%인 것으로 조사되었다.[1]

부갑상선 질환에 대한 유병률 자료는 조사군의 연령 및 고칼슘혈증의 결정치에 따라 달라질 수 있으며, 고칼슘혈증에 대한 정확한 검진을 위해서는 반복적인 혈청 칼슘치의 측정이 필요하다.[2-4] 스웨덴 Stockholm County에서 20~63세의 고용인을 대상으로 실시된 건강 검진에서는 혈청 칼슘치 2.65 mmol/L (10.6 mg/dL) 초과를 고칼슘혈증으로 규정하여 반복적인 혈청 칼슘치를 측정하였으며, 그 결과 부갑상기능항증에 의한 것으로 추정되는 고칼슘혈증의 전체 유병률은 0.4~0.6%(50세 초과 남성 0.3%, 여성 1.0%)로 조사되었다.[2] Gävle County에서 반복된 두 번의 혈청 칼슘 측정값이 2.60 mmol/L 초과를 고칼슘혈증으로 규정하여 2년 간 16,401명을 대상으로 실시한 건강 검진에서는 고

칼슘혈증의 유병률이 전체의 1%(남자 0.3%, 여자 1.6%, 60세 초과 여성 3%)인 것으로 조사되었고 이 중 대다수가 부갑상선기능항진증을 가진 것으로 추정되었다.[4] 유방촬영과 병행하여 혈청 칼슘치를 측정한 또 다른 검진에서 평균 연령 59세의 폐경기 후 여성의 부갑상선기능항진증 유병률은 2.2%인 것으로 조사되었다.[5] 여러 조사를 종합했을 때 폐경 후 여성에서 부갑상선기능항진증의 유병률은 2.0% 이상인 것으로 추정된다.

선종의 경우 혈청 칼슘치가 현저하게 상승되는 것이 일반적이지만 일부 환자에서는 경계성 고칼슘혈증이 나타나기도 한다.[1] 확실한 증상과 기능 이상을 동반한 임상적 부갑상선 질환이 있는 반면 무증상 부갑상선 질환이 있을 수 있다. 무증상의 경계성 고칼슘혈증 환자에 대한 부갑상선 수술 시 미세결절성 증식이나 작은 선종의 발생 빈도가 점차 증가함으로 인해 일차부갑상선기능항진증의 임상적 치료 지침을 결정함에 있어 문제가 대두되고 있다.[6, 7] 스웨덴과 미국의 최근 검진 자료나 병원 통계를 보더라도 일차부갑상선기능항진증 환자의 약 10%만이 수술을 시행하는 것으로 보고되고 있다.[4, 8] 높은 유병률을 고려하였을 때 무증상 혹은 경미한 증상의 합병증을 동반하지 않은 일차부갑상선기능항진증에 대한 수술이 환자에게 이득이 있는지, 그런 환자가 수술 없이 안전하게 관리될 수 있을지에 대한 면밀한 연구가 필요할 것이다.

2) 건강 검진에서 발견된 고칼슘혈증의 추적관찰

Stockholm 건강 검진에서 고칼슘혈증을 가진 환자를 정상칼슘혈증의 대조군과 10년간 추적관찰한 결과, 혈청 칼슘 치는 변화가 없었으나 대조군과 비교했을 때 초기 검진 시 관찰된 수축기, 이완기 혈압의 유의한 상승이 추적관찰 기간 동안 지속된 것으로 조사되었다.

Gävle 건강 검진의 고칼슘혈증군과 정상칼슘혈증군 간의 추적관찰에서도 고칼슘혈증군의 혈청 칼슘 치는 급격한 상승 없이 유지되었다.[4] 하지만 14년간의 추적관찰에서 정상칼슘혈증의 대조군에 비해 수축기, 이완기 혈압, 혈청 요산 치의 유의한 상승 소견 및 혈당과 콜레스테롤 치의 상승 경향을 보였다. 또한 생존율의 유의한 감소가 관찰되었는데 이는 초기 검진으로부터 5년이 지난 시점부터 현저한 차이를 보였다. 생존율의 유의한 차이는 70세 이하의 연령군에서 관찰되었고 70세 초과 연령군에서는 없었다.[9] 고칼슘혈증군에서의 사망률 증가는 심혈관계 질환과 관련된 경우가 많았으며 고칼슘혈증 위기(Hypercalcemic crisis), 신부전 혹은 고칼슘혈증과 직접적으로 연관된 경우는 없었다.[9] 25년 추적관찰에서 고칼슘혈증은 점차 정상화되는 경향을 보였으나 생존율은 대조군과 비교하여 감소되는 추세였다.[10]

이상에서 언급한 연구 결과를 볼 때 경계성 고칼슘혈증을 보이는 일차부갑상선기능항진증에서 고칼슘혈증이 심해지거나 신장 기능에 이상이 초래될 위험도는 낮다. 하지만 무증상 신장 기능 저하와 이로 인한 활성 비타민 D의 감소로 인해 심혈관계 질환의 발생 가능성과 사망률의 증가가 초래될 수 있음은 인지하여야 한다.[11]

3) 임상적으로 발견된 일차부갑상선기능항진증의 보존적 추적관찰

일차부갑상선기능항진증으로 진단된 환자를 수술하지 않고 보존적 경과 관찰을 한 경우 증상이 심해지거나 합병증이 발생한 경우는 4.9~57.1%로 다양하게 보고되고 있으나 대부분의 경우 대상 환자가 적고 무증상 환자만을 대상으로 한 연구 결과가 아니기 때문에 일차부갑상선기능항진증의 자연사를 규명하고 증상 악화 및 합병증 발생의 위험 인자를 파악하기에 제한점이 있다.[12-22]

Mayo Clinic에서 무증상 일차부갑상선기능항진증 환자를 대상으로 시행한 10년간의 전향적 연구 결과에서 합병증의 발생 빈도는 수술을 시행하지 않은 환자만을 대상으로 했을 때 12.5% (3/24), 수술 환자를 포함했을 때 44.0% (33/75)로 보고되었다. 합병증 중에는 혈청 칼슘치 상승이 가장 많았고 (10.0%), 그 외 신장 기능 악화, 신 결석, 골 병변, 신경정신과적 장애순이었다.[12, 13]

보존적 치료를 시행한 환자에서 혈청 칼슘 혹은 크레아티닌, 요중 칼슘 배설량 등의 생화학적 지표나 골밀도 등은 대부분 안정적인 것으로 보고되었고 치명적이거나 급속하게 악화되는 경우는 드물었다. 하지만 일부에서는 진단 당시 경미한 고칼슘혈증의 무증상 환자에서 혈청 칼슘 치가 급속하게 상승하여 "parathyroid crisis"를 초래한 경우가 보고된 바 있고,[23] 이를 예측할 수 있는 인자가 규명되지 않은 상태이기 때문에 수술을 시행하지 않을 경우 세심한 경과 관찰 - 적어도 2년마다 혈청 칼슘, 요중 칼슘 배설량 및 골밀도 검사 - 이 필요하다.[22, 24] 또한 젊은 연령의 환자 혹은 폐경기 여성의 경우 진행성 경로를 보이는 경우가 많고 신장 기능 손상의 경우 비가역적일 수 있기 때문에 보존적 경과 관찰보다는 수술을 시행하는 것이 바람직하다.[13, 22] 일반적으로 보존적 경과 관찰은 합병증을 동반하지 않은 무증상 혹은 경미한 일차부갑상선기능항진증 환자에서 경계성 고칼슘 혈증(혈청 칼슘 증가치가 2.75~2.85 mmol/L 혹은 11.0~11.4 mg/dL 미만)을 보이는 경우에 적합한 것으로 알려져 있다.

4) 증상의 진행

부갑상선기능항진증의 임상증상은 일반적으로 고칼슘

혈증의 정도와 연관되는 경향이 있으나 병의 진행 경과, 개인적 감수성, 성(gender) 및 연령에 따라 달라질 수 있다.[25]

신결석의 경우 젊은 남성에서 많으며 경미한 고칼슘혈증에서도 발생할 수 있다. 고칼슘혈증의 정도보다 개인적인 감수성이 크게 작용하며 환자의 병력을 통해 파악할 수 있다. 폐경기 이후 여성에서는 5% 미만으로 드물다.

낭성 섬유 골염(osteitis fibrosa cystica)은 심한 고칼슘혈증에서 발생하는 드문 소견이다. 일차부갑상기능항진증 환자에서는 피질골(cortical bone)의 골밀도가 평균 20% 정도까지 감소되며 이러한 골결손은 폐경기 이후 여성에서 - 특히 혈청 칼슘 2.74 mmol/L 초과인 경우 - 가장 두드러져서 여성에서의 가장 중요한 수술 적응증이다.[22, 26] 골밀도는 요골 원위부, 고관절, 요추 부위에서 측정하며, 골절의 위험은 척추, 하지 원위부 및 전완부에서 흔하다.[27, 28]

일차부갑상선기능항진증을 가진 폐경기 이후 여성에서는 피곤감, 기면(lethargy), 무력증을 동반한 신경정신과적 장애가 가장 흔한 특징이다. 최고령층에서는 심각한 고칼슘혈증 없이도 정신 착란의 형태로 나타날 수 있으며 수술의 적응증이다.

신부전은 드문 합병증이지만 경미한 고칼슘혈증 환자의 1/3 이상에서 크레아티닌 제거(creatinine clearance)와 요농축능력의 감소가 발생한다.[26] 크레아티닌 제거의 감소는 수술 적응증이 된다.[27]

일차부갑상선기능항진증 환자에서 정상 인구에 비해 고혈압이 2배 정도 많이 발생하며 신기능 장애가 동반될 경우 더 심하게 나타나지만 고칼슘혈증의 정도와는 비례하지 않는다.[26] 오랜 기간 지속된 심각한 부갑상선기능항진증은 신기능 장애를 초래할 수 있으며 이로 인한 활성 비타민 D의 감소는 심혈관계 질환을 유발할 수 있다. 고혈압과 함께 이러한 심혈관계 질환은 일차부갑상선기능항진증 환자의 생존율 감소에 중요한 요인이 된다.[10, 11] 일차부갑상선기능항진증 초기에 수술을 시행할 경우 생존율을 향상시킬 수 있지만 수술 자체가 고혈압을 호전시키지는 못한다.[26]

2. 무증상 일차부갑상선기능항진증

일차 혹은 원발부갑상선기능항진증은 부갑상선호르몬의 과다 분비로 인해 발생하는 고칼슘혈증을 특징으로 하는 질환으로 그 특징적인 증상은 시대에 따라서 변화해 왔다. 과거로부터 잘 알려진 이 질환의 3대 증상인 낭성섬유뼈염(osteitis fibrosa cystica)으로 인한 뼈의 통증, 고칼슘혈증으로 인해 신장에 발생하는 신결석, 위장관 및 췌장에 발생하는 염증에 의한 복통 이외에 혈청칼슘 측정에 의해 진단된 질환에서 보이는 비전형적인 증상들 즉, 피로, 근육신경계 통증 및 증상, 소화불량 및 관련 증상, 우울증과 기억력 감소 등의 정신적 증상까지 매우 다양하고 미미한 증상까지 나타난다. 최근에 진단되는 일차부갑상선기능항진증 환자에서 전형적인 증상을 보이는 경우는 매우 드물어 뼈의 통증은 3% 이하에서만 나타나고, 신결석은 15~20% 환자에서만 확인되며 나머지 대부분의 환자에서는 비전형적인 증상을 보인다.[27]

일차부갑상선기능항진증의 치료 원칙은 수술로써 병소를 제거하는 것이다. 그러나 모든 부갑상선기능항진증 환자들이 수술로 도움을 받는 것은 아니기 때문에 수술의 적응증을 결정하는 것은 매우 중요한 문제이다. 증상이 있는 경우 수술을 시행하는 것에는 이견이 없으나 증상이 없는 경우에 수술을 시행하는 것에는 이견이 있어 이에 대한 논란이 지속되고 있다.

이번 장에서는 증상이 없는 일차부갑상선기능항진증의 특성을 확인하고 적절한 치료에 대하여 논하고자 한다.

1) 정의

무증상 일차부갑상선기능항진증의 정의는 전형적인 증

상으로부터 비특이적이고 모호한 증상까지 매우 다양한 증상 때문에 무증상 질환의 판단 기준이 혼란스러울 수 있다. 현재까지 정리된 무증상 판단 기준 중에서 가장 널리 인정되고 있는 정의는 미국 국립보건원(NIH, National institute of health)의 합의 회의에 의한 것이다. 1990년 미국 국립보건원과 국립당뇨소화기신장질환연구원(NIDDK, National Institute of Diabetes and Digestive and Kidney Diseases)은 무증상 일차부갑상선기능항진증의 진단 및 치료에 대한 합의 도출을 위한 회의를 개최하였다.[27] 이 모임에서 일차부갑상선기능항진증의 전형적인 증상인 심각한 뼈, 신장, 소화기 및 근육신경계 증상을 보이는 경우를 증상이 있다고 판단하였고, 전형적인 증상 없이 이 질환과 관련이 불분명한 비특이적이고 모호한 증상이 있는 경우를 무증상이라고 판단하였다. 2002년에 개최된 회의에서도 일차부갑상선기능항진증의 증상에 대한 정의에 변화는 없었으며, 비특이적인 증상인 허약감, 피로감, 우울증, 지적 권태감, 수면증가 등의 신경정신 증상이 수술 후 호전될 수 있다는 보고에 대하여 현재까지 이러한 결과를 수술 전에 예측할 수 없기 때문에 이러한 증상을 수술의 적응증으로 인정하지 않았다.[28]

2) 자연 경과

1990년 NIH 합의 회의의 기준에 따라 진단된 무증상 부갑상선기능항진증을 수술군와 대조군으로 나누어 10년간 추적 조사한 전향적 연구결과[4]에 의하면 수술적 치료군에서는 혈청검사 및 골밀도 검사치가 모두 정상화된 반면에 대조군에서는 73%가 변화가 없었지만 27%에서는 질환이 악화되는 결과를 보였다. 한편 증상이 있었던 환자군에서는 수술적 치료로 모든 환자가 혈청검사 및 골밀도검사에서 정상화된 반면 수술을 받지 않았던 모든 환자는 질환이 악화되었다. 이 결과는 2002년 NIH 합의에 영향을 미쳤고 개정된 수술의 적응증은 아래와 같다.

3) 수술적 치료

2002년 NIH 합의회의 결과에 따르면 무증상 부갑상선기능항진증의 치료는 부갑상선절제술이 유일한 부갑상선기능항진증의 치료법이고, 이를 통하여 질환의 증상을 없앨 수 있고, 95% 이상 대부분 환자에서 생화학적 이상을 교정할 수 있다.[28] 증상이 있는 환자에 대한 부갑상선절제술의 필요성에 대한 논란은 없다. NIH에서 결정한 다른 기준은 무증상인 환자 중에서 고칼슘혈증(혈청 칼슘치가 최고정상치보다 1.0 mg/dl 초과), 고칼슘뇨증(1일 소변 칼슘배출량 400 mg 초과), 크레아틴 청소율 감소(30% 이상 감소), 골밀도감소(척추, 대퇴골두, 요골의 골밀도 중에서 t-score가 -2.5 미만)이며, 50세 이전 환자에 진단된 경우에는 부갑상선기능항진증으로 최종 장기에서의 합병증이 발생할 위험성이 높기 때문에 수술이 필요한 것으로 결정하였다. 일부에서는 추가로 척추 골감소증, 비타민 D 결핍, 최근 골절 경험, 폐경에 가까운 여성들도 수술적 치료의 적응증에 포함시키기도 하지만 치료 적응증으로 합의에 이르지는 못 하고 있다.

4) 비수술적 치료

2002년 NIH 합의에 따르면 일차부갑상선기능항진증의 약물 치료는 효과가 없는 것으로 정리되었다.[28] 다만 폐경후 여성에서 에스트로겐 치료는 부갑상선기능항진증이 없는 환자에서도 추천되기 때문에 사용될 수 있으며, 랄록시펜, 비스포스포네이트, 칼슘유사제 등의 약제는 아직까지 치료효과가 입증되지 않은 것으로 추가 연구 결과가 필요한 상황이며, 음식 중 칼슘과 비타민 D의 섭취는 충분하게 하루권장량에 따를 것을 강조하고 있다.

일차부갑상선기능항진증 환자에 대한 경과 관찰 연구[29]에서 무증상이었던 52명 중에서 38명(73%)은 10년 경과 관찰 후에도 질환의 진행 소견이 없었고 14명(27%)에서만 질환이 진행하였다. 이 연구에서 무증상 일차부갑상선기능항진증 환자의 약 3/4이 골밀도 및 신기능 추적검사에서 진행되지 않는 것으로 확인되었으나, 이 연구는 NIH 기준에 따라서 무증상 환자의 판단 기준을 전형적인 증상으로만 한정하여 비특이적 증상의 변화에 대한 결과를 확인하지 못한 단점이 지적되고 있다. 따라서 경미하고 비특이 증상을 보이는 일차부갑상선기능항진증 환자에 대한 적절한 치료에 대해서는 부갑상선 절제술로 질환의 여러 생리적인 변수뿐만 아니라 환자의 편안함과 건강 상태의 향상을 보이므로 적극적인 치료을 해야 한다는 주장과 대부분 진행되지 않기 때문에 주의깊은 경과 관찰만으로 충분하다는 주장이 팽팽히 맞서고 있다. 무증상 일차부갑상선기능항진증의 치료에 대한 이러한 논란은 전형적인 증상과 비전형적인 증상 모두를 포함하는 무작위 연구로 생리적인 변수와 환자의 건강과 관련된 삶의 질에 대한 조사가 이루어져 그 결과가 나올 때까지는 계속될 것으로 생각된다.

요약

지난 수십 년간 일차부갑상선기능항진증의 임상증상은 변화해 왔다. 오늘날 20세기 초에 기술되었던 전형적인 증상으로 고생하는 환자는 20% 미만이며, 대부분 환자는 모호하고 비특이적이지만 분명히 이 질환과 관련된 증상으로 고생하고 있고, 실제로 증상이 없는 환자는 극소수이다. 이러한 비전형적인 증상의 대부분은 부갑상선절제술로 개선되기 때문에 이 질환의 생리적인 변수를 확인하는 것 뿐만 아니라 질환과 관련된 여러 증상에 대하여 알고 있어야 한다. 부갑상전절제술의 적응증의 확대로 일차부갑상선기능항진증 환자의 대부분은 부갑상선절제술이 필요하게 되었고 이로써 증상의 개선과 함께 치료에 도움을 받을 수 있게 되었다.

REFERENCES

1. Akerström G, Rudberg C, Grimelius L, Bergström R, Johansson H, Ljunghall S, et al. Histologic parathyroid abnormalities in an autopsy series. Hum Pathol. 1986;17:520-7.

2. Christensson T, Hellström K, Wengle B, Alveryd A, Wikland B. Prevalence of hypercalcaemia in a health screening in Stockholm. Acta Med Scand. 1976;200:131-7.

3. Groth TL, Ljunghall S, de Verdier CH. Optimal screening for patients with hyperparathyroidism with use of serum calcium observations. A decision-theoretical analysis. Scand J Clin Lab Invest. 1983;43:699-707.

4. Palmér M, Jakobsson S, Akerström G, Ljunghall S. Prevalence of hypercalcaemia in a health survey: a 14-year follow-up study of serum calcium values. Eur J Clin Invest. 1988;18:39-46.

5. Lundgren E, Rastad J, Thrufjell E, Akerström G, Ljunghall S. Population-based screening for primary hyperparathyroidism with serum calcium and parathyroid hormone values in menopausal women. Surgery. 1997;121:287-94.

6. Akerström G, Bergström R, Grimelius L, Johansson H, Ljunghall S, Lundström B, et al. Relation between changes in clinical and histopathological features of primary hyperparathyroidism. World J Surg. 1986;10:696-702.

7. Wallfelt C, Ljunghall S, Bergström R, Rastad J, Akerström G. Clinical characteristics and surgical treatment of sporadic primary hyperparathyroidism with emphasis on chief cell hyperplasia. Surgery. 1990;107:13-9.

8. Melton LJ 3rd. Epidemiology of primary hyperparathyroidism. J Bone Miner Res. 1991;6:S25-30.

9. Palmer M, Adami HO, Bergström R, Jakobsson S, Akerström G, Ljunghall S. Survival and renal function in untreated hypercalcaemia. Population-based cohort study with 14 years of follow-up. Lancet. 1987;1:59-62.

10. Lundgren E, Lind L, Palmér M, Jakobsson S, Ljunghall S, Rastad J. Increased cardiovascular mortality and normalized serum calcium in patients with mild hypercalcemia followed up for 25 years. Surgery. 2001;130:978-85.

11. Hedbäck G, Odén A. Death risk factor analysis in primary hyperparathyroidism. Eur J Clin Invest. 1998;28:1011-8.

12. Purnell DC, Smith LH, Scholz DA, Elveback LR, Arnaud CD. Primary hyperparathyroidism: a prospective clinical study. Am J Med. 1971;50:670-8.

13. Scholz DA, Purnell DC. Asymptomatic primary hyperparathyroidism. 10-year prospective study. Mayo Clin Proc. 1981;56:473-8.

14. Adams PH. Conservative management of primary hyperparathyroidism. J R Coll Physicians Lond. 1982;16:184-90.

15. Van'T Hoff W, Ballardie FW, Bicknell EJ. Primary hyperparathyroidism: the case for medical management. Br Med J (Clin Res Ed). 1983;287:1605-8.

16. Paterson CR, Burns J, Mowat E. Long term follow up of untreated primary hyperparathyroidism. Br Med J (Clin Res Ed). 1984;289:1261-3.

17. Corlew DS, Bryda SL, Bradley EL 3rd, DiGirolamo M. Observations on the course of untreated primary hyperparathyroidism. Surgery. 1985;98:1064-71.

18. Heath DA, Heath EM. Conservative management of primary hy-

perparathyroidism. J Bone Miner Res. 1991;6:S117-20.

19. Rubinoff H, McCarthy N, Hiatt RA. Hypercalcemia: long-term follow-up with matched controls. J Chronic Dis. 1983;36:859-68.

20. Posen S, Clifton-Bligh P, Reeve TS, Wagstaffe C, Wilkinson M. Is parathyroidectomy of benefit in primary hyperparathyroidism? Q J Med. 1985;54:241-51.

21. Rao DS, Wilson RJ, Kleerekoper M, Parfitt AM. Lack of biochemical progression or continuation of accelerated bone loss in mild asymptomatic primary hyperparathyroidism: evidence for biphasic disease course. J Clin Endocrinol Metab. 1988;67:1294-8.

22. Silverberg SJ, Shane E, Jacobs TP, Siris E, Bilezikian JP. A 10-year prospective study of primary hyperparathyroidism with or without parathyroid surgery. N Engl J Med. 1999;341:1249-55.

23. Corsello SM, Folli G, Crucitti F, Della Casa S, Rota CA, Tofani A, et al. Acute complications in the course of "mild" hyperparathyroidism. J Endocrinol Invest. 1991;14:971-4.

24. Sarfati E, Desportes L, Gossot D, Dubost C. Acute primary hyperparathyroidism: experience of 59 cases. Br J Surg. 1989;76:979-81.

25. Lafferty FW, Hubay CA. Primary hyperparathyroidism. A review of the long-term surgical and nonsurgical morbidities as a basis for a rational approach to treatment. Arch Intern Med. 1989;149:789-96.

26. Mitlak BH, Daly M, Potts JT Jr, Schoenfeld D, Neer RM. Asymptomatic primary hyperparathyroidism. J Bone Miner Res. 1991;6:S103-10.

27. Bilezikian JP, Potts JT Jr, Fuleihan Gel-H, Kleerekoper M, Neer R, Peacock M, et al. Summary statement from a workshop on asymptomatic primary hyperparathyroidism: a perspective for the 21st century. J Bone Miner Res. 2002;17:N2-11.

28. Vestergaard P, Mollerup CL, Frøkjaer VG, Christiansen P, Blichert-Toft M, Mosekilde L. Cohort study of risk of fracture before and after surgery for primary hyperparathyroidism. BMJ. 2000;321:598-602.

29. Pasieka JL. Asymptomatic primary hyperparathyroidism. In:Clark OH, Duh QY,Kebebew E. Textbook of endorcrine surgery. 2nd ed. Philadelphida:Elsevier Saunders;2005.p.419-423.

30. Consensus development conference panel. Diagnosis and management of asymptomatic primary hyperparthyroidims: consensus development conference statement. Ann Intern Med 1991;114:593-7.

31. Bilezikian JP, Potts JT Jr, Fuleihan Gel-H, Kleerekoper M, Neer R, Peacock M, Rastad J, et al. Summary statement from a workshop on asymptomatic primary hyperparathyroidism: a perspective for the 21st century. J Clin Endocrinol Metab. 2002 Dec;87 (12):5353-61.

32. Silverberg SJ, Shane E, Jacobs TP, Siris E, Bilezikian JP. A 10-year prospective study of primary hyperparathyroidism with or without parathyroid surgery. NEJM 1999;341:1249-55.

수술중부갑상선호르몬측정의 유용성

Intraoperative PTH Assay as a Surgical Adjunct

| 고려대학교 의과대학 외과 **이재복**

고전적인 부갑상선절제술은 양측 경부 탐색술을 시행하면서, 육안으로 확인하여 정상 부갑상선을 보존하고, 비정상 부갑상선을 제거하는 것이다. 부갑상선절제술을 시행하면서 부갑상선의 정상 여부를 확인하고, 수술적 성공을 예측하기 위한 여러 방법이 시도되었으며, 이 중 수술중부갑상선호르몬측정법이 가장 효과적이라고 알려져 있다. '제한된 부갑상선절제술'이란 수술 중 급속 부갑상선호르몬 측정법과 수술 전의 위치 확인을 통해서 빠르고, 최소한의 절제를 시행하는 방법이다. 수술 중 급속 부갑상선호르몬 측정법은 비정상 부갑상선 조직을 제거할 때, 정량적으로 수술 진행 여부를 결정할 수 있도록 도와준다. 즉, 육안적으로 부갑상선의 크기로 정상 여부를 판단하여 부갑상선을 제거하는 경부 양측 탐색술과 달리 수술 중 급속 부갑상선호르몬 측정법은 부갑상선의 기능을 실시간 정량적 측정을 통하여 비정상 부갑상선을 찾아내는 방법인 것이다. 1988년에 Nussbaum 등이 제안한 이래로, 수술 중 급속 부갑상선호르몬 측정법은 많은 기관에서 일차부갑상선기능항진증의 수술 중에 술 후 혈중 칼슘농도를 정량적으로 예견하는 검사로 채택되었다.[1-3] 이 방법은 1991년에 면역 방사측정법에서 1993년에 더 안정화되고, 실용적이고, 민감해진 비방사선의 항체 면역화학발광 검사(two-site antibody im-munochemiluminescent assay, ICMA)로 변화되어 실제적인 수술 중 검사방법이 되었다.[4,5] 이러한 수술 중 급속 부갑상선호르몬 측정법은 1996년에는 상용화되어 미국

에서 가장 많이 사용되었으며, 수술 성공율은 역시 97%에서 99%에 이르렀다.[6-8] 수술 중 급속 부갑상선호르몬 측정법은 (1) 비정상 부갑상선 조직들이 완전하게 제거되었는가를 결정하고, (2) 부갑상선호르몬이 충분히 감소하지 않을 경우, 경부의 재탐색을 위한 근거로써 사용하였으며, (3) 수술 중 세침흡인으로 부갑상선호르몬 농도를 측정하여 부갑상선 조직을 감별하고, (4) 수술 전 검사에서 부갑상선 위치가 확실하지 않을 때 경부 정맥 혈액채취를 통해서 부갑상선의 위치를 파악하기 위해서 시행하였다. 또한, (5) 산발 일차부갑상선기능항진증에서 비정상적인 부갑상선만을 절제하는 제한적 부갑상선절제술을 시행하기 위해서 사용하게 되었다. 이러한 수술중부갑상선호르몬측정법은 3~5분의 짧은 반감기를 가지는 부갑상선 호르몬과 빠른 면역화학발광검사법(ICMA)을 이용하고, 측정기계를 수술실 근처에 위치하게 함으로써, 8분에서 20분 사이에 결과를 확인할 수 있다는 장점이 있다. 또한, 수술 중 급속 부갑상선호르몬 측정법에 의해서 부갑상선의 절제가 확실하게 마무리된 후에, 남은 부갑상선에 대한 검사나 생검, 혹은 경부 탐색이 불필요하게 되었으며, 이는 수술 시간, 입원기간 및 비용을 감소시켰다.

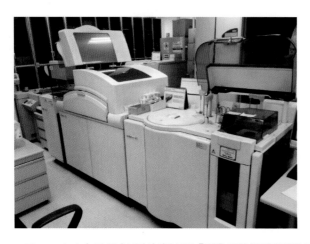

그림 57-1 수술 중 급속부갑상선호르몬 측정을 위한 면역발광검사기계 및 측정결과값

1. 측정 프로토콜과 해석

수술 중 급속 부갑상선호르몬 측정법은 한정된 수술 시간 중에 부갑상선호르몬의 수치를 제공하는 것으로, 이의 정확성은 측정기계 및 측정된 호르몬 수치를 해석하는 프로토콜 및 기준에 따라 상이할 수 있다. 따라서, 성공적 수술을 위해서 측정 시간과 호르몬 수치의 변화에 대한 올바른 해석이 필요하다. 현재 널리 사용되는 대표적인 프로토콜은 마이애미 프로토콜과 이중(정상범위) 프로토콜로 두 가지이며, 이 중 마이애미 프로토콜이 가장 먼저 발표되었다. 이 프로토콜에 의하면[9-11], 절개 전, 부갑상선 절제 바로 전, 절제 5분, 10분 후 혈액채취를 하게 된다. 절제 10분 후 채취된 혈액의 부갑상선 호르몬 수치가 절개 전, 절제 전 수치 중 가장 높은 수치와 비교해서 50% 이상 감소하였을 때, 경부탐색술을 멈추고 수술을 종료하게 된다. 성공률은 97~99%이며, 재발율도 3% 이하로 낮다.[12-17] 절제 10분 후 채취된 혈액에서 50% 이상 감소가 되지 않을 경우, 15분에서 20분 후 다시 채취한다. 이 때에도 50% 이상 감소되지 않았을 경우, 다른 부갑상선을 찾아 절제 후 위와 같은 방법으로 측정한다. 계속 감소량이 만족되지 않을 경우, 경부 탐색술을 시행한다. 이중(정상범위) 프로토콜의 경우 마이애미 프로토콜의 유효성 검증의 일부분으로서 발표

되었다가, 이에 대한 수정 프로토콜로써 많이 사용되었다.[16,18,19] 절개 전, 절제 후 10분에 혈액채취를 하게 되며, 절개 전 혈액의 부갑상선 호르몬 수치보다 절제 10분 후 혈액의 호르몬 수치가 50% 이상 감소하고, 정상 범위에 있어야 수술을 종료하게 된다. 이 두 기준을 만족할 때까지 부갑상선 절제가 시행되며, 만족하지 않을 시에는 경부 탐색술을 시행한다.

2. 측정 방법

수술실에서 14~16 G 카테터를 팔오금부위나 다른 말초 정맥에 삽입한다. 만약 불가능할 경우에는, 동맥혈 채취를 위해 동맥에 카테터를 삽입한다. 식염수를 연장관에 있는 3방향 마개를 통해 주입하면서 환자 머리 위에 올려 놓는다. 이는 혈액 재취를 빠른 시간 내에 가능하게 해준다. 측정을 위한 채혈량은 외과의사의 프로토콜과 검사 방법에 따라 다르다. 혈액 표본의 희석, 부정확한 표본 검사 곡선, 또는 계수 변이로 호르몬 수치를 잘못 해석할 수 있기 때문에, 희석되지 않은 혈액을 채취할 때까지 별개의 주사기로 연장관에 있던 희석된 혈액을 채취, 제거한 후에, 4~5 mL의 전혈을 채취하고,

EDTA유리관에 넣는다. 혈액응고를 방지하기 위해서 전혈을 넣은 EDTA유리관을 흔들어 준다. 혈액 채취는 외과의사가 필요로 할 때에 마취과의사가 시행하여야 하며, 사용되지 않은 혈액 표본의 일부분은 원심분리를 시켜서 동결 혈장 표본으로 남겨둔다. 보통 전혈로 2 mL 이상이 필요하지는 않지만, 술 후에 예상치 못한 결과가 나왔을 경우를 대비해 전혈을 일부 저장해 두는 것이 좋다. 부갑상선호르몬 수치가 수술 중에 충분히 감소함에도 불구하고, 지속적인 고칼슘혈증과 부갑상선호르몬의 증가가 보인다면, 저장한 동결 혈장 표본을 재측정하여, 수술 중 결과에 기술적인 오류가 없었는지에 대한 검토를 할 수 있다.

마이애미 프로토콜에 의하면 1) 피부절개를 하기 전, 2) 완전히 박리된 부갑상선의 혈류를 차단하기 바로 전, 3) 부갑상선을 절제한 후 5분, 4)절제 후 10분에 총 4회 혈액표본을 채취해야 한다. 첫 번째(절개 전) 표본은 피부절개 전에 채취하는데, 수술 전 부갑상선항진증의 진단을 위해서 측정된 부갑상선호르몬 수치는 피부절개 전 수치이지만, 검사방법 및 역동성에 차이가 있어 사용할 수 없다. 두 번째(혈류 차단 전, 즉, 절제 전) 표본은, 절제 바로 직전의 표본으로, 의심되는 부갑상선 조직을 완전히 박리한 후, 혈류를 차단하기 바로 직전에 채취한다. 이 표본은 일부 환자에서 수술 중 박리 등에 의해 부갑상선호르몬이 상당히 증가할 수 있고, 절제 후 10분에 50%가 감소하는 기준에 적합한지의 여부를 확인하기 위해 중요하다. 그러나, 일부 환자에서는, 수술 초기의 박리에 의해서 혈류 공급이 감소되어 호르몬 수치가 감소할 수도 있다. 이러한 경우, 첫 번째 절개 전 표본과 절제 전 표본 중 더 높은 수치를 기준으로 하여 부갑상선호르몬 감소량을 측정한다. 만약 두 번째 절제 이전 표본을 조기에 채취하게 되면(예를 들어서, 절제할 부갑상선 주위를 박리하는 중에), 호르몬 수치의 최고점을 놓치게 되고, 부갑상선 호르몬 감소량 측정에 있어 위지연(false delay)이 나타나게 된다.[20] 이러한 현상은 세 번째 절제 5분 후 표본을 측정하기 전에, 근막을 제외한 다른 경

부조직의 박리 및 조작으로 발생할 수 있다. 따라서, 성공적으로 수술적 치료가 된 환자 중 81%만이 5분 내에 50%나 그 이상의 감소를 보였기 때문에, 네 번째 절제 10분 후 혈액표본 채취가 필요하다. 10분 후 표본에 의한 감소량 및 수치 확인이 수술 성공 여부를 결정한다. 만약 절제 10분 후 부갑상선호르몬 수치가 50% 이상 감소하였거나, 정상범위에 도달하지 않았다면, 다른 비정상 부갑상선을 찾기 위한 경부 탐색을 시행해야 한다.

3. 부갑상선 조직 감별과 위치 확인을 위한 활용

1) 수술 중 세침흡인 조직 분석

Perrier 등에 의해서 시행되었으며, 세침흡인 검사에서 얻어진 표본의 부갑상선호르몬 수치를 확인하여 부갑상선과 갑상선 결절, 흉선 및 림프절 조직 등의 감별에 이용되며, 100%의 특이도를 보인다.[21] 25 G의 바늘을 주사기에 부착하여 조직 표본을 흡인하여, 흡인된 내용물을 1 mL의 식염수에 희석, 10초 동안 원심 분리시킨 후, 상청액으로 수술중부갑상선호르몬측정법을 이용해서 부갑상선호르몬을 측정한다. 이 기술은 동결절편을 이용하지 않고 조직을 확인할 수 있으며, 부갑상선과 감별하기 어려울 때에 사용할 수 있고, 부갑상선이 아닌 조직을 박리, 절제하는 것을 방지함으로써 수술시간을 줄일 수 있다.

2) 내경정맥 혈액채취 감별법

수술 전 비정상 부갑상선의 위치가 확실하지 않고, 경부탐색술이 어려울 경우, 내경정맥 혈액채취 감별법으

로 비정상 부갑상선이 위치해 있는 경부를 확인할 수 있다.[22] 피부 절개 이전에, 가능한 한 아래쪽 양측 내경정맥에서 시행하여야 한다. 한쪽 내경정맥 혈액표본에서 10% 이상 부갑상선 호르몬 수치가 높을 경우, 확인되지 않은 비정상 부갑상선이 존재할 가능성이 있다. 또한, 양측 내경정맥 혈액표본의 부갑상선 수치가 비슷할 경우, 다발성부갑상선종이거나, 부갑상선이 경부 이외의 부위에 위치해 있을 수 있다. 이러한 내경정맥 혈액채취 감별법을 통해 수술전 부갑상선 위치가 불확실한 환자 중 70~81%에서 비정상 부갑상선의 위치를 확인할 수 있었다. 그러나, 재수술이거나, 경부림프절절제술을 받은 환자의 경우에 있어서는, 수술로 인한 정맥 손상으로 인해 부갑상선호르몬의 정맥으로의 배액이 변화될 수 있다.

다선종질환의 경우에서 절제된 첫 번째 부갑상선에서 분비되는 호르몬을 확인하지 못한다.

5) 기술된 기준은 이차부갑상선기능항진증과 다발성 내분비선종양(multiple endocrine neoplasia)에서 수술 후 결과를 정확하게 예측할 수 없다.
6) 수술 중 급속 부갑상선호르몬 측정법은 수술의 성공을 보장할 수 없다.
7) 수술 중 급속 부갑상선호르몬 측정법의 정확성은 그 기준과 프로토콜에 기인한다.
8) 이 검사는 기술자에 따라서 다르다. 기술적 차이가 있을 수 있으나, 최근 자동화됨에 따라 정확성이 높아지고 있다.
9) 수술 중 급속 부갑상선호르몬 측정법의 비용은 높다. 그러나, 수술시간, 동결 조직 표본의 필요성, 입원기간의 감소 등의 장점이 이를 보상한다.

5. 제한점 및 단점

수술 중 급속 부갑상선호르몬 측정법은 수술 시간 중 부갑상선호르몬 수치만을 측정할 수 있다는 점을 이해해야 한다. 측정법의 제한점들은 검사 자체보다도 호르몬 수치를 해석하는 기준 및 프로토콜과 관련되어 있다. 프로토콜과 기준이 다르면 정확도에서도 차이가 있었다.

1) 수술 중 급속 부갑상선호르몬 측정법과 그 기준은 남아있는 정상 기능의 부갑상선 크기를 예측할 수가 없다. 부갑상선의 기능 항진이 크기와는 관련이 없다는 사실을 간과해서는 안 된다.
2) 수술 중 급속 부갑상선호르몬 측정법과 그 기준은 수술 후 정상 혈중 칼슘 농도를 보이고 있는 환자의 부갑상선호르몬 수치를 예측하지 못한다. 많은 환자들은 몇 달이 지난 후에 정상 부갑상선호르몬 수치로 회복되며, 수술 후 저칼슘혈증으로 인한 보상작용으로 부갑상선호르몬이 증가할 수 있다.[23,24]
3) 수술 중 급속 부갑상선호르몬 측정법과 그 기준은 재발을 예측할 수 없다.
4) 수술 중 급속 부갑상선호르몬 측정법과 그 기준은

6. 수술 중 급속 부갑상선호르몬 측정법에 의한 "제한된" 부갑상선절제술의 결과

양측 경부 탐색술은 수술 중 급속 부갑상선호르몬 측정법의 결과가 기준에 만족하지 못하거나, 검사 때문에 필요한 경우를 제외하고는 더 이상 표준 술식으로 시행되지 않는다. 또한, 최소 침습 부갑상선 절제술 시행하는 데에도 수술 중 급속부갑상선호르몬 측정법은 97~99%의 수술 성공률을 보여준다. 수술 중 급속 부갑상선호르몬 측정법을 이용한 최소 침습 부갑상선 절제술에 대한 17개의 연구에서 96.3%에서 98.8%까지의 수술 성공률을 보였다. 1993년 9월부터 2002년 7월까지, 산발 일차 부갑상선기능항진증을 지닌 403명의 환자가 수술을 시행 받았다.[25] 이 중 401명의 환자는 부갑상선절제술을 시행하는 동안 수술 중 급속 부갑상선호르몬 측정을 시행하였다. 두 명의 환자는 기술적인 문제로 불가능하였기 때문에 배제하였다. 모든 환자들에게서 수술 후 1일 혹은 2일 후에 혈중 칼슘 농도를 측정하였고, 그 이후 혈중 칼슘 농도와 부갑상선호르몬 수치를 2개월, 6개월, 그리고 매년마다 추적검사를 시행하였다. 결과를 분석하는데 사용된 정의는 다음과 같다.

- 수술적 성공은 환자가 적어도 수술 후 6개월까지 정상 혹은 낮은 칼슘 수치를 보이는 것이다.
- 수술적 실패는 부갑상선절제술 후 6개월 내에 지속적인 고칼슘혈증이나 부갑상선호르몬 수치가 증가를 하는 것이다.
- 재발은 성공적인 부갑상선절제술 후 6개월 이후에 고칼슘혈증과 부갑상선호르몬의 수치가 높을 것을 말한다.
- 다선종질환은 부갑상선절제술을 시행할 당시에 3개 이상의 기능 항진 부갑상선이 있는 경우를 말한다.

산발성 일차부갑상선기능항진증 환자 401명은 부갑상선절제술을 받는데(359명은 첫 번째 수술, 42명은 재수술), 391명이 수술 후 첫날 이후에 정상이거나 낮은 칼슘 수치를 보였고, 10명은(5명은 첫 번째 수술, 5명은 재수술) 지속적인 고칼슘혈증이 있었다. 절제 여부는 수술 중 급속 부갑상선호르몬 측정법을 이용하여 확인하였다. 한 개의 부갑상선만을 절제한 경우, 97%의 환자에서 성공적으로 치료가 되었다. 다선종질환을 지닌 12명의 환자는 수술 중 급속 부갑상선호르몬 측정법과 기준에 의해서 다른 기능 항진 부갑상선이 존재함을 수술 중 확인할 수 있었으나, 다른 3명의 환자에서는 다선종질환을 찾는 데에 실패하였다. 수술 후 혈중 칼슘 농도를 예측하는 데 있어서, 민감도가 98%, 특이도가 97%, 양성 예측 값은 99%, 음성 예측 값은 90%, 정확도는 97% 였다. 6개월 이상 추적한 환자와 수술 실패 환자 모두 포함한 경우에도 동일한 민감도, 특이도, 정확도를 보였다.

1) 첫 번째 부갑상선절제술

6개월 이상 추적검사를 시행한 294명의 환자(평균 34개월)들 중 262명이 첫번째 부갑상선절제술을 받았다.

257명의 환자(98%)는 성공적인 수술을 받았고, 5명은 수술 실패였다. 262명 중에서 254명(97%)의 환자에서 수술 중 급속 부갑상선호르몬 측정법으로 정확하게 수술 후의 결과를 예측하였고, 5명 중 4명은 수술 실패였다. 이 장에서 기술이 된 프로토콜과 기준을 적용했을 때 8명의 환자에서 수술 후의 결과를 잘못 예측하였다. 1명은 위양성, 7명은 위음성이었다. 위음성의 경우에서는 절제 후 20분의 표본에서 충분한 호르몬 수치의 감소가 나타났기 때문에 불필요한 경부 탐색술은 시행하지 않았다. 지연된 호르몬 수치의 감소는 아마도 절제 전 표본 채취의 시간이 빨랐거나, 정맥 혈액 채취의 문제점으로 사용 불가능한 표본이었기 때문일 것이다. 위지연된 감소는 호르몬의 최고치를 놓친 결과이며, 지연된 대사에 의한 것이 아니었다. 한 개의 위양성 결과로 9개월 동안에 한 건의 수술을 실패하였다. 이 환자는 박리 중에 부갑상선 낭종이 손상되어 말초 부갑상선호르몬 수치가 1,100 pg/mL까지 증가하였다. 10분 내에 62%의 감소, 20분 내에 80%의 감소를 보였고, 경부 탐색술을 시행하지 않았다. 물론 가정이지만, 우리는 수술 부위에 흩어진 부갑상선 세포가 위양성 결과를 초래하였다고 생각한다. 반면에, 수술 중 급속 부갑상선호르몬 측정법으로 다선종질환 환자 9명 중에서 8명을 예측하였다. 98%의 성공율을 보여준 다선종질환의 발생률은 3.4%였다. 게다가, 수술 중 급속 부갑상선호르몬 측정법은 100%의 특이도를 보였으며, 부갑상선 조직이 아닌 조직이 절제된 환자를 확인할 수 있었다(35명 중 26명의 환자는 음성결과를 보였는데, 다선종질환에 의한 것은 아니다). 수술 중 급속 부갑상선호르몬 측정법을 사용하여, 262명의 환자들 중 238명(91%) 환자에게 동측 경부 탐색술을 성공적으로 시행하였다. 262명의 환자 중에서 183명(70%)은 수술 당일 혹은 다음 날 퇴원하였다. 262명 환자의 평균 수술 시간은 60분이었다(범위는 15~300분). 1998년부터 2013년까지 2162명의 환자에게 수술 중 급속 부갑상선호르몬 측정법을 이용한 부갑상선절제술을 시행하였다. 평균 추적기간(6개월에서 15년)은 10개월이었다. 1,801명(83%)은 동측 경부탐색술을 시행하였는데, 1,353명(63%) 환자는 한 개의 비정상 부갑상선을 절제한 후 수술 중 급속부갑상선호르몬 측정법을 사용하여 감소량을 확인한 후에 수술을 종료하였으며, 수술적 성공으로 확인되었다. 그러나, 이 중 14명(1.0%)은 수술 실패 및 부갑상선항진증이 지속되는 상태였다. 809명(37%)의 환자에서는 동측 경부탐색술 중 동측 부갑상선이 추가로 발견되어 수술 중 급속 부갑상선호르몬 측정법을 사용하여 추가로 발견된 부갑상선 절제 여부를 결정하였으며, 수술 실패 및 지속 상태는 19명(2.3%)에 불과하였다. 따라서, 수술 중 급속 부갑상선호르몬측정법은 영상 혹은 수술 중 발견되는 부갑상선의 기능 정상 여부를 판단하여 절제를 결정하는데 중요한 역할을 할 수 있다.

2) 부갑상선재절제술

32명의 재수술 환자 중 27명(84%)은 제한된 부갑상선 절제술과 일측 경부 탐색술로 성공적으로 치료를 받은 경우였다. 수술 중 급속 부갑상선호르몬 측정법은 32명 중 31명에서 정확하게 수술 후 결과를 예측하였다(27명은 양성, 4명은 음성). 한 명은 위음성 결과가 나왔는데 이는 기술적 오류에 의해서 발생하였다. 다선종 질환 환자 2명에서 수술 중 급속 부갑상선호르몬 측정법은 한 개 혹은 두 개의 부갑상선을 절제하였음에도 불구하고 수술 실패를 예측하였다. 또한, 8명의 환자에서 부갑상선으로 오인하여 부갑상선이 아닌 조직을 절제한 경우도

발견하였다. 재수술 환자에서 평균 수술시간은 108분이었고(35~325분), 이 환자들 중에서 6명이 수술 당일에 퇴원을 할 수 있었다. 다른 연구에서도 수술 중 급속 부갑상선호르몬 측정법을 사용하지 않은 재수술 환자의 74%가 수술 후 정상 칼슘 수치를 보였으나, 수술 중 급속 부갑상선호르몬 측정법을 사용한 재수술을 받은 환자에서는 94%가 정상 칼슘 수치를 보였다.

요약

수술 중 급속 부갑상선호르몬 측정법은 산발 일차부갑상선기능항진증을 지닌 환자에서 부갑상선절제술을 시행할 때에 도움을 줄 수 있는 수술 보조 방법으로 정립되었다. 크기, 무게, 그리고 조직학적인 소견을 이용해서 기능 항진 부갑상선을 발견해내는 전통적인 방법 대신에, 수술 중 급속 부갑상선호르몬 측정법은 부갑상선절제술 중에 부갑상선의 기능 항진을 파악할 수가 있게 되었다. 따라서, 이 검사로 최소의 절개와 선택적인 부갑상선 절제가 가능하게 되었고, 제한된 부갑상선절제술이 성공적으로 시행되었다. 또한 다선종 질환의 발견도 용이해졌다. 합리적인 부갑상선 호르몬 역학을 정의하고, 엄격한 기준 제시 및 준수를 위한 프로토콜은 수술의 성공을 위해 필수적이다.

REFERENCES

1. Carneiro DM, Irvin GL III. New point-of -care intraoperative parahtyroid hormone assay for intraopertive guidance in parathyroidectomy. World J Surg 2002;26:1074

2. Inabnet WB, Dakim GF, Haber RS, Rubino F, Diamond EJ, Gagner M. Targeted parathyroidectomy in the era of intraoperative parathormone monitoring . World J Surg 2002:26:921

3. Johnson LR, Doherty G, Lairmore T, Moley JF, Brunt LM, Koenig J, Scott MG. Evaluation of the performance and clinical impact of a rapid intraoperative parathyroid hormone assay in conjunction with preoperative imaging and concise parathyroidectomy. Clin Chem 2001;47:919

4. Irvin GL III, Dembrow VD, Prudhomme DL. Operative monitoring of parathyroid gland hyperfunction Am J Surg. 1991 Oct;162(4):299-302.

5. Irvin GL III, Deriso GT III. A new, practical intraoperative parathyroid hormone assay. Am J Surg. 1994 Nov;168(5):466-8.

6. Burkey SH, Van Heerden JA, Farley DR, Thompson GB, Grant CS, Curlee KJ. Will directed parathyroidectomy utilizing the gamma probe or intraoperative parathyroid hormone assay replace bilateral cervical exploration as the preferred operation for primary hyperparathyroidism? World J Surg. 2002 Aug;26(8):914-20. Epub 2002 May 2

7. Irvin GL III, Molinari AS, Figueroa C, Carneiro DM. Improved success rate in reoperative parathyroidectomy with intraoperative PTH assay. Ann Surg. 1999 Jun;229(6):874-8; discussion 878-9.

8. Irvin GL III, Carneiro DM, Solorzano CC. Progress in the operative management of sporadic primary hyperparathyroidism over 34 years. Ann Surg. 2004 May;239(5):704-8; discussion 708-11.

9. Carneiro DM, Irvin GL III Late parathyroid function following successful parathyroidectomy guided by intraoperative hormone assay(QPTH) compared with the standard bilateral neck exploration. Surgery 2000;128:923

10. Irvin GL III, Carneiro DM: Rapid parathyroid assay-guided exploration. In : van Heerden JA, Farley DR(eds), Operative Techniques in General Surgery, Philadelphia, WB Saunders,1999, p18.

11. Wang TS, Pasieka JL, Carty SE. Techniques of parathyroid exploration at North American endocrine surgery fellowship programs: what the next generation is being taught. Am J Surg. 2014;207(4):527-532.

12. Irvin GL III, Carneiro DM, Solorzano CC. Progress in the operative management of sporadic primary hyperparathyroidism over 34 years. Ann Surg. 2004;239(5):704-708.

13. Udelsman R, Lin Z, Donovan P. The superiority of minimally invasive parathyroidectomy based on 1650 consecutive patients with primary hyperparathyroidism. Ann Surg. 2011;253(3):585-591.

14. Schneider DF, Mazeh H, Sippel RS, Chen H. Is minimally invasive parathyroidectomy associated with greater recurrence compared to bilateral exploration? Analysis of more than 1,000 cases. Surgery. 2012;152(6):1008-1015.

15. Richards ML, Thompson GB, Farley DR, Grant CS. An optimal algorithm for intraoperative parathyroid hormone monitoring. Arch Surg. 2011;146(3):280-285.

16. Wharry LI, Yip L, Armstrong MJ, et al. The final intraoperative parathyroid hormone level: how low should it go? World J Surg. 2014;38(3):558-563.

17. Rajaei MH, Oltmann SC, Adkisson CD, et al. Is intraoperative parathyroid hormone monitoring necessary with ipsilateral parathyroid gland visualization during anticipated unilateral exploration for primary hyperparathyroidism: a two-institution analysis of more than 2,000 patients. Surgery. 2014;156(4):760-766.

18. Lee S, Ryu H, Morris LF, et al. Operative failure in minimally invasive parathyroidectomy utilizing an intraoperative parathyroid hormone assay. Ann Surg Oncol. 2014;21(6):1878-1883.

19. Hughes DT, Miller BS, Park PB, Cohen MS, Doherty GM, Gauger PG. Factors in conversion from minimally invasive parathyroidectomy to bilateral parathyroid exploration for primary hyperparathyroidism. Surgery. 2013;154(6):1428-1434; discussion 1434-1425.

20. Yang GP, Levine S, Weigel RJ A spike in parathyroid hormone during neck exploration may cause a false-negative intraoperative assay result. Arch Surg 2001;136:945

21. Perrier ND, Ituarte P, Kikuchi S, Siperstein AE, Duh QY, Clark OH, Gielow R, Hamill T. Intraoperative parathyroid aspiration and parathyroid hormone assay as an alternative to frozen section for tissue identification. World J Surg 2000;24:1319

22. Udelsman R, Osterman F, Sokoll LJ, Drew H, Levine MA, Chan DW Rapid parathyroid hormone measurement during venous localization . Clin Chim Acta 2000;295:193

23. Bergenfelz A, Valdemarsson S, Tibblin S. Persistent elevated serum levels of intact parathyroid hormone after operation for sporadicparathyroid adenoma: evidence of detrimental effects of severe parathyroid disease. Surgery. 1996 ;119(6):624-33.

24. Westerdahl J, Lindblom P, Bergenfelz A.Measurement of intraoperative parathyroid hormone predicts long-term operative success Arch Surg. 2002 Feb;137(2):186-90.

25. Orlo H. Clark, Quan-Yang Duh, Electron Kebebew Taxtbook of endocrine surgery Elsevier Saunders, Philadephia, 2005,p477

최소침습 부갑상선 수술

Minimally Invasive Parathyroid Surgery

▍경희대학교 의과대학 외과 **박원서**

1. 최소 절개 부갑상선절제술

1) 배경

일차부갑상선기능항진증(primary hyperparathyroidism)의 수술적 치료의 목표는 이환된 부갑상선을 모두 제거하고 정상 혈중 칼슘 농도를 유지하는 것이다. 이를 위해 이환된 부갑상선의 개수와 위치를 수술 전과 수술 도중에 적절하게 파악하는 것이 중요하다. 전통적인 수술법인 양측 탐색법(bilateral approach)은 숙련된 외과의가 시행할 경우 수술 전 병변의 위치 결정(localization) 없이도 95% 이상의 정확도와 3% 미만의 이환율(morbidity)이 보고되는 성공률이 매우 높은 수술법이다.[1,2]

최근에는 부갑상선에 대한 미세침흡인세포검사와 고해상도 경부초음파, 자기공명영상(MRI), 전산화단층촬영(four-dimensional parathyroid CT scan), 세스타미비스캔(^{99m}Tc MIBI 부갑상선 SPECT), 또는 부갑상선호르몬농도를 측정하는 선택적 경정맥 혈액검사(selective jugular venous sampling) 등으로 부갑상선의 병변을 미리 확인하고, 추가적으로 수술중부갑상선호르몬측정(quick IOPTH assay)을 이용하여 수술 도중에 이환된 선종의 절제 여부를 재확인하여 수술의 성공여부를 파악할 수 있다. 이러한 검사 등을 이용하여 더욱 성공적으로 수술이 이루어지고 있고 다양한 최소침습적 수술법에 대한 관심과 시

도가 증가하고 있다.

2) 적응증 및 금기

최근 들어 다양한 최소침습 부갑상선절제술이 임상에서 시행되고 있다. 고전적 방법으로부터의 핵심적 변화는 시술적인 변화라기보다는 전략적인 것으로, 두 가지의 중요한 이슈로 요약될 수 있다:

(1) 세스타미비스캔(99mTc SESTAMIBI scan)이나 고해상도 경부초음파를 통한, 수술 전 선종 위치 결정의 신뢰성
(2) 수술 전 정상으로 판단한 나머지 부갑상선들에 대한 수술 중 확인을 생략

이러한 전략의 주요 장점은 국소 마취제와 진정제 사용을 통한 수술로 당일 퇴원이 가능하게 한다는 점과 동결절편의 역할이 크게 줄었다. 하지만, 수술 전 영상 검사들로 인하여 비용이 증가하고, 다선병증(multigland disease)을 가진 일부의 환자들을 놓칠 수 있다는 제한 사항이 있다. 그러나 다선성 질환의 유병률이 낮고 기존의 수술적 방법으로 판단했을 때와 비교하여 부갑상선호르몬의 감시를 통한 기능적인 방법을 통해 결정했을 때에도 완치율이 차이가 없다는 최근의 주목할 만한 연구결과들이 많다.[3-5]

최소침습 부갑상선절제술의 적응증은 전통적인 양측 경부 탐색법과 거의 유사하며 일차부갑상선기능항진증 환자에서 고칼슘혈증으로 인한 증상이 있거나 혹은 무증상 환자에서 최근 미국국립보건원(National Institutes of Health)에서 제시한 수술 적용 기준에 부합되는 경우에 시행할 수 있다.[6-9] 그리고 최소침습 부갑상선절제술은 초음파나 세스타미비스캔 등의 수술 전 영상검사로 단일선종의 위치가 명확하게 확인된 일차부갑상선기능항진증 환자에서 숙련된 외과의에 의해 시행되어야 한다. 다발성내분비종양(multiple endocrine neoplasia, MEN) 1형이나 그 외 가족성증후군, 부갑상선암이 의심되는 경우에는 적합하지 않다(표 58-1).[10]

3) 수술방법

1990년대 후반 이후 부갑상선 수술을 위한 다양한 최소침습 수술법들이 소개되었다.

(1) 정문 접근법 Front-door Approach

정문 접근법은 고식적인 양측 탐색법의 축소판으로서 수술 전 결정된 병변에 따라서 경부의 위 혹은 아래에 2~2.5 cm 가량의 횡절개를 가하는 것으로 병변이 하부 갑상선이나 정상적인 위치(non-ectopic)의 상부갑상선에 있는 경우 용이한 방법이다. 피부절개창을 통하여 넓은 목근(platysma muscle)을 절개하고 피판(flap)을 형성하고,

정중솔기(median raphe)를 절개하여 양측의 띠근육(strap muscle)을 견인한다. 갑상선이 노출되면 이를 견인하고 부갑상선을 확인하여 조심스럽게 박리한다(그림 58-1).

(2) 옆문 접근법 Back-door Approach

옆문 접근법은 갑상선 혹은 부갑상선 재수술 시에 이전 수술로 인한 유착을 피하기 위하여 사용되며 상부갑상선의 위치가 가측(lateral)에 위치하거나 목 안쪽 깊숙히 위치해 있는 경우에 추천된다. 이환된 부갑상선 선종이

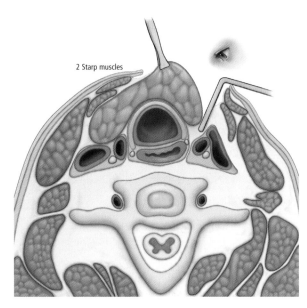

그림 58-1 | 정문 접근법
띠근육의 정중솔기를 절개하여 부갑상선에 접근한다.

표 58-1 | 최소침습 부갑상선절제술의 금기사항

절대적 금기	상대적 금기
다발성내분비종양 혹은 가족성부갑상선기능항진증 같은 다선종질환(multigland disease)	증상이 있는 경추추간판질환
	응고장애질환(anticoagulation disorder)
수술적 치료가 필요한 갑상선 병변이 존재	수술 전 반대측 되돌이후두신경 손상
영상간 병변 국소화 불일치	리튬(lithum) 복용 혹은 신부전증

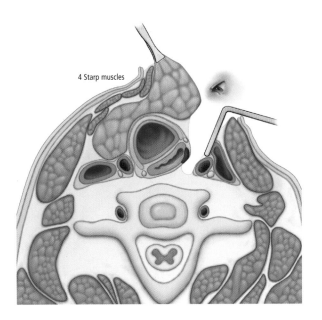

그림 58-2 │ 옆문 접근법
띠근육과 목빗근 사이를 절개하여 갑상선의 측면으로 들어간다.

있는 위치에서 2.5 cm 가량의 피부절개를 가하고 넓은 목근 아래에 피판(flap)을 만든다. 띠근육의 외측과 목빗근의 내측 경계 사이를 박리하여 병변에 접근하며, 이때 내경정맥과 총경동맥을 확인하여 손상에 주의하며 갑상선에 접근한다. 이후 갑상선을 내측으로 견인하여 이환된 부갑상선 선종을 노출시키고 절제를 시행한다. 정문 접근법과 반대로 갑상선이 외측에서 내측으로 노출되기 때문에 되돌이후두신경의 주행에 주의해서 접근해야 한다. 갑상선수술 의사에게 익숙하지 않은 접근법일 수도 있지만, 띠근육 사이의 정중선을 절개하여 생기는 유착이 없어 수술 후 환자의 만족도가 높다(그림 58-2).

(3) 방사능 유도 최소침습 부갑상선절제술
Minimally invasive Radio-guided Parathyroidectomy

수술 전 병변의 정확한 위치 확인을 위해서 고해상도 경부초음파와 세스타미비스캔이 널리 사용되고 있다. 초음파의 경우 시술자의 숙련도에 따라 정확도가 다양하게 보고되고 있고 병변의 위치가 기관 뒤쪽이거나 갑상선 결절이나 림프절 종대가 동반된 경우에 정확도가 낮

아질 수 있다.[11-13] 세스타미비스캔의 경우 초음파보다 정확도가 높다고 보고되고 있으나, 다발성 병변에는 정확도가 떨어지는 것으로 알려져 있다.[14] 그러나 초음파와 세스타미비스캔을 함께 시행한 경우에는 높은 정확도를 얻을 수 있으며, Arici 등은 두 가지 검사에서 동일한 병변이 지목된 경우에는 100%의 정확도를 보였다고 보고하고 있다.[15]

수술 중 방사선 감지를 위해서, 수술 1~2시간 전에 10 mCi ^{99m}Tc sestamibi를 정맥투여하고 수술을 시행한다. 방사선 감지기구(hand held gamma detection probe)를 이용하여 방사능 양이 가장 높은 지점을 찾은 후 2.0~2.5 cm의 최소절개를 통해 수술을 시행한다. 첫 번째로 갑상선협부(isthmus)에서 방사선 감지기로 방사선량(background radioactivity)을 측정하여 이를 기준치로 삼는다(그림 58-3A). 이후 띠근육을 견인하여 병변이 있는 부위에도 직접 탐촉한다(그림 58-3B). 이 수치가 기준수치보다 150% 이상 상승하면 이환된 부갑상선이라고 판단할 수 있다. 최종적으로 이환된 부갑상선으로 예상되는 조직을 절제하고, 체외에서 재측정한다(그림 58-3C). 이 때 방사선량 수치가 기준수치보다 120% 이상 높으면 성공적으로 절제가 이루어 졌다고 판단할 수 있다.

4) 수술중부갑상선호르몬측정
Quick Intraoperative Parathyroid Hormone Assay, IOPTH

부갑상선 병변을 찾기 위해 여러 영상학적 검사들을 시행하는 것이 민감도를 올린다는 보고가 있지만, 이는 비용과 시간이 많이 필요하다.[17] 수술중부갑상선호르몬측정은 부갑상선호르몬의 혈중 반감기가 약 3~5분으로 짧아 측정이 용이한 점을 이용한 것으로 비용면에서도 효과적이어서 최소침습 수술법에 도움이 된다.[18-20] 특히, 수술 전 영상학적 검사에서 단일선종으로 확인되었지만 다선종 질환을 완전히 배제할 수 없는 경우에 유용하다. 병변으로 예상되는 부위를 제거한 후에 부갑상선호르몬 수치를 측정하여 의미 있는 감소 여부에 따라 추가적인 탐색의 필요성을 결정할 수 있다. 이를 통

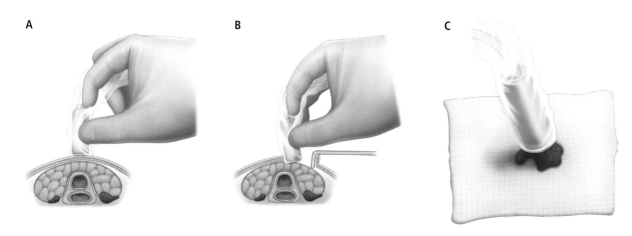

그림 58-3 | 방사선 유도 최소침습 부갑상선절제술
A. 방사선 탐지기(gamma probe)로 갑상선잘룩(isthmus)의 방사량(backgro und counts)을 측정한다. **B.** 병변부위에 직접 탐지기를 2~3초간 유지하여 방사선량을 측정한다. **C.** 절제된 조직에서 방사량을 측정하여 병변의 절제가 제대로 이루어졌는지 확인한다.

해 다선종 질환을 놓치는 경우를 방지할 수 있어 치료 성공률을 높일 수 있다. 수술 성공을 판단하는 기준으로는 Vienna 기준 혹은 Miami 기준이 사용되고 있다. 각각 수술 시작 직전(pre-incision) 및 병변 절제 직전(pre-excision)의 혈중 부갑상선호르몬 수치를 기준수치로 설정하여 병변 제거(post-excision) 10분 경과 후 50% 이상 감소했을 때, 수술을 종료할 것을 권하고 있다.[21]

5) 합병증

새로운 방법이 안전하고 효과적인 것을 입증하기 위해서는 합병증 발생률과 수술 성공률이 기존의 방법과 비교하여 비슷하거나 더 좋아야 한다. 특히 기존의 양측 접근 수술법처럼 95%의 높은 성공률과 합병증이 거의 없을 때는 새로운 방법의 수용이 더욱 어려워진다. 최소침습 부갑상선절제술의 발생 가능한 합병증으로는 되돌이후두신경 마비와 부갑상선기능저하증이 있는데 최소침습적인 접근으로 병변 주위의 조작이 적어지고 시야가 좋기 때문에 부갑상선기능저하증은 매우 발생하기 힘들다. 그렇기 때문에 기존의 수술 방법보다는 최소침습 수술을 시행할 경우 저칼슘혈증이 적다. 되돌이후두

신경 마비의 발생 빈도는 1% 이하로 기존의 수술법보다 적다고 알려져 있으며, 이후에 질환이 지속되는 치료 실패가 증가하였다는 보고도 없다.

2. 내시경부갑상선 수술
Endoscopic and video-assisted techniques

1996년에 M. Gagner가 최초로 내시경부갑상선절제술을 시행한 이후 내시경을 이용한 다양한 수술법들이 개발되었다.[22,21-26] 현재, 내시경 또는 비디오-보조 부갑상선절제술은 대부분의 일차부갑상선기능항진증에서 적용 가능하며, 여러 센터에서 시행되고 있다.[28-31]

1) 내시경부갑상선절제술 Endoscopic Parathyroidectomy

내시경부갑상선절제술 경부접근법은 중앙에 5 mm 내시경를 위한 트로카(Trocar)와 수술을 위한 2~3개의 추가적인 트로카를 삽입하고 피하기종이나 종격동기종을 피하기 위하여 가스의 압력이 8 mmHg가 넘지 않게 주

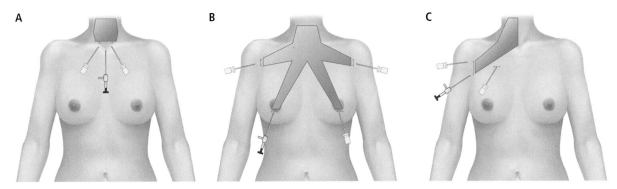

그림 58-4 │ **A.** 경부접근법. **B.** 양측 액와유륜부 접근법. **C.** 액와 접근법

입하여 시행하게 된다. 확보하기 위해 넓은 목근 아래 공간을 박리한 후 갑상선을 노출하기 위하여 중앙솔기를 열고 띠근육들을 견인한다. 갑상선이 싸여져 있던 근막에서 분리되면 부갑상선의 탐색이 이루어진다. 부갑상선이 완전히 박리가 되면 혈관들을 5 mm 클립을 이용하여 분리한다.[10]

부갑상선 수술에서도 목에 흉터가 남지 않게 하기 위하여 절개 부위를 흉벽(chest wall), 유방(brest), 액와(axillary) 등 원거리로 이동시킨 경부외접근법들이 시도되고 있으며 이러한 부갑상선 절제술은 내시경갑상선 수술 시 이루어지는 접근법들과 거의 유사하게 이루어진다(그림 58-4).

그림 58-5 │ 비디오-보조 최소침습 부갑상선절제술
추가적인 트로카의 사용 없이 내시경과 내시경적 도구들로 수술이 진행된다.

2) 비디오-보조 최소침습 부갑상선절제술

Minimally Invasive Video-Assisted Parathyroidectomy, MIVAP

표면적으로 위치한 부갑상선, 즉 하부갑상선을 수술 하는 경우에 흉골절흔(sternal notch) 부위에 약 15 mm 절개를 가하면 쉽게 접근할 수 있다. 띠근육들을 가운데서 절개하여 병변 쪽의 띠근육을 견인기(retractor)로 바깥쪽으로 당긴다. 다른 견인기로 갑상선을 안쪽으로 당겨 부갑상선을 노출시킨다. 중갑상선정맥을 결찰한 후 0도나 30도의 5 mm 내시경을 넣고, 가스는 사용하지 않는다. 수술 기구들은 절개선을 통하여 사용하므로 트로카는 불필요 하다. 해부적으로 하부갑상선은 기도 전

방에 있으며, 하부갑상선 절제 시에는 더 후방에 위치하고 있는 되돌이후두신경을 확인할 필요가 없다. 흉선 깊이 위치한 부갑상선들도 이 방법으로 수술할 수 있다(그림 58-5). 대부분의 경우 한쪽만 탐색이 이루어지지만 같은 절개를 통해 반대편도 탐색을 할 수 있는 장점이 있다.[10,23]

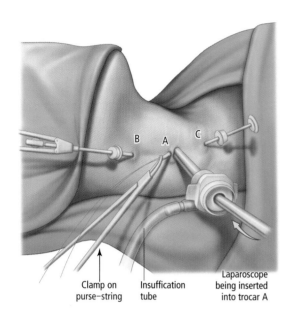

Clamp on purse-string

Insufflation tube

Laparoscope being inserted into trocar A

그림 58-6 | 비디오-보조 부갑상선절제술 측면 접근법

3) 비디오-보조 부갑상선절제술 측면 접근법
Video-assisted Parathyroidectomy by the Lateral Approach, VAP-LA

양측 띠근육 정중선을 절개하는 접근법은 표면적으로 위치하고 있는 부갑상선에는 용이하나 후방에 위치하는 상부갑성선으로의 접근은 쉽지 않다. 특히 목이 짧거나 갑상선이 큰 경우에는 더욱 어렵다. 이에 반해 측면으로 접근하는 방법은 갑상선의 측면과 후방에 직접적으로 접근할 수 있으므로 후방에 있는 부갑상선을 수술하기 적합하다(그림 58-6).

환자는 전신 마취 하에 앙와위 자세에서 목을 신전 시키지 않는다. 흉골절흔의 3~4 cm 위에 위치한 목빗근의 전연에 약 12 mm 정도로 가로 피부 절개를 한다. 이 절개선을 통해 띠근육과 경동맥을 잇고 있는 근막을 척추앞근막(prevertebral fascia)이 보일 때까지 분리시킨다. 충분한 공간이 확보가 되면 첫 절개선의 위, 아래 3~4 cm에 두 개의 2~3 mm 트로카를 삽입한다. 처음에 절개한 곳에는 10 mm 트로카를 삽입한다. 최소한의 박리로 수술할 수 있는 공간을 확보할 수 있고, 피하기종이나 종격동기종을 예방하기 위해 8 mmHg 이하의 낮은 CO_2 압력으로 유지한다. 이후에 부갑상선 탐색이 10 mm의 내시경 카메라로 이루어진다. 탐색하는 동안 선종과 동측의 부갑상선을 확인할 수 있지만 반대 편의 구조물들은 확인이 어렵다. 절제된 선종은 10 mm 트로카 부위로 꺼내지며 이보다 큰 선종은 트로카를 제거한 후 작은 견인기를 이용하여 꺼내어진다.[10]

이러한 측면적 접근은 빠르게 직접적으로 접근하여 출혈이 적고, 부갑상선의 병변이 후방에 있는 모든 경우 (대부분 상부갑상선이며 크기가 커짐에 따라 후방으로 이주하게 됨)와 갑상선의 아래쪽 후방에 위치하고 있는 하부갑상선을 수술하는 데 적용 가능하다. 또한 선종에 근접해 있는 되돌이후두신경을 더 쉽게 찾을 수 있는 장점이 있다.

4) 로봇-보조 부갑상선절제술 Robotic Parathyroidectomy

로봇 시스템을 이용한 부갑상선절제술은 기존 내시경 수술의 단점들을 극복할 수 있는 대안으로 제시될 수 있다. 관절이 있는 기구들이 손과 유사한 움직임을 가능하게 해주며, 고해상도 카메라는 3차원 고화질 영상을 제공하므로 부갑상선이나 신경과 같은 미세한 조직의 확인을 용이하게 해준다.[32] 소규모 연구들에서 측경부 접근법(lateral cervical approach) 혹은 액와 접근법(transaxillary approach)을 이용한 로봇 부갑상선 절제술이 특별한 합병증 없이 성공적으로 이루어졌다고 보고되고 있다.[33-36] 하지만, 다른 수술법들에 비하여 수술시간이 길고 넓은 피판 형성이 필요하며 많은 비용이 소요된다는 점에서 선별적인 시행이 필요하다.

5) 적응증

모든 환자들에게 내시경이나 비디오-보조 부갑상선절제술이 시행될 수 있는 것은 아니다. 가장 이상적인 병변은 산발적 일차부갑상선기능항진증이면서 이전에 경부 수술을 받은 적이 없는 환자에서 위치 파악이 쉬운 단일성 선종이다.

수술 기술의 발전과 도구들의 발달로 점차 금기증들은 극복될 것이지만, 큰 갑상선종이 있거나, 재발된 경우, 과거 목에 수술을 받은 환자, 다발성 내분비선종양이나 가족성 일차부갑상선기능항진증, 부갑상선 암 등에

서는 내시경부갑상선 수술을 시행하기에는 적합하지 않다. 병변의 위치가 명확하지 않거나, 선종의 크기가 큰 경우, 병변의 반대편에 목 수술을 받은 경우, 목에 방사선 치료를 받았거나 갑상선에 작은 결절들이 있을 때에는 수술자의 숙련도에 따라 신중히 선택적으로 시행해야 할 것이다.

REFERENCES

1. Wang CA, Castleman B, Cope O. Surgical management of hyperparathyroidism due to primary hyperplasia. Annals of Surgery 1982;195(4):384-92.

2. Udelsman R. Six Hundred Fifty-Six Consecutive Explorations for Primary Hyperparathyroidism. Annals of Surgery 2002;235(5):665-72.

3. Molinari AS, Irvin GL III, Deriso GT, et al. Incidence multiglandular disease in primary hyperparathyroidism determined by parathyroid hormone secretion. Surgery 1996;120(6):934-7.

4. Gauger PG, Agarwal G, England BG, et al. Intraoperative parathyroid hormone monitoring fails to detect double parathyroid adenomas: A 2-institution experience. Surgery 2001;130(6):1005-10.

5. Shen W, Duren M, Morita E, et al. Reoperation for persistent or recurrent hyperparathyroidism. Arch Surg 1996;131(8):861-69.

6. Bilezikian J, Potts JJ, Fuleihan G-H, et al. Summary statement from a workshop on asymptomatic primary hyperparathyroidism: a perspective for the 21st century. J Clin Endocrinol Metab 2002;87(12):5353-61.

7. Udelsman R, Pasieka JL, Sturgeon C, et al. Surgery for asymptomatic primary hyperparathyroidism: proceedings of the third international workshop. J Clin Endocrinol Metab 2009;94(2):366-72.

8. Bilezikian JP, Khan AA, Potts JT Jr. Guidelines for the management of asymptomatic primary hyperparathyroidism: summary statement from the third international workshop. J Clin Endocrinol Metab 2009;94(2):335-9.

9. Khan AA, Bilezikian JP, Potts JT Jr. The diagnosis and management of asymptomatic primary hyperparathyroidism revisited. J Clin Endocrinol Metab 2009;94(2):333-4.

10. Randolph GW. Surgery of the Thyroid and Parathyroid Glands. 2nd ed. Philadelphia, PA: Elsevier Sauders. P. 580-619, 2013.

11. Feo ML, Colagrande S, Biagini C, et al. Parathyroid glands: Combination of (99m)Tc MIBI scintigraphy and US for demonstration of parathyroid glands and nodules. Radiology 2000;214(2):393-402.

12. Clark OH, Wilkes W, Siperstein AE, et al. Diagnosis and management of asymptomatic hyperparathyroidism: Safety, efficacy, and deficiencies in our knowledge. J Bone Miner Res 1991;6:S135-42.

13. Mundschenk J, Lose S, Lorenz K, et al. Diagnostic strategies and surgical procedures in persistent or recurrent primary hyperpara-

thyroidism. Exp Clin Endocrinol Diabetes 1999;107(6):331-6.

14. Agarwal G, Barraclough BH, Reeve TS, et al. Minimally invasive parathyroidectomy using the 'focused' lateral approach. II. Surgical technique. ANZ J Surg 2002;72(2):147-51.

15. Miura D, Wada N, Arici C, et al. Does intraoperative quick parathyroid hormone assay improve the results of parathyroidectomy? World J Surg 2002;26(8):926-30.

16. Sukan A, Reyhan M, Aydin M, et al. Preoperative evaluation of hyperparathyroidism: The role of dual-phase parathyroid scintigraphy and ultrasound imaging. Ann Nucl Med 2008;22(2):123-31.

17. Carneiro DM, Irvin GL 3rd. Late parathyroid function after successful parathyroidectomy guided by intraoperative hormone assay (QPTH) compared with the standard bilateral neck exploration. Surgery 2000;128(6):925-9.

18. Chapuis Y, Fulla Y, Bonnichon P, et al. Values of ultrasonography, sestamibi scintigraphy, and intraoperative measurement of 1-84 PTH for unilateral neck exploration of primary hyperparathyroidism. World J Surg 1996;20(7):835-9.

19. Udelsman R, Donovan PI, Sokoll LJ. One hundred consecutive minimally invasive parathyroid explorations. Ann Surg 2000;232(3):331-9.

20. Riss P, Kaczirek K, Heinz G, et al. A "defined baseline" in PTH monitoring increases surgical success in patients with multiple gland disease. Surgery 2007;142(3):398-404.

21. Gagner M. Endoscopic subtotal parathyroidectomy in patients with primary hyperparathyroidism. Br J Surg 1996;83(6):875.

22. P. Miccoli, P. Berti, G. Materazzi, et al. Endoscopic bilateral neck exploration versus quick intraoperative parathormone assay (qPTHa) during endoscopic parathyroidectomy: A prospective randomized trial. Surg Endosc 2008;22(2):398-400.

23. Henry JF, Defechereux T, Gramatica L, et al. Minimally invasive videoscopic parathyroidectomy by lateral approach. Langenbecks Arch Surg 1999;384(3):298-301.

24. Shimizu K, Akira S, Jasmi AY, et al. Video-assisted neck surgery: endoscopic resection of thyroid tumors with a very minimal neck wound. J Am Coll Surg 1999;188(6):697-703.

25. Ohgami M, Ishii S, Ohmori T, et al. endoscopic thyroidectomy: breast approach better cosmesis. Surg Laparosc Endosc Percutan

Tech 2000;10(1):1-4.

26. Ikeda Y, Takami H, Sasaki Y, et al. Endoscopic neck surgery by the axillary approach. J Am Coll Surg 2000;191(3):336-40.

27. Miccoli P, Pinchera A, Cecchini G, et al. Minimally invasive, video-assisted parathyroid surgery for primary hyperparathyroidism. J Endocrinol Invest 1997;20(7):429-30.

28. Duh QY. Presidential address: Minimally invasive endocrine surgery-standard of treatment or hype? Surgery 2003;134(6):849-57.

29. Henry JF, Jacobone M, Mirallie M, et al. Indications and results of video assisted parathyroidectomy by a lateral approach in patients with a primary hyperparathyroidism. Surgery 2001;130(6):999-1004.

30. Berti P, Materazzi G, Picone A, et al. Limits and drawbacks of video-assisted parathyroidectomy. Br J Surg 2003;90(6):743-7.

31. Okoh AK, Sound S, Berber E. Robotic parathyroidectomy. J Surg Oncol 2015;112(3):240-2.

32. Fouquet T, Germain A, Zarnegar R, et al. Totally endoscopic lateral parathyroidectomy: prospective evaluation of 200 patients. ESES 2010 Vienna presentation. Langenbecks Arch Surg 2010;395(7):935-40.

33. Henry JF, Thakur A. Minimal access surgery - thyroid and parathyroid. Indian J Surg Oncol 2010;1(2):200-6.

34. Noureldine SI, Lewing N, Tufano RP, et al. The role of the robotic-assisted transaxillary gasless approach for the removal of parathyroid adenomas. ORL J Otorhinolaryngol Relat Spec 2014;76(1):19-24.

35. Karagkounis G, Uzun DD, Mason DP, et al. Robotic surgery for primary hyperparathyroidism. Surg Endosc 2014;28(9):2702-7.

부갑상선암
Parathyroid Carcinoma

▎ 울산대학교 의과대학 외과 **김연선**

부갑상선암은 부갑상선의 실질세포에서 유래한 드문 악성 종양이다. 이 악성 종양은 1904년 de Quevain에 의해 처음으로 기술되었다.[1] 처음 기술된 종양은 실질적으로 기능을 하지 않는 종양이었다. 1933년에 처음으로 Sainton과 Millot에 의해, 오늘날 부갑상선기능항진증이라고 알려진 Recklinhausen 병을 일으키는 전이성 부갑상선암이 기술되었다.[2] 부갑상선암은 일차부갑상선기능항진증의 1~3%를 차지하는 부갑상선호르몬 의존성 고칼슘혈증의 흔하지 않은 원인이다.[3-11] De Quevain의 첫 기록 이후에 문헌상으로 800케이스 이상이 보고되었다.[3-5,7-9,12-33] 이런 보고를 보았을 때, 부갑상선암은 부갑상선 선종이나 양성 과다증식보다 더 심한 임상 증상을 보인다는 것이 분명하다. 불행하게도, 조직학적 진단은 종양 침범의 증거가 없으면 간단하지 않다. 병리학자들에게는, 과다증식, 선종과 암의 부적절한 수술로 인한 재발을 구분하는 데 진단의 어려움이 발생한다.[15,33,34] 최근에 부갑상선암의 분자 병인의 발전은 이 병을 진단내리는 데 도움을 주었다. 가족성 혹은 산발성 부갑상선암은 종양 억제 유전자인 HRPT2의 돌연변이와 연관이 있다고 알려졌다.[35-38] 이러한 결과는 HRPT2 돌연변이가 부갑상선암의 발병 기전의 초기 사건임을 암시한다. 이 희귀 종양에 대한 더 나은 이해는 앞으로 다가올 환자들의 진단과 치료에 중요한 영향을 미칠 것이다.

부갑상상선암이 드문 종양이긴 하지만, 조기 발견과 완전절제만이 유일한 치료이므로 부갑상선기능항진증을 치료하는 모든 외과의사들은 임상적 양상과 독특한 수술 중 소견에 대해서 알고 있어야 한다. 다른 암과 달리, 부갑상선암은 종양의 확산으로 인한 사망은 드물게 발생한다. 대신에 사망은 과도한 부갑상선호르몬 분비로 인해 발생하는 합병증 때문에 주로 발생한다.[4,5] 이 장에서 일차성 종양 및 전이성 병변의 현재까지 이해된 병인, 임상 양상, 치료 옵션에 대하여 논의할 예정이다.

1. 빈도

부갑상선암은 일차부갑상선기능항진증의 아주 드문 원인이다. 1999년에 국립암데이터 베이스(the National cancer Data Base (NCDB)에서 286케이스를 보고했고 이것은 10년 동안 현재까지 발행된 가장 큰 단일 시리즈이다.[39] 부갑상선암이 국립암데이터베이스의 암 발병 사례의 0.005%를 차지하는 것으로 나타났다. Beus 와 Stack은 1904년부터 부갑상선암에 대한 모든 보고서를 조사한 결과 총 711건의 사례를 발견했다.[12] 다수의 사례는 이 독특한 종양의 희귀성을 강조하면서, 여러 번 보고되었다. SEER 데이터베이스의 정보를 활용하여 미국의 발병률은 인구 1,000만 명당 5.73명으로 1988년에서 2003년까지 60% 증가한 것으로 추산된다.[31] 대부분의 케이스에서 부갑상선암은 일차부갑상선기능항진증을 나타내는 환자의 1% 미만을 차지한다.[3,4,6,15] 흥미롭게도 5%의 발생률을 보고한 일본과 이탈리아 인구에서 이 질병의 발병률이 더 높은 것으로 나타났다.[5,40,41] 이러한 차이는 종양 침범 및 전이가 없는 경우 병리학자가 직면하는 진단적 장애 또는 유전적 및 환경적 요인으로 인한 질병의 절대적인 증가로 인해 발생할 수 있다.

3. 원인 및 분자 병인

부갑상선암의 병인은 아직 완전히 밝혀지지 않았다. 최근까지 두경부 방사선, 신부전으로 인한 만성 자극, 가족 증후군과 같은 선행 요인들과 관계된 임상적 연관성이 유일한 단서였다. 그러나 분자 유전학의 최근 발전은 이 질병의 병인에 대한 이해를 증가시켰다. 부갑상선암의 발병에 영향을 줄 수 있는 여러 임상적 연관성이 보고되었다. 몇몇 환자에게서 두경부 방사선에 의한 부갑상선암이 보고되었다.[5,20,42-45] 그러나 이들 환자 중 3명은 방사선 조사 후 25, 49, 53년 후에 부갑상선암이 발병되었으며, 다른 환자도 다른 자극 요인인 만성 신부전증을 가지고 있었다. 그러므로 두경부 방사선의 병인학적인 중요성은 명확하게 이해되지 않고 있다.

부갑상선암은 또한 만성신부전으로 혈액 투석을 하고 있는 여러 환자들에서 보고되었다. 문헌 조사에서 Miki는 부갑상선암이 발생한 만성신부전 환자 12명을 발견했다.[16] 그들은 만성신부전 환자에서 진행성 이차부갑상선기능항진증과 부갑상선암을 구별하는데 어려움이 있음을 설명했다. 이 두 병변에서 나타나는 생화학적 및 임상적 유사성 때문에 보고된 증례 중 수술 전에 부갑상선암을 진단을 내리는 경우는 없었다. 전세계적으로 혈액 투석 환자의 수가 증가함에 따라 부갑상선암의 유병률이 상당히 일정하게 유지되는 것이 흥미롭다.[33,39] 이로 인해 암으로부터 과다증식증을 구별하는 것은 병리학적으로 어려울 수 있다. 따라서 만성신부전과 부갑상선암 사이의 관계는 아직 명확하게 밝혀지지 않았다.

1936년에 처음보고 된 가족성부갑상선기능항진증은 현재 다발성내분비선종양1형(MEN I)과 별개의 병변으로 알려져 있다.[46] 가족성부갑상선기능항진증은 상염색체 우성으로 유전된다. 이 증후군은 고칼슘혈증, 부갑상선호르몬 수치 상승, 부갑상선종양으로 특징 지어지며 다른 내분비 조직의 기능 항진의 증거는 없다. 다선 과다증식이 가장 흔하지만, 단일 부갑상선 선종은 최대 25%의 환자에서 보고되었다.[47,48] 병변이 발생한 가족 중 5명이 부갑상선암으로 보고되었으며, 이들 환자는 이 희귀 악성 종양의 위험이 증가한다고 결론을 내리고 있다.[17,49] 단독 가족성 일차부갑상선기능항진증의 임상적 증후군은 부갑상선기능항진-턱 종양증후군(HPTH-JT)이라는 다른 유전성 일차부갑상선기능항진증과는 다른 것으로 나타났다.[17,49,50] 부갑상선기능항진-턱종양증후군은 하악과 상악의 골 섬유화, 신 낭종, 신장 과오종 및 윌름 종양과 관계 있는 드문 상염색체 우성 질환이다.[51-55] 산발적 일차부갑상선기능항진증의 1%에서 부갑상선암이 발생하는 것에 비해 부갑상선기능항진-턱종양증후군에서 부갑상선암의 빈도는 10%이다.[17,35,49,50,56]

지난 10년간 부갑상선종양의 병인 발생에 종양 억제 유전자와 암 유전자의 역할에 대한 증거가 보고되었다. 부갑상선기능항진-턱종양증후군을 담당하는 HRPT2 유전자는 1q25-q32 영역으로 매핑되었다.[40] Carpten과 동료들은 부갑상선기능항진-턱종양증후군이 있는 14가족에서 HRPT2의 13가지 다른 돌연변이를 확인했다. 그들의 연구는 이것이 단백질 파라피브로민(parafibromin)을 암호화하는 종양 억제 유전자라는 기존의 믿음을 지지하였다. 파라피브로민의 역할은 알려져 있지 않다. 이 유전자의 불활성 생식선 돌연변이는 부갑상선기능항진-턱종양증후군이 있는 대다수의 종양에서 확인되었으며, 부갑상선암이 나타났다. Shattuck은 HRPT2 돌연변이가 산발적 부갑상선암의 발병 원인이 될 수 있는지 조사하였다. 연구된 15개의 부갑상선암 중 10개가 HRPT2

돌연변이를 보여주었고, 모두 인코딩된 파라피브로민 단백질은 불활성화 되었다.[37] 따라서 파라피브로민의 불활성화을 일으키는 HRPT2 돌연변이는 부갑상선암의 발병 기전에 중요한 기여를 하는 것으로 보인다. 이 이론을 뒷받침하는 것으로, Howell은 또한 4개의 부갑상선암에서 HRPT2의 체세포 돌연변이와 5개의 부갑상선기능항진-턱종양증후군에서 생식선 돌연변이, 그리고 가족성 부갑상선기능항진증에서의 2개의 추가 종양을 발견하였다.[36] 이 데이터는 부갑상선기능항진-턱종양증후군의 발달과 가족성 부갑상선기능항진증의 일부에서 HRPT2 돌연변이의 역할을 뒷받침하는 추가적인 증거를 제공하였다. 이 두 연구는 모두 HRPT2 돌연변이가 부갑상선암의 발생을 일으키는 조기 사건이라는 가설을 뒷받침한다.

예상치 않게 Shattuck의 산발성 부갑상선암 연구에서 3명의 환자가 생식 세포 변이를 가진 것으로 나타났다.[37] 이 발견은 산발암의 일부가 부갑상선기능항진-턱종양증후군의 표현형 변이일 수 있음을 시사한다. 이 발견의 임상적인 의미는 중요하다. 환자, 특히 젊은 환자는 HRPT2 유전자의 생식 세포 돌연변이를 찾는 DNA검사를 고려해야 한다. 돌연변이가 발견되면 가족 구성원을 검사 할 수 있고 양성인 경우 적절한 감시를 실시할 수 있다.[37,57] HRPT2 유전자가 부갑상선 발병에 중요한 역할을 한다는 증거는 산발성 암에서 증가된 1q 염색체의 이형 접합체(heterozygosity, LOH) 증가된 손실의 발견이다. Haven의 연구에서 22개의 부갑상선암이 포함되어 있는데 이 중 12개(55%)가 염색체 1q의 이형 접합체의 손실을 보였으나 이형 접합체의 손실은 부갑상선 선종의 8%에서만 발견되었다.[56,58] 그러나 이것이 완전한 이야기는 아니지만, 이 그룹에서 또한 부갑상선암의 50%가 MENIN 유전자가 위치한 염색체 11q13의 이형 접합체의 손실임이 확인됨을 발견하였다. 이 유전자는 다발성 부갑상선 선종, 뇌하수체, 췌장, 신경 내분비선, 유암종, 부신 피질 종양으로 특징지어지는 상염색체 우성 장애인 다발성내분비선종양1형 증후군을 담당한

다. 부갑상선 선종의 경우 30%에서 염색체11q13에 있는 이형 접합체의 손실임이 증명되었고[59,60] MENIN 유전자가 종양 형성에 중요한 역할을 할 수 있음을 시사한다. 흥미롭게도 헤이븐의 연구에서 부갑상선암의 36%가 염색체 1q와 11q13에서 이형 접합체 손실을 보였다. 이 사실은 HRPT2 유전자의 불활성화는 부갑상선의 발암을 촉진하기 위해 독립적으로도 그리고 MENIN 유전자 불활성화와 함께 작용할 수 있다.[56]

PRAD1 / cyclin D1은 부갑상선 종양의 발생과 연관되어 있다.[61-64] PRAD1 / cyclin D1은 염색체 11q13에 위치한 암 유전자이며, 이것의 단백질 생성물은 세포주기의 G1기에서 S기로의 세포 전이에서 중요한 역할을 한다.[61] PRAD1 / cyclin D1 종양 단백은 부갑상선 선종의 18~40%에서 과다 발현된다.[56,61,63,64] 이 단백질의 과발현은 부갑상선암(57~91%)에서 유의하게 높았다.[56,63] 이 데이터가 부갑상선암에서 이 단백질의 중요한 역할을 암시하지만, 부갑상선암의 발병과 관련하여 PRAD1 / cyclin D1 활성화의 유전 효과가 결정되어야 한다.

PRAD1 / cyclin D1의 종양 발생 활성을 위한 하나의 가능한 메커니즘은 망막모세포종(RB) 유전자의 단백질 생성물의 성장 억제 효과의 불활성화를 통한 것이다.[65] 망막모세포종은 부갑상선암에 연루된 종양 억제 유전자이다. 몇몇 연구자들은 망막모세포종과 BRCA2 유전자를 모두 포함하는 것으로 알려진 영역인 염색체 13q에서 이형 접합체 손실을 증명하였다.[66-68] 그러나 Shattuck은 13q염색체에서 이형접합체 손실을 보인 6개의 부갑상선암에서 망막모세포종 또는 BRCA2에서 종양 특이적인 체세포 돌연변이를 입증할 수 없었다.[65] 이들 유전자의 발현 감소는 부갑상선 종양의 병인에 기여할 수 있지만, 종양 형성에서의 이들의 역할에 대해서는 추가 조사가 필요하다.

표 59-1 | 부갑상선암과 양성 일차부갑상선기능항진증의 임상적 생화학적 특징

	양성 일차부갑상선기능항진증	부갑상선암
여성대 남성	4대 1	1대 1
평균 칼슘(mmol/L)	2.7~2.9	3.75~4.0
평균 부갑상선호르몬(ng/dl)	<2x 정상	>3~10x 정상
평균 나이	50대	40대
만져지는 종양(%)	<2	30~76
낭성섬유골염(%)	5	40~75
신장결석증(%)	10~15	40
신장과 뼈 질환(%)	드묾	40~50
무증상(%)	80	2

4. 임상 증상

양성과 악성 일차부갑상선기능항진증의 구별이 어려울 수 있다. 흔히 고칼슘혈증이 몇 년 후에 재발할 때에 진단이 이루어진다.[15] 부갑상선호르몬 의존성 고칼슘혈증의 감별 진단에서 암을 고려하면 최적의 결과를 유도하는 것으로 나타났으며, 완전 절제술이 치료를 위한 최상의 기회를 제공한다.[3,5,31,33,57,67,69,70] 임상 및 검사 소견은 부갑상선암을 시사할 수 있다. 그러나 이러한 발견은 비특이적이다(표 59-1). 그러나 몇 가지 임상 특징은 외과 의사에게 이 진단의 가능성을 알리고 환자에게 일괄 절제술을 적절히 계획하게 할 수 있다. 남성에 비해 여성(여성 대 남성: 4:1)의 우세가 있는 양성 일차부갑상선기능항진증과는 달리, 부갑상선암종은 남성과 여성 모두에 똑같이 영향을 미친다.[3,71] 문헌 고찰에서 Koea는 평균 연령은 49세(범위 13~80세)인 것으로 나타났다.[71] 이것은 양성 일차부갑상선기능항진증의 평균 연령보다 약 10년 더 젊다. 생화학적으로 고칼슘혈증의 정도는 양성 일차부갑상선기능항진증보다 암 환자에 더 두드러진다. 양성 부갑상선기능항진증의 평균 칼슘수치는 2.7 mmol/L고 문헌상 보고된 부갑상선암의 평균 칼

슘 수치는 3.75~3.97 mmol/L이다. 부갑상선호르몬 레벨도 정상 범위의 5배에서 10배 이상으로 상당히 높게 보고되었다.[3-5,15] 1974년과 1998년 사이에 보고된 사례를 검토 한 결과 부갑상선호르몬 값의 평균 증가는 정상보다 512% 높았다.[71] 이러한 고농도의 부갑상선호르몬은 진행성 이차 및 삼차부갑상선기능항진증에서 나타나지만, 일차부갑상선기능항진증에서는 이러한 심한 증가는 거의 없다.

오늘날 존재하는 대다수의 환자에서 무증상이고 신장 질환이나 뼈 질환의 중요한 징후가 없는 양성 부갑상선기능항진증과[72,73] 달리 부갑상선암 환자는 일반적으로 말기 장기 질환의 임상 양상을 나타낸다(표 59-1). [3-5,71] 신장 결석 및 손상된 사구체 여과율(GRF)을 포함한 신장 침범의 유병률은 양성 부갑상선기능항진증에서 20% 미만이다.[73,74] 대조적으로, 부갑상선암 환자에서는 신장결석증은 56%, 신부전증은 84%에서 발견되었다.[4] 낭성섬유골염, 뼈의 갈색 종양, 확산성 골감소증 및 골막하골흡수와 같은 부갑상선기능항진증의 과도한 방사선 소견이 암환자에서는 45~91%에서 나타나지만 대조적으로 양성 부갑상선기능항진증 환자의 5%에서 나타난다(그림 59-1).[71,73,74] 부갑상선암의 진단에 대한

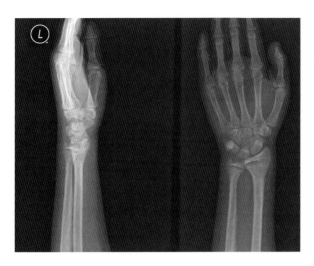

그림 59-1 | 확산성 골감소증

추가적인 임상 단서는 환자의 50%까지 발견되는 신장 및 뼈 질환의 존재이다. 수반되는 신장 질환 및 골격 증후군은 양성 일차부갑상선기능항진증에서 오늘날 거의 나타나지 않는다.[3,71] 드물게 기능이 없는 부갑상선암이 보고된 바 있다.[1,28,75,76] 내분비 병증이 없기 때문에 이 종양은 전반적인 전이성 질환으로 늦게 발현되는 경향이 있다. Klink가 검토한 결과, 14명이 비기능성 종양이었다(부갑상선암의 2%).[75]

신체 검사에서 부갑상선암 환자는 체중감소, 심각한 피로, 거식증 및 근육 소모와 같은 악성 종양의 증상을 나타낼 수 있다. 부갑상선기능항진증의 모호하지 않은 비특이적 증상이 현저히 나타나며 양성 부갑상선기능항진증과는 달리 빠른 발병률을 보인다. 만져지는 목의 종양은 양성 부갑상선기능항진증 환자의 5% 미만에서 발견되지만 암 환자의 30~76%에서 만져지는 목의 종양이 발견된다.[71] 부갑상선기능항진증 환자가 이전에 목 수술을 하지 않은 경우에 반회후두신경 마비는 침입성 질환이 의심된다. 반회후두신경으로의 침입은 증명된 부갑상선암 환자의 7~13%에서 발생한다. 주변 조직으로의 침입은 수술 당시 환자의 34~75%에서 보였다. 인접한 갑상선, 위에 놓인 띠근육 및 인접한 연부 조직이 가장 흔하게 침범되는 구조이다. 기관 침범은 환자의

11%에서, 식도와 경동맥초 침범은 각각 2%에서 발생한다.[32]

부갑상선 종양에서의 국소 림프절 전이는 흔하지 않으며, 임상적으로 3~8%의 환자에서만 발생한다.[31-33] 원격 전이는 SEER 데이터베이스에서 4.5%의 사례에서 기록되었고, 보다 작은 코호트의 4~11%에서 보고되었다.[31,32] 한 시리즈에서 22%의 환자가 장기 추적 관찰 기간 동안 원격 전이를 보였다. 폐, 뼈 및 간이 가장 빈번하게 전이되는 부위이다.

5. 수술 전 검사

지난 10년 동안 부갑상선기능항진증의 외과적 치료에 있어 패러다임의 변화가 있었다. 보다 나은 영상 진단법과 수술 중 부갑상선호르몬 모니터링의 개발을 통해 최소 침습적 영상 유도 수술은 부갑상선 4개 모두를 확인하는 것 대신 선별된 환자의 표준 수술이 되었다.[77] 그러므로 수술 전 암이 의심되는 환자에서는 침습적인 방법을 요구하기 때문에 외과의사는 적절한 환자 선택을 하는 것이 중요하다. 그러므로 암이 임상적으로 의심될 때는 수술 전 검사가 진단뿐만 아니라 수술적 계획을 세우는 데도 도움이 된다. 목의 초음파는 침입성 질환을 의심할 때 도움을 줄 수 있다. 초음파상 육안적 침범, 현저한 종양의 불규칙 또는 림프절 전이의 증거가 있을 때 악성 종양을 고려해야 한다.[5,78,79] 다른 비침습성 검사는 전산화단층촬영법(CT) 및 자기공명영상(MRI)이 포함된다. 이 두 가지 영상은 종양의 범위, 인접한 구조물의 침입 및 국소 혹은 원격전이를 확인 할 수 있다(그림 59-2). 최근 양전자단층촬영(PET)이 부갑상선 악성 종양을 발견하는 데 이용되고 있다.[29]

Tc-99m pertechnetate / Tc-99m sestamibi (MIBI) 영상은 부갑상선기능항진증의 표준 수술 전 영상 진단이 되었다. 미비(MIBI)스캔은 부갑상선암의 진단에 도움이 되었는데, 이는 기능하지 않을 때도 원발 종양을 국

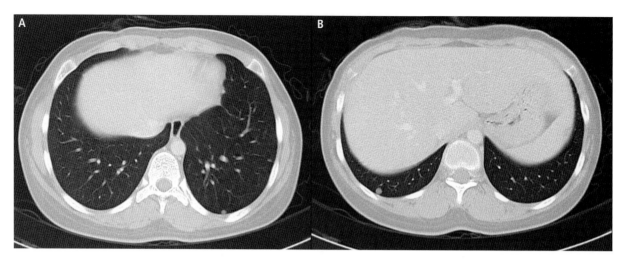

그림 59-2 | 부갑상선암의 폐전이

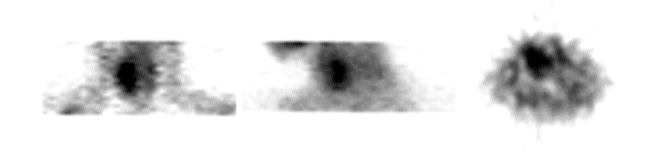

그림 59-3 | 부갑상선암의 미비스캔(MIBI)

소화할 뿐만 아니라 원격 전이도 표시되도록 하는 것으로 나타났다(그림 59-3).[75,80] 그러므로 전이성 뼈 질환으로부터 갈색 종양을 구별하는 데 도움이 되므로 부갑상선암의 진단을 고려할 때 전신 미비(MIBI)검사를 받는 것이 중요하다. 뼈 스캔은 부갑상선 암의 수술 전 진단에 도움이 되는 것으로 나타났다. 핵 뼈 스캔의 고전적인 특징은 갈색 종양과 전이성 침착물 모두를 증명할 뿐만 아니라 대사성 뼈 질환과 일치하는 증가된 뼈 회전율의 증거로 이루어져 있다.

암이 의심되는 경우 세침흡인 검사는 두 가지 이유로 추천되고 있지 않다. 첫 번째로,[81] 부갑상선암의 세포 특징은 갑상선의 여포성 혹은 휘틀세포 종양과 비슷해서 외과의사에게 수술 전 오해의 소지가 있다. 두 번째로 종양 캡슐의 침범은 예전에 보고된 것처럼 부갑상선 세포 파종의 위험이 있다.[82] 국소 영역 제거가 이 병의 치료에 가장 중요한 요소가 되고 그래서 종양 파종의 어떤 요인도 결과에 영향을 미칠 것이다.

6. 수술적 치료

부갑상선암의 가장 효과적인 치료법은 원발 및 국소적인 완전 절제술이다.[5,6,11,22,33,70,71,83] 수술 전에 의심하거나 수술 중 인식은 이들 환자의 치료에 가장 중요한 요소가 된다. 수술 전 임상적 특징에서 암이 의심될 때는 위에 열거한 여러 검사를 시행 후 계획된 일괄 절제술을 시행하여야 한다. 부갑상선암을 암시하는 수술 중 소견은 크고 단단하며 희거나 회색의 부갑상선 병변이고 주위 구조물의 침범 혹은 협착이 있는 경우이다(띠근육, 갑상선, 기관지, 반회후두신경, 식도, 흉쇄유돌근). 385케이스의 보고된 부갑상선암을 검토하였을 때, 178명의 환자에서 침범된 증거때문에 그리고 부갑상선의 모양을 근거로 46케이스에서 수술 중 진단을 내리거나 의심할 수 있었다.[71]

어떤 수술의들은 부갑상선암의 일괄절제에 대한 독단적인 수술적 방법에 대해 의문을 제기하였다.[84] 이 병의 희귀성 때문에 최근까지 데이터는 단순 부갑상선 절제술보다 더 넓은 범위의 절제의 장점을 확인하는데 부족하였다. 종양 캡슐을 파괴하지 않고 절제하는 것이 파라씨로마토시스(parathyromatosis)를 유발하는 종양유출을 피하는 것이다. 동측 갑상선엽을 포함한 일괄절제술이 완전한 절제를 용이하게 해주며 종양의 적절한 평가 및 병기를 알 수 있게 해준다. 최근 문헌 조사에서 Talat와Schulte는 종양학적 수술 실패가 재발과 사망 위험을 높임을 발견하였다(RR 2.0, CI 1.2-3.2, p <0.01).[33]

수술적 접근은 목깃절개 후 띠근육을 제낀다. 수술 중 부갑상선호르몬 모니터링이 없는 경우, 반대편 부갑상선의 과형성 여부를 확인하여야 한다. 왜냐하면 일부 환자에서는 부갑상선암과 동반하여 4개 부갑상선 질환 모두를 가지는 경우가 있기 때문이다.[17,21] 만약 과형성이 있다면 부갑상선암의 일괄 절제술을 포함하여 남은 부갑상선을 제거하고 목과 멀리 떨어진 팔에 부갑상선을 이식하여야 한다. 만약 반대편 부갑상선이 육안으로 정상으로 보이면 그대로 놔둘 수 있다. 침범된 부위의 남은 정상 부갑상선을 확인하기 위하여 노력하여야 한

그림 59-4 | **부갑상선암의 육안적 소견**

다. 추적관찰을 돕기 위하여 침범된 부위의 모든 부갑상상선이 제거되었음을 확신하기 위해 부갑상선이 표본에 포함되어야 한다. 종양은 갑상선엽, 경부 흉선, 및 중앙 경부 림프절(레벨 VI)을 포함한 일괄절제술로 제거된다(그림 59-4).[70] 재발을 증가시킬 수 있는 종양의 유출을 피하기 위하여 종양의 껍질이 깨지지 않도록 조심스럽게 수술하여야 한다. 반회후두신경이 침범되면 표본에 같이 포함해서 절제하여야 한다. 그러므로 수술 전 모든 환자들에게 직접 후두경 검사가 중요하다. 림프절 I, II, III, IV 혹은 V를 포함한 측경부 림프절절제술은 육안적으로 침범된 경우가 아니면 적응증이 되지 않는다. 국립 암데이터베이스(NCDB) 리포트에서 105명의 환자에서 림프절의 상태가 기록되었는데 이 환자의 15%에서 병리학적으로 전이가 있었다.[39] 현재로서는 수술 중 부갑상선호르몬 모니터링 사용이 수술의 범위를 가이드 하는데 도움을 줄 것이다. 수술 후 30분 내에 정상 수준으로 회복될 수 있게 부갑상선호르몬의 유의한 감소가 시도되어야 한다.[83]

더 어려운 시나리오는 수술 후 초기에 진단이 이루어지는 경우이다. 병변의 육안 특징이 암에 전형적이고 병리학적으로 광범위한 침범이 있는 공격적인 종양이고 환자가 여전히 고칼슘혈증을 유지하면, 원격전이가 배제된다면 수술한 부위와 종양 주위 구조물을 새로 열어

서 수술하여야 한다. 그러나 그러한 특징이 없으며 조직 병리학적으로만 진단을 받는 경우 재수술이 필요하지 않을 수 있다. 이러한 환자는 부갑상선호르몬과 칼슘농도를 측정하여 재발여부를 관찰하여야 한다.

부갑상선 암 환자의 수술 후 관리는 칼슘 항상성에 특별한 주의가 필요하다. 이 환자들은 보통 칼슘과 인이 골격에 침착될 때 골기아증후군을 일으키며, 심하게 칼슘이 떨어진다. 성공적인 외과적 개입에 따른 저칼슘혈증은 경구 및 정맥 내 칼슘이 모두 필요하며 심각하고 오래 갈 수 있다. 환자는 경구용 칼슘 및 비타민D 보충제를 즉시 투여하여야 하고, 정상적인 부갑상선의 회복을 돕기 위해 혈청 칼슘 농도를 정상의 낮은 레벨에 유지하도록 하여야 한다. 뼈가 치유되고 나머지 부갑상선이 기능하기 시작하면 필요한 양의 칼슘이 감소한다. 골기아증후군 정도에 따라 수술 후 부갑상선호르몬 수치가 뼈의 생리적 정상반응의 일부분으로서 상승할 수 있다. 부갑상선호르몬의 증가가 영구적인 병의 징후가 아니라 골기아증후군의 증상으로서 증가한다는 것은, 후에는 칼슘 수치가 상승하지 않는다는 것이다.

7. 보조 치료

역사적으로, 보조 방사선 요법은 부갑상선암 치료에 효과적이지 않다고 여겨졌다.[3,7-9,85] 외부빔방사선은 부피가 크고 절제 불가능한 질병을 치료할 때 종양 크기를 줄이거나 고칼슘혈증을 교정하는데 효과적이지 못하다는 것이 입증되었다. 마찬가지로, 뼈 전이 치료에서 실망스러운 결과가 도출되었다. 어쨌든 더 최근의 보고는 조직학적으로 암의 가장자리와 가깝거나 또는 양성인 경우 수술 후 보조방사선치료의 역할에 의문을 제기하였다. Munson이 보고한 65명의 환자들 중 4명은 보조치료를 받았고, 4명은 국소적 질환 통제를 위해 치료받았다.[86] 전체 국소 재발은 환자의 44%에서 발생하였다. 그러나 보조요법으로 치료받은 네 명의 환자 모두 질

병 없이 살아 있었다. 마찬가지로, MD앤더슨과 프린세스 마거릿 암 센터는 수술 후 40~50 Gy의 보조 방사선이 적용되면 낮은 국소 재발을 보고하였다.[19,83] 따라서 비록 숫자가 적지만 보조방사선이 국소적으로 질병을 통제하는 데 중요한 역할을 하는 것으로 보인다.

화학요법은 부갑상선암 치료에 실망스럽다. 이 병의 희귀성 때문에 보조 또는 치료요법으로 그 역할을 평가할 대규모 임상 시험이 없다. 대부분의 경우, 화학 요법은 절제 불가능한 것으로 간주되는 광범위한 국소영역 병을 가진 환자에게 제공된다. 빈번한 치료법으로는 빈크리스틴(vincristine), 아드리아마이신(adriamycin), 싸이클로포스파마이드(cyclophosphamide), 및 5-플루오로 우라실(5-fluorouracil)은 단일 약제로서 또는 조합하여 사용되었지만, 효과가 없다는 것이 입증되었다.[4,87,88] 현재로서는 부갑상선암 환자의 치료에 화학 요법의 사용은 아무런 역할이 없다.

8. 병리

부갑상선암의 진단은 병리학자에게는 여전히 어려운 부분이다. 동결절편검사로는 양성과 악성부갑상선종양을 구별할 수 없다. 절개 생검은 종양 세포를 주변 조직에 퍼지게 할 위험이 있으므로 권장되지 않는다.[89]

최근까지 침윤과 전이의 조직학적 소견에 의해 진단이 이루어졌다. 이러한 악성 종양에 대한 명확한 기준은 임상적으로 의심되는 부갑상선암의 경우에는 없었다. 지금은 많은 병리학 실험실에서 면역 조직 화학 분석이 WHO 분류된 부갑상선암 및 비정형 부갑상선 선종에 대해 일상적으로 수행된다.[38]

1) 육안적 현미경적 특징

부갑상선암은 육안적으로 선종과 유사하다. 그러나 암

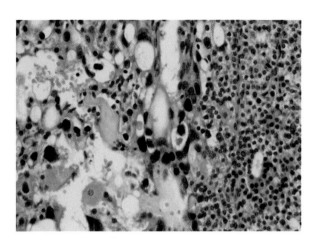

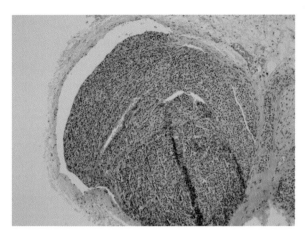

그림 59-5 | 높은 유사분열(×400배)

그림 59-6 | 부갑상선암의 혈관침범(×400배)

은 일반적으로 단단하고 인접한 구조물에 부착되어 있다. 절단된 표면은 회백색이며 국소 괴사를 나타낼 수 있다.[39,89] 평균 종양 크기는 3.3 cm이며, 평균 무게는 2.7 g(0.08~13 g 범위)이다.[39,90] 전이성 질환이나 침범의 증거가 없다면, 부갑상선암의 조직학적 진단이 어렵다. Schantz와 Castleman91이 기술하고 다른 연구자들[4-6,43,92,93]에 의해 사용된 부갑상선암의 전형적인 조직 병리학적 특징은 섬유주 구조, 유사 분열상, 두꺼운 섬유질 밴드와 피막 및 혈관 침범이다. 27명의 부갑상선암 환자를 대상으로 한 최근 연구에서 Clayman은 섬유질 밴드, 유사 분열 및 혈관 침범이 환자의 37%에서 개별적으로 관찰된다는 것을 발견했다. 캡슐 침범은 단지 26%에서 발견되었고, 섬유주와 림프관 침범은 단지 11%에서만 나타났다. 이 연구는 암의 고전적 병리학적 특징이 항상 존재하지 않는다는 사실뿐만 아니라 이것이 악성 종양에 특이성도 없다는 사실을 보여준다. 섬유질 구조 외에도, 많은 선종의 조직학적 모양과 유사한 균질세포의 딱딱한 시트가 발생할 수 있다. 암종에서 보이는 섬유질 밴드는 많은 흉선종에서 볼 수 있는 것과 유사한, 밀도가 높은 유리질인 경향이 있다. 그러나 섬유조직이 오래된 출혈이나 이전 수술의 증거와 관련되어 있다면, 그것은 선종의 특징일 수 있다.[43] 종양 세포에서 유사분열의 존재는 일부 저자에 의해 암의 가장 유용

한 지표로 사용되어 왔다.[6,91] 그러나 다른 사람들은 선종에서도 유사 분열을 관찰하였다.[43,94] 높은 유사 분열 속도(50 high power field 당 >5), 거대핵, 그리고 괴사는 재발성 또는 전이성 같은 공격적이었던 종양과 관련되었다(그림 59-5).[95]

대부분의 부갑상선 암의 캡슐은 비슷한 크기의 선종보다 두껍다. 캡슐 침범은 캡슐의 콜라겐 섬유를 통해 혀처럼 돌출된 종양 조직의 확장이 특징이다. 캡슐을 통해 인접한 조직으로의 세포 증식에서 결정적인 암진단이 가능하다. 가장 흔한 국소 침범은 지방 조직 및 근육, 식도, 갑상선, 반회후두신경 및 기관지이다. 혈관 침범은 부갑상선암의 10~15%에서 발생하고 암을 진단하는데 고려된다. 혈관 침범이 진정으로 인정받기 위해서는 종양이 혈관 채널 내에 존재해야 할 뿐만 아니라 벽에 적어도 부분적으로 부착되어야 한다(그림 59-6).

9. 자연사 및 예후

부갑상선암의 생물학적 양상은 소수의 환자에서 공격적일 수 있지만 대다수의 환자는 무통성 경과를 보인다. 5년 생존율은 문헌상 44%에서 85%로 다양하며, 모든

경우 조직학적 확진을 어렵게 하는 경향이 있다.[4,6,15] 최근의 NCDB 연구에서 전체 5년 및 10년 생존율은 각각 85.5%와 49%였다.[39] 종양 크기나 림프절 상태는 이 집단에서 생존을 예측하지 못했다. 그러나, 후향성 데이터 베이스 분석은 이러한 관찰에 제한이 있다.

초기 수술 후 재발은 33%에서 78%까지의 비율로 흔하다.[4,15,22,24,71] 문헌 고찰에서 Koea와 Shaw는 적절한 치료를 받고 추적관찰이 된 일련의 301명의 환자를 분석할 수 있었다.[71] 그들은 총 179명의 환자에서 부갑상선절제술만 받았음을 확인했다 이 중 92명이(51%) 41개월 만에 재발했다. 재발을 일으킨 환자의 90%는 평균 62개월 만에 그들의 질병으로 사망하였다. 대조적으로, 104명의 환자는 치유적 목적으로 일괄 절제술을 받았다. 8%가 국소 재발하였고 3명의 추가 환자가 원격 전이가 발생하여 임상적 인식과 초기의 광범위한 수술의 중요성을 입증하였다. 제일 최근의 문헌 리뷰로는 330명의 환자에서 117명(35%)이 질병으로 사망했고 207명(63%)은 재발 경험이 있었고 평균 추적 관찰 기간은 6년이었다.[33] 그들의 단변량 분석에서 생존과 재발률은 남성, 혈관 침범의 유무, 림프절 침범에 의해 유의하게 영향을 받았다.

초기 수술 후 지속적인 고칼슘혈증은 나쁜 예후 지표로 나타났다.[4] 지속적인 병을 보이는 환자의 60%는 3년 이내에 그들의 질병으로 사망하였다. 국소 또는 전이성 질환의 외과적 절제술은 정상 칼슘혈증의 기간이 수개월에서 수년에 이르는 것을 보여주었다.[3,71] 증상적 치료를 시행한 환자와 비교하였을 때 전이 절제술을 시행한 환자에서도 생존 혜택이 증명되었다.[71]

10. 고식적 치료

부갑상선암이 멀리 퍼지면 환자는 대개 고칼슘혈증 같은 신진대사 합병증으로 사망한다.[5,69] 고칼슘혈증의 관리에는 수분 공급과 고리작용이뇨제를 이용한 칼시유레시스(calciuresis) 촉진이 포함된다.[96] 그러나 고칼슘혈증의 다른 원인과 달리 부갑상선암은 이러한 방법에 드물게 반응하게 된다. 비스포스포네이트는 파골 세포가 매개하는 골 흡수를 억제하는 약물이다. 30~90 mg/day의 용량으로 2~24시간 이상 주입할 때 파미드로네이트(Pamidronate)는 부갑상선암 환자의 혈청 칼슘 농도를 일시적으로 낮추는데 효과적이다.[5,21,97] 좀 더 강력한 비스포스포네이트인, 졸레드로네이트(zoledronate)는 보다 신속하게 투여될 수 있으며(15분에 걸쳐 4 mg 정맥주사) 칼슘 농도를 낮추는데 매우 효과적이라고 나타났다.[98,99] 비스포스포네이트 요법의 효과는 전형적으로 시간과 질병의 진행에 따라 감소한다.

새로운 종류의 약물인 칼슘 모방제(calcimimetics)는 부갑상선암으로 유발 된 고칼슘혈증의 장기 치료에 대한 가능성을 보여준다.[100,101] 이 약물은 부갑상선호르몬 분비 조절에 관여하는 칼슘감지수용체(CaRs)의 알로스테릭(allosteric) 조절제이다. 2세대 칼슘 모방제인 시나칼셋(Cinacalcet)에 대한 다기관 연구에서 부갑상선 기능 항진증에서 보여지는 고칼슘혈증이 안전하게 칼슘이 정상화되고 부갑상선호르몬 농도를 감소시켰다.[102] 하루 30~60 mg의 경구용 Cinacalcet은 부갑상선암으로 고생하는 일차부갑상선기능항진증 환자에서 혈청 칼슘 수치의 장기 조절을 향상시킨다.[103]

칼시토닌(calcitonin)과 글루코코르티코이드(glucocorticoids)를 포함해서 다른 약리학적 치료법이 심각한 고칼슘혈증에 이용되고 있다. 칼시토닌은 파골세포의 활동을 억제하고 칼슘의 신장 배설을 증가시킨다. 그러나 칼시토닌에서 보여지는 완만한 감소는 48시간 내에 전 치료 수준으로 돌아갈 정도로 수명이 짧다.[11] 천천히 시작하는 비스포스포네이트 요법과 병용 투여 시 유용하다. 코티코스테로이드는 칼슘의 요로 배설을 증가시키고 장 흡수를 감소시킨다. 이것의 사용은 부작용과 더 효과적인 약물의 개발에 의해 제한된다.

최근에는 항 부갑상선호르몬 면역치료를 이용한 부갑상선암의 새로운 치료법이 보고되었다.[104] 일부 연구진들은 폐전이로 인한 저항성 고칼슘혈증을 보이는 환자의 보고에서 네 번째 면역 접종 후 부갑상선호르몬과 혈장 칼슘수치가 감소했다는 것을 발견했다. 연구진은 폐 전이 크기의 감소를 발견하여 향후 이러한 유형의 치료법에 대한 가능성을 입증했다. 마지막으로, 소마토스타틴 유사체인 옥트레오티드(octreotide)가 부갑상선호르

몬 분비를 억제한다고 보고된 바 있다.[105] 전이성 부갑상선암의 치료에서 옥트레오티드(octreotide)의 사용과 방사성 핵종 치료제의 잠재적 사용은 아직 완전히 밝혀지지 않았다.

REFERENCES

1. de Quevain F. Parastruma maligigna aberrata. Deutsche Zeitschr Chir 1904;100:334-52.

2. Sainton P MJ. Malegne d'un adenome parathyroidiene eosinophile. Au cours d'une de Reckinghausen. Ann Anat Pathol 1933;10:9.

3. Shane E. Clinical review 122: Parathyroid carcinoma. J Clin Endocrinol Metab 2001;86:485-93.

4. Wynne AG, van Heerden J, Carney JA, et al. Parathyroid carcinoma: clinical and pathologic features in 43 patients. Medicine (Baltimore) 1992;71:197-205.

5. Obara T, Fujimoto Y. Diagnosis and treatment of patients with parathyroid carcinoma: an update and review. World J Surg 1991;15:738-44.

6. Wang CA, Gaz RD. Natural history of parathyroid carcinoma. Diagnosis, treatment, and results. Am J Surg 1985;149:522-7.

7. Cohn K, Silverman M, Corrado J, et al. Parathyroid carcinoma: the Lahey Clinic experience. Surgery 1985;98:1095-100.

8. Hakaim AG, Esselstyn CB, Jr. Parathyroid carcinoma: 50-year experience at The Cleveland Clinic Foundation. Cleve Clin J Med 1993;60:331-5.

9. Fujimoto Y, Obara T. How to recognize and treat parathyroid carcinoma. Surg Clin North Am 1987;67:343-57.

10. DeLellis RA, Mazzaglia P, Mangray S. Primary hyperparathyroidism: a current perspective. Arch Pathol Lab Med 2008;132:1251-62.

11. Rodgers SE, Perrier ND. Parathyroid carcinoma. Curr Opin Oncol 2006;18:16-22.

12. Beus KS, Stack BC, Jr. Parathyroid carcinoma. Otolaryngol Clin North Am 2004;37:845-54, x.

13. Shane E. Parathyroid carcinoma. Curr Ther Endocrinol Metab 1994;5:522-5.

14. Salusky IB, Goodman WG, Kuizon BD. Implications of intermittent calcitriol therapy on growth and secondary hyperparathyroidism. Pediatr Nephrol 2000;14:641-5.

15. Sandelin K, Auer G, Bondeson L, et al. Prognostic factors in parathyroid cancer: a review of 95 cases. World J Surg 1992;16:724-31.

16. Miki H, Sumitomo M, Inoue H, et al. Parathyroid carcinoma in patients with chronic renal failure on maintenance hemodialysis. Surgery 1996;120:897-901.

17. Streeten EA, Weinstein LS, Norton JA, et al. Studies in a kindred with parathyroid carcinoma. J Clin Endocrinol Metab 1992;75:362-6.

18. Cordeiro AC, Montenegro FL, Kulcsar MA, et al. Parathyroid carcinoma. Am J Surg 1998;175:52-5.

19. Chow E, Tsang RW, Brierley JD, et al. Parathyroid carcinoma--the Princess Margaret Hospital experience. Int J Radiat Oncol Biol Phys 1998;41:569-72.

20. Mashburn MA, Chonkich GD, Chase DR, et al. Parathyroid carcinoma: two new cases--diagnosis, therapy, and treatment. Laryngoscope 1987;97:215-8.

21. de Papp AE, Kinder B, LiVolsi V, et al. Parathyroid carcinoma arising from parathyroid hyperplasia: autoinfarction following intravenous treatment with pamidronate. Am J Med 1994;97:399-400.

22. Favia G, Lumachi F, Polistina F, et al. Parathyroid carcinoma: sixteen new cases and suggestions for correct management. World J Surg 1998;22:1225-30.

23. Hauptman JB, Modlinger RS, Ertel NH. Pheochromocytoma resistant to alpha-adrenergic blockade. Arch Intern Med 1983;143:2321-3.

24. Kebebew E, Arici C, Duh QY, et al. Localization and reoperation results for persistent and recurrent parathyroid carcinoma. Arch Surg 2001;136:878-85.

25. Dionisi S, Minisola S, Pepe J, et al. Concurrent parathyroid adenomas and carcinoma in the setting of multiple endocrine neoplasia type 1: presentation as hypercalcemic crisis. Mayo Clin Proc 2002;77:866-9.

26. Schmidt JL, Perry RC, Philippsen LP, et al. Intrathyroidal parathyroid carcinoma presenting with only hypercalcemia. Otolaryngol Head Neck Surg 2002;127:352-3.

27. Chandran M, Deftos LJ, Stuenkel CA, et al. Thymic parathyroid carcinoma and postoperative hungry bone syndrome. Endocr Pract 2003;9:152-6.

28. Aldinger KA, Hickey RC, Ibanez ML, et al. Parathyroid carcinoma: a clinical study of seven cases of functioning and two cases of nonfunctioning parathyroid cancer. Cancer 1982;49:388-97.

29. Snell SB, Gaar EE, Stevens SP, et al. Parathyroid cancer, a continued diagnostic and therapeutic dilemma: report of four cases and review of the literature. Am Surg 2003;69:711-6.

30. Iacobone M, Lumachi F, Favia G. Up-to-date on parathyroid carcinoma: analysis of an experience of 19 cases. J Surg Oncol 2004;88:223-8.

31. Lee PK, Jarosek SL, Virnig BA, et al. Trends in the incidence and treatment of parathyroid cancer in the United States. Cancer 2007;109:1736-41.

32. Okamoto T, Iihara M, Obara T, et al. Parathyroid carcinoma: etiology, diagnosis, and treatment. World J Surg 2009;33:2343-54.

33. Talat N, Schulte KM. Clinical presentation, staging and long-term evolution of parathyroid cancer. Ann Surg Oncol 2010;17:2156-74.

34. Morrison C, Farrar W, Kneile J, et al. Molecular classification of parathyroid neoplasia by gene expression profiling. Am J Pathol 2004;165:565-76.

35. Szabo J, Heath B, Hill VM, et al. Hereditary hyperparathyroidism-jaw tumor syndrome: the endocrine tumor gene HRPT2 maps to chromosome 1q21-q31. Am J Hum Genet 1995;56:944-50.

36. Howell VM, Haven CJ, Kahnoski K, et al. HRPT2 mutations are associated with malignancy in sporadic parathyroid tumours. J Med Genet 2003;40:657-63.

37. Shattuck TM, Valimaki S, Obara T, et al. Somatic and germ-line mutations of the HRPT2 gene in sporadic parathyroid carcinoma. N Engl J Med 2003;349:1722-9.

38. Howell VM, Gill A, Clarkson A, et al. Accuracy of combined protein gene product 9.5 and parafibromin markers for immunohistochemical diagnosis of parathyroid carcinoma. J Clin Endocrinol Metab 2009;94:434-41.

39. Hundahl SA, Fleming ID, Fremgen AM, et al. Two hundred eighty-six cases of parathyroid carcinoma treated in the U.S. between 1985-1995: a National Cancer Data Base Report. The American College of Surgeons Commission on Cancer and the American Cancer Society. Cancer 1999;86:538-44.

40. Carpten JD, Robbins CM, Villablanca A, et al. HRPT2, encoding parafibromin, is mutated in hyperparathyroidism-jaw tumor syndrome. Nat Genet 2002;32:676-80.

41. Ishida T, Yokoe T, Izuo M. Nationwide survey of parathyroid operations in Japan 1980–1989. Endocr Surg 1991;8:37-45.

42. Ireland JP, Fleming SJ, Levison DA, et al. Parathyroid carcinoma associated with chronic renal failure and previous radiotherapy to the neck. J Clin Pathol 1985;38:1114-8.

43. Smith JF. The pathological diagnosis of carcinoma of the parathyroid. Clin Endocrinol (Oxf) 1993;38:662.

44. Tisell LE, Hansson G, Lindberg S, et al. Hyperparathyroidism in persons treated with X-rays for tuberculous cervical adenitis. Cancer 1977;40:846-54.

45. Christmas TJ, Chapple CR, Noble JG, et al. Hyperparathyroidism after neck irradiation. Br J Surg 1988;75:873-4.

46. Goldman L, Smyth FS. Hyperparathyroidism in Siblings. Ann Surg 1936;104:971-81.

47. Huang SM, Duh QY, Shaver J, et al. Familial hyperparathyroidism without multiple endocrine neoplasia. World J Surg 1997;21:22-8; discussion 9.

48. Barry MK, van Heerden JA, Grant CS, et al. Is familial hyperparathyroidism a unique disease? Surgery 1997;122:1028-33.

49. Wassif WS, Moniz CF, Friedman E, et al. Familial isolated hyperparathyroidism: a distinct genetic entity with an increased risk of parathyroid cancer. J Clin Endocrinol Metab 1993;77:1485-9.

50. Jackson CE, Norum RA, Boyd SB, et al. Hereditary hyperparathyroidism and multiple ossifying jaw fibromas: a clinically and genetically distinct syndrome. Surgery 1990;108:1006-12; discussion 12-3.

51. Haven CJ, Wong FK, van Dam EW, et al. A genotypic and histopathological study of a large Dutch kindred with hyperparathyroidism-jaw tumor syndrome. J Clin Endocrinol Metab 2000;85:1449-54.

52. Cavaco BM, Guerra L, Bradley KJ, et al. Hyperparathyroidism-jaw tumor syndrome in Roma families from Portugal is due to a founder mutation of the HRPT2 gene. J Clin Endocrinol Metab 2004;89:1747-52.

53. Teh BT, Farnebo F, Kristoffersson U, et al. Autosomal dominant primary hyperparathyroidism and jaw tumor syndrome associated with renal hamartomas and cystic kidney disease: linkage to 1q21-q32 and loss of the wild type allele in renal hamartomas. J Clin Endocrinol Metab 1996;81:4204-11.

54. Cavaco BM, Barros L, Pannett AA, et al. The hyperparathyroidism-jaw tumour syndrome in a Portuguese kindred. QJM 2001;94:213-22.

55. Wassif WS, Farnebo F, Teh BT, et al. Genetic studies of a family with hereditary hyperparathyroidism-jaw tumour syndrome. Clin Endocrinol (Oxf) 1999;50:191-6.

56. Haven CJ, Howell VM, Eilers PH, et al. Gene expression of parathyroid tumors: molecular subclassification and identification of the potential malignant phenotype. Cancer Res 2004;64:7405-11.

57. Weinstein LS, Simonds WF. HRPT2, a marker of parathyroid cancer. N Engl J Med 2003;349:1691-2.

58. Farnebo F, Teh BT, Dotzenrath C, et al. Differential loss of heterozygosity in familial, sporadic, and uremic hyperparathyroidism. Hum Genet 1997;99:342-9.

59. Farnebo F, Teh BT, Kytola S, et al. Alterations of the MEN 1 gene in sporadic parathyroid tumors. J Clin Endocrinol Metab 1998;83:2627-30.

60. Dwight T, Twigg S, Delbridge L, et al. Loss of heterozygosity in sporadic parathyroid tumours: involvement of chromosome 1 and the MEN 1 gene locus in 11q13. Clin Endocrinol (Oxf) 2000;53:85-92.

61. Mallya SM, Arnold A. Cyclin D1 in parathyroid disease. Front Biosci 2000;5:D367-71.

62. Hemmer S, Wasenius VM, Haglund C, et al. Deletion of 11q23 and cyclin D1 overexpression are frequent aberrations in parathyroid adenomas. Am J Pathol 2001;158:1355-62.

63. Vasef MA, Brynes RK, Sturm M, et al. Expression of cyclin D1 in parathyroid carcinomas, adenomas, and hyperplasias: a paraffin immunohistochemical study. Mod Pathol 1999;12:412-6.

64. Hsi ED, Zukerberg LR, Yang WI, et al. Cyclin D1/PRAD1 expression in parathyroid adenomas: an immunohistochemical study. J Clin Endocrinol Metab 1996;81:1736-9.

65. Shattuck TM, Kim TS, Costa J, et al. Mutational analyses of RB and BRCA2 as candidate tumour suppressor genes in parathyroid carcinoma. Clin Endocrinol (Oxf) 2003;59:180-9.

66. Pearce SH, Trump D, Wooding C, et al. Loss of heterozygosity studies at the retinoblastoma and breast cancer susceptibility (BRCA2) loci in pituitary, parathyroid, pancreatic and carcinoid tumours. Clin Endocrinol (Oxf) 1996;45:195-200.

67. Cryns VL, Thor A, Xu HJ, et al. Loss of the retinoblastoma tumor-suppressor gene in parathyroid carcinoma. N Engl J Med 1994;330:757-61.

68. Venkitaraman AR. Chromosome stability, DNA recombination and the BRCA2 tumour suppressor. Curr Opin Cell Biol 2001;13:338-43.

69. Mittendorf EA, McHenry CR. Parathyroid carcinoma. J Surg Oncol 2005;89:136-42.

70. Pasieka J. Parathyroid carcinoma. Oper Tech Gen Surg 1999;1:71-84.

71. Koea JB, Shaw JH. Parathyroid cancer: biology and management. Surg Oncol 1999;8:155-65.

72. Silverberg SJ, Bilezikian JP. Primary hyperparathyroidism: still evolving? J Bone Miner Res 1997;12:856-62.

73. Silverberg SJ, Bilezikian JP. Evaluation and management of primary hyperparathyroidism. J Clin Endocrinol Metab 1996;81:2036-40.

74. Heath H, 3rd, Hodgson SF, Kennedy MA. Primary hyperparathyroidism. Incidence, morbidity, and potential economic impact in a community. N Engl J Med 1980;302:189-93.

75. Klink BK, Karulf RE, Maimon WN, et al. Nonfunctioning parathyroid carcinoma. Am Surg 1991;57:463-7.

76. Murphy MN, Glennon PG, Diocee MS, et al. Nonsecretory parathyroid carcinoma of the mediastinum. Light microscopic, immunocytochemical, and ultrastructural features of a case, and review of the literature. Cancer 1986;58:2468-76.

77. Palazzo FF, Delbridge LW. Minimal-access/minimally invasive parathyroidectomy for primary hyperparathyroidism. Surg Clin North Am 2004;84:717-34.

78. Edmonson GR, Charboneau JW, James EM, et al. Parathyroid carcinoma: high-frequency sonographic features. Radiology 1986;161:65-7.

79. Kinoshita Y, Fukase M, Uchihashi M, et al. Significance of preoperative use of ultrasonography in parathyroid neoplasms: comparison of sonographic textures with histologic findings. J Clin Ultrasound 1985;13:457-60.

80. Johnston LB, Carroll MJ, Britton KE, et al. The accuracy of parathyroid gland localization in primary hyperparathyroidism using sestamibi radionuclide imaging. J Clin Endocrinol Metab 1996;81:346-52.

81. Thompson SD, Prichard AJ. The management of parathyroid carcinoma. Curr Opin Otolaryngol Head Neck Surg 2004;12:93-7.

82. Spinelli C, Bonadio AG, Berti P, et al. Cutaneous spreading of parathyroid carcinoma after fine needle aspiration cytology. J Endocrinol Invest 2000;23:255-7.

83. Clayman GL, Gonzalez HE, El-Naggar A, et al. Parathyroid carcinoma: evaluation and interdisciplinary management. Cancer 2004;100:900-5.

84. Ippolito G, Palazzo FF, Sebag F, et al. Intraoperative diagnosis and treatment of parathyroid cancer and atypical parathyroid adenoma. Br J Surg 2007;94:566-70.

85. Vetto JT, Brennan MF, Woodruf J, et al. Parathyroid carcinoma: diagnosis and clinical history. Surgery 1993;114:882-92.

86. Munson ND, Foote RL, Northcutt RC, et al. Parathyroid carcinoma: is there a role for adjuvant radiation therapy? Cancer 2003;98:2378-84.

87. Anderson BJ, Samaan NA, Vassilopoulou-Sellin R, et al. Parathyroid carcinoma: features and difficulties in diagnosis and management. Surgery 1983;94:906-15.

88. Grammes CF, Eyerly RC. Hyperparathyroidism and parathyroid carcinoma. South Med J 1980;73:814-6.

89. Boneson L, Grimulius L, Delellis R. World Health Organization classification of tumors, pathology and genetics: tumors of endocrine organs. IARC Press, Lyon 2004:124-7.

90. Kleinpeter KP, Lovato JF, Clark PB, et al. Is parathyroid carcinoma indeed a lethal disease? Ann Surg Oncol 2005;12:260-6.

91. Schantz A, Castleman B. Parathyroid carcinoma. A study of 70 cases. Cancer 1973;31:600-5.

92. Sandelin K, Tullgren O, Farnebo LO. Clinical course of metastatic parathyroid cancer. World J Surg 1994;18:594-8; discussion 9.

93. Stojadinovic A, Hoos A, Nissan A, et al. Parathyroid neoplasms: clinical, histopathological, and tissue microarray-based molecular analysis. Hum Pathol 2003;34:54-64.

94. DeLellis RA. Does the evaluation of proliferative activity predict malignancy of prognosis in endocrine tumors? Hum Pathol 1995;26:131-4.

95. Bondeson L, Sandelin K, Grimelius L. Histopathological variables and DNA cytometry in parathyroid carcinoma. Am J Surg Pathol 1993;17:820-9.

96. Bilezikian JP. Management of acute hypercalcemia. N Engl J Med 1992;326:1196-203.

97. Sandelin K, Thompson NW, Bondeson L. Metastatic parathyroid carcinoma: dilemmas in management. Surgery 1991;110:978-86; discussion 86-8.

98. Hurtado J, Esbrit P. Treatment of malignant hypercalcaemia. Expert Opin Pharmacother 2002;3:521-7.

99. Major PP, Coleman RE. Zoledronic acid in the treatment of hypercalcemia of malignancy: results of the international clinical development program. Semin Oncol 2001;28:17-24.

100. Collins MT, Skarulis MC, Bilezikian JP, et al. Treatment of hypercalcemia secondary to parathyroid carcinoma with a novel calcimimetic agent. J Clin Endocrinol Metab 1998;83:1083-8.

101. Nemeth EF, Steffey ME, Hammerland LG, et al. Calcimimetics with potent and selective activity on the parathyroid calcium receptor. Proc Natl Acad Sci U S A 1998;95:4040-5.

102. Shoback DM, Bilezikian JP, Turner SA, et al. The calcimimetic cinacalcet normalizes serum calcium in subjects with primary hyperparathyroidism. J Clin Endocrinol Metab 2003;88:5644-9.

103. Peacock M. Clinical effects of calcimimetics in hyperparathyroidism. J Musculoskelet Neuronal Interact 2004;4:414-5.

104. Betea D, Bradwell AR, Harvey TC, et al. Hormonal and biochemical normalization and tumor shrinkage induced by anti-parathyroid hormone immunotherapy in a patient with metastatic parathyroid carcinoma. J Clin Endocrinol Metab 2004;89:3413-20.

105. Koyano H, Shishiba Y, Shimizu T, et al. Successful treatment by surgical removal of bone metastasis producing PTH: new approach to the management of metastatic parathyroid carcinoma. Intern Med 1994;33:697-702.

부갑상선 재수술 전략

Revision Parathyroid Surgery

| 서울대학교 의과대학 외과 **김수진**

부갑상선 수술 결과는 경험 있는 내분비외과 의사가 집도할 경우 부갑상선기능항진증의 일차 수술 성공률은 95~98% 정도로 매우 높다.[1-4] 수술 후 6개월 이내에 부갑상선기능항진증이 발생할 경우 지속적 부갑상선기능항진증(persistent hyperparathyroidism)으로 정의하고, 정상 혈중 칼슘농도가 유지된 기간이 6개월 이상인 경우 재발 부갑상선기능항진증으로 정의한다. 부갑상선에 대한 최소침습적 수술이 보편화되면서 다발성 부갑상선 질환을 놓칠 위험도 증가하고 있다.[5] 부갑상선의 재수술을 계획할 때 주의 깊은 생화학적 검사 및 영상의학적 국소화가 반드시 필요하다. 성공적 결과를 얻으려면 다음의 중요한 질문에 대한 답을 알아야 한다.

- 왜 재발 또는 지속적 부갑상선기능항진이 발생하였는가?
- 경부에 대한 재탐색을 할 것인가, 종격동을 살펴볼 것인가?
- 이 수술의 중요한 단점은 무엇인가?
- 이 수술을 어떻게 안전하고 성공적으로 시행할 것인가?
- 재수술은 누가 시행할 것인가?

1. 역학

부갑상선기능항진증에 대한 1차 수술 후 대략 5~10%에서 지속증 또는 재발이 관찰되고[7] 지속증은 재수술의 80~90%를 차지한다. 단일 선종보다는 다발성 질환(multiglandular disease)과 부갑상선암에서 높은 재수술율을 보인다. 이중선종(double adenoma)이나 부갑상선증식증(parathyroid hyperplasia : sporadic/nonfamilial, MEN-1, 가족성부갑상선기능항진증)의 경우 지속증이나 재발의 가능성이 높아진다. 2형 다발성 가족성 내분비 종양증(MEN-2)의 경우는 부갑상선기능항진증이 심하지 않고 재수술의 위험도 낮은 편이다. 부갑상선암의 경우 약 절반의 경우에서 빠른 고칼슘혈증 재발과 부갑상선호르몬 상승을 볼 수 있다. 따라서 부갑상선암의 1차 수술 시 침윤이 의심되는 주변조직의 완전한 절제가 요구된다.[8] 재발 부갑상선암의 수술은 매우 어렵지만 치명적인 신장 및 골격의 합병증과 심각한 고칼슘혈증의 조절에 중요하다(표 60-1).

2. 일차수술 실패의 원인

부갑상선 이외의 원인에 의한 고칼슘혈증으로 인한 오진을 제외하고, 일차 수술 실패의 몇 가지 가능한 원인을 들어보면 다음과 같다.

1) 수술 전 검사에서 기능이 항진된 부갑상선 국소화

표 60-1 | 부갑상선기능항진증의 재발률

병리학적 진단	재발률(%)
전체	4~16
선종	1~10
산발적 증식증	4~13
가족성부갑상선기능항진증	33
MEN-1	33~54
이차부갑상선기능항진증	6~17
부갑상선암	50

실패

2) 이환된 부갑상선의 불완전한 절제
3) 부갑상선 피막의 파열로 인한 주변조직으로의 파종 (parathyromatosis)
4) 부갑상선 자가 이식시 이식 부갑상선에서 항진증 재발(graft recurrence)
5) 부갑상선암의 불완전 절제로 인한 국소침윤 형태의 잔여 병변
6) 이소성 부갑상선 선종
7) 부갑상선호르몬의 이소성 생산 또는 가성부갑상선기능항진증

3. 재수술 시 고려사항

재수술의 계획 시 질환의 중증도뿐 아니라 생화학적 검사 결과에 대한 적절한 평가도 중요하다. 신장이나 골질환을 동반하지 않은 경증의 부갑상선기능항진이나 부갑상선호르몬 상승은 있으나 정상 칼슘 농도를 유지하는 경우에는 재수술이 필요하지 않다. 24시간 소변검사에서 낮은 칼슘농도를 보이는 경우 양성 가족성 저칼슘뇨 고칼슘증(benign Familial hypocalciuric hypercalciemia;

BFHH)을 시사하고 이 경우에도 수술이 필요치 않다. 재수술 전 후두내시경을 통한 성대 기능의 평가가 권장된다. 수술 중 필요하다면 동결절편 검사를 통한 병리 확인이나, 이식 또는 동결보존(cryopreservation)을 고려할 수 있다. 수술 중 속성 부갑상선호르몬 측정이 도움이 될 수 있다.

4. 국소화 방법

재수술의 계획에 앞서, 이전 일차 수술 당시 병리 조직 슬라이드에 대한 신중한 재판독이 도움이 될 수 있다. 일차수술과 집도의가 다르다면 수술기록지의 검토 및 집도의 간의 상의도 수술방법 결정에 도움이 될 것이다. 기능이 항진된 부갑상선이 상부 부갑상선 기원인지 하부 부갑상선 기원인지에 대한 태생학적 분석이 첫 수술에서 놓친 부갑상선의 위치를 파악하는 데 도움이 된다. 병변을 찾아내는데 선택적으로 사용될 수 있는 몇 가지 국소화 방법은 다음과 같다. 경부에서의 재발이 의심될 경우 초음파와 핵의학 스캔(sestamibi with SPECT imaging)이 유용하다.[9-15] 만약 종격동의 병변이 의심된다면 자기공명영상(gadolinium-enhanced MRI), 조영제를 사용한 컴퓨터단층촬영(enhanced CT), 경부 종격동 동맥조영술, 또는 부갑상선호르몬의 선택적 정맥 채혈(selective venous sampling for PTH) 등이 도움이 된다.[16-18] 부갑상선종과 혼동될 수 있는 주변 조직과의 감별진단을 위해 세침 흡인검사가 도움이 될 수 있다.[19]

5. 수술적 치료

재수술은 신중한 계획과 실행이 필요하다. 경부에 대한 재탐색이 가장 일반적이며 성공적인 수술법이 되겠으나, 경부와 종격동의 동시수술이 필요할 수 있다. 경부에 대

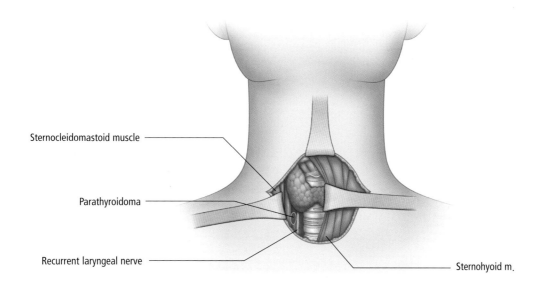

Sternocleidomastoid muscle

Parathyroidoma

Recurrent laryngeal nerve

Sternohyoid m.

그림 60-1 | Back door approach

A. 흉쇄유돌근(sternocleidomastoid muscle)과 복장목뿔근(Sternohyoid muscle) 사이로 접근함으로써 대부분의 경부 부갑상선을 발견할 수 있다.

한 재수술 시 가장 일반적인 접근법은 이른바 Back door approach(그림 60-1)이다. 흉쇄유돌근(sternocleidomastoid muscle)과 복장목뿔근(sternohyoid muscle) 사이로 박리함으로써 경부에 위치하는 대부분의 부갑상선을 성공적으로 발견할 수 있다. 경부 절개를 통해 접근할 수 없는 종격동의 병변을 절제하고자 할 때에는 상부 1/3 흉골 절개를 통해 대부분의 종격동 내 부갑상선을 찾을 수 있다. 수술 전 검사를 통해 예상되는 위치에서 병변을 찾을 수 없는 경우, 갑상-흉선 인대(thyrothymic ligament), 경부 흉선, 갑상선 피막하 또는 실질 내부, 목혈관신경집(carotid sheath) 등을 탐색해야 한다. 드물게 첫 수술에서 정상으로 확인하였던 부갑상선에 대한 재탐색이 필요할 수 있는데, 이 경우 주변 조직의 보존에 각별한 주의가 필요하다. 만약 제거하는 부갑상선이 마지막 한 개라면, 동결보존(cryopreservation)이나 동시 또는 지연 자가이식이 필요할 수 있다. 병변 제거 후 수술중부갑상선호르몬측정이 도움이 된다. 수술 중에는 되돌이후두신경을 손상하지 않도록 주의하여야 하는데 확대 안경, 해부적 지표가 되는 갑상연골뿔(cornu of the thyroid cartilage)

의 촉진, 수술 중 되돌이 후두 신경의 모니터링 등이 도움을 줄 수 있다. 신경 주행이 예상되는 주변을 박리할 때, 예리한 도구를 이용한 직각 방향으로의 박리 보다는 끝이 예리하지 않은 기구로 신경 주행 방향을 따라 벌리는 느낌으로 박리하는 것이 안전하다. 수술 중 초음파를 이용하여 갑상선과 복혈관신경집 주위를 조사하는 것이 도움 될 수 있다. 이러한 노력에도 부갑상선을 찾지 못하는 경우 일측성 갑상선엽 절제술과 경부 흉선 절제술을 고려할 수 있다.[20] 집도의는 자신의 경험과 기술을 직시하고 무리한 주변조직 박리로 인해 신경 손상, 기관지 연골 손상, 출혈, 영구적 부갑상선 기능저하 등을 초래하지 않도록 주의하여야 한다. 수술 중 부갑상선을 찾지 못하였을 경우 어느 정도 기간을 두고 국소화를 위한 재검사를 실시함으로써 이환된 부갑상선의 크기 증가 등의 소견으로 병변 확인을 기대할 수 있다. 이 기간 중 심한 고칼슘혈증의 일시적인 조절에 비스포스포네이트(bisphosphonate) 치료가 필요할 수 있다. 그 외 선택적 정맥채혈을 통한 부갑상선호르몬 측정으로 국소화를 시행할 수 있다. 흉부, 복부, 골반강에 대한 컴퓨터단층촬영 또는 자기공명영상 등을 통해 폐, 췌장, 난소 등 부갑상선호르몬을 분비하여 가성부갑상선기능항진증을 일으키는 종양들의 존재 여부를 확인할 수 있다.

그러나 하부 흉선 내에 부수적인(supernumerary) 부갑상선 병변이 위치할 수 있다(그림 60-2). 부수적인 부갑상선 조직의 과증식은 태생학적 이주경로를 따라 어느 부위에든 발생할 수 있다. 흉선 밖의 종격동 내 부갑상선은

6. 재수술 해부

재수술 시 발견된 부갑상선의 해부적 분포는 표 60-2와 같다. 가장 흔한 경우는 정상적인 부갑상선 위치에서 갑상선 뒤쪽이나 피막하에 위치하는 것이다. 일차수술시 놓친 상부 부갑상선은 종종 흉곽 입구(thoracic inlet) 인근의 기관-식도 고랑(tracheoesophageal groove)이나 후종격동의 상부에서 발견된다. 이러한 부갑상선들은 가끔 하갑상선동맥의 분지를 따라 발견되기도 한다. 갑상-흉선인대나 전종격동 흉선의 상부에서도 종종 하부갑상선 기원의 종양을 발견할 수 있다. 이상의 병변들은 일반적인 경부 절개(low-collar incision)를 통해 찾을 수 있다.

표 60-2 | 재수술 시 간과된 부갑상선의 해부적 위치

해부적 위치	빈도(%)
정상(갑상선 피막하, 갑상-흉선 인대)	40
후상종격동	30
종격동(흉선 내)	15
후 정중선(후식도/기관지/인두)	5
종격동(흉선 외)	5
갑상선 내	2
미하강(흉선 주변과 인두 주변)	2
기타(목혈관집, 미주신경 등)	1

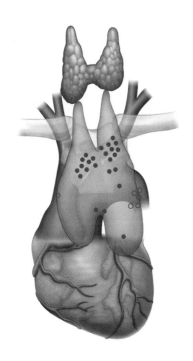

그림 60-2 | 종격동 내 부갑상선의 해부적 분포도

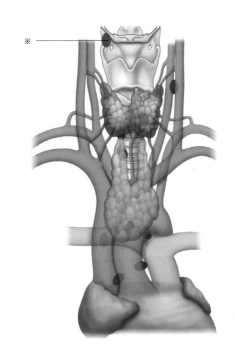

그림 60-3 | 수술 중 간과될 수 있는 부갑상선의 분포도

심장막 내, 대동맥 폐창(aortopulmonary window), 폐문, 그리고 기관지 분기점 등에서 발견된다. 우연히 부갑상선이 후두, 식도 또는 기관지 후면에서 발견되기도 한다. 매우 드물지만 갑상선 실질 내 부갑상선도 보고된 바 있다. 기타 드문 위치로는 미하강 부갑상선(undescended parathyroids, 또는 arrested orbranchial parathyroids)이 있다(그림 60-3). 부흉선 부갑상선(parathymus gland)이 목혈관신경집 주변이나 경동맥 분기점(carotid bifurcation)에서 발견될 수 있다. 인두 부갑상선(parapharyngeus gland)은 미하강 부갑상선으로서, 인두 주변에 분포한다. 이러한 정상 또는 비정상적 부갑상선의 분포는 그림 60-4에서 기술된 바와 같다.[21-23]

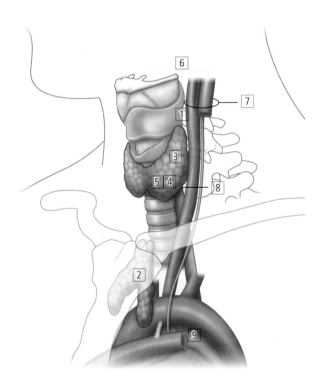

그림 60-4 ｜ 재수술 시 발견된 155예의 부갑상선종 분포
(1) 기관 식도 고랑 18%. (2) 전종격동/흉선 23%. (3) 이소성 상부 18%. (4) 이소성 하부 16%. (5) 갑상선 내 2%. (6) 미하강 10%. (7) 목혈관집 8%. (8) 식도 후부 3%. (9) 기타 종격동 내 3%

7. 수술 성적

재수술 후 병리 결과를 분석해 보면, 일차 수술과 비교하여 선종의 경우는 더 적고(70%), 증식증과 암의 경우가 더 흔하다(각각 27%, 3%). 재수술 시 발견되는 병변의 80%는 경부에서 발견되고 20%는 흉곽 내에서 발견되며, 흉곽 내 병변의 대부분은 경부 접근법으로 가능한 위치에 있다. 경험 있는 내분비외과 의사가 수술할 경우 재수술의 성공율은 90% 정도로 높다. 그러나 영구적인 부갑상선 기능저하(최대 21%)와 영구적 되돌이후두신경마비(최대 10%)가 일차 수술에 비해 월등히 높다. 재수술 시 병변을 찾지 못하는 경우도 5~18% 정도로 보고되고 있다. 부갑상선의 자가이식 후 7~17%에서 부갑상선기능항진 재발을 보이며, 이식 부갑상선의 6~50%에서 기능부전을 보인다. 이 경우 동결보관 부갑상선 조직의 자가이식 실패율이 더 흔하다(표 60-3).[24-28]

8. 수술 후 고려사항

수술 후 혈중 칼슘농도와 부갑상선호르몬 수치의 측정을 통해 치료의 성공 여부를 판가름하게 된다. 혈중 칼슘치를 지속적으로 측정하여 무부갑상선증(aparathyroid-

표 60-3 ｜ 부갑상선기능항진증에 대한 재수술 후 합병증 빈도

합병증	빈도(%)
기능 정상화 실패	5~18
되돌이후두신경손상	1~10
영구적 부갑상선기능저하증	1~21
자가이식편 부전	6~50
자가이식편 부갑상선기능항진증 재발	7~17
사망률	<1

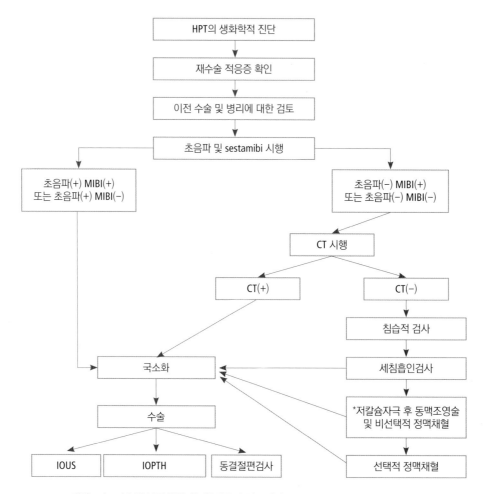

그림 60-5 │ 재발 또는 지속성 부갑상선기능항진증의 치료전략

ism) 상태에 대한 대비를 해야 하며, 저칼슘혈증에 의한 강직(tetany)의 예방을 위해 일시적으로 칼슘의 지속적 정맥내 주입 후 장기간 경구 칼슘과 비타민 D 투여가 필요할 수 있다. 6개월 이후에도 저칼슘혈증이 지속될 경우 동결보관된 부갑상선의 자가이식이 필요할 수 있다. 반대로 심각한 고칼슘혈증이 지속될 경우에는 비스포스포네이트 치료가 도움이 된다. 외래에서는 필요하다고 생각되는 경우 6개월 내지 1년 간격으로 혈중 칼슘농도와 부갑상선호르몬을 측정하여 재발 여부를 추적관찰한다. 되돌이후두신경 마비가 의심되는 경우 후두내시경을 통해 성대마비를 확인하는 것이 권장된다.

9. 미래의 치료방안

잘 조절되지 않는 부갑상선기능항진증의 치료법으로서 부갑상선호르몬 길항제나 새로운 비스포스포네이트 제제가 사용되고 있다. 재수술 방안으로서의 최소침습적 수술이나 로봇 수술의 역할은 아직 충분한 임상 결과가 없는 상태이다. 수술중부갑상선호르몬측정의 보급이 성공적인 재수술에 중요한 역할을 할 것으로 생각된다.

요약

재발 또는 지속성 부갑상선기능항진증의 치료전략은 그림 60-5와 같다.[29] 일차수술과 마찬가지로 재수술의 목표는 고칼슘혈증의 치료, 부갑상선기능항진 재발 방지, 부갑상선기능저하증과 되돌이후두신경손상 방지, 비용의 최소화이다. 부갑상선기능항진증의 치료에서 가장 중요한 것은 일차 수술 시 완벽을 기하는 것이다. 수술 후 고칼슘혈증 지속 시 생화학적 진단과 세심한 환자 선택이 성공적인 재수술을 위해 중요하다. 재수술이 결정되면 두 가지 이상의 국소화 검사를 통한 철저한 수술 전 평가가 요구된다. 첫 수술에서 놓친 부갑상선은 대부분 경부에서 발견된다. 수술중부갑상선호르몬측정을 통해 수술의 성공 여부와 추가적 부갑상선 탐색 여부를 판단할 수 있다. 재수술의 어려움을 고려할 때 경험이 풍부한 내분비외과 및 관련 진료과를 보유한 병원으로의 의뢰가 필요할 수 있다.

REFERENCES

1. Clark OH, Way LW, Hunt TK. Recurrent hyperparathyroidism. Ann Surg 1976;184:391.
2. Carty SE, Norton JA. Management of patients with persistent or recurrent primary hyperparathyroidism, World J Surg 1991;15:716.
3. Wang CA. Parathyroid re-exploration. Ann Surg 1977;186:140.
4. Gaz RD. Recurrent or persistent hyperparathyroidism: surgical approach. In Cady B, Rossi RL, editors: Surgery of the thyroid and parathyroid glands, ed 3, Philadelphia, 1991, WB Saunders.
5. Gaz RD. Invited commentary: Unilateral versus bilateral parathyroidectomy, World J Surg 1992;16:661.
6. Nussbaum SR et al: Intraoperative measurement of parathyroid hormone in the surgical management of hyperparathyroidism, Surgery1988;104:111.
7. Sosa JA, et al. Cost implications of different surgical management strategies for primary hyperparathyroidism. Surgery 1998;124:1028.
8. Wang CA, Gaz RD. The natural history of parathyroid carcinoma: diagnosis, treatment and results. Am J Surg 1985;149:522.
9. Gooding GA. Sonography of the thyroid and parathyroid, Rad Clin North Am 1993;31:967.
10. Billotey C, et al. Advantages of SPECT in technetium-99msestamibi parathyroid scintigraphy. J Nucl Med 1996;37:1773.
11. Ishibashi M, et al. Localization of ectopic parathyroid glands using technetium-99m-sestamibi imaging: comparison with magnetic resonance and computed tomographic imaging, Sur J Nuc Med 1997;24:197.
12. McBiles M, Lambert AT, Cote MG, Kim SY. Sestamibi parathyroid imaging, Semin Nucl Med 1995;25:221.
13. Price DC. Radioisotopic evaluation of the thyroid and parathyroids, Rad Clin North Am 1993;31:991.
14. Rantis PC Jr, Prinz RA, Wagner RH. Neck radionuclide scanning: a pitfall in parathyroid localization. Am Surg 1995;61:641.
15. Rodriguez JM, et al. Localization procedures in patients with persistent or recurrent hyperparathyroidism, Arch Surg 1994;129:870.
16. Higgins CB. Role of magnetic resonance imaging in hyperparathyroidism, Rad Clin North Am 1993;31:1017.
17. Sommer B, et al. Computed tomography for localizing enlarged parathyroid glands in primary hyperparathyroidism. J Comput Assist Tomogr 1982;6:521.
18. Miller DL. Endocrine angiography and venous sampling, Rad Clin North Am 1993;31:1051.
19. MacFarlane MP, et al. Use of preoperative fine needle aspiration in patients undergoing reoperation for primary hyperparathyroidism, Surgery 1994;116:959.
20. Libutti SK, et al. the role of thyroid resection during reoperation for persistent or recurrent hyperparathyroidism, Surgery 1997;1122:1183.
21. Grant CS, et al. Clinical management of persistent and/or recurrent hyperparathyroidism, World J Surg 1986;10:555.
22. Gaz RD, H'Doubler PB, Wang CA. The management of 50 unusual hyperfunctioning parathyroid glands. Surgery 1987;102:949.
23. Wang CA, Gaz RD, Moncure AC. Mediastinal parathyroid exploration: a clinical and pathologic study of 47 cases, World J Surg 1986;10:687.
24. Weber CJ, Sewell CW, McGarity WC. Persistent and recurrent sporadic primary hyperparathyroidism: histopathology, complications, and results of reoperation. Surgery 1994;116:991.
25. Jarhult J, Nordentrom J, Perbec L. Reoperation for suspected primary hyperparathyroidism. Br J Surg 1993;80:453.
26. Lo CY, van Heerden JA. Parathyroid reoperations. In Clark O, Duh Q. editors: Textbook of endocrine surgery, Philadelphia, 1997, WB Saunders.
27. Jaskowiak N, et al: A prospective trial evaluating a standard approach to reoperation for missed parathyroid adenoma. Ann Surg 1996;224:308.
28. Norton JA. Reoperation for missed parathyroid adenoma. Adv Surg 1997;31:273.
29. Powell AC, et al. Reoperation for parathyroid adenoma: A contemporary experience. Surgery 2009;146:1152.

이차/삼차 부갑상선기능항진증

Secondary/Tertiarty Hyperparathyroidism

SECTION

9

이차/삼차부갑상선기능항진증의 병태생리 및 대사합병증

Pathophysiology and Metabolic Complications

I 동아대학교 의과대학 외과 **김성흔**

이차부갑상선기능항진증

이차부갑상선기능항진증(Secondary hyperparathyroidism, 2HPTH)은 외부요인들이 부갑상선을 자극하여 부갑상선호르몬의 생산을 증가시키고 그 결과 부갑상선의 과다증식(hyperplasia) 또는 선종성 증식(adenomatous overgrowth), 혹은 두 가지 모두를 초래하는 것을 뜻한다.

이차부갑상선기능항진증(2HPTH)의 가장 흔한 원인은 만성신부전(Chronic renal failure, CRF)이지만 그밖의 원인으로는 특발성 고칼슘뇨증(idiopathic hypercalciuria), 고마그네슘뇨증(hypermagnesuria), 골연화증(osteomalacia), 구루병(rickets), 영양실조(malnutrition), 또는 저칼시트리올혈증(1,25-dihydroxyvitamin D3)을 동반한 골다공증(osteoporosis), 장기간 리튬 (lithium)을 복용한 경우 등이 있다.[1-4]

1. 병태생리

Albright는 요독증(uremia) 환자에서 부갑상선이 비대해지는 현상을 기술하였고, 이에 관심을 가진 병리학자 Pappenheimer와 Wilens는 부갑상선 증식이 만성신부전(chronic kidney disease, CKD)에 의해 발생한 것이라고 최초로 보고하였다.[5,6] 지난 30년간 부갑상선호르몬

조각(PTH fragment)을 검출해낼 수 있는 방사선면역측정법(radioimmunoassay)이 개발되고, 후에 온전한(intact) 부갑상선호르몬(1-84)을 검출할 수 있는 면역방사측정법(Immunoradiometric assay)이 개발되면서 이차부갑상선기능항진증(2HPTH)의 발생과정을 이해하는데 있어 많은 발전이 있었다.[6] 그로 인해 저칼슘혈증(hypocalcemia), 고인산혈증(hyperphosphatemia), 1,25-$(OH)_2D_3$ 농도저하, 부갑상선호르몬 대사변화, 부갑상선호르몬에 대한 골 저항성(bone resistance) 등과 같은 이차부갑상선기능항진증(2HPTH)의 발병기전을 더 잘 이해함으로써 환자들을 합리적으로 치료할 수 있게 되었다.

그 외 다른 방향의 진전은 생체분자적이고 발생학적인 단계에서 이루어졌다. 이차성부갑상선기능항진증(2HPTH)이 있는 사람에서 사구체 여과율(Glomerular filtration rate, GFR)이 60 ml/min 이하일 때부터 혈청 부갑상선호르몬수치는 증가하며 이는 투석 중인 만성신부전환(CKD)에서는 흔히 나타나는 부작용이다. 칼슘감지수용체(Calcium-sensing Receptor, CaSR)와 비타민 D수용체(Vitamin D receptor, VDR)의 생물학적 기능에 관한 지식의 발달과 섬유모세포성장인자23(Fibroblast growth factor 23, FGF-23)의 발견과 그것의 인산뇨(phosphaturic) 기능에 대한 설명과 1,25$(OH)_2$ VitD 반대조절호르몬(Counterregulatory hormone)의 작용에 대한 설명은 이차성부갑상선기능항진증(2HPTH)의 기전을 이해하는데 새로운 틀을 제공하였다.[7]

만성신부전(CKD)과 이차부갑상선기능항진증(2HPTH)을 연결하는 발병요인들에는 다음과 같은 것이 있다.

1) 인산염 정체 Phosphate retention

이차성부갑상선기능항진증(2HPTH)의 발병기전의 새로운 패러다임(paradigm)에 따르면, 기능성 신장 중량(mass)의 소실에 의한 신장의 인산염(phosphate) 배출의 일차적 감소는 뼈로부터 세포성장촉진인자23(FGF-23)의 배출을 증가시킨다. 또한, 증가된 섬유모세포성장인자23(FGF-23)은 신장에 작용하여 인산염(phosphate) 재흡수를 방해하고 1.25(OH)$_2$ VitD 수치를 억제한다. 인산염(phosphate) 항상성(homeostasis)은 위장관의 인산염(phosphate) 흡수를 감소시키는 1.25(OH)$_2$ VitD의 감소와 신장의 인산염(phosphate) 배출을 증가시키는 섬유모세포성장인자23(FGF-23)의 증가에 의해서 조절된다. 전통적인 패러다임(paradigm)에 따르면 낮은 1.25(OH)$_2$ VitD 수치는 부갑상선호르몬의 생성을 증가시키지만(직접적 혹은 간접적으로 위장관 칼슘 흡수의 감소를 통해서) 이러한 반응은 나중에 일어난다.[8]

2) 저칼슘혈증 Hypocalcemia

저칼슘혈증(hypocalcemia)은 만성신부전(CKD)에서 원발성으로 생기는 것이 아니라 고인산혈증(hyperphosphatemia), 부갑상선호르몬에 대한 골저항성(bone resistance), 순환하는 칼시트리올(calcitriol) 농도 저하와 같은 이 세 가지 요소들이 이차부갑상선기능항진증(2HPTH)의 각기 다른 단계에서 중요한 역할을 함으로써 생기는 것이다. 만성신부전(CKD) 환자의 50% 이상에서 혈중 칼슘 수치가 정상이라는 사실은 부갑상선호르몬 분비가 점차적으로 증가하여 혈중 칼슘수치를 유지한 것으로 설명할 수 있다.[9]

오랜 기간 지속된 저칼슘혈증(hypocalcemia)은 부갑상선의 증식을 유도한다.[10] 낮은 칼슘농도는 부갑상선호르몬의 방출과 합성을 촉진시킨다. 이러한 일들은 부갑상선 세포의 세포막에 부착된 칼슘감지수용체(CaSR)에 의해 중개되는 부갑상선호르몬 코딩 RNA (PTH-coding RNA)의 전사 후(posttranscriptional) 안정화(stabilization)에 의해 나타난다.[11]

3) 부갑상선호르몬에 대한 골저항성
Bone resistance to PTH

만성신질환(CKD)의 경우, 골격(skeleton)은 부갑상선호르몬의 활동에 저항을 한다. 부갑상선호르몬골저항성(bone resistance)에 관여하는 인자로는 칼시트리올(calcitriol)의 감소, 요독성 물질들(uremic toxins)의 정체와 관련된 부갑상선호르몬 수용체(PTH receptor)의 하향조절(downregulation), 그리고 순환하는 부갑상선호르몬 조각들(circulating PTH fragments)이 있다.[12,13]

부갑상선호르몬의 칼슘 효과에 대한 진행성 골저항성(bone resistance)은 혈중칼슘농도를 유지하기 위해 부갑상선호르몬이 자꾸 일을 하게 만드는 끝없는 고리를 형성하고, 부갑상선 증식증(hyperplasia)을 초래하여 골기질(bone matrix)의 진행성 소실이 일어나게 한다.

4) 칼시트리올(calcitriol) 합성의 감소

신장은 비타민 D의 대사물질 중 가장 활성도가 큰 형태인 칼시트리올(calcitriol)을 합성한다.[14] 칼시트리올(calcitriol)은 뼈, 장, 부갑상선에 작용함으로써 무기질 대사에 작용한다. 칼시트리올(calcitriol)은 부갑상선호르몬과 함께 뼈에 저장된 칼슘을 혈중으로 방출하게 하고 칼슘-결합(calcium-binding) 단백질인 칼빈딘(calbindin)의 발현을 증가시켜 장에서의 칼슘 흡수를 촉진한다.[15] 부갑상선에 대해서는 부갑상선 세포의 칼슘에 대한 민감도(sensitivity)를 증가시키고 부갑상선호르몬 유전자 발현(gene expression)을 감소시킴으로써, 부갑상선호르몬의 생산을 억제한다.[16-20] 칼시트리올(calcitriol)은 또한 부갑상선에 있는 자신의 수용체를 상향조절(upregulate)한다.[19] 부수적으로, 칼시트리올(calcitriol)에 의한 고칼슘혈증(hypercalcemia) 효과는 부갑상선호르몬 합성과 분비를 간접적으로 막고, 신장에 대해서는 인산염(phosphate)의 배출을 촉진시킨다.[21]

신장크기(renal mass) 감소와 고인산혈증(hyperphosphatemia)은 칼시트리올(calcitriol) 결핍의 주된 원인이다. 또한 부갑상선호르몬의 효과에 대한 1α-hydroxylase의 상대적 저항성도 원인으로 제기되고 있다.[22] 기능이 약해져 가는 신장은 25-hydroxyvitamin D를 수산화(hydroxylate)하는 능력이 감소되어 있는데, 이는 칼시트리올(calcitriol)의 절대적 또는 상대적 부족을 가져오고, 결과적으로 이차부갑상선기능항진증(2HPTH)을 발생시킨다.[23,24] 낮은 칼시트리올(calcitriol) 수치는 뼈에서 칼슘의 방출과 장에서의 칼슘 흡수를 저하시킨다. 칼시트리올(calcitriol)의 부갑상선호르몬 분비억제효과는 상승되고 신장이 인산염(phosphate)을 재흡수하는 작용은 강화된다.[25] 그리고, 낮은 칼시트리올(calcitriol) 수치는 혈중이온화칼슘(serum ionized calcium)에 대한 부갑상선의 반응을 낮춰줄 수 있다.[19] 만성신부전환자들에서 부갑상선의 칼시트리올수용체는 감소되어 있는데, 그로 인해 1,25-$(OH)_2D_3$의 억제작용에 부갑상선이 덜 반응하게 되고, 결과적으로 이차부갑상선기능항진증(2HPTH)의 발생에 기여한다.[26]

진행하는 신부전환자에서 부갑상선호르몬 증가의 생리적 역할은 미네랄의 요중 배출 증가와 골저항성의 극복에 의해 일차적으로 인산염(phosphate)의 균형을 유지하는 것이다. 그러나, 살아있는 신장세포(nephron)의 숫자가 감소함에 따라 이러한 반응은 순응성(adaption)이 떨어진다. 이는 종종 이차성부갑상선기능항진증(2HPTH)의 발생에 관여하는 "trade-off" 가설로 언급된다.[27]

부갑상선의 지속적인 자극의 결과로 부갑상선세포가 과다증식(hyperplastic)이 되는데 이는 부갑상선 호르몬 분비 세트포인트(set point) 증가를 동반한 칼슘 수용체의 표현의 감소[28,29]와 비타민D 수용체 밀도의 감소[30,31]에 의해서 나타난다. 이는 미만성 증식(diffuse hyperplasia)으로부터 결절성(nodular hyperplasia)의 증식까지, 다클론성(polyclonal)에서 단클론성(monoclonal) 세포로의 진행을 야기시켜 그 결과로 부갑상선 선종(adenoma)이 나타나게 된다.[31-34]

2. 대사합병증(Metabolic complications)

1) 신장성 골 질환 Renal bone disease

만성신질환(CKD)의 초기에 뼈 구조의 변화가 시작되어 진행된 신질환에서는 흔하게 나타난다. 신장골질환(renal bone disease) 또는 신장성골형성장애(renal osteodystrophy)는 두 가지 주요 병리소견을 포함하는데, 낭성섬유골염(osteitis fibrosa cystica)과 무력성골질환(adynamic bone disease)이다. 혼합된 골형성장애(osteodystrophy)에서는 섬유골염(osteitis fibrosa)의 양상과 감소된 무기물침착(mineralization)이 공존한다. 낭성섬유골염(osteitis fibrosa cystica)은 높은 골전환율(High bone turnover)을 가진다. 이 질병은 투석 환자의 5~30%에서 나타나는데, 투석을 시작하기 전에는 이 같은 질환이 잘 나타나지 않는다.[35] 부갑상선호르몬 분비 증가의 결과로 나타나게 되는 질환이며 파골세포(osteoclasts), 골모세포(osteoblasts), 골세포(osteocytes), 섬유모세포(fibroblasts)의 증가를특징으로 한다. 이 세포들은 소주골 섬유화(peritrabecular fibrosis)와 낭종(cysts)을 야기하며 이는 낭성섬유골염(osteitis fibrosa cystica)의 특징이다.[36]

칼슘과 비타민 D의 공급으로 부갑상선호르몬의 억제를 가능하게 함에 따라 낭성섬유골염(osteitis fibrosa cystica)과 혼합형의 빈도는 감소하는 반면 무력성골질환(adynamic bone disease)은 증가하게 된다.[37,38] 무력성

골질환(adynamic bone disease)은 낮은 골전환율(low bone turnover)을 특징으로 하며 전형적으로 낮은 혈청 부갑상선호르몬 농도와 연관이 있다. 조직학적으로 이 질환은 파골세포(osteoclasts)와 골모세포(osteoblasts)의 불균등한 감소를 특징으로 한다. 반면, 골모세포(osteoblasts)의 부족은 불균형적(overbalanced)으로 이루어진다.[39] 어떠한 골 생체표지자(biomarkers)도 신장성골형성장애(renal osteodystrophy)의 정확한 유형을 예측할 수 없다. 골 조직검사(bone biopsy)가 유형을 알아내기 위한 표준검사(gold standard)이지만, 이 조직검사는 시간이 많이 걸리고 다소 침습적(invasive)이며 정확한 해석을 하는데 숙련된 병리학자가 필요하다. 그러므로, 골 조직검사는 대부분의 임상환자에서는 실용적이지 않다. 비정상적인 골의 질(quality)이나 양(quantity)은 뼈의 부숴지는 정도(fragility)를 증가시켜, 골절을 야기한다. 투석환자에서는 골절의 위험도가 증가되는 것으로 알려져 왔으며, 그 유병율(prevalence rates)이 50% 이상에 이른다. 골절은 주로 노인, 여성, 당뇨환자, 스테로이드를 사용하거나 오랜 기간 동안 투석하는 환자에서 더 자주 발생한다.

2) 골외 석회화 Extraskeletal calcifcation

비정상 미네랄 대사, 비정상 뼈와 골외 석회화(Extraskeletal Calcifcation) 사이에는 밀접한 연관이 있으며, 다같이 민성신부전-미네랄과 뼈질환(chronic kidney disease-mineral and bone disorder,CKD-MBD)으로 언급된다.

골외 석회화(Extraskeletal Calcifcation)는 세 가지 종류가 있는데 내장, 관절주위 그리고 혈관으로 나눌 수 있다.

내장 석회화(visceral calcification)는 폐(lung), 심근(myocardium), 승모판(mitral valve), 신장(kidney), 골격근(skeletal muscle), 유방(breast), 위(stomach)를 침범한다.[41-44] 내장 석회화(visceral calcification)를 가지는 환자에서 고인산혈증(hyperphosphatemia), 칼슘-인산 생산물 증가, 부갑상선호르몬의 증가가 나타난다.[45]

관절주위 석회화(periarticular calcification)는 석회성 관절주위염(calcific periarthritis)과 작은 관절에 삼출을 생기게 하며, 영상학적으로 대개 관절 주위 석회화를 보인다.

혈관 석회화(vascular calcification)는 크고 작은 혈관 모두에서 보이며, 말기 만성신부전 환자의 20%에서 나타나며 가성 고혈압의 원인이 되기도 한다.[45,46] 낭종성 섬유골염(높은 부갑상선호르몬)과 무력성골질환(낮은 부갑상선호르몬)은 둘다 혈관 석회화(vascular calcification)의 위험을 증가시킨다. 뼈와 동맥 이상 사이의 생물학적 연관은 뼈-혈관 연결작용(cross-talk)이 존재함을 의미한다.[47]

3) 가려움증 Pruritus

가려움증(Pruritus)은 혈액투석환자의 85%에서 나타나며, 가장 주되고 고통스런 증상이다. 증상은 국소적으로 나타나기도 하지만, 잠을 자지 못하고 일상생활에 지장을 줄 정도로 심하게 전반적으로 나타나기도 한다. 피부 병변 없이 진피에 칼슘염이 침착된 결과로 발생하는 것으로 알려져 있다.

부갑상선절제술 이후에 가려움증은 극적으로 호전되지만, 부갑상선호르몬이 가려움증(Pruritus)의 발병기전(pathogenesis)에 관여하는 것 같지는 않다.[48-52] 가려움증(Pruritus)이 생기는 기전에 대해서는 아직 완전하게 알려지지는 않았다.

4) 칼시필락시스 Calciphylaxis

칼시필락시스(Calciphylaxis)는 파종성 석회화의 드문 증상으로, 이차부갑상선기능항진증(2HPTH)의 심각한 합병증이다. 이는 연부조직의 석회화(calcification)를 일으키며. 혈관 내층에 석회증(calcinosis)을 일으켜 허혈성(ischemic) 조직 괴사(tissue necrosis)를 일으킨다. 피부의 통증 및 자색변화, 얼룩덜룩한 피부 변화가 진행되고, 연부조직 괴사, 치유되지 않는 궤양(ulcer) 및 괴저(gangrene)가 나타난다. 손, 손가락, 하지에 특징적인 병변이 나타나며 간혹 하복부에 병변이 나타난다. 손가락 및 발가락 괴저(gangrene)는 종종 절단수술이 필요하고, 치유되지 않는 상처를 남겨 패혈증(sepsis) 및 사망으로 이를 수도 있다.[53] 환자는 보통 고농도의 칼슘-인 생성물(Ca-P product)을 가지지만, 부갑상선호르몬은 고농도로 나타나지 않는다.

5) 비고전적인 표적 장기들 Nonclassical target organs

부갑상선 호르몬의 고전적인 표적 장기는 뼈(bone)와 신장(kidney)이다. 또한, 요독증 환자에서 부갑상선호르몬은 뇌(brain), 심장(heart), 골수(bone marrow), 부신(adrenal glands)을 포함한 수많은 비고전적 장기의 기능에 영향을 준다.[37] 높은 부갑상선호르몬 수치는 고혈압(hypertension), 좌심실비대(left ventricular hypertrophy), 심근섬유증(myocardial fibrosis), 심부전(heart failure)과 관련이 있다.[54] 빈혈(anemia)은 만성신부전(CKD)에서 자주 일어나는 후유증이다. 요독증 환자에서 빈혈은 부갑상선절제술(parathyroidectomy, PTX) 후 호전된다. 부갑상선절제술(PTX) 후 빈혈이 호전되는 기전은 골수섬유화(bone marrow fibrosis) 감소, 적혈구조혈기능(erythropoiesis) 향상, 적혈구(erythrocytes) 생존의 향상의 결과로 생기는 조혈작용(hematopoiesis)의 증가와 연관되어 있다.[37]

삼차부갑상선기능항진증(Persistent or Tertiary Hyperparathyroidism)

1. 병태생리

성공적인 신장이식은 이차부갑상선기능항진증(2HPTH)으로 인한 생리적인 이상과 대사적 이상을 교정한다.[29,55] 부갑상선 호르몬 수치는 성공적인 신장이식 후 이상성(biphasic) 감소를 보여준다. 첫 3~6개월 동안 급격한 감소(거의 50%)가 일어나서 부갑상선 기능성 종양의 감소에 기여하고,[55] 이어서 보다 점진적인 감소가 진행된다.[56] 거의 20년이라는 긴 수명을 가진 부갑상선 세포들은 신장이식 후 과증식된(hyperplastic) 부갑상선 세포들이 매우 느리게 퇴화되는 것에 기여한다.[57] 그 결과로 이식 후 1년이 지난 25% 이상의 환자들에게서 신장 기능이 정상임에도 불구하고 부갑상선 호르몬 수치가 지속적으로 상승되어 있다.[56,58,59] 이러한 상태를 삼차성의 혹은 자율성의 부갑상선기능항진증(3HPTH)라고 한다.

투석을 하기 전과 하는 중 지속되는 신부전과 신장이식 시 혈청 내 부갑상선 호르몬, 칼슘, 인, 알칼리 인산분해효소(alkaline phosphatase) 수치가 높은 것들 역시 삼차부갑상선기능항진증(3HPTH)과 관련이 있다.[56,60] 이러한 소견과 더불어 초음파상 커다란 부갑상선이 관찰된다면[61] 삼차부갑상선기능항진증(3HPTH)의 심각성을 예측해볼 수 있다. 이식한 신장의 기능 또한 이식 후 부갑상선 호르몬 수치를 결정하는데 중요한 영향을 준다.[56] 스테로이드를 포함한 면역억제제(immunosuppressive drugs) 또한 삼차부갑상선기능항진증(3HPTH)에 기여를 한다.[30,62] 마지막으로 25(OH)VitD358과 칼시트리올(calcitriol) 수치 저하,[62,63] 비타민 D와 칼슘 감작 수용체(sensing receptor)의 발현(expression) 저하[31] 또한 신장이식 후 삼차부갑상선기능항진증(3HPTH)의 발병기전(pathogenesis)에 관련이 있다.

1) 고칼슘혈증 Hypercalcemia

1,200명 이상의 신장이식 수여자들을 대상으로 한 최근의 연구결과에서 고칼슘혈증(hypercalcemia)이 이식 후 1년 동안 30%, 5년 동안 12%에서 관찰되었다.[56] 높은 부갑상선 호르몬 농도는 신장에서 칼시트리올(calcitriol)의 생성을 촉진시키고 그 다음으로 장에서 칼슘흡수를 증가시키며 골격에서 칼슘 이동을 증가시킨다. 요독증 uremia)을 교정하거나 혈청 내 인(phosphorus) 수치를 정상화하는 것 또한 부갑상선 호르몬에 저항하는 골격 기능의 개선에 영향을 주어 결국 뼈에서 파골 뼈 재흡수(osteoclastic bone resorption)작용으로 칼슘 배출을 촉진하게 된다.[64] 마지막으로, 연부조직(soft tissue)의 석회화(calcification)를 재흡수하는 것 또한 신장이식 후 고칼슘혈증(hypercalcemia)에 기여한다.[64] 신이식 후 고칼슘혈증(hypercalcemia)은 대개 경미하다. 혈청 내 칼슘수치가 12 mg/dl를 초과하는 경우에는 혈역학적 변이(hemodynamic alterations)가 생기고, 신경정신학적(neuropsychiatric), 위장관의 기능에 장애가 발생하는데 이정도 수치로 가는 경우는 드물다. 부갑상선 호르몬 수치 상승을 동반한 경미한 고칼슘혈증(hypercalcemia)이 해로운 대사성 영향(metabolic effect)을 미치는지에 대해서는 아직 논란이 있다.

2) 저인산혈증 Hypophosphatemia

저인산혈증(hypophosphatemia)은 신장이식환자의 90% 이상에서 나타나며, 세뇨관의 인산 재흡수가 조절되지 않는 것과 연관 있다. 삼차부갑상선기능항진증(3HPTH), 면역억제(immunosupperssive) 약물, 이뇨제(diuretics)는 소변을 통한 인의 배출과 신이식 후 저인산혈증(hypophosphatemia) 혹은 삼차성 고인산혈증(tertiary hyperphosphatoninism)의 발병기전에 모두 관여한다.[65] 혈청 내 인수치가 1 mg/dl보다 낮아지는 심한 인의 저하는 용혈성 빈혈(hemolytic anemia)이나 횡문근융해증(rhab-

domyolysis), 심근의 수축(myocardial contractility)의 저하, 호흡부전(respiratory failure)을 일으킬 수 있으나 다행히 드물다.[64]

3) 신 동종이식의 부전 Renal allograft dysfunction

삼차부갑상선기능항진증(3HPTH)은 신장 동종이식편의 칼슘-인 침착(calcium-phosphate deposition), 즉 신장석회증(nephrocalcinosis)과 관련되어 있다.[66,67] 동물 자료[38,68]와 임상 자료[69,70]들은 신장석회화(nephrocalcinosis)가 점진적인 신장 기능 소실의 위험성을 증가시킨다고 제시한다. 신장이식 환자에서 Pinheiro 등은 12년 된 동종이식편의 생존율은 신장석회증(nephrocalcinosis)이 없는 경우 75%, 신장석회증(nephrocalcinosis)이 있는 경우 48%라고 보고했다.[70] Hannover의 생검연구에 따르면 신장석회증(nephrocalcinosis)은 만성적인 이식편 신부전(allograft nephropathy)을 예측하는 독립적인 지표이다.[71] 이식편의 생존에 관한 칼슘대사이상의 영향에 관한 역학자료들은 제한적이다. 칼슘수치가 높거나[72,73] 낮은[74] 두 가지 모두 장기적인 이식편 부전(graft dysfunction)과 관련이 있는 것으로 알려져 있다. 이식 전의 부갑상선 호르몬 수치가 이식 후 고칼슘혈증(hypercalcemia)의 중요한 예측인자(predictor)이다.[56] 이식 전 부갑상선 호르몬 수치가 증가된 것이 관찰된다면 이는 이식 후 이식편이 부전(graft failure)에 빠질 위험이 높다고 할 수 있다.[75] 또한 고칼슘혈증(hypercalcemia)이 병인(pathogenesis)으로 작용한다는 간접적인 증거를 제공해준다.

4) 뼈 건강 Bone health

전향적 연구에서 신이식 후 첫 6개월간 요추에서 한 달에 약 1.5% 정도의 뼈가 소실되는 정도의 속도로 빨리 소실되는 것을 보여준다.[64] 면역억제약물(특히, Corticosteroids), 높은 부갑상선호르몬 수치, 신장 인 배출(renal phosphorus wasting)과 칼시트리올(calcitriol)의 결핍 등이

신이식 후 뼈 소실의 병인(pathogenesis)으로 연관되어 있다.[30,56,64,76-79]

REFERENCES

1. Coe FL, Canterbury JM, Firpo JJ, et al. Evidence for secondary hyperparathyroidism in idiopathic hypercalciuria. J Clin Invest 1973;52:134.

2. Breslau NA. Update on secondary forms of hyperparathyroidism. Am J Med Sci 1987;294:120.

3. Riggs BL, Gallagher JC, DeLuca HF, et al. A syndrome of osteoporosis, increased serum immunoreactive parathyroid hormone, and inappropriately low serum 1,25-dihydroxyvitamin D. Mayo Clin Proc 1978;53:701.

4. Nordenstrom J, Strigard K, Perbeck L, et al. Hyperparathyroidism associated with treatment of manic-depressive disorders by lithium. Eur J Surg 1992;158:207.

5. Albright F, Baird P, Cope 0, et al. Studies on the physiology of the parathyroid glands. IV. Renal complications of hyperparathyroidism. Am J Med Sci 1934;187:49.

6. Berson S, Yalow R, Aurbach G, et al. Immunoassay of bovine and human parathyroid hormone. Proc Natl Acad Sci USA 1963;49:613.

7. Hasegawa H, Nagano N, Urakawa I, et al. Direct evidence for a causative role of FGF23 in the abnormal renal phosphate handling and vitamin D metabolism in rats with early-stage chronic kidney disease. Kidney Int 2010;78:975-80.

8. Wetmore JB, Quarles LD Calcimimetics or vitamin Danalogs for suppressing parathyroid hormone in end-stage renal disease: time for a paradigm shift? Nat Clin Pract Nephrol 2009 5:24–33

9. Coburn JW, Popovtzer MM, Massry SG, et al. The physicochemical state and renal handling of divalent ions in chronic renal failure. Arch Intern Med 1969;124:302.

10. Felsenfeld AJ, Llach F. Parathyroid gland function in chronic renal failure. Kidney Int 1993;43:771.

11. Goodman WG, Quarles LD. Development and progression of secondary hyperparathyroidism in chronic kidney disease: lessons from molecular genetics. Kidney Int 2008 74:276-88.

12. Nii-Kono T, Iwasaki Y, Uchida M, et al. Indoxyl sulfate induces skeletal resistance to parathyroid hormone in cultured osteoblastic cells. Kidney Int 2007;71:738-43.

13. Wesseling-Perry K, Harkins GC, Wang HJ, et al. The calcemic response to continuous parathyroid hormone (PTH)(1–34) infusion in end-stage kidney disease varies according to bone turnover: a potential role for PTH(7–84). J Clin Endocrinol Metab 2010;95:2772-80.

14. Fraser D, Kodicek E. Unique biosynthesis by kidney of a biologically active vitamin D metabolite. Nature 1970;228:764.

15. Holick M. Vitamin D. Biosynthesis, metabolism, and mode of action. In: DeGroot LJ (ed), Endocrinology, 2nd ed. Philadelphia, WB Saunders, 1989, p 902.

16. Delmez JA, Tindira C, Grooms P, et al. Parathyroid hormone suppression by intravenous 1,25-dihydroxyvitamin D. A role for increased sensitivity to calcium. J Clin Invest 1989;83:1349.

17. Rahamimov R, Silver J. The molecular basis of secondary hyperparathyroidism in chronic renal failure. Isr J Med Sci 1994;30:26.

18. Slatopolsky E, Lopez-Hilker S, Delmez J, et al. The parathyroid calcitriol axis in health and chronic renal failure. Kidney Int Suppl 1990;29:S41.

19. Slatopolsky E, Brown A, Dusso A. Pathogenesis of secondary hyperparathyroidism. Kidney Int Suppl 1999;73:S14.

20. Szabo A, Merke J, Beier E, et al. 1,25 (OH) vitamin D3 inhibits parathyroid cell proliferation in experimental uremia. Kidney Int 1989;35:1049.

21. Puschett JB, Beck WS Jr. Parathyroid hormone and 25-hydroxyvitaminD3: Synergistic and antagonistic effects on renal phosphate transport. Science 1975;190:473.

22. Prince RL, Hutchison BG, Dick I. The regulation of calcitriol byparathyroid hormone and absorbed dietary phosphorus in subjects with moderate chronic renal failure. Metabolism 1993;42:834.

23. Portale AA, Morris RC Jr. Pathogenesis of secondary hyperparathyroidism in chronic renal insufficiency. Miner Electrolyte Metab 1991;17:211.

24. Ritz E, Matthias S, Seidel A, et al. Disturbed calcium metabolism in renal failure-Pathogenesis and therapeutic strategies. Kidney Int Suppl 1992;38:S37.

25. Fukagawa M, Kaname S, Igarashi T, et al. Regulation of parathyroid hormone synthesis in chronic renal failure in rats. Kidney Int 1991;39:874.

26. Brown AJ, Dusso A, Lopez-Hilker S, et al. 1,25-(OH)$_2$D receptors are decreased in parathyroid glands from chronically uremic dogs. Kidney Int 1989;35:19.

27. Llach F. Secondary hyperparathyroidism in renal failure: the trade-off hypothesis revisited. Am J Kidney Dis 1995;25:663-79.

28. Malberti F, Farina M, Imbasciati E. The PTH-calcium curve and the set point of calcium in primary and secondary hyperparathyroidism. Nephrol Dial Transplant 1999;14:2398-406.

29. Messa P, Sindici C, Cannella G, et al. Persistent secondary hyperparathyroidism after renal transplantation. Kidney Int 1998;54:1704-13.

30. Dumoulin G, Hory B, Nguyen NU, et al. No trend toward a spontaneous improvement of hyperparathyroidism and high bone turnover in normocalcemic long-term renal transplant recipients. Am J Kidney Dis 1997;29:746-53.

31. Drueke TB. Primary and secondary uraemic hyperparathyroidism: from initial clinical observations to recent findings. Nephrol Dial Transplant 1998;13:1384-7.

32. Nieto J, Ruiz-Cuevas P, Escuder A, et al. Tertiary hyperparathyroidism after renal transplantation. Pediatr Nephrol 1997;11:65-8.

33. Parfitt AM. The hyperparathyroidism of chronic renal failure: a disorder of growth. Kidney Int 1997;52:3-9.

34. Tominaga Y. Mechanism of parathyroid tumourigenesis in uraemia. Nephrol Dial Transplant 1999;14(Suppl 1):63-5.

35. Malluche H, Faugere MC. Renal bone disease 1990: An unmet challenge for the nephrologist. Kidney Int 1990;38:193.

36. Brown EM, Hebert SC. Calcium-receptor-regulated parathyroid

and renal function. Bone 1997;20:303-9.

37. Bro S, Olgaard K. Effects of excess PTH on nonclassical target organs. Am J Kidney Dis 1997;30:606-20.

38. Ibels LS, Alfrey AC, Haut L, Huffer WE. Preservation of function in experimental renal disease by dietary restriction of phosphate. N Engl J Med 1978;298:122-6.

39. Andress DL. Adynamic bone in patients with chronic kidney disease. Kidney Int 2008;73:1345-54.

40. KDIGO. KDIGO clinical practice guideline for the diagnosis, evaluation, prevention, and treatment of Chronic Kidney Disease-Mineral and Bone Disorder (CKD-MBD). Kidney Int Suppl 2009;(113):S1–130.

41. Mako J, Lengyel M, Szucs J. Intracardiac calcification in patients under chronic haemodialysis. Int Urol Nephrol 1987;19:441.

42. Rostand SG, Sanders PC, Rutsky EA. Cardiac calcification in uremia. Contrib Nephrol 1994;106:26.

43. Forman MB, Virmani R, Robertson RM, Stone WJ. Mitral anular calcification in chronic renal failure. Chest 1984;85:367.

44. Sommer G, Kopsa H, Zazgornik J, et al. Breast calcifications in renal hyperparathyroidism. AJR Am J Roentgenol 1987;148:855.

45. Salusky I, Coburn J. The renal osteodystrophies. In: DeGroot LJ (ed), Endocrinology, 2nd ed. Philadelphia, WB Saunders, 1989, p 1032.

46. Cassidy MJ, Owen JP, Ellis HA, et al. Renal osteodystrophy and metastatic calcification in long-term continuous ambulatory peritoneal dialysis. Q J Med 1985;54:29.

47. London GM Bone-vascular axis in chronic kidney disease: a reality? Clin J Am Soc Nephrol 2009;4:254-7.

48. Massry SG, Popovtzer MM, Coburn JW, et al. Intractable pruritus as a manifestation of secondary hyperparathyroidism in uremia. Disappearance of itching after subtotal parathyroidectomy. N Engl J Med 1968;279:697.

49. Albertucci M, Zielinski CM, Rothberg M, et al. Surgical treatment of the parathyroid gland in patients with end-stage renal disease. Surg Gynecol Obstet 1988;167:49.

50. Demeure MJ, McGee DC, Wilkes W, et al. Results of surgical treatment for hyperparathyroidism associated with renal disease. Am J Surg 1990;160:337.

51. Carmichael AJ, McHugh MM, Martin AM, et al. Serological markers of renal itch in patients receiving long term haemodialysis. Br Med J (Clin Res Ed) 1988;296:1575.

52. Stahle-Backdahl M, Hagermark O, Lins LE, et al. Experimental and immunohistochemical studies on the possible role of parathyroid hormone in uraemic pruritus. J Intern Med 1989;225:411.

53. Duh QY, Lim RC, Clark OH. Calciphylaxis in secondary hyperparathyroidism. Diagnosis and parathyroidectomy. Arch Surg 1991;126:1213; discussion, 1218.

54. Hagstrom E, Ingelsson E, Sundstrom J, et al. Plasma parathyroid hormone and risk of congestive heart failure in the community. Eur J Heart Fail 2010;12:1186-92.

55. Bonarek H, Merville P, Bonarek M, et al. Reduced parathyroid functional mass after successful kidney transplantation. Kidney Int 1999 56:642-9.

56. Evenepoel P, Claes K, Kuypers D, et al. Natural history of parathyroid functionand calcium metabolism after kidney transplantation: a single-centre study. Nephrol Dial Transplant 2004;19:1281-7.

57. Parfitt AM Hypercalcemic hyperparathyroidism following renal transplantation: differential diagnosis, management, and implications for cell population control in the parathyroid gland. Miner

Electrolyte Metab 1982;8:92–112.

58. Reinhardt W, Bartelworth H, Jockenhovel F, et al. Sequential changes of biochemical bone parameters after kidney transplantation. Nephrol Dial Transplant 1998;13:436-42.

59. Heaf J, Tvedegaard E, Kanstrup IL, et al. Bone loss after renal transplantation: role of hyperparathyroidism, acidosis, cyclosporine and systemic disease. Clin Transplant 2000;14:457-63.

60. National Kidney Foundation K/DOQI clinical practice guidelines for bone metabolism and disease in chronic kidney disease. Am J Kidney Dis 2003;42:S1-S201.

61. Clark OH, Stark DA, Duh QY, et al. Value of high resolution real-time ultrasonography in secondary hyperparathyroidism. Am J Surg 1985;150:9-17.

62. Torres A, Rodriguez AP, Concepcion MT, Parathyroid function in long-term renal transplant patients: importance of pre-transplant PTH concentrations. Nephrol Dial Transplant 1998;13(Suppl 3):94-7.

63. Caravaca F, Fernandez MA, Cubero J, et al. Are plasma 1,25-dihydroxyvitamin D3 concentrations appropriate after successful kidney transplantation? Nephrol Dial Transplant 1998;13(Suppl 3):91-3.

64. Torres A, Lorenzo V, Salido E Calcium metabolism and skeletal problems after transplantation. J Am Soc Nephrol 2002;13:551-8.

65. Evenepoel P, Naesens M, Claes K, et al. Tertiary 'hyperphosphatoninism' accentuates hypophosphatemia and suppresses calcitriol levels in renal transplant recipients. Am J Transplant 2007;7:1193-200.

66. Evenepoel P, Lerut E, Naesens M, et al. Localization, etiology and impact of calcium phosphate deposits in renal allografts. Am J Transplant 2009;9:2470-8.

67. Gwinner W, Suppa S, Mengel M, et al. Early calcification of renal allografts detected by protocol biopsies: causes and clinical implications. Am J Transplant 2005;5:1934-41.

68. Lau K Phosphate excess and progressive renal failure: the precipitation-calcification hypothesis. Kidney Int 1989;36:918-37.

69. Gimenez LF, Solez K, Walker WG. Relation between renal calcium content and renal impairment in 246 human renal biopsies. Kidney Int 1987;31:93-9.

70. Pinheiro HS, Camara NO, Osaki KS, et al. Early presence of calcium oxalate deposition in kidney graft biopsies is associated with poor long-term graft survival. Am J Transplant 2005;5:323-9.

71. Schwarz A, Mengel M, Gwinner W, et al. Risk factors for chronic allograft nephropathy after renal transplantation: a protocol biopsy study. Kidney Int 2005;67:341-8.

72. Egbuna OI, Taylor JG, Bushinsky DA, Zand MS. Elevated calcium phosphate product after renal transplantation is a risk factor for graft failure. Clin Transplant 2007;21:558-66.

73. Ozdemir FN, Afsar B, Akgul A, et al. Persistent hypercalcemia is a significant risk factor for graft dysfunction in renal transplantation recipients. Transplant Proc 2006;38:480-2.

74. Schaeffner ES, Fodinger M, Kramar R, et al. Prognostic associations of serum calcium, phosphate and calcium phosphate concentration product with outcomes in kidney transplant recipients. Transpl Int 2007;20:247-55.

75. Roodnat JI, van Gurp EA, Mulder PG, et al. High pretransplant parathyroid hormone levels increase the risk for graft failure after renal transplantation. Transplantation 2006;82:362-7.

76. Setterberg L, Sandberg J, Elinder CG, et al. Bone demineralization

after renal transplantation: contribution of secondary hyperparathyroidism manifested by hypercalcaemia. Nephrol Dial Transplant 1996;11:1825-8.

77. Rojas E, Carlini RG, Clesca P, et al. The pathogenesis of osteodystrophy after renal transplantation as detected by early alterations in bone remodeling. Kidney Int 2003;63:1915-23.

78. Carlini RG, Rojas E, Weisinger JR, et al. Bone disease in patients with longterm renal transplantation and normal renal function. Am J Kidney Dis 2000;36:160-6.

79. Dissanayake IR, Epstein S. The fate of bone after renal transplantation. Curr Opin Nephrol Hypertens 1998;7:389-95.

이차부갑상선기능항진증의 진단
Diagnosis

❙ 계명대학교 의과대학 외과 **조지형**

1. 임상적 특징

이차부갑상선기능항진증을 가진 만성신질환 환자들은 특별한 증상을 호소하지 않는 경우가 많다. 비특이적인 뼈의 통증, 근위축과 소양증 등은 이차부갑상선기능항진증의 대표적인 증상이지만 많은 환자에서 이러한 증상보다 생화학적 검사 또는 영상학적 검사의 이상이 선행된다.

뼈의 통증은 허리, 고관절 혹은 다리에 주로 나타나게 되고 체중 부하로 악화되는 소견을 보인다. 급성기에 국소적인 뼈 통증도 나타날 수 있는데, 이는 급성 관절염 또는 통풍과 유사한 소견을 보여 감별이 필요하다. 만성 신질환으로 인한 뼈질환 중 부갑상선 호르몬의 증가로 인한 고전환 뼈질환(high-turnover bone disease)은 증가된 부갑상선 호르몬이 파골세포에 작용하여 뼈흡수를 증가시켜 비정상적인 유골조직(osteoid)과 골수 섬유화를 유발하고, 진행된 상태에서는 뼈의 낭종성 변화 및 출혈성 병변을 동반하는 낭성 섬유뼈염(osteitis fibrosa cystica)의 소견을 보이게 된다. 방사선학적 이상의 범위는 이차부갑상선기능항진증의 심한 정도와 기간에 의존하게 된다. 선단뼈연화증이 손가락 끝부분, 빗장뼈의 바깥쪽과 발꿈치뼈에서 관찰될 수 있고, 연골하재흡수는 흉쇄골관절, 견복쇄골관절, 치골, 천장골관절과 추간판척추관절에 발생할 수 있다. 이차부갑상선기능항진증에서 발생하는 뼈의 미만성 경화증의 원인 및 발생기전은 명확하지 않지

만, 척추뼈와 강은 중축골격에서 두드러진다.

X선 검사에서 골격외 연조직의 석회화가 관찰될 수 있는데 이는 혈관의 석회화가 대부분이나 폐, 심근 그리고 관절주위 연조직에서도 관찰될 수 있다(그림 62-

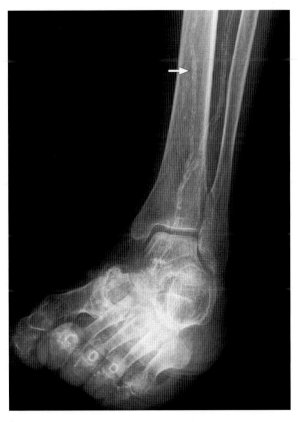

그림 62-1 ❙ 이차부갑상선기능항진증 환자의 X-선 촬영에서 보이는 석회화된 동맥(화살표)

569

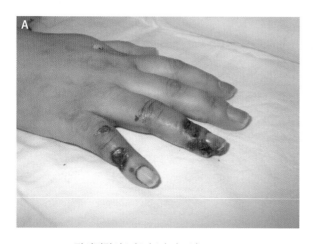
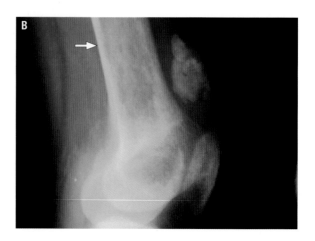

그림 62-2 | 칼시필락시스(Calciphylaxis)
이차부갑상선기능항진증 환자 손가락의 홍반성 변화 및 괴사(A)와 X선에서 보이는 하지의 석회화 변화(화살표)(B)

1). 전신쇠약은 이차부갑상선기능항진증 환자에서 일반적이며, 근섬유 수축의 변화와 관련이 있는 것으로 알려져 있다. 대개 근위부에 천천히 나타나고, 비타민D 치료에 반응한다. 피부와 관련된 가장 흔한 증상으로 소양감이 있는데, 부갑상선호르몬은 소양감을 유발하는 인자는 아니지만 몇몇 알려지지 않은 소양감 유발 물질에 대한 표지자로써 알려져 있고 심한 소양감이 있는 이차부갑상선기능항진증은 부갑상선절제술의 적응증이 된다. 드물지만 피부의 홍반성 변화와 괴사를 보이는 칼시필락시스(Calciphylaxis)도 발생할 수 있다(그림 62-2).

2. 진단 및 감별진단

이차부갑상성항진증으로 인한 뼈질환 증상뿐만 아니라 여러가지 생화학적 검사 및 방사선학적 검사가 진단에 도움이 될 수 있고, 다양한 이차부갑상선기능항진증의 내과적 치료 및 수술적 치료를 결정하는데 도움이 된다.

1) 생화학적 검사

부갑상선호르몬의 증가와 고인산혈증, 고칼슘혈증은 이차부갑상선호르몬항진증 환자의 주요한 생화학적 검사 소견이다.

만성신질환으로 인하여 고인산혈증, 저칼슘혈증 및 부갑상선세포 표면에 칼슘수용체의 발현의 감소와 고인산혈증으로 인하여 1,25-디하이드록시콜레칼시페롤 ($1,25(OH)_2D_3$) 합성의 감소가 나타난다. 진단에 흔히 사용되는 무손상부갑상선호르몬(intact PTH) 측정방법은 기능에 중요한 역할을 담당하는 N-말단 부분이 잘려나간 호르몬도 같이 측정되므로, 측정치를 해석하는데 제한이 있다. 만성신질환 환자에서 부갑상선호르몬 작용에 대한 골격계의 저항성이 있기 때문에, 뼈전환이 정상적으로 유지되기 위해서는 정상보다 높은 부갑상선호르몬상태가 필요하다. 뿐만 아니라 상용화된 부갑상선호르몬측정 방법들 마다 정상범위의 차이가 있으므로 2009년 KDIGO 가이드라인에서는 정상범위의 2~9배 사이를 유지할것을 권고하고 있고, 2003년 K/DOQI 가이드라인에서는 150~300 정도를 유지할 것을 권고하고 있다.[1,2] 이차부갑상선기능항진증이 진행됨으로써 부갑상선호르몬이 더욱 증가하고, 내과적 치료를 고려해야 한다. 내과적 치료에 혈중 부갑상선호르몬치가 반응하지 않는다면, 수술적치료의 적응이 된다.[3]

신장은 인산 섭취에 따라 소변으로 인산 배출을 조절하여 항상성을 유지한다. 사구체에서 여과된 인산의 재흡수는 근위 요세관에서 일어나며, 인산 섭취가 많거나 사구체여과율감소로 고인산혈증이 발생하면, 섬유모세포 성장호르몬 23(FGF-23)과 부갑상선호르몬이 증가하여 신장에서 재흡수를 감소시켜 요배설이 증가하여 혈중 인산을 다시 정상 범위로 유지하게 된다. 이러한 보상기전은 만성신질환이 4기로 들어설 때까지 대부분 정상으로 유지된다. 그러나 인산의 양성균형(positive balance)은 신장의 인산 배출기능은 소실되고, 인산 섭취로 인한 장에서의 흡수는 계속됨으로써 발생한다. 또한 이차부갑상선기능항진의 환경에서 증가된 혈중 부갑상선호르몬에 의한 뼈로부터의 인산의 재흡수 증가가 고인산혈증을 부추긴다.

부갑상선호르몬과 알카리성 인산화효소(alkaline phosphatase)는 이차부갑상선기능항진증 환자에서 높은 골 교체율과 관계가 있으나 알카리성 인산화효소가 정상임에도 불구하고 방사선학적으로 신장성 골병증이 나타나기도 한다. 이차부갑상선기능항진증이 동반된 뼈질환 환자에서 알카리성 인산화효소는 흔히 증가된 소견이 관찰된다. 이러한 경우에 뼈특이 알카리성 인산화효소 동종효소를 측정함으로써 감별진단을 할 수 있고 반복적인 알카리성 인산화효소 측정이 뼈질환의 진행을 진단하는데 도움이 된다. 오스테오칼신(osteocalcin)은 뼈 용해능을 보여주는 표지자이지만 알카리성 인산화효소보다 우월하지는 않다. 그 외 혈청 피리디놀린(pyridinoline) 등의 다른 표지자는 골교체율과 더 깊은 관련이 있지만, 이 표지자들의 중요성은 조직형태계측으로 기준을 비교하여 평가해야 할 필요가 있다. 아직까지는 골생검과 조직형태계측이 섬유성골염, 낮은 골교체율과 칼슘대사장애로 인한 골병증을 감별하는 중요한 기준이다.

2) 방사선학적 검사

기본적인 X선 검사는 심한 조직학적 뼈병변이 있는 만성신부전 환자에서도 정상으로 관찰될 수 있어 민감도는 다소 떨어지는 검사이다. 그러나 심한 이차부갑상선기능항진증을 가진 환자에서 흔한 소견인 골막하 재흡수는 X선 검사를 통해 손가락, 쇄골 그리고 골반 등에서 관찰될 수 있다. 두개골의 X선 검사에서는 균일하지 않은 골밀도의 증가와 감소에 의한 방사선투과성의 차이로 발생하는 "pepper pot skull"로 불리는 소견이 관찰될 수 있으며, 이때 혈관과 봉합의 홈들이 사라진다(그림 62-3). 척추의 X선 검사에서 경화증의 소견을 관찰할 수 있는데 척추의 경화증은 종판에 더 큰 골밀도를 가지고 있어, 마치 럭비선수 셔츠의 줄무의 모양과 닮은 모양인 "rugger jersey spine" 소견이 관찰된다. 드물지만 사지의 긴 뼈나 쇄골 그리고 손가락뼈 등에 경계가 뚜렷한 방사선 투과 영역이 관찰되는 "brown tumors"가 관찰될 수 있다. 이는 악성 종양의 뼈용해성 전이와 감별이 필요하다.[4]

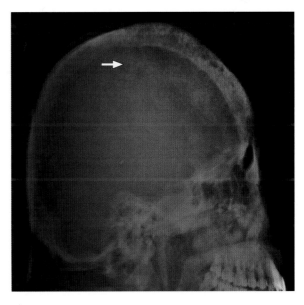

그림 62-3 | 두개골의 X선 변화. "Pepper pot skull" (화살표)

3) 골밀도 측정

이중 에너지 X선 흡수계측법(Dual energy X-ray absorptiometry)은 골밀도를 측정하기 위해 흔히 사용되는 검사이지만, 혈관 또는 연부조직의 석회화로 인하여 골밀도 측정에 오류가 발생할 수 있고 또한 골밀도는 이차부갑상선기능항진증 환자의 뼈질환의 조직학적 진단과 연관성이 보고되지 않아 진단의 유용성은 떨어진다.

3. 술전 국소화 검사

술전 국소화 검사는 이차, 삼차부갑상선기능항진증환자에서 통상적으로 시행하지는 않는다. 그러나 국소화는 예상하지 못한 이소성 부갑상선의 존재를 인지하며, 재수술의 경우에 수술을 할 수 있도록 만들어 준다. 방사성동위원소 스캔(^{99m}Tc-sestimibi scintigraphy)과 초음파와 같은 영상검사의 민감도는 여러 부갑상선의 증식성병변일 경우에 낮다. 이차, 삼차부갑상선기능항진증 환자의 연구에서 방사성동위원소 스캔은 어떤 경우에서도 모든 부갑상선병변을 찾을 수 없다. 또 다른 연구에서는 방사성동위원소 스캔과 초음파를 이용하여 술전 국소화의 민감도가 9~67%라고 보고하기도 했다. 컴퓨터전산화단층촬영(CT)이나 자기공명영상(MRI)은 잘 시행하지 않는다.

일차부갑상선기능항진 환자는 이소성부갑상선위치를 파악하기 위해 국소화검사를 시행하는 것이 유용하나, 이차, 삼차부갑상선기능항진증 환자에서는 제한적이다. 몇 가지 국소화검사를 제한하는 이유에는 이소성 종격동 부갑상선의 존재가 이차, 삼차부갑상선기능항진증 환자의 38% 정도이며,[5] 삼차부갑상선기능항진증 환자에서 모든 검사를 동원해도 32% 정도는 이소성갑상선의 존재를 증명할수 없다는 연구에 기인하며,[6] 또 다른 이유는 국소화 검사자체가 양측 경부탐색을 기본으로 하는 이차, 삼차부갑상선기능항진증 환자의 수술접근 방법에 영향을 주지 못하는 데 있다.

결론적으로, 통상적인 술전 영상의학검사는 첫 번째 수술에는 권고되지 않으며, 재수술의 경우에 수술시행 여부와 수술에 도움을 받고자 시행한다.

REFERENCES

1. National Kidney Foundation. K/DOQI clinical practice guidelines for bone metabolism and disease in chronic kidney disease. Am J Kidney Dis 2003;42:S1-201.
2. Kidney Disease. Improving Global Outcomes (KDIGO) CKD-MBD WorkGroup. KDIGO clinical practice guideline for the diagnosis, evaluation, prevention, and treatment of Chronic Kidney Disease-Mineral and Bone Disorder (CKD-MBD). Kidney Int Suppl 2009;113:S1–S130.
3. Susan CP, Rebecca SS, Herbert C. Secondary and Tertiary Hyperparathyroidism, state of the art surgical management. Sur Clin N Am 2009;89:1227-39.
4. Lacativa PG, Franco FM, Pimentel JR, et al. Prevalence of radiological findings among cases of severe secondary hyperparathyroidism. Sao Paulo Med J 2009;127:71-7.
5. Milas M, Weber C. Near total parathyroidectomy is beneficial for patients with secondary and tertiary hyperparathyroidsism. Sugery 2004;136:1252-60.
6. Kebebew E, Duh Q, Clark O. Tertiary hyperparathyroidism: histologic patterns of disease and results of parathyroidectomy. Arch Surg 2004;139:974-7.

이차/삼차부갑상선기능항진증의 외과적 치료

Surgical Approach

| 고신대학교 의과대학 외과 **김정훈**

1. 수술의 적응증

만성신부전증에 의한 부갑상선기능항진은 내과적 치료와 신장이식에 의하여 90% 이상이 조절되지만, 5% 정도는 수술적 치료가 필요하게 된다. 부갑상선절제술의 적응증은 신장이식을 시행하지 않은 환자에서는 칼시필락시스(저항성칼슘형성), 적절한 내과적 치료에도 불구하고 높은 부갑상선호르몬 측정치와 골 교체 질환(병적 골절, 골다공증, 고칼슘혈증, 고인산염증, 소양증, 골 동통) 등을 보이는 환자이다. 그리고, 높은 부갑상선호르몬의 농도가 만성 신부전과 관련된 많은 증상들을 악화시킬 수 있기 때문에, 고혈압, 빈혈, 심근기능 이상, 그리고 말초신경질환 등이 잠재적 적응증으로 고려될 수 있다. 신장이식 환자에서는 아급성 고칼슘혈증, 2년 이상의 지속적 고칼슘혈증, 신장 기능 악화, 급성 췌장염, 신결석증 및 진행성 골 병변을 보이는 경우에서 수술을 시행한다.

1) 신장 이식 전

부갑상선절제술은 이차부갑상선기능항진증을 조절하기 위한 내과적 치료가 실패할 경우 시행된다. 임상양상에는 지속되거나 악화되는 골 증상, 소양증, 그리고 골외석회화가 포함된다. 높은 부갑상선호르몬의 농도가 만성 신부전과 관련된 많은 증상들을 악화시킬 수 있기 때문

에, 고혈압, 빈혈, 심근기능 이상, 말초신경질환 등의 잠재적 적응증을 고려해야 한다. 이차적 부갑상선기능항진증을 지닌 만성 신부전 환자에 대해 수술을 고려할 때에는 높은 부갑상선호르몬 농도와 높은 골 교체 질환의 유무는 반드시 확인해야 하며, 칼시필락시스는 절대적인 적응증이 된다.

2) 신장 이식 후

신장이식 후 발생한 삼차부갑상선기능항진증 환자의 1~5% 정도에서 수술적 치료가 필요하다. 삼차부갑상선기능항진증은 일차부갑상선기능항진증과 비슷한 임상양상, 고칼슘혈증과 신장결석의 과거력, 급성 췌장염, 정신상태의 변화(기면, 불안, 혼돈), 위십이지장 궤양, 피로감, 소양증 또는 심한 골질환 등을 보이기 때문에 수술적 치료의 적응증이 된다. 경한 고칼슘혈증 그 자체는 신장 이식 환자에게 심각한 위협이 되지 않지만, 높은 부갑상선호르몬과 고칼슘혈증이 있는 상태에서 신장 기능 이상이 발생하거나, 고칼슘혈증이 지속되면서 신장결석이 있는 경우는 부갑상선절제술의 적응증이 된다. 하지만, 신장 이식 환자에서 무증상의 고칼슘혈증만이 발생한 경우, 부갑상선 절제 수술을 해야 하는가에 대해선 아직 논란이 있다.

이식 후 고칼슘혈증은 아급성의 심한 고칼슘혈증 , 일

시적 고칼슘혈증, 지속적 고칼슘혈증, 정상 칼슘 농도가 일정 기간 동안 유지된 후 나타나는 고칼슘혈증 등의 4가지 다른 형태로 발생할 수 있다.

(1) 아급성의 심한 고칼슘혈증

현재는 드물지만, 심한 고칼슘혈증(>13 mg/dL)은 주로 신장 이식 후 바로 나타난다. 이는 신속한 부갑상선 절개술을 해야 하며, 특히 이식된 신장 기능을 저하시킬 우려가 있을 때 더욱 필요하다.

(2) 일시적 고칼슘혈증

신장 이식 후 고칼슘혈증은 환자의 2/3에서 자발적으로 사라진다. 85%는 수술 후 첫 해에 정상 칼슘수치가 된다. 심한 경우, 이식 후 이차적 부갑상선기능항진증과 함께 고칼슘혈증이 저인산혈증에 의해 나타날 수 있고, 고칼슘혈증은 정상 신장 기능과 비대 부갑상선에서 나오는 높은 부갑상선호르몬 농도 때문에 더욱 심해진다. 일부 환자들에서는 칼슘인산염의 섭취가 고칼슘혈증과 고인산혈증의 원인이 될 수 있다. 더 심하면, 미리 존재하고 있던 비타민 D 독성이 이식된 신장에 의해 나타날 수 있다. 따라서, 신장 이식 후 6~12개월 동안 나타나는 경한 고칼슘혈증은 수술의 적응증이 아니다.

(3) 지속적 고칼슘혈증

영구적 고칼슘혈증의 기준은 연구자에 따라 다르다. 이식 후 6개월에서 6년까지 다양하다. 예전에는 6개월 이상 고칼슘혈증을 보이는 환자들에 대해 부갑상선 절제를 하였지만, 지금은 신기능과 임상상태를 신중히 관찰하면서 보존적 접근을 한다. 그리고 만일 이식된 신장이 정상 기능을 보이면, 2년까지도 부갑상선절제술을 고려하지 않는다. 어떠한 경우라도, 고칼슘혈증이 오래 지속되면 지속될수록, 자발적으로 관해될 가능성은 낮다. 이식 후 12개월 이상 지속되는 고칼슘혈증의 25%만 자발적으로 관해 된다.

지속되는 무증상 고칼슘환자 중에서 수술이 고려되는 경우는 두 가지이다. 자발적 관해의 가능성이 낮은 고칼슘혈증과 2년 이상 지속되는 고칼슘혈증이다. 12 mg/dL의 혈중 칼슘 농도와 경계의 고인산혈증은 자발적 관해가 어려운 고칼슘혈증의 좋은 예측 인자이다. 지속되는 고칼슘혈증에서 혈청 칼슘의 허용 기준은 사람마다 다르지만, 11.0~13.0 mg/dL 사이로 생각된다.

혈청 알칼리 포스파타제의 증가 역시 지속하는 고칼슘혈증의 독립적 예측 인자로 제기되고 있다. 하지만 이식 후 알칼리 포스파타제 농도는 스테로이드에 의해 골형성세포가 억제되어 감소할 수 있으므로, 이식 후 골흡수에 대한 표지자로 인정하기 어렵다.

이식 후 발생한 지속적인 고칼슘혈증 환자에 있어 부갑상선 절제수술을 보류하는 이유는 충분하지만, 그렇다고 자발적인 관해를 기대하기 때문은 아니다. 무증상의 지속적인 고칼슘혈증 환자들에게 예방적 부갑상선 절개술을 시행하는 것은 신장결석, 급성 췌장염, 그리고 혈관 석회화 등의 발병을 감소시킬 수 있다.

(4) 재발하는 고칼슘혈증

재발하는 고칼슘혈증은 드문 경우이다. 보고된 일부 경우에서 신장 결석, 급성 췌장염이나 이식 실패와 같은 합병증들을 동반한다. 만일, 정상 칼슘 농도를 보이던 이식 수혜자가 고칼슘혈증을 보인다면, 이식 실패의 가능성을 생각해야 한다. 만일 이식 실패가 고칼슘혈증의 원인이 아니라면, 부갑상선기능항진증이나 이식 실패의 합병증을 방지하기 위하여 부갑상선절제술이 고려되어야 한다.

2. 수술 전 처치

투석 받는 환자들의 수술 전 처치에는 고칼륨혈증, 저마그네슘혈증, 저혈압의 조절, 그리고 심혈관계 질환의 평가와 치료 등이 있다. 환자들은 수술 후 심한 저칼슘혈증을 예방하기 위하여 수술 전 경구로 칼시트리올을 섭취해야 한다. 환자는 수술 전 하루 전까지 투석 받아야 하며, 또한 수술 후 2일 안에 투석 받아야 한다.

만일 부갑상선절제술이 신장 이식 후에 이루어졌다면, 수술 전후로 면역 억제제 투여를 중지할 필요는 없다. 스테로이드 또한 투여하여야 한다.

3. 위치 정하기

영상소견을 기초로 하는 위치 확인 작업은 부갑상선의 크기에 따라 다르고, 이차적 부갑상선기능항진증을 가진 환자들은 대부분 큰 부갑상선을 가지고 있기 때문에, 컴퓨터단층 촬영, 초음파검사, Thalium-technitium (Tl-Tc) 조영술의 특이도와 양성 예측치는 일차 과증식증에서보다 이차부갑상선기능항진증에서 더 높다. 그러나, 이차, 삼차부갑상선기능항진증에서는 한 두개의 부갑상선종일 경우보다 과증식이 대부분이기 때문에, 수술 전 영상 검사는 일차부갑상선기능항진증의 경우에서 보다 유용하다.

초음파는 ^{99m}Tc SESTAMIBI 스캔보다 민감도가 더 높은 것으로 알려져 있으나, 다발성인 경우, 감소할 수 있다. 이차부갑상선기능항진증의 선별검사와 경과관찰에 유용하다고 알려져 있으며, 민감도는 45~70%이다. 단일 선종일 경우 민감도는 90%, 양성 예측치는 98%에 이른다. 만일 초음파로 심한 이차부갑상선기능항진증에서 큰 부갑상선이 발견되지 않으면, 대개 크기가 매우 작은 경우나 상위 종격, 기도나 식도 뒤, 또는 목의 깊은 부분에 위치해 있을 가능성이 크다. 이러한 경우에 컴퓨터 단층 촬영이나 MRI가 고려되어야 한다. 비록 Tl-Tc 조영술이 일차부갑상선기능항진증보다 이차부갑상선기능항진증에서 더 성공율이 높기는 하지만, 그 민감도는 30~55% 정도뿐이다. 다른 영상 검사에서 발견되지 않는 부갑상선들을 찾거나, 다결절 종대인 경우 유용하다. 컴퓨터 단층촬영은 이차부갑상선기능항진증에서 민감도가 50%에 불과하지만, 종격에 있는 부갑상선의 위치를 정하는 데에는 초음파보다 유용하다. ^{99m}Tc MIBI

부갑상선 SPECT은 수술 전 영상검사 중 가장 널리 사용되는 방법으로 부갑상선, 갑상선, 심장조직에 섭취되는 방사성 표지자를 이용한다. 민감도 및 유용성에 영향을 끼치는 요인들이 많은 것이 단점이다. 비타민 D 결핍, 다발성, 상위 선종, 갑상선 결절, 갑상선호르몬 치료 등에 영향을 받는다. 52건의 메타 분석에서 보면 39%에서 90% 이상의 민감도를 보였다. 88%의 경우에서 양성이지만, 부갑상선의 크기가 아닌 기능적 상태와 관련하여 증대된 부갑상선의 위치 확인에 67%의 민감도를 보인다. ^{99m}Tc SESTAMIBI 스캔은 비정상 위치나 정상 수이상의 부갑상선을 확인하는데 매우 유용할 경우가 있다. 특히, 부갑상선호르몬 수치가 높을 경우 더욱 유용하다. 최근의 연구에 따르면, ^{99m}Tc SESTAMIBI 스캔이 첫번째 검사로 유용하고, 경험많은 외과의가 시행하는 초음파가 그 다음으로 이용될 수 있다고 하였다. 또한, 1개의 부갑상선종인 경우, CT- ^{99m}Tc SESTAMIBI - SPECT (single-photon emission computed Tomography) 동시 시행 시 민감도와 특이도, 정확도를 각각 88%, 99%, 97%까지 높일 수 있다고 하였다. 다만, 높은 비용이 문제가 될 수 있으며, 다발성의 경우는 여전히 해석에 어려움이 있다. CT와 MRI는 다른 영상 검사에서 나타나지 않거나, 재수술을 하는 경우 이용된다. 작은 크기의 부갑상선과 더 세밀한 해부적 위치를 확인할 수 있다. 한 연구에 의하면, CT는 단일선종에서 이분구획 및 사분구획 양성 예측율이 89%, 77%에 이르며, 재수술의 경우에 있어서도 87%, 69%의 양성 예측율을 보였다.특히 최소 침습적 수술에 있어 위치 정하기를 실패한 경우에 더욱 유용하다. MRI는 방사능 노출에 민감하거나, 신장 기능 이상 시 유용하게 이용될 수 있다. 민감도 및 특이도를 측정하기는 어려우나, 비정상 위치에 있는 부갑상선을 찾는데 유용하다. 초음파유도하 내경정맥 혈액추출법 또한 최소 침습 수술에서 이분 구획 중 어느 곳부터 시작할 지를 결정하는데 도움을 줄 수 있다. 부갑상선호르몬을 측정하여 초음파와 ^{99m}Tc SESTAMIBI 스캔의 결과가 확실하지 않은 환자에 있어 도움이 될 수 있다.

4. 수술적 치료

부갑상선절제술에서 제일 중요한 인자는 부갑상선 수술을 다수 경험한, 실력 있는 외과의이다. 두 번째로 중요한 것은 모든 부갑상선의 위치 파악이며, 이것은 전자와 밀접히 연관되어 있다. 모든 부갑상선의 위치를 파악하는데 최대한 노력해야 하며, 이 환자들의 15%는 5번째 또는 6번째 부갑상선이 비정상 위치에 숨어 있을 수 있다는 것을 염두에 둬야 한다. 수술 전 ^{99m}Tc SESTAMIBI 스캔과 수술중부갑상선호르몬측정법이 도움이 될 수 있다.

갑상선을 전부 노출시킨 후, 중위 갑상선 정맥을 결찰하고 절단한다. 이후 갑상선을 안쪽으로 당기면서, 목혈관신경집을 바깥쪽으로 당긴다. 회귀 후두신경을 노출시킨 후, 부갑상선을 정상위치에서 찾기 시작한다. "다 보이기 전에는 아무 것도 제거하지 않는다"의 원칙을 적용하여, 4개 모두, 또는 그 이상의 부갑상선을 찾아야 하고, 각각의 확실한 냉동 절편을 얻어야 한다.

80%의 상위 부갑상선은 회귀 후두신경과 하위 갑상선 동맥의 교차지역 주위 반경 1 inch 이내 범위와 하위 갑상선 동맥 주위에 위치해 있다. 부갑상선은 보통 갑상선 뒷부분을 후두와 연결하는 연조직에 격리되어 있다. 상위 부갑상선들을 발견하지 못한다면, 갑상선 후방 피막을 절개하여 상위 혈관들을 절단한다.

하위 부갑상선을 찾기 위해서는, 갑상선 하위 부분의 지방 조직을 모두 제거해야 하며, 갑상선의 아래쪽 끝에서부터 1 inch 내에 있는 모든 조직을 박리하여 제거해야 한다. 15% 정도의 하위 부갑상선은 흉선과 함께 흉강으로 들어가는 입구에서 발견된다.

발견한 부갑상선과 관계없이, 4개 이상의 부갑상선, 비정상 위치의 4번째 5번째 부갑상선(10% 경우), 또는 잔류 부갑상선 조직의 제거를 확인하기 위하여, 흉선은 반드시 절제한다. 가운데 흉부 근막에서 연결되는 흉선 앞쪽의 근막은 흉선을 찾기 위해 절개된다. 흉선은 그 다음 위쪽으로 옮겨지고, 작은 거즈를 이용하여 주위의 연조직을 조심스럽게 박리한다. 흉선의 정맥들을 조심스

럽게 결찰하여 출혈을 예방해야 한다.

만일 부갑상선을 정상 위치나 흉선 근처에서 발견하지 못한다면, 상대적으로 혈관이 없는 식도 근처, 후두 근처, 식도 뒤, 그리고 후두 뒤 부위도 조심스럽게 분리해야 한다. 그 다음 목혈관신경집도 중격으로부터 분기점까지 절개되어야 한다. 만일 그래도 부갑상선이 보이지 않는다면, 갑상선 엽의 제거가 고려되어야 한다. 비록 갑상선 내부에 존재하는 부갑상선의 빈도는 2%이지만, 일부 부갑상선은 갑상선 피막에 가까이 붙어있는 경우가 있어 절제가 필요하다. 부갑상선이 모두 노출된 후에는 술기 방법에 따라 다음 절차가 결정된다.

만일 부분 부갑상선 절제를 시행한다면, 가장 작은 부갑상선을 선택한다. 혈관이 없는 부갑상선 부분이 절제되고, 40~60 mg을 남겨 둔다. 만일 남겨진 부분이 혈액 공급이 원활하지 않다면, 완전히 절제하고, 나머지 부갑상선 중에서 선택하여 남긴다. 혈액 공급이 원활하고 정상적인 부갑상선을 남길 때까지 모든 부갑상선들을 절제하여서는 안 된다. 정상적인 혈액 공급을 확인한 후에 남은 부갑상선을 제거한다. 대개 상위 부갑상선을 남기려 하는데, 이는 상위 부갑상선들이 대개 갑상선과 붙어 있어, 혈액 공급이 좋은 혈관을 가지고 있고, 하위 부갑상선으로 들어가는 혈액 공급은 흉선제거 시 방해 받을 수 있기 때문이다. 하위 잔여 부갑상선들은 종격동 아래로 내려갈 수 있고, 재수술시 수술을 어렵게 한다. 잔여 부갑상선은 흡수되지 않는 물질(이상적인 것은 티타늄 클립과 긴 실크 실)로 표시된다. 만일 3개의 부갑상선만 발견된다면 3개 모두 제거한다. 이러한 경우, 30%의 환자는 부갑상선기능항진증이 지속되는 것으로 알려져 있다.

만일 부갑상선 전체 절제와 자가 이식을 시행한다면, 4개의 부갑상선을 모두 절제하고, 가장 적합한 부갑상선을 자가이식을 위하여 선택한다. 결절이 있는 부갑상선을 선택한다면, 이식 의존성 재발의 위험이 높아진다. 40~60 mg의 부갑상선을 1 mm 크기의 조각으로 자르고, 이러한 10~20개의 조각들을 동맥정맥 누공의 위치에서 가능한 멀리 여러 근육 주머니들 안으로 이식한다. 근육 주머니들은 흡수되지 않는 실이나 클립으로 닫

아서 재발하여 재수술이 필요한 경우, 위치를 쉽게 찾을 수 있도록 한다.

드물지만 피막이 찢어지거나, 수술 시 분리된 부갑상선 내용물이 예상치 못한 재발의 잠재적 원인이 될 수 있다. 그러므로, 부갑상선 피막을 잘 보존하여, 수술 부위에 부갑상선 세포가 남겨지는 일이 없어야 한다.

모든 부갑상선 조직을 제거한 후 15~30분 후에 수술 중 정상 부갑상선 농도를 측정하는 것이 가능하다면, 이것은 수술을 끝내거나, 5번째 부갑상선의 존재를 알 수 있다는 점에서 가치 있다. 영구적인 부갑상선기능저하증이 발생길 수 있으므로 냉동보존은 필수적이다.

1) 수술중부갑상선호르몬측정

일차부갑상선기능항진증에서 일반적으로 시행되는 치료법은 이차, 삼차부갑상선기능항진증에서도 시행되고 있는데, 이 중 수술중부갑상선호르몬측정법은 흔히 사용되고 있다. 그러나 일차부갑상선기능항진증과 달리, 이차, 삼차부갑상선기능항진증에서는 4개의 부갑상선을 모두 절제하는 경부 탐색법이 여전히 많이 시행된다. 많은 연구에 따르면, 부갑상선호르몬의 신장 배설이 느려지고, 신장 기능의 이상으로 인해 수술중부갑상선호르몬측정법에 어려움이 있다고 한다. 수술중부갑상선호르몬측정법은 신장기능과 부갑상선호르몬 측정법의 특이도에 의존하게 된다. 수술의 성공 기준은 부갑상선 절제 후 50% 이상의 부갑상선호르몬 농도의 감소로 나타나는데, 이는 측정법에 따라 신부전과 저하된 신장 배설로 인해 절제 후 30분 이내에 50% 이상의 부갑상선 농도의 감소가 나타나리라는 보장이 없다. 삼차부갑상선기능항진증에서도 유용하게 사용될 수 있으나, 성공 기준에 있어 논의의 여지가 있다. 마이애미(Miami) 기준에 따른 일차 부갑상선호르몬 측정 또한 삼차에도 94%의 민감도를 가진다고 한다. 다선종 질환의 환자에서도 90% 이상의 경우에서 최종 농도가 35 pg/ml 미만이거나 90% 이상의 감소가 있었다. 삼차부갑상선기능항진증에서도

200 pg/ml 미만으로의 감소가 기준이 될 수 있다는 연구가 있었다. 이처럼, 기준에 대한 정확한 결정이 없어 일상적으로 수술중부갑상선호르몬측정법이 사용되지 않고 있다.

2) 방사선 유도하 부갑상선절제술

수술 1,2시간 전에 10 mCi의 ^{99m}Tc-SESTAMIBI를 투여한 후 감마 탐색기를 이용하여 부갑상선의 위치를 확인하는 방법이다. 수술 시간, 입원기간, 동결 절편의 필요성을 감소시킬 수 있다. 또한 정상 수 이상의 부갑상선 및 이상 위치의 부갑상선의 위치 확인이 용이해지면서 지속 및 재발의 가능성을 줄였다. 또한 자가 이식 절편의 위치를 확인하기 어려울 때에도 도움이 될 수 있다.

5. 수술의 종류

수술 방법 두 가지는 부갑상선 아전절제술과 부갑상선 자가이식을 동반한 부갑상선 전절제술이다. 삼차부갑상선기능항진증에서는 부갑상선 아전절제술이 선호된다. 또한 신장 이식을 기다리고 있는 환자에서도 선택될 수 있다. 두 수술방법에서 유의한 차이는 나타나지 않았으나, 부갑상선 전절제술과 자가이식 수술법이 칼슘 농도의 정상화 및 골밀도의 개선, 소양증 및 근력 약화에 더 큰 효과를 보였다는 보고가 있었다. 또한, 몇몇 그룹들은 낮은 재발률을 근거로 부갑상선 전절제술을 주장하지만, 이후 뼈는 무기질화가 되지 않으며, 비타민 D와 칼슘을 경구 섭취를 해야 한다. 무작위 실험에서, Rothmund 등은 자가이식을 동반한 완전 부갑상선 절제는 40명의 환자들에게서 부갑상선 아전절제술에 비하여 우월한 것으로 나타났다. 4년 가까이 경과관찰을 한 결과, 부갑상선 아전절제술을 시행받은 환자들 중 4명은 재발하였다. 골질환도 자가이식을 동반한 완전절제술을 시행받은 환

자들에서 더 높은 비율로 완화되었다. 다른 임상 경과들은 두 경우 비슷하였다. 이 연구의 한가지 지적할 점은 대개 연구자들이 권하는 양(40~60 mg)보다 더 많은 양(60~80 mg)을 남겨두었다. Proye 등은 수술 기술보다는 수술 적응증의 정확성과 모든 부갑상선 조직의 위치 확인이 더 중요하다고 하였는데, 재발의 1/3에서 1/2는 발견하지 못한 부갑상선(비정상 위치나 정상 수 이상의 부갑상선)에서 발생하기 때문이다. 부갑상선 아전절제술의 성패는 남아있는 부분의 크기와 생존력에 달려 있다. 결절이 있는 잔여물은 커질 가능성이 있고 재발을 일으킬 수 있다.

이론적으로 부갑상선 아전절제술 시, 수술 후 저칼슘혈증의 빈도가 낮아지는데 이것은 잔여물이 계속 기능을 하기 때문이다. 만일 부갑상선기능항진증이 지속되거나 재발하면, 그 부갑상선은 목에 있거나, 종격동에 있을 수 있다. 이 수술의 주요 단점은 재수술이 힘들고 재수술시 되돌이후두신경손상의 위험이 높다는 것이다.

많은 사례들을 통한 결과를 보면, 10~16%는 수술 후 고칼슘혈증을 보였고, 8%는 잔여물이 성장하여 재수술을 필요로 하였고, 4~25%는 수술 후 1년이 넘게 저칼슘혈증을 보였다. 부갑상선 전절제술과 비교하여 부갑상선 아전절제술은 골 통증을 즉시 완화하는 정도는 낮았으나, 수술 후 골 교체질환의 위험을 감소시켰다.

자가이식을 동반한 전체 부갑상선절제술의 성패는 이식절편으로 얻어진 부갑상선에 결절이 있는지의 여부와 심는 절편의 수와 무게와 관련된다. 전체적으로 증식된 것보다 결절 있는 부갑상선을 이식 시 재발이 3배나 더 높다. 자가이식의 장점은 부갑상선기능항진증이 다시 나타나면, 국소마취하에 이식된 부분이 부분적으로 절제될 수 있다는 것이다. 하지만 재절제가 꼭 필요한 경우들이 있으며, 가끔은 종양과 같은 것이 자라서 제거를 어렵게 한다. 카사노바 검사는 이식된 부갑상선을 지니는 팔 전체의 허혈 상태를 필요로 하며, 허혈 부분의 양 끝에서 부갑상선호르몬을 측정한다. 이것은 자가이식을 동반한 완전 절제술에서 이식된 절편의 기능을 평가하고, 재발 장소를 확인하는 데에 사용된다.

연구 결과를 보면, 5~38%는 수술 후 고칼슘혈증을 보이고, 2~6%는 이식 절편 절제를 필요로 하는 재발, 그리고 5~30%는 12개월 이상 지속되는 저칼슘혈증을 보였다. 이차부갑상선기능항진증에서 부분 절제를 주로 쓰는 외과의들도 갑상선 질환 때문에 갑상선절제술이 필요할 경우, 잔여물의 생존력이 확실치 않을 때, 잔여물이 과성장을 하고 재발을 일으킬 경우 등에서 자가이식을 동반한 완전 절제를 한다.

6. 부갑상선기능항진증의 합병증

이차, 삼차부갑상선기능항진증에서 부갑상선절제술 시행한 후 사망률은 1%보다 적다. 고칼륨혈증은 가장 중요한 사망의 원인이 된다. 감염, 심장 합병증, 췌장염, 호흡기계 합병증들은 사망을 초래하는 다른 원인들이다.

1) 일시적 저칼슘혈증

저칼슘혈증은 이차부갑상선기능항진증 때문에 부갑상선 절개술을 받은 환자의 20~85%에서 발생한다. 저칼슘혈증을 예방하지 않으면, 감각 이상, 경련성 복통 등 전형적 증상이 술 후 1일 이내에 나타난다. 저칼슘혈증의 원인으로는, 칼슘의 축적 저하, 뼈 형성과 흡수의 불균형, 남아있는 부분이나 이식편의 기능부전으로 인한 부갑상선 저하증, 그리고 저마그네슘혈증 등이 있다. 저칼슘혈증은 수술 전 골 질환이 심했던 사람에게서 더 흔하게 나타나고, 혈청 알칼리 인산염 농도가 높은 사람에게서도 나타나리라고 예상할 수 있다. 술 후 혈청 인산염, 칼슘, 칼륨, 그리고 마그네슘은 철저히 확인되어야 한다. 만일 혈청 칼슘이 7.50 mg/dL 이하로 떨어지면 10% 용액이나 5% dextrose용액에 있는 칼슘 글루코네이트의 정맥 주입이 필요하다.

급성 양상이 조절되었거나 저칼슘혈증이 경하면, 하

루에 6 g까지 경구로 칼슘을 투여한다. 인산염 결합체는 혈청 인산염을 3.5~5.0 mg/dL로 유지하기 위하여 투여되어야 한다. 저칼슘혈증을 조절하기 위해서 칼슘과 더불어 경구 칼시트리올도 투여되어야 한다. 만일 수술 후 저칼슘혈증이 의심되면, 예방적 칼슘과 칼시트리올 투여가 수술 전 또는 수술 직후부터 투여를 시작할 수 있다. 투석 중 투여되는 칼시트리올은 수술 전 5일 동안 사용되어 수술 후 저칼슘혈증을 막을 수 있다.

2) 영구적 부갑상선 저하증

초기 연구결과에서는 영구적 부갑상선 저하증이 0에서 73%였으나, 보통 4~12%이다. 부갑상선 자가이식은 실패하는 경우, 수술 후 2년까지 저칼슘혈증을 초래할 수 있다. 후향적 연구와 보고 결과가 다양하기 때문에, 술후 부갑상선 저하증의 정확한 유병률을 알기는 어렵다.

부갑상선 저하증 환자들은 평생 비타민 D와 칼슘 공급을 필요로 한다. 저칼슘혈증 증상은 신장 이식 후 산혈증 후에 더 심해질 수 있다. 고칼슘혈증 역시 비타민 D 독성 때문에 같이 발생할 수 있다.

3) 지속성과 재발성

지속 또는 재발하는 부갑상선기능항진증은 2~12%이다. 1/3에서 1/2의 환자들의 경우에서 재발은 첫 번째 수술이 완벽하지 않아서 발생한다. 4개 이하의 부갑상선이 발견되거나, 흉선 제거가 이루어지지 않았거나, 또는 목과 종격동에 정상 수 이상 부갑상선들이 존재하기 때문이다. 이러한 환자들은 고칼슘혈증, 상승한 부갑상선호르몬 농도, 그리고 지속 또는 악화되는 임상양상들을 보인다. 만일 부갑상선 아전절제술을 먼저 시행했다면, 자가이식을 동반한 완전 절제가 권고된다. 만일 처음에 시행한 수술이 완전절제라면 카사노바 검사가 시행되어야 한다. 이식절편의 제거나 재탐색은 그 이후에 시행해야

하고, 이것은 재발 위치에 따라 결정한다. 재수술을 하는 모든 경우에서, 재발 위치를 찾기 위하여 영상학적 검사가 이루어져야 한다.

7. 성공적인 부갑상선 절제 후 임상 경과

1) 임상 양상

전반적인 임상 양상은 70~85%의 환자들에게서 완화되었다. 60~80%의 환자들에서 골 통증은 완화되고, 관절염은 85%에서, 그리고 전신쇠약은 75%에서 완화되었다. 복통과 안구 작열감은 완화가 쉽지 않다. 근 쇠약은 1/3의 환자에서, 영상소견은 95%에서 완화된다. 소양감은 대부분의 환자들에서 술 후 1일 이내에 감소되고, 60~80%는 사라진다.

성공적인 절제술은 장기 외 석회화를 50~60% 완화시키지만, 칼슘-인 생성물과 부갑상선호르몬의 감소에도 불구하고 동맥 석회화는 변화되지 않는다. 작은 말초동맥의 석회화는 절제술을 받은 환자의 56%에서 새로 발생하거나 더 진행될 수 있다.

2) 골질환

절제술 후 혈청 부갑상선호르몬의 급격한 감소는 뼈의 재흡수를 억제하고, 또한 뼈 생성의 일시적 증가와 정상 층유골(lamellar osteoid seams)의 증가도 일으킨다. 절제술은 뼈의 형성 속도와 더불어 재흡수 표면적과 골파괴세포의 수도 감소시킨다.

가장 많이 토의되는 화제는, 절제술 후 알루미늄과 연관된 골연화증의 발생이다. 어떤 연구 결과들에서는, 절제술은 뼈의 알루미늄 축적을 증가시키거나 투석 도중 임상적 골질환의 유병률을 증가시키지는 않았지만, 반

면 다른 결과들은 절제술 이후 뼈에 알루미늄이 축적된다고 보고되었다. 만일 알루미늄이 투여되거나, 수술 전에 알루미늄 관련 골 질환이 있었다면, 알루미늄의 축적은 절제 후 느린 교체속도로 뼈에 축적된다. 하지만 만일, 비타민 D가 유지되고 칼슘이 공급된다면, 느린 교체속도의 알루미늄 관련 골질환은 일어나지 않는다. 절제술 후 골연화증이 나타난다면, 수술은 필요하지 않으며, 고칼슘혈증은 알루미늄 독성 때문임을 알 수 있다. 수술 후 비타민 D와 칼슘을 공급함으로써 척추의 골 밀도는 현저히 증가될 수 있다.

3) 칼슘 대사

절제술 이후 혈청 부갑상선호르몬과 칼슘 농도는 급격히 감소한다. 혈청 알칼리 인산염은 보통 수술 전 증가하는데, 수술 후에도 증가하였다가 시간이 지남에 따라 감소한다. 수술 후 저칼슘혈증의 정도와 수술 전 혈청 알루미늄 인산염 사이에 강한 연관관계가 알려졌다. 순환하는 칼시트리올의 농도 역시 수술 이후 감소하고, 이것은 저칼슘혈증에 기여한다.

4) 빈혈

빈혈은 만성신부전 환자들에서 절제술 이후 좋아진다. 절제술은 환자의 50%에서 혈청 적혈구와 망상구를 증가시킨다. 부갑상선호르몬, 세포 내외 칼슘, 인 농도의 정상화, 적혈구에 대한 조직의 감수성 증가는 절제술 후 나타난다.

요약

신장 이식 전, 부갑상선절제술은 부갑상선기능항진증의 진행을 내과적 치료로 조절하지 못하는 경우 적응증이 된다. 높은 부갑상선호르몬 농도와 높은 교체속도의 골질환이 있을경우 수술적 치료가 요구된다. 칼시필락시스는 절대적 적응증이다. 이식 후 주 적응증은 지속되거나 증상이 있는 고칼슘혈증이다. 수술의 성공을 위해서는 모든 부갑상선의 위치를 정확히 확인하고, 40~60 mg의 생존력 있는 부갑상선 조직을 목에 남겨 두거나 팔에 이식한다. 어떤 경우에라도, 미세한 수술 술기의 차이는 결과에 영향을 미친다. 지속 또는 재발 부갑상선기능항진증이 수술 후 나타날 수 있는 가장 흔한 부작용이

REFERENCES

1. Clark OH, Duh QY, Kebebew E: Textbook of Endocrine Surgery, 2nd ed., 2005, Elsevier Saunders, Philadelphia

2. Beauchamp, Evers, Mattox: Townsend: Sabiston Textbook of Surgery, 17th ed., 2004, Elsevier Saunders, Philadelphia

3. Brunicardi FC, Andersen DK, Billar TR, et al.: Schwartz's Principles of surgery, 8th ed., 2005, McGraw-Hill, New York

4. Gasparri G, Camandona M, Abbona GC, et al. Secondary and tertiary hyperparathyroidism: causes of recurrent disease after 446 parathyroidectomies. Ann Surg 2001; 233(1):65-9.

5. Hargrove GM, Pasieka JL, Hanley DA, Murphy MB. Short- and long-term outcome of total parathyroidectomy with immediate autografting versus subtotal parathyroidectomy in patients with end-stage renal disease. Am J Nephrol 1999; 19(5):559-64.

6. Rothmund M, Wagner PK, Schark C. Subtotal parathyroidectomy versus total parathyroidectomy and autotransplantation in secondary hyperparathyroidism: a randomized trial. World J Surg 1991; 15(6):745-50.

7. Proye C, Carnaille B, Sautier M. [Hyperparathyroidism in patients with chronic renal failure: subtotal parathyroidectomy or total parathyroidectomy with autotransplantation? Experience with 121 cases]. J Chir (Paris) 1990; 127(3):136-40.

8. Takagi H, Tominaga Y, Uchida K, et al. Subtotal versus total parathyroidectomy with forearm autograft for secondary hyperparathyroidism in chronic renal failure. Ann Surg 1984; 200(1):18-23.

9. Stratmann SL, Kuhn JA, Bell MS, et al: Comparison of quick parathyroid assay for uniglandular and multiglandular parathyroid disease, Am J Surg 184(2002) 578-581

10. Block GA, Martin KJ, de Francisco AL, et al: Cinacalcet for secondary hyperparathyroidism in patients receiving hemodialysis. N Engl J Med. 2004 Apr 8; 350(15):1516-25.

11. Kilgo M, Pirsch J, Warner T, et al. Tertiary hyperparathyroidism after renal transplantation: surgical strategy. Surgery 1998;124:677-83 [discussion: 83-4].

12. Triponez F, Clark O, Vanrenthergem Y, et al. Surgical treatment of persistent hyperparathyroidism after renal transplantation. Ann Surg 2008;248:18-30.

13. Jorna F, Jager P, Lemstra C, et al. Utility of an intraoperative gamma probe in the surgical management of secondary or tertiary hyperparathyroidism. Am J Surg 2008;196:13-8.

14. Adler JT, Sippel RS, Chen H. new tends in parathyroid surgery Curr Probl Surg. 2010 Dec;47(12):958-1017

15. Pitt SC, Sippel RS, Chen H. Secondary and Tertiary Hyperparathyroidism, State of the Art Surgical Management Surg Clin North Am. 2009 Oct;89(5):1227-39.

가족성부갑상선기능항진증

Familial hyperparathyroidism

| 단국대학교 의과대학 외과 **장명철**

부갑상선기능항진증은 대부분 산발성으로 발생하나 약 5%에서 가족력을 가진다.[1] 가족성부갑상선기능항진증(familial hyperparathyroidism)은 가족력이 있으면서 젊은 나이에 발생하고 여러 개의 부갑상선이 증대되는 특징이 있다. 가족성부갑상선기능항진증은 현재까지 5가지의 원인 유전자가 알려져 있다. 각각의 유전자는 7가지의 표현형, 즉 제1형 다발성내분비선종양(multiple endocrine neoplasia type 1, MEN-1), 제4형 다발성내분비선종양(MEN-4), 제2A형 다발성내분비선종양(MEN-2A), 부갑상선기능항진증-턱종양 증후군(hyperparathyroidism-jaw tumor syndrome, HPT-JT), 가족성 저칼슘뇨증 고칼슘혈증(Familial hypocalciuric hypercalciemia, FHH), 상염색체우성 경증 부갑상선기능항진증(autosomal dominant mild hyperparathyroidism, ADMH), 신생아 중증 부갑상선기능항진증(neonatal severe hyperparathyroidism, NSHPT)으로 나타날 수 있다(표 64-1). MEN-1, MEN-4, MEN-2A, HPT-JT에서는 대부분 원인 유전자로 인하여 다양한 다른 증상이나 징후가 함께 나타난다. 원인 유전자의 확인은 향후 환자와 가족구성원의 내분비질환의 예측이 가능하게 한다.

다른 증상이나 징후 없이 가족성부갑상선기능항진증이 나타나는 경우를 가족성 고립성 부갑상선기능항진증(familial isolated hyperparathyroidism, FIHPT)이라 하고 현재까지 100가계 이상 보고되었다.[1] 가족성 고립성 부갑상선기능항진증은 앞서 기술한 유전 질환의 불완전한 표현으로 나타날 수 있기 때문에 이질적 질환의 모임이다. 하지만 가족성 고립성 부갑상선기능항진증의 많은 경우에서 원인 유전자의 돌연변이가 관찰되지 않기 때문에 아직까지 밝혀지지 않은 원인 유전자가 존재할 가능성이 크다.[2] 본 장에서는 가족성부갑상선기능항진증의 원인 유전자, 감별 진단 및 치료에 대하여 기술하였다.

1. 원인 유전자

표 64-1에서와 같이 현재까지 알려진 가족성 고립성 부갑상선기능항진증의 원인 유전자는 *MEN 1, CASR, HRPT2, CDKN1B/p27*이다.

RET 유전자의 돌연변이로 발생하는 제2형 다발성내분비선종양은 갑상선 수질암, 갈색세포종, 부갑상선 종양이 특징이지만 대부분 갑상선 수질암이 먼저 발생하고 부갑상선 종양이 나타나는 경우는 드물다. 갑상선 수질암을 확인함으로써 쉽게 감별 진단이 가능하기 때문에 가족성 고립성 부갑상선기능항진증의 원인 유전자에 포함되지 않는다.

MEN 1 유전자의 돌연변이로 발생하는 제1형 다발성내분비선종양은 부갑상선, 뇌하수체, 내분비 췌장 종양이 특징이지만 부갑상선 종양이 가장 흔하다. 따라서 제

표 64-1 | 가족성부갑상선기능항진증을 유발하는 유전 질환과 원인 유전자

Disorder	Inheritance	Gene	Location	Age of onset	Hyperparathyroidism	Associated tumors
MEN-1	AD	MEN 1	11q13.1	20~45 years	High penetrance, Multiglandular	Pituitary, Pancreas
MEN-2A	AD	RET	10q11.21	>30 years	Low penetrance, Multiglandular	MTC, Pheochromocytoma
MEN-4	AD	CDKN1B/ p27	12p13.1	20~25 years	Multiglandular	Pituitary
HPT-JT	AD	HRPT2	1q31.2	15~30 years	High penetrance, Cystic tumor, Cancer (15%)	Jaw tumor, Renal tumor
FHH	AD	CASR	3q13.3-q21.1	<10 years	High penetrance, No surgical role	(-)
ADMH	AD	CASR	3q13.3-q21.1	>20 years	High penetrance, Multiglandular	(-)
NSHPT	AR	CASR	3q13.3-q21.1	<6 months	Severe hyperplastic	(-)

MEN = multiple endocrine neoplasia; HPT-JT = hyperparathyroidism-jaw tumor syndrome
FHH = Familial hypocalciuric hypercalciemia; ADMH = autosomal dominant mild hyperparathyroidism; NSHPTH = neonatal severe hyperparathyroidism
AD = autosomal dominant; AR = autosomal recessive; MTC = medullary thyroid cancer

1형 다발성내분비선종양의 불완전한 표현으로 가족성 고립성 부갑상선기능항진증이 나타날 수 있고, 가족성 고립성 부갑상선기능항진증의 약 18%에서 MEN 1 유전자 돌연변이가 나타난다.[2] 제1형 다발성내분비선종양은 유전형과 표현형의 상관관계(genotype-phenotype correlation)가 없다고 알려져 있으나 가족성 고립성 부갑상선기능항진증의 MEN 1 돌연변이는 과오돌연변이(missense mutation)가 41%를 차지해서, 일반적인 제1형 다발성내분비선종양의 20%보다 과오돌연변이가 많다.[3]

전형적인 임상증상을 가지는 제1형 다발성내분비종양의 10~30%에서는 MEN 1 돌연변이가 관찰되지 않는데, 최근 이들 중 1.5~3.7%에서 CDKN1B/p27 유전자 돌연변이가 발견되었다.[4] 이를 MEN-4라고 기술하는데 MEN-1과 유사한 임상상을 나타낸다.

CASR (calcium-sensing receptor)유전자는 가족성 저칼슘뇨증 고칼슘혈증, 신생아 중증 부갑상선기능항진증, 상염색체우성 경증 부갑상선기능항진증의 원인 유전자

이다. 가족성 저칼슘뇨증 고칼슘혈증은 상염색체 우성으로 유전되며 대부분 출생 시부터 증상이 없는 경미한 고칼슘혈증을 나타낸다. 완만한 임상경과를 거치기 때문에 가족성 양성 고칼슘혈증(familial benign hypercalcemia)이라고도 알려져 있으며 대부분 치료가 요하지 않다. 특히 수술의 적응이 되지 않기 때문에 감별 진단이 매우 중요하다. 매우 드물게 CASR 유전자 돌연변이가 동종접합체(homozygote)로 발생한 경우 신생아기에 치명적인 고칼슘혈증이 나타나는 신생아 중증 부갑상선기능항진증이 발생한다. CASR 유전자의 세포질내 꼬리부분(intracytoplasmic tail domain)에 비특이적 불활성화 돌연변이가 발생하면 상염색체우성 경증 부갑상선기능항진증이 발생한다. 가족성 고립성 부갑상선기능항진증의 약 12%에서 CASR 유전자 돌연변이가 나타난다.[2]

HRPT2 (hyperparathyroidism 2) 유전자는 CDC73 (cell division cycle 73) 유전자로도 알려져 있고 부갑상선기능항진증-턱종양 증후군의 원인 유전자이다. 상염

색체 우성으로 유전되고 90%에서 부갑상선기능항진증, 30%에서 턱종양, 10%에서 신장 종양이 나타난다.[5] 제 1,2형 다발성내분비선종양에서 부갑상선 암이 발생하지 않는 반면 약 15%에서 부갑상선 암이 발생한다. 다발성 내분비선종양과 달리 반 수에서 하나 또는 두 개의 부갑상선만이 증대되어 있다. 비교적 드물어 가족성 고립성 부갑상선기능항진증의 약 5%에서 *HRPT2* 유전자 돌연변이가 나타난다.[2]

2. 감별 진단

가족성부갑상선기능항진증은 이질적인 4가지 유전자 이상으로 나타날 수 있기 때문에 먼저 각 유전질환의 특징을 임상적, 영상의학적 검사를 통하여 확인하여야 하고 최종적으로 유전자 검사를 통하여 다른 유전 질환을 배제한 후 가족성 고립성 부갑상선기능항진증으로 진단하게 된다.

부갑상선기능항진증이 있는 경우 가족력을 확인하는 것이 중요하다. 부갑상선기능항진증뿐만 아니라 표 64-1의 유전 질환의 특성이 가족에서 나타나는지를 확인하여야 한다. 제2형 다발성내분비선종양은 대부분 갑상선 수질암이 먼저 발생하기 때문에 감별 진단이 쉽다. 제1형 다발성내분비선종양에서 나타나는 뇌하수체종양, 췌장 종양, 가스트린종에 의한 소화궤양을 확인한다. 턱종양, 신장 종양을 확인 한다.

일차 부갑상선기능항진증에서 소변 칼슘 배출량을 측정하여 하루에 100 mg 이하이거나 칼슘-크레아티닌 청소율의 비(calcium clearance-to-creatinine clearance ratio)가 0.01 이하인 경우 가족성 저칼슘뇨증 고칼슘혈증을 진단할 수 있다. 출생 시부터 고칼슘혈증이 있지만 증상이 경미하고 수술을 하더라도 대부분 재발한다.

유전자 검사는 각 유전 질환의 특성이 나타나는 경우 확진을 위하여 이용되기도 하지만 가족성 고립성 부갑상선기능항진증의 감별 진단에 이용되기도 한다. 유전자 검사는 *MEN 1, HRPT2, CASR*순으로 고려하는데 만약 유전자 돌연변이가 발견된 경우 해당 유전 질환에 준하여 치료하고 정기 검진을 시행한다. 가족성 고립성 부갑상선기능항진증에서 *MEN 1, HRPT2, CASR* 유전자 돌연변이는 각각 18%, 5%, 12%에서 나타난다.[2] 유전자 돌연변이가 나타나지 않는 나머지는 *CDKN1B/p27*을 포함한 새로운 유전자가 존재할 가능성이 있다. 하지만 유전자 돌연변이 중에는 일반적인 염기서열 분석으로 발견할 수 없는 인트론 부위 또는 대규모 결손이 존재할 가능성도 염두에 두어야 한다. 염기서열 분석 방법을 이용하였을 경우, 전형적인 제1형 다발성내분비선종양의 80%, 부갑상선기능항진증-턱종양 증후군의 60%, 가족성 저칼슘뇨증 고칼슘혈증의 70%에서 유전자 돌연변이를 발견할 수 있다.

유전자 돌연변이가 발견되지 않은 가족성 고립성 부갑상선기능항진증은 여전히 이질적 유전 질환일 가능성이 있지만 임상적으로 다음과 같은 특성을 가지고 있다. 일차 부갑상선기능항진증이 40~50대에 발생하는 반면 보다 젊은 나이인 평균 30대에 발생한다. 증상이 있는 경우가 많아 약 50%에서 신장 결석이 발견되고, 약 30% 정도에서는 혈중 칼슘이 14 mg/dL가 넘는 심한 고칼슘혈증이 나타난다. 단일 부갑상선 질환일 경우도 있지만 약 60%에서는 여러 개의 부갑상선이 증대되어 있다. 수술 후 재발이 흔하기 때문에 치료에 어려움이 있다.[6]

3. 치료

가족성부갑상선기능항진증은 유전적 결함으로 발생하기 때문에 부갑상선 조직을 모두 제거하지 않는 한, 언젠가는 재발할 수 있는 가능성이 있다. 하지만 부갑상선 조직을 모두 제거하게 되면 저칼슘혈증이 발생하기 때문에 치료에 어려움이 있다. 가족성부갑상선기능항진증의 치료원칙은 가능한 정상 칼슘 수치를 오래 유지하고, 수술로 인한 의인성 저칼슘혈증을 방지하며, 재발했을 경우 재수술을 용이하도록 하는 것이다.

다발성내분비선종양에서 부갑상선기능항진증의 수술은 어느 정도 정립되어 있는 반면 그 외의 수술은 아직까지 정립된 권고 등급을 찾기 어렵다.[7] 제1형 다발성내분비선종양의 부갑상선기능항진증은 부갑상선 아전절제술(subtotal parathyroidectomy)을 권고하는데 전절제술 후 상완 자가이식술과 비교하여 치료성적에 차이가 없고, 저칼슘혈증이 적기 때문이다. 제2A형은 갑상선 수질암 수술 시 커져 있는 부갑상선을 함께 제거하는 것을 권고한다.[8]

부갑상선기능항진증-턱종양 증후군에서는 반 정도에서 하나 또는 두 개의 부갑상선만 커져 있기 때문에 커져 있는 부갑상선만 제거하여도 고칼슘혈증을 치료할 수 있다. 약 15%에서 부갑상선 암이 발생하기 때문에 크기가 크고 주위 조직의 침윤이 있는 회백색의 부갑상선은 주위 조직과 갑상선을 포함하여 광범위 절제를 시행하여야 한다.

가족성 고립성 부갑상선기능항진증은 *MEN 1, HRPT2, CASR* 유전자 돌연변이로 발생할 수 있는 이질적인 질환의 모임이기 때문에 수술 방법이 더욱 복잡할 수 있지만 원칙적으로 부갑상선기능항진증의 수술 원칙을 따른다. 양측 경부 절개를 통한 부갑상선의 확인이 필요하고 여러 개의 부갑상선의 증대된 경우에는 부갑상선 아전절제술을 시행하여야 하지만, 30% 정도는 단일 병변이기 때문에 하나의 부갑상선이 증대된 경우 수술 중 부갑상선 호르몬 검사를 통하여 확인된 경우에 한하여 증대된 부갑상선만 제거하여도 된다. 14명의 가족성 고립성 부갑상선기능항진증에서 수술 중 부갑상선 호르몬 검사를 이용한 단일 부갑상선을 제거한 경우 40개월의 추적기간 중 1예에서만 재발이 있었다.[9] 하지만 수술 후 부갑상선 호르몬 수치의 정상화가 완치를 의미하지는 않는다. 많은 경우 시간이 지남에 따라 부갑상선 호르몬 수치가 상승하게 된다. 처음 수술에서 단일

병변으로 확인된 경우도 25% 정도에서 다발성 병변으로 진행된다.[10] 따라서 단일 병변에서도 부갑상선 아전절제술을 시행하는 이론적 근거가 된다. 하지만 단일 병변에서 아전절제술을 시행함으로써 단일 부갑상선 절제술보다 재발률을 낮출 수 있을 지는 확실하지 않다. 아전절제술시에는 흉선을 함께 절제하는 것이 추천된다.[11] 수술 전 Tc-99m sestamibi 스캔을 포함한 위치확인 검사는 특히 다발성 병변의 경우 정확도가 떨어져서 유용성은 확인되지 않았으나 부갑상선 수술의 경험이 적은 경우에는 도움이 될 수 있다.[10]

앞서 기술한 바와 같이 수술 중 부갑상선 호르몬 검사는 일차 부갑상선기능항진증에서와 마찬가지로 가족성 고립성 부갑상선기능항진증에서도 도움이 되며 특히 수술 범위를 결정하는데 도움이 된다. 수술 중 하나의 부갑상선만 증대된 경우 수술 중 부갑상선 호르몬 수치가 떨어지는 것이 확인 되면 굳이 아전절제술을 시행하지 않아도 된다. 즉 수술 중 부갑상선 호르몬 검사는 부갑상선 병변을 남기고 수술을 마치는 경우를 방지할 수 있다. 하지만 수술 후 부갑상선 호르몬 수치가 정상화 되었다고 하더라도 남아 있는 부갑상선이 자라면서 재발할 수 있기 때문에 수술 중 부갑상선 호르몬 검사가 재발을 막지는 못한다. 일반적으로 수술 10분 후 부갑상선 호르몬 수치의 50% 감소를 기준으로 하지만 가족성 부갑상선기능항진증에서는 위양성이 있을 수 있기 때문에 좀 더 엄격한 기준(예를 들어 20분 후 측정 또는 80% 이하 감소)을 적용하여야 한다.[12]

가족성 고립성 부갑상선기능항진증의 수술 후 재발률은 50%에 이르기 때문에 지속적으로 혈중 칼슘 및 부갑상선 호르몬 수치의 추적 검사가 필요하다. 수술 후 재발된 경우는 전절제술 후 자가이식술이 추가적인 재발을 막는데 도움을 준다.[6] 이상의 가족성부갑상선기능항진증의 수술 원칙을 표 64-2에 정리하였다.

표 64-2 | 가족성부갑상선기능항진증의 수술 원칙

진단	수술	권고등급
MEN-1	subtotal parathyroidectomy	C*
MEN-2A	excision of enlarged glands only	C*
MEN-4	subtotal parathyroidectomy or total parathyroidectomy + autotransplantation	None
HPT-JT	subtotal parathyroidectomy or excision of enlarged glands only wide excision with thyroid lobectomy in cancer	None
ADMH	subtotal parathyroidectomy or excision of enlarged glands only	None
NSHPT	total parathyroidectomy	None
FIHPT	subtotal parathyroidectomy or excision of enlarged glands only with intraoperative PTH assay	None
Recurrence	total parathyroidectomy + autotransplantation	None

*C: There is no evidence of randomized controlled trials. Only nonrandomized prospective studies and case control studies are present.

REFERENCES

1. Simonds WF, James-Newton LA, Agarwal SK, et al. Familial isolated hyperparathyroidism: clinical and genetic characteristics of 36 kindreds. Medicine 2002;81:1-26.
2. Cetani F, Pardi E, Ambrogini E, et al. Genetic analyses in familial isolated hyperparathyroidism: implication for clinical assessment and surgical management. Clin Endocrinol 2006;64:146-52.
3. Pannett AA, Kennedy AM, Turner JJ, et al. Multiple endocrine neoplasia type 1 (MEN 1) germline mutations in familial isolated primary hyperparathyroidism. Clin Endocrinol 2003;58:639-46.
4. Iacobone M, Carnaille B, Palazzo FF, et al. Hereditary hyperparathyroidism--a consensus report of the European Society of Endocrine Surgeons (ESES). Langenbecks Arch Surg 2015;400:867-86.
5. Jackson CE, Norum RA, Boyd SB, et al. Hereditary hyperparathyroidism and multiple ossifying jaw fibromas: a clinically and genetically distinct syndrome. Surgery 1990;108:1006-12.
6. Sharma J, Weber CJ. Surgical therapy for familial hyperparathyroidism. Am Surg 2009;75:579-82.
7. Stålberg P, Carling T. Familial parathyroid tumors: diagnosis and management. World J Surg 2009;33:2234-43.
8. Wilhelm SM, Wang TS, Ruan DT, et al. The American Association of Endocrine Surgeons Guidelines for Definitive Management of Primary Hyperparathyroidism. JAMA Surg. 2016;151:959-68.
9. Carneiro DM, Irvin GL 3rd, Inabnet WB. Limited versus radical parathyroidectomy in familial isolated primary hyperparathyroidism. Surgery 2002;132:1050-4.
10. Hannan FM, Nesbit MA, Christie PT, et al. Familial isolated primary hyperparathyroidism caused by mutations of the MEN 1 gene. Nat Clin Pract Endocrinol Metab 2008;4:53-8.
11. Takami H, Shirahama S, Ikeda Y, et al. Familial hyperparathyroidism. Biomed Pharmacother 2000;54 Suppl 1:21s-24s.
12. Clerici T, Brandle M, Lange J, et al. Impact of intraoperative parathyroid hormone monitoring on the prediction of multiglandular parathyroid disease. World J Surg 2004;28:187-92.

PART

III

부신
Adrenal Gland

부신 수술의 역사

Historical Perspective

| 고려대학교 의과대학 외과 **손길수**

고대시대부터 부신의 존재에 대한 기술은 성경을 포함하여 다양한 문헌에 존재한다. 로마시대의 Claudius Galenus of Pergamum (Galen, 130~201 AD)은 부신에 대하여 자세하게 기술했다는 기록도 있다. 부신에 대한 문헌적 최초의 기술은 Batholemeus Eustachius(1520~1574)에 의한 것이다.[1,2] 로마의 Collegio della Sapienza 교수인 Batholemeus Eustachius는 1552년 몇 장의 동판 그림으로 부신에 대하여 처음으로 명확히 기술하였다. 이후 Batholemeus Eustachius는 1564년 베니스에서 "Opuscula Anatomica"라는 제목의 논문을 출간하였으며, "glandulae quae renibus incumbent"(신장에 놓인 샘)이라고 부신을 공식적으로 언급하였다.

Arcangelo Piccolomini(1562~1605)는 Batholemeus Eustachius의 부신의 기술에 대하여 반론을 제기하였고, "suprarenals"라 명하였다. 1587년 Arcangelo Piccolomini는 "Anatomicae prelectiones"에서 부신은 모든 사람에게서 발견되지 않으며, 자체적인 실질조직을 가지고 있지 않으므로 특별한 관심을 기울일 가치가 없다고 하였다. 또한 부신은 신장의 실질조직의 한 부분이라고 생각하고 신장의 돌출(excrescence)이라고 결론지었다.

수년 후 Gaspar Bauchin(1550~1629) 역시 부신에 대하여 언급하였으며, Adrianus Spiggelius(1578~1625)는 "Capsular renales"로, Giulio Casserio(1561~1616)는 "Renes succentuari"로 명명하기도 하였다.

부신을 "Capsulae atrabiliarae" 명명한, Gaspar Bar-tholin(1586~1629)는 부신은 속이 비어 있는 기관이며, "black bile"이라는 물질로 속이 채워져 있다고 기술하였다. Johan Vestling(1598~1649)은 1653년 발간한 그의 논문에서 이러한 관점을 지지하였다. 하지만 Dominicus de Merchetis(1526~1688), A. Molinetti, Nathaniel Higmore 등은 Bartholin의 학설에 문제를 제기하였다.

Thomas Wharton(1610~1673)은 1656년 발간한 그의 저서 "Adenographia"에서, 전신의 내분비 선에 대하여 기술하였다.[3] 저서에서 부신을 "glandulae renales"라고 명명하였고, 부신 주변의 신경얼기(nerve plexus)에 주목하였다. 부신이라는 작은 기관 주변에 존재하는 풍부한 신경얼기의 존재를 확인하고, 신경으로부터 특정 물질이 부신으로 흡수되며 이 물질은 정맥으로 보내진다고 생각하였다. 이러한 가설에 대한 직접적 증거 또는 실험이 있었던 것은 아니지만, 신경계와 부신의 연관성이 최초로 제기된 것이다.

프랑스 동물학자 Baron George Cuvier(1769~1832)는 1805년 현미경을 이용하여 최초로 부신의 바깥부분과 중심부가 구분된다는 것을 기술하였다. 또한 1836년 N. Nage는 부신의 바깥부분을 피질, 중심부를 수질이라고 최초로 명명하였다.[4] 이후 1845년 독일의 해부학자 겸 발생학자인 Emil Huschke이 부신을 두 구성요소인 피질(cortex)과 수질(medulla)로 처음 구분하여 기술하였다.

최초로 현미경을 이용한 부신의 해부적 기술은 스위스의 해부학자인 R. Albert Von Kölliker(1817~1905)가

1852년 기술하였다. 그는 피질과 수질의 성분이 생리학적으로 구분이 되며 다른 기능을 가지고 있다고 언급하였다.

부신의 기능에 대해서는 19세기 들어 "부신에서 혈액 속으로 독특한 물질을 분비한다"는 의견과 이와 반대로 "큰 혈관으로부터 분비된 삼출물을 부신에서 흡수한다"는 의견 등 다양한 이론이 분분하였으나, 1855년 프랑스의 내과 의사인 Claude Bernard에 의해 부신에서 내분비물(internal secretions)을 생산한다는 것이 밝혀졌다.[5]

Thomas Addison이 1849년 발표한 논문 "On the constitutional and local effects of disease of the suprarenal capsules"에서 양측 부신이 파괴된 11명의 환자를 관찰한 결과를 보고하였으며, 부신이 생명을 유지한 활동에 있어서 필수적 역할을 한다고 주장했다.[3] Thomas Addison은 환자 사망 후 부신을 부검한 결과 결핵, 전이성 암, 단순 위축 등 육안적으로 확인되는 질병이 있었으며, 이는 환자들이 가지고 있던 빈혈, 전신쇠약, 심장기능의 약화, 소화장애, 피부색의 변화 등의 증상과 관련성이 있다고 판단하였다. 애디슨병(Addison's disease, Armand Trousseau이 기술함[6])은 그 후 6년 후 "On the Constitutional and Local Effects of Disease of the Suprarenal Capsules"의 제목으로 출판되었다. 이 문헌은 당시 많은 관심을 야기하였으나, 논란이 많아 그 후 오랫동안 보편적으로 받아들여지지 않았다.

Charles-Édouard Brown-Séquard(1817~1894)는 동물 실험을 통하여, 원거리 기관에 영향을 미치는 물질(이는 현재 호르몬으로 확인됨)이 혈류 속에 존재함을 주장하였으며, 특히 1856년에 그는 양측 부신이 제거된 동물이 수시간 내에 죽었고, 하나의 부신만 제거되더라도 치명적이라는 사실을 확인하여 부신이 삶에 있어서 반드시 필요한 기관이라는 결론을 얻었다.[7]

Walter Hadden은 애디슨병의 원인이 인체 내부의 분비물의 결핍에 기인한다고 생각하였고, 1896년 William Osler는 돼지의 부신에서 추출한 물질을 애디슨병 환자에게 복용토록 하여 치료에 성공하였다.[7]

1893년 George Oliver와 Edward Sharpey-Schafer 등은 부신 수질에 포함된 물질을 개의 혈관에 주입하였을 때 동맥 수축, 혈압 상승, 심박수 증가 등의 현상이 나타나는 것을 확인하였고, 이 물질을 아드레날린(adrenaline)이라 명명하였다. 이어 1897년 John Abel은 부신에서 추출된 물질을 정제한 후, 에피네프린(epinephrine)이라 명명하였다.[8] 이 화학물질의 결손은 애디슨병의 무기력증과 저혈압을 설명할 수 있었으며 부신절제술 후 생기는 치명성 또한 설명할 수가 있었다. 이후 1920년 Mayo Clinic에서는 부신절제술 후 애디슨병의 증상을 보이는 환자를 치료하는 데 에피네프린을 사용하였다.[7] 그러나 에피네프린의 투여로 일시적으로 환자의 무력감을 해소하기는 하였으나 장기적인 효과는 없었다. 이후 다른 보고들에 의해 이같은 부신수질호르몬의 치료 효과의 감소는 애디슨병이 부신 피질에 의한 것이기 때문인 것으로 밝혀지게 되었다.

1936년 Edward Kendall과 Tadeus Reichstein에 의해 처음으로 부신피질호르몬인 코르티손(cortisone)이 분리되고 합성되었다. 이들은 후에 노벨상을 수상하였고, 이로 인해 부신피질에서 생성되는 몇 가지 스테로이드의 합성이 현실화되었다.[9,10] 제일 먼저 합성된 것이 데옥시코티코스테론(deoxycorticosterone)이다. 알도스테론(Aldosterone)은 James Tait와 Sylvia Simpson의 연구를 통해 전해질의 흐름에 영향을 미친다는 것이 발견되어, 처음에는 "electrocortin"으로 알려졌다.[11]

소변과 혈장 내 스테로이드를 측정하는 기술의 발전은 부신 기능을 평가하는 데 도움을 주며, 특히 쿠싱증후군(Cushing's syndrome), 애디슨병, 콘증후군(Conn's syndrome)과 같은 부신의 병적 조건의 정확한 진단을 가능하게 하였다.

대부분의 내분비계 질환에 대한 연구에 있어 공통적인 것은 먼저 호르몬 기능의 장애를 확인하고 병소의 위치를 알아내는 것이다. 부신에 있어서 단순복부촬영(simple abdomen)을 통해 진단하는 것은 민감도가 떨어진다. 부신에 대한 특수영상법으로 후복강공기주입법(retroperitoneal gas insufflation)이 초기에 시도되었으나 이 방법은 신뢰를 얻지 못하였고 대부분 신우조영술(pyelography)을 선호하였다.[12] 카테콜라민(catecholamines)을 분석하기 위하여 1955년 처음 시도된 대정맥혈액채취법(caval venous sampling)은 획기적이라는 평을 받았으며,[13] 이후 선택부신정맥 채취법(selective adrenal venous sampling)이 개발되어 정밀하게 부신 병소를 찾는 데 도움을 주었으며, 이는 현재까지 가장 유용한 진단적 방법으로 사용되고 있다.[14] 정맥조영술(phlebography)은 부신파열이나 부신경색과 같은 합병증의 진단에 민감한 방법이지만 많이 사용되지 않는다.[15]

Beierwaltes에 의해 개발된 섬광조영술(scintigraphy)은 방사성표지콜레스테롤(radiolabeled cholesterol)을 이용하는 데 이는 부신피질의 과증식증(hyperplasia)이나 기능성종양의 진단에 유용하게 사용된다.[16]

컴퓨터단층촬영(computerized tomography scan)은 1975년에 처음 이용되었으며, 이와 더불어 자기공명영상(magnetic resonance imaging)은 현재 병소위치를 파악하는 데 좋은 진단적 도구로 사용되고 있다.[17,18]

1. 부신질환의 수술적 치료의 변천

부신의 해부 및 생리에 대한 이해가 발전함에도 불구하고, 병적으로 증대된 부신종양에 대한 수술적 제거에 대한 몇몇의 보고들에 따르면 1905년 이전에는 부신종양은 수술 전에 정확히 진단되지 않는 경향이 있었다.[19]

부신종양에 대한 최초의 기술은 1886년 Felix Frankel이 부신의 수질 부검을 통하여 발견한 갈색세포종(pheochromocytoma)에 대한 기술이었다. Harvey W. Cushing은 1912년에 고코티졸혈증(hypercortiolism)의 임상양상에 대하여 기술하였으며, 1932년 근육 약화, 비만, 복부 선(striae), 당뇨, 부신 고혈압 등의 특징을 가지는 증후군을 정의하였다. 그는 이 증후군을 뇌하수체 호염기증(pituitary basophimism)이라 명하였고, 이후 코르티솔(cortisol)의 만성적인 과잉분비에 의한 특유의 증상을 나타내는 병태를 총칭해서 쿠싱증후군이라고 하며,

쿠싱증후군 중에서 뇌하수체선종(pituitary adenoma)에 기인한 것을 쿠싱병(Cushing's disease)이라고 명하게 되었다.[20]

Mayo clinic에서 1949년 쿠싱병에 대한 부신절제술의 수술 주변기 때의 코르티손의 사용에 대하여 처음 보고하였다. 보고한 18예 중 사망 환자는 없었으며,[21] 수술 후 지속적인 코르티손의 보충은 현재도 통상적으로 시행되고 있다. 이러한 발전은 내분비계 수술에 주요한 영향을 가져왔는데, 부신절제술이 안전한 술식으로 자리잡게 되었고, 시상하부 전절제술(total hypophysectomy) 또한 용이하게 되었다.

알도스테론이 발견된지 2년 후인 1955년 Jerome Conn에 의하여 원발성 알도스테론증(primary aldosteronism)의 특징인 고혈압, 저칼륨증이 보고되었다. 그의 환자는 34세 여자로 강직(tetany), 주기성 마비(periodic paralysis), 감각이상(paresthesia), 다뇨증(polyuria), 다음증(polydipsia), 고혈압(hypertension)의 증상을 가지고 있었으며 수술 전 양측 부신과증식증(adrenal hyperplasia)을 의심 하였으나, 개복시 우측 부신 피질에서 4 cm 크기의 선종이 발견되었고, 이를 제거한 뒤 고혈압과 대사성 이상이 치료되었다.[22] Conn은 알도스테론을 생성하는 선종을 가진 108예의 환자를 수집하여 발표하였다.[23] 이 중 79예에서 수술을 시행하여 66%에서 고혈압이 치료되었고, 20%에서 증상이 완화되었으며, 14%에서는 변화가 없었음을 보고하였다. 아드레날린은 첫번째로 발견된 부신호르몬으로, 갈색세포종에서의 임상적 증상을 일으키는 결정적인 역할에 대해서는 부신종양에서 이 호르몬이 추출되기 전까지 수년 동안 명확히 알려지지 않았다.[24] Fränkel은 갈색세포종으로 생각되는 환자를 처음 보고하였는데 이 환자는 18세 여자로 간헐적인 심계항진, 빈맥, 불안감의 증상을 호소하였다.[25] 그녀는 심한 흉통과 호흡곤란으로 사망하였고 부검에서 혈관이 풍부하게 발달한 양측 부신종양이 발견되었다. 갈색세포종이라는 용어는 1912년 Pick에 의해 만들어졌으며,[26] 1926년 Cesar Roux에 의해 처음 갈색세포종의 성공적인 제거가 시행되었고,[27] 다음 해

에 Charles Mayo가 이어서 시행하였다.[28] 그러나 초창기의 수술은 높은 치명율을 보였는데, 그 이유는 수술 전 조절되지 않는 고혈압, 수술 중 종양의 조작에 따른 심한 고혈압의 파동(surge), 수술 후 저혈압 등이 발생하였기 때문이었다. 이후 마취기술의 발전과 질병에 대한 병리생리적 이해가 발달하며, 이와 더불어 펜톨라민(phentolamine), 노르에피네프린(norepinephrine)과 같은 혈압 조절약제의 사용이 가능해지면서 1956년 Priestley는 51명의 환자에 대하여 연속적으로 치명률 없이 수술을 시행하였음을 보고하였다.[29]

진단에 있어 카테콜라민 분석을 위한 high pressure liquid chromatography (HPLC) 방법 및 CT, MRI, MIBG ([^{131}I]meta-iodobenzylguanidine)를 통한 병소의 정확한 진단과 혈압조절에 대한 약물학적인 향상, 수술 방법의 발전, 다학제적인 접근을 통해 현재 갈색세포종에 대한 수술적 치료는 매우 낮은 합병증과 치명률을 보임으로써 비교적 안전한 것으로 받아들여지고 있다. 1960년대에는 갈색세포종이 수질성 갑상선암을 포함한 다른 내분비계 종양[가족력을 갖는 다발내분비선종양(multiple endocrine neoplasia) IIa, IIb 증후군]과 연관이 있음이 밝혀졌다.[30,31] 분자생물학의 눈부신 발전에 따른 유전적 결핍에 대한 연구는 염색체 10번의 RET 원종양유전자(proto-oncogene)을 발견하게 되었고,[32] 이러한 발전은 이 질환의 유전적 유형에 이전에 노출되었던 가족 구성원에 대한 유전적 기초검사(screening)의 길을 열었다.

최근 CT, MRI의 적용이 증가함에 따라 부신과 관련이 없는 이유로 시행한 환자에서 부신 병소의 발견이 증가하게 되었다. 이는 우연종(incidentaloma) 또는 비분비형 부신피질선종(non-secreting adrenocortical adenomas)으로 불리는데 이러한 질환에 대한 정확한 치료에 대해서는 논란이 있지만, 수술을 결정하기 전에 호르몬 분비과다에 대한 생화학적 평가와 악성 가능성에 대한 평가를 고려해야 한다는 것에서는 대부분 동의하고 있다.[33] 더불어 최소의 이환율(morbidity)과 사망률(mortality)을 갖는 부신절제에 대한 최소침습술기의 출현은 부신절제

술에 대한 적응증의 변화를 가져오게 되었다.

2. 부신절제술 술기의 발달

Knowsley Thornton은 1889년 T자 모양 절개를 통하여 처음으로 부신종양에 대한 성공적인 부신 절제술을 시행하고 이를 1890년에 보고하였다. 환자는 36세 여자로 좌측 부신 종양에 의해 2차적으로 발생한 다모증(hirsutism)을 가지고 있었으며, 종양의 무게는 20 lbs가 넘었고, 신 절제술이 동시에 시행되었다. 환자는 수술 후 재발까지 2년간 생존하였다고 보고하였다.[34]

갈색세포종에 대한 최초의 성공적 제거는 1923년 César Roux(1857~1934)에 의하여 시도되었다. 환자는 간헐적인 고혈압 증상이 있었던 여자 환자이며, 우측 늑골연에 오렌지 크기의 종양이 확인되었다. 수술 후 18개월 간의 추적 관찰 중 환자는 합병증이나 재발 등의 소견은 없었다.[35] 1927년 Charles Mayo는 갈색세포종에 대하여 미국에서 첫 번째 부신절제술을 시행하면서 옆구리절개(flank incision)를 이용하였다. 그리고 1932년 Lennox Broster는 단측긴후늑간절개(long posterior intercostal incision)를 통해 흉막경유(transpleural), 횡격막경유(transdiaphragmatic) 접근을 이용한 부신수술 방법을 고안하였다.[36]

1934년 Waters와 Priestley는 쿠싱병에 대하여 10예의 부신절제술을 시행한 결과, 악성종양 4예, 선종 1예, 과증식증 3예, 정상 부신 2예임을 보고하였고, 부신아전절제술(subtotal adrenalectomy)을 시행하였을 때 Kendall의 피질추출물을 사용하였음에도 불구하고 30%의 사망률을 보였다고 하였다.[21,37]

부신절제에 있어서 다양한 접근방법은 각각의 장단점을 갖는다. 전방 접근법(anterior approach)은 양측 늑골하절개(roof-top)나 정중절개를 하므로써 복강 전체를 관찰할 수 있으며, 정확한 병소의 위치를 파악하는 방법이 발달하기 이전에 다발성이나 이소성(ectopic)의 가능

성이 있는 갈색세포종과 같은 병변의 수술에 유용하다. 또한 부신피질 악성종양과 같은 크기가 큰 종양을 수술할 때 사용되며, 이 방법은 절개를 늑골하 연장(subcostal extension)함으로써 더욱 넓은 시야를 확보할 수 있으며, 드문 경우지만 흉복부 시술(thoraco-abdominal procedure)로 전환하기에도 유용하다. 측방 접근법(lateral approach)은 11번째 늑골을 제거함으로써 더 좋은 시야를 확보할 수 있다. 그러나 과증식증에 의한 쿠싱병과 같이 양측 병변을 가질 경우 반대측 수술을 위하여 또 다른 절개가 필요한 단점이 있다.

1936년 Hugh Young 은 후방접근법(posterior approach)을 고안하였는데 12번째 늑골을 제거함으로써 양측부신을 동시에 노출시킬 수 있었다.[38] 이 방법은 콘 선종(Conn's adenoma)과 같이 작은 종양을 제거하는 데는 우수한 방법이지만 5 cm 이상의 지름을 갖는 큰 종양을 다루기에는 시야가 불충분하고 어려운 단점이 있다.

1992년 Gagner에 의해 부신에 대한 경복막복강경접근법(transperitoneal laparoscopic approach)이 발표되었고,[39] 이는 흥미로운 새로운 방법으로 많은 관심을 가지게 되었고, 같은 해에 Higashihara는 원발성알데스테론증 환자에 대하여 시행한 복강경하 부신절제술을 발표하면서 피하철견인법(subcutaneous steel traction method)을 이용하면 주입하는 이산화탄소의 압력을 낮출 수 있음을 주장하였다.[40] 이어서 1995년 Mercan은 내시경하 후복막접근법(endoscopic retroperitoneal approach)을 소개하였고,[41] 이후 Martin Walz에 의하여 개선되었다.

이러한 내시경적 접근 방법들은 특히 콘종양(Conn's tumor), 쿠싱증후군, 갈색세포종과 같은 질환에 대하여 광범위한 적응증을 갖게 되었고, 환자에게 수술 후 통증, 회복속도, 궁극적으로 미용적인 면에서도 매우 우수한 성적을 보였다. 그러나, 복강경적 술기는 8 cm 이상의 큰 종양, 악성 또는 악성 경향의 종양의 제거에 있어서는 일반적으로 적절하지 않은 것으로 되어있으나 논란의 여지가 남아있다. 여러 근거들에 기초할 때, 크기가 작고, 양성이며, 기능성 부신병소에 대한 치료로 최소침습 부신절제술은 현재 새로운 수술적인 "gold standard"로 제안되고 있다.

Piazza 등은 1999년 콘증후군 환자를 대상으로 시행한 우측 로봇보조 부신절제술(Robot-assisted adrenalectomy)을 처음으로 발표하였다.[42] 로봇보조 부신절제술은 복강경하 부신제거술에 비해 3차원 영상, 술자의 편안한 자세, 술자의 떨림(tremor) 제거, 수술 기구의 자유도 향상 등의 장점이 있어 빠르게 확산되었으며, 안정성과 적합성에 관한 많은 발표들이 계속되고 있다.[43,44]

REFERENCES

1. Hiatt J. R., Hiatt N. The Conquest of Addison's Disease. Am J Surg 1997;174:280-3.
2. Welbourn RB. Highlights from endocrine surgical history. World J Surg 1996;20:603-12.
3. Medvec VC. The history of clinical endocrinology. Nashville: Parthenon Publishing Group. p. 486, 1992.
4. N Nagel. Über die Struktur der Nevernieren. Berlin: Archiv für Anatomie, Physiologie und wissenschaftliche Medicin. 365-383, 1836.
5. Bernard C. Leçons de physiologie expérimentale appliquées à la médecine. 2nd vol. Paris. 1854.
6. Addison T. On the Constitutional and local effects of disease of the suprarenal capsules. London. 1855.
7. Rolleston HD, The Endocrine Organs in Health and Disease. Cambridge: Cambridge University Press. p. 355, 1936.
8. Mihai R, Farndon JR. Surgical embryology and anatomy of the adrenal glands. Textbook of Endocrine Surgery, 2nd ed. Philadelphia PA: Elsevier Saunders. p. 562–3. 2005.
9. Kendall EC, Mason HL, Myers CS, et al. A physiologic and chemical investigation of the suprarenal cortex. J Biol Chem 1936;114:57-8.
10. Reichstein T. Constituents of the adrenal cortex. Helv Chim Acta 1936;19:402-12.
11. Simpson SA, Tait JF, Bush JE. Secretion of a salt retaining hormone by the mammalian adrenal cortex. Lancet 1952;2:226-32.
12. Cahill GF. Air injections to demonstrate the adrenals by x-ray. J Urol 1935;34:238-43.
13. Melby JC, Spark FF, Dale SL, Egdahl RH, et al. Diagnosis and localization of aldosterone producing adenomas by adrenal vein cath-

eterization. N Engl J Med 1967; 277:1050-6.

14. Doppmann JL, Gill JR. Hyperaldosteronism: sampling the adrenal veins. Radiology 1996;198:309-12.

15. Adamson U, Efendic S, Granberg PO, et al. Preoperative localization of aldosterone-producing adenomas. An analysis of the efficiency of different diagnostic procedures made from 11 cases and from a review of the literature. Acta Med Scand 1980;208:101-9.

16. Thrall JH, Freitas JE, Beierwaltes WH. Adrenal scintigraphy. Semin Nucl Med 1978;8:23-41.

17. Sheedy PF, Stephens DH, Hattery RR, Muhm JR, Hartman GW. Computed tomography of the body: initial clinical trial with the EMI prototype. Am J Roentgenol 1976;127:23-51.

18. Sohaib SA, Peppercorn PD, Allan C et al. Primary hyperaldosteronism (Conn syndrome): MR imaging findings. Radiology 2000;214:527-31.

19. Richards O. Growths of the kidneys and adrenals. Guy's Hosp Rep. 1905;59:217-332.

20. Cushing, H. Clinical states produced by disorders of the hypophysis cerebri. In: Anonymous The pituitary body and its disorders. Philadelphia: JB Lippincott. 1912.

21. Priestley JT, Sprague RG, Walters W et al. Subtotal adrenalectomy for Cushing's syndrome. Ann Surg 1951;134:464-75.

22. Conn JW. Primary aldosteronism, a new syndrome. J Lab Clin Med 1955;45:3-17.

23. Conn JW. Aldosteronism and hypertension. Arch Intern Med 1961;107:813-28.

24. Kelly HM, Piper MC, Wilder RM, et al. Case of paroxysmal hypertension with paraganglioma. Proc Mayo Clin 1936;11:65-70.

25. Fränkel F. Ein Fall von doppelseitigem, völlig latent verlaufenen Nebennierentumor und gleichzeitiger Nephritis. Virchows Arch Pathol Anat Klin Med 1886;103:244-63.

26. Pick L. Das Ganglioma embryonale sympathicum. Berl Klin Wochenschr 1912; 49:16-22.

27. Mühl von der R. Contribution à l'étude des paragangliomes Thesis, L'Université de Lausanne, Lausanne. 1928;p32.

28. Mayo CH. Paroxysmal hypertension with tumour of retroperitoneal nerve. JAMA 1927;89:1047-50.

29. Kvale WF, Roth GM, Priestley JT et al. Pheochromocytoma. Circulation 1956;14:622-30.

30. Sipple JH. The association of phaeochromocytoma with carcinoma of the thyroid gland. Am J Med 1961;31:163-6.

31. Steiner AL, Goodman AD, Powers SR. Study of a kindred with phaeochromocytoma, medullary thyroid carcinoma, hyperparathyroidism and Cushing's disease: Multiple endocrine neoplasia type 2. Medicine 1968;47:371-409.

32. Mulligan L, Kwok J, Healy C et al. Germ-line mutations of the RET proto-oncogene in multiple endocrine neoplasia type 2A (MEN2A). Nature 1993;363:458-60.

33. Brunt ML, Moley JF. Adrenal incidentaloma. World J Surg 2001;25:905-13.

34. Thornton J. Abdominal nephrectomy for large sarcoma of the left suprarenal capsule: recovery. Trans Clin Soc Lond 1890;23:150-3.

35. Welbourn R. Early surgical history of phaeochromocytoma. Br J Surg 1987;74:594-6.

36. Broster LR, Hill HG, Greenfield JG. Adreno-genital syndrome and unilateral adrenalectomy. Br J Surg 1932;19:557-70.

37. Walters W, Wilder RM, Kepler EJ. The suprarenal cortical syndrome Ann Surg 1934;100:670-88.

38. Young HH. Technique for simultaneous exposure and operation on the adrenals. Surg Gynaecol Obstet 1936;63:179-88.

39. Gagner M, Lacroix A, Bolte E. Laparoscopic adrenalectomy in Cushing's syndrome and phaeochromocytoma. N Engl J Med 1992;327:1033.

40. Higashihara E, Tanaka Y, Horie S, et al. A case report of laparoscopic adrenalectomy. Nihon Hinyokika Gakkai Zasshi 1992;83:1130-3.

41. Mercan S, Seven R, Ozarmagan S, et al. Endoscopic retroperitoneal adrenalectomy. Surgery 1995;118:1071-6.

42. Piazza L, Caragliano P, Scardilli M, et al. Laparoscopic robot-assisted right adrenalectomy and left ovariectomy (case reports). Chir Ital 1999;51:465-6.

43. Hyams ES, Stifelman MD. The role of robotics for adrenal pathology. Curr Opin Urol 2009;19:89-96.

44. Winter JM, Talamini MA, Stanfield CL, et al. Thirty robotic adrenalectomies: A single institution's experience. Surg Endosc 2006;20:119-24.

부신의 발생과 해부

Embryology and Anatomy

| 을지대학교 의과대학 외과 **강윤중**

1. 역사적 배경

1552년, Bartholomaeus Eustachius가 처음으로 신장 위에 있는 샘이라는 용어로 부신의 존재에 대해 언급한 이후 300년 동안 부신의 기능은 논란의 대상이었다. 18세기에 Edward Home은 어떤 물질을 저장하는 장기로 생각하였고, 1805년 기능적인 고려 없이 단순히 피질과 수질로, 해부적으로 구분하였다.

1855년, Thomas Addison이 양측 부신 모두 절제한 환자들의 임상병리학적 관찰과 임상증후군에대해 보고하였으며, 1856년 Brown-Sequard가 동물 실험으로 Addison의 보고를 확인하였다.

1895년, George Oliver와 Shapey-Schafer들은 수질 내에서 어떤 물질을 확인하여 아드레날린이라 명명하였고, 1897년 John Abel이 활성화된 물질을 분리해내서 George의 보고를 입증하고, 이 물질을 에피네프린으로 명명하였다. 1940년대에, von Euler와 Holtz가 신경 말단과 부신에서 노르에피네프린의 존재를 규명하였고, 1948년 Ahlquist가 알파 및 베타 아드레날린수용체를 발견하였다.

부신에 대한 수술은 19세기에 복부종양의 제거 수술의 일환으로 시작되었고, 1889년 Knowsley-Thornton이 거대부신종양의 성공적인 절제를 보고하였고,[1] 1926년 Roux 및 Charles가 갈색세포종 수술의 성공 사례를 보고하였다.

1930년대에 Reichtenstein과 Shopper, Kendall들이 부신피질 스테로이드의 화학적 구조를 규명하였고 1945년 코티손 보상요법이 시작되었다. 1981년 Vale가 뇌하수체-부신축의 시상하부조절인자인 CRH를 규명하고 합성하였다.[2]

외과적 치료가 아직도 시상하부-뇌하수체-부신축의 질환 치료에 중요한 역할을 하고, 1992년 이후 복강경부신절제술이 처음 시도된 이후 부신절제술의 표준적 치료법으로 자리잡게 되었다.[3] 효과적인 부신 수술을 위해 부신의 발생 및 해부에 대한 이해가 필수적이다.

2. 부신의 발생

부신은 발생학적, 해부적, 기능적으로 완전히 다른 두 개의 내분비장기인 외측의 피질과 내측의 수질로 구성된 장기이다.

발생 5주 경에, 등쪽위간막(장간막근부)과 비뇨생식능(중간콩팥과 발생기 생식샘) 사이의 체강중피가 아래의 중간엽으로 증식해 들어감으로써 피질의 발생이 시작된다. 이런 발생학적 이유로 이소성 피질조직들이 난소, 고환, 정삭 등에서 발견된다. 처음 이동한 큰 호산성세포들은 두꺼운 태아 피질로 발달하게 되고, 곧이어 일어나는 이차 이동의, 좀 작은 세포들이 처음 이동한 세포들의 주변에 위치하여 후에 얇은 성인피질로 발달한다. 태아피질은 발생 8주경부터 기능을 하기 시작하고 발생 중기에는 신장보다 커지게 되고 체적으로 부신의 3/4을 차지하지만, 출생 후 퇴화되기 시작하여 출생 1년경에는 완전히 없어진다. 성인 피질대는 임신 2기에 뚜렷하게 구분되어지고, 출생 시 사구대와 속상대로 구별되고 발달하기 시작해 생후 1년 동안 망상대가 형성되고 생후 12세경에 완전히 성숙해진다.[4] 부신은 출생 후 신체의 발달에 비례하여 커지지만 출생 직후에는 태아피질의 퇴화로 인해 출생 첫 3개월 동안은 무게가 감소한다.

수질은 외배엽인 신경능선에서 기원한다. 발생 4주경에, 신경판이 발생하고 점차 굽혀져서 신경관이 발생한다. 신경관에 인접한 신경외배엽의 일부가 신경관과 종외배엽 사이에 나는데, 이를 신경능선이라 한다. 발생 2개월 경에 신경능선에서 오는 세포들이 신경관의 꼭지로부터 등쪽대동맥쪽으로 이동하여 신경모세포로 분화하여 교감신경세포로 발달하고, 또 원시부신의 내측으로 이동하여 크롬친화모세포로 분화하여 갈색세포들로 발달한다.[5] 일부 원시부신수질세포들이 발생기교감신경에 인접해서 남아 부신외 부신갈색세포들로 되는데, 출생 후 대부분은 퇴화된다. 부신외 신경조직들이 여러 부위에서 발견되는데, 이 중 가장 큰 것이 하장간막동맥 부근의, 대동맥 분기부위의 좌측에 존재하는데, 이를 주커칸들 장기라 하며, 목, 방광, 및 대동맥주위에서도 발견된다.

신경능선에서 이동한 세포들은 환경에 의해 신경모세포로 혹은 갈색세포로 분화한다.[6] 높은 글루코티코이드는 갈색세포로 분화를 촉진하고, 신경성장인자(NGF)는 신경모세포로 분화시킨다.

3. 육안적 해부

신장의 상내측에 위치하는 한쌍의 후복막강내 장기로, 우측 부신은 12번째 , 좌측 부신은 11번째와 12번째 늑골의 전면에 위치한다. 각각의 부신의 무게는 3~6 gm, 크기는 5×2.4×0.8 cm, 부피는 5.9 cc이지만 임신 및 스트레스에 의해 50%까지 커질 수 있다.[7] 우측부신은 피라미드 형태를, 좌측부신은 반달 혹은 초생달 형태를 보인다. 어두운 노란색, 미세과립상표면과 단단한 느낌으로 주변 지방조직과는 쉽게 구분이 된다. 정상인의 3% 정도에서 큰 결절을, 약 2/3에서는 미세결절상구조를 볼 수 있다.[8,9]

1) 우측 부신의 해부적 상관관계

우측부신은 하대정맥과 간 우엽의 뒤에, 횡격막과 신장의 상부의 앞에 위치한다. 전면은 약간 외측을 향하는데, 전면의 좁고 긴 내측은 하대정맥의 뒤에 위치하고, 나머지 대부분의 전면은 간 우엽의 노출지역에 접해 있어 복막으로 덮힌 부분이 없다. 측면 삼각면의 윗부분은 복막으로 덮히지 않고 간의 노출지역과 닿아 있고 아랫부분은 관상인대의 하반사면에서 오는 복막으로 덮혀 있고 십이지장으로 가려지기도 한다. 복-측부구획은 간, 신장 대장간곡부사이의 복막으로 덮히고, 복내측부는 하대정맥에 의해 epiploic foramen, 십이지장 제3부, 췌장두부와 분리된다. 후면은 약간 휜 횡융기에 의해 상하로 구분되는데, 상부는 양간 볼록하며 횡격막과 접하고 하부는 우측 신장의 상부 및 전면과 접한다. 내측연은 우측 복강신경총과 하횡격막동맥과 접한다. 전체적으로 보면 우측 부신의 전면은 간, 하대정맥, 췌장, 십이지장 3부, 대장간곡부 등으로 가려진다.[13]

첨부에서 약간 아래의 전내측면에 부신문이 있으며, 이곳에서 부신정맥이 나온다. 우측 부신정맥은 짧아서 부신이 큰 경우 가려져 잘 보이지 않고, 우하횡격막정맥도 매우 작고, 5~10%에서는 추가적인 부신정맥이 존재하고, 드물게는 딴 곳 정맥들이 우간정맥 혹은 우신정맥으로 가기 때문에 우측부신절제술 시 부주의로 인한 하대정맥의 손상이나 우신정맥의 결찰을 피하기 위해 부신정맥은 결찰 전에 부신을 충분하게 가동화해서 시야

에 노출시켜야 한다.[14]

2) 좌측 부신의 해부적 상관관계

좌측부신은 좌측횡격막, 췌장 미부, 비장동맥, 좌측 신정맥과 인접한다. 내측은 볼록하고 외측은 오목한 반달 혹은 초생달 모양이고, 상연은 예리하고 하연은 넓고 부드러운 형태이다. 우측 부신과는 달리, 전면의 상반은 소낭의 복막으로 덮혀서 위분문과 비장의 후부와 분리되어 있고, 하반은 복막에 의한 경계 없이 췌장 및 비장동맥과 접해있다. 후면은 융기에 의해 신장과 접하는 넓은 외측부분과 좌횡격막다리와 접한 좁은 내측부로 구분된다. 내측연은 좌측 복강신경총, 좌측황경막동맥 및 좌위동맥과 접해 있다.

전면에서 보면, 좌측 부신은 위의 후면, 췌장의 몸부분과 비장의 내측부분과 닿아있기 때문에 수술 시 적절한 노출을 위해 위대장인대의 무혈관지역을 절개해야 하고, 횡결장간막은 췌장의 하연에 접해있기 때문에 하내측으로 당겨야한다.[15]

좌측부신은 복강동맥의 전면에 위치하지만 수 mm 간격의 공간으로 대동맥과 분리되어 있다.

4. 광학현미경적 구조

두꺼운 외측의 피질과 얇은 내측의 수질로 구성된다. 피질층은 지방함유가 많아 노란색으로 보이고 약간 단단한 느낌이지만, 수질은 붉은 갈색으로 혈관이 많이 존재한다.

부신피질은, 가장 외측의 사구대, 중간의 속상대, 가장 내측의 망상대의 3구획으로 구성되어 있다. 사구대는 피질의 15% 정도를 차지하며, 외곽이 불분명한 U자형 혹은 수형의 세포들로, 피막 바로 아래에 층을 이루고 있으며, 염 및 수분의 균형을 조절하는 알도스테론을 분비한다. 사구대의 중간층으로 속상대가 확장되어 있어 속상대와의 경계가 명확하지 않다. 속상대는 전체 피질의 75%를 차지하며 탄수화물 대사를 조절하는 글루코코티코이드 코르티솔을 분비한다. 망상대는 속상대와 경계가 명확하고, 성호르몬을 분비한다. 부신수질은 부신의 10%를 차지하며, 카테콜라민을 분비한다.

1) 신장과의 관계

부신은 자체의 고유피막으로 싸여 있어서 신장과 분리가 가능하지만, 신장과 함께 신장주위근막(제로타 근막)으로 싸여져 있고, 이 막 내부에는 상당량의 지방이 존재한다. 신장주위근막의 상부에서는 횡격막의 하면에 달라붙고 하부에서는 열려 있고 내부의 지방층은 장골와의 지방과 합해진다. 이 막의 전면은 대동맥, 하대정맥 및 중앙선상구조물 위로 펼쳐지기 때문에 복강과 신장주위공간은 연결되어 있지 않다.[10] 이러한 밀봉구조 때문에 복막의 손상이나 다른 복강 내 장기의 손상 없이 신장주변 지방 공간에서만의 조작으로 부신절제술이 가능하다.

2) 동맥

하횡격막동맥, 신동맥 및 대동맥에서 오는 3개의 상, 중, 하 부신 동맥으로부터 혈액을 공급받는다. 이들 외에도 늑간동맥, 좌측난소동맥 혹은 좌측 정삭동맥으로부터도 오기도 한다. 이들 동맥들은 12개 정도의 작은 동맥들로 분지되고 다시 일정한 규칙 없이 여러 번 분지한 다음 피막을 통과한다. 이러한 혈관 구조는 신장주위조직 지방층박리 시 세심한 주의를 요하게 한다. 피막을 통과한 동맥은 피막 아래에서 세동맥망을 형성하게 되고, 이들 세동맥망에서 수질세동맥과 피질세동맥이 나온다. 수질세동맥은 피질을 단순히 관통한 다음 수질에 혈액을 공급하고, 피질세동맥은 사구대세포주변에 문합총을 형성하고 속상대 세포주 사이에 방사상모세혈관을 이루고, 망상대에서는 피질세포를 에워싸는 큰 굴모양얼기 혈관총을 형성한 다음 수질로 가게 된다. 이 혈관총에서 작은 세정맥이 시작되어 수질의 갈색세포 사이를 통과하여 수질정맥으로 간다. 이러한 혈관 구조는 부신의 기능 조절에도 일정한 역할을 한다. 코르티솔이 풍부한 피질 혈액은 PNMT를 활성화시켜 수질에서 노르에피네프린의 에피네프린으로의 전환이 일어나게 한다. 체내 생성되는 에피네프린의 95%는 부신수질에서 생성되고, 부신외 갈색세포에서는 노르에피네프린만이 생성된다.[11] 수질정맥에는 세로로 뻗은 평활근다발들이 존재하는데, 근다발들은 망상대의 심부를 통과하는 혈류량을 조절하여 피질세포들의 ACTH에 노출되는 정도와 수질세포들이 코르티솔에 노출되는 정도를 조절하는 기능을 한다.

풍부한 혈관분포에도 불구하고, 정상 부신에서는 10 mℓ/분 정도의 혈류공급만 있지만 스트레스가 발생하면 혈류가 증가한다.

3) 정맥

부신문에 한 개의 중심(부신)정맥이 있다. 우측 부신정맥은 0.5 cm 정도로 짧고 수평으로 하대정맥을 향해 가서 약 45도 각도로 하대정맥의 후면에서 합류하고, 20%에서는 우간정맥 혹은 우간정맥이 합류하는 지점의 직하 하대정맥으로 간다. 좌측 부신정맥은 2~3 cm정도로 길고, 부신의 하단에서 나와서 아래로 가 하횡격막정맥과 합해진 다음 비스듬히 아래로 좌신정맥으로 간다. 드물게는 좌부신정맥이 대동맥을 가로질러 하대정맥에 직접 연결되기도 한다. 많은 부부신정맥들이 동맥의 주행을 따라 존재하는데, 이들은 하횡격막정맥, 신정맥, 홀정맥과 후위정맥과 관련된 정맥궁으로 간다.

4) 신경지배

수질은 신경내분비변환기로, 신경자극에 대한 반응으로 카테콜라민을 분비하게 된다 제3 흉추와 제3 요추 사이에 있는 신경절전신경에서 시작하는 원심성교감신경축삭과 후미주신경의 복강분지에서 시작하는 원심성부교감신경축삭들은 부신 내에서 신경총을 형성하고 세동맥과 함께 피질을 가로질러 수질에 가서 신경절후교감신경에 해당하는 갈색세포와 연접하게 된다. 수질로 오는 주된 신경은 제5 흉추부터 제9 흉추까지에서 오는 큰흉부내장신경이다. 제3 흉추 이상에서 척수가 절단되면 에피네프린의 생성이 일어나지 않는다.

부신피질은 혈관운동신경에 의한 지배만 갖는다. 교감신경축삭은 피막하세동맥에 분포하여 부신혈류를 조절하게 된다. 이외에도 VIP와 뉴로펩타이드Y를 함유하는데 큰 신경축삭이 사구대세포와 피막하 세동맥총을 지배하는데, 이들의 기능은 확실하지는 않지만 알도스테론 및 코르티솔의 분비에 영향을 주는 것으로 알려져 있다.

5) 림프관계

피막하부와 수질에 있는 두 림프관총에서 시작하여, 다양한 경로로 부신에서 나와 3개의 주 경로를 따라 간다. 제 일 경로는 복강동맥 근위부와 우측 횡격막 다리의 전면에 있는 대동맥주위림프절로, 제2 경로는 대동맥측림프절로, 제3 경로는 횡격막을 지나서 흉관 혹은 후종격동 림프절로 간다.[12] 악성종양으로 수술할 때는 국소전이를 확인하기 위해 부신 주위, 대동맥주위림프절 및 하대정맥주위림프절들을 반드시 확인하여야 한다.

REFERENCES

1. Welbourn RB. The History of endocrine surgery. New York, Praeger, 1990,p147.

2. Vale W, Spiess J, Rivier J, et al. Characterization of a 41-residue ovine hypothalamic peptide that stimulate secretion of corticotrophin and beta-endorpin, Science 1981;213:1394.

3. Gagner M, Lacroix A, Botle E. Laparoscopic adrenalectomy in Cushing's syndrome & pheochromocytoma. N Engl J Med 1992;327:1003.

4. Orthe DN, Kovacs WJ, Debold CK. The adrenal cortex. In: Wilson JD, Foster DW(eds) Williams Textbook of endocrinology. 8th ed. Philadelphia, Saunders. 1992 p489.

5. Anderson DJ. Molecular control of cell fate in neural crest; The sympathoadrenal lineage. Ann Rev Neurosci. 1993;16:129.

6. LeDouarin NM. The neural crest. Cambridge, England. Cambridge University press, 1982.

7. M.K. Anand, C.anand, R.Choudhry, A.Sabhanval. Morphology of human suprarenal glands; a parameter for comparision. Sur Radiol Ana 1998;20:348.

8. Russel RP, Masi AT, Richter ED. Adrenal cortical adenomas and hypertension: A clinical and pathologic analysis of 690 case-matched control and a review of the literature. Medicine 1972;51-211.

9. Neville AM, O'Hare MJ. Histopathology of the human adrenal cortex. Clin Endocrinol Metab 1985;14:791.

10. Davis J, Anatomy, microscopic structure and development of human adrenal gland. In:Scott HW(eds), Surgery of adrenal glands. Philadelphia, JB Lippincott, 1990, p17.

11. Newsome HH. Adrenal gland. In;Greenfield LJ, Mulloholland MW, Oldham KT, Zelennock GB, et al. Surgery; Scientific princioles & practice, Lippincott, Philadelphia. P1307-1323.

12. avisse C, Marcus C, Patey M, Ladam-Marcus V, et al. Surgical anatomy and embryology of the adrenal glands. Surg Clin North Am 2000;80:403-15.

13. Paterson EJ, Laparoscopic adrenalectomy. In: Gagner M, Inabnet WB(eds) Minimally invasive endocrine surgery. Lippincott, Philadelphia, p 167-73.

14. Kebebew E, Duh QY. Operative strategies for adrenalectomy. In:Doherty GM, Skogsed B(eds). Surgical endocrinology. Lippincott, Philadelphia, 2001, p273-88.

15. Jossart GM, Burpee SE, Gagner M, Surgery of adrenal glands. Endocrin Metab Clin North Am 2000;29:57-68.

부신의 생리

Physiology

I 일산병원 **임치영**

부신은 내분비 기관으로 양측 신장의 상부(두측)에 위치한다. 두 개의 해부구조로 나뉘는데 이는 발생학적으로 기능적으로 다른 양태를 지닌다.

부신수질(또는 속질)은 부신의 내측으로 전체 부신의 20%의 지역을 포함한다. 발생학적으로 ectoderm에서 기인하였으며 에피네프린과 노에피네프린을 분비한다. 부신수질세포는 다면형이며 삭(cord) 형태로 정렬되어 있다. 크롬염을 침전시키는 카테콜아민을 포함한다. 이런 이유로 크롬친화성세포로 불린다.[1]

부신피질(겉질)은 부신의 외측으로 부신의 80%를 형성한다. 코르티코스테로이드를 분비하며 mesoderm에서 기인하여 발생하였다. 피질은 각기 조직학적으로 세 대층, 즉 바깥 사구대(토리층, zona glomerulosa), 중간 속상대(다발층, zona fasciculata)와 안쪽의 망상대(그물층, zona reticularis)로 이루어져 있다. 사구대의 세포는 작고 지질함유물의 수는 중간 정도로 피질의 약 15%를 차지한다. 알도스테론 등의 염류(미네랄)코르티코이드(mineralocorticoids)를 생산한다. 속상대의 세포는 크며 많은 지질 함유물에 의해 거품형태를 띠고 있으며 피질의 75%를 구성한다. 콜티솔 등의 글루코코르티코이드(glucocorticoids)를 생산한다. 망상대의 세포는 지질은 거의 함유하지 않은 치밀한 세포질을 가지고 있다. 기능은 속상대와 같다.

1. 부신 스테로이드의 생합성

부신피질은 3종의 스테로이드호르몬, 즉 글루코코르티코이드, 염류코르티코이드 및 부신 성호르몬을 분비한다. 부신홀몬의 주요 생합성경로는 글루코코르티코이드 합성, 염류코르티코이드 합성, 부신 성호르몬(androgen) 합성이다. 이 경로는 부신과 각 대에서의 효소의 특성에 따라 구분된다. 염류코르티코이드는 사구대에서 합성되며, 글루코코르티코이드와 부신 성호르몬은 속상대와 망상대에서 합성된다.

글루코코르티코이드와 염류코르티코이드는 각기 다른 기능에 의해 생성이 조절된다(표 67-1). 코르티솔의 혈액내 농도가 증가하면 시상하부과 뇌하수체의 활동이 억제되며, 혈관 내 혈액량의 많아지면 레닌의 활동이 억제되며 안지오텐신(angiotensin)을 감소시키게 된다. 안지오텐신 II는 특별히 사구대를 자극하여 알도스테론의 배출을 증가시키게 되나 다른 두 개의 속상대와 망상대에는 작용하지 않는다. 유사하게 ACTH (adreno-corticotropic hormone)은 코르티솔과 부신 성호르몬의 분비를 증가시키고 속상대와 망상대의 증식을 초래하지만, 사구대에는 영향이 없거나 거의 없다.

이와 같은 두 개의 되먹임회로(feedback circuit)에 의해 부신의 스테로이드 생성이 조절된다. 하나는 시상하부-뇌하수체-부신으로 이루어진 체계(hypothalamus-pituitary adrenal axis)로 주로 글루코코르티코이드와 부신 성

603

표 67-1 | 부신의 조직학적 구조와 기능

	부신피질	부신 수질
기원	중배엽(mesoderm) 임신 8주에 분화되어 태아 부신 스테로이드(예, DHEA-S*)를 태반이 동안 생산한다. 태내 부신피질은 출생 후 3개 층의 부신피질로 복잡화한다.	신경외배엽 (Neuroecto-derm)
분비물	부신피질 스테로이드 호르몬: 사구대-염류코르티코이드 속상대-글루코코르티코이드 망상대-안드로젠	에피네프린 노르에피네프린
조직학적 분포	외측(조직의 80%)	내측 (조직의 20%)

* DHEA-S는 태아의 부신 구역(fetal adrenal zone)에서 생성되는 스테로이드 호르몬으로 DHEA-S의 수용체는 태내 태반세포에 위치한다. 태내 태반세포는 DHEA-S를 이용해서 에스트로겐을 만든다.

스테로이드를 생산하는데 기여한다. 또 하나는 레닌-안지오텐신-알도스테론 체계(renin-angiotensin-aldosterone system)로 염류코르티코이드의 생산에 관여한다.

부신피질에서 30개 이상의 스테로이드가 발견된다. 이 중 주요한 호르몬은 염류코르티코이드인 알도스테론과 글루코코르티코이드인 코르티솔이다. 부신피질스테로이드의 구조는 콜레스테롤을 전구물질로 하며 기본적인 스테로이드핵이 화학적으로 변이된 것이다. 이와 같은 생성구조로 인해 유사한 화학구조를 지닌다. 작은 차이가 각 물질 간에 존재하지만 각기 다른 중요하며 독특한 기능을 가진다. 코르티코이드의 기본핵은 탄소골격이면 탄소는 1부터 21까지 번호를 매겼으며 4개의 고리는 A, B, C, D로 표시되어 있다. 코르티솔과 같은 글루코코르티코이드는 3번 탄소에 케톤그룹(ketone group)을 가지고 있고 C11과 C21에 수산기그룹(hydroxy group)을 가지고 있다. 알도스테론으로 대표되는 염류코르티코이드는 C18에 이중결합산소(double bond oxygen)를 포함하고 있다. 성호르몬은 부신 성호르몬이 대표물질로 이들은 C17에 이중결합산소를 가지고 있다. 다른 부신 성호르몬인 테스토스테론은 부신피질이 아닌 고환에서 주로 생산된다. 또한 여성호르몬인 에스트로겐은 난소

에서 생산되고 A고리에서 방향족화(aromatization)하고 C19가 없다.

부신스테로이드의 생산은 부신피질에서 이루어지며 세포내의 미토콘드리아와 세포질그물(endoplasmic reticulum)에서 이루어진다. 생성과정 중 각기 다른 효소가 작용하게 된다.

1) 콜레스테롤로부터의 부신피질호르몬의 합성

부신피질에서 생산되는 스테로이드를 포함한 모든 인체 내 스테로이드호르몬은 콜레스테롤로부터 생산된다.[2] 부신피질은 아세테이트(acetate)로부터 약간의 콜레스테롤을 생산하지만 스테로이드를 생산하기 위해 사용되는 콜레스테롤의 약 80%는 순환 중의 혈장 내의 저밀도지질단백(low-density lipoprotein, LDL)에 의해 제공된다. 저밀도지질단백은 콜레스테롤을 고밀도로 함유하고 있으며 혈장에서 확산되어 나와 부신피질의 세포막의 coated pits(덮힘 홈)로 불리는 구조물에 있는 특이 수용체에 부착된다. 이 덮힘 홈에서 수포를 형성하고 세포내이입(endocytosis) 과정을 거쳐 세포내로 들어가 최종적으로는 용해소체(lysosome)에 결합한 후 콜레스테롤을 유리한다. 이 유리된 콜레스테롤이 결과적으로 부신 스테로이드 호르몬의 생산에 이용된다.

부신세포 내로의 콜레스테롤의 운반에는 되먹임 기전에 의해 조절이 된다. 예를 들면 ACTH는 부신의 스테로이드 합성을 자극하며, LDL로부터 콜레스테롤을 유리하는 효소의 기능을 증대시킬 뿐 아니라 LDL의 부신세포수용체의 숫자를 증가시킨다.

세포내로 들어온 콜레스테롤은 미토콘드리아로 배달되고 콜레스테롤 데스몰라아제(desmolase)라는 효소에 의해 쪼개져 프레그네놀론(pregnenolone)을 형성한다. 콜레스테롤 데스몰라아제는 속도제한효소로 부신피질의 세 개의 모든 층에 존재하여 이와 같은 초기과정이 일어나나 각기 다른 인자에 의해 분비가 조절된다. 즉 코르티솔의 분비를 촉진하는 ACTH나 알도스테론의 분비를

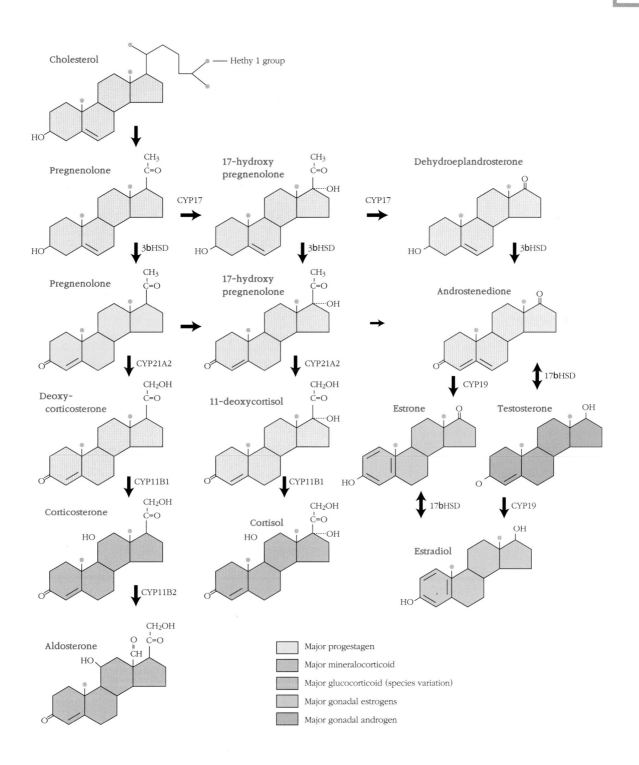

그림 67-1 │ **부신 호르몬의 구조와 생성**

촉진하는 안지오텐신II는 모두 콜레스테롤에서 프레그네놀론으로 전환되는 것을 촉진한다.

알도스테론과 코르티솔로 대표되는 부신피질 스테로이드 외에 다른 스테로이드는 각기 전해질코르코이드 또는 글루코코르티코이드의 특징을 갖거나, 두 가지 특징을 모두 가질 수 있다. 이들은 부신피질에서 생산되어 적은 양이 정상적으로 분비된다. 또한 합성(synthetic) 스테로이드는 정상적으로 부신에서 생성되지는 않으나 합성되어 치료목적에 이용되기도 한다.

합성스테로이드를 포함한 부신스테로이드와 기능을 열거하면 다음과 같다.

(1) 염류코르티코이드

- 알도스테론(매우 강력, 전체 염류코르티코이드의 90%를 차지한다)
- 데스옥시코르티코스테론(알도스테론의 1/30 기능, 아주 적은 양이 분비된다)
- 코르티코스테론(약한 염류코르티코이드 기능을 갖는다)
- 9알파-플루오로콜티솔(합성, 알토스테론에 비해 약간 강한 기능을 지닌다)
- 코르티솔(아주 약간의 염류코르티코이드 기능, 매우 많은 양이 분비된다)
- 코르티손(합성, 약간의 염류코르티코이드 기능)

(2) 글루코코르티코이드

- 코르티솔(매우 강력, 글루코코르티코이드의 약 95%를 차지한다)
- 코르티코스테론(글루코코르티코이드의 약 4%를 차지, 코르티솔에 비해 매우 기능이 낮다)
- 코르티손(합성, 코르티솔과 유사한 효능)
- 프레드니손(합성, 코르티솔의 4배 효능)
- 메틸프레드니손(합성, 코르티솔의 5배 효능)
- 덱사메타손(합성, 코르티솔의 30배 효능)

표 67-2 | 부신피질호르몬의 작용

글루코코르티코이드	염류코르티코이드	부신 성호르몬
당생성 증가	나트륨 재흡수 증가	여성: 음모와 겨드랑이 체모의 성장 촉진, 성욕 증대
단백질분해 증가	칼륨 배출 증가	
지방분해 증가	수소 배출 증가	남성 : 테스토스테론과 같은 역할
당 사용 감소		
인슐린 민감성 감소		
면역반응 억제		
카테콜라민에 대한 혈관 반응성 증대		
골형성 억제		
GFR 증가		
REM 수면 감소		

2) 부신스테로이드의 전달 및 대사

부신의 세포 밖으로 배출된 코르티솔은 90%에서 95%는 코르티솔결합글로불린(일명 트랜스코르틴, transcortin)에 결합되어 운반되며, 소수만이 알부민에 결합되어 운반된다.[3] 이들 혈장 단백질과의 결합의 친화성이 크므로 혈장에서 코르티솔이 방출되는 것이 늦어진다. 이런 현상으로 인해 코르티솔의 반감기는 60분에서 90분으로 비교적 길다. 알도스테론은 60%만이 혈장 단백질과 결합하고 40%는 유리상태로 운반된다. 이 결과 알도스테론의 반감기는 20분으로 짧다. 유리되었거나 결합된 형태이거나 부신의 호르몬은 세포외액을 따라 운반되어 전달된다. 정상적인 알도스테론의 혈액 내 농도는 6 ng/100 ml이다. 코르티솔은 12 mg/100 ml이다.

부신스테로이드가 혈장단백질과 결합한 결과 급격한 변동을 방지할 수 있는 저장소의 역할을 하게 된다. 하지만 스트레스에 임박하거나 ACTH의 발작적인 분비

시에는 급격한 변동이 있을 수 있다.

부신스테로이드는 주로 간에서 분해되며 특히 글루쿠론산을 형성하며 일부는 설폰염(sulfate)으로 결합된다. 이런 물질은 비활성이다. 약 25%에서 이런 결합물질은 담즙으로 배출되어 대변으로 배설된다. 나머지 결합체는 순환계를 거치는데 혈장 단백질과는 결합하지 않고 혈장내에 용해되어 운반된다. 따라서 이들은 콩팥에서 걸러진 후 소변을 통해 배출된다. 따라서 간질환이 있으면 부신스테로이드의 분해과정이 저해되며, 신장질환의 경우 비활성결합물질의 배설이 감소하게 된다.

정산적인 알도스테론의 배출은 150~250 mg/day이며, 코르티솔은 15~20 mg/day이다.

2. 염류코르티코이드의 기능

부신의 주요 염류코르티코이드는 알도스테론이다. 약 100 mg에서 150 mg의 알도스테론이 사구대로부터 생산되어 혈류로 분비된다. 그리고 혈류에서 트랜스코르틴(20%)과 알부민(40%)에 결합하고 나머지는 유리 형태로 순환한다. 혈장에서의 알도스테론의 반감기는 약 20분이며, 90%가 간을 한 번 통과한 후 혈장에서 제거된다.

염류코르티코이드가 없으면 혈액내 칼륨은 증가하며, 나트륨과 염화물은 감소한다. 세포외 체액량과 혈액량도 급격히 감소한다. 따라서 염류코르티코이드가 신체에서 전혀 배출되지 않으면 적극적인 전해질 보충과 염류코르티코이드의 정맥내 주사에도 불구하고 약 3일에서 2주 이내에 사망에 이르게 된다.

신체에서 주요한 염류코르티코이드로의 기능을 알도스테론이 거의 90%를 담당하지만, 주요한 글루코코르티코이드인 코르티솔도 주요한 염류코르티코이드이다. 이와 같은 이유는 코르티솔의 염류코르티코이드로의 활동도가 알도스테론에 비해 1/400에 불과하지만 혈장내 농도는 거의 1,000배에 이르기 때문이다.

1) 알도스테론의 신장 및 순환계 효과

알도스테론은 콩팥의 나트륨 관내 재흡수와 칼륨의 배출을 증진한다. 또한 수소이온분비도 증가시킨다. 이런 과정은 콩팥의 세관 상피세포 특히 집합세관(collecting tubule)의 주세포(principal cell)에서 이루어지며 작게는 원위세관(distal tubule)과 집합관에서 이루어진다. 따라서 알도스테론은 나트륨이 세포외액(ECF)에서 보존되고 칼륨이 소변으로 배출되도록 한다. 수소이온의 분비는 α-사이세포(α-개재세포, α-intercalated cell)에서 일어난다. 따라서 알도스테론 수준이 증가되면 나트륨재흡수, 칼륨분비 및 수소이온분비가 모두 증가된다. 콩팥운반에서의 이런 변화는 세포외액량 증가, 고혈압, 저칼륨혈증 및 대사알칼리증을 일으킨다. 반대로 알도스테론 수준이 감소되면 나트륨재흡수, 칼륨분비 및 수소이온분비가 감소되어 세포외액량 감소, 저혈압, 고칼륨혈증 및 대사산증이 일어난다. 알도스테론 분비가 전혀 되지 않으면 일시적으로 10~20 g의 나트륨이 소변에서 빠져나가는데 이는 신체 내 나트륨의 1/10에서 1/5에 해당하는 양이다. 동시에 칼륨이 세포외액에 집요하게 남게 된다. 이로 인해 심각한 세포외액 탈수와가 일어나고 혈액량의 감소가 일어나서 순환성 쇽(circulatory shock)이 일어난다. 치료를 시행하지 않으면 수일 내에 사망에 이른다.

과도한 알도스테론의 분비는 세포외액과 동맥혈압을 증가시키나 혈장 내 나트륨의 농도변화에는 적게 영향을 미친다. 콩팥에서 나트륨의 배출을 감소시키는 영향은 크나 실제적으로 세포외액에서 나트륨이 증가하는 것은 수 밀리그램등량(milliequivalent)에 불과하다. 이런 이유는 세관에서 나트륨이 재흡수되는 동안 동시에 수분의 삼투압성 흡수가 거의 동량으로 일어나기 때문이다. 따라서 나트륨의 저류와 함께 세포외액의 증가가 일어나므로 나트륨의 농도변화는 많은 변화가 없게 된다. 이와 같이 알도스테론이 신체내 가장 강력한 나트륨-저류 호르몬이지만 일시적인 저류 효과만 있게 된다.

알도스테론으로 인하여 세포외액이 증가하여 1일에서 2일 이상 지속되면 동맥혈압이 증가한다. 동맥혈압의 증가는 콩팥에서 염기(salt)와 수분의 배설을 증가시키며 이를 혈압성 나트륨배출(pressure natriuresis)와 혈압성 이뇨(pressure diuresis)로 각기 부른다. 5~15%의 세포외액이 증가하면 마찬가지로 15~25 mmHg의 동맥혈압의 증가가 나타나며 이는 콩팥에서 배출이 증가되어 알도스테론이 증가하였음에도 불구하고 염기와 수분이 정상을 유지하는 것이다. 이와 같은 현상을 "알도스테론 회피(aldosterone escape)"라고 부른다. 그러나 알도스테론이 지속적으로 증가해 있으면 동맥 고혈압이 나타난다.

과도한 알도스테론의 분비가 일어나면 소변으로 칼륨 이온이 배출될 뿐 아니라 신체의 대부분의 세포 속으로 세포외액에서 칼륨의 이동이 촉진된다. 따라서 심각한 혈장 칼륨 농도의 감소가 있어 정상적인 칼륨 농도인 4.5 mEq/L에서 2 mEq/L까지 감소한다. 이를 저칼륨혈증(hypokalemia)으로 부른다. 이런 현상이 일어나면 근육의 심각한 약화가 발생하고, 신경과 근육 섬유 세포막에서 전기 흥분도(electric excitability)가 감소한다.

2) 알도스테론은 땀샘과 침샘, 그리고 장내 상피 세포의 나트륨과 칼륨의 전달을 촉진함

땀샘과 침샘은 염화나트륨을 포함하는 외분비기능을 갖는 장기이다. 대부분의 염화나트륨은 배출관을 통과하는 동안 재흡수되지만 칼륨과 중탄산염(bicarbonate) 이온을 배출한다. 알도스테론은 이런 기능을 더욱 촉진한다. 땀샘에서의 기능은 중요하여 더운 날씨에 체내 염기를 보존할 수 있게 하며 침샘에서의 기능 또한 침을 통한 과도한 량의 염기 손실을 막을 수 있게 한다.

알도스테론은 소화관에서, 특히 결장에서 나트륨의 흡수를 증진시킨다. 이런 기능을 통해 대변으로 나트륨이 손실되는 것을 방지하게 된다. 만일 알도스테론의 결핍이 초래되면 나트륨의 흡수가 매우 불량해지게 되어 결과적으로 염화이온을 비롯한 음이온의 흡수와 수분의 흡수가

상실된다. 흡수되지 않은 염화나트륨과 수분은 설사를 초래하여 체내 염기가 소실되는 결과를 초래한다.

3) 알도스테론이 체내에서 염류스테로이드로 기능하는 것은 잘 알려져 있지만 알도스테론 의 세포 내 기전은 명확히 알려져 있지 않음

다만 알도스테론의 지용성, 세포질 내의 특정 수용체 단백질, 알도스테론-수용체 복합체 또는 이의 산물, 전령알엔에이(messenger RNA)에 의한 기전들이 알려져 있다.[4] 이와 같은 세포내 작용기전에 의해 알도스테론이 분비되어도 나트륨의 전달에 즉시 반응이 이루어지지 않는다.

4) 알도스테론 분비의 조절기전은 세포외액의 전해질 농도, 세포외액량, 혈액량, 동맥압, 콩팥 기능의 특수한 여러 상황들이 각기 독립적으로 작용하여 이루어짐

또한 사구대 세포에 의한 알도스테론 분비의 조절은 속상대와 망상대에 의한 코르티솔과 부신 성호르몬의 분비조절과 상관없이 독립적으로 이루어진다.

4개의 조절기전이 알려져 있으며, 순서는 중요도에 따라 기술되었다.

(1) 세포외액의 칼륨농도가 증가하면 알도스테론의 분비에 중대하게 영향을 미친다.[3]
(2) 레닌-안지오텐신계의 활성도가 증가하면 알도스테론의 증가가 역시 중대하게 나타난다.[5]
(3) 세포외액의 나트륨이온 농도증가는 아주 조금 알도스테론의 분비를 감소시킨다.
(4) 뇌하수체 전엽으로부터 ACTH의 유리는 알도스테론의 분비에 필수적이나 분비 속도를 조절하는데 있어서는 영향이 거의 없다.

3. 글루코스테로이드의 기능

글루코코르티코이드는 생명유지에 필수적이다. 글루코 코르티코이드의 작용은 포도당신합성(gluconeogenesis), 카테콜라민에 대한 혈관반응성(vascular responsiveness), 염증반응 및 면역반응 억제 및 중추신경계 기능의 조정에 필수적 과정이다. 글루코코르티코이드의 기능의 95%는 코르티솔(일명 수화코르티손, hydrocortisone)의 분비에 의한다. 이에 추가하여 작지만 중요한 양이 코르티코스테론(corticosterone)에 의해 제공된다.

1) 탄수화물 대사에 대한 코르티솔의 역할은 포도당신합성과 글리코겐(당원, 글리코겐)의 저장을 촉진하는 것

탄수화물 대사에서 코르티솔의 대표적인 효과는 이화작용(catabolism) 및 당뇨발생적인 경향(diabetogenic)을 보인다. 코르티솔은 포도당합성을 증가시키기 위해 단백질, 지방 및 탄수화물대사에도 영향을 미친다. 코르티솔은 근육 등의 간 이외의 조직에서 단백질 이화작용을 증가시키고 새로운 단백질 합성을 줄여서 여분의 아미노산을 포도당신합성을 위해 간에 공급한다. 증대된 포도당신합성의 효과 중 하나로 간 세포로의 글리코겐 저장이 뚜렷하게 증가한다. 이와같은 코르티솔의 효과는 이후 당분해 호르몬인 에피네프린과 글루카곤으로 하여금 식사 중간 시기(공복기)와 같은 포도당이 필요한 시기에 포도당을 가동화하게 한다.

코르티솔은 또한 체내 대부분의 세포에서 포도당의 사용을 억제하는데 이는 코르티솔이 직접적인 영향을 주어 이루어진다. 이와 같이 포도당의 신합성이 증가하고 세포에서의 포도당의 사용이 억제되어, 부신 글루코 코르티코이드에 의해 혈중 포도당농도가 증가하며, 이로 인해 인슐린의 분비가 촉진된다.[3] 증가한 인슐린은 정상일 경우에 포도당 농도를 감소시키게 되나 부신에 의한 영향으로 증가하였을 때는 그렇게 하지 못한다. 이

와 같이 부신 글루코코르티코이드에 의한 혈중 포도당의 증가한 경우를 부신성 당뇨(adrenergic diabetes)로 부르며 이때 인슐린을 주입하여도 인슐린에 대한 저항성이 있어서 적정량을 주입하지 못하면 혈당저하효과가 나타나지 않는다.

2) 단백질대사에 대한 코르티솔의 역할로 코르티솔은 체내에서 대사과정에 기여하여 간을 제외한 전신의 세포에서 단백질 저장을 감소시킴

이것은 단백질의 생산 감소와 세포내에 있는 단백질의 이화작용에 기인한다. 이런 효과는 간 이외의 조직으로 아미노산의 전달이 감소하고, 코르티솔에 의해 RNA의 형성이 억제되고 연속하여 단백질의 생산이 근육과 림프조직을 비롯한 모든 간 이외의 조직에서 억제되기 때문이다. 이로 인해 과도하게 코르티솔이 증가하면 근육은 약화되어 사람이 쪼그렸다 일어설 수 없게 된다. 그리고 림프조직의 면역기능도 감소하게 된다.

동시적으로 체내의 어느 곳에서나 단백질이 감소하고 간내 단백질은 증가한다. 더 진행하여 혈장 단백질(간에서 생성되어 혈류로 유리됨)이 증가한다. 이런 것은 체내 단백질이 신체 곳곳에서 줄어드는 것과는 예외적인 현상이다. 이런 것은 코르티솔이 간세포로 아미노산을 전달하는 것을 증대시키고 단백질의 생산에 관여하는 간내 효소를 증가시켜서 이루어지는 것으로 여겨진다.

코르티솔에 의한 혈장내 아미노산의 농도증가와 간세포로의 전달이 촉진되므로 인해 간에서 아미노산의 사용이 증가하게 되면 다음의 효과가 나타나게 된다. (1) 간에 의한 아미노산의 탈아미노화(deamination) 속도 증가, (2) 간에서의 단백질 생산 증가, (3) 간에 의해 혈장 단백질의 형성 증가, 그리고 (4) 아미노산의 포도당 전환이 증가되어 포도당신합성이 증가 등이 나타난다.

즉 체내 대사체계에 대한 코르티솔의 효과는 코르티솔의 말단 조직에서의 아미노산 가동성과 동시에 간에 대한 효과를 나타내기 위해 간의 효소를 증가시키는 능

력에 의해 영향을 받는다.

3) 지방대사에 미치는 코르티솔의 역할

근육에서 아미노산을 가동시키는 방법과 마찬가지로 코르티솔은 지방조직에서 지방산을 가동시키는 것을 증진시킨다. 이럼으로써 혈장 내 유리 지방산의 농도가 증가하며, 또한 에너지 이용도를 증가시킨다. 코르티솔은 또한 세포에서 지방산의 산화를 증진시키도록 직접 영향을 미친다.

코르티솔이 지방산의 가동화를 증진하는 기전은 아직 잘 모른다. 그러나 이런 효과의 일부는 포도당이 지방세포로 전달되는 것이 감소한 결과에 따른다. 코르티솔의 지방 가동화의 증가는 세포에서 지방산 산화의 증가와 결합하여 굶거나 다른 스트레스하에서 당을 에너지로 이용하던 것을 지방산을 이용하여 에너지를 획득하도록 해준다. 이런 코르티솔의 기전은 완전히 작동하는데 수 시간이 걸린다. 그럼에도 불구하고 지방산을 대사 에너지로 이용하는 것이 증가하면 장기간 동안 체내 포도당과 글리코겐의 보존하는 데 중요한 요소이다.

코르티솔이 지방조직에서 지방산의 분해를 초래하지만 코르티솔의 과도한 분비는 특이한 형태의 비만을 일으킨다. 신체 중 머리와 가슴에 지방이 모이고 버팔로 모양의 몸통과 둥근 달 형태의 얼굴형으로 비만이 초래된다. 원인은 잘 알려져 있지 않으나 이런 비만은 음식의 과도한 섭취가 유도된 결과이며 가동되거나 산화되는 양 보다 생성되는 것이 급격히 많아져 나타나는 것으로 추정된다.

4) 스트레스 저항 및 항염증 기능

물리적이거나 신경적인 스트레스든 어떤 형태의 스트레스에 임하든지 뇌하수체 전엽에서 ACTH의 분비가 심각히 증가한다. 이런 결과로 수분 내에 부신피질에서는

코르티솔의 분비가 증가하게 된다. 코르티솔의 분비를 초래하는 스트레스는 대부분의 외상, 감염, 강한 열 또는 추위, 노르에피네프린과 다른 교감신경유사약물의 주입, 수술, 괴사물질의 피하주입, 동물을 움직이지 못하도록 결박, 질병으로부터 쇠약 등이 있다.

코르티솔은 외상과 자극에 대한 신체의 염증반응을 방해하는 세 가지 작용으로 나타낸다.
(1) 코르티솔은 인지질분해효소 A2 (phosphollipase A2)의 억제제인 리포코르틴(lipocortin)의 합성을 일으킨다. 인지질분해효소 A2는 세포막인지질로부터 아라키돈산을 유리하여 염증반응을 매개하는 프로스타글란딘(prostaglandin)과 류코트리엔(leukotriene)의 전구물질을 제공한다. 따라서 코르티솔의 항염증 효과를 나타내는 이 요소는 프로스타글란딘과 류코트리엔의 전구물질 합성을 억제하는 것을 기초로 한다.
(2) 코르티솔은 인터루킨-2(interleukin-2, IL-2)의 생산과 T 림프구의 분화를 억제한다.
(3) 코르티솔은 비만세포(mast cell)와 혈소판으로부터 히스타민과 세로토닌의 유리를 억제한다.

이외에도 스트레스를 받는 상황에서 코르티솔의 분비가 일시적으로 증가한 것이 신체에 어떤 이익을 주는지 명확하지는 않지만, 또 하나의 가설은 글루코코르티코이드가 세포 내 저장되어 있는 아미노산과 지방을 신속히 가용화하여, 에너지와 포도당으로 비롯한 다른 화합물을 생성하는데 사용하도록 하는 것이다. 실제적으로 손상된 조직은 단백질의 부족이 일어나지만 가용한 아미노산을 이용하여 새로운 단백질은 생산하여 세포가 살아날 수 있도록 한다. 또한 아미노산은 세포 내에서 퓨린, 피리미딘과 인산화 크레아틴을 생산하여 세포 생명을 유지하고 새로운 세포를 만드는데 필수적 요소를 제공한다.

대량의 코르티솔이 분비되거나 주입되면 코르티솔은 2개의 기초 항염증 효과를 나타낸다. 하나는 코르티솔은 염증이 일어나지 않도록 염증반응 초기 과정을 방해하고, 다른 하나는 염증이 이미 시작되었으면 신속한

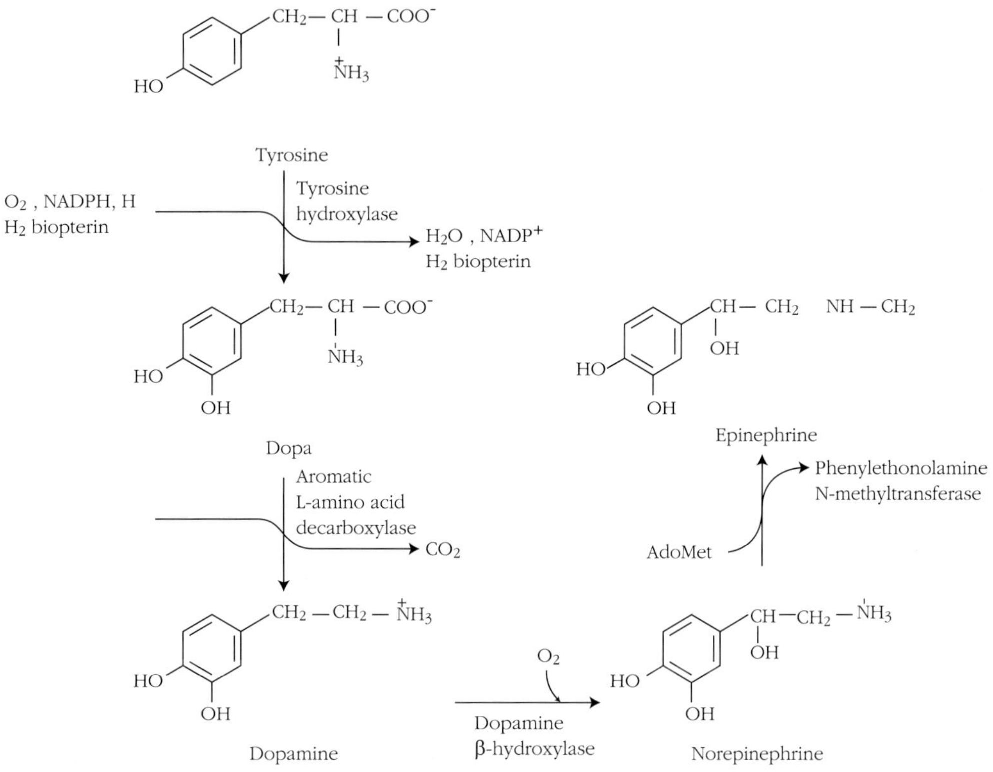

$$
\begin{array}{c}
\text{HO}-\!\!\!\bigcirc\!\!\!-\text{CH}_2-\text{CH}-\text{COO}^- \\
\quad\quad\quad\quad \overset{+}{\text{NH}}_3
\end{array}
$$

Tyrosine

O$_2$, NADPH, H → Tyrosine hydroxylase
H$_2$ biopterin

→ H$_2$O , NADP$^+$
H$_2$ biopterin

$$
\begin{array}{c}
\text{HO}-\!\!\!\bigcirc\!\!\!-\text{CH}_2-\text{CH}-\text{COO}^- \\
\quad\quad \text{OH} \quad\quad \overset{|}{\text{NH}}_3
\end{array}
$$

Dopa

Aromatic
L-amino acid
decarboxylase → CO$_2$

$$
\begin{array}{c}
\text{HO}-\!\!\!\bigcirc\!\!\!-\text{CH}_2-\text{CH}_2-\overset{+}{\text{NH}}_3 \\
\quad\quad \text{OH}
\end{array}
$$

Dopamine

O$_2$
→ Dopamine β-hydroxylase

$$
\begin{array}{c}
\text{HO}-\!\!\!\bigcirc\!\!\!-\text{CH}-\text{CH}_2-\overset{+}{\text{NH}}_3 \\
\quad\quad \text{OH} \quad\quad \text{OH}
\end{array}
$$

Norepinephrine

$$
\begin{array}{c}
\text{HO}-\!\!\!\bigcirc\!\!\!-\text{CH}-\text{CH}_2 \quad \text{NH}-\text{CH}_2 \\
\quad\quad \text{OH} \quad\quad \text{OH}
\end{array}
$$

Epinephrine

→ Phenylethonolamine
N-methyltransferase

AdoMet

그림 67-2 │ 아드레날린 수용체는 막전위 지름(transmembrane spanning) 분자로 G 단백질과 짝지어져 있다. 알파와 베타의 아형으로 나뉘며 이들은 각기 다른 조직에 존재하여 다양한 카테콜라민에 대한 친화도가 다르고 생물학적 효과를 직접 나타낸다. 알파 수용체의 친화도는 에피네프린>노르에피네프린>>이소프로테레롤(isoproterenol)의 순서이고 베타1수용체는 이소프로네테롤>에피네프린=노르에피네프린, 베타2수용체는 이소프로테레롤>에피네프린>>노르에피네프린의 순서이다.

염증의 해소와 신속한 치유를 증가시킨다. 즉 염증을 예방하는 기능과 염증으로부터의 회복의 기능을 나타내는 것이다. 염증이 유발된 후 코르티솔을 주입하면 수시간 또는 수일 내에 염증이 감소되는 효과를 나타낸다. 즉시 효과는 염증을 유도하는 대부분의 요인을 막아내며, 추가하여 염증에서의 회복 속도를 증강시킨다.

5) 코르티솔의 기타 기능

(1) 면역반응억제
위에 설명한대로 코르티솔은 IL-2의 생산과 T-림프구의 분화를 억제한다. 이 기전은 세포면역에 매우 중요하여

서 외부에서 공급된 글루코코르티코이드는 면역반응을 억제하여 이식된 장기의 거부방지를 위해 투여된다. 항원과 항체 사이의 기초적 알레르기 반응은 코르티솔에 의해 영향을 받지 않는다.

(2) 카테콜라민에 대한 혈관반응성 유지
코르티솔은 정상 혈압을 유지하는데 필요하고 α1-아드레날린수용체를 상향조절하여 세동맥에서의 허용작용(permissive role)을 일으킨다. 이런 이유로 코르티솔은 카테콜라민에 대한 세동맥의 혈관수축반응에 필요하다. 저코르티솔혈증의 경우 저혈압이 발생하고 고코르티솔혈증에서는 고혈압이 발생한다.

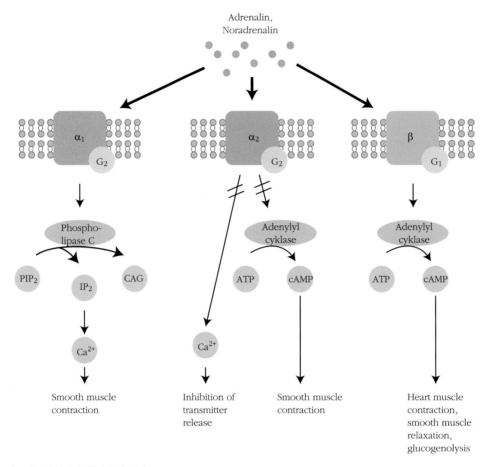

그림 67-3 | 아드레날린성 수용체의 작용기전

Adrenaline or noradrenaline are receptor ligands to either α1, α2 or β-adrenergic receptors. α1 couples to Gq, which results in increased intracellular Ca^{2+} which results in smooth muscle contraction. α2, on the other hand, couples to Gi, which causes a decrease of cAMP activity, resulting in e.g. smooth muscle relaxation. β receptors couple to Gs, and increases intracellular cAMP activity, resulting in e.g. heart muscle contraction, smooth muscle relaxation and glycogenolysis

(3) 뼈형성 억제

코르티솔은 뼈 바탕질(bone matrix)의 주요 성분인 I형 콜라겐의 합성을 감소시키며 뼈 모세포(osteoblast)의 생산을 감소시킨다. 창자에서는 칼슘흡수를 감소시켜 뼈형성을 억제한다.

(4) 사구체여과율 증가

글루코코르티코이드는 콩팥혈류량(RBF, renal blood flow)과 사구체여과율(GFR, glomerular filtrationrate)을 증가시키는데, 콩팥의 구심동맥을 확장시켜 GFR을 증가시킨다.

(5) 중추신경계에 대한 효과

뇌 특히 변연계(limbic system)에서 글루코코르티코이드의 수용체가 발견된다. 코르티솔은 빠른눈운동수면(REM sleep)을 줄이고 느린눈운동수면(slow-wave sleep)을 증가시키며 잠에서 깨는 시간을 빠르게 한다.

(6) 적혈구 생산의 증가

원인은 알려져 있지 않으나 적혈구의 생산을 증가시킨다. 과도한 코르티솔의 분비가 있는 경우 적혈구증가증이 일어난다. 반대로 코르티솔의 생산이 중단되면 빈혈이 나타나게 된다.

6) 코르티솔의 분비조절

코르티솔의 분비는 뇌하수체 전엽에서 ACTH의 분비로 인해 조절된다. 부신 성호르몬도 마찬가지 방법으로 생산이 증진된다. ACTH의 분비는 시상하부에서 코르티코트로핀분비호르몬(corticotropin-releasing factor, CRF)이 분비되면 자극을 받는다. CRF를 분비하는 뉴런의 세포 체부는 주로 시상하부의 뇌실곁핵세포에 있으며 이곳에서 분비된다. 뇌실곁핵세포의 핵은 여러 신경 연결에 의한 자극을 받는데 변연계(가장자리계통, limbic system)와 뇌간(뇌줄기, brain stem)으로부터 연결되어 자극을 받는다. 뇌하수체에 작용하는 다른 시상하부호르몬과 같이 CRF는 시상하부-뇌하수체 문맥혈액(hypophysial portal system)의 말초혈관얼기를 통해 뇌하수체에 전달된다. 전엽에서 CRF는 adenyl cyclase/cAMP기전에 의해 코르티코트로프성세포(corticotroph)에 작용하여 혈액 속으로 ACTH를 분비시킨다. 뇌하수체 전엽은 CRF가 없으면 미약한 정도만 ACTH를 분비하지만, 시상하부에서 CRF가 전달되면 대량의 ACTH 분비를 일으킨다.

어느 형태의 신체적 또는 정신적 스트레스는 수분 내에 ACTH의 분비를 대량으로 증진하여 결과적으로 코르티솔의 분비를 일으키게 된다. 코르티솔의 분비가 20배 정도로 증가하게 된다. 통증가극이 신체적 스트레스나 조직파괴에 의해 발생하면 우선 뇌간으로 통해 상부로 전달되어 결국은 시상하부의 정중융기(median eminence)에 도달한다. 여기에서 CRF의 분비가 뇌하수체문맥계로 분비되어 들어가면 수분 내에 혈액 내로 다량의 코르티솔이 분비되게 되는 것이다.

정신 스트레스도 동등하게 빠른 ACTH의 분비증가를 초래한다. 변연계 내의 활동의 증가로 인하는데 편도(amygdala)와 해마(hippocampus) 영역에서 주로 일어난다. 두 영역은 후방 정중 시상하부에 신호를 전달한다.

코르티솔은 직접적인 음성 되먹임효과를 나타내어 시상하부에서 CRF의 생성이 저하되게 되고, 뇌하수체 전엽에서는 ACTH의 생성을 저하시킨다. 이들 되먹임은 결국 혈장의 코르티솔의 농도를 조절하게 된다.[6]

코르티솔의 분비를 조절하는 기능을 종합하여 보면, 어떤 형태의 스트레스에 의한 자극이든지 스트레스로 인한 자극은 시상하부의 흥분을 초래하고 이로 인해 코르티솔의 분비 증가가 나타난다. 분비된 코르티솔은 스트레스 상황에서 손상된 상태를 회복시키기 위한 대사반응을 하도록 유도한다. 또한 코르티솔은 뇌하수체와 시상하부에 음성 되먹임 체계를 통해 혈장 내 농도를 조절 받는다.

CRF, ACTH 및 코르티솔은 아침 이른 시기에 가장 많고(20 µg/dl) 늦은 저녁에 가장 적은 농도(5 µg/dl)를 나타낸다. 이런 것은 시상하부에부터의 신호가 24시간을 주기로 변하기 때문이다. 만일 매일 지속되는 수면 습관을 바꾸면 이런 주기에도 변화가 초래된다. 이를 ACTH의 박동성 과하루주기 분비양상으로 설명하며 하루주기 양상은 혼수, 시각상실 또는 빛이나 어둠에 계속하여 노출되면 사라진다.

4. 부신 성호르몬 Adrenal sex steroids

부신의 성호르몬은 ACTH의 자극에 의해 17-하이드록시프로그네놀론으로부터 만들어진다. 이들은 탈수에피안드로스테론과 황산화탈수에피안드로스테론, 안드로스텐디온, 그리고 소량의 테스토스테론과 에스트로겐으로 구성되어 있다. 부신 성호르몬은 혈중 알부민과 약하게 결합되어 있다. 내재적으로는 약한 성호르몬 기능을 갖고 있으나 말단에서 보다 강력한 테스토스테론과 dihydrotestosterone으로 변하여 주요 성호르몬 기능을 한다. 안드로겐은 대사되어 글루쿠론산 또는 황산화 과정을 거쳐 소변으로 배출된다.

여러 중간 효능의 남성호르몬인 부신 안드로겐(주요한 호르몬은 탈수에피안드로스테론, DHEA)은 지속적으로 부신피질에서 분비된다. 특히 태생기(fetal life)에 분비된다. 또한 프로게스테론과 에스트로겐은 여성호르몬으로 최소량이 부신피질에서 만들어진다.

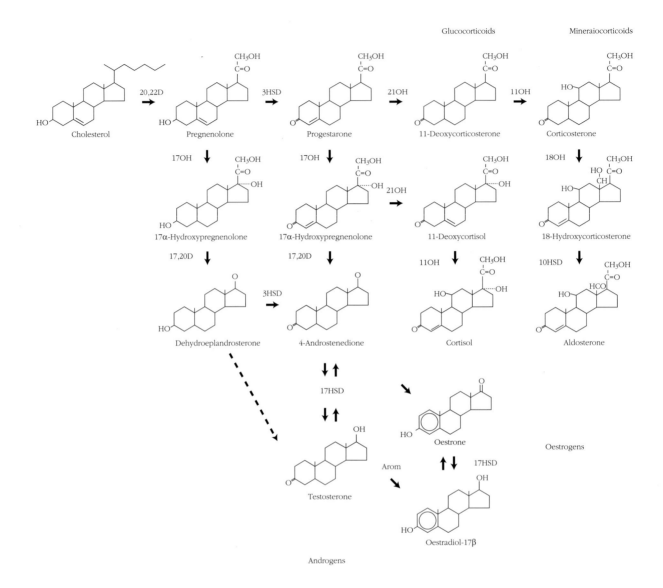

그림 67-3 | 스테로이드 생합성의 주요 경로

생합성 경로는 부신, 고환과 난소 및 태반태아상태에서 공통이다. 처음 단계는 콜레스테롤이 프레그네놀론으로 전환되어 일어난다. 이 과정은 뇌하수체 호르몬인 ACTH 또는 LH의 영향으로 P-450scc 효소에 의한 이화작용에 의한다. 프레그네놀론으로부터 델타 5 경로(17a-hydroxypregnenolone, dehydroepiandrosterone, testosterone)로 불리는 과정과 델타 4 경로(progesterone 방향)를 거친다. 프로게스테론은 염류코르티코이드 생성의 시작점이 되며, 프로게스테론의 대사물질인 17a-hydroxyprogesterone로부터 글루코코르티코이드가 분화된다. 에스트로겐은 부신 성호르몬(androstenedione and/or testosterone)에서 생성된다. 대부분의 반응은 비가역적이다. 가역적 반응은 보조인자(예. NADP/NADPH 비)에 의존된다. 17OH, 17 hydroxylase

정상적으로 부신 안드로젠은 인체에서 미치는 효과가 미약하다. 아동기에 부신 안드로젠의 분비가 있으면 남성 성기관의 발달이 조기에 이루어진다. 여성에 대한 부신 안드로젠의 기능 또한 미약하다. 이는 청소년기 전이나 이후의 삶에서도 마찬가지이다. 여성에서의 음모와 겨드랑이체모의 발달의 대부분은 이들 호르몬에 의해 이루어진다. 부신 안드로젠의 일부는 테스토스테론으로 전환된다. 테스토스테론은 주요 호르몬으로 대부분의 남성호르몬의 역할을 담당한다.

5. 카테콜라민

카테콜라민 호르몬인 에피네프린, 노르에피네프린과 도파민은 중추신경계와 교감신경계뿐 아니라 부신수질에서도 형성된다. 전구물질인 티로신에서 여러 생성과정을 거쳐 이들 물질이 전환되어 생산된다.[7] Phenyl-ethanolamine N-methyltransferase는 부신의 수질(속질)과 주커칸들장기(organ of Zuckerkandl)에만 존재하며 노르에피네프린을 에피네프린으로 전환시킨다. 카테콜라민은 신경펩티드, ATP, 칼슘, 마그네슘, 크로모그라닌(chromogranin)으로 불리는 수용성 단백질과 결합한 형태로 과립 내에 저장된다. 호르몬의 분비는 여러 자극에 의해 이루어지며 신경절전이전 신경 말단(preganglionic nerve terminal)에서 아세틸콜린의 유리에 의해 매개된다. 순환계 내에서 이들 단백질은 알부민과 다른 단백질에 결합된 상태로 존재한다. 카테콜라민의 분해는 여러 과정에 의하며, 이에는 교감신경 말단에서의 재흡수, catechol-O-methyltransferase (COMT)과 monoamine oxidase (MAO)에 의한 말단 불활성화와 콩팥에 의한 직접 배출 등이 있다. 카테콜라민의 대사는 간과 콩팥에서 일차적으로 이루어지며, 이 과정으로 인해 메타네프린, 노르메타네프린 그리고 VMA (vanillyl-mandelic acid)가 만들어지고 이들은 소변으로 배출되기 전 글루쿠론산화 과정과 황산화 과정을 거치게 된다.

REFERENCES

1. Greespan FS, Gardner DG. Basic and Clinical Endocrinology. New York, McGraw-Hill, 2001.
2. Latendresse JR, Azhar S, Brooks CL, Capen CC. Pathogenesis of cholesteryl lipidosis of adrenocortical and ovarian interstitial cells in F344 rats caused by tricresyl phosphate and butylated triphenyl phosphate. Toxicol Appl Pharmacol 1993;122(2):281-9.
3. Genuth SM. The adrenal gland. In: Levy NM, Berne(eds), Physiology. St. Louis, Mosby 1998, p 930.
4. Horisberger J, Rossier B. Aldosterone regulation of gene transcription leading to control of ion transport. Hypertension 1992;19; 427.
5. Quinn S, Williams G. Regulation of aldosterone secretion. Annu Rev Physiol 1998;50;409.
6. Mizoguchi K, Ishige A, Aburada M, Tabira T. Chronic stress attenuates glucocorticoid negative feedback: involvement of the prefrontal cortex and hippocampus. Neuroscience 2003;119:887-97.
7. Kopin IJ. Catecholamine metabolism(and the biochemical assessment of sympathetic activity). Clin Endocrinol Metab 1977;6(3):525-49. Review.

부신의 영상진단
Imaging of the Adrenal Glands

❙ 성균관대학교 의과대학 영상의학과 **박병관**

부신은 다른 고형 장기에 비해서 크기는 작지만 인체의 대사를 조절하는 중요한 내분비 장기이다. 부신 질환은 기능성 질환과 비기능성 질환으로 나눌 수 있다. 기능성 질환은 임상증상과 생화학적 검사로 진단이 거의 가능하지만 비기능성 질환은 대부분 다른 이유로 시행한 영상의학적 검사에서 우연히 발견하게 된다. 특히 암환자에서 부신 종괴가 발견될 경우 전이 유무를 결정해야 하며 영상의학적 검사가 매우 중요한 역할을 하게 된다. 그러므로 부신 종양의 영상의학적 진단 방법과 소견 등을 밝히고 기능성 질환에서의 영상의학적 검사의 역할과 기타 다른 부신 질환의 영상 소견을 밝히고자 한다.

1. 비기능성 선종(Nonfunctioning Adenoma)과 전이암(Metastasis)

비기능성 부신 종양은 암병력이 없는 환자에서 대부분이 양성이고 그 중에서도 선종(adenoma)이 제일 흔하기 때문에 임상적으로 문제가 되지 않는다. 그러나 암 환자에서 우연히 발견되면 전이암의 가능성이 있기 때문에 적절한 영상의학적 검사를 시행하여 전이암을 감별해야 한다. 전이암일 경우 전신질환으로 간주되기 때문에 제4 병기에 해당되며 예후가 나쁘다. 그러므로 영상의학적 검사 별로 검사 방법과 소견을 파악하는 것이 중요하다.

1) 단순 복부 촬영 Plain abdomen radiograph

선종과 전이암의 감별에 전혀 도움이 되지 않기 때문에 시행하면 안 된다. 가끔 양성 질환에서 보이는 석회화 또는 지방 조직이 보일 수 있지만 대개는 종양의 크기가 큰 경우에 해당된다.

2) 초음파검사 Ultrasonography

부신 종양의 크기가 3 cm 이하인 경우 대부분 초음파검사로 병변을 발견할 수 없다. 그러므로 역시 선종과 전이암의 감별 진단을 위해서 초음파검사는 적절하지 않다. 그러나 종괴가 큰 경우(>3 cm)는 초음파검사에서 발견할 수 있어서 조직 검사 바늘이 종괴에 닿도록 도움을 줄 수 있다.

3) 전산화단층촬영 Computed tomography

암환자에서 치료 후 추적 검사로 전산화단층촬영(CT)에서 우연히 비기능성 부신 종괴가 발견될 수 있다. 이런 경우 전이암과 부신 선종의 감별이 환자의 치료와 예후를 결정하는 데 중요하다. 전이암인 경우는 항암약물 치료와 부신적출술을 고려해야 하고 예후가 불량하지만

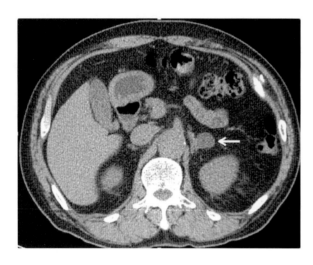

그림 68-1 | 부신 선종으로 진단받은 70세 남자

좌측 부신에서 발생한 선종(화살표)이 조영 전 CT에서 보인다. 종양 내의 감쇄계수는 1 HU으로 측정되기 때문에 지질이 풍부한 선종으로 확진할 수 있다.

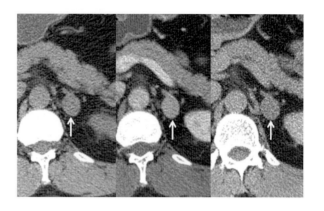

그림 68-2 | 부신 선종으로 진단받은 49세 남자

환자는 좌측 신장의 신세포암으로 수술을 받았는데 수술 전에 시행한 CT 에서 좌측 부신에 선종(화살표)이 발견되었다. 조영전 CT(왼쪽 사진)에서 는 종괴 내의 감쇄계수가 28 HU로 측정되어 전이암을 배제할 수 없었다. 조영후 CT를 시행했고 1분(중간 사진)과 15분(우측 사진) CT에서 각각 100 HU, 38 HU로 측정되어서 APW와 RPW가 각각 86%와 62%이기 때문에 전이암은 아니고 지질이 적은 선종으로 진단할 수 있었다.

선종은 아무 치료 없이 2년 동안 6개월 간격으로 추적검사를 시행하기만 하면 된다.

선종은 CT와 MRI검사로 대부분 진단이 가능하며 조직검사를 거의 시행하지 않는다. 조영전 CT에서 부신에 종괴가 발견되면 병변 내의 감쇄계수(attenuation number)를 측정한다. 감쇄계수가 10 HU 이하로 측정되면 영상의학적으로 지질이 풍부한 선종(lipid-rich adenoma)으로 진단할 수 있다(그림 68-1). 그러나 조영전 CT에서 감쇄계수가 10 HU보다 크면 정맥조영제를 투여하여 두 차례 조영증강 CT를 시행해야 한다. 조영제를 정맥 주사 후 1분과 15분에 각각 CT를 시행하여 absolute percentage wash-out (APW)와 relative percentage wash-out (RPW)를 계산한다. APW와 RPW의 계산방법은 다음과 같다.

APW =(1분 CT의 종괴 감쇄계수~15분 CT의 종괴 감쇄계수)×100 /(1분 CT의 종괴 감쇄계수~조영전 CT의 종괴 감쇄계수)

RPW =(1분 CT의 종괴 감쇄계수~15분 CT의 종괴 감쇄계수)×100 /(1분 CT의 종괴 감쇄계수)

선종은 전이암과 비교하여 조영 증강이 빠르게 되었다가 빠르게 감소하기 때문에 APW와 RPW가 각각 60%와 40%를 넘는다(그림 68-2).[1-3] 그러므로 15분 CT에서 APW와 RPW가 각각 60%와 40%를 넘지 않는다면 암환자에서 전이암의 가능성을 배제할 수 없기 때문에 PET-CT 또는 조직검사를 시행해야 한다(그림 68-3). 그러나 15분 CT를 5~10분에 촬영하면 기준치(threshould)가 APW와 RPW는 40~50%, 30~40% 정도로 내려간다.[4,5] 그러므로 지연기 CT (delayed enhanced CT)의 시행 시간에 따라서 기준치를 다르게 적용해야 한다.[6] 신장암, 간암 등의 과혈관성 전이암은 드물게 선종과 유사하여 APW와 RPW가 각각 60%와 40%를 넘을 수 있음을 유념해야 한다.[7]

4) 자기공명영상술 Magnetic resonance imaging

선종과 전이암을 구분하는데 자기공명영상술(MRI)도 사용되지만 CT검사보다 정확도가 떨어지기 때문에 CT 검사가 어려운 임산부, 신기능저하자, 방사선 피폭을 원

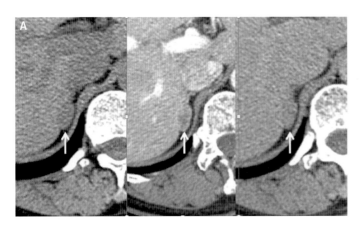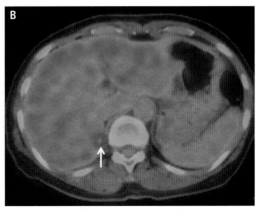

그림 68-3 | 부신 전이암으로 진단 받은 59세 여자

A. 폐암에서 전이한 전이암(화살표)이 우측 부신에서 보인다. 이 종양은 APW와 RPW가 각각 -10%와 -3%로 계산되기 때문에 선종이 아니다. B. PET-CT에서 우측 부신에 있는 전이암(화살표)은 간보다 당대사 섭취율이 높아서 전이암의 가능성이 높다.

치 않거나 CT조영제 부작용 등이 있는 환자에서 쓰일 수 있다.

물과 지방의 공명주파수의 차이를 이용하여 in-phase 와 opposed phase의 화학전이(chemical shift) MRI를 시행한다. 그러므로 지질이 적은 선종(lipid-poor adenoma)일수록 선종에 대한 MRI의 민감도가 낮다. 조영 전 CT 에서 20 HU 이하로 측정되는 선종은 거의 100% 진단이 가능하지만 30 HU이 넘으면 70% 정도로 감소하고 40 HU이 넘으면 진단이 거의 어렵다. 선종과 전이암을 구분하는 지표로 Adrenal to spleen ratio (ASR)과 Signal intensity index (SII)가 주로 쓰이며 정의는 다음과 같다.

$$\mathbf{ASR} = (SI_{AO}/SI_{SO})/(SI_{AI}/SI_{SI})$$

$$\mathbf{SII} = (SI_{AI} - SI_{AO}) \cdot 100/SI_{AI}$$

SI_{AI} = In phase chemical shift MR image의 부신 종괴 신호강도

SI_{SI} = In phase chemical shift MR image의 비장 신호강도

SI_{AO} = Opposed phase chemical shift MR image 의 부신 종괴 신호강도

SI_{SO} = Opposed phase chemical shift MR image의 비장 신호강도

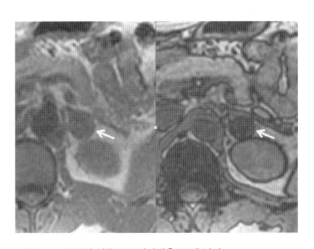

그림 68-4 | 부신 선종으로 진단받은 46세 남자

좌측 부신에서 발생한 선종(화살표)이 화학 전이(chemical shift) MRI에서 보인다. In-phase보다 opposed phase에서 주변 장기에 비해 신호감소 정도가 심하다. ASR은 0.3, SII는 45%로 계산된다.

ASR이 0.71보다 작거나, SII가 16.5%보다 클 때 선종 이라고 진단한다(그림 68-4).

5) PET-CT

부신 종괴의 SUV를 정량적으로 측정하지 않고 부신 종

괴와 간의 당대사 정도를 정성적으로 비교하여 선종과 전이암을 구분한다(그림 68-3). 부신 종괴의 당대사 정도가 간과 같거나 높으면 전이암으로 진단하고 낮으면 선종으로 진단한다. 그러나 선종 중에서 간혹 당대사 섭취율이 높아서 전이암으로 오진하는 경우가 있으므로 주의를 요한다.[8] 또한 작은 전이암 또는 괴사가 심한 전이암에서는 오히려 간보다 당대사 정도가 낮을 수 있음을 명심해야 한다.[8]

2. 기능성 선종 Functioning adenoma

부신은 조직학적으로 피질(mesoderm)과 수질(neural crest)로 구성되어 있는데 발생학적 기원은 서로 다르다. 부신피질은 바깥층부터 zona glomerulosa (aldosterone), zona fasciulata (cortisol), zona reticularis (sex hormones)의 세 층으로 구성되고 각 층마다 생산되는 호르몬이 다르다. 내분비 기능이 있는 부신 선종은 혈중 코르티솔(cortisol)이 증가되는 쿠싱증후군(Cushing's syndrome)과 혈중 알도스테론(aldosterone)이 증가하는 Conn's syndrome을 일으킨다. 특징적인 임상증상과 생화학적 검사로 진단이 가능하기 때문에 영상 검사(주로 CT)는 감별 진단보다는 수술 전에 부신 선종의 위치와 개수를 파악하기 위해 시행한다. 임상증상이 조기에 발생하여 내분비 기능이 없는 부신 선종보다 크기가 작다. 특히 Conn's syndrome을 일으키는 부신 선종은 크기가 작은 경우가 흔하기 때문에 CT에서 종괴를 놓칠 수 있으므로 부신정맥혈 채취(adrenal vein sampling)을 시행한다. 기능성 선종의 CT와 MRI 소견은 앞서 기술한 내분비 기능이 없는 비기능성 선종과 같다(그림 68-4).[9]

3. 부신비대증 Adrenal hyperplasia

증식증은 피질의 증식증(cortical hyperplasia)을 의미하며 수질의 증식증은 없다. 대부분은 ACTH 의존성 쿠싱증후군(ACTH-dependent Cushing's syndrome of pituitary or ectopic causes)에서 보이지만 Conn's syndrome 등에서도 보일 수 있다. 대개의 경우는 부신의 크기가 커지며 부신의 형태를 유지하면서 부드러운 윤곽을 보인다. 부신의 다리(Limb)의 크기가 선종과 정상에 비해서 증식증은 훨씬 크기 때문에 CT상 감별에 도움이 된다는 보고가 있다.[10] 그러나 선종(adenoma)처럼 종괴의 형태를 보일 수도 있기 때문에 감별이 어려울 수 있다. 대개는 임상증상, 생화학적 검사로 감별이 되지만 Conn's syndrome에서 증식증과 선종을 감별하기 위해 부신 정맥혈을 채취한다. 선종은 수술적으로 제거하는 것이 원칙이지만 증식증은 그 원인을 찾아서 제거하거나 내과적 치료가 우선이기 때문에 선종과의 감별은 중요하다.

부신비대증은 부신의 크기가 전반적으로 크기가 커지는 질환이지만 소결절성 증식(micronodular hyperplasia)인 경우는 정상과 감별이 어려울 정도로 크기의 증가가 미미할 수 있다. 부신이 미만적으로 커질 때 림프종(lymphoma)와 감별을 해야하지만 증식증은 대체적으로 감쇄계수가 작기 때문에 선종처럼 10 HU 이하로 측정되는 경우가 많다.[7] 조영 전 CT에서 감쇄계수가 10 HU 이하인 대결절성 증식증(macronodular hyperplasia)은 다발성 선종과 감별이 어려워진다(그림 68-5). 왜냐하면 병리학적으로 피막의 유무가 감별점이지만 영상의학적으로는 피막의 존재를 알 수 없으며 피질 세포 내의 지질의 양은 비슷하기 때문이다.

4. 부신 낭종 Adrenal cyst

부신 낭종은 비교적 드물고 84%가 endothelial cyst 또는 pseudocyst이다. CT검사에서 내부에 물과 같은 음영을 보이고 낭벽에 석회화 소견이 있을 수도 있다.[11] 낭액내 성분에 따라서 CT와 MR상 감쇄계수와 신호강도

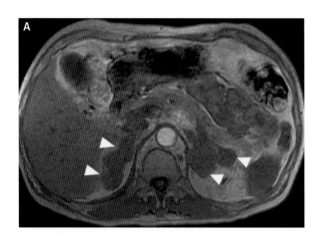

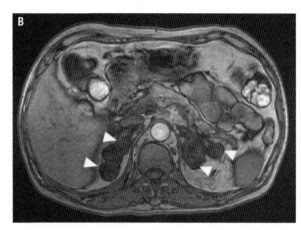

그림 68-5 │ 부신 비대증으로 진단받은 56세 남자
A. 쿠싱증후군이 있는 환자의 in-phase MR에서 양측 부신에 여러 개의 종양(화살촉)이 있다. **B.** Opposed MR에서 이 종양(화살촉)은 모두 신호 감소가
현저하여 세포질 내에 지질이 풍부할 것으로 판단된다. 쿠싱증후군을 없애기 위해 양측 부신의 부분 절제술을 시행했고 macronodular and micronodular
hyperplasia로 진단되었다. 부신 비대증의 결절은 마치 선종과 유사한 MR 소견을 보일 수 있다.

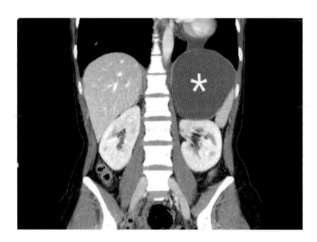

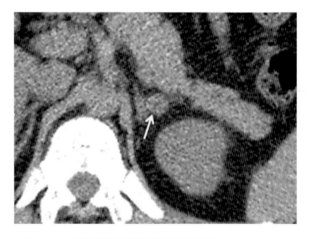

그림 68-6 │ 부신 낭종으로 진단 받은 25세 여자
좌측 부신에 낭종(별표)이 우연히 조영 증강 CT에서 발견되었다. 종괴 내
의 액체는 물과 비슷한 감쇄 계수를 보이며 낭벽이 얇다. 고형조직, 석회
화, 격벽 등은 보이지 않는다. 상복부 불쾌감이 있어서 제거하였고 endo-
thelial cyst로 확진되었다.

그림 68-7 │ 부신 출혈로 진단 받은 20세 남자
좌측 부신에 감쇄 계수가 45 HU인 혈종(화살표)이 조영 전 CT에서 보인
다. 환자는 교통사고로 CT검사를 받았으며 우연히 혈종이 발견되었다.

가 달라질 수 있으므로 조영증강을 시행하여 고형 종괴
와 감별해야 한다(그림 68-6). 대부분 양성이기 때문에 증
상이 없는 경우 수술을 시행할 필요는 없다.

5. 부신 출혈 Adrenal hemorrhage

부신 내의 출혈은 외상, 항혈액응고치료(anticoagulation
therapy), 패혈증, 수술 등과 같은 강한 스트레스 상황에
서 발생한다.[12] 외상은 부신 출혈의 원인 중 가장 흔하

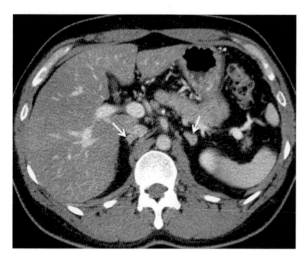

그림 68-8 | 애디슨병으로 진단 받은 29세 남자

호르몬 검사에서 애디슨병이 의심되어 시행한 CT에서 양측 부신의 정상적인 다리가 안보이고 몸통(화살표)이 대상성으로 커져 있다. 원인이 명확하지 않지만 자가면역질환에 의해서 발생한 애디슨병으로 판단하고 있다.

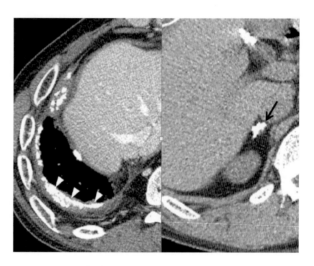

그림 68-9 | 부신 결핵으로 진단받은 61세 남자

조영후 CT(왼쪽 사진)에서 과거 결핵성 흉막염을 앓아서 우측 흉막(화살촉)의 비후와 석회화가 있다. 조영전 CT(오른쪽 사진)에서 우측 부신(화살표)에는 정상 조직은 없고 석회화만 보인다.

며 전체의 80%을 차지한다.[13] 약 20%에서 양측으로 발생하지만 이로 인한 부신의 기능 부전은 매우 드문 것으로 알려졌다. CT상에서 부신 출혈은 고음영의 종괴로 보일 수 있으며 시간이 지남에 따라서 음영이 감소한다(그림 68-7). MRI상에서 methemoglobine에 의해서 T1WI에서 고신호강도(아급성출혈 시)를 보일 수 있으며 T2WI에서 hemosiderin의 침착으로 종괴의 가장 자리에 저신호강도(만성출혈 시)의 띠를 볼 수 있다. 이와 같이 부신 출혈은 시간에 따라서 영상 소견이 변한다는 것을 숙지해야 한다.[13]

6. 애디슨병 Addison's disease

애디슨병은 정상 부신이 90% 이상 파괴되었을 때 나타나는 부신기능부전증(adrenal insufficiency)을 의미한다. 전세계적으로 가장 흔한 원인 질환으로는 결핵이지만 선진국에서는 자가면역질환이 더 흔하다. 자가면역질환에 의한 애디슨병은 CT검사에서 부신의 크기가 작은 것

이 특징이다(그림 68-8).[14] 다른 원인 질환은 종양, 출혈, 감염 등이다. 이런 경우에는 흔히 부신이 커지기 때문에 자가면역질환과의 감별에 도움을 줄 수 있다.[15] 결핵을 포함한 육아종증(granulomatous lesions) 또는 출혈 등이 발생하면 초기에 부신이 커졌다가 시간이 지나면서 크기가 감소하고 석회화가 발생할 수 있다.[13] 그러나 애디슨병은 임상증상, 혈액화학적 분석에 의해서 진단되며 영상 소견으로 진단을 내릴 수 없다.

7. 부신 감염 Adrenal infection

결핵, histoplasmosis, blastomycosis 등의 감염 질환이 부신에서 발생할 수 있다. 특징적으로 이런 질환들은 초기에 부신 종대(adrenal enlargement)를 일으키고 만성기에는 부신이 작아지고(atrophy) 석회화가 생길 수 있다(그림 68-9). 이런 부신 감염이 심할 경우에는 부신 기능의 부전이 발생할 수 있다.[13]

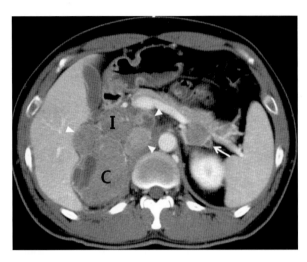

그림 68-10 | 부신피질암으로 진단받은 36세 남자

조영 후 CT에서 우측 부신에 괴사를 포함한 피질암(C)이 있으며 하대 정맥(I) 내로 침범하여 혈전을 형성하고 있다. 주변에는 전이된 림프절(화살촉)이 있고 좌측 부신(화살표)에도 전이되었다.

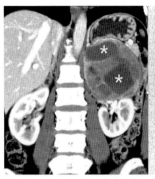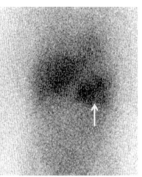

그림 68-11 | 갈색세포종으로 진단 받은 44세 여자

조영 후 CT에서 다수의 낭성변화(별표)를 보이는 갈색세포종이 좌측 부신에서 보인다. I-131 MIBI스캔에서도 좌측 부신에서 발생한 갈색세포종(화살표)이 잘 보인다.

8. 부신 석회화 Adrenal calcification

부신 석회화는 결핵, histoplasmosis, hematoma, adrenal cyst, 피질암 등에서 발생할 수 있다(그림 68-9).

9. 부신피질암 Adrenal cortical carcinoma

약 5~10%에서 cortisol을 분비하여 Cushing's syndrome을 일으킬 수 있다. 피질암은 진단 당시 크기가 대개 6 cm이 넘게 측정되나 약 15%에서 6 cm 이하로 발견되기 때문에 선종과 감별을 요한다. CT검사에서 피질암은 괴사 또는 석회화 때문에 비균질적으로 보이며 림프절, 간, 폐, 뼈 등으로 전이를 할 수 있다(그림 68-10). [9] 하대정맥 또는 주변 장기를 직접 침범하기도 한다. 전이암과 마찬가지로 APW와 RPW가 각각 60%와 40%를 넘지 않는다. 초음파 또는 MRI가 주변 장기의 침범 여부를 확인하는 데 도움을 준다.

10. 갈색세포종 Pheochromocytoma

부신의 수질에 있는 paraganglionic chromaffin cell에서 발생하는 종양으로 epinephrine과 norepinephrine을 분비하여 고혈압, palpitation, sweating 등의 임상증상을 일으킬 수 있으나 약 9% 정도에서 우연히 발견되기도 한다. 10%에서 양측으로 발생하며 10%에서 악성 갈색세포종으로 발생한다.

CT검사에서 내부에 괴사 또는 낭성 변화가 흔히 보이며 조영증강이 강하게 되는 경향이 있다(그림 68-11). 1분 CT에서 괴사 또는 낭성 변화로 보이는 부분의 상당 수가 myxoid degeneration이며 15분 CT에서 지연 조영증강을 보인다.[16] 대체로 부신 선종보다는 크며 평균 5 cm 정도로 측정된다. 약 12%에서 종괴내 석회화를 발견할 수 있다.[17] 일부 갈색세포종은 마치 선종과 같이 조영증강이 되어 APW와 RPW가 각각 60%와 40%를 넘을 수 있다.[16]

MR의 T2WI에서 흔히 물과 비슷한 고신호 강도를 보이지만 일부에서는 오래된 출혈 또는 석회화로 인하여 저신호 강도를 보일 수 있다.[17]

11. 골수지방종 Myelolipoma

대개는 임상증상을 일으키지 않으며 우연히 CT검사에서 발견된다. 종양 내부에 지방 조직이 풍부하기 때문에

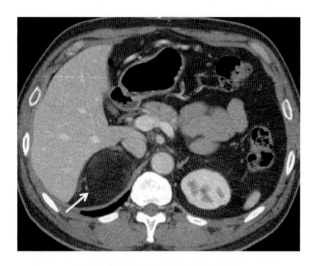

그림 68-12 │ 골수지방종으로 진단 받은 59세 남자
조영 후 CT에서 지방조직이 종양의 대부분을 차지하는 골수지방종(화살표)이 우측 부신에서 보인다. 내분비 증상이 없고 악성 변화가 없기 때문에 CT로 진단을 내리면 조직 검사, 수술 등의 치료가 필요 없다.

조영증강전 CT에서 피하 지방과 비슷한 저음영의 종괴이며 감쇄계수가 -30 HU 이하로 측정되면 진단이 가능하다(그림 68-12).[18] 악성화 또는 전이가 없기 때문에 영상의학적 검사상 진단이 내려지면 수술적인 치료가 필요 없지만 종괴에 의한 압박감, 통증 등을 호소할 경우 치료의 적응증이 된다.

12. 신경절종 Ganglioneuroma

원래는 sympathetic ganglia에서 발생하는 양성 종양이며 20~30% 정도가 부신에서 발생한다. neuroblastoma와 비슷한 영상 소견을 보이나 10% 정도만 소아에서 발생한다. 조영전 CT와 MRI에서 풍부한 점액물질 때문에 간혹 낭성 종괴로 오인할 수 있다(그림 68-13). 특징적으로 주변 근육의 감쇄계수보다 낮은 경우가 많다. 조영증강시 흔히 비균질적이며 특징적으로 15분 CT에서 지속적인 조영증강을 보일 수 있다.[15,19]

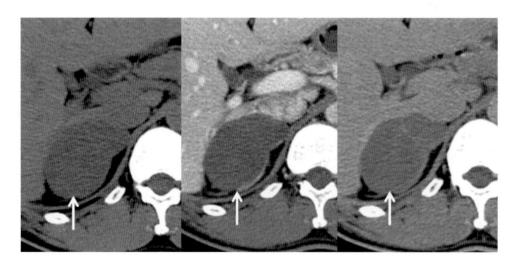

그림 68-13 │ 신경절종으로 진단 받은 35세 남자
조영 전 CT(왼쪽 사진)에서 근육보다 음영이 낮은 신경절종(화살표)이 우측 부신에 있으며 감쇄 계수가 32 HU로 측정된다. 조영후 1분(중간 사진)과 15분(오른쪽 사진) CT에서 종양(화살표)이 조영증강이 서서히 되면서 감쇄 계수가 38 HU, 44 HU로 증가한다.

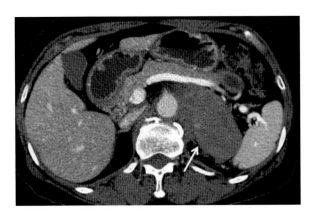

그림 68-14 | 림프종으로 진단받은 63세 여자
조영 후 CT에서 림프종(화살표)이 좌측 부신에서 보인다. 종양은 균질한 고형 종괴로서 약한 조영증강을 보이며 횡격막과 대동맥을 침범하고 있다.

13. 림프종 Lymphoma

산발 림프종(Secondary lymphoma)이 원발성 림프종(primary lymphoma)보다 흔하며 주로 Non-Hodgikin lymphoma에 의해서 발생한다. CT검사에서 편측 또는 양측의 균질적인 고형 종괴이며 부신의 형태를 유지하면서 종괴가 형성되면 부신 증식증과 유사하게 보일 수 있다(그림 68-14).[20] 림프종은 부신에 미만성으로 종괴를 형성하며 조영 전 CT에서 감쇠계수가 높다. 또한 주변 후복막강의 균질성 고형종괴, 림프절 종대, 간비대, 비장

비대 등의 이차적인 소견이 대개 동반되기 때문에 감별이 어렵지 않다. 조영증강 CT검사상에서는 균질적이며 약한 조영증강을 보인다.

14. 비기능성 부신 종양의 진단 흐름도
Diagnostic Flow

우연히 부신종괴가 발견되면 소변과 혈액 검사를 시행하여 기능성 또는 비기능종양인지를 먼저 확인해야 한다(그림 68-15). 왜냐하면 드물게 기능(성)종양 중에 임상증상이 불명확하여 우연히 발견되는 경우가 있기 때문이다. 비기능종양인 경우에 조영전 CT를 시행하여 감쇠계수를 측정하고 10 HU 이하면 선종으로 간주하여 더 이상의 검사는 하지 않는다(그림 68-1). 10 HU가 넘으면 정맥 조영제를 투여하여 1분과 15분에 CT검사를 시행한다. APW 또는 RPW가 60% 또는 40%를 넘으면 선종으로 간주한다(그림 68-2). CT검사에 적응이 되지 않는 환자에서 MRI를 시행하여 ASR, SII를 시행하여 각각 0.71보다 작거나 16.5%보다 크면 선종으로 간주한다(그림 68-4). CT 또는 MRI로 선종의 진단을 받지 못한 환자는 PET CT를 시행하여 조직 검사의 필요성을 조사한다(그림 68-3).

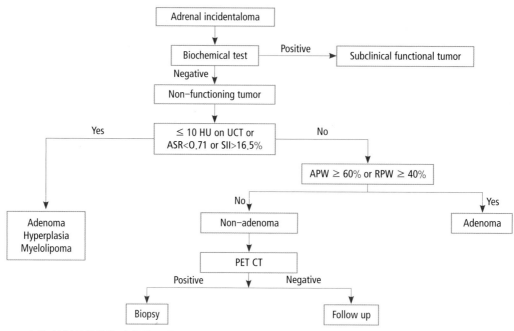

그림 68-15 | 비기능성 부신 종양을 진단하는 흐름도

UCT~조영전 CT (Unenhanced CT), ASR~adrenal to spleen ratio, SII~signal intensity index, APW~absolute percentage wash-out, RPW~relative percentage wash-out

REFERENCES

1. Caoili EM, Korobkin M, Francis IR, Cohan RH, Dunnick NR. Delayed enhanced CT of lipid-poor adrenal adenomas. AJR Am J Roentgenol 2000;175:1411-5.

2. Caoili EM, Korobkin M, Francis IR, et al. Adrenal masses: characterization with combined unenhanced and delayed enhanced CT. Radiology 2002;222:629-33.

3. Park BK, Kim CK, Kim B, Lee JH. Comparison of delayed enhanced CT and chemical shift MR for evaluating hyperattenuating incidental adrenal masses. Radiology 2007;243:760-5.

4. Blake MA, Kalra MK, Sweeney AT, et al. Distinguishing benign from malignant adrenal masses: multi-detector row CT protocol with 10-minute delay. Radiology 2006;238:578-85.

5. Kamiyama T, Fukukura Y, Yoneyama T, Takumi K, Nakajo M. Distinguishing adrenal adenomas from nonadenomas: combined use of diagnostic parameters of unenhanced and short 5-minute dynamic enhanced CT protocol. Radiology 2009;250:474-81.

6. Park BK, Kim CK, Kim B. Adrenal incidentaloma detected on triphasic helical CT: evaluation with modified relative percentage of enhancement washout values. Br J Radiol 2008;81:526-30.

7. Park BK, Kim B, Ko K, Jeong SY, Kwon GY. Adrenal masses falsely diagnosed as adenomas on unenhanced and delayed contrast-enhanced computed tomography: pathological correlation. Eur Radiol 2006;16:642-7.

8. Park BK, Kim CK, Kim B, Choi JY. Comparison of delayed enhanced CT and 18FDG-PET/CT in the evaluation of adrenal masses in oncology patients. J Comput Assist Tomogr 2007;31:550-6.

9. Rockall AG, Babar SA, Sohaib SA, et al. CT and MR imaging of the adrenal glands in ACTH-independent cushing syndrome. Radiographics 2004;24:435-52.

10. Lingam RK, Sohaib SA, Vlahos I, et al. CT of primary hyperaldosteronism(Conn's syndrome): the value of measuring the adrenal gland. AJR Am J Roentgenol 2003;181:843-9.

11. Tung GA, Pfister RC, Papanicolaou N, Yoder IC. Adrenal cysts: imaging and percutaneous aspiration. Radiology 1989;173:107-10.

12. Burks DW, Mirvis SE, Shanmuganathan K. Acute adrenal injury after blunt abdominal trauma: CT findings. AJR Am J Roentgenol 1992;158:503-7.

13. Mayo-Smith WW, Boland GW, Noto RB, Lee MJ. State-of-the-art adrenal imaging. Radiographics 2001;21:995-1012.

14. Doppman JL, Gill JR, Jr., Nienhuis AW, Earll JM, Long JA, Jr. CT findings in Addison's disease. J Comput Assist Tomogr 1982;6:757-61.

15. Kawashima A, Sandler CM, Fishman EK, et al. Spectrum of CT findings in nonmalignant disease of the adrenal gland. Radiographics 1998;18:393-412.

16. Park BK, Kim CK, Kwon GY, Kim JH. Re-evaluation of pheochromocytomas on delayed contrast-enhanced CT: washout enhancement and other imaging features. Eur Radiol 2007;17:2804-9.

17. Quint LE, Glazer GM, Francis IR, Shapiro B, Chenevert TL. Pheochromocytoma and paraganglioma: comparison of MR imaging with CT and I-131 MIBG scintigraphy. Radiology 1987;165:89-93.

18. Palmer WE, Gerard-McFarland EL, Chew FS. Adrenal myelolipoma. AJR Am J Roentgenol 1991;156:724.

19. Park BK, Kim CK, Kim B, Kwon GY. Adrenal tumors with late enhancement on CT and MRI. Abdom Imaging 2007;32:515-8.

20. Dunnick NR. Hanson lecture. Adrenal imaging: current status. AJR Am J Roentgenol 1990;154:927-36.

부신의 핵의학 영상진단

Scintigraphic Imaging of the Adrenal Glands

❙ 서울대학교 의과대학 핵의학과 **천기정**

핵의학 영상은 사용하는 방사성의약품의 특성에 따라 병소에 특이적으로 방사능집적이 일어나는 것을 보여주는 영상검사법이다. 방사선을 이용한 해부영상에 비해 병태생리기능을 영상으로 보여주어 기능영상(functional imaging)이라 부르며, 부신피질, 부신수질, 그 외 신경외배엽 기원 질환의 진단과 치료에 있어서도 중요한 역할을 하고 있다. 임상적인 추정진단, 생화학 검사, 영상 검사, 체내 생리기능에 대한 이해가 정확한 진단과 질병의

국소화에 필수적이다. 핵의학 영상은 부신의 질환이나 신경내분비 종양이 의심되는 환자를 평가할 때 병태생리 정보를 제공한다. 최근에는 SPCET/CT, PET/CT와 같이 방사선 영상기기와 핵의학 영상기기가 융합된 하이브리드 장비가 개발되어 단독 핵의학 영싱징비의 단점을 보완해주고 있다.

핵의학 영상에 사용되는 방사성의약품은 생리적/병리적 상태를 나타내는데 매우 예민하여 해부영상에서 보이는 부신의 형태 이상이 기능적으로 정상인지 비정상인지를 구별할 수 있고, 부신의 이상이 한쪽인지 양쪽인지를 구별하는데 도움을 줄 수 있다.

부신과 신경내분비계의 영상에 흔히 사용되는 방사성의약품은 표 69-1과 같다.

표 69-1 ❙ 부신과 신경내분비계의 영상에 흔히 사용되는 방사성의약품

Tissue	Radiopharmaceutical Agent
Adrenal cortex	^{131}I 6β–iodomethylnorcholesterol (NP–59) ^{18}F FDG
Neuroectodermal tissues Pheochromocytoma	^{131}I/^{123}I–MIBG ^{111}In octreotide ^{18}F FDG
Neuroblastoma	^{131}I/^{123}I–MIBG ^{18}F FDG
Carcinoid	^{131}I/^{123}I–MIBG ^{111}In octreotide
Medullary thyroid carci-noma	^{131}I/^{123}I–MIBG ^{111}In octreotide ^{99m}Tc(V) DMSA ^{18}F FDG

1. 부신피질

1) 방사성의약품

부신피질에서 생산되는 호르몬의 전구물질인 콜레스테롤에 방사성동위원소를 표지하여 부신피질 영상에 사용하고 있다. 우리나라에서는 ^{131}I NP-59 (6β-iodo-methyl-19-norcholesterol)를 사용한다. ^{131}I NP-59는 정맥주사 후

빠르게 혈장 지질단백, 주로 저밀도 지질단백(LDL)에 분포되어 저밀도 지질단백과 같은 양상으로 조직에 들어간다. 조직에 들어간 ^{131}I NP-59는 에스테르화되지만, pregnenolone으로 대사되지는 않아 조직내 콜레스테롤의 축적을 영상으로 나타내는 추적자가 된다. 방사성추적자를 운반하는 저밀도 지질단백의 생물학적 반감기가 약 2~3일로 길고, 방사선표지 콜레스테롤의 장간 재순환에 의해 영상에서 장과 간의 방사능이 높게 나타난다. 부신에 축적되는 방사능이 혈액풀과 배후방사능에 비해 충분히 높아지도록 주사 후 3~14일의 지연영상이 필요하다.

2) 부신피질영상

(1) 적응증

[131]I NP-59 영상은 쿠싱증후군, 일차알도스테론증, 부신성호르몬과잉증 환자의 종양(선종)과 양측 과다형성을 구별하는데 유용하다. 또한, 부신절제술 후 기능을 가진 부신 잔유물을 찾을 수 있고, 방사선 영상에서 우연히 발견된 부신 덩이(우연종)를 평가하는 데 사용할 수 있다. 부신피질자극호르몬(ACTH) 자극과 함께 ^{131}I NP-59 영상을 수행하여 기능이 억제된 부신을 평가하는 데 사용할 수 있다.

쿠싱증후군을 가진 환자는 혈청 코르티솔 농도가 증가되어 있거나, 24시간 소변 유리 코르티솔 농도가 증가되어 있거나, 정상 혹은 낮은 부신피질자극호르몬 농도를 보이거나, 야간 덱사메타손억제검사에서 이상을 보인다. 소변 17-케토스테로이드가 증가되어 있다면 부신피질암을 의심해야 한다. 혈청 부신피질자극호르몬이 증가되어 있다면 부신피질자극호르몬 의존성 쿠싱증후군을 의미하며 부신피질 영상은 적응이 되지 않는다. 검사소견에서 쿠싱증후군이 부신피질자극호르몬 의존성인지 비의존성인지가 불명확하다면 ^{131}I NP-59 영상은 병태생리 상태를 명확히 하는 데 도움을 줄 수 있다.

일차알도스테론증 환자는 낮은 혈청 칼륨 농도, 알칼리증, 억제된 혈장 레닌 활성도, 증가된 혈장 알도스테론 농도를 보인다.

우연히 발견된 부신 덩이를 가진 환자가 정상 혈압과 혈청 칼륨 농도를 보인다면 ^{131}I NP-59 영상 전에 다른 검사를 할 필요가 없다. 고혈압이나 저칼륨혈증이 있다면 원인에 대해 더 자세한 검사를 필요로 한다. 갈색세포종을 배제하기 위해 24시간 소변 카테콜아민이나 카테콜아민 대사물을 측정할 필요가 있다.

(2) 환자 전처치

방사성의약품의 부신 섭취에 영향을 주는 약물을 금해야 한다(표 69-2).

[131]I NP-59 주사 후 3~5일째 영상을 얻으며 필요에 따라 7일 이후까지 영상을 얻을 수도 있다. 유리방사성요오드에 의한 갑상선의 장해를 예방하기 위해 요오드화 칼륨(SSKI) 용액을 ^{131}I NP-59 주사 전 1~2일부터 일주일간 한 방울씩 하루 세 번 투여하여야 한다. 요오드에

표 69-2 | 방사성의약품의 부신 섭취에 영향을 주는 약물

Adrenal	Scan appearance
Inner cortex (zona fasciculate-reticularis)	
Adrenocorticoids	↓ uptake
Dexamethasone	
Metabolic inhibitors	
Aminoglutethimide	
Metyrapone	
Op'DDD	↓ uptake
Exogenous ACTH	↑ uptake
Outer cortex (zona glomerulosa)	
Antihypertensives	
Propranolol	↓ uptake
All diuretics	↑ uptake
Antagonists	
Spironolactone	↓ uptake
All oral contraceptives	↑ uptake
Excessive salt intake	↓ uptake
General	
Cholesterol-lowering agents	↑ uptake
Hypercholesterolemia	↓ uptake

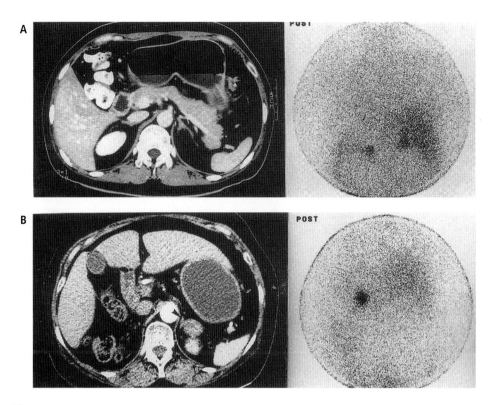

그림 69-1 | ^{131}I NP-59 영상(posterior planar image)과 복부 CT영상: **A.** 양측 부신 증식, **B.** 좌측 부신 선종.

알레르기가 있는 환자에게는 potassium perchlorate (200 mg 매 8시간마다)를 주사 전날부터 10일간 투여한다. 첫 영상을 얻기 36~48시간 전부터 약한 완하제(5~10 mg bisacodyl)를 투여하여 장의 방사능을 줄이는 것이 좋다.

일차성 고알도스테론증이나 부신 성호르몬과잉증이 의심되는 환자는 덱사메타손 4 mg (1 mg 매 6시간마다)을 주사 7일 전부터 영상을 찍는 5일 동안 투여하여야 한다. 이 병소는 크기가 작아 글루코코르티코이드로 주위의 ACTH-의존 조직을 억제하기 위해서이다.

기능항진인 부신 선종에 의해 억제된 반대쪽 부신조직을 영상하거나, 자가면역 부신 기능이상을 가진 환자의 기능저하 부신을 영상하거나, 부신절제술을 받은 환자를 영상할 때 ACTH 주사 후 영상한다.

(3) 영상법
^{131}I NP-59 0.5~1.0 mCi를 서서히 정맥주사하고, 수일

후에 영상을 얻는다. 부신기능이 정상이거나 쿠싱증후군 환자에서는 5~7일째 영상을 얻는다. 덱사메타손 억제 중인 환자에서는 3, 4, 5일째 영상을 얻는다. 가능하다면 5일째 데사메타손 억제를 중단하고 7일째 영상을 추가로 얻는다.

(4) 영상해석
^{131}I NP-59 영상에서 부신, 간, 담낭, 대장, 위 등이 방사능섭취를 보인다. 부신 방사능은 대칭이거나 오른쪽이 약간 높게 나타난다. 정상 부신의 방사능은 주사 후 1일째부터 나타나지만 높은 배후 방사능 때문에 적어도 4일이 지나야 구별된다. 덱사메타손을 복용 중이라면 정상 부신은 5일 이전에는 보이지 않는다.

ACTH 의존 쿠싱증후군 환자에서 세가지 형태로 보일 수 있다. 한쪽에서만 섭취가 나타난다면 반대쪽 부신을 억제하고 있는 기능을 가진 선종을 의미한다. 양쪽

모두 보이지 않는다면 글루코코르티코이드를 분비하는 부신피질 기원의 암을 뜻한다. 양쪽이 모두 보이며 비대칭적으로 보이는 것은 ACTH-비의존성 결절 피질 증식증으로 알려진 드문 경우이다(그림 69-1).

일차 고알도스테론증 환자에서 증식증이나 선종은 매우 작아 정상 부신피질조직에 의해 가려질 수 있다. 하지만 적절하게 덱사메타손으로 억제하여 영상을 얻으면 알도스테론을 과잉생산하는 조직을 국소화할 수 있으며 정확도와 특이도는 약 90%에 달한다. 주사 5일 후 양쪽이 모두 보이면 정상 조직이 영상화된 것으로 진단적이지 않다. 주사 후 5일 이내에 한쪽이 보인다면 선종을 시사하며 매우 드물게 광물부신피질호르몬을 분비하는 암일 수 있다. 주사 후 5일 이내에 양쪽이 보이면 zona glomerulosa 증식에 의한 양측 피질 과기능을 시사한다. 컴퓨터단층촬영술은 1 cm 이상의 선종에서 예민도가 높지만, 방사선영상에서 병변을 찾지 못했을 경우에는 ^{131}I NP-59 영상을 사용한다.

부신 성호르몬과잉증 환자에서도 같은 형태로 해석할 수 있다. 덱사메타손 억제상태에서 양쪽이 늦게 보이면 정상 부신을 나타내며 난소나 부신외 병소를 시사한다. 한쪽 부신이 일찍 나타나면 부신 성호르몬을 분비하는 선종을 뜻하고, 양쪽이 모두 일찍 보이면 양측 증식을 의미한다.

컴퓨터단층촬영술이나 자기공명영상에서 우연히 발견된 부신의 덩이(우연종)는 다음의 세 가지 유형으로 나눌 수 있다. 우연종에 ^{131}I NP-59의 섭취를 보이는 경우는 양성 선종의 가능성이 크다. 우연종에 ^{131}I NP-59 섭취가 없는 경우는 공간점유병소나 파괴과정을 동반한 병변을 의미한다. 원발 혹은 전이암이 절반을 차지하고 낭종, 지방종, 림프종, 출혈 혹은 염증병소 등에서도 이런 형태를 보인다. 양쪽이 동일하게 정상섭취를 보이는 경우는 크기가 작은 덩이(<2 cm)에서 나타난다. 덩이의 크기가 2 cm 이상이며 ^{131}I NP-59의 동일한 섭취를 보인다면 덩이가 부신일 가능성보다는 다른 장기에서 시작된 것임을 나타낸다.

우연종의 평가에 있어서 포도당대사를 영상으로 보여주는 18FDG-PET 검사가 악성과 양성을 구별하는데 유용하게 사용된다.

2. 부신 수질 및 기타 신경외배엽

신경내분비종양(neuroendocrine tumor)은 내분비세포에서 기원한 이질적인 종류의 종양들로 생체 아민과 폴리펩티드 호르몬을 생산하는 능력과 분비과립의 존재가 특징이다. 이들 종양은 갑상선이나 췌장의 내분비세포, 호흡기계 및 위장관의 내분비세포, 부신수질, 뇌하수체, 부갑상선 등의 내분비선에서 기원한다. 아민 전구물질 섭취 및 탈카르복실화(amine precursor uptake and decarboxylation, APUD)라는 대사과정과 밀접한 관련이 있기 때문에 APUDoma라 불리기도 하였다. 최근의 연구에 의하면 다능성줄기세포나 분화된 신경내분비세포가 이 종양의 기원으로 생각된다. 가장 흔히 발생하는 곳은 위장관, 췌장, 기관지/폐이며, 그 외 피부, 부신, 갑상선, 생식관 등이다.

초음파촬영술, 내시경검사, 컴퓨터단층촬영술, 자기공명영상과 같은 해부영상은 병소의 위치, 형태, 수 등을 보는데 유용하지만, 신경내분비종양의 기능적 상태를 알려주지는 못한다. 핵의학 영상은 기능영상으로 질병의 병기에 대한 정확한 정보 제공, 숨은 종양의 영상화, 소마토스타틴 유사체를 이용한 치료 가능성에 대한 평가 등을 제공함으로써 신경내분비종양 환자의 관리에 중요한 역할을 하고 있다.

1) 방사성의약품

신경내분비종양의 세포막에 있는 펩티드 수용체와 전달체의 존재, 신경아민 섭취기전이 방사선표지 리간드를 이용한 진단과 치료의 기본이 되고 있다. 방사성요오드 표지 metaiodobenzylguanidine (^{123}I- 또는 ^{131}I-MIBG)는 카테콜아민을 분비하는 종양(갈색세포종, 부신경절종, 신경모세포종), 갑상선수질암, 카르시노이드 등을 영상하고 치료하는데 사용된 첫 방사성의약품이다. MIBG의 분자 구조는 노르에피네프린과 유사하여 노르에피네프린이 Na-에너지 의존성 아민섭취기전(1형)에 의해 재섭취되는 과정을 통해 MIBG가 아드레날린성 세포로 들어간다. 방사성요오드(^{131}I 혹은 ^{123}I)로 표지할 수 있어 진단용으로는 ^{123}I-MIBG가 주로 사용되며, ^{131}I-MIBG는 진단과 치료에 사용할 수 있다.

또한, 대부분의 신경내분비종양은 소마토스타틴 수용체를 가지므로 체내에서 방사선표지 소마토스타틴 유사체로 추적할 수 있다. 소마토스타틴은 분자량이 1,640으로 14개 아미노산을 가진 고리모양의 폴리펩티드이다. 소마토스타틴은 시상하부에서 처음 발견되었고 성장호르몬(somatotropin)을 억제하는 능력이 있어 이름이 붙여졌으나 그 후 뇌피질, 뇌간, 위장관, 췌장 등 여러 조직에서 발견되었다. 소마토스타틴의 작용은 수용체(somatostatin transmembrane receptor, SSTR)에 의해 매개된다. 수용체는 다섯 종류의 아형이 발견되었다. 1형과 2형이 종양세포에 가장 많이 존재하며 특히 2형이 소마토스타틴 유사체에 친화력이 높다.

내인성 소마토스타틴의 대사제거율이 매우 빨라 임상적으로 이용하기 위해 여러 종류의 소마토스타틴 유사체가 개발되었고, 옥트레오티드(octreotide)가 가장 널리 사용되고 있다. 옥트레오티드는 소마토스타틴수용체 2 아형에 높은 친화력을 보여 영상에 이용되고 있다.

^{111}In-pentetrotide (DTPA-D-Phe-Octreotide, Octreoscan)이 주로 사용되며, ^{111}In-DOTA-D-Phe1-Tyr3-octreotide, ^{111}In-DOTA-Lanreotide 등 여러 방사성의약품에 대한 연구가 진행 중이다. 또한 양전자방출핵종에 표지하여 PET 영상을 얻으면 더 높은 예민도와 정확도를 보일 것으로 기대하고 있다.

2) 교감부신 영상 Sympathoadrenal imaging

(1) 적응증

MIBG는 비용효과면에서 부신수질암에 대한 적절한 선별검사는 아니다. 병력, 신체진찰, 생화학 검사 및 방사선 검사에서 부신의 기능암이 의심되는 경우에서만 MIBG 혹은 다른 방사성의약품을 이용한 스캔을 이용하여야 한다. 즉, 혈장 카테콜라민이나 소변 카테콜라민 혹은 대사물질(메타네프린, VMA)의 농도 이상이 있고, 컴퓨터단층촬영술이나 자기공명영상에서 의심되는 병변이 있어야 한다.

(2) 환자 전처치

약물 사용에 대한 자세한 과거력과 현재 복용 중인 약물에 대해 파악하여야 한다. MIBG 섭취에 영향을 주는 약물을 금하여야 한다. 삼환계 항우울제, 교감신경작용제(충혈제거제, 감기약, 식이조절제), 코카인, phenothiazine, 라베탈롤, 레세르핀, 칼슘통로차단제 등을 피하여야 한다(표 69-3).

표 69-3 | **MIBG 섭취에 영향을 주는 약물**

Drug	Effects on Hormone Levels	Effect on MIBG Scan
Tricyclic anti-depressants	↓ catecholamines	↓ uptake
Reserpine	± catecholoamines	↓ uptake
Clonidine	↓ catecholamines	No change in uptake
α-Methylpara-tyrosine	↓ catecholamines	No change in uptake
Cocaine	Discharges catechol-amine	↓ uptake
Phenylpropa-nolamine	Discharges catechol-amine	↓ uptake
Hypoglycemia	Discharges catechol-amine	↓ uptake(?)

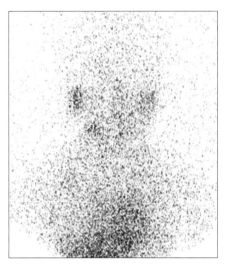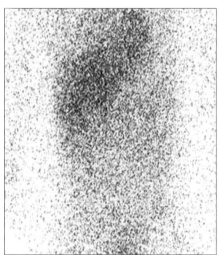

그림 69-2 | ^{131}I-MIBG 영상(anterior images). ^{131}I-MIBG는 정상적으로 침샘, 심근, 간 등에 분포.

환자는 방사성의약품에서 유리된 방사성요오드로부터 갑상선을 보호하기 위하여 MIBG 주사 1~2일 전부터 ^{123}I-MIBG는 3일간, ^{131}I-MIBG는 2주일간 potassium iodide (SSKI) 한 방울씩 하루 3회 복용하여야 한다.

(3) 영상법
^{131}I-MIBG 0.5~1 mCi 혹은 ^{123}I-MIBG 3~10 mCi를 2~3분에 걸쳐 서서히 정맥주사하고 ^{123}I-MIBG는 2일간, ^{131}I-MIBG는 3일간 매일 영상을 얻는다.

(4) 영상해석
MIBG는 부신교감신경분포가 풍부한 조직(심장, 침샘, 정상 부신수질), 분해대사 조직(간, 갑상선), 배설장기(신장, 방광, 장)에 섭취된다(그림 69-2). 정상 부신수질은 ^{123}I-MIBG 스캔에서는 약 1/5의 환자에서 보이나, ^{131}I-MIBG 스캔에서는 거의 보이지 않는다. 코인두, 눈물샘, 폐, 뇌는 간혹 보일 수 있다. 월경 주기에 따라 자궁이 보일 수 있다. 그 외에 보이는 섭취는 정상이 아니다.

MIBG 스캔은 대부분의 갈색세포종, 부신외 부신경절종, 전이 병소를 정확히 찾을 수 있다(예민도 80~90%, 특이도 90~100%). ^{131}I-MIBG에 비해 ^{123}I-MIBG이 예민도와 특이도가 더 높아 갈색세포종이 의심되는 경우에 ^{123}I-MIBG을 더 선호한다(그림 69-3, 69-4). ^{123}I-MIBG의 신경모세포종에 대한 진단 예민도(75~100%)와 특이도(약 100%)도 높다. 대부분의 신경모세포종 병소는 방사선 영상에서 진단이 되지만 MIBG 스캔으로 다른 소아암과 감별할 수 있다. 신경모세포종의 병기결정, 치료에 대한 반응 평가, 재발의 발견에 MIBG 스캔을 사용한다.

3) 소마토스타틴 수용체 영상
Somatostatin receptor scintigraphy, SRS

(1) 적응증
소마토스타틴 수용체 영상은 소마토스타틴 수용체가 발현되는 종양에서 다음과 같은 목적으로 사용한다. ① 영상을 얻어 원발병소를 찾거나 수술 중에 탐색자(probe)를 이용하여 종양을 찾는다. ② 종양의 전이병소를 찾아 병기를 정확히 결정한다. ③ 치료 후 치료에 대한 반응을 관찰하고 재발병소를 찾는다. ④ 방사선비표지 옥트레오티드 치료에 적응이 될 환자를 확인한다. ⑤ 방사선표지 소마토스타틴 유사체를 이용한 방사선 치료에 도움이 될 환자를 확인한다.

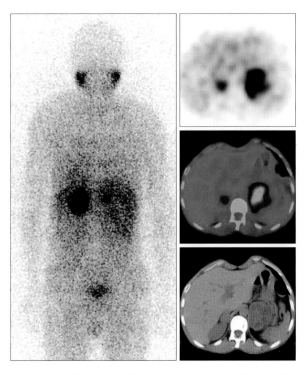

그림 69-3 | ¹³¹I-MIBG 영상(anterior images). ¹³¹I-MIBG는 정상적으로 침샘, 심근, 간 등에 분포.

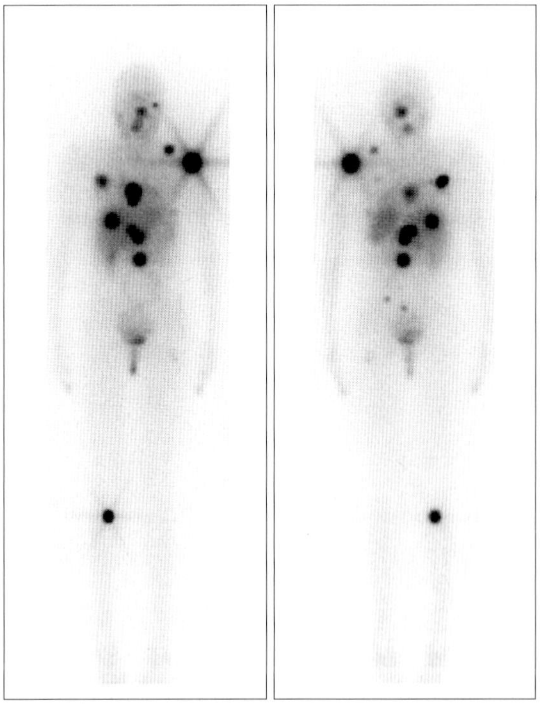

그림 69-4 | ¹²¹I-MIBG 영상(anterior and posterior images). 부신경절종의 다발성 전이를 보인 36세 여성 환자.

(2) 환자 전처치

검사 전에 특별한 전처치는 필요없다. 방사선비표지 옥트레오티드를 이용한 치료는 ¹¹¹In-pentetreotide를 이용한 종양의 영상에는 별다른 영향을 미치지 않는다는 견해도 있지만, ¹¹¹In-pentetreotide의 생체 분포에 영향을 줄 수 있어 최소한 48시간 옥트레오티드를 금할 것을 권하고 있다. 하지만 옥트레오티드 치료가 소마토스타틴 수용체의 상향조절(up-regulation)을 야기하여 ¹¹¹In-pentetreotide 영상에서 간, 비장, 신장 등 정상 조직의 섭취는 감소하며 종양 대 배후 방사능의 비가 증가된다는 보고도 있어 이러한 현상에 대해 더 연구가 필요하다. 옥트레오티드 치료에 의한 방사성의약품의 분포 변화는 특히 방사선표지 소마토스타틴 유사체로 방사선 치료를 고려하는 경우에 정상조직의 방사선량을 감소시키는데 중요한 역할을 할 것으로 보인다. 신장으로의 배설을 촉진시키기 위해 수분을 많이 섭취하도록 하고 장내 방사

능을 최소화하기 위해 완하제를 투여하기도 한다.

(3) 영상법

¹¹¹In-pentetreotide 6 mCi를 정맥주사 후,[4] 24시간에 평면영상과 SPECT 영상을 얻고 필요한 경우 48시간에 추가 영상을 얻는다. 4시간 영상에서는 장으로 배설된 방사능이 거의 없는 장점이 있고, 24시간 영상에서는 병소 대 배후방사능의 비가 높은 장점이 있다. 다른 장기에 의해 겹치는 부위에 종양이 의심되거나 복부의 작은 종양이 의심되는 경우 SPECT 영상을 반드시 얻어야 한다.

(4) 영상해석

¹¹¹In-pentetreotide는 주로 신장으로 배설된다. ¹¹¹In-pentetreotide의 체 내 반감기는 약 2.8일로 24 및 48시간 영상이 가능하다. ¹¹¹In-pentetreotide는 정맥주사 후 주로 신장을 통해 급속하게 제거되며 약 2%만이 간담

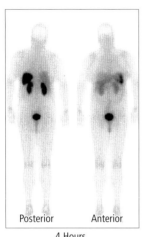
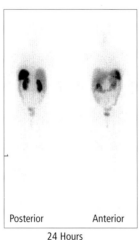

그림 69-5 | 소마토스타틴 수용체 전신 영상.
¹¹¹In-pentetreotide 6 mCi를 정맥주사하고 4시간 후에 촬영하면 간, 비장, 신장, 방광 등에서 정상적인 생리적 축적이 관찰되고, 24시간 후 영상에서는 배설되어 배경에서 사라지지만, 장관에서는 축적이 남아 있다.

도로 배설된다. 24시간 영상에서 정상 분포를 보이는 장기는 뇌하수체, 갑상선, 유방, 비장, 신장, 방광, 간, 담낭, 장관 등이다. 장관의 방사능은 주사 후 4시간에는 약 25%에서, 24시간에는 85%에서 관찰된다(그림 69-5).

부신경절종은 90% 이상에서 소마토스타틴 수용체를 나타내며 소마토스타틴 수용체 영상에서도 양성율이 높다. 초음파촬영술, 컴퓨터단층촬영술, 자기공명영상은 부신경절종을 진단하는데 효과적이긴 하지만 임상적으로 의심되는 부위에 국한된다. 소마토스타틴 수용체 영상은 전신을 검사함으로써 다발성 병소와 전이 병소를 찾는데 해부 영상에 비해 효과적이다. 또한 모든 병소를 조기에 찾아 수술계획을 세우는데 도움을 준다. 부신경절종의 약 10%는 다발성이며 원격전이를 보이므로 의미가 있다.

부신경절종의 진단에 있어서 원발병소를 평가하는데는 자기공명영상을 이용하고, 추가병소를 선별하는데는 MIBG 스캔을 사용하는 것이 바람직하다는 보고도 있다. 일반적으로 기능성 부신경절종만 MIBG 스캔에서

보이게 되며, 소마토스타틴 수용체 영상이 병소를 발견하는데는 더 민감하므로 MIBG 스캔을 대체할 수 있을 것으로 보인다. 하지만, ¹³¹I-MIBG 치료를 고려하는 경우에는 MIBG 스캔이 더 유용하다.

갈색세포종에 대한 소마토스타틴 수용체 영상과 MIBG 스캔의 양성률은 88% 내외로 비슷하다. 하지만 소마토스타틴 수용체 영상에서는 정상적인 신장의 방사능 때문에 부신을 관찰하는 것이 어려울 수 있어, MIBG 스캔을 더 선호한다. 소마토스타틴 수용체 영상은 비기능성 병소나 MIBG가 생리적으로 축적되는 심장, 침샘과 같은 부신외 전이 병소를 영상화하는데 유용한 수단이 될 것이다.

신경모세포종에 대한 소마토스타틴 수용체 영상은 약 77%의 양성률을 보인다. 반면에 MIBG 스캔은 약 92%의 민감도, 100%에 가까운 특이도를 나타낸다. 또한 MIBG 스캔은 ¹³¹I-MIBG 치료가 가능한 지에 대한 정보를 제공하는 장점이 있다. 따라서 신경모세포종의 진단, 병기결정, 추적관찰에 MIBG 스캔이 더 유용하다. 하지만 MIBG 음성인 신경모세포종이 소마토스타틴 수용체 영상에서 양성을 보일 수 있으며, 소마토스타틴 수용체 영상이 예후적 측면에서 유용할 수도 있다. 즉 소마토스타틴 수용체 양성인 환자가 음성인 환자에 비해 더 예후가 좋다고 예견할 수 있다.

4) 양전자방출단층촬영 Positron emission tomography, PET

PET이 보편화되면서 내분비종양 환자의 진단과정에 PET을 이용한 분자영상(molecular imaging)도 활발히 연구되고 있다.

(1) FDG Fluorodeoxyglucose

종양의 증가된 당대사를 나타내는 영상으로, 악성 갈색세포종, 높은 증식능을 보이는 위장관췌장종양, 갑상선수질암 전이 병변 등에서 양성소견을 보인다. 일부 증식속도가 빠른 신경내분비종양, 미분화암 등의 진단에 사

용할 수 있으나, 대부분의 신경내분비종양에서 FDG 섭취는 낮아 소마토스타틴수용체 스캔이나 MIBG 스캔이 더 적합하다.

(2) 아민 전구물질 L-DOPA (L-dihydroxyphenylalanine, ^{11C}DOPA, ^{18F}DOPA), 5-HTP(5-hydroxyl-L-tryptophan, ^{11C}HTP)

신경내분비종양은 아민 전구물질 섭취 대사과정과 밀접한 관련이 있어, 아민 전구물질인 5-hydroxy-L-tryptophan, L-DOPA를 11C, 18F에 표지하여 PET 영상에 이용할 수 있다. 아민 전구물질을 이용한 PET은 FDG-PET에 비해 신경내분비종양의 진단에 더 우수하다. 신경내분비종양의 특이한 대사과정을 영상함으로써 소마토스타틴수용체 영상보다 높은 예민도를 보일 것으로 예상되며, 특히 골전이, 종격동 종양, 췌장 종양의 진단에 유용한 것으로 보고되고 있다.

(3) 소마토스타틴 유사체 ^{68Ga}DOTA-TOC, ^{68Ga}DOTA-NOC

소마토스타틴수용체는 대부분의 신경내분비종양에서 발현되어 있어 이를 영상하기 위한 많은 PET용 리간드를 연구 중이다. 68Ga는 물리적 반감기가 68분인 양전자방출 핵종으로 68Ga 발생기장치를 이용하여 생산된다. 소마토스타틴수용체 PET영상은 octreoscan에 비해 예민도가 높다. 소마토스타틴수용체 PET은 컴퓨터단층촬영술에서 발견하지 못한 병소를 더 많이 발견할 수 있고, 신경내분비종양 환자의 방사선표지 펩티드에 의한 치료(peptide-receptor radionuclide therapy, PRRT) 용량의 결정 및 치료의 평가 등에 사용될 수 있다.

(4) 호르몬 합성 Hydroxyephedrine, ^{11C}HE

하이드록시에페드린은 아드레날린 신경말단에 축적되는 방사성추적자로 갈색세포종에 대해 높은 예민도와 특이도를 보인다.

전산화 단층촬영술, 자기공명영상 등에 비해 핵의학 영상은 신경내분비종양의 기능적인 상태를 영상할 수 있는 방법이며, 전신을 검사할 수 있는 장점이 있다. 아울러 표적치료에 대한 정보를 제공하고 방사성동위원소를 표지하여 치료에 이용할 수 있다. 최근에는 SPECT/CT, PET/CT와 같이 기능영상에 해부 정보도 융합하여 더 나은 진단적인 가치를 제공하고 있다.

REFERENCES

1. Bae SK. Somatostatin receptor scintigraphy. J Korean Nucl Med 1999;33:11-27.
2. Hay RV, Gross MD. Scintigraphic imaging of the adrenals and neuroectodermal tumors. In: Henkin RE, Bova D, Dillehay GL, Halama JR, Karesh SM, Wagner RH, et al. editors. Nuclear Medicine. 2nd ed. Mosby, Inc; 2006. p.820-44.
3. Gross MD, Avram A, Fig LM, Rubello D. Contemporary adrenal scintigraphy. Eur J Nucl Med MolImaging 2007;34:547-57.
4. Virgolini I, Traub-Wedinger T, Decristoforo C. Nuclear medicine in detection and management of pancreatic islet-cell tumors. Best Prct Res Clin Endocrinol Metab 2005;19:213-27.

부신의 병리
Surgical Pathology of the Adrenal Glands

❘ 가톨릭대학교 서울성모병원 병리과 **정찬권**

부신은 피질과 수질로 나눠지며, 이는 발생학적, 해부적, 생리적 기능이 완전히 다른 두 개의 내분비 장기이다.

1. 부신피질 Adrenal cortex

부신피질은 사구층, 다발층, 그물층으로 구성되어 있다. 사구층은 알도스테론을 분비하며, 다발층은 광물부신겉질호르몬(주로 코티솔)을 분비하며, 그물층은 성호르몬을 주로 분비한다.

1) 부신피질증식 Adrenal cortical hyperplasia

부신피질증식은 부신피질세포의 수가 증가하는 비종양성 질환이다. 대부분 양측성이며, 광범위 피질증식(diffuse hyperplasia), 결절증식(nodular hyperplasia), 혹은 혼합형을 보일 수 있다. 결절증식은 크기에 따라 1 cm 미만을 미세결절성(micronodular), 1 cm 이상을 거대결절성(macronodular) 증식으로 구분된다.

부신피질호르몬은 글루코코르티코이드, 무기질부신피질호르몬 및 안드로겐이 있기 때문에 부신피질증식은 고코티솔혈증(쿠싱증후군)을 일으키는 뇌하수체 쿠싱증후군(쿠싱병) 및 이소성 쿠싱증후군, 알도스테론이 과잉

분비되는 고알도스테론증, 안드로겐이 과잉 분비되는 부신성기증후군 등에서 보일 수 있다.

2) 부신피질선종 Adrenal cortical adenoma

부신피질세포에서 기원한 양성종양으로 호르몬을 분비하여 기능을 할 수도 있고 하지 않을 수도 있다. 부신피질선종과 관련된 내분비 이상 중 고알도스테론증이 가장 흔하며, 다음으로 쿠싱증후군, 남성화순으로 나타나며 드물게 여성화를 보일 수도 있다. 임상적인 기능적 유형에 따라 뚜렷하게 구분할 수 있는 조직학적, 전자현미경학적 소견은 없다.

부신피질선종에는 조직학적으로 흑색선종(black adenoma)과 호산성세포종(oncocytoma)의 2가지 변이가 있다. 흑색선종은 지방갈색소(lipofuscin)의 침착이 심히 검은색을 보이는 부신피질선종이다. 호산성세포종은 붉은 세포질을 보이며 대부분 비기능성 종양이다.

(1) 코티솔분비부신피질선종
Cortisol-secreting adrenocortical adenoma

대부분 고립성, 편측성이며, 무게는 10~40 g가 가장 흔하며 대부분 50 g 미만이다. 무게 하나만으로는 양성과 악성을 감별할 수는 없으나 100 g 이상인 경우 악성의 가능성을 고려하여야 한다. 부신피질선종은 경계가 좋

637

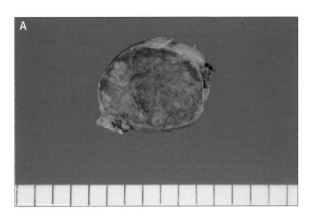
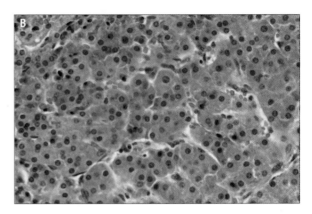

그림 70-1 │ 쿠싱증후군을 동반한 부신피질선종

A. 지방질이 부족한 세포질과 세포 내 갈색소 침착에 의해 전반적으로 갈색을 보이며, 종양 주변에 붙은 부신피질은 심하게 위축되어 있다. **B.** 종양세포는 꽈리나 끈의 형태로 배열되고 세포질은 호산성이며 지방갈색소의 침착이 보인다.

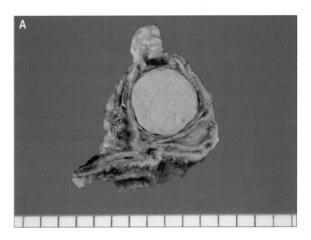
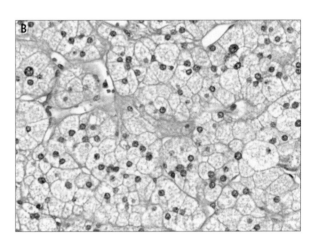

그림 70-2 │ 쿠싱증후군을 동반한 부신피질선종

A. 지방질이 부족한 세포질과 세포 내 갈색소 침착에 의해 전반적으로 갈색을 보이며, 종양 주변에 붙은 부신피질은 심하게 위축되어 있다. **B.** 종양세포는 꽈리나 끈의 형태로 배열되고 세포질은 호산성이며 지방갈색소의 침착이 보인다.

고 피막을 형성하며 단면은 전반적으로 노랗다. 출혈, 지방질이 부족한 부위, 혹은 지방갈색소가 증가된 부위에서 불규칙하게 짙은 갈색을 보일 수도 있다(그림 70-1A). 종양이 광범위한 짙은 갈색이나 검은색을 보일 때 흑색선종이라 불린다. 종양의 주변 부신 피질은 음성 되먹임기전에 의해 ACTH 분비가 감소됨에 따라 위축된다.

현미경소견에서 균일한 세포가 판상, 둥지, 꽈리, 끈의 형태로 배열되고, 핵은 작고 둥글며 세포질은 지방질이 풍부하여 연하게 염색된다. 경우에 따라서 풍부한 호산성 세포질을 보이거나 세포 내 지방갈색소가 보일 수 있다(그림 70-1B).

(2) 알도스테론분비부신피질선종
Aldosterone-secreting adrenocortical adenoma

알도스테론을 분비하는 부신피질선종은 대부분 2 cm 미만으로 크기가 작으며 편측에 단발성으로 발생한다. 종양의 단면 육안 소견은 경계가 분명하며 밝은 노란색을 보인다(그림 70-2A). 쿠싱증후군을 보이는 부신피질선종과는 달리 주변 부신피질이 정상적으로 남아 있다.

육안소견에서 완전한 피막을 형성하는 것으로 보이는 종양일지라도 현미경 소견에서는 피막 형성이 불완전하게 보일 수 있다. 종양의 팽창성 성장에 의해 주변 정상조직은 눌려 있다. 종양세포는 둥지, 꽈리, 기둥, 끈의 형태로 배열된다. 이론적으로 대부분의 종양세포는 무기질부신피질호르몬을 분비하는 사구층(zona glomerulosa)세포를 닮은 형태를 보여야 하지만 실제로는 다양한 형태를 보일 수 있다. 구체적으로 사구층세포를 닮은 연한 호산성의 핵-세포질 비율이 높은 세포, 다발층(zona fasciculate)세포를 닮은 연하게 염색되고 지방질이 풍부한 세포(그림 70-2B), 그물층(zona reticularis)세포를 닮은 작고 호산성세포질을 보이는 세포, 이들의 혼합형으로 보일 수 있다.

(3) 비기능부신피질선종
Nonfunctioning adrenocortical adenoma

뚜렷한 임상 증상 없이 우연히 발견되는 경우가 대부분이다. 크기가 5 cm 미만인 경우 대부분 양성이지만 이보다 클 경우에는 악성의 가능성이 있다(그림 70-3).

(4) 면역조직화학염색
면역조직화학염색이 부신피실선종의 진단을 위해 꼭 필요하지는 않으나 크롬친화세포종과 감별이 어려운 형태학적 소견을 보이거나 복강 및 척추관 같은 예상치 못했던 부위에서 발생한 종양에서 부신피질선종을 진단할 때는 면역조직화학염색이 필요하다. 부신피질종양의 진단에 유용한 표지자는 alpha-inhibin, Melan-A (Mart-1),

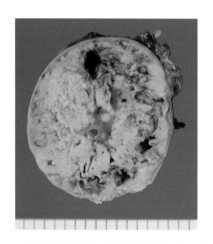

그림 70-3 | 무증상 환자에서 적출한 부신피질선종의 육안소견
종양의 크기는 9.9×9.0 cm이며 무게는 290 g으로 얇은 피막으로 둘러싸여 있고 전반적으로 노란색의 단면을 보이나 낭성 변화와 출혈 소견이 보인다. 본 증례는 양성 비기능종양이었으나, 5.0 cm 이상의 종양은 악성의 가능성을 고려하여야 한다.

calretinin, steroidogenic factor 1 (SF-1)이다(표 70-1, 그림 70-4).[1-3] CYP11B2 (aldosterone synthase)은 알도스테론분비부신피질선종의 진단에 유용하다.[4]

신경내분비세포의 표지자로 많이 이용되는 chromogranin, synaptophysin, neuron-specific enolase 중에서, chromogranin은 부신피질선종에서 음성을 보이고 크롬친화세포종에서 양성을 보여 감별에 유용하지만 synaptophysin과 neuron-specific enolase는 두 종양 모두 양성을 보일 수 있기 때문에 사용에 주의를 기해야 한다.

(5) 유전자돌연변이
알도스테론분비선종에서 KCNJ5, ATP1A1, ATP2B3, CACNA1D, GNAS 유전자 돌연변이가 발견된다.[5,6]

표 70-1 | 부신피질선종과 갈색세포종의 감별에 유용한 면역조직화학염색 표지자

	calretinin	α-inhibin	Melan-A	chromogranin
Adrenal cortical tumor	+++	+++	+++	–
Pheochromocytoma	–	–	+	+++

-, 음성; +++, 대부분 양성; +, 가끔 양성

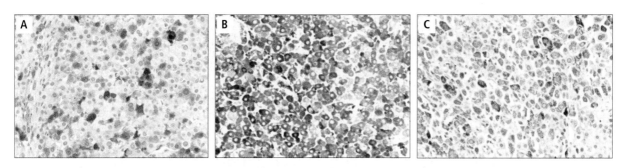

그림 70-4 | 부신피질선종의 면역조직화학염색에서 종양세포가 calretinin (A), inhibin (B), Melan-A (C)에 대해 양성을 보인다.

PRKACA 유전자 돌연변이는 코티솔분비선종과 부신피질증식에서 보인다.[7] 비기능부신피질선종은 CTNNB1 유전자돌연변이를 보일 수 있다.[8]

3) 부신피질암종 Adrenal cortical carcinoma

부신피질세포에서 기원한 악성 종양으로 기능을 할 수도 있고 안 할 수도 있다.

육안소견에서 전반적으로 다양한 소견을 보이지만 크기, 무게, 모양에서 악성이라는 인상을 받을 수 있다. 대부분 100 g 이상의 큰 종괴를 형성하며, 종괴의 단면은 불규칙하고 괴사와 출혈을 보인다. 섬유성 띠에 의해 구분되는 결절을 형성하고 낭성변화를 보일 수 있다.

다양한 현미경 소견이 보일 수 있지만 특징적인 소견 중 하나는 10~20개 이상의 세포 넓이로 구성된 기둥모양의 성장 양식이다. 종양세포의 기둥은 굴모양혈관(sinusoid)에 의해 구분되어 있으며 조직이 절편된 방향에 따라 서로 부착되지 않고 빈 공간에 떠있는 모양을 보일 수 있다. 다른 성장 양식으로 긴 끈, 꽈리, 둥지, 광범위 판상 형태를 보일 수 있다. 넓은 섬유성 띠가 형성될 수 있다. 레티큘린염색(reticulin stain)을 통해 이러한 조직학적 변화를 더 쉽게 파악할 수 있다.[9] 괴사가 보일 수 있으며 드물게 점액 변화도 보일 수 있다. 핵의 이형성은 없을 수도 있고 매우 심할 수도 있다.

부신피질선종과 암종을 감별을 위해서는 임상적, 육안적, 현미경적 소견을 종합하여 진단해야 한다. 조직학적으로 유사분열 수, 혈관이나 피막 침범 유무, 괴사 등의 소견을 종합하여 진단하는 다양한 진단 기준이 알려져 있다(표 70-2). 2017년 World Health Organization (WHO) 내분비종양 분류법은 현재까지 가장 널리 사용되어 온 Weiss system을 주된 악성 감별법으로 채택하였다. Aubert 등[10]은 Weiss system을 이용한 진단 기준의 재현성을 높이고 사용의 편리성을 위해 다소 주관적이거나 판독에 어려움이 있는 요소를 제거하여 5가지 조직학적 기준만으로 진단하는 기준을 마련하였다(표 70-3). 성인과 달리 소아에서 발견되는 부신피질종양은 발생 빈도가 낮아 예후를 판정하거나 악성 진단 기준을 설정하기에 어려움이 있다. Weiss system은 성인의 부신피질종양의 진단에만 적용 가능하며 소아의 부신피질종양의 진단을 위해서는 다른 기준이 적용되어야 한다(표 70-4).

부신피질암종의 조직학적 변이에는 빈도순으로 호산성세포암종(oncocytic carcinoma), 점액암종(myxoid carcinoma), 육종암종(sarcomatoid carcinoma)이 있다. 부신피질에서 매우 드물게 발생하는 호산성세포암종은 호산성 세포로 구성되어 있고 광범위 성장 형태를 보이며 핵의 이형성을 잘 보이기 때문에 Weiss system을 그대로 적용할 수 없고, Lin-Weiss-Bisceglia system으로 악성과 양성을 평가한다(표 70-5).[11]

표 70-2 | 부신피질종양에서 악성으로부터 양성을 감별하는 기준

Weiss system[3-5]	Van Slooten system[6]	Value	Hough system[7]	Value
High nuclear grade (grade 3 or 4 according to criteria of Fuhrman et al[8])	Extensive regressive changes (necrosis, hemorrhage, fibrosis, calcification)	5.7	*Histologic Criteria*	
			Diffuse growth pattern	0.92
	Loss of normal structure	1.6	Vascular invasion	0.92
> 5 mitoses/50 HPF	Nuclear atypia (moderate/marked)	2.1	Tumor cell necrosis	0.69
Atypical mitotic figures	Nuclear hyperchromasia (moderate/marked)	2.6	Broad fibrous bands	1.00
Clear cells comprising <25% of the tumor	Abnormal nucleoli	4.1	Capsular invasion	0.37
Diffuse architecture (>1/3 of tumor)	Mitotic activity (≥2/10 HPF)	9.0	Mitotic index (1/10 HPF)	0.60
	Vascular or capsular invasion	3.3	Pleomorphism (moderate/marked)	0.39
Necrosis			*Nonhistologic Criteria*	
Venous invasion			Tumor mass > 100 g	0.60
Sinusoid invasion			Urinary 17-ketosteroids (>10 mg/g creatinine per 24 h)	0.30
Capsular invasion			Response to ACTH (17-hydroxysteroids increased 2-fold after 50 µg ACTH IV)	0.42
			Cushing sysdrome with virilism, virilism alone, or no clinical syndrome	0.42
			Weight loss (>10 lb/3 mo)	2.0

Weiss system: The presence of 3 or more criteria correlates with subsequent malignant behavior. Van Slooten system: Histologic index >8 correlates with subsequent malignant behavior. Hough system: The sums of the numeric values for criteria present are used to derive nonhistologic and histologic indices of malignancy. The mean histologic index of malignancy associated with benign tumors was 0.17; of indeterminate tumors, 1.00; and of malignant tumors, 2.91.

표 70-3 | 변형 Weiss system – 부신피질종양에서 악성으로부터 양성을 감별하는 기준[2]

Mitotic rate(>5 per 50 high-power fields)
Cytoplasm(clear cells comprising 25% or less of the tumor)
Abnormal mitoses
Necrosis
Capsular invasion

Modified Weiss scoring system: 2 × mitotic rate + 2 × cytoplasm + abnormal mitoses + necrosis + capsular invasion. A score of 3 or greater correlates with subsequent malignant behavior.

표 70-4 | 미국 육군병리학연구소 (Armed Forces Institute of Pathology) – 부신피질종양에서 악성으로부터 양성을 감별하는 기준[9]

Tumor weight >400 g
Tumor size >10.5 cm
Extension into periadrenal soft tissues and/or adjacent organs
Invasion into vena cava
Venous invasion
Capsular invasion
Presence of tumor necrosis
>15 mitoses per 20 high-power fields
Presence of atypical mitotic figures

The presence of up to 2 criteria is associated with benign outcome; 3 criteria are considered indeterminate for malignancy; and 4 or more criteria are associated with malignancy.

표 70-5 | Lin-Weiss-Bisceglia system – 부신피질호산성세포종양에서 악성으로부터 양성을 감별하는 기준[10]

Major criteria
   Mitotic rate >5 per 50 high-power fields
   Atypical mitoses
   Venous invasion
Minor criteria
   Size >10 cm and/or >200 g
   Necrosis
   Capsular invasion
   Sinusoidal invasion

Oncocytic adrenocortical carcinoma = presence of any major criterion. Borderline oncocytic adrenocortical neoplasm of uncertain malignant potential = presence of any minor criterion. Adrenocortical oncocytoma = absence of all major and minor criteria.

(1) 면역조직화학염색

부신피질선종에서 발현되는 alpha-inhibin, Melan-A (Mart-1), calretinin, steroidogenic factor 1 (SF-1)은 부신피질암종에서도 동일한 유형으로 발현된다. Ki-67염색은 암종과 선종을 감별하는 데 많은 도움을 줄 수 있다. 피질선종에서 Ki-67 지수는 <5%이며, 암종에서는 >5%를 보인다. Insulin-like growth factor 2 (IGF2)의 발현은 피질암종에서 더 높게 나타난다.

(2) 유전자돌연변이

부신피질암종은 TP53, CTNNB1, ZNRF3 유전자돌연변이를 자주 보인다.[12]

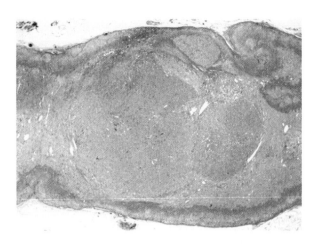

그림 70-5 | 다발내분비종양 2b에서 관찰되는 광범위 결절형 부신수질증식

2. 부신수질 Adrenal medulla

부신수질은 신경외배엽에서 기원하며 크롬친화세포 (chromaffin cell)와 신경절세포로 구성되어 있다.

1) 부신수질증식 Adrenal medullary hyperplasia

크롬친화세포의 수가 증가하여 광범위 내지 결절의 형태로 부신수질이 커진다. 정상 부신의 피질과 수질의 비율은 약 10:1이기 때문에 증식의 판정이 어려울 경우에 이러한 비율을 참고하여 판정할 수 있다. 부신수질증식은 대부분 다발내분비종양(multiple endocrine neoplasia)2a 및 2b와 관련하여 발생한다(그림 70-5).

결절성 부신수질증식은 과거에는 크롬친화세포종 (pheochromocytoma)와 감별이 어렵기 때문에 크기가 1 cm 미만일 경우 부신수질증식으로, 1 cm 이상일 경우 크롬친화세포종으로 정의하였다. 그러나, 2017년 제4판 WHO 내분비종양 분류법에서는 1 cm 미만의 부신수질 결절을 작은 크롬친화세포종으로 명명한다.

2) 크롬친화세포종 Pheochromocytoma

크롬친화세포종은 정의상 부신수질에서 기원하며, 부신 외부 장기에서 발생하는 경우 부신경절종(paraganglioma)이라고 부른다. 크롬친화세포종은 카테콜라민을 분비하여 고혈압, 발한, 두통, 빠른맥 등의 증상을 유발할 수 있다.

2004년 제3판 WHO 내분비종양 분류법에는 양성크롬친화세포종과 악성크롬친화세포종으로 구분하였고 원격전이가 있을 경우에만 악성으로 분류할 수 있었다. 그러나, 현재까지 원격전이 기준을 제외하면 크롬친화세포종을 양성과 악성으로 명확히 구분할 수 있는 조직학적 평가 방법이 없기 때문에, 2017년 제4판 WHO 내분비종양 분류법에서는 더 이상 양성과 악성으로 구분하지 않는다. 모든 크롬친화세포종은 전이할 수 있는 가능성이 있으며 원격 전이가 발생한 경우는 '악성'이라는 용어를 사용하는 대신 '전이성(metastatic)'으로 부르기로 하였다.

육안 소견에서 종양은 경계가 잘 지워지고, 연회색 내지 밝은 갈색을 띠며, 부분적으로 출혈이나, 중심부 변성, 낭성 변화, 석회화가 보인다. 출혈이 심한 경우 혈종처럼 보이기도 한다. 대부분 정상 부신 조직이 남아 있

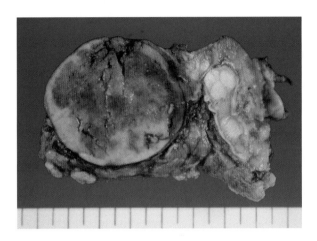

그림 70-6 │ 다발내분비선종양 Ⅱb 환자에서 적출된 부신으로 갈색세포종과 결절성 부신수질증식이 보인다.

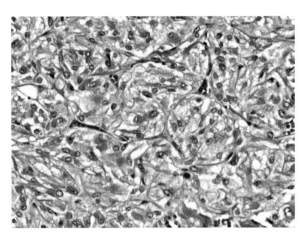

그림 70-7 │ 종양세포의 세포질은 풍부하고 호염기성이며 혈관 그물망에 둘러싸인 둥지 혹은 꽈리 모양의 성장 양식을 보인다.

으나 종괴가 크면 육안으로 보이지 않는다. 크롬친화세포종이 광범위 내지 결절성 부신수질증식과 동반된 경우에는 다발내분비종양의 가능성을 고려하여야 한다(그림 70-6).

현미경 소견에서 종양세포의 세포질은 풍부하고 주로 호염기성이며 종종 호산성을 보인다. 핵은 둥글거나 난원형이다. 특징적으로 혈관 그물망에 둘러싸여 둥지, 꽈리(alveolar or "zellballen"), 기둥 모양을 보이며 reticu-lin염색을 하면 이러한 구조물이 더 잘 보인다(그림 70-7). 유사분열, 세포의 이형성이나 괴사 등이 보일 수 있으나 이러한 현미경적 소견은 양성과 악성을 구분하는데 도움이 되지 않는다. 정상 신경절세포가 섞여 보일수 있다. 기질경화(stromal sclerosis)가 심하게 나타나거나 아밀로이드 침착이 보일 수도 있다.

면역조직화학염색에서 chromogranin A는 크롬친화세포종에 양성을 보이고 부신피질종양에 음성을 보이기 때문에 가장 유용한 검사이다. 종양세포 주변의 버팀세포는 S-100항체에 양성을 보인다.

크롬친화세포종 발생과 관련된 유전자는 최소 20개 이상이 밝혀져 있으며, 이 중에서 가족성크롬친화세포종의 원인으로 가장 잘 알려진 유전자는 RET, NF1, VHL, SDHB, SDHC, SDHD이다.[13] SDHB, SDHC, SDHD유전자 돌연변이가 있는 경우 악성의 위험도가 증가된다.[13]

3) 부신의 신경모세포 종양
Neuroblastic tumor of the adrenal gland

부신에서 발생하는 신경모세포 종양에는 신경모세포종(neuroblastoma), 결절신경절신경모세포종(nodular gan-glioneuroblastoma), 혼합신경절신경모세포종(intermixed ganglioneuroblastoma), 신경절신경종(ganglioneuroma)의 4가지 종류가 있다.

신경모세포종은 신경집 기질(Schwannian stroma)이 없이 신경모세포로만 구성되어 있으며, neurophil의 형성과 분화형 신경모세포의 정도에 따라 3가지로 세분된다. Neurophil형성이 전혀 없는 경우를 미분화(undif-ferentiated), neurophil이 형성되어 있으며 분화형 신경모세포가 5% 미만이 경우에는 저분화(poorly differenti-ated), 분화형 신경모세포가 5% 이상인 경우는 분화형(differentiating)이라고 한다.

4) 혼합크롬친화세포종 Composite pheochromocytoma

크롬친화세포종이 신경모세포종, 신경절신경종, 신경절신경모세포종, 혹은 말초신경집종양의 병리학적 소견과 혼합되어 보이는 경우 혼합크롬친화세포종이라고 한다 (그림 70-8).

전형적인 크롬친화세포종내에 산재된 신경절세포가 보일 수 있기 때문에 혼합종양을 진단하기 위해서는 구조적으로나 세포학적으로 모두 각각의 종양에 대해 합당한 소견이 있어야 한다.

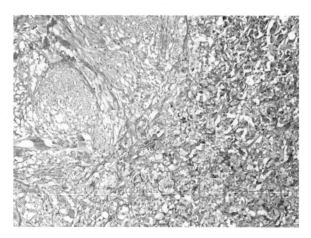

그림 70-8 | 혼합갈색세포종의 현미경 소견
종양의 왼쪽에 보이는 소견은 신경절신경종이며 오른쪽은 갈색세포종이다. 왼쪽의 신경절신경종내에 신경절세포가 여러 개 보인다.

REFERENCES

1. Zhang PJ, Genega EM, Tomaszewski JE, Pasha TL, LiVolsi VA. The role of calretinin, inhibin, melan-A, BCL-2, and C-kit in differentiating adrenal cortical and medullary tumors: an immunohistochemical study. Mod Pathol 2003;16:591-7.
2. Enriquez ML, Lal P, Ziober A, Wang L, Tomaszewski JE, Bing Z. The use of immunohistochemical expression of SF-1 and EMA in distinguishing adrenocortical tumors from renal neoplasms. Appl Immunohistochem Mol Morphol 2012;20:141-5.
3. Sangoi AR, Fujiwara M, West RB, et al. Immunohistochemical Distinction of Primary Adrenal Cortical Lesions from Metastatic Clear Cell Renal Cell Carcinoma: A Study of 248 Cases. The American journal of surgical pathology 2011;35:678-86.
4. Monticone S, Castellano I, Versace K, et al. Immunohistochemical, genetic and clinical characterization of sporadic aldosterone-producing adenomas. Mol Cell Endocrinol 2015;411:146-54.
5. Fernandes-Rosa FL, Boulkroun S, Zennaro MC. Somatic and inherited mutations in primary aldosteronism. J Mol Endocrinol 2017;59:R47-r63.
6. Nakajima Y, Okamura T, Horiguchi K, et al. GNAS mutations in adrenal aldosterone-producing adenomas. Endocr J 2016;63:199-204.
7. Thiel A, Reis AC, Haase M, et al. PRKACA mutations in cortisol-producing adenomas and adrenal hyperplasia: a single-center study of 60 cases. Eur J Endocrinol 2015;172:677-85.
8. Bonnet S, Gaujoux S, Launay P, et al. Wnt/beta-catenin pathway activation in adrenocortical adenomas is frequently due to somatic CTNNB1-activating mutations, which are associated with larger and nonsecreting tumors: a study in cortisol-secreting and -nonsecreting tumors. J Clin Endocrinol Metab 2011;96:E419-26.
9. Duregon E, Fassina A, Volante M, et al. The reticulin algorithm for adrenocortical tumor diagnosis: a multicentric validation study on 245 unpublished cases. Am J Surg Pathol 2013;37:1433-40.
10. Aubert S, Wacrenier A, Leroy X, et al. Weiss system revisited: a clinicopathologic and immunohistochemical study of 49 adrenocortical tumors. Am J Surg Pathol 2002;26:1612-9.
11. Papotti M, Libe R, Duregon E, Volante M, Bertherat J, Tissier F. The Weiss score and beyond--histopathology for adrenocortical carcinoma. Horm Cancer 2011;2:333-40.
12. Lodish M. Genetics of Adrenocortical Development and Tumors. Endocrinol Metab Clin North Am 2017;46:419-33.
13. Pillai S, Gopalan V, Smith RA, Lam AK. Updates on the genetics and the clinical impacts on phaeochromocytoma and paraganglioma in the new era. Crit Rev Oncol Hematol 2016;100:190-208.
14. Weiss LM. Comparative histologic study of 43 metastasizing and nonmetastasizing adrenocortical tumors. Am J Surg Pathol 1984;8:163-9.
15. Weiss LM, Medeiros LJ, Vickery AL, Jr. Pathologic features of prognostic significance in adrenocortical carcinoma. Am J Surg Pathol 1989;13:202-6.
16. Lau SK, Weiss LM. The Weiss system for evaluating adrenocortical neoplasms: 25 years later. Hum Pathol 2009;40:757-68.
17. van Slooten H, Schaberg A, Smeenk D, Moolenaar AJ. Morphologic characteristics of benign and malignant adrenocortical tumors. Cancer 1985;55:766-73.
18. Hough AJ, Hollifield JW, Page DL, Hartmann WH. Prognostic factors in adrenal cortical tumors. A mathematical analysis of clinical and morphologic data. Am J Clin Pathol 1979;72:390-9.
19. Fuhrman SA, Lasky LC, Limas C. Prognostic significance of morphologic parameters in renal cell carcinoma. Am J Surg Pathol 1982;6:655-63.
20. Wieneke JA, Thompson LD, Heffess CS. Adrenal cortical neoplasms in the pediatric population: a clinicopathologic and immunophenotypic analysis of 83 patients. Am J Surg Pathol 2003;27:867-81.
21. Bisceglia M, Ludovico O, Di Mattia A, et al. Adrenocortical oncocytic tumors: report of 10 cases and review of the literature. Int J Surg Pathol 2004;12:231-43.

쿠싱증후군

Cushing Syndrome

▎ 아주대학교 의과대학 외과 **이정훈**

쿠싱증후군은 1912년 신경외과 의사 Harvey W. Cush-ing이 근력약화, 비만, 복부 자색선, 남성형다모증, 무월경 등의 증상을 보이는 여성을 보고하면서 처음 기술되었고, 이러한 글루코코르티코이드 과잉분비 증상을 보이는 증후군을 pituitary basophilism이라고 정의하였다.[1] 현재는 Harvey W. Cushing 의사의 이름을 따라서 쿠싱증후군이라고 명명하고 있다.

1. 역학 및 병인론

쿠싱증후군은 의인성 쿠싱증후군이 가장 흔하고, 내인성 쿠싱증후군은 드문 질환으로 매년 백만 명당 1~10명이 발생한다. 그리고, 체부비만, 2형 당뇨(0.2~1%), 골다공증에 의한 척추골절(10.8%) 등의 질환을 가진 환자에서 더 빈번하게 발생한다고 보고되어 있지만 아직 논란의 여지가 있다.[2,3] 내인성 쿠싱증후군은 부신피질자극호르몬(ACTH) 의존형과 ACTH 비의존형으로 나누어진다. 내인성 쿠싱증후군의 90%는 ACTH을 분비하는 ACTH 의존형이고 이 중 75%는 뇌하수체에 선종 즉, 쿠싱병이다. 쿠싱병은 1 cm 이하의 미세선종이 대부분이고, 이 중 50%는 직경이 5 mm 이하이며, 뇌하수체 거대선종(>1 cm)은 약 5~10%를 차지한다. 쿠싱병은 20~30대에서 호발하며, 대부분 양성이다.[4]

ACTH 비의존형은 전체 쿠싱증후군의 10%를 차지하고, 대부분은 일차성 부신 쿠싱증후군이며, 남녀 비는 4:1로 여자에서 많으며, 30~40대에서 호발한다(표 71-

표 71-1 │ **쿠싱증후군의 유형 및 빈도**

원인질환	남:여	%
의인성 쿠싱증후군		가장흔함
내인성 쿠싱증후군		
ACTH 의존형		90%
뇌하수체 선종	4:1	75%
이소성 ACTH 증후군(기관지 또는 췌장 카르시노이드 종양, 소세포암, 수질암, 갈색세포종 등)	1:1	15%
ACTH 비의존형	4:1	10%
부신피질 선종		5~10%
부신피질 암		1%
일차부신과형성증(거대결절 부신 과형성증, 원발색소침착결절부신피질병 등)		<1%

1).[5] 일차성 부신 쿠싱증후군의 약 40%에서는 단백질 키나아제 A (protein kinase A, PKA) 촉매소단위(catalytic subunit), R1 subunit of protein kinase A (PRKACA)의 체세포돌연변이를 가진다.[5] 부신의 양측에 생기는 거대결절 부신 과형성증은 ACTH가 적게 분비되지만, 부신내에서 분비되는 ACTH의 자가분비기전(autocrine)에 의해서 코티솔을 분비하게 되고, 또한 G단백 연결 수용체(G-protein coupled receptor)가 활성화되면, PKA 신호전달체제를 상향 조절하게 되어 코티솔의 분비가 증가한다.

원발색소침착결절부신피질병(primary pigmented nodular adrenal disease)은 PKA, 또는 PRKAR1A의 조절소단위의 유전자변이와 연관이 있으며, 이 질환은 카니복합(Carney's Complex)에서 다발성 질환 중 하나로 발생한다. 원발색소침착결절부신피질병은 양측 부신의 소결절, 거대결절 과형성증으로 또는 복합형태로 보이기도 한다.

맥쿤-올브라이트 증후군(McCune-Albright Syndrome)에서도 ACTH 비의존형 쿠싱증후군이 발생하는데, G단백 알파 소단위1 (G protein alpha subunit 1), GNAS-1 (guanine nucleotide binding protein alpha stimulating activity polypeptide 1)의 유전자변이에 의해서 생긴다.[5]

이소성 ACTH 의존형 쿠싱증후군은 전체 쿠싱증후군의 약 15%를 차지하고 진행이 빠르며, 흔한 원인으로는 폐소세포암(50%), 흉선암(20%), 췌장암(10%), 기관지 또는 췌장 카르시노이드 종양, 갑상선수질암, 갈색세포종 등이 있다. 이소성 쿠싱증훈군은 남녀비가 같고, 40~50대에서 호발한다.[6,7]

2. 임상양상

쿠싱증후군의 임상양상은 성별, 나이, 질환의 정도 및 이완 기간에 따라 다양하고, 대부분의 임상증상이 비특이적이며, 쿠싱증후군과 관련이 없는 비만, 당뇨, 이완기 고혈압, 남성형다모증, 우울증 등을 보이기 때문에 주의

표 71-2 | 쿠싱증후군의 임상증상 및 발생률

증상 및 징후	빈도(%)
중심부 비만, 물소혹	95%
안면홍조	
달덩이 얼굴	90%
성욕감소, 발기이상	
얇은 피부	
청소년 발육장애	80~85%
월경주기 이상	
고혈압	
다모증	70~75%
우울증, 정서불안	
쉽게 발생하는 멍	
자색선	60~65%
내당능장애, 당뇨병	
근위 근육위축	
골다공증, 골절	50%
신장결석	

깊게 문진과 신체검진을 해야 한다.[8]

쿠싱증후군 환자의 피부는 쉽게 손상되거나, 멍이 잘 들고, 1 cm 이상의 자색 선이 관찰되며, 계단을 오르거나 의자에서 일어날 때 손을 이용하는 근위 근위축병증(proximal myopathy) 등의 임상 증상을 보인다. 이외 전형적인 증상은 복부 내장 지방의 축적에 의한 중심부 비만, 달덩이 얼굴(moon face), 뒷덜미 지방 축적에 의한 물소혹(Buffalo hump), 안면홍조 등이 있다(표 71-2, 그림 71-1).[9,10]

자색선은 60%에서 생기고, 복부의 외측, 겨드랑이, 넓적다리의 내측에 주로 발생하며, 피부는 진피층과 피하조직이 얇아져서 피부 탄력이 떨어지고 연약해져서 미미한 손상에도 멍이 잘 들게 된다.[2] 이소성 ACTH

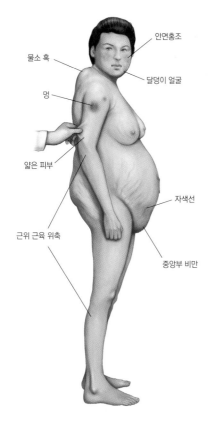

안면홍조

물소 혹

달덩이 얼굴

멍

얇은 피부

자색선

근위 근육 위축

중앙부 비만

그림 71-1 | 쿠싱증후군의 전형적인 모습

쿠싱증후군에서는 피부 자극 시 ACTH와 풋아편흑색소부신겉질자극호르몬(proopiomelanocortin, POMC)이 멜라닌세포의 흑색소 생성을 증가시켜 관절, 상처 및 피부 마찰 부위에 과다색소침착을 일으킨다.[5]

중심부 비만, 달덩이 얼굴 및 물소혹은 쿠싱증후군 환자의 95%에서 나타나는데 발생 기전은 명확하지 않다. 코티솔은 지방조직에서 지방산의 가동을 증가시켜, 혈장 내 유리 지방산의 농도를 높이는 역할을 하지만, 코티솔이 과도하게 분비되면 지방산의 분해보다 많은 음식 섭취가 급격히 이루어져서 특이한 형태의 비만이 발생하는 것으로 추정된다.

근위 근육위축증은 60%에서 나타나고, 이는 간 이외의 조직에서 단백질 생성의 감소 때문이며, 간 내 단백질과 혈장 내 단백질은 증가하여, 간세포 내로 아미노산의 전달이 증가되고, 간에서는 탈아미노화와 아미노산

이 포도당으로 전환하는 포도당신합성이 증가하게 된다.

쿠싱증후군 환자에서 대사증후군이 약 75%에서 생기는데, 내장비만, 고혈압, 내당능장애, 식후 저혈당, 이차인슐린 과다 분비, 이상지질혈증 등이 나타난다. 쿠싱증후군에서는 전신부종이 생기고, 이완기 고혈압과 저칼륨혈증이 발생할 수 있는데, 이는 글루코코르티코이드가 포도당신합성, 지방분해와 단백질 분해대사를 상향 조절하는 역할 이외에도, 광물코르티코이드(mineralocorticoid)로 작용하여 생긴다. 이는 코티솔을 코티손(cortisone)으로 빠르게 비활성화시키는 11β-HSD2의 능력을 초과하여 글루코코르티코이드가 분비되어, 비활성화 되지 않은 글루코코르티코이드가 광물코르티코이드(mineralocorticoid)로 작용하게 된다.

성선기능의 이상 역시 흔하게 관찰되는데, 많이 분비된 글루코코르티코이드가 시상하부-뇌하수체-부신 축을 억제하여 성선자극호르몬이 감소된다. 남성에서는 성욕 감퇴, 발기능력감소, 여성에서는 불규칙적인 생리주기, 과소월경이 생길 수 있고, 남성호르몬의 증가로 다모증, 원형탈모증, 불임증이 생길 수 있다.[2,5]

신경정신학적 증상으로 인지 장애, 기억력 감퇴, 우울증, 급성 편집장애, 우울 정신병(depressive psychosis)도 생길 수 있다. 인지 장애, 단기기억 감퇴, 집중력 부족 등은 해마(hippocampus), 편도(amygdala), 전두엽의 뇌용량 감소와 관련이 있고, 쿠싱증후군의 치료 후 신경학적 증상은 서서히 회복되나 모두 치료되지는 않는다.[11-14] 소아와 청소년기의 쿠싱증후군은 발육장애, 사춘기 지연, 우울증, 과민성 행동장애 등의 인격변화를 보일 수 있다.[8,15]

심혈관질환은 혈전소인 및 호모시스테인의 증가와 타우린(taurine)의 감소로 인해서 생길 수 있고, 혈전소인들의 증가는 응고항진상태를 유발하여 심부정맥혈전증, 폐색전증을 유발할 수 있다. 그리고 시상하부-뇌하수체-부신 축 억제로 갑상선자극호르몬의 분비가 감소하여 갑상선 기능 저하증이 생길 수 있다. 그 외 증상으로는 두통, 요통, 잦은 감염증, 신장결석, 여드름 등이 생길 수 있고, 혈액검사에서는 백혈구 수치 증가, 호산구감소증,

저염소혈증, 대사성알칼리증을 보일 수 있다.

3. 진단

쿠싱증후군이 의심될 때 우선적으로 자세한 병력청취로 의인성 쿠싱증후군을 감별해야 한다. 그리고 감별력이 높은 임상증상들을 가지고 있을 경우 쿠싱증후군의 감별진단을 위한 일련의 검사들을 시행한다. 감별력이 높은 증상으로는 중심부 비만, 근육위축, 자색선, 월경주기 이상, 다모증, 내당능장애, 이완기 고혈압, 골다공증이 있다. 감별진단검사로는 선별검사(screening test), 확진검사(confirmation test), 위치결정검사(localization test)로 구성된다.

선별검사로는 코티솔의 분비증가, 시상하부-뇌하수체-부신 축의 되먹임기전 소실, 또는 코티솔의 정상적인 일중변동 소실을 검사하여 진단한다. 검사 방법들로는 요 중 유리코티솔, 야간덱사메타손검사(overnight dexamethasone test, DST), 자정타액코티솔검사(midnight salivary cortisol test)가 있다(그림 71-2).

24시간 요 중 코티솔검사는 선별검사일 뿐만 아니라 확진검사의 최적표준(gold standard) 검사이다. 요 중 코티솔이 >3배 높으면 확진이 가능하고, 1~3배 정도만 높아져 있다면 야간덱사메타손검사와 자정타액코티솔 검사를 시행해야 한다. 그리고, 24시간 요중유리코티솔검사 시에 주의해야 할 것은 소변을 충분히 모아야 하고, 위음성이나 위양성이 나올 수 있으므로 2~3회 실시해야 한다.

DST는 오후 11시에 1 mg 덱사메타손을 먹고 다음날 오전 8~9시에 혈중 코티솔을 측정하여 >50 nmol/L (1.8 µg/dL)인 경우 쿠싱증후군이 진단이 가능하며, DST검사 시에는 CYP3A4를 유도하는 약제들(예 barbiturates, phenytoin, carbamazepine, rifampin, topiramate, nifedipine, rifapentine)과 함께 복용 시에는 덱사메타손을 빨리 불활성화 시키기 때문에 주의를 해야 한다. 그리고 에스트로젠과 같은 피임제와 임신은 코티솔결합글로불린을 증가시켜서 덱사메타손의 혈청 코티솔 억제가 나타나지 않으므로 피임제는 4~6주 정도 약을 중단 후 검사를 시행해야 한다. 하지만 요 중 유리 코티솔은 코티솔결합글로불린에 결합된 코티솔은 측정이 되지 않으므로 이 경우 24시간 요 중 코티솔검사를 시행하면 확진이 가능하다.

자정 타액 코티솔검사는 코티솔의 일중변동의 소실을 확인하는 검사로 정상인에서 코티솔은 오전 3~4시에 코티솔이 증가하여 오전 7~9시에 최고조에 도달한 이후 점점 감소하여 자정 무렵 최저치가 된다.[16] 자정 타액코티솔 검사는 23~24시 사이에 1~2분 동안 타액을 플라스틱 용기에 담거나 면솜(salivette)에 스며들게 하여 채취한다. 검사결과 타액코티솔이 >5 nmol/L이면 쿠싱증후군 진단이 가능하다. 하지만 이 검사법이 성별, 나이, 동반질환 등에 어떠한 영향을 받는지 아직까지 연구가 미흡하기 때문에 정확성에 대한 논쟁의 여지가 있다. 위 검사가 모호할 경우 자정혈청코티솔검사를 시행할 수 있고 혈청 코티솔이 >130 nmol/L (5 µ/dL)이면 진단하게 된다.

선별검사를 시행하였으나 쿠싱증후군으로 진단하기에는 모호한 경우에는 확진검사를 시행해야 한다. 확진검사로는 저용량 덱사메타손 억제검사가 있는데, 저용량 덱사메타손 억제검사는 48시간 동안 0.5 mg의 덱사메타손을 매 6시간마다 복용하고 억제된 혈중 코티솔이나 24시간 요 중 코티솔을 측정한다. 정상인에서는 혈중 코티솔은 <1.8 µg/dL, 요중코티졸이 <20 µg/day로 억제되며, 혈중 코티솔이 >50 nmol/L 이상인 경우에 쿠싱증후군으로 확진이 된다.

코티솔이 약간 증가된 경우에 감별해야 할 질환으로는 스트레스를 유발하는 입원치료, 강렬한 운동, 우울증, 알코올 중독, 신경성 식욕부진, 조절이 되지 않은 당뇨, 고도 비만, 만성신부전 등의 거짓 쿠싱증후군이 있다. 거짓 쿠싱증후군은 자정혈중코티솔검사나 저용량덱사메타손억제검사(±CRH 자극검사)를 시행한 경우에 진단 정확도가 높다.[17]

쿠싱증후군으로 확진 후, ACTH 비의존형(부신), 또

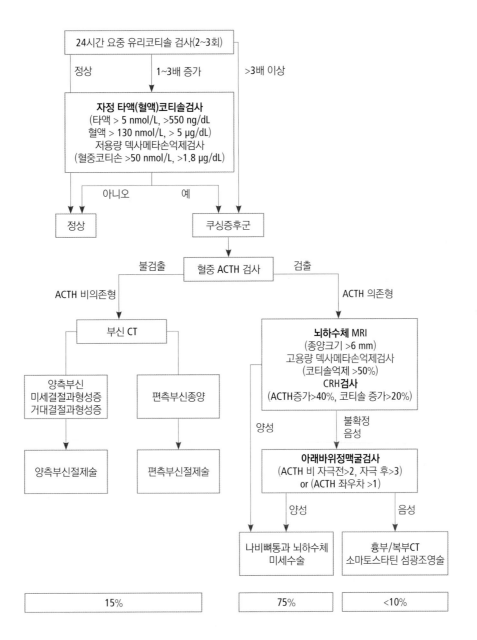

그림 71-2 | 쿠싱증후군의 진단 알고리즘

는 ACTH 의존형(뇌하수체, 이소성 종양)인지 결정을 하기 위해 위치확정검사를 시행하는데, 이 검사로는 혈중 ACTH 검사가 있다. 이때 코티솔도 함께 측정해야 한다. 부신의 종양인 경우는 혈중 ACTH가 <5 pg/mL이며, 부신 컴퓨터 전산화 단층촬영을 하여 좌우 부신의 종양 위치를 확인한다. ACTH 의존형인 경우 뇌하수체 종양과 이소성 종양을 감별하기 위해서 고용량 덱사메타손억제검사, CRH 검사, 또는 뇌하수체 자기공명영상을 시행한다. 뇌하수체의 종양은 대부분 미세선종(<1 cm)이 90% 이상이며, 55~60%는 자기공명영상에서 발견이 된다.[18,19] 6 mm초과 미세선종이 자기공명영상에서 발견이 되고, 고용량 덱사메타손 검사에서 코티솔

이 억제되면 나비뼈통과 뇌하수체 미세수술(transsphe-noidal pituitary microsurgery)을 시행하지만, ≤6 mm인 경우는 정상성인의 10%에서도 발견이 되므로 ACTH을 분비하는 종양으로 확진할 수 없다.[20] 그러므로 이 경우에는 아래바위정맥굴(inferior petrosal sinus) 혈액채취를 하여야 한다. 고용량 덱사메타손 검사는 48시간 동안 6시간마다 2 mg 덱사메타손을 복용 후 6시간 뒤 혈청코디솔을 측정하여 50% 이상 감소 시 뇌하수체 미세선종으로, 그렇지 않은 경우는 뇌하수체 거대선종 또는 이소성 ACTH 분비종양으로 위치확정을 할 수 있다.[21] 아래바위정맥굴 혈액검사는 ACTH의 좌우차가 발견이 되면 편측화(lateralization)가 되었다고 진단하여 높은 편측을 나비뼈통과 뇌하수체 미세수술을 시행할 수 있으나, 좌우차가 >1.4이더라도 성인에서 56~69%에서만 정확하게 진단 가능하므로, 바위정맥굴/말초혈액 ACTH비를 이용하는 방법이 있다. 바위동맥굴/말초혈액 ACTH비가 >2이거나, CRH 100 µg을 정맥 주사 후 2~5분 후 ACTH비가 >3이면 편측화가 되었다고 할 수 있다.

고용량덱사메타손검사에서 코티솔이 억제되지 않거나, CRH 검사에서 ACTH가 >40% 증가하지 않고, 혈중 코티솔이 >20% 증가하지 않으면 뇌하수체 거대선종이나 이소성 ACTH 분비종양을 감별하기 위해 아래바위정맥굴 혈액검사를 시행해야 한다. 그리고, 아래바위정맥굴 혈액검사에서 음성이면 이소성 ACTH 분비종양을 의심하여 흉부 CT, 복부 CT, 소마토스타틴 신티그래피를 시행해야 한다.

4. 치료

쿠싱증후군은 동반질병, 임상증상을 치료하기 위해서 혈중 코티솔을 정상화시키거나 완화시켜야 한다. 쿠싱증후군을 효과적으로 치료하지 못한 1952년 전에는 평균생존률이 4.6년이었고, 60년 뒤 동반질환에 대한 치료를 효과적으로 하였을지라도 사망률은 정상인에 비해

1.7~4.8배 높았다.[1,22-24] 그러므로 일차적인 원인 종양을 제거하는 것이 최선의 치료이다.

쿠싱증후군 환자의 수술 전후에 글루코코르티코이드를 투여해야 한다. 수술 전후 스트레스 용량으로 히드로코르티손 100 mg을 24시간 동안 8시간마다 정맥 주사하고 이후 용량을 줄여 생리적 보충용량까지 줄여 경구 투여한다. 호르몬 보충요법은 시상하부-뇌하수체-부신축의 되먹임기전이 회복될 때까지 시행되는데 수개월에서 1년 이상 걸린다.

쿠싱증후군 환자는 vWF, 인자 VIII 등의 전혈액응고제(procoagulant) 인자의 생성이 증가되어 있고, 섬유소용해능(fibrinolytic capacity)은 감소되어 있어 정맥혈전증(venous thrombosis)이 수술 후 4주 이내에 잘 생기므로 수술 전후 항응고 치료를 고려해야 한다.[25]

뇌하수체종양의 치료는 다양하며, 일반적으로 내시경하 나비뼈통과 뇌하수체 미세수술을 시행하며, 숙련된 신경외과 전문의가 시행할 경우 초기 치료 성공률은 70~80%이다. 그러나 수술 후 관해(remission)가 되었더라도, 많은 수에서 재발하므로 장기간 추적관찰을 요한다. 수술 후 초기 관해를 확인하기 위해서 수술 후 첫째날과 둘째날에 호르몬 보충요법을 하지 않고, 혈중 아침 코티솔을 측정하여 정상보다 낮게 측정되면 초기 관해라고 할 수 있다. 재발 시에는 재수술, 방사선치료, 정위 방사선수술(stereotactic radiosurgery), 약물치료 또는 양측 부신절제술을 시행할 수 있다.

부신종양으로 편측 부신 종양이거나, 양측 소결절 또는 거대결절 과형성증인 경우는 편측 부신절제술 또는 양측 부신절제술을 시행한다(그림 71-2). 부신절제술은 복강경하 복막경유(transperitoneal) 또는 후복막(retroperitoneal) 접근을 통해서 가능하며, 숙련의에 의해 시행될 경우 100%에서 완치가 가능하고 합병증도 3.3~11.3%로 낮다.[26,27] 수술 후 임상증상이 소실되기까지 수개월에서 4년까지 걸리기도 하지만, 대부분의 증상은 수술 후 7~9개월에 소실된다.[27] 대사이상(metabolic abnormality)은 4~6주 내에 정상으로 되고, 비만과 중앙부 비만은 천천히 줄어들어 정상으로 회복되는데 12개월이

걸릴 수 있다.

부신절제술 후 치료를 실패하는 경우는 부신암종의 재발이나 원격전이로 인한 것으로 부신암종은 크기가 5 cm 이상이고, 불규칙, 이종성 형태를 보일 때 의심할 수 있다. 수술적 치료가 불가능할 경우 방사선치료를 시행할 수 있으나 치료효과는 15%로 낮다. 약물 치료로는 메티라폰(metyrapone)과 케토코나졸(ketoconazole)이 치료

효과가 있으며, 메티라폰은 11β-hydroxylase를 억제하여 코티솔 생성을 억제하고, 케토코나졸은 스테로이드 생성기전의 초기 단계에서 코티솔 생성을 억제한다. 또한 항아드레날린(adrenolytic) 약제인 마이토테인(mitotane)을 부신암에서 사용할 수 있고, 이 약제들은 수술전 조절이 되지 않은 저칼륨성 고혈압이나, 정신병을 치료하기 위해 사용할 수 있다.[5]

REFERENCES

1. Cushing H. The basophil adenomas of the pituitary body and their clinical manifestations (pituitary basophilism). Obes Res 1932;2:486-508.
2. ClarkOH, Duh Q, Kekebew E, et al Textbook of endocrine surgery. Philadelphia: Elesevier Saunders; 2006.
3. Chiodini I, Mascia ML, Muscarella S, et al. Subclinical hypercortisolism among outpatients referred for osteoporosis. Ann Intern Med 2007;147:541-8.
4. Bansal V, El Asmar N, Selman WR, et al. Pitfalls in the diagnosis and management of Cushing's syndrome. Neurosurg Focus 2015;38:E4.
5. Kasper D, Fauci A, Hauser S, Longo D, et al. Harrison's Principles of Internal Medicine: McGrau-Hill; 2015.
6. Wajchenberg BL, Mendonca BB, Liberman B, et al. Ectopic adrenocorticotropic hormone syndrome. Endocr Rev 1994;15:752-87.
7. de Perrot M, Spiliopoulos A, Fischer S, et al. Neuroendocrine carcinoma (carcinoid) of the thymus associated with Cushing's syndrome. Ann Thorac Surg 2002;73:675-81.
8. Nieman LK, Biller BM, Findling JW, et al. The diagnosis of Cushing's syndrome: an Endocrine Society Clinical Practice Guideline. J Clin Endocrinol Metab 2008;93:1526-40.
9. Crapo L. Cushing's syndrome: a review of diagnostic tests. Metabolism 1979;28:955-77.
10. Clark OH, Duh Q, Kebebew E, et al. Textbook of Endocrine Surgery. New Delhi: Jaypee Brother Medical Publishers; 2016.
11. Bourdeau I, Bard C, Noel B, et al. Loss of brain volume in endogenous Cushing's syndrome and its reversibility after correction of hypercortisolism. J Clin Endocrinol Metab 2002;87:1949-54.
12. Starkman MN, Gebarski SS, Berent S, et al. Hippocampal formation volume, memory dysfunction, and cortisol levels in patients with Cushing's syndrome. Biol Psychiatry 1992;32:756-65.
13. Starkman MN, Giordani B, Gebarski SS, et al. Decrease in cortisol reverses human hippocampal atrophy following treatment of Cushing's disease. Biol Psychiatry 1999;46:1595-602.
14. Forget H, Lacroix A, Somma M, et al. Cognitive decline in patients with Cushing's syndrome. J Int Neuropsychol Soc 2000;6:20-9.
15. Keil MF. Quality of life and other outcomes in children treated for

Cushing syndrome. J Clin Endocrinol Metab 2013;98:2667-78.
16. Krieger DT, Allen W, Rizzo F, et al. Characterization of the normal temporal pattern of plasma corticosteroid levels. J Clin Endocrinol Metab 1971;32:266-84.
17. Alwani RA, Schmit Jongbloed LW, de Jong FH, et al. Differentiating between Cushing's disease and pseudo-Cushing's syndrome: comparison of four tests. Eur J Endocrinol 2014;170:477-86.
18. Storr HL, Alexandraki KI, Martin L, et al. Comparisons in the epidemiology, diagnostic features and cure rate by transsphenoidal surgery between paediatric and adult-onset Cushing's disease. Eur J Endocrinol 2011;164:667-74.
19. Magiakou MA, Mastorakos G, Oldfield EH, et al. Cushing's syndrome in children and adolescents. Presentation, diagnosis, and therapy. N Engl J Med 1994;331:629-36.
20. Hall WA, Luciano MG, Doppman JL, et al. Pituitary magnetic resonance imaging in normal human volunteers: occult adenomas in the general population. Ann Intern Med 1994;120:817-20.
21. Gilbert R, Lim EM. The diagnosis of Cushing's syndrome: an endocrine society clinical practice guideline. Clin Biochem Rev 2008;29:103-6.
22. Plotz CM, Knowlton AI, Ragan C. The natural history of Cushing's syndrome. Am J Med 1952;13:597-614.
23. Swearingen B, Biller BM, Barker FG, 2nd, Katznelson L, Grinspoon S, Klibanski A, et al. Long-term mortality after transsphenoidal surgery for Cushing disease. Ann Intern Med 1999;130:821-4.
24. Lindholm J, Juul S, Jorgensen JO, et al. Incidence and late prognosis of cushing's syndrome: a population-based study. J Clin Endocrinol Metab 2001;86:117-23.
25. van der Pas R, Leebeek FW, Hofland LJ, et al. Hypercoagulability in Cushing's syndrome: prevalence, pathogenesis and treatment. Clin Endocrinol (Oxf) 2013;78:481-8.
26. Park HS, Roman SA, Sosa JA. Outcomes from 3144 adrenalectomies in the United States: which matters more, surgeon volume or specialty? Arch Surg 2009;144:1060-7.
27. Sippel RS, Elaraj DM, Kebebew E, et al. Waiting for change: symptom resolution after adrenalectomy for Cushing's syndrome. Surgery 2008;144:1054-60; discussion 60-1.

일차알도스테론증
Primary Aldosteronism

| 충남대학교 의과대학 외과 **설지영**

광물코르티코이드(mineralocorticoid) 과다 분비를 유발하는 원인들은 알도스테론, 레닌 농도에 따라 일차, 이차, apparent mineralocorticoid excess (AME)로 나눌 수 있다(표 72-1).

1954년 Conn이 처음 알도스테론 분비 선종(aldosterone-producing adenoma, APA)을 발표한 이후 일차알도스테론증에 대한 이해가 깊어지면서, 일차알도스테론증은 이제 하나의 질환이 아닌 여러 원인 질환을 포함하는 일차알도스테론증 증후군(primary aldosteronism syndrome)으로 알려져 있다. 원인에는 APA를 포함하는 7가지 아형(subtypes)이 존재하는데, 이 중 APA와 양측 특발성 부신 증식증(bilateral idiopathic adrenal hyperplasia, IHA)이 가장 흔하여 약 95%를 차지한다(표 72-2).[1]

예전에는 일차알도스테론증이 이차 고혈압의 드문 원인으로 생각되었었지만, 혈장의 알도스테론 농도와 혈장의 레닌 활성도를 비교하는 PAC/PRA를 선별검사로 사용하고, 알도스테론을 억제하는 확진 검사를 한 이후 현재는 일차알도스테론증이 이차 고혈압의 가장 흔한 원인으로 알려졌고, 그 빈도는 고혈압 환자의 약 5~13%로 보고되고 있다. PAC/PRA ratio가 증가되었다고 모두 일차알도스테론증은 아니므로 반드시 확진 검사를 해야 한다.

수술적 완치를 위해서는 일차알도스테론증의 아형 사이의 정확한 차이를 구별하는 것이 아주 중요하다.[1] 아형의 평가는 하나 이상의 검사가 필요할 수 있고, 그

표 72-1 | 광물코르티코이드(mineralocorticoid) 과다 분비를 유발하는 원인

Primay hyperaldosteronism: high aldosterone, low renin
Aldosterone-producing adenomas (30~50%)
Bilateral zona glomerulosa hyperplasia
Familial hyperaldosteronism
    Type 1: glucocorticoid-remediable hyperaldosteronism
    Type 2: adrenal adenomas or hyperplasia in a familial
        pattern
    Type 3: massive bilateral adrenal hyperplasia
Aldosterone-producing adrenal carcinoma
Ectopic aldsoterone secretion (rare): kidney, ovary

Secondary hyperaldosteronism: high aldosterone, high renin
Renovascular hypertension and aortic stenosis
Diuretic use
Renin-secreting tumors
Severe cardiac failure

Apparent Mineralocorticoid excess: low aldosterone, low renin
Licorice ingestion
Severe hypercortisolism
Liddle's syndrome
11B-hydroxylase deficiency form of congenital adrenal hyperplasia
17-hydroxylase deficiency form of CAH

중의 첫째가 부신의 CT 검사, 다음이 선택적 부신 정맥채혈(selective adrenal venous sampling)을 하는 것이다.

APA는 보통 침범된 부신 한쪽의 절제로 치료가 가능하지만, 양측 부신 증식증인 IPA는 수술보다는 약물치료

표 72-2 | 일차알도스테론증의 아형

Aldosterone-producing adenoma (APA)
Bilateral idiopathic hyperplasia (IHA)
Primary (unilateral) adrenal hyperplasia
Pure aldosterone-producing adrenocortical carcinoma
Familial hyperaldosteronism (FH)
  Glucocorticoid-remediable aldosteronism (FH type 1)
  FH type II (APA or IHA)
Ectopic aldosterone-producing adenoma or carcinoma

를 해야 한다. 일차 고알도스테론혈증을 일으키는 다른 원인으로는 일차 부신 증식증, 알도스테론 분비 부신선암 및 글루코코르티코이드로 분비가 억제되는 고알도스테론혈증 등이 있다. 일차 부신증식증은 형태학적으로는 IPA와 비슷하지만, 생화학 검사나 일측성 부신절제술에 반응하는 것은 APA와 비슷하므로 수술로 제거하는 것이 좋다. 글루코코르티코이드에 반응하는 고알도스테론혈증(가족성 고알도스테론혈증 I형)은 상염색체우성으로 유전되며, 11β-hydroxylase (CYP11B1), ACTH의 유전 암호 조절 영역과 알도스테론 합성(CYP11B2) 유전 암호 조절 영역으로 구성된 키메릭 유전자에 의하여 발생한다. 즉, 알도스테론 합성은 주로 ACTH에 의하여 조절되고, 다량의 알도스테론 합성이 이루어지며, 이러한 상황은 글루코코르티코이드 투여로 조절될 수 있다. 가족성 고알도스테론혈증 2형은 APA나 부신증식증 등이 가족성으로 발생하는 것을 의미한다.

알도스테론 과다 분비로 인한 고혈압, 저칼륨혈증 이외에도 알도스테론이 심혈관계에 직접적으로 악영향을 미치므로, 일차알도스테론증을 치료하기 위해서는 혈중 알도스테론의 농도를 정상화하던지 혹은 알도스테론 수용체 차단제를 사용하여야 한다.

일차알도스테론증의 발견 및 진단이 중요한 이유는 연령과 성별이 비슷하고 같은 정도의 혈압 상승을 보이는 본태성 고혈압(essential hypertension) 환자에 비해서 일차알도스테론증 환자가 더 높은 심혈관계 질환의 이환율과 사망률을 보인다는 것, 그리고 진단이 되는 경우 이러한 결과를 완화시킬 수 있는 특별한 치료법이 존

재하기 때문이다. 따라서 고혈압 환자에서 일차알도스테론증의 빈도가 비교적 많음을 인지하여 의심이 된다면 적극적 검사를 통하여 질환을 확인해야 할 필요가 있다.[5,28,29,30]

1. 정의

일차알도스테론증은 부신피질 사구층(zona glomerulosa)의 이상으로,[1] 호르몬의 정상 조절 기전인 레닌-안지오텐신 계통(renin-angiotensin system)으로부터 영향을 받지 않고,[2] 나트륨 투여에도 알도스테론 분비가 억제되지 않는 자율적 알도스테론 과다 분비와[3] 그에 따른 혈장 레닌 활성(PRA)의 감소가 나타나는 질환군을 일컫는다.[1,2,31,32,34]

2. 역학 Epidemiology

환자가 저칼륨혈증을 보이지 않으면 일차알도스테론증의 진단을 고려하지 않았고, 진단 검사를 할 때에도 항고혈압제를 2주 동안 끊도록 하는 "Spontaneous hypokalemia/ no antihypertensive drug" 방법으로 접근했던 과거에는 일차알도스테론증의 발생률이 고혈압 환자의 0.5~1% 미만을 차지하는 드문 질환으로 오랫동안 생각되어 왔다. 그러나 이제는 고혈압 약제(spironolactone 제외)를 먹는 중에도 혈장의 알도스테론 농도 PAC와 레닌의 활성도 PRA를 비교하는 ARR (aldosterone renin activity ratio)이라는 간단한 혈액 검사를 통해서 선별검사가 가능해지면서, 일차알도스테론증을 보이는 대부분의 환자가 저칼륨혈증을 보이지 않는다는 것이 알려지고, 또한 일차알도스테론증이 고혈압 인구의 약 5~13%를 차지하는 이차 고혈압의 가장 흔한 원인으로 밝혀졌다.[4]

특히 일차알도스테론증의 발생 빈도는 고혈압의 정

도가 심할수록 증가되어, stage 1 고혈압 환자의 1.99%, stage 2 고혈압 환자의 8.02%, stage 3 고혈압 환자의 13.2%를 차지하는 것으로 보고되었고, 3개 이상의 약을 써도 잘 조절되지 않는 저항성 고혈압(resistant hypertension) 환자에서는 더 흔하여 이 그룹의 환자 약 17~20%에서 발견 된다. 여성에 약 1.5배 잘 생기고, 본태성 고혈압에 비하여 젊은 연령(17~74, 평균 47세)에 호발 된다고 알려져 있지만,[1] 보고마다 일치된 결과를 보이지는 않는다.[5]

3. 병태생리 Pathophysiology

일차알도스테론증의 가장 중요한 병태생리적 이상은 조절인자에 의하여 억제되지 않는 자율적 알도스테론 과다 분비 이외에도 혈장 레닌이 감소되어 있고, 체액의 증가가 있다는 점이다. 알도스테론은 레닌에 의해서 형성되는 안지오텐신 II에 주로 반응하여 부신피질 사구층에서 합성되고 분비되는 호르몬으로, 레닌-안지오텐신 II 이외에도 ACTH, 혈청 나트륨, 칼륨, 도파민 및 혈관 내 체액량에 의해서 영향을 받는다.

알도스테론이 세포의 핵에 존재하는 광물코르티코이드 수용체에 결합하고, 이 리간드-수용체 복합체가 DNA에 부착되어 유전자의 발현을 증가시키면, 신장의 세뇨관 세포, 하부 대장 및 침샘의 상피 조직에서 나트륨 통로(sodium channel, ENaC)를 통하여 Na의 흡수를 증가시킨다. 그 결과 체액의 양이 증가되고 심박출량이 늘어나면서 고혈압과 함께 칼륨이 과다 배출되어 저칼륨혈증을 유발하게 된다.[1,5]

일차알도스테론증의 원인 중 가장 흔한 것은 APA와 IHA로, 전체의 약 95%를 차지한다. 이 두 질환이 질환 스펙트럼의 양 끝에 위치하고, 두 질환 사이에는 여러 중간 아형들이 존재한다(표 72-2). 흔하진 않지만 일차부신증식증은 주로 한쪽 부신의 사구층 증식에 의하여 발생하고, 가족성으로 나타나는 familial hyperaldosteron-ism (FH)은 FH type I, II, III 세 가지 형태가 존재한다. FH type I은 glucocorticoid-remediable aldosteronism (GRA)로 상염색체 우성으로 유전되며 다양한 정도의 고알도스테론증, hybrid steroids인 18-hydroxycortisol과 18-oxocortisol의 분비 증가, 외부의 glucocorticoids (dexamethasone)에 의하여 알도스테론 분비가 억제되는 등의 특징을 보이고 있다. FH type II는 가족에서 APA 혹은 IHA, 또는 둘 다 발생할 수 있는 질환이며, 최근에 알려진 FH type III는 massive bilateral adrenal hyperpalsia를 보이는 경우이다.[1]

예전에는 저칼륨혈증이 일차알도스테론증의 진단에 필요한 것으로 생각되었으나, 현재는 일차알도스테론증 환자의 대부분이 정상 칼륨 소견을 보이고, 일부인 약 9~37%에서만 저칼륨혈증이 나타나는 것으로 확인되었다.[6,7] 따라서 일차알도스테론증의 가장 흔한 증상이 정상칼륨을 보이는 고혈압(normokalemic hypertension)이고, 더 증상이 심한 경우에 비로소 저칼륨혈증이 나타나는 것으로 볼 수 있다. 결론적으로 저칼륨혈증의 존재 자체는 일차알도스테론증 진단에 민감도와 특이도 및 양성 예측도가 낮다.[2]

알도스테론 과다가 단순히 유전체 효과를 통한 고혈압, 저칼륨혈증만을 유발하는 것이 아니라 알도스테론 자체가 비상피성 조직에 악영향을 미치기도 하여, 내피세포 기능 이상, 염증, 콜라겐 재형성(collagen remodeling)과 신장 기능의 저하를 일으키는 등의 비유전체 효과 'nongenomic' effects에 의한 표적 장기 손상(target organ damage)도 함께 나타난다. 일차알도스테론증 환자에서 본태성 고혈압 환자보다 현격히 높은 뇌졸중, 심근경색 및 심방 세동 등이 나타나는 것도 이런 표적 장기 손상 때문으로 설명된다.[8-10]

4. 병리학적 특성 Pathologic features

APA는 일반적으로 한쪽 부신에 발생하는 단발성 종양

이다. 대부분의 선종은 3 cm보다 작아, 수술로 확인된 선종의 평균 크기는 1.8 cm 정도이다.[1,11] 선종의 단면은 특징적인 황금색이고, 현미경 소견은 대부분 투명하고 지방이 많이 함유된, 다발층(zona fasciculata)을 닮은 세포로 구성되어 있다. 핵 이형성증(nuclear pleomorphism)은 거의 관찰되지 않으며, 코티솔을 분비하는 선종과 달리 종양 외 피질의 위축은 잘 보이지 않는데 그 이유는 알도스테론이 ACTH의 분비를 억제하지는 않기 때문이다.

반면 IHA는 보통 양쪽 부신에서 발생하고, 소결절성(micronodular) 혹은 대결절성 증식증(macronodular hyperplasia)으로 나타난다.

선종과 증식증을 감별할 수 있는 전형적인 병리학적 특성에도 불구하고 선종과 증식증 사이에는 병리학적인 연속성이 있다. 예를 들면 단발성 선종의 종양 외 피질은 항상 정상은 아니어서, 증식증을 보이기도 하고 간혹 위축을 보이기도 한다. 간혹 APA에서 육안적으로나 현미경적으로 확인이 가능한 결절들이 같이 존재하기도 한다. 환자 중 약 19%는 명백한 선종이 있으면서도 다발성 대결절을 보이기도 하고, 43%는 선종과 연관된 소결절을 보이기도 한다. 대결절성 증식증과 비기능성 피질선종(nonfunctioning cortical nodules)은 조직학적으로 항상 구별이 가능한 것은 아니다. 선종과 관련된 대결절이 있는 환자는 심한, 지속적 고혈압을 보이는 경우가 많다.

이외에도 양측 단발성 부신 선종과 단측성 부신 증식증과 같은 드문 경우들이 보고되기도 하였는데, 이는 일차알도스테론증이 하나의 병리학적 실체가 아니라는 것과 치료의 관점에서 중요한 임상적인 의미가 있다는 사실을 반영한다.[1]

5. 임상적 특성 Symptoms and signs

고알도스테론혈증의 중요한 특징은 약물로 조절이 힘들고, 특히 이완기 혈압의 증가가 심한 고혈압을 보이는 것과, 모든 환자에서는 아니지만 일부 환자에서 저칼륨혈증을 보인다는 것이다.

일차 고알도스테론혈증은 중등도 내지 심한 고혈압을 보이며, 고알도스테론혈증으로 진단 되기 전 고혈압으로 치료 받았던 기간은 1개월에서 10년 이상으로 다양하였다.[1] 고혈압으로 인한 두통, 눈의 망막증, 신장 기능의 저하 및 심혈관계 질환 등을 보이고, 저칼륨증과 관련이 있는 다른 특징적인 증상으로는 근육 약화, 경련, 간헐적 마비, 두통, 다음 다갈증, 다뇨증 및 야간뇨 등이다. 주기적 마비(periodic paralysis)가 아시아 환자에서 흔한 증상으로 보고 되기도 하였다.[12,13]

6. 감별진단 Differential diagnosis

광물코르티코이드 작용 증가와 혈장 레닌의 농도가 감소 되어 있을 때 다음의 질환과 감별해야 한다.

Mineralocorticoid excess with low plasma renin activity(mimics primary aldosteronism)

- Congenital adrenal hyperplasia
  11B-hydroxylase deficiency,
  High production of mineralocorticoid 11-deoxy-corticosterone
- Ectopic ACTH syndrome
  Excess mineralocorticoid action by high concentration of cortisol
- 11B-hydroxysteroid dehydrogenase II deficiency
  syndrome of apparent mineralocortoid excess
- Liddle's syndrome
  EnaC B- or R subunit of renal collecting duct
  Constituitive ENaC expression and increased sodium reabsorption
- Adrenal adenomas that produce deoxycorticosterone (rare)

7. 진단 Diagnostic approach

진단 방법에는 3가지 구성요소인 선별검사(case detec-tion or screening test), 확진검사(confirmatory test) 및 아형검사(subtypes studies)가 있다(그림 72-1). 미국 내분비학회에서 발표된 일차알도스테론증 환자의 치료 가이드라인을 위주로 소개하겠다.

1) 선별검사와 진단

(1) 선별검사의 적응증

혈압이 정상화되고 알도스테론 혈중 농도가 감소하면 환자의 심장, 뇌혈관계의 결과가 호전된다는 강한 증거가 있으므로, 일차알도스테론증의 빈도가 상대적으로 높은 환자군인 다음의 경우 선별검사를 권한다.[2,14]

① Joint National Commission stage 2 고혈압 (>160~179/100~109 mmHg) or stage 3(>180/110 mmHg)

② 약물 저항성 고혈압(drug-resistant hypertension)

③ 고혈압과 저칼륨혈증을 보이는 환자(spontaneous or diuretic-induced hypokalemia)

④ 고혈압이 있으면서 부신의 우연종(adrenal inciden-taloma)이 발견된 환자

⑤ 고혈압이 있으면서 젊은 나이에(<40세) 뇌졸중 혹은 조기 발병의 고혈압 가족력이 있는 환자

⑥ 일차알도스테론증 환자의 고혈압이 있는 모든 일촌 가족

일차알도스테론증은 예전에 생각했던 것보다 더 흔하여 10~15%까지도 보고되고 있다. 일차알도스테론증 환자의 7~38%에서 혈청 칼륨 농도는 정상으로 보고되고 있으므로 혈청의 칼륨 농도가 정상이라 하더라도 일차알도스테론증을 배제할 수는 없다.[15,16] 따라서 Gordon 등은 알도스테론증의 선별검사 적응증을 저칼륨혈증을 보이거나 혹은 약물치료에 잘 반응하지 않는 고혈

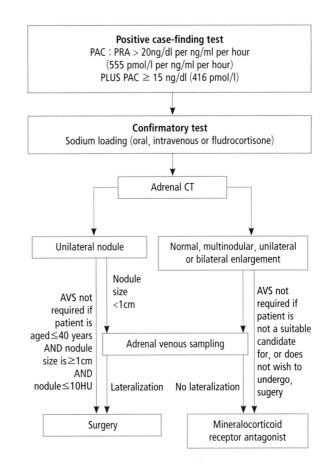

그림 72-1 │ 일차알도스테론증의 진단과 치료 알고리듬

압에서 고혈압을 보이는 모든 환자로 확장할 것을 권고하였다.[17] 더욱이 우연히 부신 종물이 발견된 고혈압 환자의 1%에서 알도스테론종양이 있었으므로, 부신 우연종 환자에서도 알도스테론혈증에 대하여 검사를 하여야 한다.

(2) 선별검사: PAC/PRA (plasma aldosterone concentration/ plasma renin activity) ratio or ARR

칼륨의 측정, 혹은 알도스테론, 레닌을 각각 측정하여 혈중 농도가 감소 혹은 증가되었는지 보는 방법은 진단 가치는 떨어지지만, 알도스테론과 레닌의 비를 측정하는 것은 편리하고 효율적인 선별검사 방법으로 알려져 있다.[18] 이 비율을 측정하는 것에 대한 근거는 일차알도

스테론증에서는 알도스테론 분비의 레닌 의존성이 상실되므로 알도스테론과 레닌을 동시에 측정하였을 때 레닌의 현재 농도에 맞지 않게 알도스테론이 과다 분비된다는 것과, 더욱이 알도스테론이 과다 분비되면서 신장에서 나트륨의 재흡수를 증가시켜 세포외액이 증가되고, 이차적으로 레닌이 더욱 감소되어 알도스테론/레닌의 비는 더욱 증가된다는 가정 때문이다. 그러나 이 알도스테론/레닌 비는 본태성 고혈압에서 보이는 것처럼 알도스테론 증가 없이 레닌의 감소만으로도 증가될 수 있으므로, 이 수치만으로 일차알도스테론증을 확진할 수 없으며, ARR도 위양성, 위음성 결과를 보일 수 있으므로 확진검사를 시행해야 한다.[19,20]

(3) 검사 방법

ARR은 아침에 침대에서 나와 최소 2시간 정도 걸어 다닌 후 최소 5~15분 앉아 있은 다음 측정하는 것이 가장 좋은 결과를 얻을 수 있다. 검사 전 나트륨의 섭취를 제한하지 않는 것이 좋다. ARR에 영향을 많이 미치지 않는 약물은 계속 복용하면서 측정해도 무방하지만 그 약물들이 ARR에 어떤 영향을 미치는지 알아야 한다.

(4) 검사 결과의 해석

레닌의 측정은 두 가지 방법을 사용할 수 있다. 레닌의 활성도를 측정하는 방법과 직접 레닌의 농도를 측정하는 방법이다. 주로 병원 검사실에서 많이 사용하는 것이 혈장 레닌의 활성도를 측정하는 것이다.

레닌과 알도스테론 농도를 보고하는 방법이나 단위가 검사실마다 차이가 있을 수 있으므로 단위를 주의 깊게 살펴봐야 한다. 알도스테론의 경우 1 ng/dL는 SI 단위인 27.7 pmol/L로 바뀔 수 있고, 레닌의 경우 활성도를 측정하는 PRA 1 ng/mL/h (12.8 pmol/L/min in SI units)는 direct renin concentration (DRC) 8.2 mU/L (5.2 ng/L)로 바뀔 수 있다.

일반적으로 많이 사용하는 단위인 PAC를 ng/dL, PRA를 ng/mL/hr로 표현하는 경우 ARR의 cut-off 값은 보고에 따라 20~40이며, 가장 많이 사용되는 값은 30이

다.[2]

선별능은 PAC/PRA 비뿐 아니라 PAC가 증가되어 있는 경우 더 좋아져 다른 원인의 고혈압과 일차알도스테론증을 감별할 수 있다. Weinberger와 Feinberg는 PAC/PRA 비 30 이상, PAC 20 ng/dL의 기준을 사용하는 경우 감수성 90%, 특이성 91%로 일차알도스테론증을 감별할 수 있다고 하였다. Young은 일차알도스테론증 진단에 PAC/PRA 20 이상, PAC 15 ng/dL 이상의 기준을 사용할 것을 권고하였다. 일차알도스테론증의 진단은 고혈압 환자, 특히 저칼륨혈증을 보이는 환자에서 PAC (N: 2.2 to 15 ng/dL)가 증가되어 있고, PRA가 감소되어 있는 경우(below 0.2 to 0.5 ng/mL/hr) 거의 모든 환자에서 확진이 가능하며, basal PAC가 증가되어 있으면서 PAC/PRA 비가 50:1이 넘는 경우도 진단이 가능하다.

본태성 고혈압처럼 레닌의 농도가 낮은 경우 ARR이 높아져 위양성의 가능성이 있을 수 있음을 알아야 하지만, 한 연구에서는 일차알도스테론증으로 진단된 환자의 36%에서 알도스테론 농도가 15 ng/dL 미만이었음을 보고하고 있으므로, 알도스테론 농도가 정상이라도 ARR이 증가되어 있다면 반드시 확진 검사를 통하여 감별해야 한다.[21]

2) 확진검사 Confirmatory tests

(1) 확진검사 방법 4가지

① Oral sodium loading test

② Saline infusion test

③ Fludrocortisone suppression test

④ Captopril challenge test

ARR이 양성으로 나온 경우 4가지 확진 검사 중 어느 하나를 통하여 진단을 확인 혹은 배제할 수 있다. 일차알도스테론증의 진단은 알도스테론의 정상 조절 인자인 안지오텐신 II에 관계없이 알도스테론 형성이 자율적이

라는 것을 증명하면 입증된다. 네 가지 중 어떤 검사가 더 좋다는 증거는 없지만, 비용, 환자의 순응도, 검사실 장비, 경험 등 여러 조건에 따라 선택할 수 있다. 식염수를 사용하는 경우 조절이 잘 안 되는 고혈압 환자나 심부전 환자의 경우 주의를 요한다. 필요 시 레닌-안지오텐신-알도스테론 계통에 영향을 미치지 않는 혈압약을 사용할 것을 권한다.[2]

(2) 검사 방법

① Oral sodium loading test

경구로 나트륨을 섭취하면서 나트륨 증가로 인하여 알도스테론이 억제되는 것을 평가하는 방법이다. 하루에 200 mmol 이상의 고염 식이를 3일 한 후에 24시간 소변에서 알도스테론 분비를 측정하여, 소변의 알도스테론이 12 mcg/24 h 이상이면 알도스테론 분비 억제가 안 되는 것을 의미하므로 진단이 가능하다. 90% 이상의 민감도와 특이도를 보인다.

② Saline infusion test

0.9% 생리식염수 2 L를 4시간에 걸쳐 정맥 주입하면서 누워 있는다. 혈중 알도스테론, 레닌 활성도, 혈중 칼륨치를 식염수 주입 직전, 4시간 후에 각각 측정하여 알도스테론 농도가 10 ng/dL이 넘으면 알도스테론 형성이 억제 되지 않는 것을 뜻하므로 진단이 가능하다. 검사가 비교적 쉬워 외래에서도 가능하나, 심한 고혈압, 만성 신부전, 심부전, 부정맥, 심한 저칼륨혈증 환자에서는 금기이다.

③ Fludrocortisone suppression test

일차알도스테론증을 확진하는 표준 검사이다. 고염식을 하루에 200 mmol(6 g)씩 4일 섭취하면서 fludrocortisone (florinef) 0.1 mg을 매 6시간마다 경구 복용한다. 이때 칼륨 보조제를 사용하여 혈청 칼륨을 정상으로 유지한다. 4일째 기립 상태의 혈중 알도스테론과 레닌의 활성도를 측정하여 알도스테론 농도가 6 ng/dL인 경우,

알도스테론 형성 억제가 안된 것을 나타내므로 일차알도스테론증을 진단할 수 있다. 이때 레닌의 활성도 PRA는 1 ng/mL/hour 미만으로 억제되어야 한다.

④ Captopril challenge test

환자가 앉아 있는 자세에서 경구로 captopril 25~50 mg을 섭취 후 알도스테론, 레닌활성도, 코르티솔을 baseline과 captopril 투여 한 시간 후에 측정한다. 정상적으로 알도스테론은 captopril에 의하여 30% 이상 감소되어야 하나, 일차알도스테론증에서는 감소된 소견이 보이지 않는다.[2]

3) 아형검사 Subtype classification

일차알도스테론증 증후군에는 7가지 아형이 존재하는데, 이 중 APA와 IHA가 가장 흔하여 약 95%를 차지한다. 환자의 적절한 치료를 위하여 IHA와 APA를 구별하는 것이 필요하지만, 임상증상이나 생화학적 검사로 알 수 없기 때문에 CT, MRI 등의 방사선적 조영이나 부신 정맥채혈이 필요하다. 아형 결정이 일차알도스테론증을 진단하고 치료방법을 선택하는 마지막 단계이다.

(1) 부신 CT

일차알도스테론증이 있는 모든 환자에서 아형 결정의 초기 검사로, 그리고 악성을 감별하기 위하여 부신 CT 촬영을 권고한다. MRI는 CT에 비하여 가격이 비싸고, 공간 해상도가 낮아 별 이득이 없다.

고해상도의 CT인 경우 선종을 발견할 수 있는 민감도는 약 82~90%이지만, 1 cm 미만의 APA는 발견률이 더 낮아서 25%의 민감도를 보인다. CT상 혈관조영제 투입 전후 균일한, 음성의 CT attenuation을 보이면 APA의 가능성이 높다. 이 검사 방법은 비침습적이고 외래에서도 시행이 가능하다.

Young과 Klee는 일차알도스테론증을 보이는 환자의 CT 소견에서 1 cm 이상의 대선종이 한쪽 부신에서 보

이고 반대쪽 부신이 정상으로 보일 때 다른 아형의 감별이 필요없이 일측성 부신절제술이 고려될 수 있다고 하였다.[22]

Doppman 등도 역시 CT상 한쪽 부신에 종양이 보이고 반대쪽 부신이 정상이라면 더 이상이 병소 확인이 필요 없다고 하였다.[24] 비록 APA는 대부분 악성은 아니지만, 한쪽에 4 cm 이상의 큰 부신 종양이 보인다면 부신피질암(adrenocortical carcinoma)의 가능성이 있다는 것도 알아야 할 중요한 사항이다.[22]

① 부신 CT의 제한점

CT에 근거한 선종의 진단은 어느 정도 확실하지만, CT에 근거한 부신증식증의 진단은 부정확하다.[23] 작은 선종이 있는 경우 부신의 증식증이나 혹은 정상 부신으로 잘못 해석될 소지가 있고, 명백히 미세 선종으로 보이는 경우도 실제는 증식증일 수 있는데, 이 경우에 단측성 부신절제술은 적절한 치료법이 아니다. 그러므로 1 cm 정도로 작은 단측성 선종이 의심되거나 CT상 양측의 결절, 그리고 양측이 정상으로 보이는 경우 동위원소 부신 주사 검사(isotope adrenal scanning)이나 선택적 부신 정맥혈 채취(AVS)가 필요하다.[1,2]

CT에서 부신의 우연종은 약 2%에서 발견되나, CT에서 발견된 모든 부신 종양이 호르몬을 분비하는 것은 아니므로 방사선적 조영의 결과에 의거하여 수술을 계획하는 것은 부적절하다. CT로는 종양의 호르몬 분비 유무를 알 수는 없지만, 종양 내에 지방 성분의 많고 적음을 판단하여 양성과 악성을 감별하는데 도움이 될 수 있다. 지방 함유가 높은 경우 양성 종양의 가능성이 높다.

② CT의 정확도

한 연구에서는 알도스테론분비 선종이 1 cm 미만이었던 경우 25%만이 CT에서 발견되었고, CT와 AVS 모두 사용하여 진단된 일차알도스테론증 환자에 대한 연구에서는 CT가 53~54%만 정확하였다. 그러므로 AVS는 수술을 원하는 모든 일차알도스테론증 환자에서 적절한 치료를 결정하는데 필수적이다.[25,26]

(2) 부신정맥혈채취 AVS

일차알도스테론증의 외과적 치료를 위해서는 부신의 어느 쪽에서 과량의 알도스테론이 분비되는지, 또한 단측성 질환인지 혹은 양측 질환인지에 대한 감별이 매우 중요하다. 왜냐하면 양측 부신 증식증이나 코르티솔로 치료가 가능한 GRA의 경우 부신절제술이 고혈압을 교정하지 못할 뿐 아니라 약물치료가 최선이기 때문이다.

CT의 정확도가 떨어지고, 부신의 우연종과 선종을 확실히 구별하지 못하기 때문에, AVS가 양측 질환과 단측성 질환을 구별하는데 있어서 가장 정확한 방법이며, 일차알도스테론증의 원인을 진단하는 gold standard test로 알려져 있다. 그러나 비싸고 침습적이고, 또한 정확한 위치에 카테터를 위치시키는 것이 어렵기 때문에 성공률이 비교적 낮아서 일차알도스테론증이 아닌 환자에서는 되도록 검사를 피하는 것이 좋겠다. 선별검사인 ARR가 위양성이 있을 수 있으므로 AVS를 고려하기 전 반드시 확진 검사를 해야 한다.[25,27]

일차알도스테론증이 있는 모든 환자에서 AVS를 시행하기도 하고, 선택적으로(CT상 명백한 단측성 선종이 있는 40세 이하의 젊은 환자에서는 AVS를 할 필요가 없다) 시행하기도 해서 이에 대한 의견 일치는 없지만, 환자의 모든 임상 상황을 고려하여 결정한다.

합병증은 보고자마다 다르지만 경험이 풍부한 방사선 의사의 경우 약 2.5% 이하로 알려져 있고, 출혈 혹은 혈관의 혈전, 파열이나 부신의 괴사 등이 발생할 수 있다.

AVS는 양쪽 부신 정맥, 원위부 대정맥에 도관을 위치시키고 혈액을 채취하는데, 검사 시 스트레스에 의한 알도스테론 분비의 변동과 정맥혈에 의한 희석 효과를 최소화하기 위하여 합성 ACTH를 사용하여 알도스테론 분비와 알도스테론-코르티솔 비를 측정하여 농도가 높은 쪽과 낮은 쪽의 차이가 4:1 이상 나는 경우 unilateral aldsoterone excess로 진단이 가능하며, 3:1 이하의 경우 양측 알도스테론 분비 증가를 의심한다. 이러한 기준점(cut-off value)을 사용하는 경우 단측성 알도스테론 분비 증가를 보이는 알도스테론 선종 혹은 단측성 부신 증식증의 경우 민감도 95%, 특이도 100%로 진단이 가능하다. 이 비가 3:1과 4:1 사이인 경우 단측성 혹은 양측 질환을 모두 의심할 수 있는데, 이때는 임상상, CT소견, 다른 보조검사 결과와 함께 고려하여 해석하여야 한다.[2,25]

Cortisol-corrected aldosterone ratio 또는 aldosterone-cortisol ratio (ACR)은 좌우측 부신 정맥의 알도스테론 농도를 각각의 코르티솔 농도로 나누어 좌부신정맥으로 유입되는 하횡격막 정맥혈, 우부신정맥으로 유입되는 하대정맥혈의 희석효과를 교정하기 위하여 사용한다.

(3) AVS가 실패한 경우, 알도스테론 형성 선종과 특발성 고알도스테론혈증의 생화학적 감별2
① Postural stimulation test
② NP-59 scintigraphy
③ 18-hydroxycorticosterone levels

일차 고알도스테론증이 진단되면 부신절제술로 도움이 되는 환자 선택을 위하여 APA와 IPA의 감별이 아주 중요하다. 부신절제술은 IPA보다는 APA 환자의 고알도스테론증과 고혈압을 교정할 수 있다.

환자의 자세에 따라 APA와 IPA를 감별할 수 있다. IPA에서는 4시간 서 있는 자세에서 PAC가 보통 증가되지만, APA에서는 특징적으로 PAC의 자세 변화에 따른 감소가 나타난다. 이 현상은 APA가 상대적으로 안지오텐신에 반응은 없지만 여전히 corticotrophin circardian rhythm을 따르는 것 때문이고, 반면 IPA에서 알도스테론 형성은 서있는 자세에서 약간의 PRA와 코티솔증가에 의하여 영향을 받기 때문이다.

그러나 자세 변화에 따른 혈중 알도스테론 농도 측정 방법은 위음성 가능성 때문에 APA와 IPA를 감별하는 데 있어서 항상 정확하지는 않다. Young과 Klee 등은 수술로 확인된 APA 환자 246명에서 postural study의 정확도를 약 85%로 보고하였고, 한 연구에서도 선종 환자의 약 43%에서 자세변화 검사에 비정상적인 반응을 보

였다고 하였다. 아마도 검사 중의 스트레스로 corticotropin이 분비되고, 이로 인하여 혈중 알도스테론 농도가 증가된 것으로 보인다. 혈중 18-hydrocorticosterone (18-OHB) 농도를 측정하는 것 또한 APA와 IPA를 감별하는데 유용한 것으로 보고되고 있다. 100 ng/dL 이상의 혈중 18-OHB 농도가 보통 APA와 관계 있다고 하지만, 18-OHB 측정이 병원에서 일반적으로 가능하지 않다. APA 진단의 정확도는 여러 연구를 종합해 볼 때 약 82% 정도이다.

현재 사용되는 생화학적 검사 방법 중 어느 것도 APA와 IPA를 100% 정확히 감별할 수는 없다. 단순히 생화학적 검사 만을 근거로 IPA라고 진단한다면 부신절제술로 완치가 가능한 많은 수의 APA 환자를 놓치게 된다. 더욱이 일차 부신 증식증과 알도스테론 형성 레닌 반응 선종이라 불리는 아형들은 일측성 부신절제술로 교정이 가능하다고 알려져 있다. 전자의 경우 자세 반응과 18-OHB 과다 분비 등의 관점에서 APA의 특징을 보이고, 후자의 경우 자세변화 자극에 IPA와 같은 반응을 보인다.

8. 치료 Treatment

1) 치료의 원칙

광물코르티코이드 수용체가 신장이나 대장 이외에도 심장, 뇌, 혈관 등에도 존재하여, 알도스테론 농도가 높을 때 알도스테론의 호르몬 효과 이외에도 비상피성 조직 효과가 나타나 심근, 혈관의 비대, 섬유화 등이 나타나므로, 혈압의 정상화가 일차알도스테론증을 치료하는데 있어서의 유일한 목표가 되어서는 안 된다. 치료의 목표는 고혈압, 저칼륨혈증 및 심혈관계 손상과 연관된 이환과 사망을 방지하는데 있다.[1,2]

2) 수술적 치료

(1) 수술 방법: 복강경부신절제술이 선호되나, 악성의 경우 개복수술

단측성 일차알도스테론증인 APA나 단측성 부신 증식증 있는 환자에서 가장 좋은 치료 방법은 단측성 복강경부신절제술(unilateral laparoscopic adrenalectomy)이다. 만일 APA나 UAH 환자가 수술을 받을 수 없거나 혹은 수술을 거부하는 경우 광물코르티코이드 수용체 길항제(MR antagonist)로 치료한다.

일차알도스테론증 수술 시 부신을 전부 제거하느냐, 일부를 제거하고 남기느냐의 의미는 아직 그에 대한 장기간에 대한 결과가 없어 잘 모르지만, 전부 제거한 수술 조직의 약 27%에서 다발성결절이 발견되고, 전부 제거 후 장기간 추적 검사에서 별 문제가 없었기 때문에 현재까지 부신 보존의 필요성은 불확실하다.[1]

(2) 수술 전 처치

수술의 위험도를 감소시키기 위해서 고혈압과 저칼륨혈증은 수술 전 spironolactone이나 경구용칼륨제제 복용으로 최소 2주 정도 교정한다.[2]

(3) 수술 후 처치

수술 직후 혈장 알도스테론 농도와 레닌 활성도를 측정하여 생화학적 반응을 본다. 수술 후 첫날은 칼륨을 보충 하지 말고, spironolactone도 끊고, 항고혈압제도 사용하지 않고 혈압의 변화를 살피지만, 만일 필요하다면 항고혈압제를 줄여서 사용한다.

수술 후 수액은 혈청 칼륨이 <3.0 mmol/liter로 낮지 않으면 칼륨을 섞지 않은 생리식염수를 투여한다. 수술 후 첫 몇 주 동안은 나트륨 섭취를 자유롭게 하는데, 그 이유는 레닌-안지오텐신-알도스테론 계통이 만성적으로 억제되었었기 때문에 혹시 발생할 수 있는 저알도스테론증으로 인한 고칼륨혈증을 피하기 위해서이다.

(4) 수술 후 결과

전형적으로, 고혈압은 수술 후 1~6개월 후에 정상화 되거나 혹은 최대로 호전되지만, 어떤 환자에서는 1년까지도 서서히 떨어진다. 혈압조절과 혈중 칼륨농도는 수술 후 거의 100%에서 호전 되지만, APA 시 단측성 부신절제술 후 고혈압의 평균 장기 완치율은 30~60% 사이이다. 고혈압 완치의 정의는 항고혈압제 사용 없이 혈압이 140/90 미만으로 유지되는 것이다. 고혈압 완치의 기준점 수치를 160/95 mmHg까지 올리면 완치율은 56~77%까지 올라간다.

수술 후 고혈압이 해소될 가능성을 예측할 수 있는 인자로는 일촌 중에 고혈압 환자가 없거나 하나 정도인 경우, 수술 전 2개 이하의 항고혈압제 사용 등이다. 다른 연구에서 나타난 고혈압 완치 예측 인자는, 비록 단변량 분석이고 고혈압 완치의 기준을 160/95 mmHg로 잡았지만, 고혈압 기간 5년 미만, 수술 전 ARR이 높았던 경우, 소변으로의 알도스테론 분비가 높았던 경우, 수술 전 spironolactone에 대한 반응이 좋았던 경우 등이다. 부신절제술 후 지속적인 고혈압이 나타날 수 있는 가장 흔한 인자로는 원인 불명의 고혈압이 동반되었을 때, 고령, 고혈압의 기간이 길었던 것 등이다.[1,2]

단측성 일차알도스테론증인 APA나 UAH 시 부신절제술을 하는 것이 장기간 약물치료보다 비용면에서 더 효율적이다.

3) 약물치료

양측 부신 질환은 IHA, 양측성 APA, 및 GRA를 포함한다. IHA의 경우 단측 혹은 양측 부신절제술을 시행했을 때 고혈압의 완치율이 오직 19%였다. 양측 부신 질환에 의한 일차알도스테론증의 경우 MR antagnosits로 약물치료를 하는데, spironolactone을 일차약으로, eplerenone을 이차약으로 사용한다.[2]

(1) 광물코르티코이드 수용체 길항제 MR antagonists

MR antagonists는 혈압 조절과 혈압과 무관한 표적 장기 손상 방지에 효율적으로 나타났다.

① Spironolactone

한 연구에 의하면 IHA환자에서 spironolactone을 25~50 mg/d 사용했던 경우 항고혈압제가 0.5 약물이 줄었고, 수축기 혈압이 15 mmHg, 이완기 혈압이 8 mmHg 감소하였으며, 48%의 환자에서 혈압이 140/90 mmHg 미만으로 유지되었고, 약 반은 spironolactone 단독 치료로 유지될 수 있었다.

Spironolactone은 일차알도스테론증 치료에 40년 이상 사용되어온 약물이지만, 알도스테론 수용체에 선택적이지는 않다. 즉, spironolactone을 6개월 이상 장기간 사용하는 경우 테스토스테론 수용체에 길항 작용을 하여 통증이 동반되는 여성형 유방, 발기 불능이나 여성에서는 프로게스테론 효현제(agonist)로 작용하여 생리 불순을 유발할 수 있다. 여성형 유방(gynecomastia)의 빈도는 용량과 관계가 있어서, 한 연구 결과에 의하면 <50 mg/d 미만을 사용한 경우 6.9%, >150 mg/d 이상을 사용한 경우 52%에서 발생하였다.

② Eplerenone

Eplerenone은 새롭게 개발된 선택적 알도스테론 수용체 길항제(selective aldosterone receptor antagonist)로 spironolactone의 MR antagonist 효능의 60%를 보이고, 합병증 없는 본태성 고혈압과 심근경색 후의 심부전 치료에 사용이 허가되었다. 선택적 MR antagonist로 spironolactone에 비하여 progesterone 작용 효과와 antiandrogenic actions이 없어 내분비 부작용이 감소된 것이 특징이다.

Eplerenone은 부작용은 적지만 약가가 비싸므로 잘 선택하여 사용한다. 일차알도스테론증에대한 임상시험의 결과가 아직 없지만, 사용한다면 반감기가 짧아 하루에 2번 투여한다.

(2) Other agents

알도스테론은 원위부 신세뇨관 상피 세포의 나트륨 통로 활성도를 상향 조절하여 나트륨의 흡수와 칼륨의 배출을 증가시켜 효과를 나타낸다. 상피세포의 나트륨 통로 길항제(epithelial sodium channel antagonists)인 amiloride와 triamterene 중 amiloride가 일차알도스테론증 치료에 가장 많이 사용되고 연구되었다. spironolactone보다는 덜 효과적이지만 amiloride도 유용하여, 칼륨보존성 이뇨제(potassium-sparing diuretic)로서 일차알도스테론증의 고혈압과 저칼륨혈증을 모두 완화시킬 수 있다. 비교적 내약성이 좋고, sprionolactone의 성호르몬 관련 부작용이 없지만 광물코르티코이드 수용체 길항제의 효과가 없고, 일차알도스테론증 환자의 고혈압에 그리 효과적인 항고혈압제는 아니므로, 만일 고혈압이 지속된다면 2단계 약물인 thiazide를 첨가해야 한다.

이외 칼슘통로차단제(calcium channel blockers), 안지오텐신 전환효소 억제제(ACE inhibitors), 안지오텐신 수용체 차단제(ARB) 등을 첨가하여 사용할 수 있지만 이 약물들은 항고혈압제이지 알도스테론 과다 분비에 대한 효과는 없다.

(3) 사용

Sprionolactone의 시작 용량은 하루에 한번 12.5~25 mg이다. 매우 천천히 올리면서 가장 효과적인 낮은 용량을 찾아야 하는데 필요 시 100 mg/d까지 올릴 수 있다.

Eplerenone의 시작 용량은 25 mg, 하루에 한 번 혹은 두 번 투여한다. GFR이 60 ml/min/1.73 m^2 미만인 Stage III 만성 신질환에서는 고칼륨혈증이 생길 위험이 있으므로 조심스럽게 사용하고, stage IV 질환의 경우 MR antagonists의 사용을 금한다.

(4) GRA

GRA 환자의 경우 MR antagonists가 아니라 pituitary ACTH 분비를 부분적으로 억제할 수 있고, 혈압과 칼륨 level을 정상화할 수 있는 최소한 용량의 glucocorticoid를 투여한다. hydrocortisone보다는 작용 시간이 긴 dexamethasone이나 prednisone을 사용하는데, 약물을 취침 시 복용하여 early morning ACTH surge를 억제하는 것이 좋다. 혈장 레닌 활성도와 알도스테론 농도를 측정하면 치료의 효과를 살펴보고 overtreatment 방지에 도움이 된다.

Glucocorticoid로 치료한다고 해서 혈압이 반드시 정상화되지는 않는데, 이 경우 MR antagonists를 첨가하여 사용하는 것을 고려한다.

소아에서는 eplerenoen의 사용이 선호되는데, glucocorticoids를 사용하는 경우 성장 억제가 문제 되고, spironolactone을 사용하는 경우 항부신성호르몬 효과(antiandrogenic effects)에 대한 염려 때문이다.

성인에서 dexamethasone의 시작 치료 용량은 하루 0.125~0.25 mg이고, prednisone의 경우 하루 2.5~5 mg으로 취침 시 복용한다.

9. 추적검사 Monitoring

1) 단측성 부신절제술 환자

(1) 혈압, 혈장 전해질, 알도스테론, 레닌 농도를 매 6~12개월마다 검사

수술 후 완치되었으면 재발 발견을 위해서, 호전되었으나 완치가 아닌 경우는 악화되는 것을 임상적, 생화학적으로 알기 위하여 검사한다.

(2) 부신 CT

수술 후 1년 째, 그 이후로는 1~3년마다 시행하여 남아 있는 부신이 크기가 커지는지, 결절이 발생하는지 확인한다.

2) 약물 치료하는 경우

(1) 매 3~6개월마다 전해질과 신장 기능을 검사하여 고칼륨혈증, 저나트륨혈증 및 요독증 uremia이 발생하는지 확인한다.

(2) 부신 CT

일차알도스테론증을 약물로 치료하는 경우 처음에는 매년 CT를 찍어 확인하다가, 결정성 성장이 없으면 그 이후부터는 매 3~4년마다 계속 촬영한다.

3) 가족성 알도스테론증 type I (FH-1) 환자 33

고혈압은 glucocorticoid를 낮은 용량으로 쓰면 쉽게 조절된다. 조절이 잘 되는 지는 혈압측정, 매년 주기적으로 심장초음파를 시행하여 left ventricular mass index와 diastolic function을 확인하며, 매 2~3년마다 DXA를 촬영하여 glucocorticoid-induced osteoporosis가 생기는지 관찰한다.

요약

일차알도스테론증은 고혈압 환자의 약 5~13%로 많은 부분을 차지하고 있으며, 수술적으로 원인을 교정해 줄 수 있다면, 고혈압과 알도스테론 효과에 의한 이환 및 사망을 줄일 수 있을 것이다. 따라서 이뇨제 치료에 관계 없이 고혈압과 저칼륨혈증을 보이는 환자들과 치료에 잘 반응하지 않는 저항성 고혈압 환자 등 일차알도스테론증의 위험도가 높은 그룹은 일차알도스테론증에 대한 선별검사를 해야 한다. 선별검사로 알도스테론 농도와 레닌 활성도를 비교한 PAC/PRA ratio 혹은 ARR이 사용되고 있으므로 이 비율이 높은 경우 양성으로 확진검사가 필요한 단계이다. 수술적 완치를 원하는 경우, 일차알도스테론증 아형의 정확한 감별이 필수이고, 아형의 평가는 부신 CT, 그 다음 필요시 부신정맥혈 채취가 필요하다. 치료의 목표는 고혈압, 저칼륨혈증, 심혈관계 손상과 관련된 이환과 사망 방지이다. 알도스테론 과다 분비가 호르몬 역할을 통해서, 혹은 알도스테론 자체의 직접 작용으로 심혈관계에 악영향을 미치기 때문에, 일차알도스테론증 환자에서는 혈중 알도스테론의 농도를 정상으로 하던지 혹은 알도스테론 수용체를 차단하는 것이 치료의 궁극적 목표이다. 단측성 복강경부 신절제술이 APA나 UAH 치료에 최선의 방법이다. IHA나 GRA는 약물로 치료하는 것이 원칙이고 이외 APA

도 수술을 원하지 않거나 수술할 수 없는 상황이면 MR antagnoists를 사용하여 약물 치료할 수 있다. 단측성 부신절제술 후 약 30~60%의 APA환자들은 고혈압, 저칼륨혈증이 호전되거나 완치되는데, 고혈압은 보통 1~6개월에 걸쳐 좋아지고, 고령이거나 수술 전 2개 이상의 항고혈압제를 먹었거나, 고혈압이 오래되었던 경우 그리고 신장 질환이 있었던 경우 고혈압이 지속될 경우가 많았다. 그러나 수술 후 지속되는 고혈압이라 하더라도 더적은 약물로 조절하기가 쉬워진다.

REFERENCES

1. Obara T, Ito Y, Iihara M(2005) Ch.68 Hyperaldosteronism. In Clark O, Duh QY, Kebebew E(Eds), Textbook of Surgery (595-603). City of publication: publisher

2. Funder JW, Carey RM, Fardella C, Gomez-Sanchez CE, Mantero F, et al. Case Detection, Diagnosis, and Treatment of Patients with Primary Aldosteronism: An Endocrine Society Clinical Practice Guideline. J Clin Endocrinol Metab 2008;93:3266-81.

3. Young WF. Primary aldosteronism: renaissance of a syndrome. Clin Endocrinol(Oxf) 2007;66:607-18.

4. Young WF. Minireview: Primary Aldosteronism - Changing Concepts in Diagnosis and Treatment Endrocrinology 2003;144:2208-13.

5. Mattsson C, Young WF. Primary aldosteronism: diagnostic and treatment strategies. Nature Clinical Practice Nephrology 2006;2:198-208.

6. Mulatero P, et al. Increased diagnosis of primary aldosteronism, including surgically correctable forms, in centers from five continents. J clin Endocrinol Metab 2004;89:1045-50.

7. Mosso L. Primary aldosteronism and hypertensive disease. Hypertension 2003;42:161-5.

8. Brown NJ. Aldosterone and end-organ damage. Curr Opin Nephrol Hypertens 2005;14:235-41.

9. Brilla CG. Remodeling of the rat right and left ventricles in experimental hypertension. Circ Res 1990;67:1355-64.

10. Rocha R. Aldosterone induces a vascular inflammatory phenotype in the rat heart. Am J Physiol Heart Circ Physiol 2002;283:H1802-10.

11. Young WJ, Klee G. Primary aldosteronism. Diagnostic evaluation. Endocrinol Metab Clin North Am 1988;14:367.

12. Lo CY, Tam PC, Kung AW, et al. Primary aldosteronism. Results of surgical treatment. Ann Surg 1996;224:125.

13. Huang YY, Hsu BR, Tsai JS. Paralytic myopathy - A leading clinical presentation for primary aldosteronism in Taiwan. J Clin Endocrinol Metab 1996;81:4038.

14. Rossi GP, Sacchetto A, Viscentin P, Canali C, Graniero GR, et al. Changes in left ventricular anatomy and function in hypertension and primary aldosteronism. Hypertension 1996;27:1039-45.

15. Bravo E. Primary aldosteronism. Issues in diagnosis and management. Endocrinol Metab Clin North Am 1994;23:271.

16. Melby JC. Clinical review 1: Endocrine hypertension. J Clin Endocrinol Metab 1989;69:697.

17. Gordon RD, Ziesak MD, Tunny TJ, et al. Evidence that primary aldosteronism may not be uncommon: 12% incidence among antihypertensive drug trial volunteers. Clin Exp Pharmacol Physiol 1993;20:296.

18. Hiramatsu K, Yamada T, Yukimura Y, Komiya I, et.al. A screening test to identify aldosterone-producing adenoma by measuring plasma renin activity. Results in hypertensive patients. Arch Intern Med 1981;141:1589-93.

19. Rossi GP, Bernini G, Caliumi C, et al. A prospective study of the prevalence of primary aldosteronism in 1,125 hypertensive patients. J Am Coll Cardiol 2006;48:2293-300.

20. Schwartz GL, Turner ST. Screening for primary aldoteronism in essential hypertension: diagnostic accuracy of the ratio of plasma aldosterone concentration to plasma renin activity. Clin Chem 2005;51:386-94.

21. Stowasser M, Gordon RD. Primary aldosteronism - careful investigation is essential and rewarding. Mol Cell Endocrinol 2004;217:33-9.

22. Young WJ, Klee G. Primary aldosteronism. Diagnostic evaluation. Endocrinol Metab Clin North Am 1998;14:367.

23. Gleason PE, Weinberger MH, Pratt JH, et.al. Evaluation of diagnostic tests in the differential diagnosis of primary aldosteronism; unilateral adenoma versus bilateral micronodular hyperplasia. J Urol 1993;150:1365.

24. Doppman JL, Gill JJ, Miller DL, et.al. Distinction between hyperaldosteronism due to bilateral hyperplasia and unilateral aldosteronoma: Reliability of CT. Radiology 1992;184:677.

25. Young WF, Stanson AW, Thompson GB, Grant CS, Farley DR, van Heerden JA Role for adrenal venous sampling in primary aldosteronism. Surgery 2004;136:1227-35.

26. Nwariaku FE, Miller BS, Auchus R, Holt S, Watumull L, Dolmatch B, et al. Primary hyperaldosteronism: effect of adrenal vein sampling on surgical outcome. Arch Surg 2006;141:497-502.

27. Rossi GP, Sacchetto A, Chiesura-Corona M, Toni R, Gallina M et al. Identification of the etiology of primary aldosteronism with adrenal vein sampling in patients with equivocal computed tomography and magnetic resonance findings: results in 104 consecutive cases. J Clin Endocrinol Metab 2001;86:1083-90.

28. Reincke M, Beuschlein F, Bidlingmaier M, Funder JW, Bornstein SR; Progress in primary aldosteronism. Horm Metab Res 2010;42:371-3.

29. Gomez-Sanchez CE, Rossi GP, Fallo F, Mannelli M. Progress in primary aldosteronism: present challenges and perspectives. Horm Metab Res 2010;42:374-81.

30. Young WF. Primary aldosteronism: renaissance of a syndrome. Clinical Endocrinology 2007;66:607-18.

31. Funder JW, Carey RM, Fardella C, Gomerz-Sanchez CE, Mantero F, Stowasser M, Young Jr WF, Montori VM. Case detection, diagnosis, and treatment of patients with primary aldosteronism: an endocrine society clinical practice guideline. J Clin Endocrionol Metab 2008;93:3266-81.

32. Young Jr WF. Minireview: primary aldosteronism- changing concepts in diagnosis and treatment. Endocrinology 2003;144:2208-13.

33. Cicala MV, Mantero F. Primary aldosteronis: What consensus for the diagnosis. Best Practice & Research Clinical Endocrinology & Metabolism 2010;24:915-21.

34. Quack I, Vonend O, Rump LC. Familial hyperaldosteronism I-III. Horm Metab Res 2010;42:424-8.

35. Mattsson C, Young WF Jr. Primary aldosteronism: diagnostic and treatment strategies. Nat Clin Pract Nephrol 2006;2:198-208.

성호르몬 과잉을 동반한 부신종양
Sex-hormone Secreting Adrenal Tumors

| 제주대학교 의과대학 외과 **김광식**

부신피질종양은 성호르몬인 부신 성호르몬이나 에스트로겐, 또 그 전구물질들을 생합성하여 분비하기도 한다. 코르티졸이나 알도스테론을 분비하는 부신종양이 드문 편이지만 성호르몬을 분비하는 부신종양은 더 드물다.[1,2,3]

남성화 부신종양은 부신 성호르몬이 과분비되어 이상 증상을 유발한다. 여자의 경우 희발무월경(oligoamenorrhea), 다모증, 낭성여드름, 근육량증가, 음성의 저음화, 측두 탈모증, 성욕증가, 음핵비대증, 등이 나타난다. 어린이의 경우 발육촉진, 치모의 조기발달, 여드름, 성기 확대, 음성의 저음화 등이 나타난다. 소녀의 경우 남성화 성조숙증을 보인다.[1,4] 소아 부신피질종양의 90%가 부신 성호르몬을 분비하는데 40%는 남성화만, 50%는 남성화와 쿠싱증후군이 동반된다. 나머지 10%는 내분비증상 없이 종괴로 진단된다.[4,5,6,7,8]

가임여성 중 약 7%가 부신 성호르몬과잉증(hyperandrogenism)에 이환되어 다모증, 여드름, 탈모증, 월경불순, 등을 보이는데, 그 대부분이 다낭난소증후군(PCOS)이지만 약 0.2%가 안드로겐분비 부신피질종양 때문이라는 것도 염두에 두어야 한다. 부신 성호르몬과잉증 환자 중 부신 성호르몬분비 부신피질종양 환자를 감별해내는 방법으로는 빨리 진행되는 남성화, 높은 유리-테스토스테론(free testosterone)과 콤파운드 에스(compound s), 글루코코르티코이드 투여에 억제가 안 되는 높은 부신 성호르몬 등이 제시되고 있다.[9,10,11]

임신 중에 남성화부신선종이 있으면 융모생식선자극호르몬(hCG)이 부신 성호르몬 분비를 증가시켜 산모와 태아 모두에서 남성화를 유발할 수 있다.[12]

남성화 부신종양 환자의 부신 성호르몬 중 테스토스테론이 높은 경우가 가장 많고, 디히드로에피안드로스테론 황산염(DHEA S), 안드로스텐디온(androstenedione), 디히드로에피안드로스테론(DHEA)이 높은 경우가 그 다음이다.[7] 한편 부신 성호르몬분비-부신피질종양에서 에스트로겐이 높은 경우가 있는데 이는 유리 테스토스테론이 말단 장기에서 방향화(aromatization)하여 에스트리올로 전환되는 것으로 추정된다.[10] 요17-케토스테로이드(urine 17-KS)는 기능성 부신피질종양이 있음을 나타내는 중요 단서이다. 요17-수산화코르티코스테로이드(urine 17-OHCS)는 글루코코르티코이드 상승을 나타낸다.[5] 컴퓨터단층촬영(CT)과 자기공명영상(MRI)이 종양 유무, 크기, 괴사, 균질성, 석회화, 침윤, 등으로 종양의 존재, 악성 가능성, 절제가능성 등을 제시한다. 동맥조영술이나 정맥조영술이 이용될 수도 있다. 양전자방출단층촬영(PET)이 컴퓨터단층촬영이나 자기공명영상에서 안 나타나는 전이를 보여줄 수도 있다.[13,14,17]

여성화 부신종양은 매우 드물고 대부분이 악성이다.[15] 이 종양은 남자에게서 여성형유방, 발기불능, 고환위축을 나타낼 수 있다. 여자에서 불규칙한 월경이나 기능장애자궁출혈을 나타낸다. 폐경후 여성에서 질출혈을 보이고, 소녀에서는 성조숙증을 나타내 일찍 유방이 커지고, 조기초경을 보일 수 있다. 아로마타제는 부신 성호르몬을 에스트로겐으로 생합성하는 마지막 과정에 관여하는 효소로 생식선과 태반뿐 아니라 지방조직, 뇌, 뼈 등에서 에스트로겐을 합성하는 데 여성화 부신피질종양 때 부신조직에 아로마타제가 많이 발현된다.[16] 여성화 부신종양은 혈청 에스트라디올(estradiole)과 에스트론 (estrone) 상승과 초음파촬영, 컴퓨터단층촬영이나 자기 공명영상에서의 종양으로 진단할 수 있다.[15,17]

성호르몬 분비 부신종양의 치료는 절제술이 유용하지만 악성인 경우 예후가 좋지 않다. 많이 진행된 부신피질암에 마이토테인(Mitotane)을 써 보기도 하지만 효과는 썩 좋지는 않다.[17] 소아에서의 치료 성적이 성인에 비해 비교적 좋다.[13]

REFERENCES

1. Lal G, Clark OH. Thyroid, Parathyroid, and Adrenal. In: Brunicardi FC,editors,Schwartz's Principles of Surgery 8th ed. McGraw Hill;2005. p.1459.

2. Yeu HS, Cho DH. Adrenogenital Syndrome A Malignant Adrenocortical adenoma. J Korean Surg Soc 1974;16:293-7.

3. Cho KS, Min HK, Park YB, Kim KW, Kang JM, Park JY, Kim SY, You SH, Lee YK. A Clinical Study of Endocrine Adrenal Tumors. Korean J Med 1975:18;10 902-18.

4. Latronico AC, Chrousos. Extensive personal experience Adrenocortical Tumors. J Clin Endocrinol Metab 1997;78:1317-24 .

5. Sandrini R, Ribeiro RC, Delacerda L. Extensive personal experience Childhood Adrenocortical Tumors. J. Clin Endocrinol Metab 1997;82:2027-31.

6. Wolthers OD, Cameron FJ, Scheimberg I, Honour JW, Hindmarsh PC, SavageMO, Stanhope RG, Brook CGD.Androgen secreting adrenocortical tumours. Arch Dis Child 1999;80:46-50.

7. Mendonca BB, Lucon AM, Menezes CAV, et al. Clinical, hormonal and pathological findings in a comparative study of adrenal cortical neoplasms in childhood and adulthood. J Urol. 1995;154:2004-09.

8. Bergada I, Venara M, Maglio S, et al. Functional adrenal cortical tumours in pediatric patients. Cancer 1996;77:771-7.

9. Azziz R, Sanchez LA, Knochenhauer ES, Moran C, Lazenby J, Stephens KC, Taylor K, Boots LR. Androgen excess in women: experience with over 1000 consecutive patients. J Clin Endocrinol Metab 2004;89(2):453-62.

10. d'Alva CB, Abiven-Lepage G, Viallon V, Groussin L, Dugue MA, Bertagna X, Bertherat J. Sex steroids in androgen-secreting adrenocortical tumors: clinical and hormonal features in comparison with non-tumoral causes of androgen excess. Eur J Endocrinol 2008;159(5):641-7. Epub 2008 Aug 15.

11. Carmina E, Rosato F, Janni A, Rizzo M & Longo RA. Extensive clinical experience: relative prevalence of different androgen excess disorders in 950 women referred because of clinical hyperandrogenism. J Clin Endocrinol Metab 2006;91:2-6.

12. Fuller PJ, Pettigrew IG, Pike JW, Stockigt JR. An adrenal adenoma causing virilization of mother and infant. Clin Endocrinol(Oxf) 1983;18(2):143-53.

13. Abiven G, Coste J, Groussin L, Anract P, Tissier F, Legmann P, Dousset B, Bertagna X and Bertherat J. Clinical and Biological Features in the Prognosis of Adrenocortical Cancer:Poor Outcome of Cortisol-Secreting Tumors in a Series of 202 Consecutive Patients. J Clin Endocrinol Metab 2006;91:2650-5.

14. Martin Fassnacht, Bruno Allolio. What is the best approach to an apparently nonmetastatic adrenocortical carcinoma? Clinical Endocrinology 2010;73:561-5.

15. Goto, T., Murakami, O., Sato, F., Haraguchi, M., Yokoyama, K. and Sasano, H. Oestrogen producing adrenocortical adenoma: clinical, biochemical and immunohistochemical studies. Clinical Endocrinology 1996;45:643-8.

16. Young J, Bulun SE, Agarwal V, Couzinet B, Mendelson CR, Simpson ER, and SchaisonG. Aromatase expression in a feminizing adrenocortical tumor. J Clin Endocrinol Metab 1996;81:3173-6.

17. Bornstein SR, Stratakis CA & Chrousos GP. Adrenocortical tumors: recent advances in basic concepts and clinical management. Annals of Internal Medicine 1999;130:759-71.

부신피질암

Adrenocortical Carcinoma

┃ 가톨릭대학교 의과대학 외과 **성기영**

부신피질암은 상당히 드문 암종으로, 암으로 사망하는 환자의 0.2%를 차지하며, 매년 백만 명당 2명 꼴로 발생하고 있다.[1,2] 주로 30~50대에 진단되며,[3,4] 5세 이하의 유아기에도 발견되는 경향이 있다.[5] 남녀비는 큰 차이는 없으나, 1.5:1로 여성 환자에서 좀 더 잘 발생한다.[6,7] 위험인자로는 흡연과 경구피임제가 연관이 있으며, 이와 관련하여 선천성 부신 증식증이 연관이 있는 것으로 보고되었다.[8,9] 평균 생존기간은 짧게는 2.9개월, 길게는 28개월까지이며,[10] 5년 생존율은 부신피질암으로 진단받은 환자 전체에서 15~20%지만, 근치적 절제술을 시행받은 환자군에서는 32~50%에 달한다.[3,4]

1. 종양발생

부신피질암의 발생 원인은 잘 밝혀지지 않았으나 부신피질 종양의 발생과 관계있는 Li-Fruameni syndrome, Beckwith-Wiedemann syndrome, 제1형 다발성 내분비 종양 등의 연구를 통해서 밝혀지고 있다. 발생 기전 중 부신 선종에서 부신피질암으로의 이행이 중요한데, insulin-like growth factor 2 유전자의 과발현을 유발하는 11p15의 염색체 중복과 Wnt/β-catenin 경로의 활성화가 관여한다.[11] 또한 부신피질자극 호르몬 수용체 (ACTH-R) 유전자의 결손과 TP53의 발현 감소가 부신피질암 발생에 중요한 역할을 한다.[12]

2. 임상소견

부신피질암 환자는 종괴가 크기가 커질 때까지 무증상인 경우가 많으며, 이런 경우 복부 불편감, 구역, 복부 팽대감, 조기 포만감, 체중감소, 전신쇠약, 피로, 열 등의 모호한 증상을 호소한다.[5] 하지만, 부신피질암 환자의 60%는 기능성으로 30~40%에서 쿠싱 증후군으로 나타난다(표 74-1). 남성화가 동반된 쿠싱 증후군 24%, 쿠싱증후군만 나타내는 경우가 39.5%, 남성화 증상만 나타나는 경우가 20~30%로 보고되었다.[13] 소아의 환자에서는 대부분 남성화가 나타나고, 쿠싱증후군은 드물다.[14]

대부분의 경우, 진단 당시 종괴의 크기가 평균 12~14 cm 정도로 크며,[3,4] 진행된 경우가 많으며, 반 이상에서 원격전이가 있다.[6,7] 원격전이는 대부분 간(42~46%), 폐(45~53%), 림프절(18~40%)에 나타난다.[1,15]

표 74-1 | 기능성 부신피질암의 임상증상

구심성 체중증가(Centripetal weight gain)
중추 비만(Truncal obesity)
근위축(Muscle wasting)
고혈압(Hypertension
여드름(Acne)
남성형 털과다증(Hirsuitism)
희발월경(Oligomenorrhea)

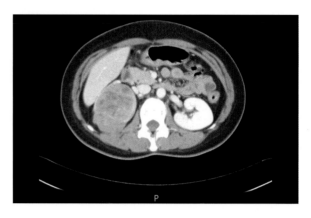

그림 74-1 | 우측 신장을 침범한 부신피질암의 복부 전산화 단층 촬영

3. 진단

부신종양은 대부분 복부 초음파, 자기공명영상, 복부 전산화 단층촬영에서 우연히 발견된다. 이렇게 발견된 부신 종양의 대부분이 비기능성 선종이지만, 6%에서 기능성으로 나타나며 5%는 코티솔을, 1%는 성호르몬 또는 알도스테론을 분비한다.[16] 따라서 호르몬 검사가 이런 종양의 진단에 있어 악성 가능성을 감별하는 데 중요하다.[16-18] 부신종양에서 코티솔이 가장 흔히 과생산되는 호르몬으로, Overnight dexamethasone (1 mg) suppression test가 유용하다.[17,19] 혈장 코티솔이 5 μg/dL 이하시 정상이며, 5~10 μg/dL 이상이면 비정상이며, 이 검사의 위양성율은 15%이다.[19]

종양의 크기가 양성종양과 악성종양을 가장 감별하는 중요한 인자이다. 부신피질암의 2%만이 4 cm보다 작으며, 6%가 4.1 cm에서 6 cm이고, 92%가 6 cm 이상이었다.[18,19] 결국, 종괴의 크기가 4 cm 이상인 경우, 악성의 가능성이 크며, 6개월 내의 크기 증가는 악성을 시사하는 경우가 있어 절제를 고려해야 한다.[16,18,19]

복부 전산화단층촬영이 부신종양 처음 진단에 가장 좋은 검사 방법이며, 최근에는 1.0 cm 이하의 종괴의 특성도 잡아낼 수 있다. 조영증강 영상에서 부신피질암은 비균질성의 불규칙한 경계의 종괴로 나타나며, 반대측 부신의 조사가 가능하며, 원격전이 및 신정맥과 하대정맥의 침범유무를 확인하는 데도 유용하다(그림 74-1). [20,21] 자기공명영상에서 부신피질암은 T1-weighted 영상에서 간보다 저강도, T2-weighted 영상에서 고강도의 음영을 나타내며, T1-weighted 영상과 T2-weighted

영상을 비교하면, 악성과 양성 및 갈색세포종을 감별하는 데 도움을 준다. 부신피질암은 T2-weighted 영상에서 중, 고강도의 신호강도를 나타내고 갈색세포종은 고강도의 신호강도를 나타낸다.[21,22] 이 검사는 주위조직 및 하대정맥의 침범유무를 확인하는 데 유용하다. Gadolium-enhanced dynamic MRI는 부신종양의 악성과 양성감별에 더 유용하다.[23] Flurododeoxyglucose positon emission tomography (FDG-PET)는 양성과 양성감별에 유용하며, 전이의 유무를 확인하는 데 사용될 수 있다. 병변 확인의 민감도는 100%이나 다른 검사를 대체할 수는 없다.[19]

4. 병기 및 병리학적 특징

종괴의 크기, 림프절, 전이여부가 병기결정에 사용되며 (표 74-2), 1, 2기는 국소, 국한된 병변이며, 3기는 주위 장기로의 침범이 없는 국소, 진행된 병변이며, 4기는 다른 장기의 침범 및 원격 전이가 있는 경우이다.[24]

부신피질 종양은 현미경적 분화도의 정도에 따라 20년 전부터 Weiss 분류(표 74-3)에 의해 분류되고 있으며, 선종과 악성을 구분하는데 유용하게 사용되고 있다.[25] Weiss 점수가 2점 이하일 경우는 선종을, 3점 이

표 74-2 | 병기 결정

종양, 림프절, 전이	
T1	5 cm 미만, 국소 침범 없는 경우
T2	5 cm 이상, 국소 침범 없는 경우
T3	종양크기 관계없이 국소 침범 있으나 주위 장기 침범 없는 경우
T4	종양크기 관계없이 주위 장기 침범 있는 경우
N0	림프절 전이 없는 경우
N1	림프절 전이 있는 경우
M0	원격 전이 없는 경우
M1	원격 전이 없는 경우
병기	
1기	T1, N0, M0
2기	T2, N0, M0
3기	T1 or T2, N1, M0
	T3, N0, M0
4기	Any T, any N, M1
	T3, N1, M0
	T4, N0, M0

상일 경우는 악성을 시사한다.[26,27]

표 74-3 | 부신 종양의 병리적 특성

높은 핵 등급(High nuclear grade)
50배율당 5개 이상의 유사분열
비전형적 유사분열
75% 이상의 호산성 세포
33% 이사의 미만성 구축(diffuse architecture)
현미경적 괴사
혈관 침범
굴모양혈관의 침범(Sibusoidal invasion)
피막 침범

선의 치료방법이지만, 악성종양에 대해서는 아직 논쟁 중이다. 일부 후향적 연구에서 복강경 수술 받은 경우에 국소 재발률이 높게 관찰된다고 보고되고 있으나, 1, 2기의 경우 적절한 시야를 확보하며 조심스럽게 시행한 경우도 보고되고 있다.[31-33] 성공적으로 수술이 이루어졌다 하더라도 국소재발이나 전이율이 높으며, 대개는 2년 내에 발생한다. 그러나 절제 가능한 국소 재발이나 단독 재발은 완전 절제가 생존율을 높인다.

5. 수술적치료

부신피실암의 유일한 근치적 치료방법은 완전절제이다. 불행히도, 부신피질암은 진단 당시 65%가 완전절제가 불가능한 단계이다.[28] 수술의 목표 경계가 깨끗하게 완전절제를 하는 것으로, 주위조직의 침범이 있다면, 광범위절제술을 시행한다. 우측 부신암의 경우, 간의 우엽을 침범할 수 있으며, 좌측 부신암의 경우 췌장 및 비장을 침범할 수 있다. 이런 경우 광범위절제술을 시행할 수 있으며, 간의 부분절제, 췌미부 절제술 및 비장절제술이 필요할 수도 있다.[29] 완전 절제가 가능한 단계인가, 아닌가가 가장 중요한 예후 인자인데, 불완전 절제가 되었을 경우 기대수명은 평균 1년 미만으로 매우 불량하다. 부신피질암은 종종 림프관을 통해 전이되므로 수술 시 림프절제술이 필요하다.[30]

복강경하 수술에 대해서는 부신 양성종양에서는 최

6. 약물화학요법 Mitotane

효과가 있다고 증명된 항암화학약제는 없으나, 유일하게 인증된 것이 mitotane이다. 하지만 독성이 심각하며 일부에는 용량을 제한해야 한다. Mitotane은 부신 피질 세포에 직접적으로 독성을 나타내는 약제이다. 작용기전은 명확지 않으나, mitochondrial cytochrome P450의 수산화와 작용하여 염화아세틸을 형성하여 세포 독성을 일으키는 것으로 알려졌다.[34] 결국 세포독성은 미토콘드리아의 파괴와 괴사를 일으킨다.[35] Mitotane은 다발대(zona fasciculate)와 그물대(zona reticularis) 층에 축적이 되며, 사구대(zona glomerulosa)에는 축적되지 않는다.[36] Mitotane의 치료 효과는 혈중농도를 충분히 유지하는냐에 달려있으며, 적정 약물농도의 범위가 좁다.[37] 완전 절제가 불가능한 전이성 부신피질암의 경우, mitotane 단독 혹은 병합항암치료가 표준 치료로

되어 있다. Decker 등은 mitotane으로 치료 받은 환자의 22%가 평균 생존기간이 50개월로 치료받지 않은 군에서의 14개월에 비해 상당히 연장되었다고 보고하였으며,[38] Van Slooten 등은 혈중 mitotane 농도를 14 μg/ml 이상으로 유지한 그룹의 57%에서 암종의 감소나 생존율 향상을 보였고 한 명은 완전관해를 보였다고 하였다.[39] Mitotane의 부작용으로 위장관계, 신경계, 피부 부작용이 두드려지며, 위장관계 부작용은 80%에서 나타나며, 식욕부진, 구역, 구토, 설사가 나타난다. 중추신경계 부작용은 40%에서 나타난다. 불행하게도 부신피질암 환자의 85%가 결국 재발하게 되며, 반복적 절제술이 가능하다면 시행하지만 높은 재발률로 효과적인 보조적

항암요법이 필요하며, 최근들어 재발, 전이된 병변에 대해 mitotane를 기본으로 한 치료가 진행되고 있으며, 기존의 항암화학요법과 병합요법을 시행함으로써 환자의 생존율을 증가시키고 있다.

7. 방사선 치료

부신피질암은 방사선 치료가 효과가 없으나 수술이 불가능하거나, 골전이 및 뇌전이의 대증적 치료에는 도움이 된다.[40]

REFERENCES

1. Brennan MF. Adrenocortical carcinoma. CA cancer J Clin 1987;37:348-65.

2. National Cancer Institute. Third national cancer survey: incidence data. Natl Cancer Inst Monogr 1975;41:1-454.

3. Icard P, Goudet P, Charpenay C, et al. Adrenocortical carcinomas: surgical trends and results of a 253-patient series from the French Association of Endocrine Surgeons study group. World J Surg 2001;25:891-7.

4. Schulick RD, Brennan MF, Long-term survival after complete resection and repeat resection in patients with adrenocortical carcinoma. Ann Surg Oncol 1999;6:719-26.

5. Allolio B, Hahner S, Weismann D, et al. Management of adrenocortical carcinoma. Clin Endocrinol 2004;60:273-87.

6. Bilimoria K, Shen W, Elaraj D, et al. Adrenocortical carcinoma in the United States: treatment utilization and prognostic factors. Cancer 2008;113:3130-6.

7. Libe R, Fratticcil A, Bertherat J. Aderonocaorical cancer: pathophysiology and clinical management. Endocr Relat Cancer 2007;14:13-28.

8. Van Seters AP, van Aalderen W, Moolenaar AJ, et al. Adrenocortical tumour in untreated congenital adrenocortical hyperplasia associated with inadequate ACTH suppressibility. Clin Endocrinol (Oxf) 1981;14:325-34.

9. Pang S, Becker D, Cotelingam J, et al. Aderenocortical tumor in a patient with congenital adrenal hyperplasia due to 21-hydroxyase deficiency. Pediatrics 1981;68:242-6.

10. Wajchenberg BL, Albergaria Pereira MA, Medonca BB, et al. Adrenocortical carcinoma: clinical and laboratory observations. Cancer 2000;88:711-36.

11. Gaujoux S, Grabar S, FAssnacht M, et al β-Catenin activation is associated with specific clinical and pathologic characteristics and apoor outcome in adrenocortical carcinoma. Clin Cancer Res 2011;17:328-36.

12. Fulmer BR. Diagnosis and management of adrenal carcinoma. Current Urology Reports 2007;8:77-82.

13. Vassilopoulou-Sellin R, Schultz PN. Adrenocortical carcinoma. Clinical outcome at the end of the 20th century. Cancer 2001;92:1113-21.

14. Stewart JN, Flageole H, Kavan P. A surgical approach to adrenocortical tumors in children: the mainstay of treatment. J Pediatr Surg 2004;39:759-63.

15. Luton JP, Cerdas S, Billaud L, et al. clinical features of adrenocortical carcinoma, prognostic factors and the effect of mitotane therapy. N Engl J Med 1990;322:1195-201.

16. Michael B, Holalkere N, Boland G. Imaging techniques for adrenal lesion characterization. Radiol Clin North Am 2008;46:65-78.

17. Reincke M, Nieke J, Krestin G, et al. Preclinical Cushing's syndrome in adrenal "incidentalomas": comparison with adrenal Cushing's syndrome. J Clin Endocrinol Metab 1992;75(3);826-32.

18. Singh PK, Buch HN. Adrenal incidentaloma: evaluation and management. J Clin Pathol 2008;61:1168-73.

19. Michell I, Nwariaku F. Adrenal masses in the cancer patient: surveillance or excision. Oncologist 2007;12:826-32.

20. Dunnick NR, Korobkin M, Francis I. Adrenal radiology: distinguishing benign from malignant adrenal masses. AJR Am J Roentgenol 1996;167:861-7.

21. Glazer GM. MR imaging of the liver, kidneys, and adrenal glands. Radiology 1998;166:303-12.

22. Chang A, Glanzer HS, Lee Jk, et al. Adrenal gland: MR imaging. Radiology 1987;163:123-8.

23. Peppercorn PD, Reznek RH. State of the art CT and MRI of the adrenal gland. Eur Radiol 1997;7:822-36.

24. Vaughan ED Jr. Diseases of the adrenal gland. Med Clin North Am 2004;88:443-66.

25. Weiss LM. Comparative histologic study of 43 metastasizing

and nonmetastasizing adrenocortical tumors. Am J Surg Pathol 1984;8:163-9.

26. De Reynie's A, Assie G, Rickmam D, et al. Gene expression profiling reveals a new classification of adrenocortical tumors and identifies molecular predictors of malignancy and survival. J Clin Oncol 2009;27:1108-15.

27. Soon P, McDonald K, Robinson B, et al. Molecular markers and the pathogenesis of adrenocortical cancer. Oncologist 2008;5:548-61.

28. Wooten MD, King DK. Adrenal cortical carcinoma. Epidemiolocy and treatment with mitotane and a review of the literature. Cancer 1993;72:3145-55.

29. Donadon M, Abdalla EK, Vauthey J-N. Liver hangine maneuver for large or recurrent right upper quadrant tumors. J Am Coll Surg 2006;204:329-33.

30. Reibetanz J, Jurowich C, Edorgan I, et al. Impact of lymphadenectomy on the oncological outcome of the patient with adrenocortical carcinoma. Ann Surg 2012; 255:363-9.

31. Moinzadeh A, Gill IS. Laparoscopic radical adrenalectomy for malignancy in 31 patients. J Urol 2005;173:519-22.

32. CobbWS, Kercher KW, Sing RF, et al. Laparoscopic adrenalectomy for malignancy. Am J Surg 2005;189:405-11.

33. Sturgeon C, Kebebew E. Laparoscopic adrenalectomy for malignancy. Surg Clin North Am 2004;84:755-74.

34. Martz F, Straw JA. The in vitro metabolism of 1-(o-chlorophenyl)-1-(p-chlorophenyl)-2, 2-dichloroethane (o,p'-DDD) by dog adrenal mitochondria and metabolite covalent binding to mitochondrial macromolecules: a possible mechanism for the adrenocorticolytic effect. Drug Metab Dispos 1977;5:482-6.

35. Martz F, Straw JA. Metabolism and covalent binding of 1-(o-chlorophenyl)-1-(p-chlorophenyl)-2, 2-dichloroethane (o,p'-DDD). Correlation between adrenocorticolytic activity and metabolic activation by adrenocortical mitochondria. Drug Metab Dispos 1980;8:127-30.

36. Lindhe O, Skogseid b. Brandt I cytochrome P450-catalyzed binding fo 3-methyl-sulfonyl-DDE and o,p'-DDD in human adrenal zona fasciculate/reticularis. J Clin Endocrinol Metab 2002;87:1319-26.

37. Haak HR, Hermans J, van de Velde CJ, et al. Optimal treatment of adrenocortical carcinoma with mitothane: results in a consecutive series of 96 patients. Br j Cancer 1994;69:947-51.

38. Decker RA, Elson P, Hogan TF, et al. Eastern Cooperative Oncology Group study 1879: mitotane and adriamycin in patients with advanced adrenocortical carcinoma. Surgery 1991;110:1006-013.

39. Van Stoolen H, Moolennar AJ, van Seters AP, et al. The treatment of adrenocortical carcinoma with o,p'-DDD: prognostic implications of serum level monitoring. Eur J Cancer Clin Oncol 1984;20:47-53.

40. Sabolch A, Feng M, Griffith K, et al. Adjuvant and definitive radiotherapy for adrenocortical carcinoma. Int J Radiot Oncol Biol Phys 2011;80:1477-84.

부신기능부전

Adrenal Insufficiency

| 건국대학교 의과대학 외과 **유영범**

부신기능부전 혹은 Addison씨 병은 1855년 Thomas Addison[1]이 그의 저술, "On the Constitutional and Local Effects of Disease of the Supraadernal Capsules"에서 처음으로 인식하기 시작했다. 그 당시에 부신 기능의 상실의 주 원인은 결핵이었다. 이후 20세기에 들어서면서 부신절제술이 시작되었지만, 이로 인해 사망하는 경우가 많았고 이러한 사망의 원인은 그 때만 해도 명확하게 밝혀지지 않아 막연하게 체내에 제거되어야 할 독소의 침착으로 생각했었다. 그러다가 1927년 부신 추출물인 "cortin"을 사용함으로써 부신 제거술을 시행 받은 환자 치료에 변화를 가져왔다.[2] 이후 부신에서 분비되는 스테로이드의 합성과 부신의 생리를 알게 되면서 부신기능부전의 치료에 비약적인 발전을 가져왔다.

부신은 글루코코르티코이드(glucocorticoids)와 광물부신겉질호르몬(mineralocorticoids)을 생산한다. 글루코코르티코이드는 시상하부-뇌하수체-부신축(hypothalamic-pituitary-adrenal axis)에 의해 조절이 된다. 즉 뇌 안의 여러 자극으로 인해 시상하부에서 부신겉질자극호르몬방출인자(corticotropin-releassing factor, CRF)가 분비되고 뇌하수체 문맥순환을 통해 뇌하수체에서 부신겉질자극호르몬(corticotrophin)이 분비되어 체순환을 통해 부신 겉질에서 글루코코르티코이드와 소량의 광물부신겉질호르몬 을 분비하게 된다. 이러한 기전으로 충분한 양의 혈중 겉질스테로이드(corticosteroid) 혹은 코르티솔(cortisol)이 생성되면 역으로 뇌에서의 CRF와 부신겉질자극호르몬의 분비를 억제한다. 코르티솔, 부신겉질자극호르몬, CRF는 오전 8시경에 가장 많이 분비되고, 오후 10시에서 2시 사이에 가장 적게 분비되는 일중변동(diurnal variation)을 갖는다.

스트레스는 이러한 일중변동을 방해하고 스트레스가 없어질 때까지 혈중에서 높은 농도를 유지한다. Harris 등이 보고한 바에 의하면 외상으로 인해 수술을 받은 환자의 경우 코르티솔의 기저량이 평균 28 mg/dL(정상치 < 10 mg/dL)로 높다는 것을 알았다.[3] 증가된 코르티솔의 혈액내의 양과 기간은 스트레스의 강도와 기간에 비례하기 때문에 외과 의사는 수술환자에서 스트레스의 정도를 파악해 적절한 양의 스테로이드를 처방할 수 있어야 한다.

부신기능부전은 드물고 아직까지 정확한 발생빈도도 알려져 있지 않다. 결핵의 감소로 인해 일시적으로 Addison씨 병은 줄어드는 양상을 보이다가, 최근 후천면역결핍증(AIDS)과 자가면역 부신염(Autoimmune adrenalitis)으로 인해 다시 증가 추세에 있다. 부신기능부전이 있는 환자에서 수술 전에 부신기능부전에 대한 충분한 치료 없이 수술을 진행하는 경우 수술에 의한 스트레스로 인해 수술 중 치명적인 쇼크와 같은 위험한 상황을 초래할 수 있기 때문에 수술 전에 미리 인지하는 것이 매우 중요하다.

지금은 많은 환자에서 원발성 부신 질환이나 뇌하수체 질환에 의한 부신기능부전이 수술 전에 이미 진단이

표 75-1 | 수술 환자에서 부신기능부전의 원인들

Cause of Adrenal Insufficiency in the Surgical Patient

- Preexisting Adrenal Insufficiency
- Polyglandular autoimmune syndrome type I
- Polyglandular autoimmune syndrome type II
- Acquired immunodeficiency syndrome
- Tuberculosis and other infections diseases of the adrenal
- Familial glucocorticoid deficiency and other rare genetically determined

Previous Adrenal Suppression

- Infarction or removal of a hyperfunctional adrenocortical tumor
- Exogenous steroid administration within previous year

Acute Conditions

- Bilateral adrenal hemorrhage
- Bilateral adrenalectomy or hypophysectomy
- Bilateral adrenal metastasis
- Drug therpy

되나 아직도 일부에서는 수술 전에 진단이 되지 않아 수술 중 스트레스로 인해 부신 위기(adrenal or addisonian crisis)를 초래하는 경우가 있다. 또한 수술을 요하는 환자 중 장기간 겉질스테로이드를 복용했거나, 기능 항진성 부신 혹은 뇌하수체의 종양으로 인해 장기간 부신 기능이 억제되었던 환자는 잠재적인 부신기능부전에 빠질 가능성이 있는 환자들이다. 이밖에 일부 수술 환자에서는 부신 이외의 질환으로 인해 급성 부신기능부전에 빠지는 경우도 있다(표 75-1).

1. 원발성 부신기능부전

자가면역에 의한 부신염이 원발성 부신기능부전의 가장 흔한 원인이며 전체의 2/3 이상을 차지하고 있다. 대표적으로 Polyglandular autoimmune (PGA)증후군이 있다. 이 질환은 1981년 Neufeld와 동료들에 의해 두 가지 유형 즉 제1형과 2형으로 분류되었다.[4] 제1형은 주로 소아기나 초기 성인기에 많으며, 흔하지 않은 다른 자가면역질환과 함께 부갑상선기능저하증이나 만성적인 피부점막의 칸디다증 혹은 두 질환 모두가 동반되는 유형이다.

제2형은 주로 10대에서 40대 사이에 발생하고 1형보다는 나이가 좀 더 많은 연령에서 발생한다. 1형과는 달리 부갑상선기능저하증이나 만성적인 피부점막의 칸디다증은 발생하지 않고, 자가면역성 갑상선염과 인슐린 의존성 당뇨와 함께 부신기능부전이 발생한다. 제2형 PGA 증후군 50% 이상에서 부신기능부전이 발생하고 이는 제1형보다 흔하다.[5] 젊은 여성에서 자연적으로 조기 난소 기능 부전이 온 경우에 반드시 자가 면역에 의한 부신기능부전을 생각해야 한다.[6] 최근 유전학의 발달은 부신기능부전의 발병 및 부신 기능의 변화를 알아내는데 있어 중요한 연구의 초점이 되고 있다.[7]

후천면역결핍증후군 환자들에서 여러 원인들에 의해 원발성 부신기능부전이 발생하는데 이는 거대세포바이러스(cytomegalovirus), 결핵균(Mycobacteriun tuberculosis) 혹은 M. avium-intracellulare, 폐포자충(Pneumosystis carinii), 톡소플라즈마증(Toxoplasmosis), 히스토플라스마증(Histoplasmosis) 등 여러 균들에 의한 부신 감염, 혹은 부신에 발생한 카포시육종(Kaposi's sarcoma), 림프종 등 악성종양에 의해 발생한다.

에이즈 환자에서 거대세포바이러스는 부신 감염을 잘 일으키는 것으로 알려져 있지만, 사람면역결핍바이러스(HIV)가 부신에 직접 침투하는 경우도 있다. 또한 자가면역 부신염이 발생하기도 한다. 이 밖에 에이즈 환자와 연관된 질병의 치료를 위해 투여하는 ketoconazole, corticosteroids, rofampin과 phenytoin 등의 약물에 의해서 부신기능부전이 발생한다. 저혈소판증은 급성 부신 출혈을 야기하고, 심한 저콜레스테롤증 역시 겉질스테로이드 생성 부전을 초래한다.[8]

후천성면역결핍증 환자에서 기면(lethargy), 과다색소 침착, 체중감소, 저나트륨혈증 등이 증상은 부신기능부전의 증상과 유사하기 때문에 진단 시 주의를 기울여야 한다. 또한 후천면역결핍증 환자에서 복통, 저혈압 혹은 패혈증 등의 증상이 있는 경우 외과의사는 반드시 부신 기능부전을 생각해야 한다. 따라서 정확한 진단을 위해서는 표준 내분비 검사와 복부 전산화 단층촬영이 반드시 필요하다.

결핵은 과거 부신기능부전의 가장 흔한 원인이었으나 점점 감소하는 추세를 보이다 최근 후천면역결핍증 환자의 증가와 및 소모성 환자에서 인해 다시 증가 추세에 있다. 결핵에 의한 부신기능부전은 전형적인 부신기능부전의 증상을 동반하며 잠행성 혹은 급성으로 발생한다.

2. 외과적 부신기능부전

양측 부신절제술과 뇌하수체절제술은 수술로 인해 발생하는 부신기능부전의 명백한 원인이 된다. 하지만 아직까지 분명하지 않지만 한쪽의 기능항진이 동반된 부신겉질 종양의 제거나 경색증 혹은 기능성 부신 종양의 제거 후에도 부신기능부전이 오는 경우도 있다. 따라서 양측 부신절제술과 뇌하수체절제술을 시행받은 환자 외에도 한쪽 부신절제술을 시행받은 환자도 수술 후 스트레스를 감당할 수 있도록 스트레스 때 분비되는 양(stress-dose) 스테로이드 치료를 해야 한다.

3. 속발 부신기능부전

속발 부신기능부전의 원인은 뇌하수체종양, 두개 인두종, 산후뇌하수체출혈(Sheehan 증후군) 등에 의한 샘뇌하수체의 파괴 병변이나 글루코코르티코이드의 장기복용 혹은 글루코코르티코이드를 분비하는 부신의 선종이나

암종의 제거 수술 후에 발생한다.

이 밖에 시상하부에서 코르티코트로핀분비호르몬(CRH)이 분비되지 않아 발생하는 부신기능부전을 삼차부신기능부전이라 한다.

4. 외인스테로이드 사용과 관련된 부신기능부전

전체로 볼 때 부신기능부전의 가장 많은 원인은 외인스테로이드 사용이다.

겉질스테로이드는 염증장병(inflammatory bowel disease), 천식, 관절염, 여러 피부질환뿐 아니라 이식 환자에서 면역억제, 암 환자에서 항암치료 목적 등으로 단기간 혹은 장기간으로 다양한 용량으로 널리 사용하고 있다.

예를 들어 천식환자의 주 치료제인 흡인성 스테로이드는 소아와 성인 모두에서 부신기능부전의 가능성을 가지고 있다.[9]

이와 같이 외인코르티코스테로이드의 치료는 비록 그 치료 기간이 단기간일지라도 스트레스에 대한 시상하부-뇌하수체-부신축의 기능 상실을 초래할 수 있다는 것을 명심해야 한다.

일반적으로 수술을 요하는 환자에서 스테로이드를 수술 전에 사용해야 하는 명확한 지침은 없지만 최근 1년 내에 1주 이상 사용한 과거력이 있는 경우에는 stress-dose 스테로이드를 사용하는 것이 일반적으로 받아들여 지고 있다. 부신기능저하는 단기간의 고용량의 스테로이드를 투여했을 때뿐만 아니라 사용 기간이 길수록 부신 기능의 저하 기간도 길어진다. 아직까지 스테로이드를 어느 정도의 양으로 얼마 동안 사용해야 부신 기능 저하를 최소로 하는지에 대한 명확한 연구는 없지만, Graber 등의 연구에 의하면 기능성 부신 겉질 종양 제거 수술을 시행한 후 정상적인 기능을 완전히 회복하는데 걸리는 시간은 9개월 이상인 것으로 밝혀졌다.[10]

5. 스트레스 유발 부신기능부전

일반적으로 스트레스의 강도와 기간에 비례해서 겉질스테로이드의 분비량은 증가하게 된다.

스트레스로 인해 발생하는 부신 기능의 이상 유무를 평가하는 방법은 혈장 기저선 코르티졸 농도(plasma baseline cortisol level)를 직접 검사 하는 방법과 코신트로핀(cosyntropin)을 이용한 부신 겉질 자극호르몬 자극검사(corticotropin stimulation test) 두 방법이 있으나 이 중 부신 겉질 자극호르몬 자극검사가 보다 믿을만한 검사이다.

수술을 필요로 하는 환자에서 스테로이드 치료로 인해 부신기능부전의 가능성이 있는 환자에서 현재 널리 사용되고 있는 수술 전 스테로이드 사용 원칙은 다음과 같다. 대수술을 요하는 환자에서는 hydrocortisone hemisuccinate 100 mg을 수술 전날 밤, 수술 당일 아침, 이후 8시간 간격으로 대수술에 의한 주요 스트레스가 해소될 때까지 사용하게 되는데 보통 합병증이 없는 경우에는 24시간 정도 투여하게 된다. 만약 합병증 동반되는 경우에는 48시간 정도 고용량 스테로이드를 지속적으로 사용한다. 만약 고용량 스테로이드 사용이 72시간 이내이면 5~7일간에 걸쳐 급속 감량함으로써 부신기능부전을 예방할 수 있다.

소수술인 경우 hydrocortisone 100 mg을 마취 전에 정맥 투여 후 수술 후에는 보통의 경구 용량으로 조절하면 된다.

6. 수술 환자에서 발생하는 급성 부신기능부전

만약 수술 후 발생한 급성 부신기능부전을 조기에 인지하지 못하는 경우 환자 상태는 급속히 나빠지게 된다. 수술 환자에서 발생하는 부신기능부전의 원인들에는 양측 부신절제술 및 뇌하수체절제를 시행한 경우와 같이 원인이 분명한 경우 외에 다양한 약물의 사용 혹은 환자의 병적 상태에서 발생할 수 있다는 것을 명심해야 한다. 이러한 원인들 중에서도 항응고제 치료, 저혈소판증, 과응고 상태, 외상, 패혈증 혹은 화상에 의한 스트레스 등으로 인해 발생하는 양측 부신 출혈이 가장 위험하다.

7. 양측 부신 출혈과 관련된 급성 부신기능부전

역사적으로 양측 부신 출혈은 수막알균혈증(meningococcemia)이 동반된 소아증후군(Waterhouse Friderichsen)에서 발생한 것으로 알려졌지만, 현재 성인에서 가장 흔한 원인은 항응고제 치료이다.

그 외 저혈소판증, 항카디오리핀 항체 증가, 루푸스 항응고인자 증가 등과 같은 임상적인 상태, 부신에 직접 혹은 혈액공급 차단으로 인한 간접적인 외상, 패혈증 혹은 화상에 의한 스트레스에 의해서도 양측 부신 출혈이 올 수 있다(표 75-2). 일단 양측 부신 출혈이 발생하면 급속하게 진행되어 치명적인 결과를 초래하기 때문에 위에서 언급된 위험군 환자에서는 반드시 부신 출혈의 가능성을 생각해야 한다.

복부 전산화단층촬영 이전에 양측 부신 출혈에 대한 임상증세는 1857년 Goolden[11]이 처음으로 인지하기 시작 했고, 이후 Amador[12], Xarli[13] 등에 의해 항응고제 치료를 받고 있는 환자에서 부검을 통해 양측 부신 출혈이 최대 1.1%에서 발생한다고 보고했다. 이후 복부 전산화 단층촬영이 도입된 이래 부신 출혈에 대한 정확한 진단이 되었고 1956년 Thorn과 동료들에 의해 사망 전에 부신 출혈에 대한 정확한 진단과 치료가 처음으로 시도되었다.[14]

또한 Espinosa과 동료들은 부신 출혈이 있는 환자에서 항카디오리핀 항체 혹은 루푸스 항응고인자가 증가되어 있다는 것을 발견해 부신 출혈이 있는 모든 환자는 이 두 인자를 검사해야 된다고 했다.[15]

표 75-2 | 양측 부신 출혈의 원인들

Anticoagulant Therapy
Therapeutic heparin Subtherapeutic heparin Deep venous thrombosis prophylaxis Arterial flush Dialysis Warfarin (Coumadin)
Coafulopathy
Thrombocytopenia Anticardiolipin antibody Inhibitor of intrinsic anticoagulant pathway (lupus anticoagulant)
Trauma
Direct Destruction of the blood supply
Stressed states
Sepsis burns

화상이나 패혈증 등과 같이 스트레스에 의한 부신기능부전은 출혈이 동반되지 않는 경우도 존재하지만 만약 양측 부신 출혈에 의한 부신기능부전인 경우 가장 흔한 병리학적 소견은 출혈에 의한 부신 겉질의 괴사 소견이다.

부신 출혈의 정확한 병태생리적 기전은 아직까지 명확하게 밝혀지지 않았지만, 헤파린 혹은 와파린 같은 항응고제 치료의 경우 과다 용량의 사용에 의한 것보다는 항응고제 유도에 의한 저혈소판증이 주된 역할을 하는 것으로 보고되었다.[16] 그 외에 부신에 대한 혈액공급의 특수성, 즉 부신에 대한 동맥혈의 공급은 3개의 주 부신 동맥으로부터 약 50~60개 정도의 작은 소동맥으로 분지되어 피막밑얼기(subcapsular plexus)를 형성한 뒤 부신 속질의 굴모양혈관(sinusoid)들을 통해 해부적으로 소동맥에 비해 상대적으로 적은 세정맥으로 유입되기 때문에 혈관의 수축 혹은 과혈액공급이 초래되는 경우 부신 내 정맥압의 상승으로 출혈이 올 수 있고,[17] 부신 정맥의 정맥배출은 일반적으로 단일로 구성되어 있으면서 다른 정맥에 비해 상대적으로 정맥혈관벽에 세로근육다발이 발달해 있어 혈소판에 의한 혈전증이나 울혈이 잘 발생할 수 있는 취약점이 있다.[18]

스트레스는 부신겉질자극호르몬 분비를 증가시켜 부신에서의 산소요구량이 증가되어 최종적으로 부신으로 들어가는 혈류의 양을 증가시키게 됨으로써 부신 출혈의 가능성이 증가하게 된다.[19]

임상증상은 가벼운 압통을 동반하는 옆구리, 상 복부 및 하복부의 급성의 지속적인 통증이 있은 뒤에 초기에는 복부팽만, 변비에 이어 활력저하, 피곤, 기면, 지남력 장애가 점진적으로 빠르게 진행한다. 빈맥과 저혈압은 후기 징후이고 발열, 청색증, 심한 저혈압은 종말사건(terminal event)이다.

Rao 및 동료들의 연구에 의하면 치명적인 저혈압이나 쇼크가 오기 전에 저혈압이 오는 경우는 드물고, 실제로 쇼크가 오기 전까지 절반 이하에서만이 수축기 혈압이 100 mmHg 이하였다.[20]

항응고제 치료를 받고 있는 환자에서의 임상증상은 대개 치료 시작 10일 이내에 발생하였다.[12]

심장병, 혈전색전병, 응고병증 등이 있는 고령인 경우 부신 출혈의 고위험군이다. 특히 수술후기(postoperative period)에 부신 출혈이 많이 일어나는 것으로 알려졌다.[20]

부신 출혈이 있는 경우 일상적인 검사실검사 소견은 갑작스런 적혈구 용적율의 감소, 저나트륨혈증, 고칼륨혈증, 백혈구증가증, 호산구증가증, 경질소혈증, 경산증(mild acidosis), 고칼슘혈증, 혈청 알칼리인산분해효소의 증가를 보인다. 특히 호산구증가증은 급성병색(acutely ill)을 가지는 환자의 3%에서 발생하고, 이 중 23%에서 급성 부신부전이 오기 때문에 급성병색이 있는 환자에서 호산구증가증이 있는 경우 부신 출혈의 가능성을 생각해야 한다.[21] 저나트륨혈증은 비록 없는 경우도 있지만 가장 흔한 검사실검사 소견이다.

복부 전산화 단층촬영은 위에서 언급한 임상증상이 있을 때 양측 부신 출혈을 진단하는 데 가장 정확한 검사이다. 양측 부신 출혈이 있는 경우 전산화단층촬영 소견은 양측 부신에 고음영을 가지는 타원형 혹은 원형의 덩어리를 보인다. 이러한 덩어리들은 보통 3~6개월 후면 흡수되어 소실되지만 만약 소실되지 않는 경우에는 부신 종양을 의심해야 한다.

일측 부신 출혈의 경우는 우연히 복부 전산화촬영에서 발견되는 경우가 많다.

양측 부신 출혈에 의한 급성 부신부전이 의심되면 잠재적으로 생명을 위협하는 상황에 빠질 수 있기 때문에 다른 추가적인 검사실검사 때문에 지체하지 말고 바로 hydrocortisone 100 mg을 정맥주사해야 한다. 초기에 적절한 치료가 이루어지면 환자는 보통 한 시간 내에 회복된다. 일단 환자 임상 증세가 호전되고 안정이 되면 합성 스테로이드인 덱사메타손(dexamethasone)으로 바꾸어 준다.

보통 hydrocortisone 100 mg은 덱사메타손 3 mg에 해당한다. 덱사메타손은 혈청에서 스테로이드 측정에 검출되지 않기 때문에 부신기능부전에 대한 추가적인 진단적 검사를 지속할 수 있다.

수액공급 및 저나트륨혈증의 교정 역시 필요하다. 만약 스트레스 상황이 지속되거나 불안정한 상태가 계속되면 hydrocortisone 100 mg을 6시간 간격으로 정맥 주사하는 고용량 스테로이드 치료법을 실시해야 한다. 일반적으로 광물부신겉질호르몬의 투여는 필요하지 않다.

이 경우에도 마찬가지로 부신 출혈에 의한 급성 부신기능부전의 정확한 진단을 원하는 경우에는 되도록이면 24시간 내에 덱사메타손으로 바꾸어 주어야 한다. 스테로이드 치료는 가능한 빨리 표준보상요법(hydrocortisone 12~15 mg/day)으로 감량해 주는 것이 좋다. 양측 부신 출혈에 의한 급성 부신기능부전의 경우 부신 기능의 회복이 되었다는 보고는 있지만,[22] 아직까지는 영구적인 손상으로 생각해야 한다.[20]

8. 양측 부신 전이 Bilateral adrenal metastases

부신에 발생하는 전이성 암은 흔하다. 부검에서 부신 전이는 폐암의 42%, 위암의 16%, 유방암의 58%, 악성 흑색종의 50%, 림프종의 25%에서 발견되었다.[23] 부신 전이에 의한 부신의 기능 상실은 종양에 의해 약 90% 이상 부신의 정상조직이 파괴되어야 나타난다.

9. 부신기능부전을 야기하는 약물들
Drugs causing adrenal insufficiency

Aminoglutethimede, metyrapone, mitotane 같은 스테로이드 합성을 방해하거나 부신 용해(adrenolytic) 작용을 하는 약물들, rifampin, ketoconazole 같은 항생제, Phenobarbital, etomidate 같은 마취제는 부신기능부전을 야기할 수 있기 때문에 사용에 있어 주의를 요한다.

REFERENCES

1. Addison T. On the Constitutional and Local Effects of Disease of the Supraadrenal Capsules. London, Samuel Highley; 1855.

2. Welbourn RB. The adrenal glands. In: Welbourn RB(ed), History of Endocrine Surgery. New York, Praeger; 1990. P. 147.

3. Harris MJ, Baker RT, McRoberts W. The adrenal response to trauma, operation and cosyntropin stimulation. Surg Gynecol Obstet 1990;179:513.

4. Nerup J. Addison's disease-Clinical studies. A report of 108 cases. Acta Endocrinol(Copenh) 1974;76:127.

5. Neufeld M, MacLaren NK, Blizzard RM. Two types of autoimmune Addison's disease associated with different polyglandular autoimmune (PGA) syndromes. Medicine (Baltimore) 1981;60:355.

6. Werbel SS, Ober KP. Acute adrenal insufficiency. Endocrinol Metab Clin North Am 1993;22:303.

7. Bakalov VK, Vanderhoof VH, Bundy CA, et al. Adrenal antibodies detect asymptomatic auto-immune adrenal insufficiency in young women with spontaneous premature ovarian failure. Hum Reprod 2002;17:2096.

8. Storr HL, Savage MC, Clark AJ. Advances in the genetic bases of adrenal insufficiency. J Pediatr Endocrinol Metab 2002;15:1323.

9. Hoshino Y, Yamashita N, Nakamura T, et al. Prospective examination of adrenocortical function in advanced AIDS patients. Endocr J 2002;49:641.

10. Freda PU, Wardlaw SL, Brudney K, et al. Primary adrenal insufficiency in patients with the acquired immunodeficiency syndrome: A report of five cases. J Clin Endocrinol Metab 1994;79:1540.

11. Alevritis EM, Sarubbi FA, Jordan RM, et al. Infectious causes of adrenal insufficiency. South Med J 2003;96:888.

12. White A, Woodmansee DP. Adrenal insufficiency from inhaled corticosteroids. Ann Intern Med 2004;140:497.

13. Graber AL, Ney RL, Nicholson WE, et al. Natural history of pituitary-adrenal recovery following long-term suppression with corticostcroids. J Clin Endocrinol Metab 1965;25:11.

14. Merry WH, Caplan RH, Wickus GC, et al. Postoperative acute adrenal failure caused by transient corticotropin deficiency. Surgery 1994;116:1095.

15. Schlaghecke R, Kornfly E, Santen RT, et al. The effect of long-term glucocorticoid therapy on pituitary-adrenal responses to exogenous corticotrophin releasing hormone. N Engl J Med 1992;326:226.

16. Manglik S. Flores E, Lubarsky L, et al. Glucocorticoid insufficiency in patients who present to the hospital with severe sepsis: A prospective clinical trial. Crit Care Med 2003;31:1668.

17. Jurney TH, Cockrell JL Jr, Lindberg JS, et al. Spectrum of cortisol response to ACTH in ICU patients: Correlation with degree of illness and mortality. Chest 1987;92:292.

18. Barton RN, Stoner HB, Watson SM. Relationship among plasma cortisol, adreno-corticotropin, and severity of injury in recently injured patients. J Trauma 1987;27:384.

19. Rivers EP, Gaspari M, Saad GA, et al. Adrenal insufficiency in high risk surgical ICU patients. Chest 2001;119:889.

20. Harris MJ, Baker RT, McRoberts JW, et al. The adrenal response to trauma, operation and cosyntropin stimulation. Surg Gynecol Obstet 1990;170:513.

21. Graham G, Unger BP, Coursin DB. Perioperative management of selected endocrine disorders. Int Anesthesiol Clin 2000;38:31.

22. Goolden RH. Disease of the supra-rental capsules with the absence of bronze skin. Lancet 1857;2:266.

23. Amador E. Adrenal hemorrhage during anticoagulant therapy: A clinical and pathological study of ten cases. Ann Intern Med 1965;63:559.

갈색세포종
Pheochromocytoma

성균관대학교 의과대학 외과 **박용래**

1. 역사

갈색세포종은 부신종양 중 가장 먼저 발견된 종양으로 1886년 Frankel 이 부검을 통한 양측성 부신종양을 발견하였다.[1] 부신수질기원(adrenal medulla)의 종양으로 potassium bichromate 염색 후 노란색 혹은 갈색으로 염색이 되었으며, 이로 인해 *pheochromes* 혹은 *pheochromocytomas*로 명명되었다. 1926년 Roux가 처음으로 성공적인 갈색세포종 제거술을 시행하였다.[2] 이후 30년 동안, 갈색세포종 수술 제거 시 사망률은 25%에 도달하였다.[3] 1960년대에는, α 수용체 길항제인 펜톨라민(phentolamine)과 서방형 제제인 페녹시벤자민(phenoxybenzamine)과 함께 β 수용체 길항제인 프로프라놀롤(propranolol)을 이용한 수술 전 처치를 통해 안전하게 갈색세포종을 수술할 수 있게 되었다.[4,5]

최근 30년 동안, 다양한 진단 검사 및 수술 전 위치확인방법(localization)의 발전으로 인해 수술 전 처치가 훨씬 수월해졌다. 그럼에도 불구하고 정확한 진단 및 효과적인 치료를 위해서는 숙련된 다학제팀과 외과의사 간의 긴밀한 협조가 필요하며 외과의사는 갈색세포종의 치료에 대한 정확한 지식을 가지고 있어야 한다.

2. 역학

갈색세포종은 년간 인구 100만 명당 2~8명에서 발병하는 것으로 추산된다.[6,7] 갈색세포종으로 인한 고혈압은 전체 고혈압 환자의 0.1~1%를 차지하는 것으로 알려져 있으며 수술로 완치가 가능한 고혈압에 속한다.[8] 남성보다는 여성에서 흔하며 30~40대에 호발한다. 갈색세포종을 일컬어 10%의 종양이라 하기도 하는데, 이는 전체 갈색세포종 중 약 10%가 양측성, 부신외, 다발성, 악성, 가족력, 소아와 연관되었기 때문이다.[9]

3. 병리소견

태생학적으로 부신수질은 신경외배엽(neuroectoderm)에서 분화한 원시 교감신경세포(sympathogonia)에서 기원하였다. 신경능선(neural crest)에서 배쪽으로(ventrally) 이동한 교감신경세포들은 신경모세포(neuroblast)로 분화하여 척추옆(paravertebral) 및 전방대동맥(preaortic) 교감신경절(sympathetic ganglia)을 형성하였다. 카테콜아민(catecholamine) 분비 세포 및 크롬친화세포(chromaffin cell)로 분화 후, 부신피질(adrenal cortex)세포로 자리잡으면 태생 6주차에 부가적으로 부신수질을 형성한다. 조직학적으로 정상 부신 수질세포는 균일한 형태를 갖추며,

크기와 모양이 다양한 거대한 핵이 존재한다. 현미경적으로 세포질내 다량의 분비과립(secretory granule)을 관찰할수 있다. 노르에피네프린(norepinephrine, NE)을 포함하는 분비과립은 에피네프린(epinephrine, E)포함 과립보다 더 크기가 크고 더 전자 밀도(electron dense)가 높다. 부신수질세포는 뉴런특이에놀라아제(neuron specific enolase, NSE)을 포함하며, 부신피질세포는 NSE를 포함하지 않으므로 부신 수질 및 피질 기원의 종양을 감별하는데 NSE는 굉장히 중요하다.[10]

갈색세포종은 크롬친화세포에서 기원하며 혈관이 많고 얇은 연부조직 피막으로 둘러쌓여 있다. 1~20 cm(평균 2~4 cm)의 다양한 크기로 나타나며, 수 그램에서 수 킬로그램에 달한다(평균, 100 g).[11] 증상의 정도는 종양 크기와 비례하지 않고, 오히려 크기가 클수록 대사 활성도가 더 적은 것으로 알려져 있다.[12] 단면은 회백색을 띠고 있고, 부분적으로 내부 출혈, 낭변성(cystic degeneration), 석회화(calcification) 소견이 관찰된다. II형 다발성 내분비선종증(Multiple Endocrine Neoplasia type II, MEN II)의 환자에서 나타나는 갈색세포종은 단일성 혹은 다발성일 수 있으나 항상 과증식된 수질에서 기원하며 피질/수질의 두께 비율인 1:10으로 나타난다. 현미경상 종양세포는 선모양의 혹은 허파꽈리(alveolar) 모양으로 구성된 다형성의 연장된 세포(elongated cells)와 두드러진 세포질내 과립 및 혈관으로 구성되어 있다. 세포학적 또는 조직학적 소견으로 양성과 악성 갈색세포종을 구분할 수 없으며, 피막침습, 혈관 침습, 세포 다형성(pleomorphism)이 존재하더라도 구분할 수 없다. 핵 DNA 염기 분석상 네배수체(tetraploid) 또는 홀배수체(aneuploidy) 양상보다는 이배수체(diploid) DNA 양상을 보이는 종양이 악성의 위험도가 더 낮다.[13]

4. 부신수질의 생리

페닐알라닌(phenylalanine)의 섭취로부터 부신수질 내에서 카테콜아민의 합성이 시작된다. 수질세포 내에서 카테콜아민은 티로신(tyrosine) 아미노산(amino acid)으로 전환한다. 티로신은 티로신 수산화효소(tyrosine hydroxylase) 활성에 의해 dihydroxyphenylalanime (DOPA)로 전환한다. 이는 카테콜아민 합성의 속도 제한(rate-limiting) 단계이다. DOPA는 DOPA 탈카르복실효소(decarboxylase)에 의해 도파민(dopamine)으로 전환한다. 도파민은 도파민-β- 수산화효소에 의해 노르에피네프린으로 전환한다. 노르에피네프린은 pheylethanolamine-N-methyltransferase에 의해 에피네프린으로 전환된다.

부신수질 내 저장낭에 있던 카테콜아민은 칼슘의존적 세포외배출(exocytosis)에 의해 분비된다. 그러나 갈색세포종의 임상증상을 야기하는 카테콜아민 분비는 칼슘의존적 세포외 배출보다는 주로 단순확산(simple diffusion)에 의해 생긴다.[14]

분비된 노르에피네프린과 에피네프린의 대부분은 크롬친화세포의 시냅스이전종말(presynaptic terminal)에서 재섭취된다. 나머지는 전신혈류를 통하여 특정 조직의 수용체에 결합하여 생물학적 효과를 나타내거나, 신경단위섭취(neuronal uptake) 혹은 소변으로 배출되기도 한다. 뉴런에서의 카테콜아민 대사분해(metabolic breakdown)는 주로 모노아민산화효소(monoamine oxidase, MAO)에 의해 일어난다. 말단대사물인 바닐릴만델산(vanillylmandelic acid, VMA)와 호모바닐린산(homovanillic acid)은 소변으로 분비되며 이는 중요한 진단 방법으로 이용된다.

부진수질에서 분비된 카테콜아민은 두 종류의 억제되먹임기전(inhibitory feedback)으로 인해 감소된다. 첫번째 억제기전에서는 노르에피네프린은 시냅스 이전, 신경절이전 억제성 α2 아드레날린수용체(adrenergic receptor)에 영향을 끼친다.[15] 이 수용체가 자극되면서 아세틸콜린(acetylcholine) 분비가 감소한다. 두 번째 억제 기전에서는 고농도의 노르에피네프린은 티로신 수산화효소을 억제한다(교감신경 단계의 속도 조절 효소).

5. 임상적 양상

갈색세포종은 카테콜아민을 생산하고 분비하며, 활성 형태의 물질을 분비하지 않는 비슷한 양상의 종양은 비기능성 부신경절종(nonfunctioning paraganglioma)이라고 명명한다. 갈색세포종의 가장 대표적인 증상은 고혈압이다. 고혈압의 3가지 임상양상이 관찰된다. 가장 첫 번째 또는 고전적인 양상은 고혈압발작(paroxysm)으로, 발작 사이 중간 동안은 정상 혈압으로 돌아간다. 두번째 양상은 일시적 발작 없이 지속적인 고혈압 양상을 보인다. 갈색세포종 환자의 50%는 두 번째 양상을 보인다.[16] 고혈압 일시적 발작은 적어도 전체 환자의 50%에서 나타난다. 수분에서 수시간 동안 지속되기도 한다. 종양의 부분적인 괴사로 인한 카테콜아민의 분비로 인해 나타난다.

전형적인 고혈압 발작은 갑작스러운 혈압 상승과 함께, 심하게 박동하는(throbbing) 양상의 두통, 발한, 심계항진, 오심(간혹 구토 동반), 불안, 복통을 동반한다.[17] 전통적인 삼주증(발한, 두통, 심계항진)이 고혈압과 동반되었을 때 갈색세포종의 진단 특이도는 93.8%, 민감도는 90.9%이다. 삼주증이 없는 고혈압의 경우 99.9%의 확실성을 가지고 갈색세포종을 배제할 수 있다.

고혈압 발작은 자발적 또는 종양에 기계적인 충격(운동, 배뇨, 배변, 성행위, 자세 변경, 복부진찰)에 의한 카테콜아민의 분비로 인해 유발될 수 있다. 간혹 생명이 위험할 정도의 침습적 행위(침생검사, 혈관조영검사, 외과수술, 출산)이나 약물 주입(CT 검사 시 조영제, 삼환계 항우울제(tricyclic antidepressants, phenothiazines), 메토클로프라미드(metoclopramide)으로 인해 나타날 수 있다. 발작 행위 중 경련성 발작, 심부정맥, 기립성저혈압, 고혈당이 나타날수 있으며 합병증으로 뇌경색, 심근경색 등이 나타날 수 있다.

갈색세포종은 카테콜아민 이외에 칼시토닌(calcitonin), 소마토스타틴(somatostatin), ACTH, VIP, PTHrP를 분비한다.[18] 칼시토닌 증가 시 갑상선 수질암을 동반할 수 있으며, 갈색세포종은 IIA형 다발내분비선종증의 일환으로 여겨진다. 이러한 환자의 경우 칼시토닌 수치는 갈색세포종의 제거 후에는 정상화된다. VIP 혹은 PTHrP를 분비하는 종양을 가진 환자에서도 비슷한 상황이 나타날 수 있다. 증가된 혈장 칼슘은 종양 제거 후 정상화된다. 쿠싱증후군(Cushing's syndrome)은 ACTH를 생산하는 갈색세포종을 동반한 다수의 환자에서 보고되었다.[19]

갈색세포종 환자는 간혹 모호한 느낌의 신경과민, 과호흡, 불안, 말초성 진전(tremor)을 호소한다. 건강염려증, 불안발작, 과호흡증후군, 패닉발작, 다른 정신신체병(psychosomatic disease)이 갈색세포종 진단 이전에 나타나기도 한다. 최근 2년 이상 공황발작(panic attack)으로 정신과 치료를 받은 몇몇 갈색세포종 환자의 예도 보고되었다.

6. 생화학적 진단

갈색세포종의 생화학적 검사는 특징적인 고혈압 발작이 일어나는 환자 외에 약물치료에 잘 반응하지 않는 지속성 고혈압 환자, 갈색세포종 가족력이 있는 고혈압 환자, MEN II 혹은 폰히펠-린다우병(von Hippel-Lindau disease) 같은 갈색세포종과 관련이 있는 유전성 질환 환자, 소아 고혈압환자, 임신 중 새롭게 진단된 고혈압환자, CT 혹은 MRI 상 발견된 부신 우연종 환자에서 갈색세포종을 감별하기 위해 필수적이다. 영상검사상 부신 우연종이 발견되어 내원한 환자의 초기 검사로 소변 카테콜아민과 그 대사산물 검사를 시행한다. 그림 76-1은 갈색세포종의 진단, 수술 전 위치확인, 치료 알고리즘의 제안이다.

1) 24시간 소변 카테콜아민과 그 대사산물

24시간 소변검사를 통한 노르에피네프린, 에피네프

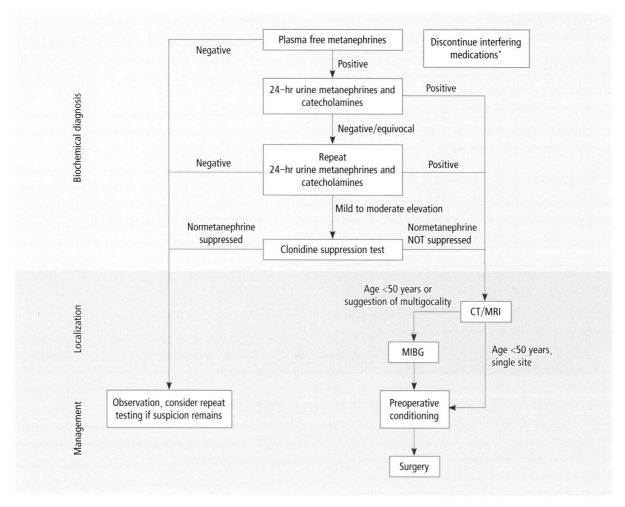

그림 76-1 | 갈색세포종의 진단.
수술 전 위치확인, 치료 알고리즘. 초기 혈장 자유 메타네프린 검사가 음성이면 효과적으로 갈색세포종 진단을 배제할 수 있다. 일반적으로 24시간 소변 카테콜아민과 그 대사산물 검사는 2회 시행하며, 양성 cutoffs 값을 정상의 상한 값 2배로 한다.
(*Including sympathomimetics, phenoxybenzamine, acetaminophen, many psychotropic drugs)

린, VMA, 메타네프린(Metanephrine), 노르메타네프린(Normetanephrine)을 측정법은 현재 가장 유용한 방법으로 사용되고 있다. 만약 고혈압이 있는 경우 VMA 단독 측정법은 민감도 75%, 특이도 95%, 양성예측율 71.8%를 보인다.[20] 그러나 갈색세포종의 2% 미만에서는 소변 메타네프린과 VMA 측정에도 불구하고 놓치기도 한다.[21] 소변 에피네프린, 노르에피네프린, 도파민을 동시에 측정할 것을 권고한다. 갈색세포종 환자의 95%가 소변 에피네프린과 노르에피네프린의 합산 농도가 100 μg/24h 이상으로 알려져 있다.[7] α-methyldopa, 라베탈롤(labetalol), 메틸 글루카마인(methylglucamine, 방사선조영제에서 발견) 등의 약물은 부정확한 검사 결과를 초래할 수 있으므로 검사 전에 반드시 중단해야 한다. 24시간 소변 검사의 참조값(reference value)은 특이도를 최대화 하기 위해 높게 측정되었다. 실제적으로 대부분 실험실에서 측정된 95% 참조값 상한치의 2배 정도이다.

2) 혈장 카테콜아민

혈장 카테콜아민 검사법 역시 갈색세포종 진단에 도움이 된다. 고압력의 액체크로마토 그래피 기법(high-pressure liquid chromatographic techniques)으로 에피네프린, 노르에피네프린을 측정하였을 경우 진단 정확도는 증가하였으며 소변 VMA 검사법보다 선별검사로서 더 도움을 준다고 알려져 있다.[22] 혈장검사법의 단점은 시간이 오래 소요되고 정맥 천자로 인해 정상적으로 카테콜아민이 상승할 수 있다. 그러므로 재빠르게 검체냉각 후, 즉각적으로 실험실로 이송해야 하지만 위양성 또는 위음성 결과를 예방할 수 있다. 높은 위양성 결과로 인해 선별목적으로서의 혈장 카테콜아민 검사법은 제한적이다.

3) 혈장 메타네프린

2002년에 갈색세포종을 진단하는 방법으로 혈장 메타네프린 검사법이 소개되었다. 혈장 자유 메타네프린 검사법은 99%의 높은 민감도를 가지며, 24시간 소변검사법보다 더욱 간편하다.[23] 하지만 특이도는 82%로 낮은 경향을 보인다. 갈색세포종이 다수의 고혈압 환자에서 찾아야 하는 드문 질환이라는 점을 감안할 때, 위양성 결과는 가장 중요한 문제이다. 실제로 혈장 자유 메타네프린 단독검사 시 위양성율이 30배 더 높게 측정되었다.[24]

그러므로 혈장 자유 메타네프린 검사의 주요 목적은 검사가 음성일 때 갈색세포종을 배제하는데 있다. 만약 결과가 양성이라면 24시간 소변 카테콜아민과 대사산물 검사 병행을 통한 확진이 필요하다. 교감신경성약 sympathomimetics(감기약 성분에 다수 포함), 페녹시벤자민(갈색세포종 의심시 가장 먼저 사용), 아세트아미노펜, 정신과 약물(TCA) 등은 위양성을 초래할 수 있는 약물이다. 그 밖에 급성 통증, 급성 심근경색, 뇌혈관 질환, 울혈성 심부전 등도 부정확한 결과가 보고될 수 있다.

4) 유발검사

글루카곤(glucagon), 히스타민(histamine), 티라민(tyramine), 날록손(naloxone) 등을 투여한 후 혈중 카테콜아민의 상승이 관찰될 경우 임상적으로 갈색세포종을 의심할 수 있다. 그러나 고혈압 발작, 심부정맥, 심한 저혈압 등의 부작용으로 인해 현재는 사용하지 않는다.[25]

5) 억제검사

갈색세포종이 의심되는 고혈압 환자에서 혈장 카테콜아민 농도가 500~2,000 pg/ml 사이에 있을 때 억제 검사를 시행할 수 있으나,[26] 생화학적 진단방법, ^{131}I-MIBG, ^{123}I-MIBG 스캔 검사의 발달로 인해 현재는 거의 사용되지 않는다. 클로니딘(Clonidine) 억제 검사 시, 클로니딘 0.3 mg 경구 복용 후 혈장 노르메타네프린 측정하여 모호한 결과를 명확히 할 수 있다. 클로니딘은 α2-작용제로 교감신경톤을 억제하고 정상 부신에서 분비되는 혈장 카테콜아민을 감소시킨다. 갈색세포종은 자율적으로 카테콜아민을 분비하므로, 클로니딘 주입에도 불구하고 혈장 카테콜아민이 억제되지 않는다. 펜톨리늄(Pentolinium) 억제 검사는 비슷한 기전이나, 부신수질의 자율신경절에서 콜린성 전달기전을 억제하여 교감신경절 활성을 통한 카테콜아민 분비를 억제한다. 생화학적 검사법의 특징 및 기준값을 표 76-1에 요약하였다.

7. 수술 전 위치확인

생화학적 검사로 갈색세포종이 진단되면, 수술 전 종양의 정확한 위치확인이 필수적이다. 수술 전 위치확인은 수술방법을 결정하는 데 있어 특히, 개복 혹은 복강경을 할지 결정하는데 있어 굉장히 중요하다. MIBG 스캔 검사는 이미 초음파, CT, MRI로 위치가 확인된 후 의심스

표 76-1 | 갈색세포종의 생화학적 진단법의 특징 및 기준값

Test*	Cutoff value (mol)	Cutoff value (g)	Definitions	sensitivity (%)	specificity (%)
Plasma free metanephrine	0.3 nmol/L	59 μg/L,	Paired test, positive if either or both values are elevated	99	85~89
Plasma free normetanephfine	0.6 nmol/L	110 μg/L			
Urinary total metanephrines	6.6 umol/day	1.3 mg/day		71	99.6
Urinary epinephrine	191 nmol/day	35 μg/day		29	99.6
Urinary norepinephrine	1005 nmol/day	170 μg/day		50	99.6
Urinary dopamine	4571 nmol/day	700 μg/day		8	100
Urinary total metanephrines and catecholamines	–		Grouped test, positive if any one of following three urinary values are elevated: total metanephrines, epi-nephrine, norepinephrine, dopamine		
Urinary vanillylmandelic acid	40 umol/day	7.9 mg/day		64	95
Clonidine suppression test	0.61 nmol/L	112 μg/L	Positive result = elevated level after clonidine and fall of less than 40	96	100
Plasma free normetanephrine					

*When performed twice, 24-hour urine testing of urinary total metanephrines and catecholamines (grouped test) is both highly sensitive and highly spe-cific.

러운 갈색세포종을 확진하는 데 사용한다. 또한 예측하지 못했던 추가적인 일차성, 전이성, 혹은 다발성 병변을 찾을 수 있다. 이러한 방법들로도 병변을 찾을 수 없다면 PET 검사도 고려해 볼 수 있다.

1) 컴퓨터 단층촬영(CT)

CT는 갈색세포종의 수술 전 위치 확인에서 신뢰성이 높고, 효율적이며, 널리 사용되는 검사이다(그림 76-2). 전체 갈색세포종의 90%는 일측성 부신 종괴이므로, CT 검사 시 대부분의 작은 크기의 부신 종양까지도 찾을 수 있다. 민감도, 특이도, 정확도는 각각 87%, 93%, 91%로 보고되어 있다.[27] CT의 단점은 조영제가 필요하므로, 고혈압위기(hypertensive crisis)를 초래할 수 있으며, 다발

성, 부신외 종양, 전이성 종양을 놓칠 수 있다. 그러므로 MIBG 스캔 검사와 함께 정확한 종양의 위치를 확인하는 것이 가장 최선의 방법이다.

2) 자기공명영상촬영(MRI)

MRI는 안전하고 정확하며, 부신종양, 부신외 종양, 재발성, 전이성 종양을 발견하는 데 있어 CT보다 더 높은 민감도를 보이는 비침습적인 검사 방법이다.[28] 갈색세포종의 경우 T1 증강 영상에서는 간이나 신장과 동일한 신호강도를 보여 주위의 지방조직과 쉽게 구분할 수 있고 T2 증강 영상에서는 간보다 고신호 강도를 보인다. MRI는 조영제 주입을 하지 않으므로 고혈압 위기를 최소화시키면서, 방사선에 대한 노출도 필요 없으므로 MIBG

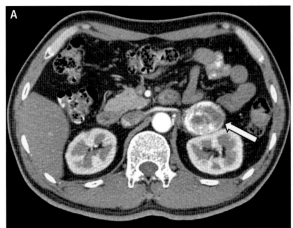

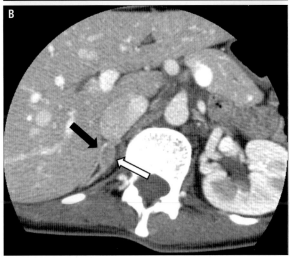

그림 76-2 │ 갈색세포종의 CT 영상.
A. 좌측 부신에 갈색세포종이 신정맥위에 얹혀있다 (white arrow).
B. adrenal protocol CT에서 보이는 1 cm 크기의 우측 부신 갈색세포종 (white arrow)으로 피막의 조영 증강이 관찰된다 (black arrow).

스캔 검사 혹은 CT 검사에 비해 임산부 환자의 종양 위치를 확인하는데 훨씬 이득이 높다.

직경 6 cm 이상의 부신 갈색세포종, 혹은 거대 부신외 종양의 경우 MRI를 시행하여 혈관내 침범을 관찰할 수 있다. 거대종양의 경우 종양 혈전을 대정맥 내로 자주 침범하므로, MRI 혹은 하대정맥조영술 inferior vena cavogram을 일반적으로 시행한다. 혈관 내 음영결손 시 혈전이 우심방까지 침범하였을 가능성을 대비하여 드물지만 vascular isolation techniques 혹은 심폐우회술

(cardiopulmonary bypass)를 준비해야 한다.

3) Metaiodobenzyguanidine (MIBG) 스캔 검사

MIBG 스캔 검사는 [131]I 또는 [123]I로 표지된 MIBG가 갈색세포종, 부신경절종, 전이성 병변 등의 교감신경세포 과립 내에 흡수되는 성질을 이용한 기능적인 영상 검사이다(그림 76-3). [131]I 또는 [123]I의 민감도는 91%, 특이도는 95~100%, 양성예측율은 100%로 보고되어 있다.[29,30] ^{131}I-MIBG 스캔은 안전하고, 간단하고, 부신외 크롬친화 결절을 발견할 수 있는 비교적 덜 침습적인 검사법이다. 위치확인을 위한 초기검사이며 다발성, 재발성, 전이성 종양을 가진 환자들에서는 CT나 MRI보다 진단 정확도가 더 높다.[31] MIBG 스캔검사의 높은 진단 정확도로 인해 일측성 개복 혹은 복강경 수술 시행 시, 다발성 갈색세포종을 놓치는 확률은 과거에 비해 훨씬 감소하였다. 두경부에 위치한 몇몇 갈색세포종은 ^{131}I-MIBG 섭취를 하지 않는 것으로 알려져 있으며, 위음성율이 과거 몇 사례에서 보고되었다.[32]

^{123}I-MIBG 스캔 검사 시 ^{131}I-MIBG 에 비해 위음성율을 감소시켰고, 영상의 질이 상승되었다.[33] ^{123}I-MIBG 스캔 검사의 장점은 높은 민감도, 양성 예측율 및 우월한 선량측정 dosimetry 등이다.[34] 그러나 짧은 반감기, 고비용, 핵종 그러나 짧은 반감기, 고비용, 핵종을 구하기가 힘들기 때문에 제한적으로 사용한다.

4) 기타 검사

PET 검사는 최근 나온 검사방법으로 MIBG를 축적하지 않는 갈색세포종과, 앞서 설명한 검사들로 발견되지 않는 갈색세포종의 위치를 찾는 데 사용할 수 있다. MIBG 검사로 관찰되지 않는 종양들은 종종 PET에서 관찰이 되고는 하는데, 아직까지 그 원인은 명확히 밝혀지지 않

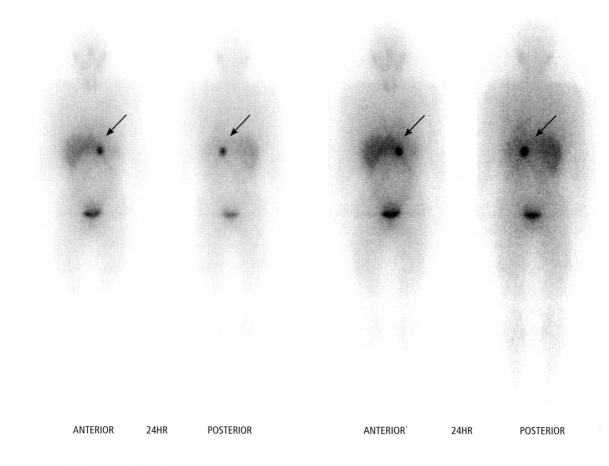

ANTERIOR   24HR   POSTERIOR   ANTERIOR`   24HR   POSTERIOR

그림 76-3 │ 131I-MIBG 스캔. 좌측 부신의 갈색세포종 (arrow)으로 생리적 핵종 흡착이 24시간 이후까지 관찰된다.

앉다.[35]

그 밖의 검사로는 선택적 정맥혈액채취법(selective venous sampling)으로 MIBG 스캔상 위음성 결과 혹은 MRI/CT상 관찰되지 않는 기능성 종양을 찾는 데 도움을 줄 수 있다. 그러나 이 방법은 적절한 α 수용체 길항제를 필요로 하는 고위험성 침습적 검사방법이다. 숙련된 의사가 있는 기관에서만 시행되어야 한다.

8. 치료

갈색세포종의 진단 및 수술 전 위치 확인이 완료되었다면 종양을 제거하기 위한 수술 전 준비가 필요하다. 수술 전 준비의 목적은 혈압과 심박수를 정상화하고 순환 혈액량을 정상화하며 수술로 유발될 수 있는 카테콜아민 과량분비를 예방하는 것이다. 이러한 목적을 이루기 위해 준비하는 것을 크게 두 가지로 요약될 수 있다. 말초혈관의 수축을 역전시켜 혈압을 정상화하기 위한 α 수

표 76-2 | 갈색세포종의 수술 전 처치에 사용되는 약물

α 수용체 길항제	α1 수용체 선택적 길항제	• Prazocin • Doxazocin • Terazocin
	경쟁적 α수용체 길항제	• Phenoxybenzamine • Phentolamine
β 수용체 길항제	β1 수용체 길항제	• Atenolol • Metoprolol
	β2 수용체 길항제	• Propranolol • Timolol • Nadolol • Penbutolol • Sotalol
α and β 수용체 길항제		• Labetalol
Ca++ 통로 차단제		• Amlodipine • Nifedipine • Verapamil
카테콜아민생성 억제제		• Metyrosine

표 76-3 | 갈색세포종의 수술 전 처치(서울대학교 병원)[58]

처치	기준
Normal saline IV hydration	Until 24Hr urine output > 2L
α adrenergic blockerrk	• Phenoxybnezamine 10 mg p.o. b.i.d until BP normalized (1~2주). • If phenoxybenzamine not available, • Prazocin (2~5 mg p.o. t.i.d.) or Doxazocin or terazocin
β adrenergic blocker	Propranolol 10 mg p.o. q.d. for 2~3 days after α adrenergic blocker admistration
Cardiac evaluation	Cardiac echo, EKG

용체 길항제 사용과 순환혈액량을 회복시켜 종양 절제 후 말초 혈관 확장에 의한 말초성 쇼크의 예방을 위한 수액 공급이다(표 76-2, 76-3).

1) 수술 전 준비사항

(1) α 수용체 길항제

종양의 위치 혹은 개수와 상관없이, 모든 환자들은 수술 1~2주 전부터 α 수용체 길항제를 즉각 사용하여 혈역학적 불안정을 보호해야 한다. 가장 대표적인 약물은 페녹시벤자민으로 하루 두 번 사용하도록 권고하고 있다. 시작용량은 하루에 총 10 mg P.O, B.I.D로, 2~3일 간격으로 증량하며 수술 전까지 맥박과 혈압을 정상화시키기 위해서 하루에 160 mg까지 증량이 가능하다.[36] 수술 전까지 이 약을 중단하지 말아야 하며, 반감기가 길고 수술 후 저혈압 등의 부작용으로 인해 수술 전날까지만 복용해야 한다. 페녹시벤자민은 비특이적, 비가역적, 작용시간이(반감기: 24시간) 긴 약물로 수술 후 기립성 저혈압 및 코막힘, 소화불량, 오심, 기면 등의 부작용이 보고되었다. 그러나 우리나라에서는 페녹시벤자민을 구하기 힘들기 때문에 페녹시벤자민의 대체약물로 α1 수용체의 선택적 길항제인 프라조신(prazosin), 독사조신(doxazosin)이 사용된다. 이 계열의 약물들은 상대적으로 작용시간이 짧으므로 수술당일 아침에도 복용이 필요하며 수술 후 저혈압의 예방에 이론적인 장점을 가지고 있다. 프라조신은 2~5mg p.o.bid 또는 t.i.d 로 독사조신은 2~8mg/day로 시작하는 경우가 많으며 증상에 따라 용량을 증가시킨다.

(2) β 수용체 길항제 및 칼슘 통로 차단제

β 수용체 길항제는 α 수용체 길항제 사용후 지속적인 빈맥을 보이는 환자에게 사용한다. β 수용체 길항제 단독으로 사용시 말초혈관의 베타수용체 자체의 혈관 확장 작용이 차단되어, α 수용체 활동이 증가하면서 고혈압을 악화시킬수 있으므로 α 수용체 길항제를 먼저 사용한 후 사용한다. 프로프라놀롤, 아테놀롤(atenolol) 등을 사용한다. 칼슘통로 차단제는 카테콜아민에 의한 혈관세포 내로의 칼슘유입을 차단하여 고혈압과 빈맥을 조절하며 저혈압 유발효과가 없는 장점이 있다. α 수용체 길항제 의한 부작용으로 약물을 대체할 필요가 있거나 α 수용체

길항제로 조절이 잘 되지만 약물 증량이 어려울 때 사용할 수 있다. 니페디핀(nifedipine), 베라파밀(verapamil), 암로디핀(amlodipine) 등을 사용한다.[37]

(3) 카테콜아민 합성 억제제

갈색세포종의 주된 병태 생리학 기전이 카테콜아민 분비에 의한 것이기 때문에 카테콜아민의 생성을 직접 억제하는 것이 이상적인 수술 전 준비가 될 수 있다. 메티로신(metyrosin)은 티로신수산화효소를 직접적으로 억제하는 약물로 카테콜아민 생합성의 가장 중요한 단계에 작용하는 약물이다.[38] 도파민의 생성도 억제하기 때문에 추체외로(extrapyramidal) 증상이 나타나거나 우울증, 불안 등의 부작용이 있을 수 있고 쉽게 구할 수 있는 약물이 아니기 때문에 널리 쓰이지는 않는다. 그러나 α 수용체 길항제와 병용 시 수술 중 심혈관증상이나 출혈량, 수액공급량 등이 α수용체 길항제 단독 사용했을 때보다 적고 특히 더 안정적인 마취 유도가 가능하다.[39,40]

(4) 수액공급

정맥 내 수액공급을 통하여 감소된 순환혈액량을 정상화시키는 것이 갈색세포종을 절제한 후 갑자기 일어날 수 있는 저혈압이나 말초성 쇼크의 예방에 필수적인 것으로 알려져 있다. 일반적으로 α 수용체 길항제에 의해 혈압이 정상화되면 혈액 순환량은 정상화 되지만 약 3~40%의 환자는 수액 공급이 필요하다.[41]

수액공급을 어느 정도 해야 하는가에 대한 정설은 아직 없지만 소변량의 회복을 주요 기준으로 보며 24시간 동안 2 L 이상이면 만족스럽다.[42] 만약 수술 후 환자가 저혈압 혹은 소변량이 감소되어(oliguric) 있다면 혈량저하(hypovolemia)를 의심하여 즉각 수액공급을 시행한다. 수술 전 α 수용체 길항제 사용이 불충분했던 몇몇 환자에서는 종양 제거 후 혈관상승제(vasopressor)가 필요할 수 있다.

2) 수술중준비

갈색세포종을 관리하는데 있어 적절한 마취약, 근이완제, 혈관작용약물을 인지하고 있는 숙련된 마취과 의사가 필요하다. 적절한 정맥주사통로를 확보한 후 동맥 도관 삽입을 통하여 중심정맥압, 동맥압 감시 등의 심혈관 지표를 직접 측정하도록 한다. 도뇨관을 설치하여 소변

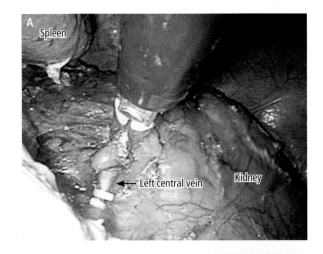

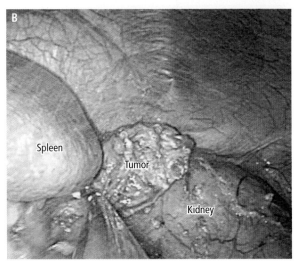

그림 76-4 | 좌측 부신 갈색세포종의 수술 중 소견.
A. 경복강 복강경부신절제술 (좌측) 중 부신중심정맥을 결찰하고 있다. (환자 머리는 좌측) **B.** 좌측 부신을 주위 구조물로부터 박리하였다.

양을 감시해야 한다.

수술 중 자주 관찰되는 혈역학적 변화는 수술중 고혈압과 수술 후 저혈압이었다. 수술 중 고혈압은 마취유도제로 인해 분비되는 카테콜아민의 자극 및 종양의 직접적인 조작(manipulation)에 의해 발생된다. Sodium nitroprusside는 오랫동안 수술 중 급격한 혈압증가가 있

을 시 첫 번째로 시도되는 약물이었지만 점차 작용시간이 짧은 β 수용체 차단제인 에스몰롤(esmolol)을 사용하는 경우가 늘어나고 있다.

수술 후 저혈압은 과다한 혈중 카테콜아민으로 인해 유래된 혈량저하로 인해 나타난다. 종양 제거 후, 이러한 자극들이 갑작스럽게 소실되면서, 말초 동맥 이완 및 정

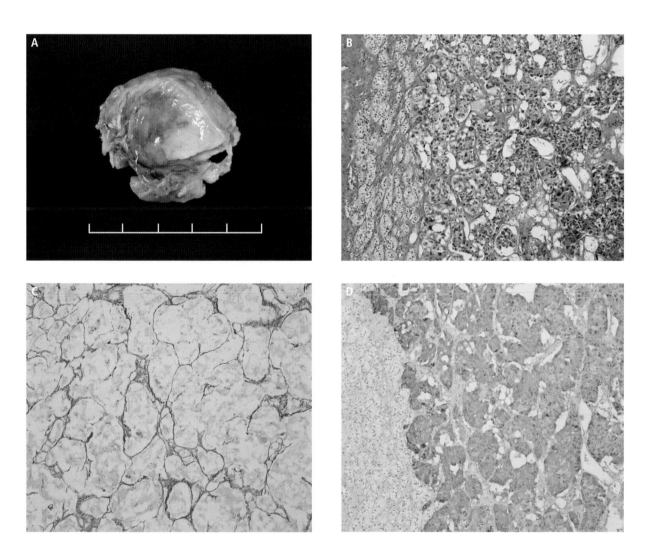

그림 76-5

A. 갈색세포종의 육안소견: 종양의 무게는 36 gm, 장경은 3.3 cm 였다. 단면상 연갈색의 경계가 좋은 종괴가 있으며, 변연부에 위축된 노란색의 부신피질 부위가 관찰되었다. 종괴에 출혈이나 괴사는 관찰되지 않았다. **B.** 갈색세포종의 현미경소견 (H&E, x100) : 종양 주변에는 종괴에 의해 위축된 부신피질조직이 관찰되며, 결합조직으로 형성된 얇은 피막으로 둘러싸여 있다. 다각형 모양의 종양세포는 옅은 호산성 혹은 호염기성의 풍부한 세포질과 둥글거나 달걀모양의 큰 핵을 가지며. 크고 뚜렷한 핵소체를 볼 수 있다. 종종 다형성 혹은 거대세포가 관찰되지만, 유사분열은 매우 드물다. 종양세포 혹은 세포주변에 다양한 크기의 둥근 호산성 분비과립을 관찰할 수 있다. **C.** 갈색세포종의 Reticulin 염색소견 (Reticulin stain, x100) : 종양세포는 세포꽈리(zellballen: nests of cells) 혹은 기둥(trabecula)모양으로 배열하고 있다. 종양의 피막침윤, 혈관침윤, 괴사나 비정형 유사분열은 보이지 않았다. **D.** 갈색세포종의 현미경소견 (x100) : 종양세포는 면역조직세포화학적 염색에서 신경내분비 표지자인 크로모그라닌(chromogranin)과 시냅토피신(synaptophysin)에 양성이며, 종양세포 주변의 버팀세포(sustentacular cell)은 S-100 항체에 양성반응을 보인다.

맥 용적의 급작스러운 증가로 인하여 심혈관허탈(cardio-vascular collapse)이 초래된다. 에페드린(ephedrine)이나 페닐에프린(phenylephrine)으로 조절한다.

3) 예후 및 수술 후 추적검사

갈색세포종의 90% 이상은 수술로 치유될 수 있다. 비록 혈관이 많고, 주변 구조물에 부착되어 있으나, 대부분은 복강경 수술을 통해 성공적으로 제거된다(그림 76-4, 5). 복강경을 통한 절제술은 국소침범 시에는 금기이다. 수술기법의 발달로 인해 수술관련 합병증은 많이 감소하였다. 기능성 영상 초점탐색(image guided focused explo-ration)으로 인해 양측성 부신 및 후복막의 탐색이 가능해졌으며 고형장기(solid organ) 손상도 감소하였다.[43]

추적기간은 일반적으로 최소 5년 이상의 추적관찰을 권고하며 1년에 한 번 혈압 측정과 함께 소변 카테콜아민을 측정하는 것이 좋다. 장기적인 추적관찰이 필요한 이유는 초기 병리 소견에 악성의 근거가 없더라도 재발의 가능성이 있기 때문이다. Goldstein 등은 56명의 명백하게 양성 조직소견을 보이는 갈색세포종에서 5명이 악성으로 재발했다고 보고하였으며 최장 15년 추적 후에 재발한 경우도 있다고 하였다.[44] 특히 유전적인 질환과 관련되어 발생한 갈색세포종의 경우는 평생 추적이 필요하다.

장기적인 예후는 양호한 편이면 양측(유전성)의 경우 질병특이적 20년 생존율은 90~100%, 산발성의 경우 80%, 부신외 종양(부신경절종)의 경우 70% 정도이며[44] 사망원인은 고혈압으로 인한 뇌혈관 질환이 가장 많고 그 외 악성 갈색세포종의 재발로 인한 사망이 많다.

9. 악성 갈색세포종

악성 갈색세포종은 전체 갈색세포종의 10~15%를 차지

한다. 현재까지 악성과 양성 갈색세포종을 구분할 수 있는 세포학적, 조직학적 진단 기준이나 생화학적인 진단 방법은 아직 없다.[45] 혈관 및 피막침습, 유사분열상(mi-totic figure) 증가 등은 양성과 악성 갈색세포종 모두 에서 관찰될 수 있다. 피막 혹은 혈관 침습의 증거가 없는 종양의 경우에도 원격전이를 하는 반면, 국소 피막 침습 혹은 주요 혈관 침습이 동반된 종양의 경우도 수술적 제거로 완치되는 경우가 있으며 이는 10년간 재발하지 않는다는 것에 근거하고 있다. 종양의 주변 연조직으로 국소침범 소견이 관찰되거나 혹은 교감신경절 이외의 비크롬친화 조직에서 종양이 발견되었을 때 악성으로 진단할 수 있다. 악성의 가능성이 있는 종양은 부신외 종양일 가능성이 더 높다(30~40% vs 부신 종양 10%).[13]

부신외 갈색세포종은 대부분 연구에서 20~40%에 이르는 높은 악성 발생율을 보고하였다. 과거 논문들에 의하면 전반적인 발생률은 15%로 추정된다. 재발 혹은 전이까지 소요되는 평균 기간은 5~6년이다. 장기간 추적관찰 및 주기적인 혈압측정, 매년 카테콜아민 및 대사산물에 대한 소변 검사가 필요하다.

가장 흔한 재발 부위는 뼈이며, 척추, 두개골, 갈비뼈의 융해성(osteolytic) 병변으로 나타난다. 이외에 간, 폐, 후복막 또는 종격동 림프절 등이 있다.[46] 악성 갈색세포종은 보통 천천히 증식하며, 증가된 카테콜아민 수치로 인한 증상을 조절했을 때(비록 드물지만), 장기 생존이 가능하다. 전이성 갈색세포종 환자의 5년 생존율은 40%로 알려져 있다.[47]

악성 갈색세포종의 자연경과는 다양하고 예측 불가능하지만, 악성 갈색세포종이 진행된 경우 높은 이환율 및 사망률을 보인다. 장기간 추적관찰한 3개의 후향적 연구에서는 5년 생존율을 각각 32%, 44%, 60%로 보고하였다.[9,48] 최근 연구에서는 22명의 환자를 대상으로 평균 94개월 생존 기간 동안, 5년 생존율을 66%로 보고하였다.

일단 악성 갈색세포종으로 진단이 의심된다면 ^{123}I-MIBG 스캔을 시행하며 질환의 범위를 측정할 수 있다. CT나 MRI 검사를 통하여 연조직으로 질병이 국한된 환

자에서의 절제가능성 유무를 판단하는 데 도움을 줄 수 있다. 전이 병변을 발견하는데 MIBG 스캔이 가장 민감도가 높지만, 전체 10% 환자에서 위음성 결과가 나오기도 한다. 소마토스타틴(Octreotide) 스캔 및 테크네슘(technetium) 뼈 스캔 검사가 유용하다고 알려져 있다. 뼈(척추, 두개골, 갈비뼈)는 가장 흔한 전이 부위로 알려져 있으며, 이러한 병변은 섬광조영술(scintigraphy) 방법으로 발견할 수 있다.

악성 갈색세포종으로 진단된 모든 환자들은(오직 도파민만 분비하는 종양 제외) 초기에 α 수용체 길항제로 치료 받아야 한다. 페녹시벤자민으로 시작하며 고혈압을 조절하기 위해 점차 증량한다. 에피네프린 수치가 높지 않다 하더라도 소량의 β 수용체 길항제도 도움을 줄 수 있다. α 수용체 길항제로 증상 혹은 혈압이 조절되지 않는 경우, 추가 항고혈압제가 필요하다. 카테콜아민의 합성을 차단하고, 카테콜아민과 연관된 증상을 장기적으로 조절할 수 있다. 절제불가능한 질환에도 불구하고 장기간 생존한 환자들의 대부분은 카테콜아민 분비가 조절됨을 관찰할 수 있었다. 카테콜아민 분비 조절 후에는 수술적으로 절제 가능한 전이성 병변에 대한 광범위국소절제술(wide local excision)을 시행한다. 대부분의 골전이성 병변에 대한 수술은 증상완화목적(palliative)이다. 그러나 연조직에만 국한된 종양 전이의 경우로 수술 절제를 통해 장기간의 증상완화 및 완치를 기대해 볼 수도 있다.[49]

과거에는 효과적인 항암제가 보고된 바 없으며, 단독 항암제, 아드리아마이신(adriamycin) 혹은 스트렙토조신(streptozocin) 등도 효과가 없는것으로 나타났다. 그러나 사이클로포스파마이드(cyclophosphamide), 빈크리스틴(vincristine), 다카바진(dacarbazine) 등의 병합요법 시 생화학적 물질의 향상(카테콜아민 감소)과 종양의 성장 억제가 관찰되었다. 항암치료가 필요한 경우 현재 이 병합 항암화학요법이 사용되고 있다.[50]

체외방사선조사(external beam radiation)는 뼈전이로 인한 통증 완화에 효과적이다. 치료목적의 ^{131}I-MIBG 는 기능성 전이 환자에서 사용되었으며 종양의 크기 감소

및 혈장내 카테콜아민 감소 등 만족할 만한 결과가 보고되었다. 1/3 미만의 환자가 이 치료의 대상이며, 종양이 충분한 양의 ^{131}I-MIBG 을 섭취하여 방사선 조사를 효과적으로 이행할 수 있을 때 고려해 본다. 몇몇 사례에서 종양의 크기 감소가 보고되었으나, 치료효과는 2년 정도 유지되었으며 이로 인해 완치된 경우는 없었다.

10. 부신경절종

부신외 갈색세포종은 두개골에서부터 골반사이에 위치한 부신경절 자율신경계(paraganglionic nervous system)에서 생길 수 있다. 부신외 갈색세포종, 즉 부신경절종은 방광경부나 대동맥갈림부(Zuckerkandle 기관)에서 가장 흔하며, 경부, 후방 흉부, 심방, 콩팥문(renal hilum)에서 관찰된다. 그 외 대동맥(aorta)과 대정맥(vena cava) 사이의 좌콩팥정맥(left renal vein), Zuckerkandle 기관, 상장간막동맥(superior mesenteric artery), 대동맥 분지 하방에서 주로 관찰된다. 중간 종격동 종양(middle mediastinal tumor)은 주로 심장을 포함하며 과거에는 매우 드물게 보고되었다. 그러나 1980년대 ^{131}I-MIBG 스캔과 역동조영증강(dynamic contrast enhanced CT) 및 MRI 도입으로 인해 최근 빈도가 증가 중이다. 부신외 종양의 25~40%는 악성이다.[51]

11. 유전성 갈색세포종

새로운 생식세포돌연변이검사법(germline mutation testing)을 통해 가족성 갈색세포종이 과거보다 더 많이 발견되었다. 2000년 이전에는, 갈색세포종은 II형 다발성 내분비선종증(40~50% penetrant) 증후군, 폰히펠-린다우병 증후군(10~20% penetrant), 신경섬유종증(neurofibromatosis) 1형(1~5% penetrant)과 연관된 것으로 알려졌다.

숙신산탈수소효소 유전자(Succinate dehydrogenase gene)에 유전자 돌연변이가 일어나면 갈색세포종, 부신경절종이 발생한다. 숙신산탈수소효소는 4개는 단위(subunit)로 구성되어 있으며, 미토콘드리아에 위치하며 산화인산화(oxidative phosphorylation)의 분해 과정에서 중요한 역할을 한다.

숙신산탈수소효소의 B,D subunit 에서 생식세포 돌연변이가 발생하면, 보통염색체 우성질환(autosomal dominant) 양상으로 유전되며, 과거 산발성 갈색세포종의 10%에서 발견되었다.[52] 현재는 갈색세포종의 21~30%는 가족성으로 알려져 있다. 가족성 갈색세포종은 45세 이하 젊은 연령에서, 다발성, 양측성, 재발성으로 발병하는 경향이 있다. 숙신산탈수소효소 B 유전자 변이 보인자는 부신외(복강 혹은 흉부) 갈색세포종과 악성 갈색세포종의 발생빈도가 높으며, 숙신산탈수소효소 D 유전자 변이 보인자는 다발성 종양, 호르몬적으로 비활성화된 두경부의 부신경절종의 발생빈도가 높다. 숙신산탈수소효소 유전자 변이 보인자의 평생 투과도(penetrance)은 75% 이상으로 알려져 있다.[53] 갈색세포종 연관 유전자 돌연변이 보인자라면 10세 혹은 가족 내 가장 먼저 발병한 사람의 발생 연령보다 10년 더 어린 나이부터 유전자 상담 및 검사를 시작해야 한다.

REFERENCES

1. Frankel F. E in fall von doppelseitigen vollig latent verlaufen nebennierentumor und gleichzeitiger nephritis mit veranderungen am circulationsapparat und retinitis. Virchows Arch Pathol Physiol 1886;103:224-63.
2. Welbourn RB. Early surgical history of phaeochromocytoma. Br J Surg 1987;74:594-6.
3. Graham JB. Pheochromocytoma and hypertension; an analysis of 207 cases. Int Abstr Surg 1951;92:105-21.
4. Prichard BN, Ross EJ. Use of propranolol in conjunction with alpha receptor blocking drugs in pheochromocytoma. Am J Cardiol 1966;18:394-8.
5. Johns VJ, Jr., Brunjes S. Pheochromocytoma. Am J Cardiol 1962;9:120-5.
6. Stenstrom G, Svardsudd K. Pheochromocytoma in Sweden 1958-1981. An analysis of the National Cancer Registry Data. Acta Med Scand 1986;220:225-32.
7. Sheps SG, Jiang NS, Klee GG. Diagnostic evaluation of pheochromocytoma. Endocrinol Metab Clin North Am 1988;17:397-414.
8. Samaan NA, Hickey RC, Shutts PE. Diagnosis, localization, and management of pheochromocytoma. Pitfalls and follow-up in 41 patients. Cancer 1988;62:2451-60.
9. Sutton MG, Sheps SG, Lie JT. Prevalence of clinically unsuspected pheochromocytoma. Review of a 50-year autopsy series. Mayo Clin Proc 1981;56:354-60.
10. Lloyd RV, Shapiro B, Sisson JC, et al. An immunohistochemical study of pheochromocytomas. Arch Pathol Lab Med 1984;108:541-4.
11. Van Way CW, William Scott H, Page DL, et al. Pheochromocytoma. Curr Probl Surg 1974;11:1-59.
12. Crout JR, Sjoerdsma A. Turnover and Metabolism of Catecholamines in Patients with Pheochromocytoma. J Clin Invest 1964;43:94-102.
13. Nativ O, Grant CS, Sheps SG, et al. The clinical significance of nuclear DNA ploidy pattern in 184 patients with pheochromocytoma. Cancer 1992;69:2683-7.
14. Cockcroft JR. Phaeochromocytoma and related tumours. In: Lynn J, Bloom SR, eds. Surgical endocrinology. Oxford: Butterworth-Heinemann; 1993.
15. Grossman E, Chang PC, Hoffman A, et al. Evidence for functional alpha 2-adrenoceptors on vascular sympathetic nerve endings in the human forearm. Circ Res 1991;69:887-97.
16. Bravo EL, Gifford RW, Jr. Current concepts. Pheochromocytoma: diagnosis, localization and management. N Engl J Med 1984;311:1298-303.
17. Ram CV, Engelman K. Pheochromocytoma--recognition and management. Curr Probl Cardiol 1979;4:1-37.
18. Heath H, 3rd, Edis AJ. Pheochromocytoma associated with hypercalcemia and ectopic secretion of calcitonin. Ann Intern Med 1979;91:208-10.
19. Forman BH, Marban E, Kayne RD, et al. Ectopic ACTH syndrome due to pheochromocytoma: case report and review of the literature. Yale J Biol Med 1979;52:181-9.
20. Young MJ, Dmuchowski C, Wallis JW, et al. Biochemical tests for pheochromocytoma: strategies in hypertensive patients. J Gen Intern Med 1989;4:273-6.
21. Orchard T, Grant CS, van Heerden JA, et al. Pheochromocytoma--continuing evolution of surgical therapy. Surgery 1993;114:1153-8; discussion 8-9.
22. Bravo EL, Tarazi RC, Gifford RW, et al. Circulating and urinary catecholamines in pheochromocytoma. Diagnostic and pathophysiologic implications. N Engl J Med 1979;301:682-6.
23. Lenders JW, Pacak K, Walther MM, et al. Biochemical diagnosis of

pheochromocytoma: which test is best? Jama 2002;287:1427-34.

24. Kudva YC, Sawka AM, Young WF, Jr. Clinical review 164: The laboratory diagnosis of adrenal pheochromocytoma: the Mayo Clinic experience. J Clin Endocrinol Metab 2003;88:4533-9.

25. Young WF, Jr. Phaeochromocytoma: how to catch a moonbeam in your hand. Eur J Endocrinol 1997;136:28-9.

26. Eisenhofer G. Editorial: biochemical diagnosis of pheochromocytoma--is it time to switch to plasma-free metanephrines? J Clin Endocrinol Metab 2003;88:550-2.

27. Rufini V, Troncone L, Valentini AL, et al. [A comparison of scintigraphy with radioiodinated MIBG and CT in localizing pheochromocytomas]. Radiol Med 1988;76:466-70.

28. Schultz CL, Haaga JR, Fletcher BD, et al. Magnetic resonance imaging of the adrenal glands: a comparison with computed tomography. AJR Am J Roentgenol 1984;143:1235-40.

29. Miyanaga N, Hattori K, Shiraiwa H, et al. [Diagnosis of pheochromocytoma by 131I-MIBG scintigraphy]. Hinyokika Kiyo 1990;36:105-8.

30. Maurelli L, Cuocolo A, Lastoria S, et al. [131I-meta-iodobenzylguanidine scintigraphy in patients with a suspected pheochromocytoma. A comparison with CT and biohumoral parameters]. Radiol Med 1991;82:839-43.

31. Velchik MG, Alavi A, Kressel HY, et al. Localization of pheochromocytoma: MIBG [correction of MIGB], CT, and MRI correlation. J Nucl Med 1989;30:328-36.

32. Cockcroft JR, Ritter JM, Allison DJ, et al. Location of extra-adrenal catecholamine secreting tumours by selective venous sampling and nuclear magnetic resonance scanning. Postgrad Med J 1987;63:451-3.

33. Lynn MD, Shapiro B, Sisson JC, et al. Pheochromocytoma and the normal adrenal medulla: improved visualization with I-123 MIBG scintigraphy. Radiology 1985;155:789-92.

34. Ikekubo K, Hino M, Ootsuka H, et al. [Detection of neural crest tumors by 123I-MIBG scintigraphy]. Kaku Igaku 1994;31:1357-64.

35. Shulkin BL, Koeppe RA, Francis IR, et al. Pheochromocytomas that do not accumulate metaiodobenzylguanidine: localization with PET and administration of FDG. Radiology 1993;186:711-5.

36. Grant CS. Pheochromocytomas. In: Clark OH, Duh QY, eds. Textbook of endocrine surgery. 2nd ed. Philadelphia: Saunders; 2005:621-33.

37. Proye C, Thevenin D, Cecat P, et al. Exclusive use of calcium channel blockers in preoperative and intraoperative control of pheochromocytomas: hemodynamics and free catecholamine assays in ten consecutive patients. Surgery 1989;106:1149-54.

38. Sjoerdsma A, Engelman K, Spector S, et al. Inhibition of catecholamine synthesis in man with alpha-methyl-tyrosine, an inhibitor of tyrosine hydroxylase. Lancet 1965;2:1092-4.

39. Steinsapir J, Carr AA, Prisant LM, et al. Metyrosine and pheochromocytoma. Arch Intern Med 1997;157:901-6.

40. Perry RR, Keiser HR, Norton JA, et al. Surgical management of pheochromocytoma with the use of metyrosine. Ann Surg 1990;212:621-8.

41. Grosse H, Schroder D, Schober O, et al. [The importance of high-dose alpha-receptor blockade for blood volume and hemodynamics in pheochromocytoma]. Anaesthesist 1990;39:313-8.

42. Department of Surgery, Seoul National University College of Medicine,. The SNU Manual of Surgical Care. 1st ed. Seoul: Jin Publisher. 2010.

43. Plouin PF, Duclos JM, Soppelsa F, et al. Factors associated with perioperative morbidity and mortality in patients with pheochromocytoma: analysis of 165 operations at a single center. J Clin Endocrinol Metab 2001;86:1480-6.

44. Goldstein RE, O'Neill JA, Jr., Holcomb GW, 3rd, et al. Clinical experience over 48 years with pheochromocytoma. Ann Surg 1999;229:755-64; discussion 64-6.

45. Sturgeon C, Kebebew E. Laparoscopic adrenalectomy for malignancy. Surg Clin North Am 2004;84:755-74.

46. Proye C, Fossati P, Fontaine P, et al. Dopamine-secreting pheochromocytoma: an unrecognized entity? Classification of pheochromocytomas according to their type of secretion. Surgery 1986;100:1154-62.

47. Shapiro B, Sisson JC, Lloyd R, et al. Malignant phaeochromocytoma: clinical, biochemical and scintigraphic characterization. Clin Endocrinol (Oxf) 1984;20:189-203.

48. Pommier RF, Vetto JT, Billingsly K, et al. Comparison of adrenal and extraadrenal pheochromocytomas. Surgery 1993;114:1160-5; discussion 5-6.

49. Thompson NW. Malignant pheochromocytoma. Acta Chir Austriaca 1993;4:235-41.

50. Averbuch SD, Steakley CS, Young RC, et al. Malignant pheochromocytoma: effective treatment with a combination of cyclophosphamide, vincristine, and dacarbazine. Ann Intern Med 1988;109:267-73.

51. Modlin IM, Farndon JR, Shepherd A, et al. Phaeochromocytomas in 72 patients: clinical and diagnostic features, treatment and long term results. Br J Surg 1979;66:456-65.

52. Strauchen JA. Germ-line mutations in nonsyndromic pheochromocytoma. N Engl J Med 2002;347:854-5; author reply -5.

53. Edstrom Elder E, Hjelm Skog AL, Hoog A, et al. The management of benign and malignant pheochromocytoma and abdominal paraganglioma. Eur J Surg Oncol 2003;29:278-83.

부신우연종

Adrenal Incidentaloma

| 건국대학교 의과대학 외과 **박경식**

1. 부신우연종의 정의 및 역학

부신우연종은 부신 질환과 관련 없이 시행된 영상의학적인 검사 도중 우연히 발견된 부신의 종양을 말한다.[1,2]

부신우연종의 유병률은 영상의학 검사 방법의 해상도에 따라서 차이가 있을 수 있는데, 1991년에 보고된 대규모의 CT 판독 연구에 따르면 1 cm 이상 크기의 부신종양이 0.4%의 환자에서 발견되었고,[3] 2006년도 연구에서는 4.4%에서 발견되었다.[4] 또한 70세 이상의 고령에서는 부신우연종이 7%까지 발견되었다.[5]

부검 연구에서 발견되는 부신 종양의 빈도는 2%(범위 1.0~9.0%) 정도로 보고되고 있고, 비만, 당뇨, 고혈압 등의 동반 질환이 있는 경우에 빈도가 더 높게 나타났다.[2,5-7]

부신우연종의 10~15%에서 양측성으로 보고되고 있으며, 그 원인 질병군으로는 전이성 부신종양, 부신 피질 종양, 림프절암, 감염, 출혈, 및 전신성 질환 등이 포함되었다.[8,9] Young 등의 연구에서는 19/208(9%)가 악성 종양으로 진단되었고, 악성 종양의 10/19(53%)에서 양측성으로 보고되었다.[10]

부신우연종은 다양한 질병으로 진단될 수 있어 처음 발견 당시에 감별 진단 및 임상적인 처치를 함께 고려해야 하며, 종양의 악성과 기능성 여부를 동시에 고려해 종양의 상태를 평가해야 한다.

여기에서는 부신우연종에 대한 접근법과 질병군별 선별검사 또는 임상적 특징을 소개하고, 각각의 치료 및 경과 관찰에 대해서는 필요한 경우 설명을 더하였다.

2. 부신우연종의 진단

부신우연종이 발견된 다음의 조치에 대해서 현재까지 무작위 임상연구 등의 강력한 근거가 있는 명확한 지침이 있는 것은 아니지만, 다양한 임상 자료를 근거로 미국 및 유럽 등에서는 학회 차원의 권고안이 발표되었다.[11-14]

일반적으로, 부신우연종의 진단을 위해서 기능성 종양 또는 악성 종양의 감별진단을 목적으로 한 병력 청취나 신체 검진이 필요하고, 확진을 위해서 호르몬 검사나 영상검사를 시행하고, 필요한 경우 조직검사를 하기도 한다.[2,11,15-17]

1980~2008년까지 출간된 828개의 문헌들을 분석한 연구에 따르면 비기능성 종양은 89.7%, 기능성 종양은 10.1%, 부신암 1.9%, 전이성 부신종양 0.7%의 순으로 나타났고, 기능성 종양중에서는 무증상 쿠싱증후군 6.4%, 갈색세포종 3.1%, 알도스테론 분비 선종이 0.6%의 빈도를 보였다.18

따라서 본 장에서는 부신우연종 중에서 먼저 기능성

| 부신우연종 발견
- 병력청취, 신체검진 | 기능성 여부
-호르몬 분비 검사 | 호르몬 분비 이상 선별
- 1 mg 야간 덱사메타손 억제 검사
- 혈장 알도스테론/레닌활성도 비
- 24시간 소변 메타테프린 또는
  혈장 유리 메타네프린 | 호르몬 분비 이상 확진
- 48시간 저용량 덱사메타손 억제 검사
- 생리식염수부하검사 |

| | 악성 여부
-영상학적 검사
-호르몬 분비 검사 | 초기검사 시 비조영 CT 고려
악성이 의심되는 소견
- 크기가 4 cm 이상으로 클 경우
- 불규칙한 경계면 또는 불균질한 조영 증강
- 비조영CT 10 HU 이상
- 조영CT 조영제 소실률 60% 이하
- DHEA-S 등의 스테로이드 대사 물질 |

	수술 또는 경과 관찰	기능성 종양 시 수술 우선 고려
		4 cm 이상 크기의 종양으로 악성이 의심되는 경우 수술 고려
		악성 여부 추적 관찰 또는 추가 검사 필요한 경우 - 영상검사 : 3개월 후 재검 - 세침검사 : 전이나 감염 의심 시 고려
		양성 종양의 경우 경과 관찰 - 영상검사 : 6, 12, 24개월 후 재검 - 호르몬 분비 검사 : 4년까지 매년 시행

그림 77-1 | 부신 우연종 환자의 평가

종양 및 악성 종양에 대한 선별 검사 및 추가적으로 필요한 확진 검사와 치료를 요약하였다.

1) 무증상 쿠싱증후군

무증상 쿠싱증후군이란 쿠싱증후군의 명백한 증상이나 징후가 없지만 부신피질 호르몬 분비 자율성을 가진 종양으로 정의된다. 무증상 쿠싱증후군이 임상적으로 관심을 받는 이유는 부신우연종에서 가장 흔하게 발견되는 호르몬 이상 질병군으로, 쿠싱증후군의 특징적인 징후가 없어도, 자율적인 코티솔 분비에 의한 고혈압, 당뇨, 비만 및 골다공증 등의 합병증을 동반할 수가 있어서이다.[19-26]

부신우연종 환자에서 무증상 쿠싱증후군의 부신피질 호르몬 종양분비 자율성을 배제하기 위한 선별검사로 1 mg 야간 덱사메타손 억제검사를 시행한다. 코티솔 과분비로 인한 특징적인 증상이 없는 부신 우연종 환자에서 1 mg 야간 덱사메타손 억제검사 후 혈중 코티솔이 5.0 ug/dL (138 nmol/L)보다 높으면 무증상 쿠싱증후군으로 진단할 수 있다. Dehydroepiandroeterone sulfate (DHEAS)은 ACTH의 자극에 의해 부신에서 만들어지는 호르몬이며, 낮거나 억제된 ACTH 또는 DHEA-S 수치도 무증상 쿠싱증후군의 진단에 도움이 될 수 있다.[27]

무증상 쿠싱증후군의 적절한 처치에 대한 무작위 임상시험 결과는 부족하지만 우선, 자율적 코티솔 분비를 보이는 환자에서는 고혈압, 제2형 당뇨병, 무증상 척추 골절에 대해 선별검사를 시행하고, 적절한 치료를 해야 한다. 부신 우연종 환자중 40세 미만의 젊은 연령이면서, 고혈압, 당뇨, 골다공증 등의 자율적 코티솔 분비와 관련될 수 있는 질환을 동반한 경우에는 수술적 치료를 고려할 수 있다.[28]

무증상 쿠싱증후군환자의 수술 후에도 부신기능 부전으로 인한 사망 위험성이 있으므로, 수술 전후 처치로 글루코코티코이드 치료를 해야 한다.[29]

무증상 쿠싱증후군환자의 단측 부신제거술 후 경과 관찰시 과체중, 고혈압, 당대사 및 골대사가 회복될 수도 있다는 보고들이 있다.[30-32]

2) 갈색세포종

갈색세포종은 부신우연종의 3~5% 정도에서 보고되고 있다.[18]

부신우연종이 임상적으로 또는 영상 검사에서 갈색세포종의 가능성이 낮을 경우 24시간 요중 메타네프린의 측정만으로 충분하다.[17,33,34] 그러나 혈관과다성 또는 불균질한 부신종괴를 가진 환자의 경우 갈색세포종의 가능성이 높아 혈장 메타네프린과 24시간 요중 메타네프린 검사를 모두 시행하도록 제안되고 있다.[35]

임상적으로 갈색세포종의 가능성이 낮은 경우에는 혈장 메타네프린 측정을 권고하지 않는데 그 이유는 민감도가 높은 반면 특이도가 낮아 위양성 시에 불필요하게 수술까지 이루게 할 수 있기 때문이다.[18,33,35,36]

무증상 갈색세포종도 임상적으로 치명적인 결과를 초래할 수 있기 때문에 진단 즉시 수술적 절제가 필요하다.[37]

3) 알도스테론 분비 부신선종

부신우연종의 1% 정도에서 알도스테론 분비 선종으로 보고되고 있다. 과도한 알도스테론 분비는 심혈관계 질환 등의 위험성을 높이는 것으로 알려져 있어서 적절한 치료가 필요하다.[2,38]

부신우연종에서 알도스테론 분비 선종의 선별검사로는 혈장 알도스테론-레닌활성도 비가 추천되며 그 비율이 일정 수준(15~30) 이상인 경우에는 검사를 추가할 수

있다.[11,28,39,40]

부신우연종이 일측성 알도스테론 분비 선종으로 진단되면 복강경을 이용한 부신절제술을 일차 치료로 선택한다. 그러나 부신 우연종 선별검사에서 혈장 알도스테론-레닌활성도 비는 양성이지만 환자가 확진을 위한 추가적인 검사 또는 수술을 원하지 않거나 수술이 불가능한 경우 염류코르티코이드 수용체(mineralocorticoid receptor) 길항제로 치료할 수도 있다.

4) 성호르몬 분비선종

성호르몬 분비 선종은 매우 드물며 대개 환자들은 특징적인 증상을 나타낸다. 따라서 부신 우연종을 가진 모든 환자에서 성호르몬 과다에 대한 선별검사를 시행할 필요는 없다.[2,28]

5) 부신의 악성종양

부신우연종 환자에서 악성종양으로 진단되는 경우는 비교적 흔한 편은 아니지만 발견 당시 대체로 종양 크기가 비교적 크고, 진행된 부신암의 생존율이 높지 않아서, 조기검진의 중요성이 강조되고 있어, 이에 대한 특징적인 영상의학적 검사소견 및 임상적 지침에 대해 소개하였다.

부신우연종 환자에서 기존에 암으로 진단된 병력이 없는 환자에서 악성종양이 진단되는 빈도는 부신 자체의 악성종양은 2~5%, 부신으로 전이된 종양의 경우는 0.7~2.5%로 보고되고 있고 각각의 경우에 따른 진단 및 치료를 고려한다.[2,5,18,27,28,41]

부신우연종에서 양성과 악성종양을 감별하는 중요한 지표로 종양 크기가 도움이 될 수 있다. 887명의 부신 우연종 임상 연구에서 부신피질암의 경우 발견 당시 종양의 크기가 90%에서 4 cm 이상이었고 민감도가 93%로 나타났다.[8]

종양 크기만으로는 악성의 진단 특이도가 높지는 않지만 진행된 부신암 진단 시 종양 크기가 비교적 크고, 예후가 매우 나빠서 특히 젊은 연령층에서 종양크기가 4 cm 이상인 경우에는 수술적 절제를 고려해 볼 수도 있다.[41,42]

그러나 부신우연종의 악성여부를 감별하는 데에는 종양 크기뿐 아니라 시간 경과에 따른 크기의 변화 등의 임상적인 양상과 특징적인 영상의학적 양상을 함께 고려하여야 한다.[8,43-47] 부신우연종에서 악성종양을 시사하는 경우는 종양의 크기가 4 cm 이상으로 크고, 종양의 경계면이 불규칙하거나, 조영 증강이 균일하지 않고, 주변 조직으로 침범이나 전이가 보이며, 비조영 CT 촬영에서 조영 증강이 10 HU 이상으로 높고 조영 CT촬영시 조영제 투여 후 지연영상에서 조영제 소실이 잘 안되는(< 50% / 10 mins) 등의 소견을 보인다. MRI는 비조영증강 CT만큼 양성과 악성병변을 감별하는데 효과적이며 특히 CT로 감별이 어려운 부신병변에서 유용할 수 있다.[45] 악성 부신 종양이 의심되나 CT검사 등으로 불명확할 때, 또는 암병력 환자에서 FDG-PET이 유용할 수 있다.[48] 흑색종의 전이종양에서 MTO-PET의 특이도가 좋다는 보고도 있다.[49] 그러나 고가에다 아직까지는 암병력 환자에서 선별적으로 시행되고 있다.

전이성 종양 또는 감염 등의 부신 이외 조직 기원의 질환을 감별진단해야 할 때에는 세침검사가 드물게 필요한 경우도 있다.[50-52] 대체로 전이성 부신 종양은 부신외 악성 종양의 병력을 가지고 있다.[53-55] 일반적으로는 부신 외 악성 종양의 병력으로 검사 도중 발견된 부신 우연종의 경우 CT상 양성 소견이거나 이미 전신전이가 된 경우에는 추가적인 검사가 권장되지 않는다.[55,56] 그러나 영상학적으로 전이암 또는 감염의 가능성이 있으며 조직검사의 결과에 따라 치료 방향이 달라질 수도 있는 경우에는 세침 또는 조직검사가 도움이 될 수도 있다.

갈색세포종으로 인한 혈역학적 위험성을 피하기 위해서는 전이암의 가능성이 높더라도 반드시 호르몬 검사를 통해서 갈색세포종에 대한 선별검사 후 세침 또는 조직검사를 시행해야 한다.[57-59]

3. 부신우연종의 치료

부신우연종의 치료는 감별되는 질병군에 따라 판단할 필요가 있다.

부신피질암이 진단 또는 의심되는 경우에는 즉각적인 수술이 필요하다.

또한 호르몬 분비 이상에 의한 임상 증상을 동반하거나 호르몬 과다 분비가 있는 종양은 크기와 상관없이 수술을 고려한다. 부신우연종 중에서 무증상의 갈색세포종과 알도스테론 분비 선종의 경우에서는 치료를 하지 않을 경우에 중대한 심혈관계 합병증의 가능성이 있으므로, 즉각적인 수술이 필요하다. 무증상 쿠싱증후군의 경우에는 아직 대규모 무작위 임상연구 등의 근거가 부족한 상태로 환자의 임상 양상을 고려하여 수술 여부를 결정한다.

그 외의 부신우연종 중에서 4 cm 이상으로 크거나 영상학적으로 확실하게 악성가능성을 배제하지 못할 경우에는 수술을 고려한다.

부신우연종을 가진 환자들은 반드시 수술 전 생화학적 검사를 통해 부신호르몬 과다 분비 또는 부신기능 저하증에 대한 검사를 수행한 후 수술을 진행해야 하며, 특히 양측성 부신 종양의 경우에는 부신기능저하의 가능성이 있어서 잔여 부신 기능 평가를 권유한다.[28]

갈색세포종이 의심되거나 완전히 배제하지 못하였다면 2주 이상 알파 수용체 차단제를 처치한 후 수술을 진행하고, 저칼륨혈증을 포함한 고혈압 등 알도스테론 분비 선종이 의심되는 소견이 있으나 완전히 배제하지 못했을 경우 저칼륨혈증 및 고혈압을 교정한 후 수술을 진행할 것을 권유한다. 이 경우 알도스테론 길항제가 추천된다.

4. 자연경과

부신 우연종의 자연 경과는 잘 알려져 있지 않은 상태이나, 추적 관찰연구에서 초기 검사상 양성의 비기능성 종양으로 진단되는 경우 대부분 변화가 없으나 20% 정도에서 과기능으로 발전하는 경향이 있었고, 5~25%에서 1 cm 이상 크기가 증가한 것으로 관찰되었다.[11,60] 부신피질암의 경우 1년에 2 cm 이상 커지며, 갈색세포종의 경우 1년에 0.5~1.0 cm씩 커지는 양상을 보인다고 한다.

그러나 부신 우연종을 4년 경과 관찰한 임상연구들에서 5~20%에서 크기가 증가하였고 이중 수술을 시행한 두 임상연구에서 0/11(0%)와 1/9(11%)의 빈도로 관찰되어 자라나는 부신 종양이 모두 악성으로 볼 수는 없으며, 경과 관찰 시 종양의 크기만을 기준으로 하기보다는 종양의 영상학적 모양이나 기능적인 부분을 함께 고려해야 한다.

부신우연종의 초기 검사 후 경과 관찰 시 기능성종양에 대한 추적검사로 호르몬 검사는 4~5년까지 매년 시행을 권고하고 있고, 악성이 의심스러운 경우 감별을 위한 영상검사는 3~6개월 뒤에 추적검사를 시행 할 수 있고, 1~2년 동안 매년 시행을 권고하고 있다.

부신우연종을 추적 관찰하는 중에 비정상적인 부신 기능 증가 소견 및 악성 종양을 시사하는 소견이 관찰되면 수술을 고려한다.

REFERENCES

1. Young WF. The incidentally discovered adrenal mass. N Engl J Med 2007;356(6):601-10.
2. Young WF, Jr. Management approaches to adrenal incidentalomas. A view from rochester, minnesota. Endocrinol Metab Clin North Am 2000;29(1):159-85, x.
3. Herrera MF, Grant CS, van Heerden JA, Sheedy PF, Ilstrup DM. Incidentally discovered adrenal tumors: An institutional perspective. Surgery 1991;110(6):1014-21.
4. Bovio S, Cataldi A, Reimondo G, et al. Prevalence of adrenal incidentaloma in a contemporary computerized tomography series. J Endocrinol Invest 2006;29(4):298-302.
5. Terzolo M, Stigliano A, Chiodini I, et al. AME position statement on adrenal incidentaloma. Eur J Endocrinol 2011;164(6):851-70.
6. Kloos RT, Gross MD, Francis IR, Korobkin M, Shapiro B. Incidentally discovered adrenal masses. Endocr Rev 1995;16(4):460-84.
7. Hedeland H, Ostberg G, Hokfelt B. On the prevalence of adrenocortical adenomas in an autopsy material in relation to hypertension and diabetes. Acta Med Scand 1968;184(3):211-4.
8. Angeli A, Osella G, Ali A, Terzolo M. Adrenal incidentaloma: An overview of clinical and epidemiological data from the national italian study group. Horm Res 1997;47(4-6):279-83.
9. Barzon L, Scaroni C, Sonino N, et al. Incidentally discovered adrenal tumors: Endocrine and scintigraphic correlates. J Clin Endocrinol Metab 1998;83(1):55-62.
10. Kasperlik-Zeluska AA, Roslonowska E, Slowinska-Srzednicka J, et al. Incidentally discovered adrenal mass (incidentaloma): Investigation and management of 208 patients. Clin Endocrinol (Oxf) 1997;46(1):29-37.
11. Grumbach MM, Biller BK, Braunstein GD,et al. MAnagement of the clinically inapparent adrenal mass ("incidentaloma"). Annals of Internal Medicine 2003;138(5):424-9.
12. Zeiger MA, Thompson GB, Duh QY, et al. The american association of clinical endocrinologists and american association of endocrine surgeons medical guidelines for the management of adrenal inci-

dentalomas. Endocr Pract 2009;15 Suppl 1:1-20.
13. Fassnacht M, Arlt W, Bancos I, et al. Management of adrenal incidentalomas: European society of endocrinology clinical practice guideline in collaboration with the european network for the study of adrenal tumors. Eur J Endocrinol 2016;175(2):G1-G34.
14. Lee JM, Kim MK, Ko SH, et al. Guidelines for the management of adrenal incidentaloma: The korean endocrine society, committee of clinical practice guidelines. Korean J Med 2017;92(1):4-16.
15. Mansmann G, Lau J, Balk E, Rothberg M, Miyachi Y, Bornstein SR. The clinically inapparent adrenal mass: Update in diagnosis and management. Endocr Rev 2004;25(2):309-40.
16. Brunaud L, Kebebew E, Sebag F, Zarnegar R, Clark OH, Duh QY. Observation or laparoscopic adrenalectomy for adrenal incidentaloma? A surgical decision analysis. Med Sci Monit 2006;12(9):CR355-62.
17. Young WF. Primary aldosteronism: Renaissance of a syndrome. Clin Endocrinol (Oxf) 2007;66(5):607-18.
18. Cawood TJ, Hunt PJ, O'Shea D, Cole D, Soule S. Recommended evaluation of adrenal incidentalomas is costly, has high false-positive rates and confers a risk of fatal cancer that is similar to the risk of the adrenal lesion becoming malignant; time for a rethink? Eur J Endocrinol 2009;161(4):513-27.
19. Tauchmanova L, Rossi R, Biondi B, et al. Patients with subclinical cushing's syndrome due to adrenal adenoma have increased cardiovascular risk. J Clin Endocrinol Metab 2002;87(11):4872-8.
20. Erbil Y, Ademoglu E, Ozbey N, et al. Evaluation of the cardiovascular risk in patients with subclinical cushing syndrome before and after surgery. World J Surg 2006;30(9):1665-71.
21. Chiodini I, Morelli V, Masserini B, et al. Bone mineral density, prevalence of vertebral fractures, and bone quality in patients with adrenal incidentalomas with and without subclinical hypercortisolism: An italian multicenter study. J Clin Endocrinol Metab 2009;94(9):3207-14.
22. Sereg M, Szappanos A, Toke J, et al. Atherosclerotic risk factors and

complications in patients with non-functioning adrenal adenomas treated with or without adrenalectomy: A long-term follow-up study. Eur J Endocrinol 2009;160(4):647-55.

23. Morelli V, Eller-Vainicher C, Salcuni AS, et al. Risk of new vertebral fractures in patients with adrenal incidentaloma with and without subclinical hypercortisolism: A multicenter longitudinal study. J Bone Miner Res 2011;26(8):1816-21.

24. Morelli V, Reimondo G, Giordano R, et al. Long-term follow-up in adrenal incidentalomas: An italian multicenter study. J Clin Endocrinol Metab 2014;99(3):827-34.

25. Rossi R, Tauchmanova L, Luciano A, et al. Subclinical cushing's syndrome in patients with adrenal incidentaloma: Clinical and biochemical features. J Clin Endocrinol Metab 2000;85(4):1440-8.

26. Terzolo M, Pia A, Ali A, et al. Adrenal incidentaloma: A new cause of the metabolic syndrome? J Clin Endocrinol Metab 2002;87(3):998-1003.

27. Mantero F, Terzolo M, Arnaldi G, et al. A survey on adrenal incidentaloma in italy. study group on adrenal tumors of the italian society of endocrinology. J Clin Endocrinol Metab 2000;85(2):637-44.

28. Young WF,Jr. Clinical practice. the incidentally discovered adrenal mass. N Engl J Med 2007;356(6):601-10.

29. McLeod MK, Thompson NW, Gross MD, Bondeson AG, Bondeson L. Sub-clinical cushing's syndrome in patients with adrenal gland incidentalomas. pitfalls in diagnosis and management. Am Surg 1990;56(7):398-403.

30. Mantero F, Arnaldi G. Investigation protocol: Adrenal enlargement. Clin Endocrinol (Oxf) 1999;50(2):141-6.

31. Emral R, Uysal AR, Asik M, et al. Prevalence of subclinical cushing's syndrome in 70 patients with adrenal incidentaloma: Clinical, biochemical and surgical outcomes. Endocr J 2003;50(4):399-408.

32. Toniato A, Merante-Boschin I, Opocher G, Pelizzo MR, Schiavi F, Ballotta E. Surgical versus conservative management for subclinical cushing syndrome in adrenal incidentalomas: A prospective randomized study. Ann Surg 2009;249(3):388-91.

33. Sawka AM, Jaeschke R, Singh RJ, Young WF,Jr. A comparison of biochemical tests for pheochromocytoma: Measurement of fractionated plasma metanephrines compared with the combination of 24-hour urinary metanephrines and catecholamines. J Clin Endocrinol Metab 2003;88(2):553-8.

34. Perry CG, Sawka AM, Singh R, Thabane L, Bajnarek J, Young WF,Jr. The diagnostic efficacy of urinary fractionated metanephrines measured by tandem mass spectrometry in detection of pheochromocytoma. Clin Endocrinol (Oxf) 2007;66(5):703-8.

35. Lenders JW, Pacak K, Walther MM, et al. Biochemical diagnosis of pheochromocytoma: Which test is best? JAMA 2002;287(11):1427-34.

36. Sawka AM, Prebtani AP, Thabane L, Gafni A, Levine M, Young WF,Jr. A systematic review of the literature examining the diagnostic efficacy of measurement of fractionated plasma free metanephrines in the biochemical diagnosis of pheochromocytoma. BMC Endocr Disord 2004;4(1):2.

37. Sutton MG, Sheps SG, Lie JT. Prevalence of clinically unsuspected pheochromocytoma. review of a 50-year autopsy series. Mayo Clin Proc 1981;56(6):354-60.

38. Kudva YC, Sawka AM, Young WF,Jr. Clinical review 164: The laboratory diagnosis of adrenal pheochromocytoma: The mayo clinic experience. J Clin Endocrinol Metab 2003;88(10):4533-9.

39. Mulatero P, Stowasser M, Loh KC, et al. Increased diagnosis of primary aldosteronism, including surgically correctable forms, in centers from five continents. J Clin Endocrinol Metab 2004;89(3):1045-50.

40. Montori VM, Young WF,Jr. Use of plasma aldosterone concentration-to-plasma renin activity ratio as a screening test for primary aldosteronism. A systematic review of the literature. Endocrinol Metab Clin North Am 2002;31(3):619-32, xi.

41. Allolio B, Fassnacht M. Clinical review: Adrenocortical carcinoma: Clinical update. J Clin Endocrinol Metab 2006;91(6):2027-37.

42. Henley DJ, van Heerden JA, Grant CS, Carney JA, Carpenter PC. Adrenal cortical carcinoma--a continuing challenge. Surgery 1983;94(6):926-31.

43. Dunnick NR, Korobkin M, Francis I. Adrenal radiology: Distinguishing benign from malignant adrenal masses. AJR Am J Roentgenol 1996;167(4):861-7.

44. Young WF,Jr. Conventional imaging in adrenocortical carcinoma: Update and perspectives. Horm Cancer 2011;2(6):341-7.

45. Szolar DH, Korobkin M, Reittner P, et al. Adrenocortical carcinomas and adrenal pheochromocytomas: Mass and enhancement loss evaluation at delayed contrast-enhanced CT. Radiology 2005;234(2):479-85.

46. Korobkin M, Brodeur FJ, Francis IR, Quint LE, Dunnick NR, Londy F. CT time-attenuation washout curves of adrenal adenomas and nonadenomas. AJR Am J Roentgenol 1998;170(3):747-52.

47. Hussain HK, Korobkin M. MR imaging of the adrenal glands. Magn Reson Imaging Clin N Am 2004;12(3):515-44, vii.

48. Yun M, Kim W, Alnafisi N, Lacorte L, Jang S, Alavi A. 18FDG-PET in characterizing adrenal lesions detected on CT or MRI. J Nucl Med 2001;42(12):1795-9.

49. Hennings J, Lindhe O, Bergstrom M, Langstrom B, Sundin A, Hellman P. 11C]metomidate positron emission tomography of adrenocortical tumors in correlation with histopathological findings. J Clin Endocrinol Metab 2006;91(4):1410-4.

50. Harisinghani MG, Maher MM, Hahn PF, et al. Predictive value of benign percutaneous adrenal biopsies in oncology patients. Clin Radiol 2002;57(10):898-901.

51. Arellano RS, Harisinghani MG, Gervais DA, Hahn PF, Mueller PR. Image-guided percutaneous biopsy of the adrenal gland: Review of indications, technique, and complications. Curr Probl Diagn Radiol 2003;32(1):3-10.

52. Welch TJ, Sheedy PF,2nd, Stephens DH, Johnson CM, Swensen SJ. Percutaneous adrenal biopsy: Review of a 10-year experience. Radiology 1994;193(2):341-4.

53. Lenert JT, Barnett CC,Jr, Kudelka AP, et al. Evaluation and surgical resection of adrenal masses in patients with a history of extra-adrenal malignancy. Surgery 2001;130(6):1060-7.

54. Hess KR, Varadhachary GR, Taylor SH, et al. Metastatic patterns in adenocarcinoma. Cancer 2006;106(7):1624-33.

55. Lee JE, Evans DB, Hickey RC, et al. Unknown primary cancer presenting as an adrenal mass: Frequency and implications for diagnostic evaluation of adrenal incidentalomas. Surgery 1998;124(6):1115-22.

56. Jhala NC, Jhala D, Eloubeidi MA, et al. Endoscopic ultrasound-guided fine-needle aspiration biopsy of the adrenal glands: Analysis of 24 patients. Cancer 2004;102(5):308-14.

57. Vanderveen KA, Thompson SM, Callstrom MR, et al. Biopsy of pheochromocytomas and paragangliomas: Potential for disaster.

Surgery 2009;146(6):1158-66.

58. Casola G, Nicolet V, vanSonnenberg E, et al. Unsuspected pheo-chromocytoma: Risk of blood-pressure alterations during percuta-neous adrenal biopsy. Radiology 1986;159(3):733-5.

59. McCorkell SJ, Niles NL. Fine-needle aspiration of catecholamine-producing adrenal masses: A possibly fatal mistake. AJR Am J Roentgenol 1985;145(1):113-4.

60. Libe R, Dall'Asta C, Barbetta L, Baccarelli A, Beck-Peccoz P, Am-brosi B. Long-term follow-up study of patients with adrenal inci-dentalomas. Eur J Endocrinol 2002;147(4):489-94.

전통적 개복 부신절제술 술기

Technique : Conventional Open Adrenalectomy

| 성균관대학교 의과대학 외과 **윤지섭**

부신의 전통적개복술은 전방 경복강 접근법, 후방 후복강 접근법, 외측 접근법, 흉복부 접근법 등이 있으며 각각의 장단점이 있다. 전방 접근법은 복강 내의 타장기와의 관계를 직접 확인하며 수술을 진행할 수 있고 양측 부신 수술 시 단일 절개창으로 수술을 진행할 수 있는 장점이 있다. 후방 접근법은 수술의 기왕력이 있거나 심폐질환이 있는 환자에게서 발생 가능한 수술의 합병증을 줄일 수 있고, 회복이 빨라 재원기간을 줄일 수 있는 장점이 있다. 그러나 후복강으로의 접근이 어렵고 비만 환자의 경우 후복강의 노출이 특히 힘들며 크기가 큰 종양에서는 적합하지 않다는 단점이 있다. 외측 접근법은 비만 환자, 크기가 큰 종양에서 수술 시야의 확보가 용이하다는 장점이 있다. 흉복부 접근법은 10 cm 이상의 큰 종양이나 악성 종양에서 광범위 절제가 가능하다는 장점이 있지만 수술 이환율이 높아 환자의 선별에 유의하여야 한다.

1. 전방 경복강 접근법

수술 중/후 마취 및 통증 조절을 위해 경막외 도관(epidural catheter)을 이용한 신경축 차단술(neuraxial blockade)은 일반적으로 적용한다. 환자는 앙와위 자세를 취하고 베개를 사용해서 병변측을 약간 높인다. 기타 수술

의 준비는 기존의 개복술과 동일하게 준비한다.

1) 좌측 부신절제술

절개창은 중앙절개창이나 늑골하 절개창을 이용할 수 있다. 늑골하 절개창은 중앙을 넘어 확장하는 Chevron 절개창을 만들 수 있고 때로는 수술 시야를 넓게 확보하기 위해 중앙선을 검상돌기 방향으로 확장할 수도 있다. 좌측 부신은 위결장인대(gastrocolic ligament)를 박리하고 그물망 주머니(lesser sac)를 통해 췌장의 하부 후복막 절개 후 노출할 수 있고, 다른 방법으로는 종양의 크기가 큰 경우에는 비장, 췌장 미부, 위를 전중앙 방향으로 회전시키면 노출하기 용이하다.

2) 우측 부신절제술

좌측부신절제술과 동일한 절개창을 통해 수술을 진행할 수 있다. 상행결장 및 횡행결장을 박리 후 아래로 내리고 간의 겸상인대(falciform ligament), 세모인대(triangular ligament)를 박리하여 간을 충분히 움직일 수 있도록 만든 후 머리쪽으로(cephald) 견인한다. Kocher 술식을 이용하여 십이지장을 박리한 후 중앙방향으로 견인한 후 후복막으로 접근하여 우측부신과 하대정맥을 노출시킨

다. Gerota's fascia와 부신 주변 지방조직을 박리하고 부신정맥을 노출시킨다. 부신정맥은 하대정맥으로 직접 유입되므로 출혈에 주의하여 결찰한다. 하대정맥으로 유입되는 정맥의 절단단을 놓치면 Satinsky vascular clamp를 이용하여 수술을 진행해야 한다. 부신 상부에는 하횡격막 정맥으로 유입되는 부신정맥이 있을 수 있으므로 주의하여 박리한다.

2. 후방 후복강 접근법

최근에는 거의 사용하지 않는 방법으로 과거에는 쿠싱 증후군 환자에서 양측 부신절제술을 시행하는 경우 사용하기도 했다. 복강경적 후방 접근법과 동일한 복와위를 취한다. Hockey stick 또는 curvilinear 절개를 이용하여 10번째 늑골부터 장골 능선(iliac crest)까지 연장한다. 넓은 등근(latissimus dorsi muscle)을 박리하고 12번째 늑골을 절단한다. 흉막과 횡격막을 노출시키고 둘 사이를 박리한 후 횡격막을 절개하여 Gerota's fascia를 노출시킨다. 부신이 노출되면 전방 접근법과는 수술 시야가 반대임을 생각하며 주요 혈관을 박리해야만 한다. 부신이 제거된 후 상처 봉합 시에는 늑골 하 신경혈관다발(neurovascular bundle) 손상에 유의하여야 한다. 만일 수

술 중 흉막이 손상되면 손상부위로 red rubber catheter를 삽입하고 기관내 삽관에 양압을 가한 후 제거하면 기흉을 예방할 수 있다.

3. 외측 접근법

환자를 옆으로 누운 자세를 취하게 하고 수술대를 굽힌다. 11번과 12번 늑골 사이 절개를 통해 수술을 진행한다. 수술 후 통증 등의 문제로 많이 사용하는 방법은 아니다.

4. 흉복부 접근법

흉복부 접근법은 진행된 부신 악성 종양이 주요 혈관을 침범한 경우, 횡격막 상부 하대정맥을 노출시킬 필요가 있는 경우 넓은 수술 시야 확보를 위해 사용할 수 있는 접근 방법이다. 흉부로의 접근을 위해 흉골 절개를 하거나 전통적인 흉복부 절개를 할 수 있다. 환자의 자세는 전방 경복강 접근법과 동일하다.

REFERENCES

1. Blunt LM, Moley JF. Adrenal incidentaloma. World J Surg 2001;25:905-11.
2. Goldfarb DA. Contemporary evaluation and management of Cushing's syndrome. World J Urol 1999;17:22-8.
3. Schulick RD, Brennan MF. Adrenocortical carcinoma. World J Urol 1999;17:26-32.
4. Shen WT, Lim RC, Siperstein AE, et at. Laparoscopic versus open adrenalectomy for the treatment of primary hyperaldosteronism. Arch Surg 1999;134:628-33.
5. Thompson GB, Grant CS, van Heerden JA, et al. Laparoscopic versus open adrenalectomy: a case-controlled study of 100 patients. Surgery 1997;122:1132-9.
6. Vaughan ED. Surgical options for open adrenalectomy. World J Surg 1999;23:40-7.
7. Wheeler MH, Harris DA. Diagnosis and management of primary aldosteronism. World J Surg 2003;27:627-33.
8. Shen WT, Kebebew E, Clark OH, et al. Reasons for conversion from laparoscopic to open or hand-assisted adrenalectomy: Review of 261 laparoscopic adrenalectomies form 1993 to 2003. World J Surg 2004;28:1176-9.

복강경 부신 절제술

Laparoscopic adrenalectomy

┃ 성균관대학교 의과대학 외과 **김정한**

1. 측위 경복막 복강경 부신절제술
Laparoscopic lateral transabdominal adrenaletomy

초기의 성공적인 복강경 부신절제술은 1992년 Gagner 에 의해 보고된 이후 여러 후향적인 연구들을 통해 이 방법이 개복 시술과 비교하여 효용성, 안전성에서 여러 이점들이 있는 것으로 밝혀지고 있다. 복강경 수술은 전통적인 개복수술에 비해 재원 일수를 줄일 수 있고, 환자가 더 편안함을 느끼며, 정상 장기능과 육체적인 활동을 포함한 일상생활로의 복귀를 빠르게 한다는 장점이 있다. 복강경 부신절제술은 크기가 8~10 cm 이하의 양성 종양과 크기가 작은 단일 부신전이 결절이라도 숙련된 외과의에 의해 안전하게 시행될 수 있다. 아직은 부신에 발생한 원발 악성 종양에 대한 복강경 수술에 대해서는 많은 외과의사들이 회의적이기는 하지만 주변 조직으로의 침윤 또는 림프절 전이가 의심되지 않는 경우 외과의의 경험에 따라서는 종양의 파종 또는 피막의 파괴 없이 안전하게 시행될 수 있다고 보고된다. 복강경 수술 방법은 여러 가지 술식이 개발되었는데 크게 복강을 통해 부신을 절제하는 경복막(transabdominal) 접근법, 복강이 아닌 후복막강을 통해 진행되는 후복막 접근법으로 나뉠 수 있으며 환자의 수술 자세에 따라 측위(lateral), 앙와위(supine), 복와위(prone)로 각각 세분화될 수 있다. 이 중 현재로는 측위 경복막 복강경 부신절제술이나 복와위에서 진행되는 후복막 접근법이 가장 많

이 시행되고 있으며 시술자의 교육배경이나 취향에 따라 여러 가지 수술 방법이 다양하게 이루어지고 있다. 이 장에서는 해부적으로 고려해야 할 사항들과 좌우 복강경 부신절제술의 술기 등을 포함한 복강경 부신 수술의 원칙들을 설명하고자 한다.

1) 해부적인 구조

부신은 제로타(Gerota)근막과 후복막 지방에 둘러싸여 있으며 양측 신장의 상내측면을 따라 위치한 후복막 장기이다. 부신은 섬유 피막을 가지고 있으며 피질에 지방을 많이 함유하고 있어 진하고 밝은 노란색조를 띠고 있다. 부신을 박리하는 동안 섬유 피막이 손상되지 않도록 주의하여야 하는데, 이는 세포의 유출과 파종(seeding)의 가능성을 피할 수 있기 때문이다.

정상 성인에서 부신의 무게는 4~7 g 정도로, 우측 부신은 보다 피라미드 모양을 하고 있으며, 우측 간삼각 인대(triangular ligment)의 하부에 위치하며 대정맥의 외측에, 우측 신장의 상내측에 위치한다. 좌측 부신은 보다 납작한 모양이며, 그물막주머니(omental bursa)의 후면, 위, 비장의 상극(superior pole)이 위쪽 경계를 이루고, 내측으로는 대동맥주위 조직, 아래쪽으로는 췌장의 꼬리와 비장 혈관들에 의해 경계가 지워진다. 양측 부신의 후면은 횡격막 다리(crus)가 이루고 있다.

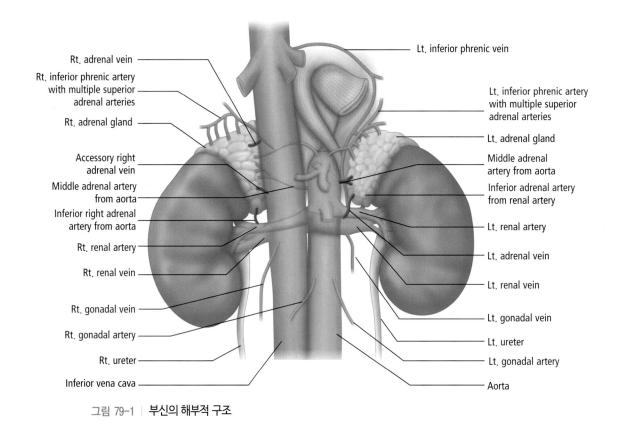

그림 79-1 | 부신의 해부적 구조

부신은 혈관과다(hypervacular) 구조물로, 아래가로막동맥(inf. phrenic a.), 대동맥과 신동맥으로부터 분지된 여러 가지로부터 동맥혈을 공급 받는다. 대부분의 부신은 비교적 크기가 커서 눈에 잘 보이는 단일 중앙 정맥(central v.)을 가지고 있지만, 다수의 정맥이 발견되기도 한다. 우측 부신정맥은 전형적으로 0.3~1 cm 정도로 길이가 짧고, 대정맥으로 직접 배액되는 반면 좌측 부신정맥은 일반적으로 2~3 cm이며, 부신의 하내측에서 좌신정맥의 상측면으로 배액된다. 아래가로막정맥은 신정맥으로 합류하기 전에 좌부신정맥과 합쳐질 수도 있다(그림 79-1).

2) 복강경 부신절제술의 적응증

복강경 부신절제술의 적응증은 거의 모든 양성 기능성 부신 종양과 더불어 종양의 크기, 종양의 크기 증가 또는 영상학적 특성 등을 통해 제거가 필요한 비기능성 종양을 포함한다. 표 79-1은 저자가 시행한 703명 환자의 복강경 부신절제술의 적응증을 요약하였다. 대체적으로 갈색세포종과 알도스테론 분비종양이 가장 많고 그 다음으로 코티졸 분비 종양이 있었으며 전이성 종양 및 악성 종양의 수술 시에도 복강경 수술을 적용하였음을 알 수 있다.

3) 세부술기

좌우측 복강경 부신절제술의 술기는 개복 부신절제술의 원칙과 마찬가지이다. 박리는 부신피막(capsule)을 보존하며 이보다 밖으로 진행하는데 부신의 파열과 종양 세포의 유출과 착상을 방지하기 위해 가능하다면 복강경

그림 79-2

표 79-1 | 부신 절제술의 적응증

진단	환자 수	%
Pheochromocytoma	202	28.7
Aldosteronoma	156	22.2
Cushing	94	13.4
Nonfunctioning adenoma	87	12.4
Metastasis to adrenal gland	67	9.5
Malignancy of adrenal gland	22	3.1
Other benign adrenal mass	75	10.7
adrenal cyst	30	4.3
ganglioneuroma	18	2.6
myelolipoma	11	1.6
schwannoma	7	1.0
Total	703	100

에는 우측이 높은 측위를 취하고 좌측은 이와 반대를 취하여 수술대에 눕힌 뒤, 환자의 아래쪽 다리는 굽히고, 위쪽 다리는 곧게 편 후 침대를 아래쪽으로 굴곡(flexion)시켜 늑골 모서리(costal margin)와 엉덩뼈 능선 (iliac crest) 사이의 공간을 최대한 벌어질 수 있도록 한다. 이러한 자세는 콩팥 위치가 높아질 뿐만 아니라 중력을 이용하여 전면의 십이지장 및 대장을 환자의 좌측으로 당겨서 후복막을 노출시키기 쉽다. 환자의 압박을 받는 부위는 푹신한 포를 깔아서 신경, 혈관 손상을 예방한다. 양측 부신을 수술하는 경우 반대편의 부신을 동시에 노출시킬 수 없기 때문에 먼저 한쪽을 수술하여 봉합한 다음 다시 반대로 자세를 잡아야 하는 단점이 있다. 비디오 모니터는 환자 머리 쪽으로 양쪽에 위치시키며, 집도의는 환자의 배쪽(ventral side)에 서고, 보조의와 카메라 보조의는 상황에 따라서 집도의와 같은 쪽 또는 반대 쪽에 설 수 있다. 특히 우측의 부신절제 시 복부 쪽에서 집도의와 두 명의 보조의가 같은 방향에 서서 진행하는 경우 공간상의 제약이 생기거나 기구간 간섭이 심해질 수 있으므로 집도의는 환자의 등쪽에 서기도 한다.

기구로 부신을 잡는 것을 최소화해야 한다. 만약 수술 중 부신이 심각하게 파열되었다면 출혈이 심해질 수 있고 여러 부분으로 잘라진 경우 부신의 완전 제거가 불가능할 수도 있으므로 이런 경우 개복수술로의 전환을 고려하여야 한다. 가장 좋은 방법은 부신 주위의 지방조직을 잡거나 부드럽게 밀거나 올리는 동작을 통해 적절하게 노출을 시키는 것이다. 전기소작기, 초음파 절삭기 또는 내시경 클립을 이용하여 혈액공급을 차단할 수 있으며 부신 검체는 부신 전체가 포함되도록 손상 없이 제거하고 검체를 체외로 빼낼 때에는 혈액이나 세포가 투과되지 않는 비닐 bag 등을 이용한다.

(1) 환자 자세

전신마취 후에 모든 필요한 모니터를 부착한 후, 도뇨관과 비위관을 삽입한다. 특히 좌측 부신 수술을 할 경우 위를 감압하는 것이 매우 중요하다. 우측 부신절제술 시

(2) 복강경 우측 부신절제술

투관침(port)의 삽입은 대개 4개의 포트가 주로 사용되며 그 위치는 그림 79-2와 같이 배꼽주변의 절개창을 내어 카메라를 삽입하거나 늑골아래 또는 하복부에 절개창을 만들어 수술한다. 주변 장기들이 중력에 의해 잘 수술 시야에서 치워지지 않는다면 예외적으로 추가적인 투관침을 삽입할 수 있다. 기복(pneumoperitoneum)은 첫 번째 투관침을 이용하여 만들며, 이것은 늑골 경계와 전액와부선(anterior axillary line)이 만나는 복직근(rectus muscle) 바깥쪽에 삽입한다. 다른 방법으로는 배꼽과 우측 늑골 경계 사이에 첫 번째 포트를 삽입할 수도 있다. 직접 눈으로 보며 복막을 열어 balloon tip 투관침을 삽입하거나 Veress 바늘을 이용하여 12~15 mmHg의 압력으로 기복을 만들지만, 갈색세포종이나 만성 폐쇄성 폐질환의 환자와 같은 환자의 경우에는 이보다 더 낮은 압력으로 기복을 만들 수 있다. 10 mm 포트에는 30도

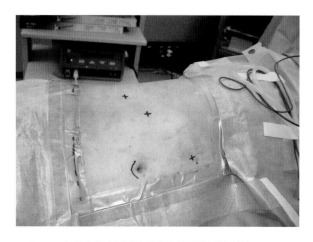

그림 79-2 │ 우측 부신절제술에서의 투관침 삽입 위치

측면경(side-viewing telescope)을 삽입하며, 늑골 경계에 옆구리를 향하여 5 mm 포트 2개를 위치시킨다. 간견인기(liver retractor)를 사용할 경우에는 첫 번째 포트의 안쪽에 견인기 크기에 따라 5 mm 또는 12 mm의 추가적인 포트를 삽입할 수 있다. 적절한 시야확보와 박리 각도에 따라 5 mm 30도 측면경을 추가적으로 다양한 위치에 삽입할 수 있다.

초음파 박리기 또는 전기소작기를 이용하여 간삼각인대(right triangular ligament)를 절개하여 간의 우엽을 후면으로부터 분리하는 것이 중요하다. 이는 간 뒤쪽의 대정맥(vena cava)과 부신 전체를 볼 수 있게 해준다. 대정맥 주위를 박리 할 때는 대정맥과 간 사이의 작은 교통정맥(communicating vein)들 때문에 세심한 주의를 기울이지 않으면 많은 출혈이 생길 수 있다. 간우엽을 후면으로부터 분리하면 간을 견인할 때 간 실질의 손상을 피할 수 있다.

일단 간을 후면으로부터 분리하면 부신을 쉽게 확인할 수 있고, 그런 다음 부신의 바깥쪽과 윗쪽부터 박리를 한다. 작은 동맥 분지들은 초음파 절삭기 또는 전기소작기로 절단하면 된다. 우측 부신 정맥은 보통 내측과 뒤쪽으로 대정맥에 합류한다. 부신 정맥을 조심스럽게 박리한 후 클립으로 이중 결찰을 하고 절단을 한다. 부신 정맥의 폭이 넓을 경우에는 두세 번에 나누어 결찰을

해야 하는 경우도 있으며 출혈에 주의하여야 한다. 부신 정맥이 간과 인접하여 대정맥으로 연결되는 경우 이 부분이 충분하게 박리되지 않으면 출혈하기 쉽고 과도하게 부신 정맥을 당기면 대정맥이 찢어져 대량 출혈을 유발할 수 있으므로 주변을 조심스럽게 박리한다. 복강경으로 지혈이 안될 것으로 판단되면 즉시 개복 수술로 전환하는 것이 안전하다.

작은 accessory vein들은 초음파 절삭기 또는 전기소작기로 지혈을 할 수 있다. 부신이 대정맥의 뒤쪽까지 위치할 수도 있는데 이 경우 대정맥을 조심스럽게 내측으로 견인하고 부신의 바깥쪽을 박리하면 부신의 내측면이 대정맥으로부터 분리된다. 부신의 아래쪽을 박리하여 콩팥의 상극(superior pole)과 분리하는 과정에서 부신의 하단이 콩팥 정맥에 가깝게 위치할 수도 있으므로 수술 전 부신 종양의 위치와 신정맥의 위치를 CT나 MRI에서 반드시 파악하고 수술을 시작하여야 한다. 부신 수술 중 부신의 피막에 가깝게 붙어서 박리를 하는 것이 위쪽으론 간정맥, 안쪽으론 대정맥, 아래와 뒤쪽으론 신정맥 또는 덧신장동맥(accessory renal v.)의 손상을 줄일 수 있다. 부신이 주변 조직으로부터 분리되면 부신을 10~12 mm 포트를 통해 비닐 bag 넣은 후 몸 밖으로 꺼낼 수 있으며, 만약에 종양이 크다면 절개창을 더 연장하여 꺼낸다. 부신을 잘게 잘라서 꺼내는 것은 조직병리 검사에 영향을 줄 수 있으므로 바람직하지 못하다.

(3) 복강경 좌측 부신 절제술

환자는 왼쪽을 위쪽으로 옆으로 눕는 자세로 위치시킨다. 일반적으로 세 개의 투관침을 사용한다(그림 79-3).

투관침 삽입 위치는 좌측의 늑골을 따라 3개를 삽입하던지 또는 카메라 포트를 배꼽이나 아래 쪽에 삽입하는 방법이 있다. 배꼽에 삽입하는 방법은 비장의 박리 시 횡격막 가까이까지 시야를 확보할 수 없는 경우가 발생하므로 신장이 큰 환자에서는 어려울 수 있고 늑골연의 하방으로 3개를 나란히 위치시키는 것은 일단 기구간의 간섭이 발생할 수 있고 대장의 splenic flexure가 투관침의 위치보다 아래에 위치하여 이의 박리가 약간 어려

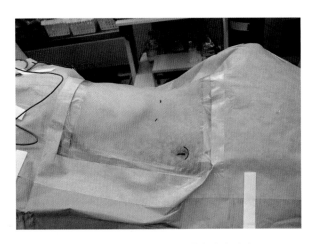

그림 79-3 | **좌측 부신절제술에서의 투관침 삽입 위치**

울 수 있다. 배꼽의 높이에서 복직근(rectus m.)의 외연에 투관침을 삽입하는 것은 이 두가지의 단점을 보완할 수 있는 방법이기는 하나 수술 후 창상 반흔이 더 뚜렷하게 남는 단점이 있다. 주로 가운데 위치한 투관침 또는 배꼽 부근으로 카메라를 삽입하고 두 개의 내시경 기구를 사용하여 수술을 진행한다. 매우 마르고 지방이 없는 환자의 경우를 제외하고는 비장, 위, 췌장을 박리하여 내측으로 옮기기 위해서는 대개 대장의 splenic flexure를 복벽으로부터 박리하여 아래로 내리는 것이 필요하다. 그 다음 시라콩팥인대(splenorenal ligament)를 외측에서 박리하고 중력에 의해 비장이 내측으로 mobilization 되도록 한다. 인대 끝은 잡을 목적으로 비장 쪽에 남겨두어야 하고, 비장을 직접 건드리게 되면 출혈이 발생하므로 직접적인 조작보다는 내측으로 밀어내는 조작만을 가한다. 비장의 상연(upper margin)을 박리하면 위의 short gastric vessel이 주변에 있으므로 출혈이 되지 않고 위의 손상이 없도록 조심스럽게 지혈, 박리한다. 이어서 비장과 췌장 미부를 내측으로 밀며 박리하여 대동맥의 박동이 느껴지는 위치까지 박리하고 잘 되지 않는다면 좌측 신장을 싸고 있는 제로타 근막의 위에서 대장을 더 박리하면 중력에 의해 이 장기들이 내측으로 쏠리게 되고 전체적으로 부신이 시야에 노출된다. 이 해부학적인 공간은 혈관이 거의 없으므로 출혈의 위험이 없어 부드럽

게 밀며 절단해 나간다. 부신이 노출되면 좌측의 신정맥이 시야에 보이게 되며 이론적으로는 부신의 내측을 먼저 박리하여 신정맥에서 연결되는 부신정맥을 노출시키고 클립을 이용하여 이를 분리하는 것이 원칙이다. 하지만 이 주변에는 대개 지방 조직이 많고 박리가 잘 되지 않는 경우가 많은데 이 때는 부신의 외연을 먼저 박리하여 내측으로 분리시키는 것도 좋은 방법이 될 수 있다. 초음파 절삭기를 이용하여 박리하면 이 부근에 작은 혈관들만 있으므로 출혈이 거의 없이 신장으로부터 분리할 수 있다. 그 다음 분리된 부신조직을 잡고 위로 견인하여 하연을 외측에서 내측으로 박리하여 오면 하내측으로 신정맥과 연결되어 있는 부신 정맥을 확인할 수 있고 주변의 조직을 모두 박리한 후 이를 분리한다. 부신 정맥의 위로 대동맥에서 기시되는 작은 동맥이 몇 개 정도 분지 되어 부신으로 주행하는데 이는 클립을 사용하거나 초음파 절삭기로 천천히 지혈하며 절단한다. 이때 아래 횡격막정맥(inf. phrenic v.)이 신정맥으로 들어가기 전에 부신 정맥과 합쳐질 수 있으므로 이의 존재를 알고 있는 것이 중요하다. 부신의 내연이 박리되면 후면을 신장으로부터 초음파 절삭기를 이용하여 박리하면 대부분의 부신이 분리되고 마지막으로 위와 닿아 있는 부분만 남게 되는데 앞서 언급한 바와 같이 short gastric vessel의 출혈에 주의하면서 부신을 완전히 분리한다. 갈색세포종의 수술은 수술 중 혈압이 상승하여 주변 조직으로 심장의 박동이 전달되어 많이 흔들릴 수 있는데 이때는 혈압이 조절되어 떨어질 때까지 기다린 후 혈압이 하강하면 수술을 다시 진행하고, 정맥을 먼저 결찰하도록 하는 것이 원칙이기는 하다. 특히 부신정맥을 결찰하여 절단하면 곧 혈압이 심하게 하강할 수 있으므로 마취과 의사에서 이 과정을 미리 알려서 준비하도록 하면 더 안전하다.

　일단 부신이 주변 조직으로부터 완전 분리되면 10 mm 포트 쪽으로 복강경 주머니(pouch) 속에 넣어 제거한 후 피부를 봉합한다. 수술 시 별다른 출혈 없이 진행되었다면 배액관은 삽입하지 않을 수 있다.

4) 수술의 합병증

(1) 단기 합병증 Short term complications

대부분의 복강경적 부신수술 후의 합병증은 개복 수술 시 발생하는 합병증과 유사하다. 복강경로 인한 추가적 합병증은 Veress needle의 삽입 시 일어날 수 있는 장 천공, 간 손상과 비장 손상 등이 발생할 수 있으나 최근에는 직접 눈으로 복막을 확인하며 balloon tip 투관침을 사용하므로 이를 줄일 수 있다. 우측 부신 적출술시 간 견인기로 인한 출혈도 있을 수 있다. 조심스러운 견인과 우측 간삼각인대(right triangular ligament)를 느슨하게 함으로써 이러한 출혈의 위험을 줄일 수 있다. 작은 간막 손상(capsular tearing)으로 인한 출혈은 특별한 치료를 시행하지 않아도 저절로 멈추게 된다. 비장 또한 grasper 로 견인 시 손상을 입을 수 있다. 비장막에 phrenolienal ligament 부분을 남겨두어 grasper로 잡을 수 있게 함으로써 직접적인 비장막의 조작을 막을 수 있다. 비장의 경우도 작은 비장막의 손상은 저절로 치유되므로 별다른 조치가 필요하지 않다. 수술 시야의 확보가 박리하는 과정에서 가장 중요하다. 따라서 측면으로 누운 자세에서 약간의 reverse Trendelenburg 자세로 환자를 위치시킨 후 세척 및 출혈된 혈액을 제거하는 것이 유리하다. 부신정맥, 대정맥과 신정맥에서의 출혈을 피하기 위해서는 깨끗한 수술 시야의 확보와 함께 조심스러운 박리를 시행하는 것이 중요하다. 심각한 출혈이 있을 경우 즉시 개복술로 변환한다.

(2) 장기 합병증 Long-term complications

후복막 및 paracolic gutter에 부신막의 손상과 이로 인한 종양 세포의 파종(seeding)이 보고되고 있다. 부신의 박리와 제거시 조심스러운 조작으로 부신조직의 파종은 꼭 주의하여 방지하여야 한다. 쿠싱증후군으로 수술을 하는 경우 환자가 심한 골다공증을 보인다면 수술 자세와 관련하여 골절이 일어날 수 있고 폐렴이 발생할 수도 있다. 쿠싱증후군이나 그 외 다른 이유로 양측의 부신을 제거하는 경우 글루코코티코이드를 적절히 공급해주지 않는 경우 수술 이후 부신기능부전(adrenal insufficiency)이 발생할 수 있다. Addisonian crisis는 복통, 구역, 구토, 열, 피곤감, 쇠약감과 백혈구 증가 등의 증상으로 나타날 수 있다. 만약 Addisonian crisis가 인지되지 않고 글루코코티코이드로 적절히 치료되지 않는 경우 저혈압과 심혈관계 허탈이 매우 급속히 진행될 수 있다. 갈색세포종을 가진 환자에서는 수술 후 저혈압과 반응성 고인슐린혈증이 생길 수 있다. 알도스테론종으로 수술한 경우에는 수술 후 mineralocorticoid의 부족으로 고칼륨혈증(hyperkalemia)이 나타날 수 있다.

5) 술후 관리

쿠싱증후군으로 부신을 수술한 경우 반드시 글루코코티코이드(glucocorticoid)를 투약하여야 하며, 적절한 간격으로 환자의 상태를 보아가며 점차 중단해 가야 한다. 환자가 일단 경구로 약을 복용하게 되면 하루 유지해야 하는 hydrocortisone의 양은 12~15 mg/m² 정도이다. 이러한 steroid 치료는 시상하부-뇌하수체-부신 축이 정상으로 돌아올 때까지 지속되어야 한다. 양측의 부신을 제거하는 환자의 경우 mineralocorticoid 공급 또한 필요하며 fludrocortisone acetate를 하루 100 μg 정도 투약한다.

대개의 경우 주사용 진통제는 24시간 정도로 충분하고 이후로는 경구용 진통제로 변경하여 투여하고 출혈의 징후가 보이지 않는다면 24시간 안에라도 경구로 수분섭취를 시작하여 가능하다면 식이 진행을 하면 된다. 대부분의 환자들은 수술 후 24~48시간 이후 퇴원이 가능하고 특별히 활동에 제한을 받을 필요는 없다. 10~15일 후 직장으로 복귀가 가능하다. 갈색세포종 환자의 경우 수술 후 6개월째 요 catecholamine을 측정하고 이후 매년 측정한다.

2. 후복막 복강경 부신절제술
Posterior retroperitoneoscopic adrenalectomy

부신으로의 전통적인 방식의 후복막 부신절제술을 최소 침습 수술로 발전시킨 것으로 1993년과 1994년에 터키, 미국, 이탈리아, 독일 등에서 복강을 거치지 않고 후복막 강에서의 내시경조작으로 부신 절제를 할 수 있는 술기 들이 발표되기 시작하였다. 이후 이 수술은 쉽게 시행할 수 있으며 경복막 접근 방법에 비해 수술 시간이 더 짧고 출혈양을 더 줄일 수 있다고 보고되기도 한다. 현재 후복막 복강경 부신절제술은 측위 경복막 복강경 부신 절제술과 함께 부신 절제술의 표준 접근법 중의 하나라 할 수 있다.

1) 수술 술기

전신 마취하에 비위관을 통상적으로 삽입하여 준비한다. 갈색세포종이나 이전의 심장 질환이나 심각한 동맥성 고혈압이 있는 환자의 경우에는 중심정맥과 동맥관을 삽입하고 환자의 자세는 엎드린 prone, half-jackknife position로 이루어진다.

이상적인 위치를 잡기 위해서는 늑골과 엉덩뼈 능선 (iliac crest) 사이에 충분한 공간을 생기도록 하고 하체를 상체와 75~90도의 각도로 고정한다. 환자는 수술대에 척추의 전만(lordosis)이 생기지 않도록 눕히고 측복벽은 모든 기구들이 자유롭게 움직일 수 있도록 테이블과 수 직이 되게 한다.

먼저 12번째 늑골의 tip 아래에 1.5 cm가량의 횡절 개를 가한 후 복벽을 따라 blunt and sharp dissection 을 하여 후복막강에 이른다. Subcostal nerve에 유의하 며 처음 incision site의 5 cm 외측과 내측에 두 개의 5 mm 투관침을 삽입하기 위한 작은 공간을 손가락으로 만든다. 이때 카메라를 삽입하지 않은 상태에서도 안전 한 투관침의 삽입 고정이 가능하다. 내측 5 mm 투관침 을 45도의 각도로 삽입하여 부신을 향하게 하고 외측 5

mm 투관침은 11번째 늑골의 외하방에 삽입한다. 제일 처음 만든 절개창을 통해 balloon을 삽입하여 공간을 만 들 수도 있으나 CO_2 pressure를 20~25 mmHg로 유지 하면서 카메라를 삽입하여 박리하면 비교적 공간이 잘 확보된다. 초기에는 중간 투관침을 통해서, 이후에는 내 측 투관침을 통해서 5 mm 30도 내시경을 삽입하여 수 술을 진행한다. 앞서 언급한 바와 같이 후복막강에서의 부신절제술 시행에 있어 가장 중요한 요소는 공기압을 20~25 mmHg까지 증가시키는 것인데 심지어 비만 환 자에게서도 별다른 혈역학적 변화 없이 후박막강에 충 분한 공간을 만들어 준다. 또한 초반부에 설명한 것처럼 balloon dissection이 없이도 공간을 만들 수 있는 장점 이 있다. 수술 중 발생할 수 있는 문제로는 복막이 찢어 지는 것인데 이러한 경우에도 후복막강의 수술 공간이 많이 좁아지지는 않으므로 수술을 진행할 수 있다. 이 정 도의 높은 공기압은 압력에 의해 출혈양도 줄일 수 있다.

시야가 확보되면 지방 조직을 하방으로 밀고 횡격막 아래로 후복막강에 공간이 생기면 신장의 상부극(upper pole)과 함께 부신을 볼 수 있게 된다. 중간이나 외측 투 관침을 통해 기구를 삽입하여 신장을 아래쪽으로 당긴 다. 간혹 신장을 아래로 당기는 것이 용이하지 않을 때 에는 세개의 투관침 아래 위치에 4번째 투관침을 삽입하 여 별도의 견인기를 사용하기도 한다.

Cushing's syndrome 환자는 특히 후복막강에도 많은 지방섬유조직이 있어 수술이 어려울 수 있는 이때의 요 령은 신장 상부극과 부신 주위의 지방 조직을 절제하는 것이다. 지방 조직은 대개 부드럽고 잘 부스러지므로 단 순히 이를 흡인(suction)하는 정도로 부신과 중요한 해부 학적 구조물을 수분 이내에 확인할 수 있다.

횡격막과 부신 사이에서 내상방으로 부신의 mobili- zation을 시행한다. 우측 부신절제술을 시행할 때 이 부 근에서 우측에 부신 동맥이 하대정맥의 뒤쪽으로 교차 하는 것을 볼 수 있는데 이 혈관들은 전기 소작기나 초 음파 절삭기 등을 이용하여 분리한다. 혈관 분포가 많은 갈색세포종에서는 Clip이 더 유용할 수 있다. 하대정맥 주변의 지방섬유 조직을 잘 제거하여 이를 잘 노출시키고 이후 부신을 위로 들어 올리면 하대정맥과 연결되어 있는 부신 중심정맥을 확인할 수 있다. 이 과정에서 신동·정맥이 보일 정도로 아래까지 박리하지 않도록 한다. 간혹 신장의 상부극 동맥이 하대정맥과 교차하는 경우가 있으므로 다치지 않도록 주의한다. 우측 부신의 박리는 작은 혈관들이 분포하는 내하측에서 상외측으로 박리를 하여 시행하는 것이 좋다.

좌측 부신 절제 시에는 횡격막과 좌측 신장 사이를 박리하여 좌 부신정맥이 노출되도록 하고 blunt dissection으로 부신의 내외측을 주변과 분리하고 상방으로 진행한다.

부분 부신절제술(partial adrenalectomy)의 시행은 우선 종양의 경계를 정확하게 파악해야 하는 것이 중요하므로 주변 지방 조직의 일부분을 절제해야 한다. 또한 10mm flexible 10 MHz probe를 이용한 내시경 초음파가 유용할 수 있다. 정확한 종양의 경계를 파악한 후에 정상 조직의 0.5~1.0 cm margin을 두고 절제한다. 이러한 절제술은 전기소작기를 이용하여 진행할 수 있으며 출혈이 심한 경우에는 clip을 사용하기도 한다. 부신 혈관의 보존은 개인간 차이가 심한데 부신의 주변을 박리하지 않는다면 부신 피질의 기능에 큰 영향이 없다.

2) 적응증과 금기증

후복막 복강경 부신절제술의 가장 이상적인 적응증은 종양의 크기가 4 cm 미만이고 주변으로 지방섬유조직이 적은 환자이지만 직경 6~7 cm까지의 부신 종양도 가능하다. 이보다 더 큰 종양은 수술 공간이 비교적 작은 상태에서 암일 가능성이 증가하므로 복강경 수술이 적당하지 않다. 또한 주변 조직으로의 침윤 소견이 관찰되거나 전이암도 금기증이 된다. 다른 금기증으로는 척추골절 또는 심한 골다공증 환자에서 늑골과 엉덩뼈능선(iliac crest)이 3 cm 이하로 좁은 환자도 투관침의 삽입이 불가능하므로 이에 포함된다. 고도 비만 환자는 공기압을 30 mmHg 이상으로 유지하여도 복부 장기의 압박으로 인해 수술 공간을 확보할 수 없어 수술을 진행하기 어렵다.

REFERENCES

1. Brunt ML(2000). Laparoscopic adrenalectomy, chap 34. In:Eubanks WS, Swanstrom LL, et al. (eds) Mastery of endoscopic and laparoscopic surgery. Lippincott Williams and Wilkins, Philadelphia.
2. Gagner M, Lacroix A, Bolte. Laparoscopic adrenalectomy in Cushing's syndrome and pheochromocytoma. N Engl J Med 1992;327:1033.
3. Udelsman R, Ramp J, Gallucci WT, et al. Adaptation during surgical stress: a reevaluation of the role of glucocorticoids. J Clin Invest 1986;77:1377-8.
4. Brauckhoff M, Thanh PN, Gimm O, Bar A, Brauckhoff K, Dralle H. Functional results after endoscopic subtotal cortical-sparing adrenalectomy. Surg Today 2003;33:342-8.
5. Duh QY, Siperstein AE, Clark OH, Schecter WP, Horn JK, Harrison MR, Hunt TK, Way LW. Laparoscopic adrenalectomy. Comparison of the lateral and posterior approaches. Arch Surg 1996;131:870-5.
6. Mandressi A, Buizza C, Antonelli D. Retro-extraperitoneal laparoscopic approach to excise retroperitoneal organs: kidney and adrenal gland. Minim Invasive Ther 1993;2:213-20.
7. Mercan S, Seven R, Ozarmagan S, Tezelman S. Endoscopic retroperitoneal adrenalectomy. Surgery 1995;118:1071-5.
8. Walz MK, Peitgen K, Neumann HP, Janssen OE, Philipp T, Mann K. Endoscopic treatment of solitary, bilateral, multiple, and recurrent pheochromocytomas and paragangliomas. World J Surg 2002;26:1005-12.

로봇 보조 부신 절제술 술기

Technique: Robot-assisted Adrenalectomy

| 연세대학교 의과대학 외과 **강상욱**

20세기 후반 과학 기술의 발전으로 시작된 수술 술기의 비약적인 발전은 필연적으로 술자들에게 수술 후의 결과뿐 아니라 환자들의 삶의 질에 대한 관심을 가지게 하였다. 그에 부응하듯 자연공을 이용한 내시경적 수술(Natural Orifice Transluminal Endoscopic Surgery, NOTES), 내시경적 단일공 수술법(Laparoendoscopic Single-site Surgery, LESS) 등과 같은 환자에게 수술 후 최소한의 부작용이나 불편감을 주면서 최대한의 미용적 만족을 주기 위한 술식들이 개발이 되었다.[1] 하지만 이러한 술식들은 숙련된 외과의에 의해 가능하기는 하였지만, 기구 선택의 제약과 좁은 기구 삽입부의 공간적인 제한점에 의해 다양한 술식의 개발이나 전파로 이어지지는 못했다. 2000년대 초 da Vinci surgical robot system (Intuitive, Inc., Sunnyvale, CA, USA)의 도입은 많은 외과 영역에서 술기의 혁신을 불러왔다. 기존의 일자형 내시경 기구의 제한점과 원근감이 없는 내시경 시야의 한계점들이 다관절을 가진 로봇 수술 기구와(multi-articulated), 3차원, 확대 영상이 가능한 수술 시야를 통해 대부분 극복이 되었으며, 최소 침습 수술의 분야(minimally invasive surgery)에 있어서 획기적인 발전을 가능하게 하였다.[2-4]

부신 수술의 역사에 있어서는 1992년 Gagner[5] 등이 최초로 복강경을 이용한 경복막 부신 절제술(trans-peritoneal adrenalectomy)을 소개한 이후로, 내시경 부신 절제술이 현재까지 양성 부신 종양 수술의 가장 기본적인 수술법으로 자리 잡았다. 이미 많은 연구자들이 양성 부신 종양에서는 복강경을 이용한 부신 절제술이 개복술에 못지 않은 안전성과 효율성이 있을 뿐 아니라, 환자의 삶의 질 측면에서도 훨씬 우수한 결과들을 보고하였다.[5-8] 최근에는 단일공을 이용한 복강경적 부신 절제술의 효용성에 대해서도 많이 보고가 되고 있다.[6]

Horgan and Vanuno[9] 등은 2001년 처음으로 로봇 수술을 통한 부신 절제술을 양성 종양에서 선보였으며, 여기서 수술용 로봇 시스템의 장점인 안정적인 기구 운용(stable surgical instrumental platform)과 복강 내 움직일 수 있는 관절(endowrist)들을 잘 보여주었다. 이후 많은 연구자들이 양성 부신 종양에 있어서 로봇 수술의 장점과 효율성을 비교하는 결과들을 발표하였으며, cortical-sparing adrenalectomy 등과 같은 고난이도 수술에서 로봇 수술의 효용성을 더 잘 보여줄 수 있음과 같은 방향도 제시하였다.[9-13] 이에 본 장에서는 로봇 보조 부신 절제술의 술기에 대해서 접근하는 방법 별로 좀 더 자세히 설명하고자 한다.

1. 수술의 적응증

로봇 보조 부신 절제술의 적응증은 복강경 부신 절제술과 크게 다르지 않다. 대부분의 양성 기능성 부신 종양과, 영상 이미지상 악성과 감별이 어려운 비기능성 종양, 지속적으로 크기가 증가하거나 크기 증가가 없더라도 종양의 크기가 4 cm 이상인 경우(영상 이미지상 전형적인 양성인 경우 6 cm 이상, 비전형적인 형태인 경우 4 cm 이상)는 다 로봇 보조 부신 절제술의 적응증으로 볼 수 있다. 다만 후복막 접근법의 경우 수술 공간 확보의 제한점이 있어서 수술에 적합한 종양 크기의 제한이 있을 수 있다. 크기 제한은 술자의 숙련도에 따라 다르기는 하지만, 초보자에게는 6 cm 이하의 종양에서는 안전하게 후복막 접근법을 이용한 로봇 보조 부신 절제술을 시행할 수 있다. 악성 종양의 경우 아직 여러 연구자들 간의 이견이 있지만, 타장기로 부터의 전이 암(metastatic cancer)이 의심되는 경우는 영상 이미지상 주변 장기 침범의 소견이 없는 경우 내시경이나 로봇 보조 술식을 이용할 수 있지만, 부신피질암(adrenocortical carcinoma)이나 악성 갈색세포종(malignant pheochromocytoma)이 의심되는 경우는 R0 resection을 위해 가능하면 개복술을 이용한 제거를 권고하고 있다.

2. 수술 방법

최근 부신 수술 접근법의 주요 경로는 크게 4가지로 나눌 수 있다. 경복막 접근법, 후복막 접근법(측와위, 복와위), 그리고 경흉부-경흉격막 접근법으로 나뉜다.[11,14] Gagner 등이 측와위를 이용한 내시경적 경복막 부신 절제술을 처음 선보인 이후 경복막 접근법이 전통적으로 가장 많이 이용되어왔던 것이 사실이다. 하지만 1995년 후복막 접근법과 이의 장점들이 처음 소개되면서 후복막 접근법이 점차적으로 많은 외과의들에게 인기를 얻게 되었다.[7] 복와위 후복막 접근법이 비록 좁은 수술

공간과 익숙하지 않은 해부적인 공간을 이용하기는 하지만, 상대적으로 짧은 수술 시간과 직접적이며 복강내를 침범하지 않는 이점에 의해 보다 양호한 수술적 결과들이 지속적으로 보고되고 있다.[6-8,15] 이 장에서는 로봇 보조 부신 절제술 중 가장 많이 이용되고 있는 경복막 절제술과 복와위 후복막 절제술 그리고 단일공을 이용한 후복막 부신 절제술의 방법에 대해서 소개하도록 하겠다.

1) 경복막 접근법 Transperitoneal approach

환자는 기관 삽관을 통한 전신 마취하에 수술을 준비한다. 환자의 자세는 우측 부신일 경우 우측이 위로 향하는 좌 측와위(left lateral decubitus position), 좌측 부신일 경우 좌측이 위로 향하는 우 측와위(right lateral decubitus)를 취하게 된다. 복강경 수술 시에는 환자를 거의 진성 측와위(환자의 몸이 수술 침대와 90도를 이룸) 상태를 유지하지만, 로봇 수술 시는 반성 측와위(환자가 수술 침대와 45도 정도를 이룸)를 이루도록 한다. 이는 로봇 기구가 장착되는 로봇 팔들이 복강경 기구들에 비해 부피가 커서 수술 중 서로 부딪힘을 최소화하기 위함이다. 측와위 유지 시 팔신경 얼기와 혈관들(brachial plexus and vessels)의 눌림을 방지하기 위해 겨드랑이 밑으로 푹신한 패드나 gel bar를 위치시키고, 수술 부위의 늑골 모서리(costal margin)와 장골 능선(iliac crest) 사이의 공간을 최대한 벌어질 수 있도록 하기 위해 환자의 허리가 위치하는 수술 테이블의 중간 부분을 굴곡(flexion)시킨다. 이런 자세를 취함으로 부신 와(adrenal fossa)가 위쪽으로 솟아오르는 효과를 얻어서 수술을 용이하게 할 수 있다(그림 80-1). 환자 등쪽에 쿠션을 위치시킨 후 수술하는 쪽의 팔은 후방 겨드랑이선 보다 조금 뒤쪽으로 하여 몸에 밀착시키도록 한다. 로봇 보조 부신 절제술에 투관침(trochar)을 몇 개 사용할지는 외과의의 취향에 따라 다양하게 적용될 수 있다. 여기서는 로봇의 장점을 최대화하여 사용한다는 것을 전제로 3개의 로봇 팔과 카

메라 그리고 보조의의 기구 조작을 위한 추가 투관침까지 5개 사용하는 것으로 설명을 하겠다. 로봇 보조 술식에서는 복강경 술식과는 달리 투관침간 적정 거리를 유지하기 위해 투관침을 늑간 모서리로부터 손가락 네개 정도의 넓이(4 finger width) 정도 아래 선에 위치시킨다(그림 80-2A). 첫 번째 피부 절개는 중앙 쇄골선의 (mid clavicular line) 연장선상에 1.5 cm 크기로 한다. CO_2 gas는 12~15 mmHg로 압력을 유지하면서 기복 상태를 만들고, 이후 30도 로봇용 카메라를 삽입하여 복강 내 상태를 확인한 후 유착 부위와 중요 장기를 피하면서 나머지 투관침을 삽입한다. 대개 첫 투관침으로부터 중앙 쪽으로(medially) 2개의 5~8 mm 투관침을 일정한 간격으로 삽입하고 전방 액와선(anterior axillary line) 상으로 5~8 mm 투관침을 하나 더 삽입한다(그림 80-2B). 보조의를 위한 5 mm 투관침은 우측의 경우 Mcburney's 좌측의 경우는 counter Mcburney's points에 위치시켜서 suction catheter나 endo-clip을 사용할 수 있게 한다. 투관침 삽입 후 첫 번째 투관침과 부신을 연결하는 가상의 선에 로봇 몸체가 위치할 수 있도록 로봇 축을 맞춘다.

좌측 부신 절제술의 경우, 30도(down view) 로봇용 카메라를 첫 번째 투관침으로 넣고, 가장 중앙 쪽의 투관침으로 Prograsp forceps (Intuitive, Inc., Sunnyvale, CA), 다음 내측 투관침으로 Maryland dissector (Intuitive, Inc., Sunnyvale, CA), 그리고 가장 외측 투관침으로 Harmonic curved shears (Intuitive, Inc., Sunnyvale, CA)를 위치시킨다. 보조의 투관침으로는 특별 제작된 내시경용 long suction catheter (Jorgensen Laboratories, Inc., Loveland, CO)를 삽입하여 수술에 도움을 준다. 이후 수술의 진행 상황이나 종양의 해부적 위치에 따라서 각각의 기구는 상호 교환되어서 위치가 가능하다.

수술의 첫 단계는 대장의 비장 만곡(splenic flexure)부위를 박리하여 내측으로 떨어뜨리는 것이다. 여기에서 비장-대장 인대(spleno-colic ligament)를 잘라주고, 대장

그림 80-1 **경복막 접근법을 이용한 환자 자세(반성 측와위, 좌측)**

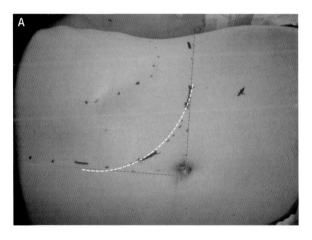
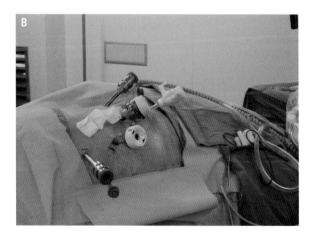

그림 80-2 **A. 경복막 접근법에서 투관침 삽입을 위한 피부 절개(늑골 하방 4 finger width). B. 투관침 삽입 후 모습(좌측)**

을 후복막으로부터 비혈관성 평면(avascular plane)을 따라 박리하여 중력에 따라 내측으로 떨어뜨리면, 신장의 상측과 문부(hilum)가 어느 정도 노출이 된다. 이후 비장-신장 인대(spleno-renal ligament)를 조심스럽게 박리하면서 비장과 췌장의 미부를 내측으로 떨어 뜨린다. 이때, 비장은 매우 찢어지기 쉬운 장기이며, 출혈 시 지혈이 까다로운 부분이기 때문에 가능하면 직접적으로 잡고 당기는 것보다는 기구의 측면을 이용해 가볍게 중력을 따라 밀어 주면서 박리하는 것이 중요하다. 이 과정이 진행되면 대개 부신이 노출되기 마련이며, 원칙적으로는 내측면을 먼저 박리하여 부신의 중심정맥(central vein, inferior adrenal vein)을 먼저 결찰하는 것이 원칙이나 복부 지방이 많거나 종양의 크기가 커서 노출이 어려운 경우는 신장의 문부에서부터 신정맥을 따라 가면서 조심스레 박리를 하여 중심 정맥을 찾는 방법을 추천한다. 이상의 과정에서 Prograsp을 이용하여 주로 비장이나 췌장의 미부, 경우에 따라서는 신장을 견인하고 Maryland와 Harmonic을 이용해서 세심한 박리를 진행한다. 중심 정맥은 endo-clip이나 Harmonic을 이용하여 결찰을 하고, 이후 부신 종양을 들어 올리면서 내측 방향에서 주행하는 여러 개의 작은 상·중 부신 동맥들과 정맥들을 Harmonic을 이용하여 결찰한다. 종양이 큰 경우는 Prograsp로 종양을 들어 올리고 보조의의 suction tip으로 신장의 상부를 외측으로 견인하면 마지막까지 종양을 제거하는데 어려움 없이 진행할 수 있다. 박리가 끝난 부신 종양은 내시경용 비닐 백(Endoscopic catch bag)을 이용하여 첫 번째 투관침 위치로 적출한다.

우측의 경우, 투관침의 위치는 동일하며 가장 내측으로 Prograsp forceps, 다음 내측으로 Harmonic curved shears, 그리고 카메라의 외측으로 Maryland dissector를 위치 시킨다. 역시 기구는 수술을 진행하면서 상황에 따라 교환하여 위치시킬 수 있다. 처음 복강 내로 진입을 하면 간의 우측 삼각 인대를(triangular ligament) 박리하여야 한다. 특히, 간 우엽의 부피가 클수록 삼각인대의 일부만 박리하는 것이 아니라 간 우엽 삼각인대의 대부분을 다 박리하여서 간의 우엽이 내측으로 충분히 들

어 올려질 수 있을 정도까지 노출을 하여야 한다. 그렇게 함으로써 부신의 상부와 내측의 중심정맥이 대정맥과 만나는 부위를 안전하게 노출할 수 있다. 간의 삼각인대를 박리한 후 가장 내측에 위치한 Prograsper를 이용하여 간의 우엽을 내측으로 견인한다. 이때 간 조직이 손상되지 않도록 기구의 관절을 'C' 형태로 하여 측면을 이용 견인하도록 하며, 기구와 간 실질 사이에 gauze를 삽입함으로 조직 손상의 위험을 낮출 수 있다. 간 우엽이 충분히 견인되고 나면, 대개 부신의 종양과 대정맥이 얇은 복막 뒤로 노출되기 마련이다. 이때 십이지장의 두번째 부위가 대정맥 앞쪽을 덮고 있는 경우도 자주 관찰되며, 대정맥 노출에 방해가 되는 경우 조심스레 십이지장을 대정맥의 앞부분에서 박리해 내측으로 떨어뜨린다. 대정맥의 주행이 완전히 확인이 되면, 원칙적으로 중심 정맥을 찾아서 결찰하는 것이 우선 순위이나 종양의 크기가 크거나 pheochromocytoma가 아닌 경우는 아래쪽 신장과의 경계면부터 박리하면서 반시계 방향으로 대정맥을 따라 올라가면서 박리하는 방법을 추천한다. 신장의 경계면을 따라서 조심스레 박리를 시작하면 부신 종양의 4~6시 방향으로 여러 개의 작은 부신 동, 정맥을 확인하게 되며, Harmonic을 이용해 결찰할 수 있다. 이후 종양의 내측면을 대정맥을 따라 조심스레 박리하면서 위쪽으로 올라가면 2~3시 방향에서 나오는 중심 정맥을 발견 할 수 있다. 중심 정맥은 주로 대정맥의 뒤로 들어가기 때문에 종양과 대정맥 사이를 중심 정맥을 기준으로 충분히 박리해야 안전하게 결찰을 할 수 있으며, 간혹 간 우엽의(S6) 후하방 간정맥이 부신 중심 정맥과 만나서 같이, 또는 바로 옆으로 따로 대정맥으로 들어가는 변이도 관찰이 될 수 있으므로 혈관 결찰 시 세심한 확인과 조치가 필요하다. 이 과정에서 보조의로 하여금 대정맥을 가볍게 누르게 하고 Maryland로 신장과 부신을 견인하면서 박리를 해나가는 방법이 유용하다. 종양의 크기가 큰 경우는 종양의 상부가 대개 간의 피막과 붙어 있어서 박리가 어려운 경우가 있다. 이런 경우 찢어진 간의 피막에서 다량의 출혈이 발생 하는 경우가 있는데, 일일이 다 지혈하면서 진행을 할 수가 없는 경우 gauze로 압

박하면서 보이는 부분부터 조금씩 박리를 진행하는 인내와 여유를 가져야 큰 문제 없이 수술을 종료 할 수 있다. 중심 정맥과 상부의 작은 혈관들을 다 결찰하고 나면, 부신 종양의 외측과 후측에는 특별한 구조물이 없으므로 쉽게 나머지 부분을 박리해 적출할 수 있다.

2) 복와위 후복막 접근법
Posterior retroperitoneal approach (PRA)

(1) 다공식 Multi-port access

환자는 기관 삽관을 통한 전신 마취하에 수술을 준비한다. 환자의 자세는 복와위 자세로(prone position) 수술대에 평행하게 위치시킨 후, 후방의 늑골 모서리(costal margin)와 장골 능선(iliac crest) 사이의 공간을 최대한 벌어질 수 있도록 하기 위해 고관절 부위를 75~90도로 굴곡시킨다. 특히 동양인에서는 후방의 늑골 모서리가 서양인에 비해 상당히 아래까지 내려오므로 수술 기구 삽입을 위한 공간 확보를 위해서 상체와 대퇴부가 이루는 각도를 직각에 가까울 정도로 굴곡을 시켜주는 것이 수술에 도움이 된다. 후복막 접근법에서 수술 자세를 취할 때 가장 중요한 부분은 환자의 배측에 복강내 장기들이 밀려 자리 잡을 충분한 공간이 필요하다는 것이다. 이 방법은 후복막 내에 gas를 주입해서 수술 공간을 확보하는 것으로, 엎드린 자세에서 후복막 강에 공간을 유지하기 위해서는 복강내 장기들이 위치할 공간(reservoir)이 필요하다. 이를 위해서 골반 아래와 흉곽 아래에 부드러운 gel bar나 roll을 이용해 환자의 체중을 지탱해 주고 배측은 몸 아래쪽으로 손바닥이 여유롭게 들어 갈 수 있을 정도의 공간을 확보해 복강 장기들이 복와위에서 아래로 떨어 질 수 있도록 해주어야 한다(그림 80-3). 첫 피부 절개는 후방 12번 늑골의 끝부분에 1.5 cm 정도로 이루어진다. 피부 절개 후 3개의 근육층(external & internal oblique muscles, and the aponeurosis of the transverse abdominis muscle)을 근육결을 따라 조심스레 박리, 관통 후 후복막을 노출시킬 수 있다. 이때 복근으로 분포하는 subcostal nerve에 손상을 주지 않도록 조심하여야 하

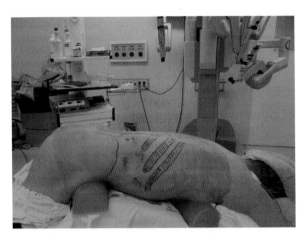

그림 80-3 | 후복막 접근법(다공식)을 이용한 환자 자세(복와위, 우측)

며, 구멍이 너무 넓어지지 않도록 유의한다. 후복막이 노출되고 나면 손가락을 이용해 후복막내 어느 정도 공간을 확보하고 이후 손가락의 인도 및 보호하에 나머지 투관침을 삽입 하도록 한다. 후복막 접근법 시 로봇 팔은 주로 카메라 용을 포함 3개를 사용하며, 보조의를 위한 것까지 총 4개의 투관침을 사용한다. 두 번째 투관침은 첫 피부 절개의 같은 선상에 내측으로 5 또는 8 mm 크기를 삽입한다. 이때 투관침의 위치는 가능하면 내측으로 위치시키되, 척추 지지근(paravertebral muscle)을 침범하지 않도록 한다. 세 번째는 11번 늑골 끝쯤으로 해서 첫 번째 피부 절개와 최소 3~4 cm 이상 거리를 두고 삽입을 하며, 이때 투관침의 끝이 배쪽으로 향하면 대장의 후벽을 손상할 위험이 있기에, 항상 반대손의 손가락으로 삽입 방향을 인도하면서 투관침을 넣도록 한다. 크기는 삽입할 기구에 따라서 5~8 mm를 사용한다. 보조의 투관침은 로봇 팔들과의 마찰을 최소화하기 위해 첫 번째와 세 번째 투관침 사이 공간에서 3~4 cm 정도 하방(caudally)에 위치시킨다(그림 80-4). 첫 번째 피부 절개로는 gas 누출에 의한 피하 기종(subcutaneous emphysema)을 최소화 하기 위해 inflatable balloon tip을 가진 10 mm blunt trocar를 삽입한다. 일반적으로 후복막 접근법을 이용 시, CO_2 gas를 18~20 mmHg 정도로 경복막 접근법 보다는 다소 높은 압력을 유지하며, 환자의 체

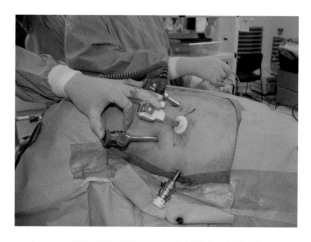

그림 80-4 후복막 접근법에서 투관침 삽입후 모습(우측)

형이 비만하거나 종양의 크기가 커서 공간 확보가 어려운 경우는 압력을 25 mmHg까지 올려도 환자의 혈역학적(hemodynamic) 지표에는 변화 없이 수술을 진행할 수 있다. 투관침 삽입 후, 로봇의 몸체는 환자의 머리 방향에 위치하게 되고, 첫 번째 투관침과 부신을 연결하는 가상의 선에 로봇 몸체가 위치할 수 있도록 로봇 축을 맞춘다. 사용하는 기구로는, 중앙의 첫 투관침을 통해서 30도 카메라를 삽입하고(down view), 우측은 Harmonic curved shears를 좌측은 Prograsp forceps를 삽입한다. 보조의 투관침을 통해서는 long suction catheter를 이용해 신장을 아래쪽으로 견인하는데 도움을 줄 수 있다. 경복막 접근법과는 달리 후복막 접근법 시, 처음 카메라를 삽입하게 되면 주변이 온통 지방 조직으로 둘러 쌓여 있게 되므로 처음 시도하는 술자는 당황할 수 있다. 이때 가장 중요한 점은 신장의 위치를 재빨리 파악해서 신장을 기준으로 주변의 해부적 구조 관계를 파악하는 것이다. 상하, 좌우가 신장을 기준으로 확인이 되면, 다음 단계는 신장의 상극 부분을 충분이 박리하여 아래쪽으로(caudally) 견인함으로써 부신의 하방 경계를 확인할 수 있다. 좌측 부신 절제술의 경우 중심 정맥이 항상 종양의 4~5시 방향으로 나가면서 신정맥과 만나기 때문에, 신장의 상극을 충분히 박리하여 아래로 잘 견인하면서 5시 방향을 조금 더 깊이 박리해 들어가면 바로 확인

이 가능하다. 좌측 중심 정맥의 경우 하 횡격막 정맥과 같이 만나서 신정맥으로 들어가는 경우가 상당히 많기 때문에 위치 관계를 잘 파악하여 결찰 시 부신 정맥만 결찰할 수 있도록 한다. 중심 정맥 결찰 후 종양의 하연 박리가 끝나면, 이후 종양의 내 측면으로 주행하는 여러 개의 작은 상·중 부신 동맥들과 정맥들을 Harmonic을 이용하여 결찰하면서 시계 반대 방향으로 박리를 진행할 수 있다. 종양의 하방과 내측면을 박리하고 나면 외측면과 후방쪽은 특별한 혈관 분포가 없으므로 avascular plane을 따라서 조심스레 박리하면 완전 적출이 가능하다. 하지만 후방의 경우 얇은 복막을 경계로 바로 뒤에 췌장과 비장 정맥이 주행하고 있으므로 항상 복막을 잘 확인해서 plane을 따라 박리하는 주의가 필요하다.

우측 부신 절제의 경우, 신장의 상극을 노출하여 아래쪽으로 견인을 하면 종양의 7~8시 방향에서 올라오는 작은 하 부신 동, 정맥을 확인할 수 있다. 각 혈관들을 조심스레 하나씩 결찰하고 나면, 종양의 내측면 바닥으로 주행하는 짙은 보라색의 대정맥이 어렵지 않게 확인 가능하다. 대정맥 주행을 확인 후, 대정맥의 앞쪽으로 가로 지르는 여러 개의 작은 혈관들을 조심스레 결찰하면서, 종양의 내 측면을 완전히 박리해 외측으로 살짝 견인을 하면, 종양의 후방에서 직접 대정맥으로 배액되는 중심정맥을 확인할 수 있다. 종양의 크기나 위치에 따라서 중심 정맥의 노출은 내측 접근이나 외측 접근 양쪽을 다 이용할 수 있다. 만약 대정맥 앞쪽에서 종양을 외측으로 견인하면서 중심 정맥을 확인하는 것이 용이하지 않은 경우는, 종양의 하방과 외측면을 다 박리한 후 외측 방향에서 중심 정맥을 노출시키는 것도 좋은 방법이다. 이때, 종양의 하방 쪽은 특별한 구조가 없어서 신장으로부터 바로 박리가 가능하며 종양의 외측면을 복막의 후측으로부터 박리를 해야 한다. 경우에 따라서 부신 종양이 복막과 간의 피막을 같이 공유하여 쉽게 박리가 되지 않는 경우가(특히 종양이 큰 경우) 종종 있으며, 이런 경우 부신 종양의 피막 손상이 일어나지 않도록 하기 위해 간 실질 쪽으로 약간의 침입이 필요하며, 간 실질로

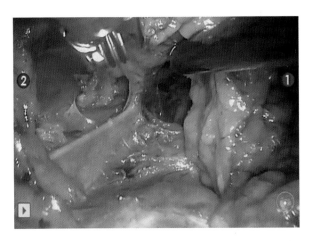

그림 80-5 │ 후복막 접근법 시(우측) 중심정맥 결찰 전 대정맥과 의 위치 관계

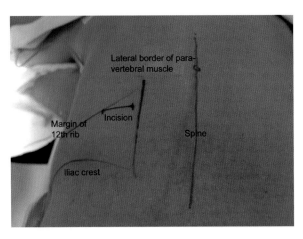

그림 80-6 │ 후복막 접근법(단일공)에서 피부 절개를 위한 주요 해 부학적 경계(좌측)

부터 출혈을 최소화해 가면서 간의 주요 혈관 손상이 없 도록 조심스런 박리가 필요하다. 종양의 하방과 외측면 의 박리가 끝나고 종양을 내측으로 들어올리면 종양의 후방에서 대정맥으로 바로 배액되는 중심 정맥의 확인 이 가능하다(그림 80-5). 우측 부신 절제술의 경우 해부학 적 구조상 중심 정맥이 종양의 후방에서 대정맥으로 바 로 들어가기 때문에, 종양의 크기가 클수록 한쪽 방향만 으로 중심 정맥을 완전히 노출시키기는 어려움이 있다. 따라서 이런 경우 종양의 양쪽 방향으로 충분히 박리 를 해서 중심 정맥을 완전하게 노출시킨 후, 결찰을 하 는 것이 가장 안전한 방법이다. 이때 간우엽의(S6) 후· 하방 간정맥이 부신 중심 정맥과 만나서 같이, 또는 바 로 옆으로 따로 대정맥으로 들어가는 변이도 관찰될 수 있으므로 혈관 결찰 시 세심한 확인과 조치가 필요하다. 종양은 내시경용 비닐 백에 넣어서 첫 번째 투관침을 통 해서 적출이 가능하며, 이후 후복막 내의 gas 압력을 낮 추어 가면서 출혈 부위가 없는지 확인 후 수술을 종료한 다.

(2) 단일공 접근법 Single port access

단일공을 이용한 접근법일 경우, 기본적인 환자의 자세 와 내부에서의 수술 방법은 다공식과 거의 동일하다. 다

만 피부 절개에서부터 로봇 팔들의 삽입까지의 과정이 상이 하므로 여기에 대해서 설명하도록 하겠다. 환자는 자세를 취한 후, 첫 번째 피부 절개는 후방 12번 늑골 바 로 아래쪽으로 1 cm 정도 떨어져서 3 cm 크기로 한다. 이때 척추 지지근의 외측으로부터 최소한 1~2 cm 정도 는 거리를 유지하도록 한다(그림 80-6). 피부 절개 후 피 하 지방층을 열고 3개의 근육층을 통과하여야 하는데, 다공식과는 달리, 단일공에서는 근육층 각각을 다 절개 해야 한다. 따라서 각 근육층 절개 시, 근 섬유 사이사이 의 지혈에 유의해야 하며, 피부 절개보다는 조금 더 넓 게(4 cm 정도) 근육층을 절개하는 것이 수술 중 각 기구 들의 간섭 현상을 최소화할 수 있다. 특히 마지막 근육 층의 바로 위로 복근으로 가는 subcostal nerve들이 지 나갈 수 있으므로 늑골 하연에서 1 cm 정도 거리를 유 지하면서 들어가는 것이 신경 손상의 위험을 최소화하 는 방법이다. 근육층을 통과하여 후복막을 노출시키면, Glove port® (NELIS, Kyung-gi, Korea)를 삽입하고 CO_2 gas를 주입하여 공간을 유지한다. Gas의 압력은 다공식 과 동일하게 18~20 mmHg를 유지하도록 한다. 단일공 포트(single port)는 술자의 선호에 따라 여러 가지 종류 를 사용할 수는 있으나, 후복막 접근법의 경우 모든 수 술 기구가 피부 표면에 거의 닿을 정도로 비스듬히 들

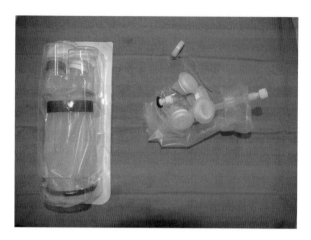

그림 80-7 | 투명한 비닐 제질로 된 Glove port (4 ports system)

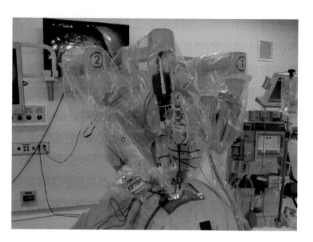

그림 80-8 | 후복막 접근법(단일공)에서 로봇 기구 삽입 후 모습 (좌측)

어가기 때문에 딱딱한 재질의 포트는 적합하지 않다. Glove port의 경우 비닐 재질로 되어 어떠한 각도로 기구가 들어가도 포트가 틀어지거나 절개창에서 빠질 위험이 없으며, 투명한 재질이라 기구 삽입 시 후복막 안쪽의 상태를 확인하면서 기구를 넣을 수 있어서 용이한 장점들이 있다(그림 80-7). 사용하는 기구는 다공식과 마찬가지로 카메라를 포함해 3개의 로봇 팔과 Glove port 내의 4번째 투입구를 이용해 Endo-clip이나 suction catheter를 삽입하여 사용한다. 공간 확보가 되면 우선 30도 로봇 카메라를 up view로 하여서 절개창의 가장 위쪽으로 (cephalad) 붙여서 삽입한다. 절개창 내에서 카메라의 위치를 꼭지점으로 해서 아래 양쪽으로 최대한 공간을 확보해서 좌측엔 Prograsp forceps 또는 Maryland dissector, 우측에 harmonic curved shears를 위치하여 각각의 기구가 삼각형을 이룰 수 있도록 유지한다(그림 80-8). 포트 내 가장 하방에 위치한(caudal) 투입구를 통해서 보조의가 suction catheter등을 삽입할 수 있다.

요약

2001년 Horgan and Vanuno[9] 등이 처음으로 로봇 보조 부신 절제술을 보고한 이후, 수많은 외과의들이 로봇

을 이용한 부신 절제술의 효용성에 대해서 보고를 해왔다. 아직까지 가장 많이 보고가 된 것은 경복막 접근법을 이용한 방법이지만, 최근에 이르면서 후복막 접근법을 이용한 방법에 대한 보고도 계속 증가하는 추세이다. 경복막 접근법이 종양 크기의 제한에서 더 자유롭다는 점, 해부적 관계에서 술자들에게 익숙하다는 장점이 있는 반면, 후복막 접근법은 복강 내를 침범하지 않으므로 인한 복강 내 장기들의 자극이나 손상의 위험이 거의 없다. 이러한 점은 수술 후 환자의 경과에서 잘 볼 수 있는데, 후복막 접근법 이용 시 수술 후 환자의 통증 지수도 낮으며, 장마비 증상이 거의 없으므로 일상 생활로의 복귀가 더 빠른 것으로 보고되고 있다.[6-8,14] 후복막 접근법은 합병증의 위험도 적지만, 수술 시간도 유의하게 단축이 되어서 많은 외과의들이 새로이 이 방법을 시작하고 있다. 단일공을 이용한 수술은 환자의 미용적 측면을 극대화하거나 통증을 최소화하기 위해 도입되었지만, 부신 수술에 있어서는 아직까지는 일반화되어 있지 않으며 수술의 유용성에 대한 보고들이 있을 뿐이다.[14-16] 많은 외과 영역에서 로봇 수술 기구의 효용성과 우수함이 밝혀진 것이 사실이지만, 부신 수술에 있어서는 복강경/내시경적 수술법이 이미 외과의들에게 너무나 일반화 되어 있는 까닭에, 아직까지는 로봇 보조 부신 절제술에 대한 이견이 많이 제시되는 것이 사실이다. 로

봇을 이용한 수술이 술자의 입장에서는 유용하기는 하지만 환자의 입장에서 효용성 여부에 대한 질문이 계속되고 있다. 앞으로 로봇 보조 부신 수술의 효용성에 대한 대규모 전향적인 연구가 필요할 것으로 사료된다.

REFERENCES

1. Box G, Averch T, Cadeddu J, et al. Nomenclature of natural orifice transluminal endoscopic surgery (NOTES) and laparoendoscopic single-site surgery (LESS) procedures in urology. J Endourol 2008;22:2575-81.

2. Zafar SS, Abaza R. Robot-assisted laparoscopic adrenalectomy for adrenocortical carcinoma: initial report and review of the literature. J Endourol 2008, 22:985-9.

3. St Julien J, Ball D, Schulick R. Robot-assisted cortical-sparing adrenalectomy in a patient with von Hippel-Lindau disease and bilateral pheochromocytomas separated by 9 years. J Laparoendosc Adv Surg Tech A 2006;16:473-7.

4. Rogers CG, Blatt AM, Miles GE, et al. Concurrent robotic partial adrenalectomy and extra-adrenal pheochromocytoma resection in a pediatric patient with von Hippel-Lindau disease. J Endourol 2008;22:1501-3.

5. Gagner M, Lacroix A, Bolte E. Laparoscopic adrenalectomy in Cushing's syndrome and pheochromocytoma. N Engl J Med 1992;327:1033.

6. Walz MK, Alesina PF. Single access retroperitoneoscopic adrenalectomy (SARA)—one step beyond in endocrine surgery. Langenbecks Arch Surg 2009;394:447-50.

7. Duh QY, Siperstein AE, Clark OH, Schecter WP, Horn JK, Harrison MR, Hunt TK, Way LW. Laparoscopic adrenalectomy. Comparison of the lateral and posterior approaches. Arch Surg 1996;131:870-5.

8. Walz MK, Alesina PF, Wenger FA, Deligiannis A, Szuczik E et al. Posterior retroperitoneoscopic adrenalectomy—results of 560 procedures in 520 patients. Surgery 2006;140:943-50.

9. Horgan S, Vanuno D. Robotics in laparoscopic surgery. J Laparoendosc Adv Surg Tech A 2001;11:415-9.

10. Park JS, Lee KY, Kim JK, Yoon DS. The first laparoscopic resection of extra-adrenal pheochromocytoma using the da Vinci robotic system. J Laparoendosc Adv Surg Tech A 2009;19:63-5.

11. Rosoff JS, Otto BJ, Del Pizzo JJ. The Emerging Role of Robotics in Adrenal Surgery. Curr Urol Rep 2010;11:38-43.

12. Hyams ES, Stifelman MD. The role of robotics for adrenal pathology. Curr Opin Urol 2009;19:89-96.

13. Wu JC, Wu H, Lin M, et al. Comparison of robot-assisted laparoscopic adrenalectomy with traditional laparoscopic adrenalectomy: 1 year followup. Surg Endosc 2008;22:463-6.

14. Kang SW, Chung WY. Robotic techniques for adrenal surgery. J Robot Surg 2011;5(1):73-7.

15. Park JH, Kim SY, Lee CR, et al. Robot-assisted posterior retroperitoneoscopic adrenalectomy using single-port access: technical feasibility and preliminary results. Ann Surg Oncol 2013;20(8):2741-5.

16. Lee GS, Arghami A, Dy BM, et al. Robotic single-site adrenalectomy. Surg Endosc 2016;30(8):3351-6.

PART

IV

내분비췌장

Endocrine Pancreas

내분비췌종양 수술의 역사
Historical Perspective

▌ 성균관대학교 의과대학 외과 **최영철**

췌장은 후복막강에 위치하는 장기로, 그리스의 외과 의사이자 해부학자인 Herophilus(335-280 B.C.)에 의해 처음으로 기술되었다. 이후 그리스어인 pan (whole, 모두), kreas (flesh, 고기)로 Ruphos (100 A.D. 경)에 의해 명명되었고, 이는 췌장에는 연골이나 뼈가 없는 이유에서 붙여진 것으로 여겨지고 있다. 췌장은 외분비 기능과 내분비 기능을 함께 가지고 있는 장기로, 췌장의 95% 이상은 소화효소를 생산하여 췌관을 통하여 십이지장으로 분비하는 외분비 기능을 담당하고 있고, 2% 정도는 췌도(islet)로 구성되어 신체 에너지의 대사 및 저장을 조절하는 호르몬(insulin, glucagon, somatostatin, pancreatic polypetide 등)을 혈중으로 분비하는 내분비 기능을 담당하고 있다.

1869년에 의과대학생이었던 Paul Langerhans는 췌장 전반에 엷게 염색되는 특징적인 세포의 무리들이 미만성으로 흩어져 있고 이러한 세포의 집단들은 신경 분포가 풍부함을 처음으로 발견하였다.[1] 이러한 아주 작은 세포의 무리는 그의 이름을 따라 췌장의 랑게르한스섬이라고 명명되었다. 정상 성인의 췌장에는 약 백만 개의 랑게르한스 소도(Langerhans islet)가 있고, 크기는 40~900 µm로 다양하다. 큰 췌장 소도는 주요 소동맥 주위에 위치하고, 췌장 소도는 췌장 실질의 깊은 부위에 존재한다. 대부분의 췌장 소도는 다섯 종류의 3,000에서 4,000개의 세포로 구성된다. 성인의 췌장섬 세포는 다양한 종류의 세포를 포함하는데 α (alpha) 세포는 글루카곤 (glucagon)을, β (beta) 세포는 인슐린 (insulin)을, δ (delta)

세포는 소마토스타틴(somatostatin)을, δ2 (delta-2)세포는 vasoactive intestinal peptide (VIP)를, 그리고 PP세포는 췌장 폴리펩티드(pancreatic polypeptide)를 분비한다. 가스트린 세포는 정상적으로 태아 췌장에 존재하며, 이소성 가스트린 세포는 췌장, 십이지장 등에서 가스트린종을 유발한다.

당뇨병과 췌장 섬간의 병리 관계를 말해주는 최초의 기술은 1901년 Eugene Opie가 당뇨 환자의 췌장 섬에서 유리질 변화를 발견한 것이다. 1901년에 췌장 절제술 후 당뇨병이 발병함을 알게 되었고 이것은 췌장 섬에서 생산되는 어떤 물질의 부족에 의해 유발됨을 알게 되었다.[2,3] 췌장과 인슐린 관계를 밝히는데 결정적 기여는 1920년대 초의 정형외과 의사였던 Frederick Banting과 토론토의 의학도였던 Charles Best 및 MacLeod와 Collip에 의해 이뤄졌다.[4] 1950년대에 이르러 인슐린의 구조가 규명되었고,[5] 1960년에 인슐린의 표지면역 검정법에 의한 규명이 이루어지고, 1977년에 인슐린의 유전자 암호가 발견 되었다.[6] 췌장 섬은 인슐린 이외의 다른 조절 펩티드를 만들어내는 데 네 가지 주요 호르몬은 서로 다른 췌장 섬 내분비세포에 의해 생산되어진다. 1923년에 Murlin과 그의 동료에 의해 췌장 섬이 혈당을 상승시키는 물질을 생산한다고 제안되었지만, 실제로 글루카곤이 분리된 것은 1955년에 이르러서이다.[7,8] 1968년에는 췌장 폴리펩티드(PP)가 발견되었다.[9] 1974년에는 소마토스타틴을 생산하는 세포군도 발견되어졌다.[10] 1980년대는 췌장 섬 내의 내분비세포, 내분비신경, 혈관의 미세 해부학이 규명되어졌다.[11-15] 그 외에 펩티드 저장 분비성 과립의 세포외 유출을 중심으로 하는 세포 생물학 과정과[16] 췌장 섬의 펩티드 유전자 발현의 조절,[17] 또 제2형 당뇨병의 발병에 중요한 역할을 하는 β세포의 결함의 이해가 이뤄짐에 따라서 내분비췌장에 대한 더 많은 진전이 이뤄졌다.[18]

내분비 췌장의 종양은 순차적으로 혹은 연속적으로 다중의 펩티드를 분비하므로 내분비 췌장 종양은 우세한 증상을 일으키는 펩티드의 이름을 따서 명명된다. 따라서 내분비 췌장은 인슐린종, 글루카곤종, 소마토스타틴종, VIP 종, PP 종, 가스트린종을 유발한다. 1956년 Berson 등에 의해 소개된 방사선면역측정법으로 펩티드의 혈중 농도를 밀리리터당 피코그램 단위로 측정을 가능케 함으로써 췌장 섬 종양의 진단에 커다란 진전을 가져왔다.[19] 이러한 종양의 외과적 처치는 여러 단계의 진화를 거쳐 왔지만, 모든 췌장 섬 종양이 드문 이유로 치료의 발전에는 시간이 필요하다.

1. 인슐린종

췌장 섬 세포 기원의 종양은 1922년 Banting과 Best에 의해 인슐린의 존재가 발견되기 전인 1902년 Nicholls에 의해 최초 기술되어졌다.[20,21] 몇몇 췌장 섬 종양 추출물이 개에게 주입됐을 때 저혈당을 유발함이 알려졌고, 1924년에 Harris[22]는 고인슐린혈증의 임상적 병태생리를 기술했다. 하지만 췌장 섬 세포 선종의 증상과의 관계를 직접 연관짓지는 않았다. 바로 얼마 후 Wilder와 그의 동료[23]는 1926년 William J. Mayo에 의한 이러한 종양의 최초 개복에 대해서 보고하였다. 18개월 동안 지속되던 중증의 저혈당 발작을 호소하던 내과의사이자 환자였던 그는 개복 당시 간 전이를 동반한 아주 큰, 절제 불가능한 악성 인슐린종을 가지고 있었음이 확인되었다. 1929년 토론토의 Roscoe Graham은 인슐린종의

첫 성공적인 절제건을 보고했다.[24] 2~3 cm 크기의 악성 인슐린종의 핵 절제를 통해 Graham은 환자의 14개월 동안 지속된 저혈당 증상을 완화시킬 수 있었다. Evarts Graham은 감지되지 않는 인슐린종에서 췌장 아전 절제술의 개념을 설명한 최초의 외과의사였다. 1935년에 Whipple과 Frantz는 현재 Whipple's triad로 알려져 있는 전형적인 임상적 세 징후, 즉 공복 혹은 운동에 의해 유발되는 저혈당 증상, 저혈당(<45 mg/dl), 글루코스 투여 후 증상의 완화를 기술하였는데 그것은 그때까지 추정된 인슐린종의 약 40%가 개복 시 음성 소견을 보인 것에 대한 진단율을 높이는데 기여하였다.[25] 1974년까지 Stephanni와 그의 동료들은 인슐린종을 외과적으로 치료한 1,000례 이상을 수집했고, Tseng은 1955년부터 1985년에 걸쳐 진단되고 치료된 104례의 인슐린종을 보고하였다.

2. 가스트린종

가스트린종은 가스트린을 생산하는 내분비 종양이다. 고 가스트린혈증은 위산의 과다 분비와 그에 관계된 합병증을 유발한다. 가스트린이 밝혀지기 전에는 그러한 종양은 '췌장의 궤양유발 종양'이라고 불렸으나,[26,27] 요즘에는 가스트린종 대신에 졸링거-엘리슨 증후군이 문헌에 더욱 빈번하게 쓰인다.[28] 졸링거-엘리슨 증후군의 인지와 특성에 대한 역사는 흥미롭다. 사십여 년에 걸친 졸링거-엘리슨 증후군에 대한 병태 생리, 자연사, 과도한 위산 분비를 억제하는 약물 연구, 종양의 진단과 위치결정에 도움을 주는 신 기술의 개발과 더 나은 치료법에 대한 연구에 많은 과학자들이 매진하였고 특히 이런 사람을 "졸링거-엘리슨 탐험가"라고 명명되었다. 그들의 공헌은 이 질환에 대한 진단, 관리, 치료에 대한 우리의 접근에 많은 도움을 주었다.[26-44] 1955년에 매년 열리는 미국 외과 협회의 모임에서 오하이오 주 대학병원의 Robert M. Zollinger와 Edwin H. Ellison은 췌장

섬 세포종양과 연관 있는 공장의 일차 소화성 궤양을 가지고 있는 두 명의 환자의 임상적 병력을 보고했다. 그들은 이러한 새로운 임상적 증후군의 진단적 세 징후를 제안하였다.[26]

1) 비특이적 위치에 존재하는 소화성 궤양, 주로 십이지장 2, 3번째 부분 혹은 상부 공장, 혹은 위 전절제술보다 적은 어떤 종류의 위 수술 후 재발성 변연 궤양
2) 적절한 내과적, 외과적, 방사선학적 치료에도 불구하고 지속되는 거대 점막 주름에서의 위산 과다분비
3) 비특이적 췌장 섬 세포 종양의 존재

이어지는 보고들은 궤양유발 종양을 가진 환자들에 대한 초기 보고, 졸링거-엘리슨 증후군 환자의 종양조직과 혈청 내에서 강력한 위산 분비 인자의 발견, 원인 호르몬으로서의 가스트린의 발견, 방사선 면역 측정법에 의한 가스트린 농도의 측정 등이 있다. Mort Grossman과 Rod Gregory는 이것의 원인 분비물이 가스트린임을 밝혀냈고 즉, 가스트린종은 졸링거-엘리슨 증후군을 유발함을 알 수 있다. 이러한 역사는 Zollinger와 Coleman에 의해 기술되어졌다.[45]

3. 소마토스타틴종

소마토스타틴종은 과량의 소마토스타틴을 준비하는 췌장 혹은 십이지장의 드문 내분비성 종양이다. 소마토스타틴 과다는 지방변증, 경도의 당뇨병, 담도 결석으로 특징 지어지는 증후군을 유발한다. 소마토스타틴은 1973년에 시상하부 에서 발견된 억제호르몬이다. 성장호르몬을 억제하는 능력이 밝혀지면서 소마토트로핀 분비-억제 호르몬이라 불려졌다. 1977년에 Lans-Inge Larsson과 P.O. Ganda와 그의 동료들[46, 47]은 소마토스타틴종의 최초 2례를 보고하였다. 초기의 소마토스타틴종 증후군은 당뇨병, 담도 결석, 체중 감소, 빈혈 등이었으며 그 후, 설사, 지방변증, 저위산증이 추가되었다.[48]

소마토스타틴은 대부분의 다른 호르몬의 분비를 억제한다. 또한 많은 위장관 운동, 위산 분비, 췌장 효소 분비, 위장관 흡수능을 저하시킨다.

4. VIP 종

VIP 종은 일반적으로 췌장내 위치한다. 그것은 과도한 양의 VIP를 분비하고 독특한 증후군을 유발한다. 많은 양의 설사, 심각한 저칼륨혈증, 근육 약화, 고칼슘혈증, 저위산증을 일으킨다. VIP 종은 전형적으로 성인에게 일어난다. 그러나 역사적으로는 심각한 설사를 호소한 두 명의 어린이를 보고한 경우가 있었다. 1958년에 J.V. Verner와 A.B Morrison이 췌장 콜레라와 수양성 설사, 저칼륨혈증, 무 위산 증후군으로 사망한 두 명의 환자를 최초 보고하면서 Verner-Morrison syndrome이라고 불렀다.[49] 이 두 명의 환자는 수양성 설사, 저칼륨혈증, 비인슐린 분비성 췌장의 신경내분비 종양과 관계되는 신장병증으로 인해 사망하였다.[50] 그들은 모두 부검에서 양성의 췌장 섬 종양을 가지고 있음이 발견되었다. Bloom 등[51]은 이러한 수양성 설사, 저칼륨혈증, 무 위산 증후군을 가지는 환자에서 순환하는 높은 농도의 VIP를 측정하였고 그것을 원인으로 제안하였다.

5. 글루카곤종

글루카곤종은 과도한 글루카곤을 분비하는 췌장의 내분비 종양이다. 이것은 피부 발진, 당뇨병, 영양실조, 체중 감소, 혈전 정맥염, 설염, 빈혈 등을 포함하는 특징적 증후군을 유발한다.[52] 글루카곤은 그 자체로 대부분의 증상과 징후를 유발한다. 그리고 그것으로 인한 저아미노산혈증은 피부 발진의 원인이 된다. 1942년 Becker 등[53]은 심한 피부염, 빈혈, 당뇨병을 가진 환자를 보고하

였는데 그 환자가 췌장 섬 악성 종양을 가지고 있음을 알게 됐다. 하지만 1966년 McGavran 등이 원인 인자로 췌장의 알파세포 악성종양에서 글루카곤을 추출할 때까지는 그 원인이 글루카곤이였음을 알지 못했다. 1963년에 Roger Unger는 최초로 신경내분비종양에서 글루카곤을 추출했다. 1966년 McGavran과 그의 동료[54]는 당뇨병, 피부 발진, 빈혈, 간전이를 동반한 췌장악성종양을

가진 환자를 보고했다. 그 후 환자의 혈중 글루카곤 농도가 아주 높음이 밝혀졌다. Mallison과 그의 동료[52]는 글루카곤종과 괴사 융해성 이동성 홍반이라 명명된 특이한 피부 발진의 관계를 밝혔고 피부염, 당뇨병, 체중감소, 저아미노산혈증, 빈혈, 췌장의 글루카곤종을 가지는 다수의 환자를 보고하였다.

REFERENCES

1. Langerhans P. Beitrage zur mikroskopischen Anatomie der Bauspeicheldrüse. Inaugural Dissertation. Berlin, Friedrich-Wilhelms-Universitat, 1869 (translation by Morrison H. Contributions to the Microscopic-Anatomy of the pancreas. Baltimore, John Hopkins Press, 1937, p1).

2. Minkowski I. Untersuchungen uber den Diabetes mellitus nach Extirpation des Pankreas. Naunyn Schmiedebergs Arch Exp Pathol Pharmakol 1893;31:85.

3. Opie EL. The relation of diabetes mellitus to lesions of the pancreas: Hyaline degeneration of the islands of Langerhans. J Exp Med 1901;5:527.

4. Bliss M. The Discovery of Insulin. Chicago, University of Chicago Press, 1982.

5. Sanger F. Chemistry of Insulin. Science 1959;129:1340.

6. Ullrich A, Shine J, Chirgwin J, et al. Rat insulin genes: Construction of plasmids containing the coding sequences. Science 1977;196:1313.

7. Staub A, Sinn L, Behrens OK. Purification and crystallization of glucagon. J Biol Chem 1955;214:619.

8. Murlin FC, Clough HD, Gibbs CBF, Stokes AM. Aqueous extracts of pancreas: I. Influence of the carbohydrate metabolism of depancreatized animals. J Biol Chem 1923;56:253.

9. Kimmel JR, Pollock HG, Hazelwood RL. Isolation and characterization of chicken insulin. Endocrinology 1968;83:1323.

10. Luft R, Efendic S, Hokfelt T, et al. Immunohistochemical evidence for the localization of somatostatin-like immunoreactivity in a cell population of the pancreatic islets. Med Biol 1974;52:428.

11. Unger RH, Orci L. Hypothesis: The possible role of the pancreatic D-cell in the normal and diabetic states. Diabetes 1977;26:241.

12. Samols E, Stagner JI. Intraislet and islet-acinar portal syhstems and their significance. In: Samols E (ed), The Endocrine pancreas. New York, Raven Press, 1991, p93.

13. Brunicardi FC, Stagner J, Booner-Weir S, et al. Microcirculation of the islets of langerhans. Diabetes 1996;45:385.

14. Ahren B, Taborsky GJ, Jr, Porte D Jr. Neuropeptidergic versus cholinergic and adrenergic regulation of islet hormone secretion. Diabetologia 1986;29:827.

15. Ahren B. Autonomic regulation of islet hormone secretion-Implications for health and disease. Diabetologia 2000;43:393.

16. Ahren B, Taborsky GJ Jr. Beta cell function and insulin secretion. In: Porte D Jr, Sherwin RS, Baron A (eds), Ellenberg & Rifkin's Diabetes Mellitus, 6th ed. New york, McGraw-Hill, 2002, p43.

17. Ohneda K, Ee H, German M. Regulation of insulin gene transcription. Semin Cell Dev Biol 2000;11:227.

18. Kahn SE. The relative contribution of insulin resistance and beta-cell dysfunction to the pathophysiology of type 2 diabetes. Diabetologia 2003;46:3.

19. Berson SA, Yalow RS, Bauman A, et al. Insulin-I131 metabolism in human subjects: demonstration of insulin binding globulin in the circulation of insulin treated subjects. J Clin Invest 1956;35:170.

20. Banting FG, Best CH. Internal secretion of the pancreas. J lab Med 1922;7:251.

21. Nicholls AG. Simple adenoma of the pancreas arising from an island of Langerhans. J Med Res 1902;8:385.

22. Harris S. Hyperinsulinism and dysinsulinism. JAMA 1924;83:729.

23. Wilder RM, Allan FN, Power MH, et al. carcinoma of the islets of the pancreas: Hyperinsulinism and hypoglycemia. JAMA 1927;89:348.

24. Howland G, Campbell WR, Maltby EJ, et al. Dysinsulinism: Convulsions and coma due to islet cell tumor of the pancreas with operation and cure. JAMA 1929;93:674.

25. Whipple AO, Frantz VK. Adenomas of the islet cells with hyperinsulinism: A review. Ann Surg 1935;101:1299-335.

26. Zollinger RM, Ellison EH. Primary peptic ulcerations of the jejunum associated with islet cell tumors of the pancreas. Ann Surg 1955;142:709-23.

27. Ellison EH. The ulcerogenic tumor of the pancreas. Surgery 1956;40:147-70.

28. Eiseman B, Maynard RM. A non-insulin producing islet cell adenoma associated with progressive peptic ulceration. Gastroenterology 1956;31:296-304.

29. Oberhelman HA Jr, nelsen TS, Johnson AN Jr, et al. ulcerogenic tumors of the duodenum. Ann Surg 1961;153:214.

30. Oberhelman HA Jr, Excisional therapy for ulcerogenic tumors of the duodenum: long-term results. Arch Surg 1972;104:447.

31. Gregory RA, Grossman MI, Tracy HJ, et al. Nature of the gastric secretagogue in Zollinger-Ilison tumors. Lancet 1967;2:543.

32. Friesen SR, Tracy JH. Mechanism of the gastric hypersecretion in the Z-E syndrome: successful extraction of gastric-like activity from metastatic and primary pancreaticoduodenal islet cell carcinoma. Ann Surg 1962;155:167.

33. Friesen SR. A gastric factor in the pathogenesis of the Zollinger-

Ellison syndrome. Ann Surg 1968;168:483.

34. Wilson SD. Z-E tumor registry (available from Medical College of Wisconsin, 9200 W Wisconsin Avenue, Milwaukee, WI 53226).

35. McGuigan JE, Trudeau WL. Immunochemical measurement of elevated levels of gastrin in the serum of patients with pancreatic tumors of Zollinger-Ellison variety. N Eng J Med 1968;278:1308.

36. Passaro E Jr, Basso N, Walsh JH. Calcium challenge in the Zollinger-Ellison syndrome. Surgery 1972;72:60.

37. Passaro E Jr, Stabile BE, Howard TJ. Contributions of the Zollinger-Ellison syndrome. Am J Surg 1991;161:203.

38. Deveney CW, Deveney KS, Way LW. The Zollinger-Ellison syndrome-23years later. Ann Surg 1978;188:384.

39. Deveney CW, Deveney KS, Stark D, et al. Resection of gastrinomas. Ann Surg 1983;198:546.

40. McCarthy DM. Report on the United States experience with cimetidine in the Zollinger-Ellison syndrome and other hypersecretory states. Gastroenterology 1978;74:453.

41. Bonfils S, Mignon M, Gratton J. Cimetidine treatment of acute and chronic Zollinger-Ellison syndrome. World J Surg 1979;3:579.

42. Bonfils S, Landor JH, Mignon M, et al. Results of surgical management in 92 consecutive patients with Zollinger-Ellison syndrome. Ann Surg 1981;194:692.

43. Thompson JC, Lewis BG, Wiener I, et al. The role of surgery in the Zollinger-Ellison syndrome. Ann Surg 1983;197:594.

44. Thompson NW, Bondeson AG, Bondeson L, et al. The surgical management of gastrinoma in MEN 1 syndrome. Surgery 1989;106:1081.

45. Robert M. Zollinger and David W. The Influence of Pancreatic Tumors on the Stomach. Charles C Thomas Publisher, 1974.

46. Ganda PO, Weir GC, Soeldner JS, et al. Somatostatinoma: A somatostatin containing tumor of the endocrine pancreas. N Eng J Med 1977;296:963-7.

47. Larsson LI, Hirsch MA, Holst JJ, et al. pancreatic somatostatinoma: Clinical features and physiologic implications. Lancet 1977;1:666-8.

48. Krejs GJ, Orci L, Conlon M, et al. Somatostatinoma syndrome (biochemical, morphological, and clinical features). N Eng J Med 1979;301:285-92.

49. Verner JV, Morrison AB. Islet cell tumor and a syndrome of refractory watery diarrhea and hypokalemia. Am J Med 1958;25:374-80.

50. Marks In, Bank S, Louw JH. Islet cell tumor of the pancreas with reversible watery diarrhea and achlorhydria. Gastroenterology 1967;52:695-708.

51. Bloom SW, Polak JM, Pearse AG: Vasoactive intestinal peptide and watery-diarrhoea syndrome. Lancet 1973;2:14-6.

52. Mallison CN, Bloom SR, Warin AP, et al. A glucagonoma syndrome. Lancet 1974;2:1-5.

53. Becker SW, Kahn D, Rothman S: Cutaneous manifestations of internal malignant tumors. Arch Dermatol Syphilol 1942;45:1069-80.

54. McGavran MH, Unger RH, Recant L, et al. A glucagonssecreting alpha-cell carcinoma of the ancreas. N Engl J Med 1966;274:1408.

췌장의 발생과 해부

Embryology and Anatomy

┃ 제주대학교 의과대학 외과 **최재혁**

1. 췌장의 발생학

췌장은 원시전장의 미부에서 기원하며 이는 각각 태생기의 26일과 32일에 나타나는 배측과 복측의 췌장원기로부터 발달한다.[1] 배측췌아는 십이지장의 배측에서 내배엽의 돌출로서 기원하며, 좀 더 작은 복측췌아는 총담관과 밀접한 관계가 있는 간장게실의 기저부에서 발생한다(그림 82-1A).[2] 하행십이지장이 회전함에 따라 복측췌는 후방으로 이동하게 되고 태생기의 6주 말에 배측췌와 결합하게 된다(그림 82-1B).[3] 복측원기는 췌장의

두부와 구상돌기로 발달한다. 윤상췌장은 복측췌의 이상회전으로 정상 췌장조직이 고리모양으로 십이지장의 제 2부를 둘러싸서 협착과 폐쇄를 야기하는 선천 기형이다.

배측췌와 복측췌가 융합함에 따라 각각의 관체계도 서로 연결된다. 주췌관(duct of Wirsung)은 주췌관의 십이지장 부위를 차지하는 복측췌의 전체 관과 배측췌관 원위부와의 문합에 의해 형성된다(그림 82-1C). Wirsung 관은 췌장 외분비의 주요 통로이며 총담관과 합류하여 대십이지장유두를 통해 십이지장으로 들어간다. 배측췌

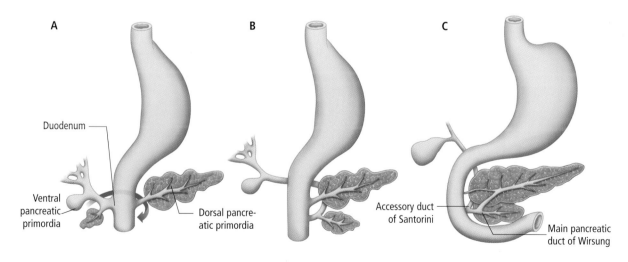

그림 82-1 ┃ 췌장의 발생. **A.** 태생기 5주의 배측 및 복측 췌아. 화살표는 복측 췌아의 후방 이동을 보여준다. **B.** 복측 췌아와 십이지장의 회전 후 췌아와 췌관의 해부적 관계 **C.** 복측 및 배측 췌아의 결합과 각 췌관의 연결

관의 근위부는 퇴화하여 소실되거나 소십이지장유두로 개구하는 Santorini부췌관으로 남아있게 된다. 약 5~10%에서는 췌관의 융합이 이루어지지 않아 두 개의 분리된 췌관으로 존재하게 되는데 이를 분할췌라고 한다.[4,5]

췌장의 세포는 태생기 3개월경에 나타난다. 이러한 세포는 췌장원기로부터 발생하는 세포의 분활과 재분활의 결과로 형성된다. 이러한 세포들의 말단부는 특징적인 선방세포의 배열을 이루게 되고, 근위부에는 소실에서 주췌관으로 외분비 통로 역할을 하는 많은 세관들이 형성된다. 내분비췌는 태생기 3개월경 췌장실질에서 발달한 Langerhans 소도(islet)로 구성되며 췌장의 선방(acini)을 통해 세포의 군집으로 발견된다. 췌도세포는 펩타이드 호르몬을 생성하는데 외분비 기능과는 달리 혈액으로 직접 분비된다. 섬세포에서의 인슐린과 글루카곤 생산은 태생기 5주경에 이미 시작된다.[4,6]

원시전장의 다기능 내배엽세포의 화생은 이소췌(ectopic pancreas) 또는 변이췌(aberrant pancreas)의 주요 원인으로 생각되며[7] 부검의 2%에서 이소췌가 보고되었다.[8] 이소췌는 위장관에서 결절성의 점막하종괴로 나타날 수 있고[9] 정상췌장에서 일어날 수 있는 똑같은 병리학적 병변을 일으킬 수도 있다. 췌도세포는 위와 십이지장에서 존재하는 이소췌에서만 발견되는데 췌장외 섬세포종양의 원인이 될 수도 있다.[10]

2. 췌장의 해부

췌장은 복부의 좌측 늑골아래와 명치 부위의 후복막강에 존재하는 내·외분비 기능을 가지고 있는 선(gland)이다. 췌장은 고정되어 있는 십이지장 하행부위의 내측에서부터 비교적 유동적인 비장문까지 후복벽을 따라 가로로 누워있으며 전방으로 위가 덮어싸고 있다. 췌장은 하대정맥, 문맥, 대동맥, 상장간막 혈관과 비장 혈관

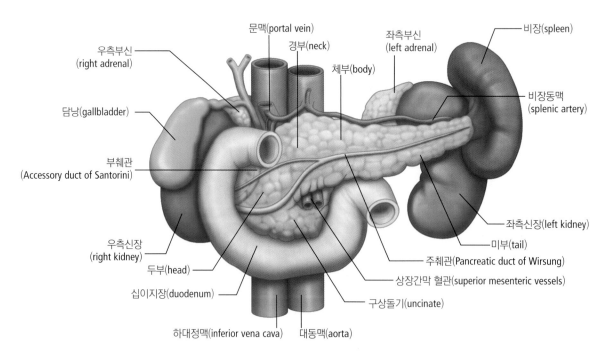

그림 82-2 | 정상 췌장의 해부

을 가로질러 위치하고 있다(그림 82-2). 약 15~20 cm의 길이로 제1 요추 또는 2요추의 몸통을 가로질러 위치한다. 성인 췌장의 무게는 약 80에서 90 g 정도이며, 평균적으로 3 cm 정도의 넓이와 1~1.5 cm 정도의 두께를 가지고 있다.[11]

외분비 췌장은 선방세포와 선방중심세포로 구성된 분비 단위인 선방(acinar)과 선방 내강으로 통과하는 관으로 구성된 복합적인 포상선(acinar gland)이다. 외분비 췌는 췌장 실질의 대부분을 구성하고 있다. 선방세포 사이에 Langerhans 섬세포(islet)들이 존재한다. 섬세포들은 외분비 췌장 전체에 걸쳐 혈관발달이 잘 된 군집으로 분포되어 있다. 섬세포는 알파(α), 베타(β), 델타(δ) 세포와 명세포(clear cell) 4가지의 다른 세포들로 구성되어 있다. 알파세포는 글루카곤(glucagon)을 생성하며 섬세포의 20%를 구성하고 있다. 베타세포는 약 70%를 차지하며 인슐린(insulin)을 생성한다. 델타세포는 5%에서 10%를 차지하며 알파세포와 베타세포의 분비를 조절하는 소마토스타틴(somatostatin)을 생성하는 파라크린(paracrine) 세포이다. 또한 델타세포는 가스트린(gastrine)과 췌장 폴리펩타이드(polypeptide)를 분비한다고 알려져 있다. 명세포는 섬세포의 5% 미만으로 기능은 아직 알려지지 않았다.

3. 췌장의 구분

비록 췌장은 명확한 해부적 경계는 없지만 보통 두부, 구상돌기, 경부, 체부 및 미부의 5개 부분으로 나눈다(그림 82-2). 췌두부는 하행 십이지장의 함요부분에 붙어있으며, 상장간막동맥과 위십이지장동맥으로부터 십이지장과 같이 혈액공급을 받는다. 따라서, 췌두부의 완전 절제는 십이지장의 제2부와 1부와 3부 대부분의 절제를 필요로 한다. 췌장 두부의 전면은 유문과 십이지장 제1부와 인접해 있다. 후면은 우측 신장의 내측면과 매우 근접해 있으며 우측 신혈관, 하대 정맥, 좌 신정맥과 붙

어있다. 80%에서 총담관의 말단부가 췌두부의 후면으로 파고들어 간다.[12]

구상돌기는 췌두부의 좌하방에서 내측으로 뻗어 있다. 대부분의 경우 문맥과 상장간막 혈관의 후방으로 대동맥과 하대정맥 전방으로 뻗어있다. 구상돌기는 췌두부에서 뻗어있는 정도에 따라 다양하며 때때로 존재하지 않기도 한다.

췌경부는 상장간막정맥과 비정맥이 만나 문맥을 이루는 곳을 덮어싸고 있는 2 cm 정도의 부위를 말한다. 췌경부에는 보통 상장간막정맥과 문맥으로 분지하는 혈관들이 없다. 췌장과 후면의 정맥들 사이에 분리면이 존재하며 단순 둔적박리(blunt dissection)를 통해 노출이 가능하다. 이것은 임상적으로 췌장암의 절제가능성의 평가에 있어서 중요하다.

췌체부는 대동맥과 상장간막동맥의 앞에 놓여 있으며 좌상방으로 뻗었고 제2 요추를 가로지르며 좌부신, 좌신장, 비장 동·정맥과 밀접한 관계를 가지고 있는데 췌부의 상연을 따라 이들이 주행한다. 췌체부와 척추와의 관계 때문에 체부는 둔상에 의해 가장 많이 절단되는 부위이다. 또한 체부는 작은 정맥 분지들이 췌체부에서 비정맥으로 들어가기 때문에 비장보존 원위췌절제술시 까다로운 출혈의 주요 부위이다. 전면으로 췌체부는 복막에 싸여있어 위와 분리된다. 이곳은 또한 횡행결장이 붙는 위치이다. 중결장동맥은 췌체부의 아래에서 상장간막동맥으로부터 나와 횡행결장간막의 복막사이로 나오게 된다.

췌미부는 비장혈관들과 같이 비신주름(lienorenal ligament) 안에 있는 좁고 유동성이 있는 부분이다. 미부는 제12 흉추나 제1 요추의 높이에서 좌측 신장과 신혈관의 전방에 위치한다. 미부는 비문 안이나 거의 근접해 존재하기 때문에 비장절제술 시 손상받기 쉬운 부위이다.

4. 췌장의 동맥과 정맥

췌장은 주로 위십이지장동맥과 비장동맥으로부터 동맥혈을 공급받고 있다(그림 82-3). 췌장의 주요 동·정맥들은 주췌관의 후방에 위치하고 있다. 췌두부와 십이지장은 전상췌십이지장동맥과 후상췌십이지장동맥이 전하췌십이지장동맥과 후하췌십이지장동맥과 연결되어 형성되는 동맥궁으로부터 동맥혈을 공급받는다(그림 82-3). 상췌십이지장동맥은 위십이지장동맥의 분지이며 하췌십이지장동맥은 상장간막동맥의 분지이다. 구상돌기는 주로 하췌십이지장동맥의 분지들로부터 혈액공급을 받는다. 또한 상장간막동맥으로부터 직접 나오는 분지들로부터 동맥혈을 받기도 한다.

췌장의 경부, 체부, 미부는 췌장의 후하방으로 주행하는 횡행췌동맥 그리고 횡행췌동맥과 문합하는 비장동맥의 많은 분지들로부터 혈액공급을 받는다(그림 82-3). 횡행췌동맥은 주췌관의 주요 혈액공급원이다. 횡행췌동맥

은 배측췌동맥에서 기원하는데, 배측췌동맥은 인구의 37%에서 비장동맥에서, 33%에서는 복강동맥에서, 21%에서 상장간막동맥에서, 8%에서는 간동맥에서 기원한다.[13] 배측췌동맥의 우측 분지는 후상췌십이지장 동맥궁과 문합을 이루며 췌두부와 구상돌기에 추가적인 혈액을 공급한다. 미췌동맥은 비문부에서 비장동맥이나 좌위대망동맥에서 기원하여 췌미부에 풍부한 혈류를 공급한다.

췌장의 정맥들은 동맥의 표면에 평행하게 위치한다. 4개의 췌십이지장정맥은 정맥궁을 형성하는데, 췌두부와 구상돌기의 정맥유입을 담당한다.[1] 전상췌십이지장정맥과 전,후하췌십이지장정맥은 상장간막정맥으로 유입된다. 후상췌십이지장정맥은 췌장의 상연에서 문맥으로 유입된다. 이러한 췌두부로부터 나오는 정맥들은 상장간막정맥과 문맥의 외측이나 후면으로 들어가며 췌두부의 견인시 손상될 수도 있다.

췌경부, 체부, 미부로부터의 작은 정맥분지들은 상부

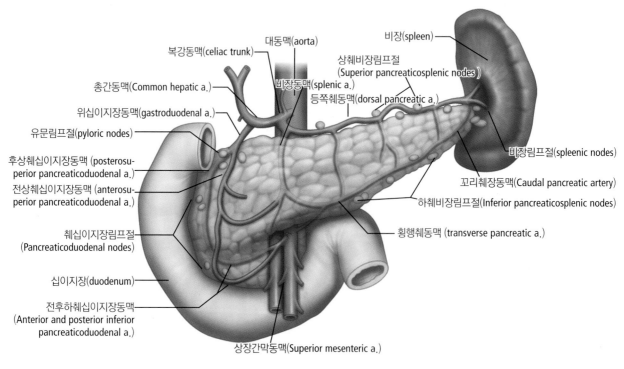

그림 82-3 | 췌장의 동맥 및 림프절 분포

의 비장정맥이나 하부의 횡행췌정맥으로 유입된다. 횡행췌정맥은 결국 하장간막정맥으로 들어간다. 원위췌절제술시 비장정맥의 결찰은 비장절제를 필요로 하지만, 비장동맥의 결찰은 비장절제가 필요 없는데, 이는 비장은 단위동맥(short gastric artery)을 통해 좌위대망동맥으로부터 혈액공급을 받기 때문이다.

5. 동맥의 정상변이

췌장절제 시 손상을 피하기 위해 내분비외과의사가 알아야 하는 중요한 동맥의 변이가 있다. 가장 흔한 변이는 상장간막동맥에서 우간동맥이 기시하는 경우로 Michels에 의하면 사체의 26%에서 발견된다고 보고하였다.[14] 이러한 비정상적인 간동맥은 췌두부의 후방으로 주행할 수 있으며 췌십이장절제술시 손상을 입을 수도 있다. 2~4.5%에서는 총간동맥이 상장간막동맥에서 기시하여 좌,우 간동맥으로 나누어지기 전에 췌장의 후방으로 주행하기도 한다.[1] 이런한 비정상적인 총간동맥의 손상은 간과 십이지장의 허혈과 괴사를 야기할 수도 있다. 상장간막동맥에서 기시하는 중결장동도 보고된바 있으며, 췌두부를 따라 주행할 수 있어 췌십이지장절제시 손상을 입을 수도 있다.[1] 상장간막동맥으로부터 기시하는 모든 변이 췌동맥들은 췌두부의 전,후방 또는 췌두를 관통하여 주행할수 있다고 보고되고 있다.[7]

6. 췌장의 관

췌장은 주췌관(duct of Wirsung)과 부췌관(duct of Santorini)을 가지고 있다 (그림 82-2). 주췌관은 췌미부에서 시작하여 췌장의 뒤쪽에서 췌표면에 가깝게 상, 하 면의 중심으로 췌실질을 관통한다. 주췌관은 췌장의 체부와 미부로부터 작은 분지들을 받으며 췌두부를 향하며 주

행하고 췌두부에서 구상돌기로부터 분지를 받는다.

주췌관은 췌두부에서 총담관과 만나 팽대부(ampulla of Vater)를 형성한다. 팽대부는 유문부에서 10.6 cm 정도 떨어져있는 십이지장 제2부의 후내측벽에 있는 대유두를 통해 십이지장으로 들어간다.[15] 드물게 대유두가 십이지장 제3부 부위에 존재하기도 한다.[1] 팽대부의 길이는 1 mm에서 14 mm까지 다양하며 인구의 75%에서 5 mm 이하이다.[16] Michels은 2,500예의 부검결과를 분석하여 팽대부가 존재한 경우는 64%였고, 14%에서는 총담관과 주췌관이 각각 따로 십이지장으로 개구한다고 하였다.[14] Vater 팽대부나 또는 총담관과 췌관 말단부의 벽내에는 평활근들이 둘러싸여져 있어 괄약근을 형성하는데 이를 Oddi 괄약근 또는 Boyden 괄약근이라 부른다. 괄약근부위의 길이는 6~30 mm로 췌관과 총담관의 외분비 기능을 조절한다.[1]

내시경적 역행성 담췌관조영술에 따르면 주췌관의 너비는 췌장의 부위마다 다양하여, 미부에서는 0.9~2.4 mm, 체부에서는 2~4 mm 그리고 췌두부에서는 3.1~5.3 mm로 나타난다.[7] 췌관의 확장은 8 mm 이상으로 정의한다.[7,17] 만성췌장염에 의한 내과적으로 치료되지 않는 통증을 동반한 환자에서 췌관확장이 8 mm 이상인 경우 Roux-en-Y 췌공장문합술을 시행할 수 있다.[17] 부검 결과에 따르면 췌관의 길이는 20~25 cm이다.

부췌관은 보통 주췌관보다 작다. 부췌관은 발생학적으로 배측췌관의 기시부의 지속으로 형성된다. 부췌관은 보통 췌두부의 전상방 부위의 췌액 유입을 담당하고, 주췌관과 통해있으며, 인구의 70%에서 소유두를 통해 십이지장으로 들어가는데 소유두는 대유두에서 2 cm 상방에 그리고 약간 앞쪽으로 위치하고 있다. 소십이지장유두는 대부분 위십이지장동맥의 바로 후방에 존재하며 따라서 소화성궤양으로 인한 수술시 손상의 위험이 있다. 췌관 구조의 정상변이는 흔하며 30%에서 소십이지장유두가 존재하지 않고, 10%에서는 주췌관과 부췌관이 합류하지 않으며, 다양한 정도의 부 또는 주췌관의 발달장애가 있다.[7] 따라서 위절제술이나 소화성궤양 수술시 부췌관의 손상을 피하기 위하여 십이지장절제는 위

십이장동맥의 근위부에서 이루어져야 한다. 이는 부췌관이 췌액의 주요 배액을 담당하는 환자에게 있어서 특히 중요하다.

7. 림프배액

췌장의 림프배액은 혈관의 주행을 따른다(그림 82-3). 췌장의 림프절은 정해진 표준 용어가 없다.[1] 췌두부와 구상돌기는 유문부와 췌십이지장 림프절로 배액된다. 췌경부와 체부, 미부는 췌비 림프절로 배액된다. 유문부, 췌십이지장, 상췌비 림프절들은 복강 림프절(celiac nodes)로 배액되고, 반면에 하췌비 림프절들은 상장간막 림프절과 대동맥주위 림프절로 유입된다. Pansky는 림프전이 양상에 기초하여 상, 하, 전, 후 그리고 비장 림프절로 췌장주위 림프절을 5개의 그룹으로 분류하였다.[13] 이러한 5개 림프 그룹으로부터 림프배액은 2개의 주요 경로를 통해 중앙으로 유입된다. 전,상 그리고 비장림프액은 복강 림프절을 통해 간림프절로 유입되고, 후방과 하방의 림프절들은 상장간막 림프절과 대동맥주위 림프절로 유입된다. 두 주행경로 모두 흉관을 통해 배액되고 결국 쇄골위 림프전이의 주요 원인을 제공한다.

8. 췌장의 신경

췌장은 내장신경과 미주신경을 통해 교감신경과 부교감신경 섬유의 지배를 받는다. 일반적으로, 췌장에 분포하는 신경들은 췌장 혈관들의 주행을 따라 분포한다. 내장신경과 미주신경 모두 내장 원심성(운동)신경섬유(efferent fiber)와 내장 구심성(감각)신경섬유(afferent fiber)를 포함한다. 내장신경은 복강신경절에 위치하는 세포체(cell body)로 신경절전 원심성신경섬유를 운반한다. 복강신경절로부터 나온 신경절후 신경섬유들은 광범위한

복강신경총을 형성한후 동맥혈관을 따라 췌장에 도달한다. 후미주신경간(posterior trunk of vagus nerve)의 복강분절은 췌장에 신경절전 부교감신경섬유를 분지하는데 복강신경절과 연접(synapsis)을 이루지 않고 통과해서 지나간다. 이러한 부교감신경섬유들은 췌실질 내의 세포체(cell body)에서 끝나고, 췌장을 지배하는 후신경절 부교감신경섬유들을 제공한다. 췌장의 교감신경과 부교감신경의 기능은 췌장의 혈류를 조절하고, 선방세포와 선방중심세포의 분비에 영향을 미치며 췌장에 통증감각을 전달한다.

췌장암환자에게서 효과적인 통증경감은 복강신경총 또는 내장신경 단계에서 통증자극을 방해함으로써 얻어질수 있다. 이는 개복수술 시 화학적 내장신경 차단술을 통해 이루어질 수 있다.[19, 20] 이러한 수술을 통해 환자의 80% 이상에서 통증을 경감시킬 수 있었고, 대부분이 영구적인 통증 경감을 이룰 수 있었다.[2]

9. 췌장의 수술적 노출

섬세포종양 환자에서 췌장노출은 상부 정중(upper midline) 절개나 늑골하(bilateral subcostal) 절개를 통해 이룰 수 있다. 췌도세포 종양은 종종 작고(2 cm 이하) 다발성으로 발생하므로 술중검사를 통해 전체 췌장의 세심한 관찰이 필요하다. 십이지장과 췌장주위 림프절의 세심한 검사가 필요한데 이는 종종 췌장외 섬세포종양이 위치하는 곳이기 때문이다. 간 역시 전이여부를 살펴봐야 한다. 가스트린종 환자에서 모든 종양의 90% 그리고 사실상 모든 잠재성 종양이 가스트린종 삼각지대(gastrinoma triangle)에서 발견된다.[22] 가스트린종 삼각지대는 상방으로 담낭관과 총담관이 만나는 지점에서, 하방으로 십이지장 제2부와 3부가 만나는 지점, 내측으로 췌장의 경부와 체부가 만나는 지점을 연결한 부위를 일컫는다(그림 82-4)[23]. 인슐린종과 비기능성 섬세포종양은 췌장의 두부, 체부, 미부에 균등하게 분포하는 반면,

글루카곤종은 주로 췌미부에 위치한다.[24]

췌장은 위를 상방으로 횡행결장을 하방으로 견인한 후 위결장대망을 분리하여 노출한다(그림 82-5). 췌장의 체부와 미부는 췌장의 하연을 따라 복막을 절개하여 유동화하면(그림 82-6), 두 손가락 촉지를 통해 후방의 무혈관면에 도달할 수 있으며(그림 82-7). 이러한 과정을 통해 종양의 크기와 주췌관과의 거리를 판단할 수 있다.

췌두부의 완벽한 검사를 위하여 십이지장의 외측 고

정부위 절개가 필요하다(그림 82-8). 십이지장 유동화를 위해 결장의 간곡부(hepatic flexure)를 유동화한 후 십이지장 제 2부 외측의 복막고정부위를 절개한다. 간십이지장인대의 무혈관면을 분리해가면서 근위부와 상방으로 유동화를 계속해 나가면 총담관을 노출시키고 촉지할 수 있다. 십이지장을 원위부와 하방으로 좀 더 유동화시키면 하대정맥과 대동맥을 노출시킬 수 있다. 이를 통해 두 손가락으로 췌장의 두부와 구상돌기를 촉지할 수 있

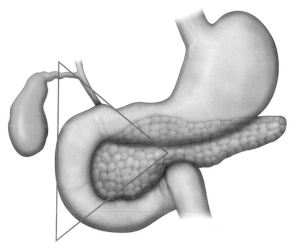

그림 82-4 │ 가스트린종 삼각

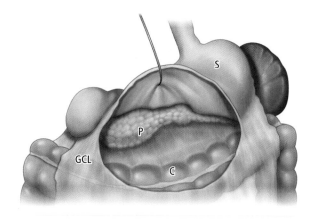

그림 82-5 │ 위결장대망(gastrocolic ligament, GCL)을 박리한 후 위(S)는 전상부로, 횡행결장(C)은 하부로 견인하여 노출된 췌장(P)

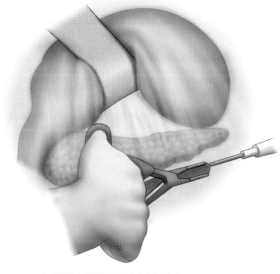

그림 82-6 │ 췌장의 하연을 따른 복막 절개

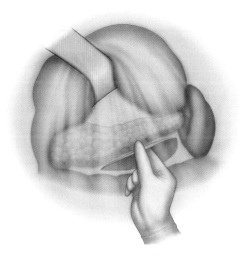

그림 82-7 │ 췌장 하연을 촉지하며 상장간정맥의 좌측부터 비장까지 절개한 모습

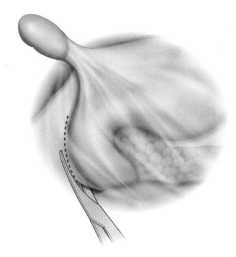

그림 82-8 | Kocher 술식: 십이지장의 유동화를 위해 십이지장 측복막 고정부위를 절개하는 모습

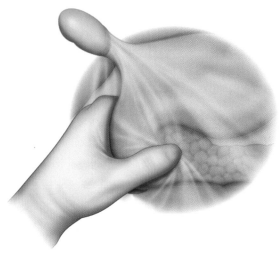

그림 82-9 | Kocher 술식 이후 췌두부와 구상돌기를 촉지하는 모습

다(그림 82-9).

섬세포종양의 위치와 크기 및 주췌관과의 거리에 대한 술 중 평가는 최선의 수술적 치료를 결정하는데 있어 중요하다. 종양적출술은 주췌관과 근접해 있지 않은 작은 양성 섬세포종양(2 cm 이하)의 치료에서 시도될 수 있다.[24] 또한 종양적출술은 가능한 경우에 있어서 췌두부 또는 구상돌기의 악성 섬세포종양에서 추천되기도 한다. 내분비췌장의 국소 종양에 대한 가장 좋은 단일 검사로서 술 중 초음파검사는 종양과 췌관의 관계를 명확하게 함으로써 종양적출술을 용이하게 하는데 도움을 줄 수도 있다. 원위췌절제술과 췌십이지장절제술은 큰 섬세포종양, 주췌관과 근접해 있는 종양, 췌실질 깊숙히 있어 종양적출술이 불가능한 종양의 치료에 있어서 적합한 수술법이다.[24] 술 전 검사를 통해 정확한 위치를 알 수 있는 단일 양성 인슐린종에 있어서 복강경 초음파를 이용하여 복강경을 이용한 종양적출술이 가능할 수도 있다.[25]

REFERENCES

1. Skandalakis LJ, Rowe JS Jr, Gray SW, Skandalakis JE. Surgical embryology and anatomy of the pancreas. Surg Clin North Am 1993;73:661.
2. Streeter JL. Developmental horizons in human embryos. Descriptions of age groups XV, XVI, XVII and XVIII. Contrib Embryol 1948;32:133.
3. Caudal part of the foregut. In: Langman J (ed), Medical Embryology, 3rd ed. Baltimore, Williams & Wilkins, 1975, p 282.
4. Development of the digestive and respiratory systems and the body cavities. In: Patten BM, Carlson BM (eds), Foundations of Embryology, 3rd ed. New York, McGraw-Hill, 1974, p 459.
5. Dawson W, Langman J. An anatomical-radiological study on the pancreatic duct pattern in man. Anat Rec 1961;139.
6. Fallin LT. The development and cytodifferentiation of the is-
lets of Langerhans in human embryos and fetuses. Acta Anat 1967;68:147.
7. Skandalakis JE, Gray SW, Rowe JS, Skandalakis LJ. Anatomic complications of pancreatic surgery. Contemp Surg 1979;15:17.
8. Pearson S. Aberrant pancreas: Review of the literature and report of three cases, one of which produced common and pancreatic duct obstruction. Arch Surg 1951;63:168.
9. Keeley JL. Intussusception associated with aberrant pancreatic tissue. Report of a case and review of the literature. Arch Surg 1950;60:691.
10. Howard JM, Moss HN, Rhoads JE. Collective review, hyperinsulinism and islet cell tumors of pancreas with 398 recorded tumors. Int Abstr Surg Surg Gynecol Obstet 1950;90:417.
11. Quinlan RM. Anatomy and embryology of the pancreas. In:

Zuidema GD (ed), Shackelford's Surgery of the Alimentary Tract. Philadelphia, WB Sanuders, 1991.

12. Baldwin WM. The pancreatic ducts in man, together with a study of the microscopical structure of the minor duodenal papilla. Anat Rec 1911;5:197.

13. Pansky B. Anatomy of the pancreas. Emphasis on blood supply and lymphatic drainage. Int J Pancreatol 1990;7:101.

14. Michels MA: Blood Supply and Anatomy of the Upper Abdominal Organs. Philadelphia, JB Lippincott, 1955.

15. Flati G, Flati D, Porowska B, et al. Surgical anatomy of the papilla of Vater and biliopancreatic ducts. Am Surg 1994;60:712.

16. Rienhoff WF Jr, Pickerell KL. Pancreatitis: An anatomic study of pancreatic and extrahepatic biliary systems. Arch Surg 1945;51:205.

17. Prinz RA, Greenlee HB. Pancreatic duct drainage in 100 patients with chronic pancreatitis. Ann Surg 1981;194:313.

18. Gray SW, Skandalakis JS, Rowe JS, Skandalakis JE. Surgical anatomy of the pancreas. In: Nyhus LM, Baker RJ (eds), Mastery of Surgery. Boston, Little, Brown, 1984.

19. Sarr MG, Cameron JL. Surgical management of unresectable carcinoma of the pancreas. Surgery 1982;91:123.

20. Lillemoe KD. Current management of pancreatic carcinoma. Ann Surg 1995;221:133.

21. Flanigan DP, Kraft RO. Continuing experience with palliative chemical splanchnicectomy. Arch Surg 1978;113:509.

22. Stabile BE, Morrow DJ, Passaro E Jr. The gastrinoma triangle: operative implications. Am J Surg 1984;14725.

23. Howard TJ, Zinner MJ, Stabile BE, Passaro E Jr. Gastrinoma excision for cure. A prospective analysis. Ann Surg 1990;211:9.

24. Yeo CJ, Wang BH, Anthone GJ, Cameron JL. Surgical experience with pancreatic islet-cell tumors. Arch Surg 1993;128:1143.

25. Iihara M, Kanbe M, Okamoto T, Ito Y, Obara T. Laparoscopic ultrasonography for resection of insulinomas. Surgery 2001;130:1086.

내분비췌장의 생리
Physiology

| 가톨릭대학교 의과대학 외과 **이소희**

췌장은 외분비적인 요소들과 내분비적인 요소들로 구성된 복합기관이다. 외분비 췌장은 소화액을 분비하는 역할을 하며, 세엽세포들(acinar cells)과 관세포들(duct cells)로 구성되어 있다. 내분비췌장은 펩티드 호르몬을 분비하는 역할을 하며, 그 구성 요소는 랑게르한스섬(islets of Langerhans)이다. 랑게르한스섬은 췌장 전체에 10^5~10^6개가 분포하며, 성인 췌장의 질량의 1~2%를 차지한다. 각각의 소도는 그 크기가 다양하여 한 개 혹은 소수의 내분비 세포로 구성되기도 하고, 수천 개의 세포를 포함하기도 한다. 이 췌장 소도(pancreatic islets)들은 특징적인 세포 배열 구조를 보이는데, 각 소도의 중앙에는 인슐린(insuln)을 분비하는 B 세포가 위치하고, 그 주변을 글루카곤(glucagon)을 분비하는 A 세포, 소마토스타틴(somatostatin)을 분비하는 D 세포, 그리고 pancreatic polypeptide를 분비하는 F 세포 혹은 PP 세포 가 둘러싸는 맨틀 구역으로 구성된다.[1] B 세포는 췌장 소도의 전체 질량의 60~80%를 차지하며, A 세포는 15%, D 세포는 5~10% 그리고 F 세포는 15~25%를 차지 한다. 내분비췌장의 호르몬 분비는 신경전달물질의 조절을 받으며, 이들 호르몬의 분비에 이상 시에 다양한 질병들이 발현될 수 있다. 이 장에서는 내분비 외과의사들이 알아야 할 기본적인 내분비췌장의 기능과 조절에 대해 알아보고자 한다.

1. 소도 혈액 공급 및 신경 분포

췌장 소도는 외분비췌장에 비해 혈액 공급이 풍부하여, 전체 췌장 혈류량의 약 10% 정도가 췌장 소도로 공급된다. 소도의 중앙으로 소동맥이 분지하면, 모세혈관이 중앙의 B 세포 구역을 가장 먼저 지난 후 맨틀 구역으로 혈액을 공급하고, 소정맥으로 배액되거나, 외분비췌장의 모세혈관과 합류된다.[2] 이러한 혈행은 내분비췌장의 분비기능 조절에 중요한 역할을 하게 된다. 췌장 소도는 자율 신경의 분포가 풍부하여 교감신경과 부교감 신경의 지배를 받는다.[3,4] 교감신경은 인슐린 분비를 억제하고, 글루카곤의 분비를 촉진시키나,[5] 미주신경은 인슐린과 글루카곤의 분비를 모두 촉진시킨다.[4] 이뿐 아니라 내분비췌장의 분비 기능에 영향을 미치는 다양한 신경펩티드에 대한 연구가 활발히 진행 중이다.

2. B 세포

B 세포가 분비하는 주된 호르몬은 인슐린으로 이는 혈중 포도당의 농도를 낮추어 고혈당증을 방지하는 유일한 호르몬이다. 인슐린은 B 세포의 세포질 세망(endoplasmic reticulum)에서 풋인슐린(proinsulin)으로 합성된 후 가수분해과정(proteolytic process)을 통해 인슐린과 C

펩티드(C peptide)로 분해되어 세포표면에 분비 과립형태로 존재하다가 영양소, 호르몬, 신경 자극등에 의해 분비가 조절된다.[6] 이외에도 B 세포는 소도 아밀로이드 폴리펩티드(Islet Amyloid Polypeptide)[7] 및 Pancreastatin 등을 분비하나 이들 물질의 생리적 작용에 대해서는 잘 알려져 있지 않다.[8]

3. A 세포

A 세포의 주된 호르몬은 글루카곤으로, 이는 간의 포도당 방출량을 조절한다.

글루카곤은 간 세포를 자극하여 당원의 분해(glycogenolysis)와 당신합성(gluconeogenesis)을 촉진하여 공복 시 혈당 농도를 유지시켜 준다. 글루카곤의 분비는 아르기닌(arginine) 같은 아미노산 및 cAMP 형성을 증가시키는 다양한 호르몬에 의해 분비가 촉진되며, 포도당 및 인슐린에 의해 분비가 억제된다. 인슐린과 글루카곤은 포도당 대사에 상보적으로 작용하여 혈당을 조절한다.[9] 이외에도 A 세포는 YY 펩티드(Petide YY)를 분비하며, 이는 인슐린과 글루카곤의 분비를 억제하는 것으로 알려져 있으나 자세한 작용에 대해서는 알려져 있지 않다.[10]

4. D 세포

D 세포가 분비하는 주된 호르몬은 소마토스타틴이다. 포도당, 아미노산, 그리고 미주신경 자극에 의해 분비가 촉진되며, 교감 신경에 의해 그 분비가 억제된다.[11,12] 소마토스타틴은 인슐린과 글루카곤 분비의 강력한 억제제로 알려져 있으나, D 세포가 분비하는 소마토스타틴이 A, B 세포에 작용하는 기전에 대해서는 아직 알려져 있는 바가 적어 더 연구가 필요한 실정이다. 또한 소

마토스타틴은 외분비췌장의 효소 분비를 억제하는 강력한 억제제로 알려져 있으나 이 또한 정확한 기전은 알려져 있지 않다.[13] 이외에도 D 세포는 다이아제팜 결합 억제제(Diazepam-binding Inhibitor)를 분비하며, 이 역시 인슐린 분비를 억제하나, 자세한 기전은 밝혀지지 않았다.[14]

5. F 세포

F 세포는 특징적으로 췌장의 배측(ventral portion)에 주로 위치하며, 췌장 폴리펩티드(Pancreatic Polypeptide)를 분비한다.[15] 췌장 폴리펩티드는 미주신경 자극으로 분비되며, 췌장액 및 담즙의 분비를 억제한다.[16,17] 또한 인슐린의 분비도 억제 함으로써 식간(interprandial) 항상성에 중요한 역할을 할 것으로 생각되나 아직 정확한 생리작용에 대해서는 밝혀진 바가 적다.

6. 인슐린 분비

내분비췌장의 생리 중 가장 잘 알려져 있는 것이 인슐린 분비이다. 포도당이 인슐린 분비의 가장 강력한 조절인자이나 이외에도 아르기닌 같은 아미노산, 아세틸콜린(acetylcholine), 그리고 gastric inhibitory peptide (GIP)나 glucagon like peptide (GLP-1)와 같은 장 호르몬(Gut hormone) 역시 인슐린 분비에 중요한 역할을 한다.[18,19]

1) 포도당

포도당이 GLUT (glucose transporter)-2를 통해 세포내로 들어오게 되면, hexokinase에 의해 glucose-6-phosphate로 인산화된다.[20] Glucose-6-phosphate는 ATP를 생성하며, 세포내 ATP의 농도 증가 및 ATP/ADP 비율이 증가하게 되면 세포막의 K^+ 통로가 차단되어 B세포가 탈극화된다.[21,22] 이에 의해 세포의 칼슘 통로가 열려 Ca^{2+}가 세포 내로 과량 유입되고, 이로 인해 분비과립 형태로 보관되어 있던 인슐린이 세포외로 배출 (exocytosis)된다.[23]

2) 미주신경에 의해 분비되는 아세틸콜린, 콜레시스토키닌(Cholecystikinin, CCK) 및 신경펩티드 GRP

미주신경 자극 및 CCK, 신경펩티드 GRP는 phospholipase C의 활성화를 통해 인슐린 분비를 촉진시킨다.[24,25,26] Phospholipase C가 세포막의 phosphatidylinositol 4,5-biphosphate를 IP3 (inositol triphosphate)와 DAG (diacylglycerol)로 가수분해 하고, 이 IP3가 세포 내 칼슘 저장소에 작용하여 세포 내 Ca^{2+}를 증가시켜 인슐린의 분비를 촉진한다. 또한 DAG 와 Ca^{2+}가 protein kinase C를 활성화하여 인슐린을 포함하고 있는 분비 과립들이 세포밖으로 분비된다.[27]

3) 인크레틴 Incretin

경구 섭취한 포도당에 의한 인슐린 분비가 혈액 내로 투여된 포도당에 의한 인슐린 분비보다 20~50% 정도 더 많다.[28] 이는 인크레틴이라는 장 호르몬의 작용에 의한 것으로 대표적으로 GIP (glucose-dependent insulinotropic polypeptide 혹은 gastric inhibitory polypeptide) 및 GLP-1이 있다.[18,19] GIP는 십이지장과 상부공장의 K세포에서 생성되며 경구 음식물 섭취 후 분비되어 혈액 내로 들어온다. GLP-1은 장내글루카곤(enteroglucagon)이나 L세포에서 합성되는데 L세포는 하부 소장, 대장, 직장 등

에 위치해 있다. 인크레틴은 세포막의 수용체와 결합하여 adenylate cyclase를 통해 세포내 cAMP가 증가시켜 proteinkiase A를 활성화여 인슐린을 포함하고 있는 분비 과립을 세포밖으로 배출한다.

7. 당뇨병과 내분비췌장

1형 당뇨병은 B 세포를 파괴시키는 만성 자가면역성 질환으로, B 세포의 80~90% 정도가 파괴되었을 때 임상적 증상들이 나타난다. 1형 당뇨의 경우 B 세포 파괴에 의해 인슐린 분비에 장애가 발생하므로, 혈중 인슐린과 C-peptide의 농도가 매우 낮다. 반면 2형 당뇨병인 경우 말초 인슐린 수용체의 민감도 저하가 가장 먼저 일어나게 되고, 이러한 말초의 인슐린 무감응(insensitivity)에 의해 보상적으로 고인슐린혈증이 보이게 된다.[29] 따라서 초기 2형 당뇨병 환자의 경우 랑게르한스 소도는 조직학적으로 정상적인 형태를 보이며, 인슐린 분비가 증가하여, 인슐린저항성, 고인슐린혈증 및 정상 혈당을 특징으로 한다.[9] 그러나 2형 당뇨병이 진행하게 되면, B 세포의 포도당 반응성에 장애가 발생하며, B 세포의 세포자멸사(apoptosis)가 증가하게 되어 B 세포 수가 감소하게 된다.[30] 인슐린 치료를 요하는 환자의 경우 B 세포가 50% 정도 감소되어 있고, 혈중내 인슐린, 풋인슐린, C-peptide 분비를 촉진시켜 혈중내 이들의 농도가 증가된 소견이 관찰되기도 한다. 혈당에 의한 인슐린 분비 촉진이 감소하게 되고 고혈당 및 당뇨 증상이 나타나게 된다.[30]

8. 내분비췌장과 음식 섭취

내분비췌장의 중요한 기능은 음식 섭취 후 적절한 양의 인슐린 분비를 통해 섭취된 영양분을 에너지원이 되는

지방이나 글리코겐 형태로 저장하여 탄수화물 대사를 최적화하는 것이다. 이러한 인슐린 분비는 크게 세 가지 단계로 나누어진다.

첫째, 뇌상단계(cephalic phase)로 음식을 섭취하기 전이나 흡수되기 전에 부교감신경 등에 의해 인슐린이 분비된다.[31]

둘째, 섭취된 음식물이 위장관에 도착하면, GIP나 GLP-1 등의 인크레틴에 의해 인슐린 분비가 촉진된다.

셋째, 음식물 섭취로 얻어진 포도당이나 아미노산 등에 의해 인슐린 분비가 촉진된다.

9. 만성췌장염과 내분비췌장

만성췌장염은 반복적인 염증으로 인행 췌장의 외분비 조직들이 섬유성 조직으로 점진적 변해가는 질환으로, 췌장 소도 세포 역시 점차 감소하게 된다. 따라서, 경구나 정맥을 통한 포도당, 글루카곤, 아르기닌 등에 반응이 감소하게 되어, 만성 췌장염 환자의 10%에서 당뇨병이 발생하고, 30% 정도에서 내당능장애(impaired glucose tolerance)를 보인다. 이들 환자의 저혈당의 빈도와 그 심한 정도는 음주, 영양상태, 흡수장애의 정도 등에 영향을 받는다.

10. 내분비췌장과 스트레스

내분비췌장은 다양한 종류의 신체적 스트레스 상황 시 고혈당 유지에 관여한다.

1) 운동

운동 중에는 교감신경의 활성이 증가하고 동맥 내의 에피네프린 농도가 상승하여, 간의 포도당 박출량이 증가한다.[32] 또한 글루카곤 분비가 증가하고, 인슐린 분비가 감소하여, 간의 포도당 박출량이 증가하고 말초의 포도당 섭취가 감소하게 된다. 이러한 현상들이 혈중내 포도당 농도를 상승시켜, 운동 시 중추신경계의 포도당 이용을 원활하게 해 준다.

2) 출혈성 쇼크

출혈 시 혈중 포도당 농도가 증가하면, 혈관 내로의 삼투성 재흡수가 일어나, 이로 인해 혈관내 혈액량을 효과적으로 보존할 수 있다. 출혈 시에는 경동맥궁(carotid sinus)의 압력수용기(baroreceptor)에서 혈압저하를 감지하여 교감신경의 활성이 증가되고 이로 인해 췌장소도에 직접적으로 작용하여, 인슐린의 분비를 억제시키고 글루카곤 분비를 증가시킨다. 혈중 글루카곤-인슐린 비 상승 및 교감신경 활성으로 인한 혈중 에피네프린 증가는 간의 포도당 분비를 증대시켜, 혈중 포도당 농도를 높이고 혈액 보존을 위한 삼투압을 올려 혈액량을 유지할 수 있게 한다.

3) 패혈증

출혈성 스트레스와 달리 패혈증이나 화상과 같은 대사성 스트레스는 고혈당을 동반하지 않는다. 패혈증 초기에는 내분비 췌장은 인슐린 분비가 증가하고, 포도당 대사 회전(turnover)을 활성화하여 정상 혈당 상태를 유지하게 된다.[33] 그러나 패혈증이 심한 경우 혹은 패혈증의 후기에는 사이토카인(cytokine), 내분비 독소(endotoxin), 및 다양한 매개물질들에 의해 말초 포도당 섭취가 감소하고 인슐린 분비 감소하여 고혈당이 나타나게 되며,[34] 패혈증 종반기에는 간의 포도당 공급이 감소하여 저혈당이 나타나게 된다.

요약

내분비췌장은 신경, 호르몬, 영양분의 영향을 받아 탄수화물의 대사와 혈당을 미세하고 엄격하게 조절하는 내분비 기관이다. 음식물 섭취, 기아 및 다양한 신체 스트레스 시에 몸의 대사 항상성을 유지시켜주는 중요한 미세기관이며, 이 미세기관의 소도 세포들의 기능 이상 시 여러 대사성 질환들이 유발되기도 한다. 따라서 내분비췌장의 다양한 소도 호르몬의 생산, 분비 및 조절에 대한 이해와 향후 많은 연구를 통해 내분비췌장과 관련된 질환들에 대한 기전이 밝혀지길 기대해 본다.

REFERENCES

1. L Orci, D Baetens, M Ravazzola, et al. Pancreatic polypeptide and glucagon: Non-random distribution in pancreatic islets. Life Sci 1976;19:1811.
2. FC Brunicardi, J Stagner, S Bonner-Weir, et al. Microcirculation of the islets of Langerhans Diabetes 1996;45:385.
3. B Ahrén, GJ Taborsky Jr, D Porte Jr. Neuropeptidergic versus cholinergic and adrenergic regulation of islet hormone secretion. Diabetologia 1986;29:827.
4. B Ahrén. Autonomic regulation of islet hormone secretion—Implications for health and disease. Diabetologia 2000;4:393.
5. BE Dunning, B Ahrén, RC Veith, et al. Nonadrenergic neural influences on basal pancreatic hormone secretion. Am J Physiol 1988;255:E785.
6. KA Godge, JC Hutton. Translational regulation of proinsulin biosynthesis and proinsulin conversion in the pancreatic beta-cell. Semin Cell Dev Biol 2000;11:235.
7. P Westermark, C Wernstedt, E Wilander, et al. A novel peptide in the calcitonin gene related family as an amyloid fibril protein in the endocrine pancreas. Biochem Biophys Res Commun 1986;140:827.
8. K Tatemoto, S Efendic, V Mutt, et al. Pancreastatin, a novel pancreatic peptide that inhibits insulin secretion. Nature 1986;324:476.
9. O Clark, Q Duh, E Kebebew, et al. Textbook of endocrine surgery. 2nd ed. P701-714, 2005
10. G Böttcher, B Ahrén, I Lundquist, F Sundler, YY Peptide. Intrapancreatic localization and effects on insulin and glucagon secretion in the mouse. Pancreas 1989;4:282.
11. B Ahrén, TL Paquette, GJ Taborsky Jr. Effect and mechanism of vagal nerve stimulation on somatostatin secretion in dogs. Am J Physiol 1986;250:E212.
12. B Ahrén, RC Veith, TL Paquette, GJ Taborsky Jr. Sympathetic nerve stimulation versus pancreatic norepinephrine infusion in the dog: 2). Effects on basal release of somatostatin and pancreatic polypeptide Endocrinology 1987;121:332.
13. G Boden, M Sivitz, OE Own, et al. Somatostatin suppresses secretin and pancreatic exocrine secretion. Science 1975;190:163.
14. A Guidotti, CM Forchetti, MG Corda, et al. Isolation, characterization, and purification to homogeneity of an endogenous polypeptide with agonistic action on benzodiazepine receptors. Proc Natl Acad Sci USA 1983;80:3531.
15. F Sundler, G Böttcher, R Håkanson, TW Schwartz. Immunocytochemical localisation of the icosapeptide fragment of the PP precursor: A marker for "true" PP cells? Regul Pept 1984;8:217.
16. IL Taylor, TE Solomon, JH Walsh, MI Grossman. Pancreatic polypeptide, metabolism and effect on pancreatic secretion in dogs Gastroenterology 1979;76:524.
17. I Lundquist, F Sundler, B Ahrén, et al. Somatostatin, pancreatic polypeptide, substance P, and neurotensin: Cellular distribution and effects on stimulated insulin secretion in the mouse. Endocrinology 1979;104:832.
18. JJ Meier, MA Nauck, WE Schmidt, B Gallwitz. Gastric inhibitory polypeptide: The neglected incretin revisited. Regul Pept 2002;107:1.
19. B Ahrén. Glucagon-like peptide-1 (GLP-1): A gut hormone of potential interest in the treatment of diabetes. Bioessays 1998;20:642.
20. MD Meglasson, FM Matschinsky. New perspectives on pancreatic islet glucokinase. Am J Physiol 1984;246:E1.
21. CJ Hedeskov. Mechanism of glucose-induced insulin secretion. Physiol Rev 1980;60:442.
22. DL Cook, CN Hales. Intracellular ATP directly blocks K-channels in pancreatic. B-cells Nature 1984;311:271.
23. B Ahrén, GJ Taborsky Jr. Beta cell function and insulin secretion D Porte Jr, RS Sherwin, A Baron (Eds.), Ellenberg & Rifkin's Diabetes Mellitus (6th ed), McGraw-Hill, New York (2002), p. 43
24. SA Metz. The pancreatic islet as Rubik's cube: Is phospholipid hydrolysis a piece of the puzzle? Diabetes 1991;40:1565.
25. P Gilon, JC Henquin. Mechanisms and physiological significance of the cholinergic control of pancreatic beta-cell function.
26. S Karlsson, B Ahrén. Cholecystokinin and the regulation of insulin secretion. Scand J Gastroenterol 1992;27:161.
27. J Turk, BA Wolf, ML McDaniel. The role of phospholipid-derived mediators including arachidonic acid, its metabolites, and inositoltrisphosphate and of intracellular Ca^{2+} in glucose-induced insulin secretion by pancreatic islets. Prog Lipid Res 1987;26:125.
28. H Elrick, L Stimmler, CJ Hlad, Y Arai. Plasma insulin response to oral and intravenous glucose administration. J Clin Endocrinol Metab 1964;24:1076.
29. RA DeFronzo, RC Bonadonna, E Ferrannini. Pathogenesis of NIDDM. A balanced overview. Diabetes Care 1992;15:318.
30. SE Kahn. The relative contribution of insulin resistance and beta-cell dysfunction to the pathophysiology of type 2 diabetes. Diabetologia 2003;46:3.
31. B Ahrén, JJ Holst. The cephalic insulin response to meal ingestion in humans is dependent on both cholinergic and noncholinergic mechanisms and is important for postprandial glycemia. Diabetes, 2001;50:1030.

32. H Galbo. Hormonal and Metabolic Adaptations to Exercise, Thieme, Stuttgart (1983).

33. RG Douglas, JHF Shaw. Metabolic response to sepsis and trauma. Br J Surg 1989;76:115.

34. M Dahn, JR Kirkpatrick, D Bouwman. Sepsis, glucose intolerance and protein malnutrition. Arch Surg 1980;115:1415.

내분비췌종양의 영상진단
Imaging of the Pancreatic Endocrine Tumor

| 고려대학교 의과대학 영상의학과　**김민주**

내분비췌종양(Pancreatic endocrine tumors, PETs)은 내분비계의 미숙한 줄기세포(immature stem cell)에서 기원하는 드문 종양으로 알려져 있다.[1] 이러한 종양은 흔히 '섬세포 종양(islet cell tumor)'으로 불려왔다. 그러나, 종양이 랑게르한섬(islet of Langerhans)에서 생기는 것이 아니고 관 다능성 줄기세포(ductal pleuripotent stem cell)에서 오는 것이므로 이런 용어는 더 이상 맞지 않는 용어이다.[2]

췌장의 내분비 종양은 임상적 증상, 크기, 생물학적 행동(biological behavior), 그리고 조직학적 지표(histologic parameter)에 따라 분류된다. 임상적으로, 고분화(well-differentiated) 내분비췌종양은 분비하는 호르몬에 따라서 뚜렷한 임상 증후군을 나타내는 기능성종

양(functioning tumor)과 증상을 나타내지 않는 비기능종양(nonfunctioning tumor)으로 나뉜다. 기능성종양의 원인이 되는 호르몬으로는 insulin, gastrin, glucagon, pancreatic polypeptide, vasoactive intestinal peptide (VIP)와 somatostatin 등이 있다. 가장 흔한 내분비췌종양은 인슐린종(insulinoma)이며 그 다음 흔한 종양은 가스트린종(gastrinoma)이다. 대부분의(약 90%) 인슐린종은 췌장에서 발견되며 가스티린종의 80%가 가스트린종 삼각형에서 발견된다.[3,4] 최근에 세계보건기구(World Health Organization, WHO)에 의한 분류에 따르면(표 84-1),[5] 종괴의 크기, 유사 분열률(mitotic rate), 세포 증식(cell proliferation)과 침습 정도에 따라 종양의 분류가 나뉘어진다. 대부분의 종양이 고분화 종양이지만 2~3%

표 84-1 | 내분비췌종양의 WHO 분류[3]

Tumor Type	Benign or Malignant	Characteristics
Well-differentiated endocrine tumor	Benign	Confined to the pancreas, <2 cm diameter, no vascular or perineural invasion, less than 2 mitoses per 10 high-power fields, less than 2% Ki-67 positive cells
	Uncertain	Confined to the pancreas and at least one of the following: <2 cm diameter, vascular or perineural invasion, 2~10 mitoses per 10 high-power fields, greater than 2% Ki-67 positive cells
Well-differentiated endocrine carcinoma	Low-grade malignant	Gross local invasion or metastasis
Poorly differentiated endocrine carcinoma	High-grade malignant	>10 mitoses per 10 high-power fields

에서 저분화 내분비암종(poorly differentiated endocrine carcinoma)이 발견된다.

내분비췌종양은 모든 췌장종양의 1~2%를 차지한다.[2] 어느 연령대에서도 생길 수 있으나 30~50대에서 좀 더 흔히 나타나며 여성에서 조금 더 흔하다. 이전에는 확인된 내분비췌종양의 대부분(70%)이 기능성종양인 것으로 알려졌으나, 최근에는 단층방사선 영상기술(cross-sectional imaging)이 발달되어 더 작은 크기의 내분비 종양 발견률이 증가하고 있다.[6] 영상 기술의 발전으로 인해 비기능종양이 모든 내분비췌종양의 거의 50%를 차지하게 되었다.[2,7] 내분비췌종양의 1~2%가 가족성 증후군으로 나타나는데, 가장 흔한 것이 다발내분비선종양 1형(multiple endocrine neoplasia type 1: MEN 1), 폰히펠-린다우병(Von Hipplel-Lindau disease), 그리고 결절성경화증(tuberous sclerosis) 등이다. 이런 질환을 가지고 있는 환자들은 여러 개의 내분비췌종양을 가질 가능성이 높으며, 어린 나이에 나타날 수 있다.

1. 일반적 영상 소견

기능성 내분비췌종양의 국소화(localization), 비기능종양의 진단과 수술 계획을 세우기 위하여 영상을 얻게 된다. 수술적 접근은 췌장 내 종양의 위치, 병변의 개수, 그리고 국소적인지 멀리 퍼져 있는지에 따라서 달라지게 된다. 일반적으로, 영상 소견의 특징은 병변의 크기에 따라 달라지게 되며, 비균질성(heterogeneity), 낭성 병변(cystic area), 석회화(calcification), 혈관 침습과 전이성 병변 등이 도움이 되는 소견이다.

내분비췌종양과 췌장 선암(ductal adenocarcinoma)을 감별하는 데 도움이 되는 소견은 다음과 같다.[8]
① 석회화(내분비췌종양의 20%에서 보이고 선암은 2% 정도로 드물다)
② 혈관 침습이 적다.
③ 췌관 막힘이 적다.

④ 중심 괴사와 낭성 병변이 드물게 온다.

전이성 병변은 간에 가장 많이 발견되나, 내분비 종양은 비장에도 전이가 흔하다. 정맥 막힘은 췌장 선암에서 흔하지만 종양 혈전(tumor thrombus)은 내분비 종양에서 더 흔하게 보인다.[9]

영상의 역할은 원발성(primary) 종양의 국소화와 전이성 병변의 발견에 있다. 예후는 종양의 종류에 따라 다양할 수 있지만 인슐린종은 90%까지 완치가 증가하므로 정확한 종양의 발견이 완치의 가능성을 높이게 된다.[8] 수술 전 정확한 종양의 위치 파악이 이환율(morbidity)을 낮추고 수술 후의 합병증의 위험을 낮추게 해준다. 종양의 위치와 크기에 따라서 수술적 방법은 췌장적출술(enucleation), 췌장절제술(pancreatectomy), 또는 크기가 크거나 췌장머리 부분에 위치한 경우에는 췌십이지장절제술(pancreaticoduodenectomy)을 하게 된다. 많은 외과의들이 수술 전 인슐린종의 국소화의 중요성을 강조하는데 10~20%가 수술 중에 보이지 않기 때문이다.[10] 그러므로, 발전된 영상 기법을 사용하여 수술 전 정확한 종양의 국소화가 성공적인 치료를 가능하게 할 수 있다.

1) 초음파 Ultrasonography

췌장은 주변의 장가스에 의한 인공물(artifact)로 인해 복부 초음파로 종괴를 잘 보기가 어렵다. 내분비췌종양의 초음파 소견은 경계가 뚜렷하게 그려지는 원형 혹은 난원형의 저에코의(hypoechoic) 종괴로 보인다(그림 84-1). 췌장 주위에 림프절이 보이거나 간전이 등이 있으면 악성의 근거가 된다. 복부 초음파의 내분비췌종양의 발견률은 20~80%까지 매우 다양하게 보고되어 있다.[11-14] 내시경초음파(endoscopic ultrasound, EUS)는 내분비췌종양의 진단과 국소화에 중요한 역할을 한다(그림 84-2). 내시경초음파 유도 하의 세침흡인(fine needle aspiration, FNA)은 작은 병변의 표본 추출(sampling)을 가능하게 하

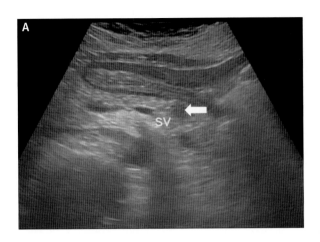
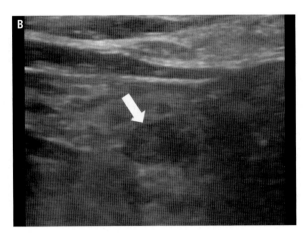

그림 84-1 | 인슐린종의 초음파소견

복부 초음파(**A**)에서 인슐린종이 췌장의 미부와 체부의 경계부위, 비장 정맥(splenic vein, SV)의 앞쪽으로 1 cm의 경계가 뚜렷하게 그려지는 원형의 저에코(hypoechoic)의 종괴(arrow)로 보인다. 같은 환자에서 초음파 탐색자(probe)를 high MHz (8~12MHz)로 바꿔서 보았을 때(**B**) 췌장의 체부와 미부 경계 부위에 위치한 뚜렷한 저에코성 종괴(arrow)가 더 잘 보인다.

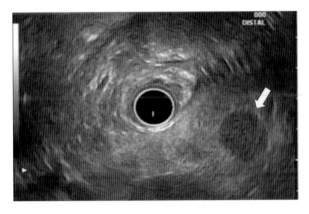

그림 84-2 | 내시경초음파(endoscopic ultrasound, EUS)는 내분비췌종양의 진단과 국소화에 중요한 역할을 하며 췌장 내의 종괴가 경계가 좋은 저에코성의 종괴(arrow)로 잘 보인다.

며 내분비 종양의 국소화의 민감도는 93%에 이른다.[15] 그러나, 이런 시술은 얕은 진정(conscious sedation)이 필요하며 췌장 미부에 있는 병변은 보기가 어렵다.[16] 수술 중 초음파 촬영(intraoperative ultrasonography)은 비침습적인 방법보다 더 정확한 방법이다. 이 기법은 내분비 종양의 85%를 발견할 수 있으나 수술 중에 췌장의 가동화(mobilization)가 필요하다.[17,18]

2) 컴퓨터단층촬영술 Computed tomography, CT

CT는 종괴의 발견과 병기결정, 수술적 계획 수립, 그리고 추후 검사로 사용되는 가장 좋은 검사이다. 내분비췌종양이 의심될 때 시행하는 CT 검사는 기법이 매우 중요하다.

내분비췌종양을 진단하는 CT 민감도는 71~82%인데 크기가 작은 종양은 잘 보이지 않기 때문이다.[19] 작은 크기의 과혈관성 종양은 췌장 머리부위에 있을 때는 주변의 혈관과 혼동할 수 있으며 이럴 때는 다평면의 (multiplanar) 재구성(reconstruction)에 의해서 주변 혈관과 구분하는 데에 도움을 받을 수 있다. 또한 신장암에서 기원한 췌장 전이는 과혈관성 내분비 종양과의 구분이 어려울 수 있다.

(1) 조영제(contrast material)의 사용

정맥내(intravenous) 조영제의 사용은 원발성 종양의 발견, 혈관 침습 확인, 그리고 간 전이를 확인하는 데에 있어서 필수적이다. 대부분 이중시기(biphasic) 혹은 삼중시기(triphasic)의 췌장영상을 얻을 것을 권한다. 초기 영상은 정맥 내 조영제 주입 후 30~45초에 찍고 조영 후

70초 후인 문맥기에 영상을 얻는다. 비이온성 조영제를 120 mL (Omnipaque 350; GE Healthcare, Princeton, NJ)를 초당 3~5 mL의 속도로 주입한다.

경구용 조영제는 꼭 필요하지는 않으나 물과 같은 음성(negative) 조영제를 사용하면 십이지장을 잘 보이게 하여 십이지장 쪽으로의 종양의 침습 여부를 보는데 도움을 줄 수 있다.[20]

(2) 기법 Technique

다중절편(multislice) CT를 사용하여 다중시기를 찍는 방법이 작은 크기의 인슐린종을 발견하는 데 크게 도움을 받을 수 있다. 고해상도(high-resolution) 동맥기 췌장 영상을 얻는 것이 작은 크기의 인슐린종을 발견하는 데 매우 도움이 된다.[21] Fidler 등은 췌장 조영기(pancreatic phase), 즉, 지연 동맥기(late arterial phase)가 초기 동맥기보다 인슐린종의 발견에 도움이 된다고 하였다. 선택적으로, 췌장 조영기(지연 동맥기)와 문맥조영기(portal venous phase)를 동시에 얻는 것이 내분비췌종양을 발견하는데 가장 좋은 방법으로 추천되고 있다.[12] 조영 증강 전 CT까지 포함하여 삼중시기 영상을 얻는 것이 가장 널리 쓰이고 있다.

(3) 프로토콜 Protocol

다중절편 CT를 사용하여 얻을 수 있는 얇은 폭조절(thin collimation)이 공간적(spatial), 측두적(temporal) 해상도를 향상시켜 작은 병변을 잘 보이게 할 수 있다.[22] 64 CT 스캐너를 사용할 경우 64 × 0.6 mm collimator 혹은 16 CT 스캐너를 사용할 경우 16×0.75 mm collimator를 이용하여(ex. Siemens Medical Solutions, Malvern, Pa) 0.75~1.25 mm section으로 0.5~1 mm interval로 영상을 얻는다. 간과 췌장을 완전히 포함해서 얻어야 과혈관성 간전이를 잘 볼 수 있다.

워크스테이션을 사용하여 3차원 영상을 얻으면 췌장과 복강 내 혈관을 잘 볼 수 있게 된다. 장간막 혈관을 잘 보기 위하여 VR (volume rendering) 방식을 이용한다. 관상면(coronal) 스캔을 시행하고 종양의 위치에 따라 필요시 시상면(sagittal) 스캔을 추가한다.

(4) 일반적 CT 소견

CT에서 내분비췌종양은 경계가 좋은 고형 종괴로 보인다. 동맥기와 정맥기에서 전형적으로 고감쇠(hyperattenuation)로 보이는 것은 풍부한 모세혈관 연결성 때문이다. 크기가 작은 병변은 좀 더 균질하게 보이고, 크기가 커질수록 불균질한 조영증강 소견을 보이게 되는데 이는 낭성 변성(그림 84-3), 괴사, 섬유화나 석회화(그림 84-4) 때문이다.[11] 일반적으로 내분비췌종양은 주로 과혈관성 테두리를 갖는 낭성 병변으로 보이는 데 이런 소견으로 다른 낭성 종괴와 감별이 가능하다. 동맥기와 문맥기 영상을 비교하면 동맥기에서 확실하게 보여 민감도가 문맥기와 비교 시 11~76%에서 83~88%고 증가된다고 한다.[10,12,21,23] 그러나, 어떤 병변은 문맥기에서만 보이기도 한다.

림프절과 간전이도 과혈관성으로 동맥기에서 좀 더 잘 보이며 간전이는 보통 테두리모양의 조영 증강을 보인다. 동맥 침습은 동맥기의 다평면 재구성을 통하여 잘 볼 수 있으며, 드물긴 하지만 정맥 침습은 문맥기에서 잘 보인다.

3) 자기공명영상 Magnetic resonance imaging, MRI

MR 영상은 전리방사선(ionizing radiation)의 해가 없고 연조직(soft tissue)의 조영 해상도를 증가시킨다는 점에서 종양 검사에 중요한 기법으로 자리잡고 있다.[24] Thoeni 등은 작은 크기의 내분비 종양의 발견률이 85%에 이른다고 보고하였다.[25]

(1) 기법 Technique

내분비췌종양을 발견하기 위해서는 1.5 Tesla 이상의 기기와 위상배열코일(phased-array coil)을 사용해야 한다. 호흡 정지 기법을 사용하여 T2-weighted (T2WI) fast-spin echo, single-shot T2 fast-spin-echo, T1-weighted

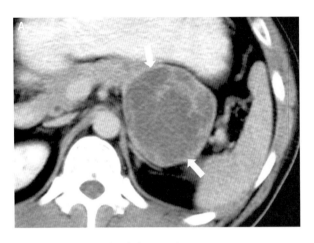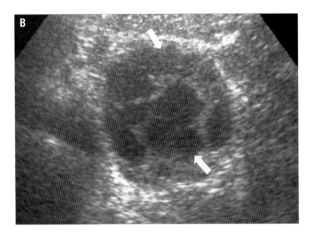

그림 84-3 | 내분비췌종양의 CT 소견
문맥조영기 CT 검사(**A**)에서 췌장 미부에 위치한 내분비췌종양이 내부에 비균일한 저감쇠영역을 보이는데 종양 내의 낭성 병변(arrows)으로 인한 소견이다. 같은 환자의 복부초음파검사(**B**)에서 종양 내부의 낭성 병변 부위가 저에코(arrows)로 보인다.

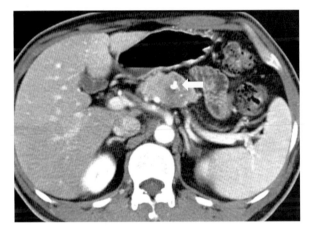

그림 84-4 | 내분비췌종양의 CT 소견
문맥조영기 CT 검사에서 췌장의 체부에 경계가 불분명한 불균일 종괴로 보이는 비기능성 내분비 종양 내부에 석회화(arrow)가 동반되어 있다.

images (T1WI), in- and out-of-phase를 포함한다. 얇은 절편 기법과 작은 field of view를 사용하고, 가돌리늄(Gadolinium) 조영제를 사용하여 동맥기, 문맥기와 지연기를 얻는 것이 좋다. 비만한 환자나 호흡을 고르게 하지 못하는 환자의 경우에는 영상이 좋지 않을 수 있는데, 이런 경우에는 인접한 장운동에 의한 인공물을 종양으로 오인하는 경우가 있다.[20]

(2) 일반적 MR 소견

MR 영상은 발견률에 있어서 다중시기 CT와 비슷한 민감도를 보인다.[26] 정상 췌장은 T1WI에서 고신호강도를 나타낸다. 내분비 종양은 T1WI에서 비교적 저신호강도를 보이는, 둥근 모양의 경계가 좋은 종괴로 보이고, T2WI에서는 정상 췌장보다 고신호강도를 보인다. 때로는 낮은 신호강도를 보이기도 하는데 이런 경우는 많은 양의 콜라겐을 함유하고 있기 때문이다.[25] 보통, 내분비췌종양은 조영 증강 동맥기와 문맥기에서 정상 췌장에 비해 고신호강도를 보이고, 균일한, 테두리모양을 보이고 크기가 커지면 낭성 혹은 괴사로 인한 불균질한 조영 증강을 보이게 된다. 간전이는 보통 T1WI에서는 저신호강도로, T2WI에서는 고신호강도를 보이게 된다. 테두리모양의 조영 증강을 보이고 췌장 주변의 림프절은 조영 증강이 잘 된다. 조영 전 T1WI fat-suppressed MR 영상에서 민감도는 75%에 이른다.[25]

2. 종양 특이적 소견 Tumor-specific features

1) 기능성 내분비췌종양 Functioning PETs

(1) 인슐린종 Insulinoma

인슐린종은 기능성 내분비췌종양 중 가장 흔한 것으로 모든 기능성종양의 40% 이상을 차지한다. 인슐린종은 전형적인 임상증상을 나타나게 되므로 비슷한 크기의 다른 기능성 혹은 비기능성 내분비 종양에 비해 일찍 발견되는 경향이 있다. 여성에서 약간 더 흔한 것으로 알려져 있으며(여성 대 남성 비율, 1.4:1), 평균 나이는 47세이다.[2] 인슐린종은 기능성과 비기능종양을 합쳐서 가장 좋은 예후를 보이는데 이는 일찍 발견되기 때문이며, 약 10%가 악성도를 보인다. 드물기는 하지만 인슐린종과 같은 증상이 종양에 의한 것이 아니라, 광범위한 섬세포 과다형성(hyperplasia), nesidioblastosis에 의한 경우도 있다.

Whipple[27]이 1935년에 언급한 인슐린종의 전형적인 삼징후는 저혈당증(hypoglycemia), 혈액 포도당 감소(45 mg/dL 이하)와 포도당 주입에 따른 증상 완화이다. 인슐린종에 의한 저혈당증은 전형적으로 금식 상태나 운동 이후에 일어나므로 식후나 반응성 저혈당증과는 구분이 가능하다. 신경강 결핍증(neuroglycopenia)에 의한 증상은 어지러움, 복시(diplopia), 흐려 보임(blurred vision), 혼동(confusion)과 인성 변화이다. 카테콜아민 분비로 인한 빈맥, 흉통, 두근거림과 발한(diaphoresis) 등은 드물다.

인슐린종은 진단 당시에 크기가 작아서 90%가 2 cm 이하이며, 40%가 1 cm보다 작다.[13] 거의 모든 인슐린종이 췌장 내에 위치하는데 3%가 췌장근처 조직에서 발견된다.[28] 췌장의 두부, 경부, 체부와 미부에 고르게 분포한다. 대부분이 개수는 하나인데, 다발내분비선종양 1형과 동반되는 경우에 2~10%에서는 여러 개로 발견되기도 한다.

생화학적으로 인슐린종으로 의심되는 경우에 수술 전 영상이 수술 계획을 세우는 데에 매우 중요하며 다양한 영상 기법의 민감도가 다르기는 하지만 조영 증강 역동적 CT나 MR이 가장 널리 사용되고 있다. 종양의 위치에 따라 수술 방법이 결정되며, 크기가 큰 종양은 인접한 장기에 대해 정확한 평가를 해야 한다.

CT와 MR의 인슐린종의 소견은 전형적으로 균일하고 조영 증강이 잘 된다(그림 84-5). 관상면에서는 작은 과혈관성 병변과 주변의 혈관을 구분하기가 쉽다. 낭성 병

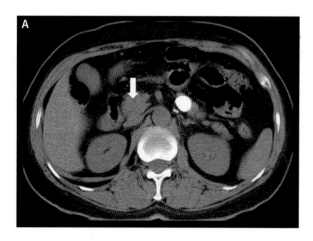
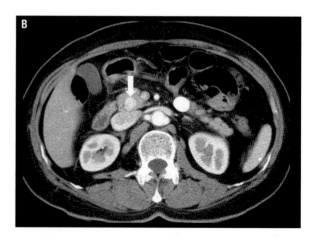

그림 84-5 | 인슐린종의 CT 소견
조영 전 CT(**A**)에서 췌장 두부에 주위 췌장과 비슷한 감쇠를 보이던 인슐린종(arrow)이 조영 후 CT(**B**)에서 전형적인 균일하고 조영 증강이 잘 되는 과혈관성 종괴(arrow)로 보인다.

변이나 괴사로 인한 비균질성 조영 증강은 크기가 2 cm 이상일 때 보일 수 있으며 3 cm 이상의 크기가 큰 병변은 악성도를 보일 수 있어, 전이나 췌장 주위의 림프절을 동반하기도 한다(그림 84-6).[29] 인슐린종의 비전형적인 소견은 조영 증강 사진에서 저혈관성, 저밀도 병변으로 나타나거나, 조영 전 사진에서 고밀도 혹은 낭성이나 석회화 종괴로 나타나기도 한다. 석회화는 별개의 (discrete), 소결절성의(nodular) 형태로 나타나며 악성 종괴에서 흔하다.[30] MR 소견은 T1WI에서 저신호강도를 보이고 T2WI에서 고신호강도를 보인다(그림 84-7A,B). 지방억제(fat suppression)을 시행한 T1 and T2WI에서 좀 더 잘 보이고 2 cm 이상에서는 테두리모양의 조영 증강을 보인다(그림 84-7C).[31] 전이성 병변 역시 원발성 종양과 같이 균일한 조영 증강을 보이며 크기가 클 때에는 테두리모양의 조영 증강을 보인다.[12,26] 과혈관성으로 보이는 다른 종괴, 췌장내부비장조직(intrapancreatic accessory spleen)(그림 84-8)이나 조영 증강이 잘 되는 장액낭선종(serous cystadenoma) 등과 같은 다른 종양과 감별진단이 어려울 수 있다(그림 84-9).

촉진과 초음파는 외과의들이 인슐린종을 국소화하는 데에 가장 유용한 방법으로 여겨져 왔으나, 다중절편 CT와 내시경초음파의 민감도가 이와 비슷한 것으로 알려졌다(94~96%)[10](그림 84-10). CT의 장점은 비침습적이며, 수술자의 영향을 덜 받으며, 간전이의 발견률을 높이는 데에 있다.

수술 전에 인슐린종을 국소화하는 것은 완치를 위해서 아주 중요하며, 특히 최근에 사용되고 있는 복강경 수술의 경우에는 입원 기간을 줄이고 덜 침습적인 수술 방법으로 합병증의 발생을 줄여줄 수 있다. 그러나 이러한 수술 기법은 좀 더 정확한 수술 전 국소화를 요구하게 된다. 국소화에 있어서 CT나 MR과 같은 단층 영상 기법이 쓰이게 되는데 민감도가 높게는 94%까지 보고되어 있다.[10,22] 동맥 자극을 사용한 정맥추출기법(arterial stimulation with simultaneous venous sampling, ASVS)은 민감도와 특이도가 90%에 이르는 방법으로 널리 사용되고 있다.[32] 다른 단층 영상 기법과 ASVS를 같이 이용한 경우에 100%에서 인슐린종을 국소화할 수 있다고 보고하기도 한다.[32] 이러한 기법을 이용하면 수술 전 인슐린종을 좀 더 정확히 진단하고 발견하여 완치율을 높일 수 있다.

(2) 가스트린종 Gastrinoma

가스티린종은 내분비췌종양 중 인슐린종 다음으로 흔한 타입이다. 1955년에 Zollinger and Ellison이 십이지장-

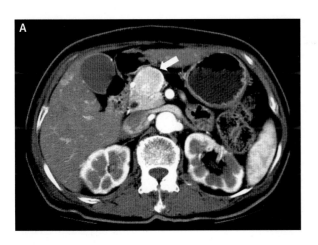
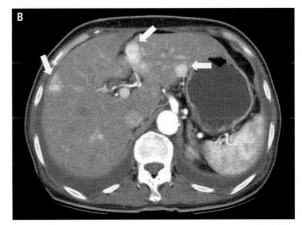

그림 84-6 | 간전이를 동반한 인슐린종
문맥조영기 CT에서 췌장 두부에 3 cm 이상의 크기가 조영이 잘 되는 인슐린종(arrow) (A)이 보이며 간의 양측에 여러 개의 전이성 병변(arrows) (B)을 보인다.

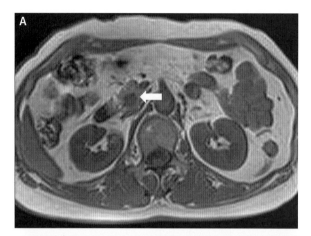
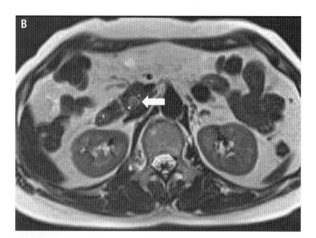

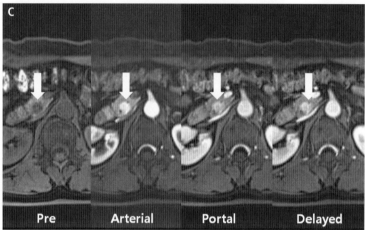

그림 84-7 | 인슐린종의 MR 소견
전형적인 인슐린종은 T1WI MR(**A**)에서 저신호강도(arrow)를 보이고 T2WI(**B**)에서 고신호강도(arrow)를 보인다. 역동적 조영 후 T1WI MR(**C**)에서 동맥기에 조영 증강이 매우 잘 되는 종괴(arrows)로 보이며 문맥기로 가면서 조영 증강이 남아있다.

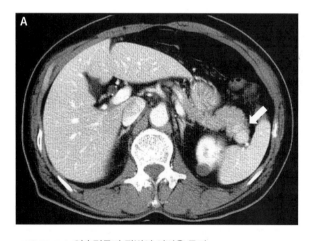
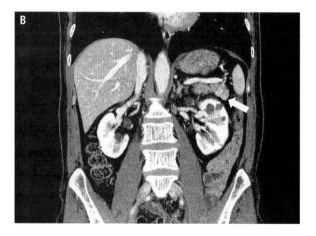

그림 84-8 | 인슐린종과 감별이 어려운 종괴
문맥조영기 CT에서 췌장 미부에 눈사람모양의 과혈관성 종괴(arrow)가 축면(axial)(**A**)과 관상면(coronal) 스캔(**B**)에서 보이며 이 종괴는 인슐린종이 아니라 췌장내 비장조직(intrapancreatic accesory spleen)으로 확인되었다.

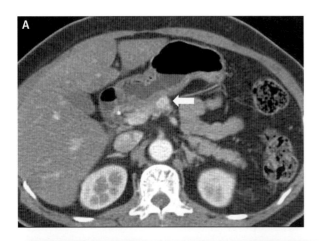

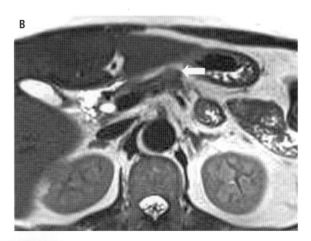

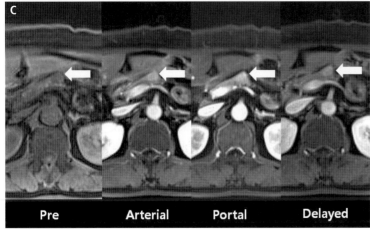

Pre   Arterial   Portal   Delayed

그림 84-9 │ 인슐린종과 감별이 어려운 종괴
지연기 동맥기 CT(**A**)에서 조영증강이 잘 되는 1 cm 종괴(arrow)가 췌장 체부에 보이며 T2WI MR(**B**)에서 고신호강도(arrow)를 보인다. 역동성 조영 증강 T1WI MR에서 전형적 인슐린종과 유사한 과혈관성 종괴(arrows)로 보이며 이 종괴는 장액낭선종(serous cystadenoma)으로 확인되었다.

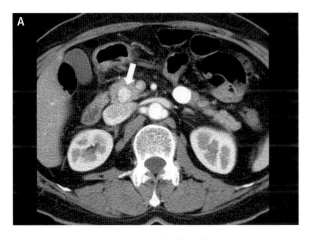

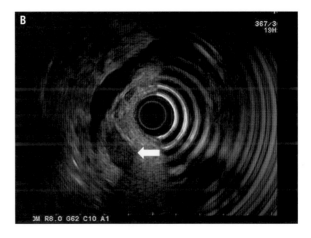

그림 84-10 │ 인슐린종의 CT와 초음파 소견
인슐린종을 발견하는 데에 다중절편 CT과 내시경초음파의 민감도가 이와 비슷한 것으로 알려져 있으며 지연동맥기 CT(**A**)에서 과혈관성 종괴(arrow)가 내시경초음파(**B**)에서 저에코 종괴(arrow)로 보인다.

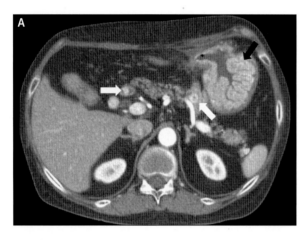
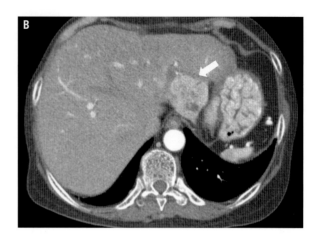

그림 84-11 | 가스트린종의 CT 소견

지연 동맥기 CT(**A**)에서 가스트린종은 크기가 작은 조영 증괴가 잘 되는 종괴로 보이며 췌장 미부와 십이지장 내에 보인다(arrows). 위산 농도가 높아서 위점막 주름이 두꺼워지는 것이 보인다(black arrow). 좌간엽의 뒤쪽으로 간전이 병변이 보인다(arrow)(**B**).

공장에 위치한 소화성 궤양(peptic ulcer), 위산과다분비와 내분비 종양의 삼징후를 보고하였다.[33] 40대에 많이 발생하며 남성에게서 좀 더 호발한다(남성 대 여성 비율, 1.3:1).[2] 35%의 가스트린종이 다발내분비선종양 1형과 동반하여 발생하며, 60%가 악성도를 보인다. 증가된 가스트린 레벨이 위산 분비를 촉진시켜 거의 모든 환자에게서 소화성 궤양을 일으키며, 흔한 초기 증상은 설사와 복통, 체중 감소와 식도염이다.

가스트린종은 가스트린종 삼각형에서 많이 발생하는데, 이 경계는 위로는 담낭관(cystic duct)과 총담관(common bile duct)의 경계, 아래로는 십이지장의 두번째과 세번째 부분, 내측으로는 췌장의 경부와 체부를 말한다. 이 종양은 췌장보다 십이지장에 좀 더 많으며 80%가 산발성으로 생기며, 90%가 다발내분비선종양 1형과 동반하여 생긴다. 가스트린종은 위장, 공장, 담관, 췌장 두부 근처의 림프절에서도 생긴다.

췌장 가스트린종은 평균 3~4 cm 크기로 췌장 두부에서 생기며,[22] CT와 MR 소견은 고형의 균일한 종괴이거나, 테두리모양 조영 증강을 보이는 것이 흔하다.[29] 고농도의 소마토스타틴 수용체(receptor)를 가짐으로써 소마토스타틴 수용체를 이용한 핵의학적 기법으로 발견이 가능하다. 십이지장의 가스트린종은 크기가 1

cm보다 작은 경우가 많고 개수가 여러 개여서, 내시경초음파가 유용한 검사다. 영상소견은 위산 농도가 높아서 위점막 주름이 두꺼워지고, 궤양 질환이 동반하게 된다. 증가된 가스트린의 종도가 여러 개의 카르시노이드 종양을 위장 내에 만드는 데 가스트린종을 제거하면 사라지게 된다(그림 84-11).

(3) 글루카곤종 Glucagonoma

글루카곤종은 기능성 내분비췌종양 중 세 번째로 흔한 종양이다. 40~60세 사이에 생기며 성별 차이는 없다. 대부분의 글루카곤종이 악성이며 3분의 1이 치명적이다.[34] 이 종양의 전형적인 임상증상은 4D 증후군으로 당뇨(diabetes), 피부염(dermatitis), 심부정맥혈전증(deep venous thrombosis)과 우울증(depression)이다. 피부염의 형태는 necrolytic migratory erythema로 환자의 2/3에서 보이며 복부와 서혜부에서 시작하여 몸통과 팔다리로 퍼진다. 당뇨는 대부분의 환자에서 나타나며, 혈전색전증(thromboembolism)이 자주 생겨 심부정맥혈전증과 폐색전증을 일으킨다.

대부분의 글루카곤종은 췌장에서 생기며, 주로 체부와 미부에 생긴다. 진단이 종종 지연되어 발견 당시 대부분의 종양이 크기가 5~6 cm 이상으로 크다.[35] CT와

MR 소견은 내부에 저밀도나 저신호강도로 보이는 부분을 포함한 균일하거나 비균일한 조영 증강을 보인다.[36] 80% 이상의 글루카곤종이 5 cm 이상이며 악성도를 보여, 50~60%가 발견 당시 간전이를 보인다.[13] 만약 종양이 CT에서 잘 보이지 않으면, 내시경초음파가 민감도 82%, 특이도 95%로 유용한 검사로 사용될 수 있다.[37]

(4) VIP종 Vipoma

VIP종은 기능성 내분비췌종양 중 드문 종양으로 VIP(췌장 섬세포가 정상적으로 분비하지 않는 펩티드)를 분비한다. 이 호르몬은 분비성 설사, 저칼륨증, 탈수를 초래하게 되며 Verner-Morrison syndrome 혹은 WDHA syndrome으로 불리며 물설사, 저칼륨증과 무위산증(achlorhydria)의 증상을 보인다.[38] 다른 내분비 종양과 같이 40-50대에 생기며 성별 차이는 없다. 대부분의 VIP종이 췌장 내에 생기며, 20%가 췌장 외에 생긴다. 췌장 외에서 생기는 경우에는 후복막강의 교감신경절에 생기거나 종격(mediastinum), 그 외의 장기에도 생긴다. 대부분의 경우 췌장의 미부에 생기며 평균 크기는 5 cm 이상이다.[39] 작은 병변은 균일한 조영증강을 보이나 크기가 크면 낭성 병변이나 석회화를 동반한다. 대부분이 악성이어서 60~80%가 발견 당시 전이를 동반한다.[35]

(5) 소마토스타틴종 Somatostatinoma

소마토스타딘종은 고분화 내분비췌종양의 2%를 차지한다. 이 종양은 췌장이나 팽대부 주위에 생기며 평균 나이는 50세이다.[13] 십이지장 소마토스타딘종은 신경섬유종증 1(neurofibromatosis type 1)과 좀 더 잘 동반된다. 임상증상은 비특이적이며 20% 이하에서 발생한다. 많은 경우 우연히 발견되는 종괴 효과나 복통으로 인해 진단하게 된다. 췌장에 생기는 경우, 두부에 많이 생기고 평균 크기는 5~6 cm이다. 영상 소견은 다른 내분비 종양과 유사하며 진단 당시에 50~75%가 간전이나 림프절 전이가 발견된다.[35]

2) 비기능성 내분비췌종양 Nonfunctioning PETs

많은 수의 내분비췌종양이 호르몬 과다분비와 연관된 증상이 없어 비기능종양으로 분류된다. 그러나 실제로 임상증상과 연관이 없는 많은 종류의 호르몬을 분비하고 있다.[2] 평균 나이는 55세이며 여성에서 좀 더 호발한다. 비기능종양은 산발적으로 발생하나 다발내분비선종양 1형과 폰히펠-린다우병에서 좀 더 흔하다. 증상은 복통, 체중 감소, 복부 종괴가 흔하며 영상 소견에서 우연히 발견되는 경우가 많아지고 있다.

평균적으로 비기능성 내분비췌종양이 기능성종양보다 크다. 평균 크기는 5~6 cm이며 가족성 증후군을 갖지 않는 경우에는 대부분 단발성이다. 크기가 크므로 낭성 변성이나 괴사로 인한 불균일한 모양을 보이고 석회화도 간혹 보인다(그림 84-12). 췌장 전장에 고르게 분포하며(그림 84-13) 발견 당시 전이성 병변이 60~80%에서 동반된다(그림 84-14).[13] 그러나 영상 소견은 비특이적이어서 췌장 선암(그림 84-15), 전이성 병변과 림프종 등과도 감별이 요구된다. 특히 신장암에서 기원한 췌장 전이는 과혈관성 내분비 종양과의 구분이 어려울 수 있다(그림 84-16).

3) 저분화 내분비암종
Poorly differentiated endocrine carcinomas

저분화 내분비암종은 전체 내분비 종양의 2~3%를 차지한다. 이 종양이 발견되면 팽대부 주위로 직접 침윤이 있는지를 확인해야 하며 보통 중년에서 노년기에 나타난다.

임상증상은 비특이적이며, 복통, 허리통증과 악액질(cachexia)이 나타난다. 신생물딸림증후군(paraneoplastic syndrome)으로 쿠싱증후군, 고칼슘증, 그리고 카르시노이드 증후군 등이 동반되기도 한다. 이 종양은 매우 치명적이어서 1년 이내 사망할 확률이 높다. 인접 연부 조직와 기관에 침습하는 경우와 전이성 병변이 흔하다.

원발성 종괴는 크기가 커서 평균 5.8 cm이며, 췌장

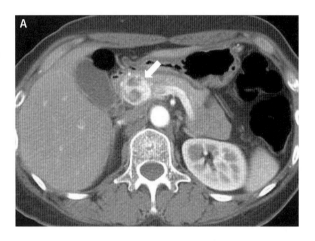
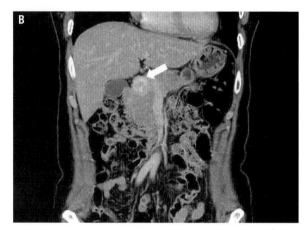

그림 84-12 │ 비기능성 내분비췌종양

지연 동맥기 축면(A)과 관상면(B)에서 낭성 변성이나 괴사로 인한 불균일한 모양을 보이는 종괴(arrow)가 췌장 두부에 보인다.

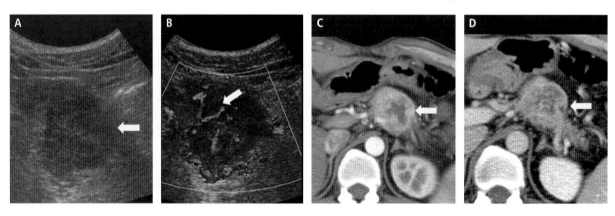

그림 84-13 │ 비기능성 내분비췌종양

복부 초음파(A)에서 불균질한 저에코성 종괴(arrow)로 보이고 컬러 도플러 초음파(B)에서 혈관이 증가되어 있는 소견(arrow)을 보인다. 지연 동맥기(C)와 문맥조영기(D) CT에서 불균질 조영증강 종괴(arrow)로 보이며 내부에 괴사로 인한 저밀도 영역을 가지고 있다.

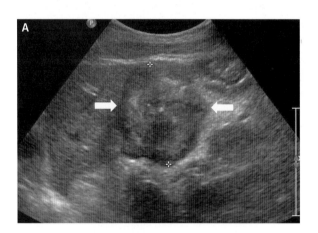
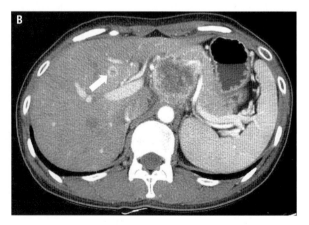

그림 84-14 │ 간전이를 동반한 비기능성 내분비췌종양

복부 초음파(A)에서 불균질한 크기가 큰 종괴(arrows)로 보이며 지연 동맥기 CT(B)에서 췌장 종괴와 간의 4분절에 테두리 모양의 조영 증강을 보이는 전이성 병변(arrow)이 보인다.

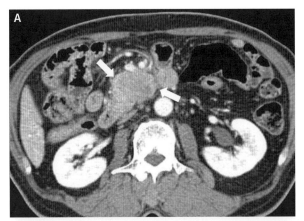

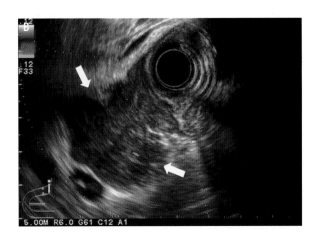

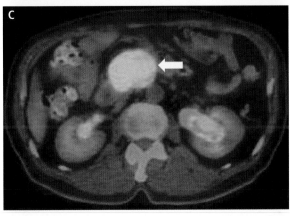

그림 84-15 | 비기능성 내분비췌종양와 감별이 어려운 경우
문맥조영기 CT(**A**)에서 췌장 두부와 갈고리돌기(uncinate process)에 비균질성 조영증강을 보이는 종괴(arrows)가 보이며 내시경초음파(**B**)에서 소엽모양의(lobulated) 저에코 종괴(arrows)가 보인다. FDG-PET/CT scan (**C**)에서 SUV가 증가되어 있다(arrow). 이 종괴는 췌장선암으로 진단되었다.

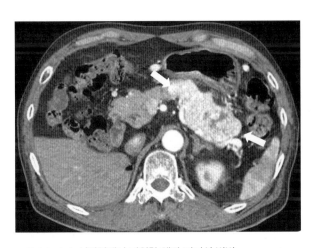

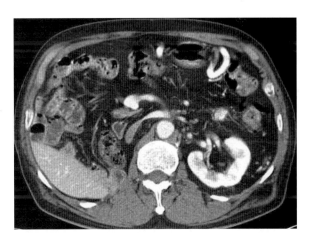

그림 84-16 | 신장암에서 기원한 췌장 전이성 병변
췌장 미부를 차지하는 과혈관성 종괴(arrows)가 지연 동맥기 CT(**A**)에서 보이며 이전에 신장암으로 오른쪽 신장을 절제하여 신장이 보이지 않는다(**B**). 췌장의 비기능성 내분비 종양과 영상 소견이 유사하여 감별 진단이 어렵다.

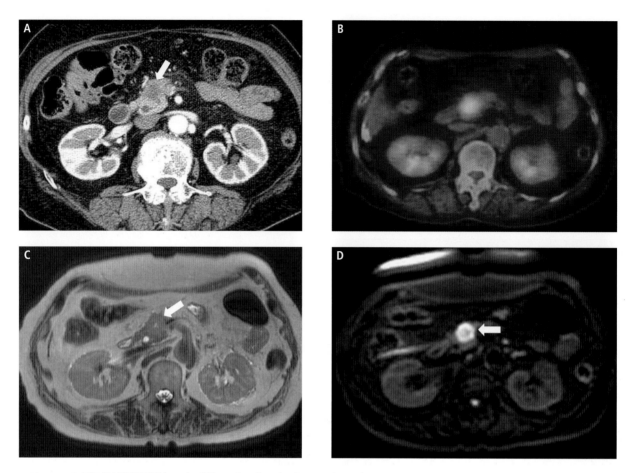

그림 84-17 | 저분화 내분비암종(poorly differentiated endocrine carcinoma)
지연 동맥기 CT(**A**)에서 경계가 불분명한 저감쇠 종괴(arrow)가 췌장 두부에 보이며 FDG-PET/CT scan(**B**)에서 uptake가 증가되어 있다. T2WI MR(**C**)에서 주변보다 높은 신호강도(arrow)를 보이며 내부가 비균질성으로 보인다. Diffusion-weighted image (b-value 1000)(**D**)에서 고신호강도(arrow)를 보여 악성 종괴임을 시사한다.

선암, 림프종이나 전이성 병변처럼 경도의 조영 증강을 보인다(그림 84-17A).[26] 보고된 증례에 따르면, 대부분이 췌장 두부에 위치하고 있으며 인접한 십이지장을 침범하여 담관 협착을 일으키는 경우가 많았다. ¹¹¹In-octreotide 스캔이 많이 도움은 되지 않으며 FDG-PET (positron emission tomography) CT scan이 도움이 될 수 있다(그림 84-17B). 림프절과 간전이를 동반하고 있었으며 원발성 종괴는 경계가 불분명하고 비균일한 테두리 모양의 조영 증강을 보였다. MR 소견은 췌장선암과 같이 T2WI에서 약간의 고신호강도를 보이고 조영 증강은 잘 되지 않는다(그림 84-17C, D).[35]

3. 증후군과 동반되는 내분비췌종양
Syndromes associated with PETs

1) 다발내분비선종양 1형
Multiple endocrine neoplasia type 1: MEN 1

1954년에 Wermer[40]가 보고한 내분비종양의 가족성 발현으로 다발성 부갑상선, 췌장, 뇌하수체 내분비 종양을 말한다. 다발내분비선종양 1형은 보통염색체우성질환(autosomal dominant)으로 발생은 5,000~50,000명 중에 한 명 꼴이다.[41]

임상증상은 부갑상선기능항진증이 90% 이상에서 나타나며, 30~80%에서 췌장이나 십이지장 내분비 종양이 보이며, 20~65%의 환자에서 뇌하수체 선종(adenoma)이 동반된다. 다른 드문 병변으로 폐와 전장(foregut) 카르시노이드종양, 갑상선종양, 부신종양과 갈색세포종(pheochromocytoma) 등이 있다.

전형적으로, 이런 환자들은 췌장의 다발성 미세선종(microadenoma)과 비기능성 내분비췌종양을 가지며, 대부분의 환자들에서 나타나는 기능성종양은 60%가 가스트린종이고 30%가 인슐린종이다.[42] 십이지장에 생긴 가스트린종이 췌장에서 생긴 것보다 예후가 좋다. 췌장 병변은 산발적으로 생기는 종양과 영상소견은 비슷하나 다발성이고 낭성 병변이 많은 것이 다른 점이다.[43]

2) 폰히펠-린다우병 Von Hippel-Lindau disease

폰히펠-린다우병은 상염색체우성질환이며 36,000~39,000명 중 한 명 꼴로 발생한다. VHL tumor suppressor gene의 변이로 인해 생기며 망막이나 중추신경계의 혈관모세포종(hemangioblastoma) 같은 다발성 투명세포암종(clear cell neoplasm)과 신장암, 갈색세포종, 췌장 장액낭선종(serous cystadenoma)과 내분비췌종양을 동반한다. 가장 흔한 췌장 병변은 장액낭선종과 동반되는 낭성 병변들이다.[44]

내분비췌종양은 이 질환의 12~17%에서 생기며 산발적으로 생기는 종양과 다른 점은 좀 더 어린 나이에 발병한다는 것(평균 나이, 38세)과 다발성으로 생긴다는 점이다. 투명세포변성은 산발적인 종양에서는 보기 드문 변화이다.

대부분의 내분비췌종양은 비기능종양이며 이 질환의 환자에서는 좀 더 천천히 자라고, 증상이 없어서 잘 발견되지 않는다. 전이성 병변의 발생도 더 낮다.

4. 치료와 예후

악성도와 나쁜 예후를 예측하는 가장 중요한 인자는 췌장 외로의 침습 소견과 전이성 병변의 유무이며, WHO 분류에서는 이 두 가지 인자로 고분화 내분비 종양을 진단하고 있다. 간전이가 없는 경우의 3년 생존율이 82%, 간전이가 있는 경우 56%로 보고하고 있다.[45]

고분화 내분비췌종양의 나쁜 예후 인자는 크기가 2~4 cm 이상, 혈관이나 신경의 침습이 있을 때, 고유사분열률, Ki-67 index가 높을 때와 염색체 이상이 있을 때이다. 보통 인슐린종은 크기가 작아서 침습이 있는 경우가 드물므로, 예후가 다른 종양과 비교하여 좋은 것으로 되어 있다. 비인슐린종의 내분비 종양은 재발이나 전이가 50~80%에서 일어나며, 5년 생존율이 50~65%이다.[2]

수술적 절제술이 유일한 완치 치료법이며 치료 방침은 전이성 병변의 유무에 따라 달라진다. 독립된 간전이 경우에는 절제술로 제거될 수 있으며 수술적 감량수술(debulking)이 증상 완화나 예후에 도움을 줄 수 있다.

저분화 내분비 종양의 경우는 소세포(small cell) 항암요법에 따라 반응할 수 있다. 간전이는 간동맥 색전술이나 고주파열치료술로 치료할 수 있다. 간문맥혈전이 있거나 전이성 병변이 있을 때는 색전술을 시행하지 않는다.

요약

내분비췌종양은 다양한 임상증상을 보이지만 공통적인 영상 소견을 보인다. 대부분의 고분화 종양은 CT와 MR 소견에서 경계가 좋은 과혈관성 병변으로 보이며 T2WI에서 고신호강도로 보인다. 크기가 작은 종양은 큰 종양에 비해서 균일한 조영 증강을 보이고, 크기가 큰 종양은 낭성 변성이나 괴사, 석회화 소견이 좀 더 흔하게 보인다. 저분화 종양을 제외하고 통증이 없는 경우가 많으

며, 다양한 종류의 치료 방법이 존재한다. 그러나 가족성
질환을 가진 환자에서는 다발성 종양이 생기므로 치료

가 어렵다.

REFERENCES

1. Pearse AG. The APUD concept and hormone production. Clin Endocrinol Metab 1980; 9(2):211-22.

2. Hruban R, Pitman MB, Klimstra DS. Tumors of the pancreas. In: Silverberg SG. SL ed. Book Tumors of the pancreas. 4th ed. City: American Registry of Pathology; 2007.

3. Kloppel G, Heitz PU. Pancreatic endocrine tumors. Pathol Res Pract 1988; 183(2):155-68.

4. Norton JA, Doppman JL, Collen MJ, et al. Prospective study of gastrinoma localization and resection in patients with Zollinger-Ellison syndrome. Ann Surg 1986; 204(4):468-79.

5. Heitz PU, Komminoth P., Perren A, et al. Pancreatic endocrine tumors: introduction. In: DeLellis RA. LR, Heitz PU.,Eng C. ed. Book Pancreatic endocrine tumors: introduction. City: IARC; 2004;177-82.

6. Heitz PU, Kasper M, Polak JM, Kloppel G. Pancreatic endocrine tumors. Hum Pathol 1982;13(3):263-71.

7. Malago R, D'Onofrio M, Zamboni GA, et al. Contrast-enhanced sonography of nonfunctioning pancreatic neuroendocrine tumors. AJR Am J Roentgenol 2009;192(2):424-30.

8. Noone TC, Hosey J, Firat Z, Semelka RC. Imaging and localization of islet-cell tumours of the pancreas on CT and MRI. Best Pract Res Clin Endocrinol Metab 2005;19(2):195-211.

9. Smith TM, Semelka RC, Noone TC, Balci NC, Woosley JT. Islet cell tumor of the pancreas associated with tumor thrombus in the portal vein. Magn Reson Imaging 1999;17(7):1093-6.

10. Gouya H, Vignaux O, Augui J, et al. CT, endoscopic sonography, and a combined protocol for preoperative evaluation of pancreatic insulinomas. AJR Am J Roentgenol 2003;181(4):987-92.

11. Buetow PC, Miller DL, Parrino TV, Buck JL. Islet cell tumors of the pancreas: clinical, radiologic, and pathologic correlation in diagnosis and localization. Radiographics 1997;17(2):453-72; quiz 72A-72B.

12. Fidler JL, Fletcher JG, Reading CC, et al. Preoperative detection of pancreatic insulinomas on multiphasic helical CT. AJR Am J Roentgenol 2003;181(3):775-80.

13. Mansour JC, Chen H. Pancreatic endocrine tumors. J Surg Res 2004;120(1):139-61.

14. Pitre J, Soubrane O, Palazzo L, Chapuis Y. Endoscopic ultrasonography for the preoperative localization of insulinomas. Pancreas 1996;13(1):55-60.

15. Anderson MA, Carpenter S, Thompson NW, Nostrant TT, Elta GH, Scheiman JM. Endoscopic ultrasound is highly accurate and directs management in patients with neuroendocrine tumors of the pancreas. Am J Gastroenterol 2000; 95(9):2271-7.

16. Zimmer T, Scherubl H, Faiss S, Stolzel U, Riecken EO, Wiedenmann B. Endoscopic ultrasonography of neuroendocrine tumours. Digestion 2000; 62 Suppl 1:45-50.

17. Grant CS, Charboneau JW, Reading CC, James EM, Galiber A. Insulinoma: the value of intraoperative ultrasonography. Wien Klin Wochenschr 1988;100(11):376-80.

18. Norton JA, Cromack DT, Shawker TH, et al. Intraoperative ultrasonographic localization of islet cell tumors. A prospective comparison to palpation. Ann Surg 1988;207(2):160-8.

19. Sheth S, Hruban RK, Fishman EK. Helical CT of islet cell tumors of the pancreas: typical and atypical manifestations. AJR Am J Roentgenol 2002;179(3):725-30.

20. Kalra MK, Maher MM, Mueller PR, Saini S. State-of-the-art imaging of pancreatic neoplasms. Br J Radiol 2003;76(912):857-65.

21. King AD, Ko GT, Yeung VT, Chow CC, Griffith J, Cockram CS. Dual phase spiral CT in the detection of small insulinomas of the pancreas. Br J Radiol 1998;71(841):20-3.

22. Horton KM, Hruban RH, Yeo C, Fishman EK. Multi-detector row CT of pancreatic islet cell tumors. Radiographics 2006;26(2):453-64.

23. Stafford Johnson DB, Francis IR, Eckhauser FE, Knol JA, Chang AE. Dual-phase helical CT of nonfunctioning islet cell tumors. J Comput Assist Tomogr 1998;22(1):59-63.

24. Somogyi L, Mishra G. Diagnosis and staging of islet cell tumors of the pancreas. Curr Gastroenterol Rep. 2000; 2(2):159-64.

25. Thoeni RF, Mueller-Lisse UG, Chan R, Do NK, Shyn PB. Detection of small, functional islet cell tumors in the pancreas: selection of MR imaging sequences for optimal sensitivity. Radiology 2000;214(2):483-90.

26. Ichikawa T, Peterson MS, Federle MP, et al. Islet cell tumor of the pancreas: biphasic CT versus MR imaging in tumor detection. Radiology 2000; 216(1):163-71.

27. Whipple AO, Frantz VK. Adenoma of Islet Cells with Hyperinsulinism: A Review. Ann Surg 1935;101(6):1299-335.

28. Ectors N. Pancreatic endocrine tumors: diagnostic pitfalls. Hepatogastroenterology 1999; 46(26):679-90.

29. Semelka RC, Custodio CM, Cem Balci N, Woosley JT. Neuroendocrine tumors of the pancreas: spectrum of appearances on MRI. J Magn Reson Imaging 2000;11(2):141-8.

30. Kurosaki Y, Kuramoto K, Itai Y. Hyperattenuating insulinoma at unenhanced CT. Abdom Imaging 1996; 21(4):334-6.

31. Balci NC, Semelka RC. Radiologic features of cystic, endocrine and other pancreatic neoplasms. Eur J Radiol 2001;38(2):113-9.

32. Morganstein DL, Lewis DH, Jackson J, et al. The role of arterial stimulation and simultaneous venous sampling in addition to cross-sectional imaging for localisation of biochemically proven insulinoma. European radiology 2009; 19(10):2467-73.

33. Zollinger RM, Ellison EH. Primary peptic ulcerations of the jejunum associated with islet cell tumors of the pancreas. Ann Surg 1955;142(4):709-23; discussion, 24-8.

34. Chastain MA. The glucagonoma syndrome: a review of its features and discussion of new perspectives. Am J Med Sci 2001;321(5):306-20.

35. Lewis RB, Lattin GE, Jr., Paal E. Pancreatic endocrine tumors: radiologic-clinicopathologic correlation. Radiographics

2010;30(6):1445-64.

36. Heller MT, Shah AB. Imaging of neuroendocrine tumors. Radiol Clin North Am 2011; 49(3):529-48, vii.

37. Rosch T, Lightdale CJ, Botet JF, et al. Localization of pancreatic endocrine tumors by endoscopic ultrasonography. N Engl J Med 1992; 326(26):1721-6.

38. O'Dorisio TM, Mekhjian HS, Gaginella TS. Medical therapy of VI-Pomas. Endocrinol Metab Clin North Am 1989; 18(2):545-56.

39. Ghaferi AA, Chojnacki KA, Long WD, Cameron JL, Yeo CJ. Pancreatic VIPomas: subject review and one institutional experience. J Gastrointest Surg 2008; 12(2):382-93.

40. Wermer P. Genetic aspects of adenomatosis of endocrine glands. Am J Med 1954;16(3):363-71.

41. Kouvaraki MA, Shapiro SE, Cote GJ, et al. Management of pancreatic endocrine tumors in multiple endocrine neoplasia type 1.

World J Surg 2006;30(5):643-53.

42. Scarsbrook AF, Thakker RV, Wass JA, Gleeson FV, Phillips RR. Multiple endocrine neoplasia: spectrum of radiologic appearances and discussion of a multitechnique imaging approach. Radiographics 2006;26(2):433-51.

43. Ligneau B, Lombard-Bohas C, Partensky C, et al. Cystic endocrine tumors of the pancreas: clinical, radiologic, and histopathologic features in 13 cases. Am J Surg Pathol 2001;25(6):752-60.

44. Blansfield JA, Choyke L, Morita SY, et al. Clinical, genetic and radiographic analysis of 108 patients with von Hippel-Lindau disease(VHL) manifested by pancreatic neuroendocrine neoplasms(PNETs). Surgery 2007;142(6):814-8; discussion 8 e1-2.

45. Thompson GB, van Heerden JA, Grant CS, Carney JA, Ilstrup DM. Islet cell carcinomas of the pancreas: a twenty-year experience. Surgery 1988;104(6):1011-7.

내분비췌장의 핵의학 영상진단
Scintigraphic Imaging of the Endocrine Pancreas

| 서울대학교 의과대학 핵의학과 **천기정**

췌도세포종양은 신경내분비 기원의 비교적 드문 종양이다. 이들 중 85%는 생물학적으로 활성물질을 분비하여 특정 임상 증후를 나타내며 분비하는 호르몬에 따라 이름을 붙인다. 인슐린종이 가장 흔하며 약 60%를 차지한다. 가스트린종이 두 번째로 흔하며 약 20%를 차지한다. 그 외 드물게 글루카곤종, 소마토스타틴종, VIP 분비종 등이 있다. 카르시노이드는 위장관 어디에서나 발생할 수 있는 내분비 종양이다.

1. 소마토스타틴 수용체 영상
Somatostatin Receptor Scintigraphy, SRS

소마토스타틴(somatostatin-14)은 분자량이 1,640으로 14개 아미노산을 가진 고리모양의 폴리펩티드이

다. 28개의 아미노산으로 이루어진 소마토스타틴(soma-tostatin-28)도 동정되었는데 소마토스타틴-14의 N-말단에서 14개의 아미노산기가 더 연결되어 있으며 소마토스타틴-14의 전구호르몬으로 생각된다. 소마토스타틴은 시상하부에서 처음 발견되었고 성장 호르몬(growth hormone, somatotropin) 분비를 억제하는 능력이 있다고 하여 이런 이름이 붙여졌으나 그 후 뇌피질, 뇌간, 위장관, 췌장 등의 여러 조직에서 발견되었다. 소마토스타틴은 성장 호르몬 이외에도 여러 호르몬, 즉 인슐린이나 글루카곤 등의 분비를 억제하고 위배출 시간을 지연시키고 위산과 가스트린 분비를 억제한다. 또한 신경계에서 신경전달물질로 작용한다. 소마토스타틴의 작용은 수용체(somatostatin transmembrane receptor, SSTR)에 의해 매개된다. 수용체는 현재 다섯 종류의 아형(subtype; SSTR 1-5)이 발견되었다(표 85-1). 수용체는 아데닐릴사이클라아제(adenylyl cyclase) 활성을 억제하여 그 작용을

표 85-1 | 소마토스타틴 수용체(Cloned Human Somatostatin Transmembrane Receptors (SSTR))의 활성 강도와 선택능, K1 (nM)

	SSTR-1	SSTR-2	SSTR-3	SSTR-4	SSTR-5
Somatostatin-14	1.1	1.3	1.6	0.53	0.9
Somatostatin-28	2.2	4.1	6.1	1.1	0.07
Octreotide	>1,000	2.1	4.4	>1,000	5.6

나타낸다. 수용체는 신경내피 기원의 많은 세포에서 관찰되는데, 뇌하수체 전엽의 성장호르몬 분비세포, 뇌, 위장관, 뇌하수체, 부신, 갑상선의 C 세포, 내분비 및 외분비 췌장세포, 신장 등에서 관찰되며 활성화된 림프구에서도 관찰된다. 또한 여러 종류의 양성 및 악성 종양에서도 발견되는데, 아민전구물질 섭취 및 탈카복시화 종양(amine precursor uptake and decarboxylation tumor, APUD tumor) 성질을 가진 뇌하수체종양, 내분비췌장 종양, 카르시노이드, 부신경절종, 소세포암, 갑상선수질암, 갈색세포종, 신경모세포종, 수막종, 분화성 신경교종, 일부의 유방암, 호지킨병, 림프종, 육아종성 질환 등에서 발견된다.

1) 방사성의약품

생리적인 소마토스타틴의 혈장 농도는 80 pg/ml을 거의 넘지 않으며 체외에서 주입한 소마토스타틴의 반감기는 약 1~2분으로 대사제거율이 매우 빠르다. 소마토스타틴의 짧은 반감기를 극복하고 임상적으로 이용하기 위해 더 긴 작용시간을 가진 소마토스타틴유사체를 개발하게 되었다. 소마토스타틴의 4개 아미노산기(Phe-Trp-Lys-Thr)가 생물학적 활성을 나타내기 위해 필요하며 현재 합성 펩티드인 옥트레오티드(octreotide, SMS 201-995)가 가장 널리 사용되고 있다. 옥트레오티드는 피하주사하면 약 90~120분의 반감기를 가지며 약물학적인 활성은 8~12시간 지속된다. 소마토스타틴은 다섯 종류의 수용체 아형에 모두 친화성을 보이나, 옥트레오티드는 0.1~1 nM 범위에서 SSTR-2에 가장 강한 친화성을 보이며, SSTR-3, 5에 약하게 결합한다(표 85-1). 하지만 SSTR-1, 4에는 결합하지 않는다. 상품화되어 있는 방사성의약품인 ^{111}In-pentetreotide kit에는 10 µg의(DTPA-D-Phe^1) octreotide가 있으며, 정맥주사 후 최대 혈중 농도는 약 0.5 nM이 된다. 종양세포는 SSTR-1, 2, 3 중에서 한 가지 이상을 발현하며 SSTR-2가 가장 흔히 존재하여, 소마토스타틴 수용체 영상에서 관찰된다.

소마토스타틴 수용체 영상을 위해(^{123}I-Tyr^3)-octreotide (SMS 204-090)가 처음 소개되어 소마토스타틴 수용체가 있는 종양의 영상을 얻었다. 하지만(^{123}I-Tyr^3)-octreotide는 표지 과정이 어렵고 주로 간으로 배설되므로 복부 병소를 찾는데 방해가 된다. 또한 ^{123}I의 반감기가 비교적 짧고 가격이 비싸며 ^{123}I이 체 내에서 유리되는 단점이 있다. 그 후(DTPA-D-Phe$_1$)octreotide(SDZ 215-811)를 ^{111}In에 쉽게 표지하는 방법이 소개되어 ^{111}In-pentetreotide가 실용화되었다. ^{111}In-pentetreotide는 주로 신장으로 배설되며, 따라서 간, 담낭, 장의 방사능은 (^{123}I-Tyr^3)-octreotide보다 적다.

2) 환자 전처치

검사 전에 특별한 전처치는 필요없다. 방사능 비표지 옥트레오티드를 이용한 치료는 ^{111}In-pentetreotide를 이용한 종양의 영상에는 별다른 영향을 미치지 않는다는 견해도 있지만, ^{111}In-pentetreotide의 생체 분포에 영향을 줄 수 있어 최소한 48시간 옥트레오티드를 금할 것을 권하고 있다. 하지만 옥트레오티드 치료가 소마토스타틴 수용체의 상향조절(up-regulation)을 야기하여 ^{111}In-pentetreotide 영상에서 간, 비장, 신장 등 정상 조직의 섭취는 감소하며 종양 대 배후 방사능의 비가 증가된다는 보고도 있어 이러한 현상에 대해 더 연구가 필요하다. 옥트레오티드 치료에 의한 방사성 의약품의 분포 변화는 특히 방사선 표지 소마토스타틴 유도체로 방사선 치료를 고려하는 경우에 정상조직의 방사선량을 감소시키는데 중요한 역할을 할 것으로 보인다. 신장으로의 배설을 촉진시키기 위해 수분을 많이 섭취하도록 하고 장내 방사능을 최소화하기 위해 완하제를 투여하기도 한다.

3) 영상법

^{111}In-pentetreotide 6 mCi를 정맥주사 후 4, 24시간에 평

면영상과 SPECT 영상을 얻고 필요한 경우 48시간에 추가 영상을 얻는다. 4시간 영상에서는 장으로 배설된 방사능이 거의 없는 장점이 있고, 24시간 영상에서는 병소 대 배후 방사능의 비가 높은 장점이 있다. 다른 장기에 의해 겹치는 부위에 종양이 의심되거나 복부의 작은 종양이 의심되는 경우 SPECT 영상을 반드시 얻어야 한다.

4) 영상해석

[111]In-pentetreotide는 주로 신장으로 배설된다. ^{111}In-pentetreotide의 체 내 반감기는 약 2.8일로 24 및 48시간 영상이 가능하다. ^{111}In-pentetreotide는 정맥주사 후 주로 신장을 통해 급속하게 제거되며 약 2%만이 간담도로 배설된다. 24시간 영상에서 정상적인 분포를 보이는 장기는 뇌하수체, 갑상선, 유방, 비장, 신장, 방광, 간, 담낭, 장관 등이다. 장관의 방사능은 주사 후 4시간에는 약 25%에서, 24시간에는 85%에서 관찰된다

내분비 종양의 진단과 병기결정은 임상적으로 어려운 경우가 많다. 혈중 호르몬 농도가 증가되어 있는 것이 진단의 증거가 되지만 종양의 크기가 작은 경우가 대부분이며 초음파촬영술이나 컴퓨터단층촬영술과 같은 통상적인 영상으로 종양을 정확히 찾기가 힘들다. 혈관촬영술과 선택적인 정맥혈 시료채취(sampling)는 특이성은 높지만 기술적으로 어려운 경우가 많다. 이러한 경우에 소마토스타틴 수용체 영상은 종양을 찾는데 큰 도움이 된다. 특히 비기능종양이나 전이가 의심되지 않은 경우에 더 유용하다. 이들 종양에 대한 소마토스타틴 수용체 영상의 전반적인 민감도는 약 86%로 컴퓨터단층촬영술이나 자기공명영상의 68%에 비해 더 우수하다. 소마토스타틴 수용체 영상법은 종양의 크기가 작더라도 수용체의 밀도가 높아 민감도가 우수하다.

(1) 가스트린종

가스트린종은 종양의 크기가 작아도 가스트린을 많이 분비하여 졸링거-앨리슨(Zollinger-Ellison) 증후군을 일

으킨다. 비교적 서서히 자라며 약 반수 이상에서 간이나 복부 림프절에 전이를 일으킨다. 컴퓨터단층촬영술이나 자기공명영상은 작은 종양을 찾는데 많은 한계를 보인다. 가스트린종은 체외 검사에서 거의 모든 종양이 소마토스타틴 수용체를 가지고 있어, 소마토스타틴 수용체 영상은 가스트린종을 찾는데 매우 유용하게 쓰일 수 있다(그림 85-1). 소마토스타틴 수용체 영상은 수술 전에 원발병소를 국소화하고 전이병소를 찾음으로써 치료의 선택에 영향을 주게 된다. 해부영상에서 절제술의 적응이 된 환자의 약 26%에서 전이병소를 발견함으로써 치료방법을 바꾸게 되었다는 보고가 있다(그림 85-2). 모든 종양이 수용체를 가지고 있지만 소마토스타틴 수용체 영상의 민감도는 100%가 되지 않는데, 종양의 크기 및 위치, 수용체 밀도, 방사성의약품의 투여량 및 검사법 등에 차이가 있기 때문으로 생각된다. 가스트린종을 진단하는 또 다른 검사인 내시경초음파검사는 매우 민감한 검사법이지만 십이지장 및 췌장의 종양만 발견할 수 있으며, 전이병소는 찾을 수 없고 시술자의 능력에 크게 의존한다. 컴퓨터단층촬영술, 자기공명영상, 초음파촬영술, 혈관촬영술과 비교한 연구에서 소마토스타틴 수용체 영상은 가스트린종 위치를 확인하는 가장 우수한 단일 검사법이며, 비용-효용가치 면에서도 가장 중요한 검사로 인식되고 있다.

(2) 인슐린종

인슐린종의 경우에는 50% 미만의 양성률을 보이는데 이는 소마토스타틴 수용체가 없거나, 옥트레오티드에 친화성이 낮은 수용체(SSTR-3) 때문으로 생각된다. 또, 대부분의 인슐린종은 단독성이므로 컴퓨터단층촬영 등에서 종양이 확인되면 소마토스타틴 수용체 영상을 이용해 전신을 검사할 필요는 없다.

인슐린종에 대한 소마토스타틴 수용체 영상의 역할은 옥트레오티드치료에 대한 반응을 예견할 수 있다는 점이다. 소마토스타틴 수용체 영상에서 양성을 보이는 인슐린종은 옥트레오티드 치료에 좋은 반응을 보이며, 음성인 환자는 반응하지 않는다는 것이 알려졌다. 만약

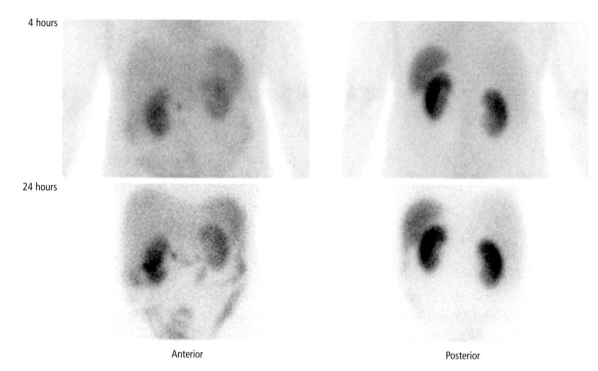

4 hours

24 hours

Anterior

Posterior

그림 85-1 | 가스트린종의 소마토스타틴 수용체 영상(Planer image).
111In-pentetreotide를 6 mCi 정주한 뒤 4시간 째 촬영한 결과, 가스트린종이 우측 신장 내측에서 보임. 24시간 후에 촬영한 영상에서는 간담도계 배출에 의해 가려짐.

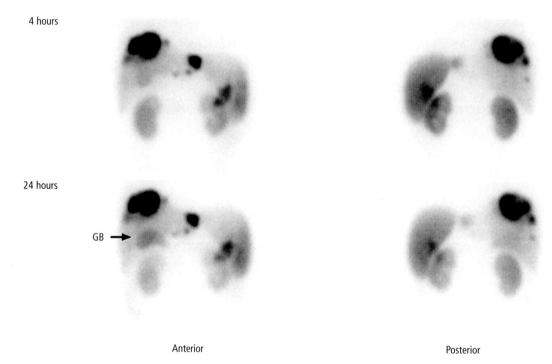

4 hours

24 hours

GB

Anterior

Posterior

그림 85-2 | 가스트린종의 소마토스타틴 수용체 영상(Planer image).
111In-pentetreotide를 6 mCi 정주한뒤 4시간, 24시간 째 촬영한 결과,간 , 비장 내측, 담낭 등에 다발성 가스트린종이 보임.

772

소마토스타틴 수용체 영상에서 음성인 환자에게 옥트레오티드를 투여한다면 인슐린종에서의 인슐린 분비는 억제되지 않고 길항호르몬인 글루카곤 등의 분비는 억제되어 저혈당이 더 심해질 수 있다. 따라서 소마토스타틴 수용체 영상은 인슐린종의 소마토스타틴 수용체에 관한 정보를 치료 전에 제공함으로써 옥트레오티드 치료의 심각한 부작용을 피할 수 있다.

(3) 카르시노이드

거의 모든 카르시노이드 환자에서 종양의 국소화가 가능한데, 전체적인 민감도는 약 87%이다. 소마토스타틴 수용체 영상과 컴퓨터단층촬영술, 초음파촬영술을 비교한 연구에서 소마토스타틴 수용체 영상은 간외 병소를 찾는데 더 우수하였으며 새로운 추가 병소를 확인할 수 있었다. 하지만, 일부 간 전이 병소는 정상적인 간의 섭취로 인해 놓칠 수 있다. 소마토스타틴 수용체 영상은 카르시노이드의 수술전 병기결정이나 재발의 평가에 통상적인 영상 진단법과 함께 상호 보완적으로 사용하여야 할 것으로 보인다.

(4) 기타 위장관-내분비췌종양

VIP (vasoactive intestinal peptide) 분비 종양, 글루카곤종 등에서 양성을 보인다고 보고되어 있다. 또한 비기능성 췌장 종양(non-secreting pancreatic tumor)의 82%에서 양성을 보였다. 소마토스타틴 수용체 영상은 해부영상과 비교한 연구에서 더 많은 병소를 찾을 수 있었으며 약 40%의 환자에서 치료에 변화를 주는 정보를 제공하였다. 따라서 소마토스타틴 수용체 영상은 해부영상에 추가적인 유용한 정보를 제공한다.

5) 감마 탐색자(gamma probe)를 이용한 수술 중 종양의 발견

소마토스타틴 수용체 영상의 또 한 가지 응용방법은 수술중에 감마 탐색자를 이용하여 종양을 찾는 것이다. 대부분의 신경내분비 종양은 수술이 유일한 치료법인 경우가 많으나 종양의 크기가 작아 수술중에 종양을 쉽게 찾지 못하는 경우도 생긴다. 수술 24시간 전에 ^{111}In-pentetreotide를 주사한 후 특별히 고안된 탐색자를 수술중에 이용하면 촉진이나 소마토스타틴 수용체 영상보다 더 많은 병소를 찾을 수 있으며, 5 mm 크기의 작은 병소도 발견하여 제거할 수 있다.

6) 방사선표지 소마토스타틴유사체를 이용한 방사선치료

방사선표지 옥트레오티드를 주사한 후 48시간 후의 지연영상에서 종양이 계속 보인다는 것은 이 물질이 종양 내에 내재화(internalization) 되었다는 것을 의미한다. 따라서 알파 혹은 베타선 방출 방사성핵종으로 표지하여 치료목적으로 사용할 수 있다. 다량의 ^{111}In-pentetreotide로 말기 신경내분비 종양환자에게 치료를 시도하여 특별한 부작용 없이 호르몬 분비를 감소시킨 보고가 있다. 하지만 [111]In에서 방출되는 아우거 혹은 전환전자(Auger or conversion electron)는 치료목적에 적합하지 않으며, 베타선 방출핵종에 표지하려는 연구가 진행되고 있다. [90]Y은 최대 베타 에너지가 2.3 MeV이며, 반감기가 64시간으로 방사선치료에 적절한 핵종으로 선택되어 여러 리간드에 표지한 연구가 진행되고 있다. 방사선표지 옥트레오티드를 이용한 치료는 표적 대 배후방사능의 비가 높고 정상 장기에 분포가 적어 방사선치료에 유리한 점을 지니고 있지만 신장의 섭취는 여전히 높은 편이다. D-lysine을 투여하면 방사선표지 옥트레오티드의 신장 섭취를 줄일 수 있다는 보고가 있으며, 앞에서 언급한 방사능비표지 옥트레오티드가 방사성의약품의 신장 및 간의 섭취를 줄일 수 있다는 보고와 함께 방사선표지 펩티드를 이용한 치료에 긍정적인 작용을 할 것으로 기대된다.

2. 양전자방출단층촬영
Positron Emission Tomography, PET

PET이 보편화되면서 내분비종양 환자의 진단과정에 PET을 이용한 분자영상(molecular imaging)도 활발히 연구되고 있다.

1) FDG Fluorodeoxyglucose

종양의 증가된 당대사를 나타내는 영상으로, 악성 갈색세포종, 높은 증식능을 보이는 위장관췌장종양, 갑상선수질암 전이 병변 등에서 양성소견을 보인다. 일부 증식속도가 빠른 신경내분비종양, 미분화암 등의 진단에 사용할 수 있으나, 대부분의 신경내분비종양에서 FDG 섭취는 낮아 소마토스타틴 수용체 스캔이나 MIBG 스캔이 더 적합하다.

2) 아민 전구물질 L-DOPA (L-dihydroxyphenylalanine, ¹¹C-DOPA, ¹⁸F-DOPA), 5-HTP (5-hydroxyl-L-tryptophan, ¹¹C-HTP)

신경내분비종양은 아민 전구물질 섭취 대사과정과 밀접한 관련이 있어, 아민 전구물질인 5-hydroxy-L-tryptophan, L-DOPA를 ¹¹C, ¹⁸F에 표지하여 PET 영상에 이용할 수 있다. 아민 전구물질을 이용한 PET은 FDG-PET에 비해 신경내분비종양의 진단에 더 우수하다. 신경내분비종양의 특이한 대사과정을 영상함으로써 소마토스타틴 수용체 영상보다 높은 민감도를 보일 것으로 예상되며, 특히 골전이, 종격동 종양, 췌장 종양의 진단에 유용한 것으로 보고되고 있다.

3) 소마토스타틴 유사체 ⁶⁸Ga-DOTA-TOC, 68Ga-DOTA-NOC

소마토스타틴 수용체는 대부분의 신경내분비종양에서 발현되어 있어 이를 영상하기 위한 많은 PET용 리간드를 연구 중이다. ⁶⁸Ga은 물리적 반감기가 68분인 양전자방출 핵종으로 ⁶⁸Ga 발생기장치를 이용하여 생산된다. 소마토스타틴 수용체 PET영상은 octreoscan에 비해 높은 민감도를 보인다. 소마토스타틴 수용체 PET은 CT에서 발견하지 못한 병소를 더 많이 발견할 수 있고, 신경내분비종양 환자의 방사선표지 펩티드에 의한 치료(peptide-receptor radionuclide therapy, PRRT) 용량의 결정 및 치료의 평가 등에 사용될 수 있다.

REFERENCES

1. Bae SK. Somatostatin receptor scintigraphy. J Korean Nucl Med 1999;33:11-27.
2. Virgolini I, Traub-Wedinger T, Decristoforo C. Nuclear Medicine in the detection and management of pancreatic islet-cell tumours. Best Pract Res ClinEndocrinolMetab 2005;19:213-27.
3. Baum RP and Prasad V. PET and PET/CT imaging of neuroendocrine tumors. In: Wahl RL, editor. Principles and practice of PET and PET/CT. 2nd ed. Philadelphia : Lippincott Williams & Wilkins; 2009. p. 411-37.

내분비 췌장의 병리
Pathology of the Endocrine Pancreas

▍ 울산대학교 의과대학 병리과 **홍승모**

1. 정상 내분비 췌장 Normal endocrine pancreas

내분비 췌장은 성인 췌장의 1~2%를 차지한다. 내분비 췌장의 대부분은 내분비 세포의 집단인 랑게르한스섬(islets of Langerhans)으로 구성되며, 췌장 전반에 산발적으로 흩어져 있다. 이들 섬세포들은 다양한 종류의 호르몬을 분비하며, 글루카곤(glucagon)을 분비하는 알파세포, 인슐린(insulin)을 분비하는 베타세포, 소마토스타틴(somatostatin)을 분비하는 델타세포, 췌장다발펩티드(pancreatic polypeptide)를 분비하는 PP 세포 등으로 구성된다.[1] 베타세포는 전체 섬세포의 60~70%를 차지하면, 섬의 중앙에 분포하며, 알파세포는 전체 섬세포의 15~20%를 차지하고 있고, 섬의 주변부에 분포한다. 반면 델타세포와 PP 세포의 분포는 드물다.[2] 반면, 정상 섬세포에서 가스트린(gastrin), 세로토닌(serotonin), 장다발펩티드(intestinal polypeptide) 등의 호르몬은 분비하지 않는다. 이들 내분비세포는 미세한 염색질을 함유한 둥근 모양의 핵을 가지며, 세포의 크기는 일정하다. 내분비세포는 기둥 모양 배열(trabecular pattern)을 하며 내분비세포 사이에 혈관이 일정한 간격으로 분포하고 있다(그림 86-1).[1]

2. 신경내분비종양 Neuroendocrine tumor

췌장의 내분비기능을 담당하는 랑게르한스섬과 닮은 종양을 신경내분비종양이라 정의하고, 전체 췌장 종양의 약 3%를 차지한다. 신경내분비종양은 원발성 췌장종양 중 췌장관샘암종(ductal adenocarcinoma) 다음으로 빈번히 발생하는 종양이며, 대부분 성인에서 발생한다.[3] 육안검사에서 대부분 팽창성 성장양상을 보이며, 종양의 경계는 좋고, 대개 노란색, 살구색, 또는 갈색의 단면을 보인다(그림 86-2).[4] 일부의 종양에서는 점상출혈 또는 출혈 소견이 관찰된다. 약 10%의 신경내분비종양은 고형이 아닌 단발성 낭성 종양의 형태로 관찰되며, 이 경우 섬유화된 단단한 격벽으로 이루어지고 낭액을 포함한다.[5] 대부분의 신경내분비종양은 단발성의 고형종양으로 관찰되지만, 다발성으로 발생할 경우에 폰히펠-린다우병(von Hippel-Lindau disease), 다발내분비종양증후군(Multiple Endocrine Neoplasia Syndrome), 신경섬유종증(neurofibromatosis) 등의 유전성 증후군과 연관된다.[2] 신경내분비종양은 신경내분비 표지자인 synaptophysin, chromogranin, CD56, neuron specific enolase, protein gene product (PGP) 9.5 등의 면역화학검색으로 진단한다(그림 86-3).

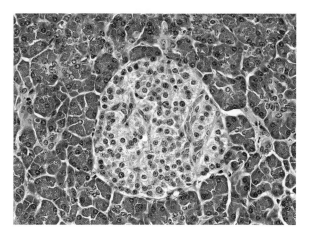

그림 86-1 | 정상내분비 췌장
내분비세포는 기둥 모양 배열을 하고 있고, 내분비세포 사이에 혈관이 일정한 간격으로 분포하고 있다(Hematoxylin-Eosin염색, 200배).

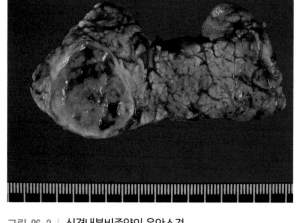

그림 86-2 | 신경내분비종양의 육안소견
주변과 경계가 좋은 연갈색의 고형 종괴가 관찰된다. 종괴내부에서 일부의 점상 출혈이 보인다.

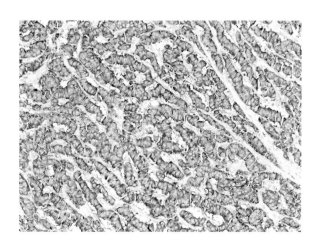

그림 86-3 | 신경내분비종양
기둥모양으로 배열된 신경내분비종양세포가 신경내분비 표지자인 syn-aptophysin에 발현을 보인다(Synaptophysin염색, 200배).

1) 신경내분비종양 Neuroendocrine tumor

좋은 분화를 보이는 신경내분비종양은 기둥(trabecular), 샘(glandular), 관상세엽선(tubuloacinar), 고형(solid), 리본(gyriform), 거짓로제트(pseudorosette) 모양 등의 다양한 성장양상을 보인다. 종양세포는 둥글거나 다각형모양을 보이며 모양과 크기가 일정하다. 둥근 모양의 핵을 가지며, 미세한 염색질을 함유한다. 각 신경내분비종

양을 구성하는 종양세포의 종류에 따라 과도하게 생산되는 호르몬에 의하여 나타나는 임상증상의 유무에 따라, 기능성 또는 비기능성 신경내분비종양으로 분류한다. 기능성 종양은 환자의 임상증상 발현 여부에 따라서 판정하며, 해당 호르몬에 대한 면역조직화학염색의 발현 정도로 판정하지는 않는다.[4] 약 반수의 신경내분비종양이 기능성 종양으로 분류되며, 인슐린종(insulinoma)이 기능성 신경내분비종양 중 가장 흔하고, 글루카곤종(glucagonoma), 가스트린종(gastrinoma), 소마토스타틴종(somatostatinoma)의 빈도로 관찰된다. 대체로 비기능성 신경내분비종양이 기능성 종양보다 악성의 빈도가 높다. 외과적 절제술을 받은 비기능성 신경내분비종양에서 다종 호르몬에 대한 면역조직화학염색을 시행하여 다종 호르몬의 과발현이 관찰되는 환자의 경우, 발현이 없는 환자에 비하여 높은 생존율을 보인다.[6]

종양의 악성도는 종양세포의 분화도(differentiation), 유사분열(mitosis), 세포증식능(Ki-67 proliferation index)에 의하여 결정된다(그림 86-4, 표 86-1).[3] WHO 신경내분비종양의 분류에 의하면 췌장의 신경내분비종양은 종양의 크기가 0.5 cm 미만인 신경내분비미세선종(neuroendocrine microadenoma)을 제외한 모든 신경내분비종양은 임상적으로 악성종양이다.[3] 림프절 전이나 원격

표 86-1 | 2017년 WHO 신경내분비종양의 분류

악성도	분화도	10 고배율 시야당 유사분열	세포증식능(Ki-67 proliferation index, %)
신경내분비종양 G1	좋은 분화도	<2	<3%
신경내분비종양 G2	좋은 분화도	2~20	3~20%
신경내분비종양 G3	좋은 분화도	>20	>20%
신경내분비암종	나쁜 분화도	>20	>20%

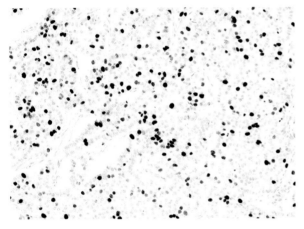

그림 86-4 | 신경내분비종양의 악성도 평가를 위한 세포증식능 예시
약 24%의 신경내분비종양 세포가 Ki-67에 염색이 되어서 신경내분비종양 G3로 평가된다(Ki-67염색, 200배).

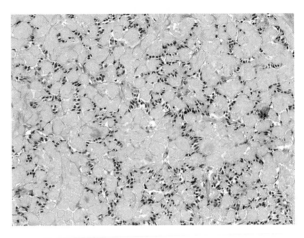

그림 86-5 | 인슐린종의 현미경 소견
기둥 모양의 배열을 한 종양세포와 주변으로 아밀로이드의 침착이 관찰된다(Hematoxylin-Eosin염색, 200배).

전이가 있을 경우 종양의 크기에 관계없이 악성신경내분비종양으로 분류한다. 면역조직화학염색을 시행하여 호르몬을 생산하는 세포의 종류를 구별할 수 있고, 면역조직화학염색 결과에 따라 인슐린을 분비하는 인슐린종, 가스트린을 분비하는 가스트린종, 글루카곤을 분비하는 글루카곤종, 세로토닌종, 혈관작용장펩티드종(VIPoma) 등으로 분류한다.

(1) 인슐린종

인슐린종은 가장 흔한 췌장 신경내분비종양으로, 인슐린의 과다분비에 의한 3가지 증상인 휘플삼징(Whipple's triad)을 일으킨다. 첫째, 공복 시의 혈중 포도당 농도가 50 mg/dL 이하이며, 둘째, 저혈당증에 의한 증상(주로 정신착란, 혼미, 의식소실 같은 중추신경계 증상)이 운동 또는 공복 시에 잘 발생하며, 셋째, 포도당을 공급해 주면 저혈당증에 의한 상기의 증상이 소실된다. 대부분의 인슐린종은 양성종양이다.[6] 조직학적으로는 정상세포와 비슷하게 잘 분화된 종양세포가 기둥 또는 둥지 모양의 배열을 한다. 많은 경우의 인슐린종에서 기질 또는 세포 내의 아밀로이드(amyloid)의 침착이 관찰된다(그림 86-5). 인슐린에 대한 면역조직화학염색에서 종양세포 내 인슐린의 과발현을 관찰할 수 있다.

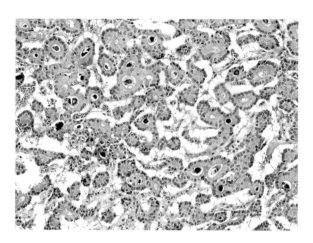

그림 86-6 │ 소마토스타틴종의 현미경 소견
종양세포는 샘모양의 배열을 하고 있고 다수의 모래종체들이 관찰된다
(Hematoxylin-Eosin염색, 200배).

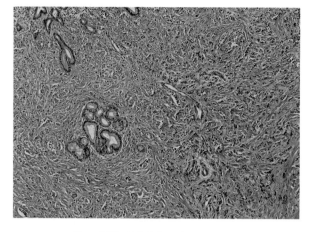

그림 86-7 │ 세로토닌종의 현미경 소견
종양세포는, 췌관을 침윤하고 있으며 기둥 모양의 배열을 한다. 종양세포
사이에서 기질의 섬유화가 관찰된다(Hematoxylin-Eosin염색, 100배).

(2) 글루카곤종

글루카곤종은 알파세포로 이루어진 글루카곤을 분비하는 악성종양으로, 성인 여자에서 흔히 발생한다. 빈혈, 당뇨, 특징적 피부발진인 이동성괴사성홍반(necrolytic migratory erythema)이 동반하며 혈중 글루카곤 농도가 매우 높다. 글루카곤에 대한 면역조직화학염색에서 종양세포 내 글루카곤의 과발현을 관찰할 수 있다.

(3) 가스트린종

가스트린을 분비하는 G세포는 정상적으로 위와 십이지장 점막에서 존재하지만 췌장에서는 관찰되지 않는다. 하지만 가스트린종의 80~90%은 췌장에서 발생하며, 약 10~15%가 십이지장에서 발생하고, 드물게 위에서 발생하는 악성종양이다.[2] 종양에서 분비하는 가스트린에 의해 위액분비가 증가하여 이에 따른 위궤양 또는 십이지장궤양을 일으키고, 설사에 의한 흡수장애가 발생한다. 췌장의 가스트린종과 함께 위산분비의 증가와 소화성궤양이 나타나는 경우를 졸링거-엘리슨증후군(Zollinger-Ellison syndrome)이라 한다. 가스트린에 대한 면역조직화학염색에서 종양세포 내 가스트린의 과발현을 관찰할 수 있다.

(4) 소마토스타틴종

소마토스타틴종은 델타세포로 이루어진 소마토스타틴을 분비하는 악성종양으로, 신경섬유종증 환자의 파터 팽대부(ampulla of Vater)주변의 췌장두부 또는 십이지장에서 발생한다. 종양세포는 기둥 모양 배열(trabecular pattern)을 보이며 특징적인 모래종체(psammoma body)가 관찰된다(그림 86-6). 일부의 종양에서 종양세포 사이의 기질의 섬유화가 관찰된다. 진단 당시 원격전이를 보이는 경우가 많다. 소마토스타틴에 대한 면역조직화학염색에서 종양세포 내 소마토스타틴의 과발현을 관찰할 수 있다.

(5) 세로토닌종

세로토닌을 분비하는 장크롬친화성 세포(enterochromaffin cell, EC cells)는 정상적으로 위와 십이지장 점막에서 존재하지만 췌장에서는 관찰되지 않는다. 세로토닌에 대한 면역조직화학염색에서 종양세포 내 세로토닌의 과발현을 관찰할 수 있다. 세로토닌 발현을 보이는 신경내분비종양은 특이하게 주췌관 부근에서 발생하며, 주로 기둥 모양의 배열을 하며, 종양세포 사이에서 기질의 섬유화가 관찰된다(그림 86-7).[7]

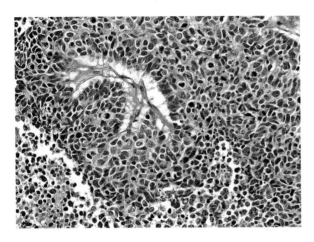

그림 86-8 | 소세포암의 현미경 소견
종양세포의 괴사가 좌측하단에 관찰되며, 빈번한 세포자멸체 및 다수의 유사분열도 관찰된다. 암세포는 과염색상의 주조된 핵모양과 불분명한 세포막을 보인다(Hematoxylin-Eosin염색, 100배).

(6) 다종호르몬분비종양

다종호르몬분비종양이란 하나의 신경내분비종양에서 분비되는 여러 가지 호르몬에 의해 다양한 증상을 일으키는 경우를 말한다. 즉 췌장 신경내분비종양에서 인슐린, 글루카곤, 가스트린, ACTH, 바소프레신, 세로토닌, 에피네프린 등의 다양한 호르몬을 분비하는 경우를 말하며, 증상이 다양한 점은 다발내분비종양증후군(Multiple Endocrine Neoplasia Syndrome)과 유사하지만 여러 장기에서 신경내분비종양이 발생하지 않는 점에서 다발

내분비종양증후군과 구별된다.

2) 신경내분비암종 Neuroendocrine carcinoma

나쁜 분화를 보이는 신경내분비암종은 흔히 소세포암 (small cell carcinoma)와 대세포암(large cell carcinoma)으로 나뉜다. 신경내분비암종은 악성종양으로 다른 장기로의 원격전이를 일으킨다. 분화가 나쁜 신경내분비암종에서 공통적으로 광범위한 괴사(necrosis), 빈번한 세포자멸체(apoptotic bodies), 다수의 유사분열의 소견이 관찰된다. 소세포암의 종양세포은 과염색상의 핵을 가지며, 불분명한 핵인을 함유하고, 불분명한 세포막을 가지며, 높은 핵/세포질 비율을 보이며, 주조된 핵모양 (nuclear molding)이 관찰된다.[6] 이들 종양세포들이 모여 판상 또는 둥지 모양의 구조를 만든다(그림 86-8). 반면, 대세포암은 커다란 핵과 풍부한 핵인을 가지는 다수의 다각형의 세포로 이루어져 있고, 종양세포는 고형 또는 둥지 형태의 성장양상을 보인다. 췌장에서는 대세포암이 소세포암보다 더욱 빈번히 관찰된다.[8] 분화가 나쁜 신경내분비암종에서 Rb단백의 발현소실과 비정상적 p53 단백의 발현이 흔히 관찰되며,[9] 이는 분화가 좋은 신경내분비종양과의 감별에 흔히 이용된다.[9]

REFERENCES

1. Klimstra DS, Hruban RH, Pitman MB. Pancreas, In: Mills SE, (ed). Histology for Pathologists. 4th Ed. edn. Lippincott Williams & Wilkins: Philadelphia, PA; 2012. pp 777-818.

2. Kim JY, Hong SM. Recent Updates on Neuroendocrine Tumors From the Gastrointestinal and Pancreatobiliary Tracts. Arch Pathol Lab Med 2016;140:437-48.

3. Bosman FT CF, Hruban RH, Theise ND. WHO classification of tumours of the digestive system. 4th ed. Lyon: International Agency for Research on Cancer. 2010.

4. Hruban RH, Pitman MB, Klimstra DS. Tumors of the Pancreas. American Registry of Pathology: Washington, DC, 2007.

5. Singhi AD, Chu LC, Tatsas AD, et al. Cystic pancreatic neuroendocrine tumors: a clinicopathologic study. Am J Surg Pathol 2012;36:1666-73.

6. Kim JY, Kim MS, Kim KS, et al. Clinicopathologic and prognostic significance of multiple hormone expression in pancreatic neuroendocrine tumors. Am J Surg Pathol 2015;39:592-601.

7. McCall CM, Shi C, Klein AP et al. Serotonin expression in pancreatic neuroendocrine tumors correlates with a trabecular histologic pattern and large duct involvement. Hum Pathol 2012;43:1169-76.

8. Shi C, Klimstra DS. Pancreatic pancreatic neuroendocrine tumors: pathologic and molecular characteristics. Semin Diagn Pathol 2014;31:498-511.

9. Yachida S, Vakiani E, White CM et al. Small cell and large cell neuroendocrine carcinomas of the pancreas are genetically similar and distinct from well-differentiated pancreatic neuroendocrine tumors. Am J Surg Pathol 2012;36:173-84.

내분비췌종양의 수술 술기
Techniques of Pancreatic Surgery

┃ 연세대학교 의과대학 외과 **윤동섭**

내분비췌종양은 전체 췌장의 1% 미만으로 존재하는 Langerhans 췌장도세포(islet)에서 기원하는 종양을 말한다. 내분비췌종양의 일반적 발생률은 대개 연 인구 백만 명당 5명 정도로 알려져 있으나 사체 부검에서의 빈도는 0.5~1.5% 정도로 알려져 있어 상당수의 내분비췌종양은 무증상의 병변으로 존재함을 알 수 있다. 이러한 내분비췌종양은 주변 췌장의 실질과 경계가 명확하며 주변 췌장의 실질 조직은 정상이다.

내분비췌종양의 가장 좋은 치료는 완전한 외과적 절제를 하는 것이다. 수술 종류는 종양의 생물학적 특징 및 병리학적 소견, 위치, 크기, 및 임상적 증상 등에 따라 달라질 수 있다.

예를 들어 대부분 단일 병변이고 양성 종양인 인슐린종의 경우에는 가능한 정상 조직을 남기고 병변을 절제하는 핵절제술(enucleation)을 시행할 수 있다. 하지만, 가스트린종(gastrinoma)과 같은 악성 경과를 보이고 다발성인 경우가 흔한 내분비 종양에서는 주변 림프절을 함께 곽청하는 췌장 부분 절제를 시행하기도 한다.

구체적으로 종양의 위치, 개수 및 크기에 따라 가능한 수술 방법을 살펴보면 핵절제술, 원위부 췌장 절제술(비장 보존 혹은 비장 합병 절제, spleen preserving distal pancreatectomy 혹은 distal pancreatectomy with splenectomy), 췌중앙구획 절제술(central pancreatectomy 혹은 median segmentectomy) 및 유문보존 췌두십이지장 절제술(pylorus preserving pancreaticoduodenectomy)이 가장 많이 시행되는 수술 방법이다. 또한 가능한 장기와 췌장 실질을 많이 보존하는 것을 원칙으로 하므로 췌두부에 생긴 경우 십이지장 보존 췌두부 절제술(duodenum preserving pancreas head resection)을 시행하기도 한다.

과거 췌장암의 병기 결정을 위한 진단적 복강경이나 고식적 우회술 등에 사용되던 복강경 수술이 복강경 기구의 발달과 수술자의 경험의 축적 등을 통하여 눈부시게 발전되어 최근 들어서는 모든 수술 분야에서 그 적용이 크게 증가하고 있다. 췌장 수술 분야에서도 1994년 Gagner 등[1]에 의해 복강경 췌두십이지장절제술(laparoscopic pancreaticoduodenectomy)이 처음 시행되었으며, 현재는 복강경을 이용하여 개복하여 시행되던 거의 모든 종류의 수술들이 시행되고 있으며, 그 성적 또한 개복수술과 비교하여 많은 장점을 가지고 있어 췌장외과의들에게 매우 중요한 분야로 각광을 받고 있다.

최근 많은 외과의들의 관심의 대상이 되고 있는 da Vinci 로봇 시스템을 이용한 췌장의 수술은 2003년 Melvin[2]에 의하여 췌장 미부의 내분비종양에서 비장 절제를 포함한 원위부 췌장절제술이 처음 시행되었으며, 2003년 Giulianotti[3]에 의해 로봇 보조 췌두십이지장 절제술(da-vinci robot assisted pancreaticoduodenectomy)이 처음 보고되었다. 현재 핵절제술 등도 많이 시행되고 있으며 향후 매우 중요한 분야로 각광받을 것으로 기대된다.

따라서 본 장에서는 앞에서 언급한 가장 많이 사용되

는 수술 방법들에 대하여 그 구체적 수술 술기를 중심으로 알아보고, 각각의 술기에 대한 개복술 및 최소침습 수술의 장단점을 비교하여 보고자 한다.

1. 핵절제술 Enucleation

핵절제술은 인슐린종(Insulinoma)과 같은 양성 췌장 종양에서 가장 보편적으로 사용되는 방법이다. 인슐린종의 경우 피낭(encapsulation)이 잘 형성되어 있어 췌장실질을 박리하면 쉽게 췌장 실질과 병변을 분리할 수 있는 경우가 많다.

구체적인 술기를 살펴보면 위와 대장을 연결하는 대망을 절개한 후 췌장의 전면을 노출시켜 수술 전 검사로 확인된 병변의 부위를 육안으로 확인한다. 병변이 육안으로 확인되지 않는 경우는 그 주변부위를 박리한 후 술자가 직접 손으로 만져보고 수술 중 초음파검사(Intraoperative Ultrasonography; IOUS)도 함께 시행하여 확인한다.

췌두부나 췌장의 깊숙한 곳에 위치한 경우에는 촉진으로 정확한 병변의 위치 파악이 어렵다. 따라서 수술 중 초음파검사를 시행하면 종양의 정확한 위치를 재 확인할 수 있으며, 주췌관(Main pancreas duct; MPD)과의 관계를 확인할 수 있다. 만일 주췌관이 종양에 의하여 침범이 되었거나 눌려있는 경우, 아니면 종양이 주췌관에 매우 가깝게 있는 경우에는 핵절제술 보다 췌장 부분 절제술을 시행하는 것이 안전하다. 하지만, 수술 중 초음파검사에서 종양과 주췌관의 간격이 5 mm 이상 떨어져 있는 경우에는 핵절제술을 비교적 쉽게 시행할 수 있다.

일단 종양의 위치가 파악이 되면 종양을 덮고 있는 췌실질을 전기 소작기(bovie)나 mosquito clamp를 이용하여 췌장 실질과 분리한다. 저자의 경우에는 mosquito clamp를 이용하여 박리를 시행하나 다른 술자들은 CUSA 등을 이용한 박리를 시행하기도 한다. 만일 종양의 위치가 췌장의 전면(anterior surface)에서 깊숙한 곳에 위치해 있어 췌장의 후면(posterior surface)에서의 거리가 가까운 경우에는 췌장을 충분히 노출시킨 후에 췌장의 후면에서 핵절제술을 시행하는 것이 좋다.

췌장 실질을 박리하여 종양의 표면이 노출되면 췌장 실질과 종양의 경계 부위를 mosquito clamp나 CUSA 등을 이용하여 조심스럽게 박리하고, 박리 중 나타나는 미세 췌장관 분지나 혈관 등은 5-0 silk를 이용하여 모두 세밀히 결찰한다. 최근에는 metal clip 등을 이용하면 편리하며 수술 시간도 줄일 수 있는 장점이 있다.

종양과 주췌관과의 거리가 5 mm 이상인 종양의 핵절제술시 수술 후 췌관 손상에 의한 췌액 누출(pancreas leak)은 매우 드물다. 하지만, 종양과 주췌관의 거리가 가까운 종양을 수술할 때는 주췌관의 손상을 조심하여야 한다. 저자의 경우 종양과 주췌관의 거리가 가까운 종양을 수술 할 때는 주췌관의 손상을 예방하거나 수술 중 췌관 손상 여부를 쉽게 알기 위하여 수술 전 내시경을 통하여 췌관 스텐트(pancreatic duct stent)를 삽입한 후 수술을 진행하고, 만일 수술 중 췌관 손상을 발견하면 5-0 Prolene을 이용하여 췌관 손상 부위를 봉합하거나 부분 췌장 절제술을 시행한다. 저자들은 수술 후 췌관의 손상이 없고 췌액의 누출이 없다는 것을 확인한 후 수술 부위에 fibrin sealant를 도포한 후 수술을 종료한다.

이 술기는 개복술로 시행하는 경우 병변 부위를 술자가 직접 만지면서 확인할 수 있다는 큰 장점이 있다. 그러나 최근 복강경을 통한 수술 중 초음파검사가 가능하며 그 정확도가 매우 높아져서 복강경이나 로봇을 이용한 수술이 이러한 단점을 극복하고 적극적으로 시행되고 있다. 특히 로봇을 이용한 핵절제술은 로봇 수술의 최대 장점인 수술 시야의 확대된 영상을 통하여 미세한 구조까지 확인이 가능하여 저자의 경우는 가능한 da Vinci 로봇 시스템을 이용한 핵절제술을 우선적으로 고려한다.

2. 췌중앙구획 절제술 Central Pancreatectomy

췌중앙구획 절제술은 췌장의 내분비 종양이 췌장의 목
(neck) 부분이나 몸통(body) 부분에 있는 경우 중 췌장관
과 가까이 위치하여 핵절제술 시 췌장관의 손상 위험이
높은 경우 시행하게 된다. 췌중앙구획 절제술은 췌장 두
부는 단면 처리해야 하고 췌장 원위부는 공장이나 위와
문합을 해야 하기 때문에 췌장액 누출의 위험이 높아 선
호하지 않는 술자도 많으나 최근 술기의 발달로 합병증
의 발생 빈도도 비슷하여 시행을 적극적으로 하자는 의
견도 많이 있다.[4,5]

최근 da Vinci 로봇을 이용하여 시행한 강 등[6]의 보
고에 의하면 경부에 위치한 경우 로봇을 이용하여 복강
경 수술 시의 단점을 극복할 수 있었다고 보고하였다.

3. 원위부 췌장 절제술 Distal pancreatectomy

원위부 췌장 절제술은 distal pancreatectomy, left-sided
pancreatic resection, distal partial pancreatectomy
등 다양한 이름으로 불리워지고 있다. 원위부를 정확
히 췌장의 어느 부위에서 어느 부위까지로 정의하는 데
는 어려움이 있으나, 통상적으로 상장간막 정맥(superior
mesenteric vein)과 비장정맥(splenic vein)이 만나 간문맥
(portal vein)을 형성하는 부위를 덮고 있는, 췌장 실질이
비교적 얇은 췌장 경부를 기준으로 그 왼쪽 부위를 절제
하는 경우를 원위부 췌장 절제술이라 정의하고자 한다.

고식적인 원위부 췌장 절제술(conventional distal pan-
createctomy)은 비장 동맥 및 정맥의 췌장 실질과의 해부
학적 특성으로 인하여 비장절제술을 함께 시행하였다.
그러나 1943년 프랑스 외과 의사인 Mallet-Guy에 의하
여 비장보존 원위부 췌장 절제술(spleen-preserving distal
pancreatectomy)이 처음 시행된 이후 면역학적 기능의 보
존 및 비장 절제술 후 생성되는 늑막하 공간의 농양 발
생률 등을 줄이기 위하여 적절한 적응증에서는 비장보

존 원위부 췌장 절제술이 활발히 시행되고 있다.[7] 내분
비 종양에서는 대부분 그 크기가 작고 주변 조직의 침윤
경향이 낮으므로 가능한 비장 보존 술식이 선호되고 있
다.[8-10] 그러나 비기능성 도세포 종양 중 병변이 크거
나 악성의 위험성이 있는 경우는 비장 합병절제를 시행
한다. 비장을 보존하는 방법에는 두 가지 방법이 있으며,
췌장으로 연결되는 분지들을 절제하여 비장동맥과 비장
정맥을 보존하는 방법과 비장동맥과 비장정맥을 절제하
고 단위 동정맥을 통해 비장에 혈류를 공급하는 방법이
있다.[11] 이 장에서는 비장 보존 원위부 췌장 절제술의
구체적인 술식에 대하여 기술하고 복강경 및 로봇을 이
용한 술식에 대하여도 함께 기술하고자 한다.

절개창은 정중절개선(midline incision) 혹은 좌측 늑
골 하 절개선(left subcostal incision)을 주로 이용하며, 필
요시 중앙 상 복부(upper midline)나 우측 늑골 하 부위
(right subcostal area)로 확장하여 절개한다. 복강경 수술
시는 주로 4개의 투관침(port)을 이용하며, da Vinci 로
봇을 이용하여 시행하는 경우는 카메라를 사용할 투관
침을 배꼽 아래에 위치 시키며 3개의 로봇 팔을 이용할
투관침은 로봇 팔들의 부딪힘 현상을 막기 위하여 최소
8 cm 정도 떨어지도록 위치시키며 조수가 사용할 투관
침을 포함한 투관침의 위치는 그림 87-1과 같다. 복강경
혹은 da Vinci 로봇 수술의 경우 실제 수술 술식은 개복
술과 거의 동일하며, 차이점에 대하여는 마지막에 언급
하고자 한다.

췌장의 노출은 위결장간막(gastrocolic ligament)을 충
분히 박리한 후 위후벽을 췌장 전면으로부터 박리하여
췌장의 머리, 몸통, 꼬리 부분을 완전히 노출시킨다. 이
때 위대망동맥궁(gastroepiploic arcade)을 손상시키지 않
도록 주의하여야 한다(그림 87-2).

췌장을 주위 조직으로부터 박리하는 방법은 좌측에서
우측(Left to Right or Prograde)으로 즉 비장을 먼저 후복
막과 분리한 후 췌장 경부 쪽으로 박리를 진행하는 방법
과, 우측에서 좌측(Right to Left or Retrograde)으로 즉 간
문맥 전면부에서 췌장 후면을 박리하고 췌장 실질을 먼
저 절단한 후 비장 쪽으로 박리를 진행하는 방법이 있다.

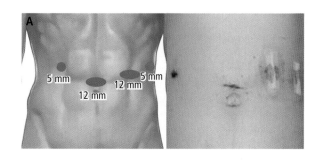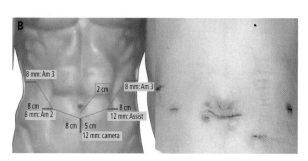

그림 87-1 | 복강경, 로봇보조 췌장 수술의 포트 위치.
A. 복강경 원위부 췌장 절제술 **B.** 로봇보조 원위부 췌장 절제술

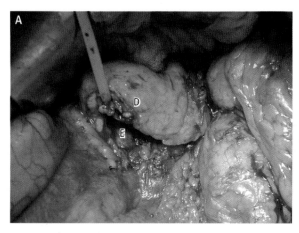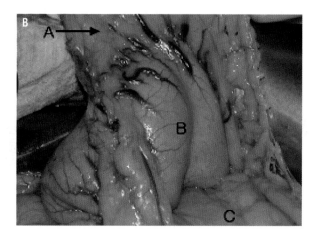

그림 87-2 | 췌장 노출과 위대망동맥궁의 보존.
A. 위대망동맥궁(gastroepiploic arcade) **B.** 위 후벽 **C.** 횡형 결장 **D.** 췌장 노출 **E.** 상장간막정맥

1) 좌측에서 우측으로의 절제 Prograde dissection

먼저 지라콩팥인대(splenorenal ligament)를 절단하고 그 후복막 층을 박리하여 비장 부위를 앞쪽으로 들어올린다. 단위혈관(short gastric vessels)들을 안전하게 결찰한 후 절단한다. 이때 위벽이 함께 결찰되지 않도록 세심한 주의를 기울여야 한다. 췌장의 위 아래 경계부위의 복막에 절개창을 가하고 몸통과 꼬리 부분이 자유롭게 유동되도록 한다. 이때 췌장의 뒷면에 비장 정맥이 췌장 실질에 파묻혀 지나가는 것이 관찰된다. 췌장 상연을 계속 박리하면 비장동맥이 췌장실질과 만나는 부위에 도달하

는데 이 부위에서 비장동맥을 절단하고 안전하게 결찰한다. 박리를 계속 진행하여 비장정맥이 상장간막정맥(superior mesenteric vein)과 합류하여 간문맥(portal vein)으로 유입되는 부분까지 노출이 되면 그 유입부에서 비장정맥을 절단한 후 Prolene 5-0 봉합사를 이용하여 안전하게 봉합한다. 비장정맥 절단시 하장간막정맥(inferior mesenteric vein)이 비장정맥의 간문맥 유입부에서 비장쪽으로 상당히 떨어져 비장정맥으로 합류하는 경우가 있으므로 이 부위를 손상시키지 않도록 세심한 주의를 기울여 그 원위부에서 절단하여야 한다(그림 87-3). 그러나 체부 암인 경우 불가피하게 하장간막정맥(inferior

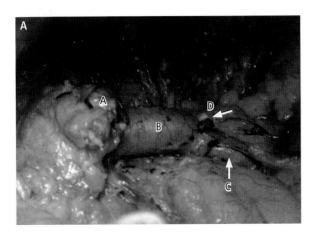

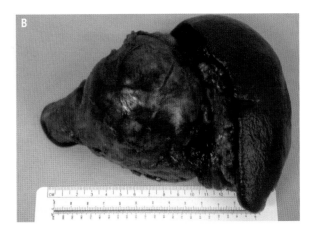

그림 87-3 │ 하장간막정맥의 보존
A. 췌장의 절단면 **B.** 비장정맥 **C.** 하장간막정맥 **D.** 비장정맥 절단면

mesenteric vein)을 절단하여야 하는 경우에는 절단하여
도 무방하다. 이 과정이 끝나면 췌장 실질 절단 부위의
위치를 결정하게 된다.

2) 우측에서 좌측으로의 절제 Retrograde dissection

우측에서 좌측으로의 절제는 종괴의 크기가 매우 큰 경
우와 후복막으로의 암 침윤이 있는 경우에 매우 유용하
다.[12] 따라서 내분비종양의 경우에는 대개 적응이 되는
경우가 거의 없다. 비기능성 섬세포종양이면서 크기가
크고 악성화한 경우 정도가 해당되지만 자세한 기술은
생략하고자 한다.

췌장 절단면의 처치는 수술 후 가장 많은 합병증인
췌장액 누출을 막기 위해 가장 중요한 부분이다. 현재는
췌장관을 안전하게 결찰하고, 절단면의 출혈은 그 혈관
들을 세밀하게 봉합 결찰하여 지혈한 후 췌장 실질을 재
봉합하는 것이 통상적인 절단면 처치 방법으로 인정되
고 있다. 이러한 방법들에는 (1) 췌장관을 안전하게 결찰
하고 췌장 실질 절단면을 재봉합하는 방법, (2) 자동봉

합기(Stapler)를 이용하여 절단하는 방법, (3) Fibrin glue
등을 이용하여 절단면을 도포하는 방법 및 기타 여러 가
지 방법들이 있으며, 개복 시에는 결찰하는 방법이 가장
선호되고, 복강경이나 로봇 수술의 경우는 모두 자동 봉
합기를 이용하여 시행하고 있다. 보고자들에 의하면 두
방법 간에 합병증 발생의 유의한 차이는 없는 것으로 보
고된다.

개복술과 비침습적 수술 결과를 비교한 김 등[13]의
보고에 의하면 2005년부터 개복술로 원위부 췌장절제술
을 시행받은 35명의 환자와 복강경으로 시행받은 60명
의 환자를 비교하였을 때 비위관의 제거 시기와 식사의
시작에 있어서 복강경 시행군에서 통계학적으로 유의하
게 우수하였으며 그 외의 결과들은 통계학적으로는 차
이가 없어 복강경 수술이 개복술을 대체할 수 있는 좋은
방법이라고 보고하였으며 그 결과는 표 87-1과 같다.

da Vinci 로봇을 이용한 수술은 특히 비장보존 술식
에서 비장 동정맥의 분지들을 박리하고 결찰할 때 복강
경에 비해 손목의 회전처럼 작동이 자유로워 매우 유용
하며 저자의 경우는 복강경 술식보다 로봇 수술을 선호
하고 있으며 그 수술 영상은 그림 87-4와 같다.

표 87-1 | 복강경(laparoscopic, LDP)과 개복(open, ODP) 원위부 췌장 절제술의 결과 비교

	LDP	ODP	P value
Op time (min)[†]	208 (90~375)	190 (88~482)	0.642
Blood loss (mg/dl)*	1.3±1.3	1.1±1.3	0.436
RBC transfusion (pint)*	0.3±1.4	1.0±2.6	0.110
L-tube removal (days)*	0.7±0.8	1.7±1.0	<0.001
Diet start (days)*	3.1±1.2	4.5±1.6	<0.001
Use of pain killer (no.)*	6.7±7.2	7.4±8.0	0.655
Days of stay (days)[†]	11 (6~35)	16 (8~65)	0.001
Cost (10,000 Wond)[†]	521.9± 152.9	550.4± 318.9	0.558

*=mean, †=median

4. (유문보존)췌두십이지장 절제술

췌두십이지장 절제술은 1935년 Whipple이 보고한 이래 팽대부 주위 병변에서 가장 보편적으로 이용되는 술식이며 최근에는 수술 후 삶의 질을 향상시키기 위해서 유문보존 췌두십이지장 절제술이 주로 시행되고 있다. 췌장의 내분비 종양에 대한 췌두십이지장 절제술은 십이지장을 침범한 췌두부 병변에서 제한적으로 시행이 된다. 췌장의 내분비 종양에서 시행되는 췌두십이지장 절제술은 주요 혈관의 주변 림프절 및 신경총 곽청을 시행하지 않으므로 이를 제외하면 췌장의 악성종양에서 시행되는 술식과 유사하다. 여기에서는 유문보존 췌두십이지장 절제술을 중심으로 기술하고자 한다.

개복 후 Kocher 수기를 하여 십이지장과 췌두부 부분을 유동화한다. 십이지장의 외측을 따라서 Winslow 공으로부터 횡행결장 장간막부위까지 복막을 절개한 후

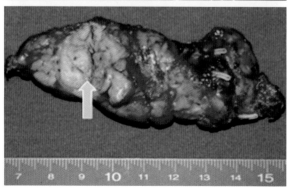

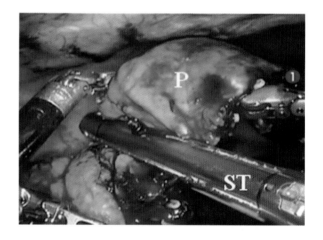

그림 87-4 | 췌장 체부의 신경내분비종양에 대한 로봇보조 유문보존 췌두십이지장 절제술의 수술 소견

A. 로봇 팔을 이용한 비장정맥 분지 결찰. **B.** 스테플을 이용한 췌장 절단. **C.** 적출된 췌장(SV, splenic vein; SA, splenic artery; P, pancreas; ST, stapler)

상장간막정맥, 문맥의 전면에 Kelly clamp를 이용하여 췌장의 상연까지 도달한다. 간십이지장인대의 장막을 절개하여 주요 구조물을 노출시킨 후에 위십이지장동맥을 결찰하며, 저자의 경우에는 위십이지장동맥은 췌공장 문합부 누출에 의한 동맥류 형성을 방지하기 위하여 3중 결찰을 한다. 십이지장은 위 유문부에서 3 cm 떨어진 곳에서 절제를 하며, 췌두부 절제는 문맥의 직상부에서 시행을 한다. 그러나, 종양의 위치에 따라 문맥의 좌측에서 절단을 하기도 한다.

췌-공장 문합은 외과의에 따라 선호 방법이 다르지만 주로 Dunking법과 관점막문합법(duct to mucosa)으로 췌관을 공장에 작은 구멍을 내고 직접 문합하는 방법 등이 있다. 저자는 관점막 문합법을 이용하여 췌관과 공장 문합을 하면 췌문합 부위의 췌관에 작은 튜브를 꽂아 일정 기간 췌관과 공장문합부를 유지시켜 준다. 담도-공장 문합은 췌-공장 문합부위 원위부 공장을 담도에 단측 문합을 하며, 저자의 경우 대개 단층, 단속 봉합(interrupted suture)을 한다. 십이지장-공장 문합은 담도-공장 문합부에서 30 cm 이상 원위부에 시행한다.

Palanivelu 등[14]은 단일 기관에서 시행한 45명의 복강경 췌두십이지장절제술 환자를 분석하여 보고하였는데 수술 시간을 포함한 수술의 결과들이 매우 우수하여 개복 수술과의 차이가 없음을 보고하여 많은 복강경 외과의사들에게 희망을 주었다.

Gagner 등[15]이 1994년부터 2008년까지 국제학회지에 보고된 복강경 췌두십이지장절제술 환자 146명을 분석한 결과 적용이 용이하고 안전하며, 수술 사망률도 1.3%로 낮았으며 합병증의 발생률도 높지 않았다. 따라서 췌두십이지장절제술도 복강경이나 로봇 수술과 같은 최소침습적인 수술 방법의 적용이 증가하리라고 생각되며 그 우수성에 대하여는 개복술과의 전향적 무작위 연구가 필요하리라 생각된다.

REFERENCES

1. Gagner M, Pomp A. laparoscopic pylorus preserving pancreato-duodenectomy. Surg Endosc 1994;8:08-10.

2. Melvin WS, Needleman BJ, Krause KR, Ellison EC. Robotic resection of pancreatic neuroendocrine tumor. J Laparoendosc Adv Surg Tech 2003;13:33-6.

3. Giulianotti PC, Coratti A, Angelini M, Sbrana F, Cecconi S, Balestracci T et al. Robotics in general surgery: personal experience in a large community hospital. Arch Surg 2003;138:777-84.

4. Orsenigo E, Baccari P, Bissolotti G, Staudacher C. Laparoscopic central pancreatectomy. Am J Surg 2006;191:549-52.

5. Sa Cunha A, Rault A, Beau C, Collet D, Masson B. Laparoscopic central pancreatectomy: single institution experience of 6 patients. Surgery 2007;142:405-9.

6. Kang CM, Kim DH, Lee WJ, Chi HS. Initial experiences using robot-assisted central pancreatectomy with pancreaticogastrostomy: a potential way to advanced laparoscopic pancreatectomy. Surg Endosc 2010;e-pub

7. Mallet-Guy P, Vachon A. Pancreatities chroniques gauches. Paris: Masson, 1943.

8. Khanna A, Koniaris LG, Nakeeb A, Schoeniger LO. Laparoscopic spleen-preserving distal pancreatectomy. J Gastrointest Surg 2005;9:733-8.

9. Han HS, Min SK, Lee HK, Kim SW, Park YH. Laparoscopic distal pancreatectomy with preservation of the spleen and splenic vessels for benign Pancreas neoplasm. Surg Endosc 2005;19:1367-9.

10. Fernadez-Cruz L, Martiez I, Gilabert R, Cesar-Borges G, Astudillo E, Navarro S. Laparoscopic distal pancreatectomy combined with preservation of the spleen for cystic neoplasms of the pancreas. J Gastrointest Surg 2004;8:493-501.

11. Warshaw AL. Conservation of the spleen with distal pancreatectomy. Arch Surg 1988;123:550-53.

12. Serra AS, Badosa F. The anterior approach to control the splenic vessels in distal pancreatectomy. Surg Gynecol Obstet 1982;154:225-31.

13. Kim SC, Park KT, Hwang JW, Shin HC, Lee SS, Seo DW, et al. Comparative analysis of clinical outcomes for laparoscopic distal pancreatic resection and open distal pancreatic resection at a single institution. Surg Endosc 2008;22:2261-8.

14. Palanivelu C, Jani K, Senthilnathan P, Parthasarathi R, Rajapandian S, Madhankumar MV, J Am Coll Surg 2007;205:222-30.

15. Gagner M, Palermo M. J Hepatobiliary Pancreat Surg 2009;16:726-30.

다발내분비선종양 1형
Multiple Endocrine Neoplasia Type 1

❙ 전남대학교 의과대학 외과　**조진성**

다발내분비선종양은 뇌하수체, 내분비췌장, 갑상선 및 부갑상선종양 중 두 개 이상의 내분비 기관에서, 동시 혹은 이시성으로 종양이 발생하는 경우를 다발내분비 선종양이라 하며, 조합에 따라 MEN 1형, MEN2A형, MEN2B형과 같이 세 가지의 특징적인 형태로 나타난다. 다발내분비선종양 1형은 부갑상선기능항진증(>95%), 췌 장소도종양(75%), 뇌하수체종양(30~60%)으로 조합되며, 2A형은 갑상선수질암(>95%), 갈색세포종(40~60%), 부갑 상선기능항진증(2A형에서 10~20%)으로, 2B형은 갑상선 수질암 및 갈색세포종과 함께 말판양 체형(Marfanoid) 및 점막신경종(mucosal neuroma)이 동반된다.

　다발내분비선종양 1형은 1954년도에 Wermer가 부 갑상선, 췌장소도, 뇌하수체에 종양을 지니고 있는 사 례를 처음으로 보고하였으며,[1] 이후에 췌장소도종양 과 관련된 위산의 과다분비 및 소화성 궤양이 동반되는 Zollinger-Ellison 증후군이 Wermer가 앞서 기술한 증 후군의 일환으로 발견된다는 사실이 알려지게 되었다.

Knudson의 이중충격가설(two-hit hypothesis)에 의해 다 발내분비선종양 1형에서의 종양 발생이 설명되고 있다. 이환된 개체는 특징적으로 MEN 1에서 유전자 줄기 변 이를 겪게 되고 MEN 1 위치를 포함하는 염색체 11번 의 다른 변이나 더 흔한 소실로 인한 정상 유전자의 이 차 충격을 얻게 된다.[2] Menin의 기능은 아직까지 완전 하게 알려져 있지 않았지만, DNA의 복제, 수선, 염색질 수정에 있어 중요한 역할을 하고 종양 억제 능력을 가지 고 있는 것으로 알려져 있다.[3] 또한 핵단백으로 전사인 자 Jun D와 상호 연관하여 세포성장 조절에 관여한다.[4] 몇몇 menin의 미스센스 돌연변이들이 Jun D와의 상호 연관을 방해한다. 그러므로 다발내분비선종양 1형에서 종양 생성 기전은 종양 전구 세포에 있어서 종양억제 유 전자로 알려진 menin의 기능 소실로 인해 일어나는 것 으로 추정되며, 유전자의 염기서열 등에 관한 연구가 활 발히 진행되고 있다.

1. 유전적 고찰

다발내분비선종양 1형은 염색체 11q13에 위치한 종 양-억제 단백인 menin을 부호화하는 MEN 1 유전자 의 변이로 나타나며, 상염색체 우성으로 유전된다. 이는

2. 임상적 특징

다발내분비선종양 1형은 남녀 동일한 비율로 발견되며, 3만명 중 한 명 꼴로 발생되는 드문 질환으로, 일상적 부 검에서 0.25%에서 발견되며, 일차성 부갑상선기능항진 증 환자의 약 15~20%를 차지하는 것으로 알려져 있다.

5세에서 81세까지 여러 연령대에서 발생되나, 50세 이전에 80% 이상의 환자가 발견된다.[5-7] MEN 1유전자 돌연변이는 환자 가족의 90% 이상에서 발견된다. 유전적 검사는 특히 돌연변이가 알려진 경우 다발내분비선종양 1형의 발생 위험이 높은 사람에게 실시할 수 있다. 친척 중 이 질환을 가지고 있는 환자가 있다면 늦어도 25세까지는 임상적 검사를 시행하여야 한다. 만약 이 질환이 발견된 가족 중에 유전자 결함이 확인되었다면 연령대와 관계없이 유전자 검사를 받아야 한다.[8] 다발내분비선종양 1형을 가지고 있는 환자 중 절반 이상이 한 개 이상의 장기에 질환을 가지고 있으며, 약 20%에서 3개 이상의 내분비 장기에 이상을 가지고 있다. 부갑상선기능항진증이 가장 흔한 증상이고 대부분 다발내분비선종양 1형의 첫 번째 임상증상이다. 임상적 증상은 고칼슘혈증, 신장결석, 소화성궤양, 저혈당증, 두통, 시야장애, 뇌하수체기능저하증, 말단비대증, 유즙분비증, 무월경, 그리고 드물게 쿠싱증후군이 있을 수 있다. 다발내분비선종양 1형을 가진 환자는 보편적으로 기대수명이 짧은데 50세까지 환자의 50% 정도가 사망한다. 사망 환자의 절반은 악성 종양의 진행 또는 이 질환의 합병증 때문이다.[9-11]

1) 부갑상선 종양

일차부갑상선기능항진증은 다발내분비선종양 1형에서 가장 흔한 소견으로, 95% 이상에서 나타난다. 고칼슘혈증은 10대에도 나타나지만 대부분 40대에 발현된다. 부갑상선기능항진증의 선별검사로 혈청알부민보정칼슘치와 이온화칼슘치를 측정하고 만약 혈청 칼슘과 부갑상선호르몬이 증가되어 있으면 진단을 내릴 수 있다. 다발내분비선종양 1형에서의 부갑상선기능항진증 증상은 산발성으로 발생하는 경우와 같은 임상양상을 보이며, 간혹 무증상의 고칼슘혈증으로 발견되는 경우도 있지만 대부분 신장결석, 요로결석, 위장관 및 근골격계증상, 대사성골질환 및 고칼슘혈증에 따른 증상을 보인다. 비대

칭적이고 다발성으로 발생하는 일차부갑상선기능항진증은 다발내분비선종양 1형의 가장 흔한 특징으로, 이환된 부갑상선의 비대칭성은 환자의 나이와 관련이 있는데 나이가 어릴수록 비대칭적으로 이환 되며, 많을수록 모든 부갑상선에 이환 된다. 또한 비후성 보다는 다발성 선종의 형태로 나타난다.[12]

부갑상선기능항진증에 대한 내과적 치료보다는, 부갑상선절제술이 다발내분비선종양 1형 환자의 일차부갑상선기능항진증의 치료에 가장 확실한 방법이다. 수술적 치료로는 두 가지가 있는데, (1) 첫 번째는 부갑상선 아전절제술(부갑상선 3개를 적출하고 남은 하나에서 반을 제거), 부갑상선 동결보존, 그리고 경부 흉선절제술이고 (2) 두 번째는 부갑상선 전절제술 및 전완부 자가이식, 부갑상선 동결보존, 그리고 경부 흉선절제술이 있다.[13] 과거 통상적으로 시행되었던 부갑상선 아전절제술은 약 30~40% 정도에서 부갑상선기능항진증이 재발하여 종종 재수술이 요하기도 하였다.[14,15] 그러나 부갑상선 전절제술 및 자가이식을 시행한 경우에도 고칼슘혈증이 재발될 수 있으며 또한 이식편의 기능이상으로 인해 환자의 약 3분의 1에서 영구적인 부갑상선기능저하증이 오기도 한다.[15,16] 그러나 불충분한 수술로 재발한 경우 다시 원래 위치의 부갑상선을 재수술하는 경우에 비해 이 방법이 재수술의 성적이 좋은 것으로 알려졌다. 부갑상선 전절제술을 시행하면 고칼슘혈증의 재발은 없지만 평생 칼슘과 비타민D를 복용해야 하므로 심한 증상을 지닌 경우에만 선택적으로 시행하도록 한다. 따라서 무증상인 고칼슘혈증을 보이는 환자에서 성급하게 수술을 결정하는 것보다 주의 깊게 경과 관찰하다가, 증상이나 합병증이 나타나면 부갑상선 전절제를 시행하는 것이 더 효과적일 수 있다.

흉선절제술은 첫 수술 동안에 반드시 시행되어야 하는데 이는 갑상선흉선인대와 흉선 부위에 이소성 부갑상선이 있을 가능성이 높기 때문이다. 또한 제1형 다발내분비선종양 환자에서 흉선에 카시노이드 종양이 발생할 가능성이 높다. 병리조직학적으로 다발성 종양에 의한 것인지 미만성 증식성 병변에 의한 것인지를 가리는

일은 거의 불가능하고 대부분의 경우에서 주세포가 주된 종양의 구성원이 되나 그렇지 않은 경우도 있다.

2) 췌장소도종양

다발내분비선종양 1형에서 70~80%의 빈도로 부갑상선기능항진증 다음으로 두 번째로 흔하게 발생한다. 췌장소도종양은 악성화 가능성이 높고, 호르몬의 과다 분비로 인한 합병증 때문에 다발내분비선종양 1형의 이환율과 사망률의 가장 중요한 원인이다.[9] 췌장소도종양은 대부분 기능성으로 췌장폴리펩타이드(75~85%), 가스트린(60%), 인슐린(25~35%), 혈관활성장관펩타이드(3~5%), 글루카곤(5~10%), 소마토스타틴(5%) 등 여러 가지의 호르몬을 과다하게 분비하여 이에 따른 증상을 일으킨다.

산발적으로 발생하는 췌장소도종양과는 달리 다발내분비선종양 1형에서 발생하는 췌장소도종양은 좀 더 일찍 발견되고, 흔히 다발성으로 발생하며, 췌장 전체에 발생하는 경향이 있다. 또한 한 종양에서 동시에 둘 이상의 호르몬을 분비하는 경우도 있고, 서로 다른 호르몬을 분비하는 두 개 이상의 췌장소도종양이 발생하는 경우도 있다. 가장 흔한 기능성 췌장소도종양은 가스트린종과 인슐린종이고, 췌장소도종양의 3분의 1은 비기능성이고 임상적인 증상이 거의 없다. 비기능종양과 인슐린종은 췌장 내에 위치하지만, 가스트린종은 종종 췌장이나 십이지장 점막하 주위의 연부조직에서 발견이 되기도 한다.

진단은 특징적 임상 징후의 발견, 자극 검사의 유무와 동반한 호르몬 검사, 방사선 검사로 이루어진다. 위험이 있는 환자에서 가능한 조기 발견을 위해 매년 선별 검사로 식이 자극 췌장폴리펩타이드 측정을 시행하기도 한다. 다른 선별 검사법은 혈청 가스트린과 췌장폴리펩타이드를 2~3년마다 측정하는 것이다. 내시경적 초음파검사(EUS)는 무증상의 다발내분비선종양 1형 환자에서 10 mm 이하의 작은 췌장소도종양의 발견을 위해 사용하는 검사방법으로 75% 이상의 높은 민감도를 가지고 있다. Octreoscan scintigraphy와 함께 내시경적 초음파를 시행하게 되면 췌장 종양의 발견률이 90% 이상 증가된다는 보고도 있다.[17] 내시경적 초음파는 또한 종양의 정확한 위치를 표시해주며 반면에 Octreoscan scintigraphy는 질환의 범위와 간 전이에 대한 좀 더 정확한 정보를 제공한다.[18] 그 외 High-resolution early-phase CT scanning은 이들 종양을 발견하는 데 있어서 가장 좋은 비침습적 방법이고 수술 중 초음파검사는 작은 종양을 발견하는 데 민감도가 높은 검사이다.

이러한 종양을 치료하기 위한 췌장전절제술은 인슐린 의존성 당뇨 및 췌장 외분비 결핍, 그리고 심각한 합병증을 야기할 수 있어 다발내분비선종양 1형에서 발생하는 췌장소도종양의 치료에 있어서 췌장 절제 범위과 적절한 시점은 아직까지 논란의 여지로 남아있다.

(1) 가스트린종(졸링거-엘리슨 증후군)

다발내분비선종양 1형에서 발생하는 췌장소도종양중 50% 이상으로 가장 흔히 발견되는 것은 가스트린-분비성 종양이다. 다발내분비선종양 1형 환자들 중 40%에서 40세 이전에 대부분 졸링거-엘리슨 증후군의 형태로 가스트린종을 가지고 있다.[19] 원래 졸링거와 엘리슨에 의해 기술된 바에 따르면, 가스트린을 분비하는 종양이 발생되면 위산의 과다분비와 함께 심한 소화성 궤양이 나타나서 출혈이나 천공 및 소화관 협착을 일으키므로, 다발내분비선종양 1형 환자에서 중요한 이환율 및 사망률의 원인이 된다. 이러한 과다한 위액 분비로 인해 상복부 통증, 속쓰림, 설사, 지방변, 위식도역류, 구토, 체중 감소와 같은 증상을 보인다. 진단은 기초 위산분비가 증가되어 있고, 공복 시 혈중 가스트린(정상 범위 < 100 ng/mL)이 증가되어 있으면 내려지게 된다.[20,21] 가스트린종을 가지고 있는 환자에서 혈중 가스트린은 1,000 pg/mL 이상이고 만약 가스트린 수치가 모호하면 세크레틴이나 칼슘을 이용한 자극 검사가 필요하다.

가스트린종은 주로 다발성으로 가스트린종 삼각(담낭관과 총담관의 합류지점, 2번째와 3번째 십이지장 사이, 그리고 췌장의 경부와 체부 사이)과, 췌장의 체부, 그리고 십이지장 원위부에서 발견된다. 종양의 위치는 octreotide scan과 컴퓨터 단층 촬영, 그리고 내시경적 초음파검사로 확인할 수 있다. 가스트린종의 최소한 40% 이상에서 진단 당시 림프절 전이를 가지고 있으며 간 전이는 비교적 흔하지 않다.[22-24]

가스트린종으로 인한 소화성궤양이 있는 경우는 히스타민 수용체 길항제인 라니티딘이나 파모티딘 등을 이용하여 성공적으로 내과적인 치료가 가능하나, 통상적으로 사용하는 양보다 많은 양을 사용하여 기초 위산 분비가 10 mmol/L 이하로 유지되도록 해야한다. 수소이온 펌프 저해제를 사용하는 것이 더욱 효과적이므로 가스트린종의 내과적 치료를 위해서 일차적으로 선택된다.

다발내분비선종양 1형을 가진 환자가 가스트린종뿐만 아니라 부갑상선기능항진증도 있을 때 첫 번째로 부갑상선절제술을 시행해야 한다. 왜냐하면 부갑상선 수술로 부갑상선호르몬 수치는 물론 공복 시 가스트린 및 기초 위산 분비 수치를 감소시킬 수 있기 때문이다.[25,26] 가스르린종의 외과적 치료에 있어서는 아직까지 논란의 여지가 있다. 일부 연구자에 따르면 생화학적 및 방사선학적 검사상 가스트린종이 확인이 되었다면 초기에 외과적으로 적극적인 치료를 해야한다고 주장하기도 하였다.[27-30] 반면에 다른 연구자들은 종양의 크기가 2.5에서 3 cm에 도달될 때까지 내과적 치료를 해야한다고 주장한다.[31,32] 이같은 주장의 근거는 가스트린종의 크기가 2.5에서 3 cm 이하인 경우에는 원격전이의 위험이 적고, 췌장절제 시 높은 이환율을 보이기 때문이다.[9,24,33] 전이가 없는 가스트린종의 치료는 외과적 절제인데, 외과적 절제는 원위부 췌장 절제술, 수술 중 초음파에서 보이거나 촉진되는 종양이 췌장 두부나 구상돌기에 있는 경우에 시행하는 종양적출술, 구획림프절곽청술, 그리고 십이지장에서 발견되는 종양에 대한 십이지장 절개를 통한 국소절제 등을 들 수 있다. 그러나 실제적으로 다발내분비선종양 1형에서의 가스트린종은 다발성이고 대부분 악성 인자를 포함하고 있어 이

미 진단되기 전 가스트린종 환자의 50%에서 전이가 있으며, 이 중 30%는 사망하는 것으로 알려지고 있다.[33] 간전이가 있을 때 예후는 좋지 않으며 췌장 가스트린종은 십이지장 가스트린종에 비해 크기가 크고 간전이의 위험도가 높아서 좀 더 예후가 좋지 않다.

(2) 인슐린종

다발내분비선종양 1형 환자의 약 10%에서 발생하며, 전통적으로 "Whipple's triads"이라 명명되는 특징적인 세 가지 증상이 있는데, 첫 번째는 공복 또는 운동-유발성 저혈당증, 두 번째는 혈중 포도당 농도가 50 mg/dL 이하, 세 번째는 포도당 투여 시 증상의 호전 등이다. 생화학적 검사상 혈중 C-펩타이드 농도(0.5~2.0 ng/ml 또는 0.17~0.66 nmoL/L)와 함께 혈중 인슐린 농도(2~20 U/ml 또는 14.35~143.5 pmol/l)가 함께 증가되어 있다.[19] 악성인 경우는 드물지만 다발성으로 작은 종양이 발생하는 경우는 흔하다. 컴퓨터 단층 촬영이나 내시경 초음파가 종양의 위치를 확인하기 위한 가장 좋은 검사방법이지만, 이 검사로도 발견이 어려운 경우가 많아 수술로 제거하기가 쉽지 않을 수 있다.

내과적 치료는 제한적이며 외과적 치료가 주된 치료이다. 종양이 국소적으로 있는 경우 췌장의 부분 절제 등이 가능하며 수술 중 초음파에서 췌장 두부 또는 구상돌기에서 종양이 관찰되면 원위부 췌장절제술 및 종양적출술 또한 고려해 줄 수 있다. 그 외 소마토스타틴의 동족체인 옥트레오티드 등을 사용할 수 있고, 저혈당을 막기 위해 다이아족사이드 등을 사용할 수도 있으며, 악성 인슐린종에 의한 경우는 항암치료와 함께 스트렙토조토신 또는 옥트레오티드를 사용하기도 한다.

(3) VIP종

혈관 작용성 장 펩티드(vasoactive intestinal peptide: VIP) 분비성 종양은 수액성 설사, 저칼륨혈증, 무산증을 특징으로 한다.[34] 진단은 증가된 혈중 혈관 작용성 장 펩티드 농도(<75 pg/ml)에 의해 이루어진다.[21] 대부분의 경우에서 VIP종의 외과적 절제로 완치가 된다. 드물게 절

제가 힘든 경우에는 스크렙토조토신, 옥트레오티드, 코티코스테로이드, 인도메타신, 메토클로프라미드, 리튬카보네이트 등 내과적 치료를 시행할 수 있다.

3) 뇌하수체종양

다발내분비선종양 1형 환자의 약 20~60%에서 발생한다.[35] 이 중에서 약 60% 정도는 프로락틴을 분비하고 25% 정도는 성장호르몬을 분비해서 소아에서는 거인증을, 성인에서는 말단 비대증을 야기한다. 또한 3~5%정도는 부신피질자극호르몬을 분비하고 나머지는 대부분 호르몬 분비가 없는 것으로 알려져 있고 고립성의 뇌하수체종양에서와 같이 당단백호르몬을 분비하는 경우는 지극히 드물다.[35] 임상적 양상은 분비되는 호르몬의 과잉으로 인한 증상과 종양의 크기가 커지면서 생기는 종괴효과로 인해 시신경 교차를 압박하여 생기는 시야 장애 및 두통 등이 있을 수 있다. 뇌하수체종양은 컴퓨터 단층 촬영이나 자기 공명 영상을 이용해 확인할 수 있다. 치료는 고립성의 경우와 같으며 수술을 시행하거나 종양에 따라서 브로모크립틴, 옥트레오티드 등을 사용한다. 수술로 제거되지 못하는 잔여 종양인 경우는 방사선 치료가 시행될 수 있다.

프로락틴 종양

프로락틴 분비성 종양은 다발내분비선종양 1형 환자에서 뇌하수체종양에서 가장 흔하고 혈청 프로락틴 농도(폐경전 여성 0~20 ng/ml, 폐경후 여성 0~15 ng/ml, 남성 0~15 ng/ml)가 250 ng/ml 이상 증가되어 있다.[21] 프로락틴 종양은 여성에서는 유즙 분비, 무월경, 불임 등을 유발하고 남성에서는 성선기능저하증, 성기능 장애, 여성형 유방 등을 야기한다. 내과적 치료는 도파민 작용제인 브로모크립틴, cabergoline, pergolide 등을 사용할 수 있다.

4) 기타 드문 종양들

드물게 부신, 갑상선, 위, 흉선 및 기관지의 카르시노이드 등이 나타날 수 있다. 부신 종양은 다발내분비선종양 1형 환자의 27~39%에서 발생하는데 대부분 양성이고 비기능성 피질 선종이다.[36] 그러나 기능성 부신피질 종양은 혈청 코르티솔 농도를 증가시켜 고코르티솔혈증과 쿠싱증후군을 야기한다. 일반적인 치료 방침은 아니지만 일부 저자들은 3 cm 이상의 부신피질종양에 있어서 악성화 가능성 때문에 외과적 절제를 추천하기도 한다. 갑상선 종양은 다발내분비선종양 1형 환자의 5~30%에서 발생하는데 주로 선종, 콜로이드 고이터, 암으로 구성되어 있다.[6] 갑상선 질환에 대한 유병률은 높지만 다발내분비선종양 1형에서 갑상선 종양은 우연히 발생하며 임상적 의의는 적다. 위 카르시노이드는 졸링거-엘리슨 증후군을 가지는 다발내분비선종양 1형 환자의 약 7~30%에서 발생하며 졸링거-엘리슨 증후군이 없는 환자에서의 발생은 드물다. 약 18%에서 전이를 가지고 있으며 원발성 종양은 대부분 다발성이고 천천히 진행된다. 흉선 카르시노이드는 다발내분비선종양 1형 환자의 0~8%에서 발생하는데 거의 대부분 남자에서 발생하며 항상 무증상이고 쿠싱이나 카르시노이드 증후군과의 관련성은 없다.[37,38] 이것은 원격전이를 동반하여 고령의 다발내분비선종양 1형 환자에게서 높은 사망률을 야기한다. 기관지 카르시노이드는 남자보다 여자에서 흔히 발생한다. 다발내분비선종양 1형 환자의 0~8%에서 발생하고 대부분이 양성이지만, 드물게 이로 인해 사망하기도 한다.

요약

다발내분비선종양 1형은 다양한 내분비계와 비-내분비계종양으로 이루어진 드문 유전성 종양 질환이다. 비록 흔하지는 않더라도 이러한 증후군은 비교적 어린 나이에 다발성으로 여러 장기에 발생하기 때문에 일찍 인지하는 것이 중요하다. 다발내분비선종양 1형에 관련된 유전자의 발견으로, 환자와 가족들에 대해 조기 발견이 가능하게 되었다. 다발내분비선종양 1형의 분자 생물학 및 임상적 특징에 대해 많은 연구가 이루어져 치료 기회가 증가되었고 이로 인해 합병증과 사망률이 감소하였다.

다발내분비선종양 1형 유전자에 대한 분자 경로 및 관련 단백질에 대한 추가 연구들은 향후에 치료를 결정하고 유전적 정보에 근거하여 개별화된 치료 전략을 세우는 데 도움을 줄 것으로 사료된다. 최종 목표는 다발내분비선종양 1형 유전자 변이를 가지고 있는 환자에게 적절한 암 예방 및 치료 프로그램 등을 제공하는 것이다.

REFERENCES

1. Wermer P. Genetic aspects of adenomatosis of endocrine glands. Am J Med 1954;16:363-71.

2. Knudson AG, Jr. Mutation and cancer: statistical study of retinoblastoma. Proc Natl Acad Sci USA 1971;68:820-3.

3. Agarwal SK, Lee Burns A, Sukhodolets KE, Kennedy PA, Obungu VH, Hickman AB, et al. Molecular pathology of the MEN 1 gene. Ann N Y Acad Sci 2004;1014:189-98.

4. Agarwal SK, Guru SC, Heppner C, Erdos MR, Collins RM, Park SY, et al. Menin interacts with the AP1 transcription factor JunD and represses JunD-activated transcription. Cell 1999;96:143-52.

5. Bassett JH, Forbes SA, Pannett AA, Lloyd SE, Christie PT, Wooding C, et al. Characterization of mutations in patients with multiple endocrine neoplasia type 1. Am J Hum Genet 1998;62:232-44.

6. Pannett AA, Thakker RV. Multiple endocrine neoplasia type 1. Endocr Relat Cancer 1999;6:449-73.

7. Trump D, Farren B, Wooding C, Pang JT, Besser GM, Buchanan KD, et al. Clinical studies of multiple endocrine neoplasia type 1 (MEN 1). QJM 1996;89:653-69.

8. Skogseid B, Eriksson B, Lundqvist G, Lorelius LE, Rastad J, Wide L, et al. Multiple endocrine neoplasia type 1: a 10-year prospective screening study in four kindreds. J Clin Endocrinol Metab 1991;73:281-7.

9. Doherty GM, Olson JA, Frisella MM, Lairmore TC, Wells SA, Jr., Norton JA. Lethality of multiple endocrine neoplasia type I. World J Surg 1998;22:581-6; discussion 6-7.

10. Wilkinson S, Teh BT, Davey KR, McArdle JP, Young M, Shepherd JJ. Cause of death in multiple endocrine neoplasia type 1. Arch Surg 1993;128:683-90.

11. Dean PG, van Heerden JA, Farley DR, Thompson GB, Grant CS, Harmsen WS, et al. Are patients with multiple endocrine neoplasia type I prone to premature death? World J Surg 2000;24:1437-41.

12. Doherty GM, Lairmore TC, DeBenedetti MK. Multiple endocrine neoplasia type 1 parathyroid adenoma development over time. World J Surg 2004;28:1139-42.

13. Clark OH, Benson AB, 3rd, Berlin JD, Choti MA, Doherty GM, Engstrom PF, et al. NCCN Clinical Practice Guidelines in Oncology: neuroendocrine tumors. J Natl Compr Canc Netw 2009;7:712-47.

14. Hellman P, Skogseid B, Oberg K, Juhlin C, Akerstrom G, Rastad J. Primary and reoperative parathyroid operations in hyperparathyroidism of multiple endocrine neoplasia type 1. Surgery 1998;124:993-9.

15. Elaraj DM, Skarulis MC, Libutti SK, Norton JA, Bartlett DL, Pingpank JF, et al. Results of initial operation for hyperparathyroidism in patients with multiple endocrine neoplasia type 1. Surgery 2003;134:858-64; discussion 64-5.

16. Kivlen MH, Bartlett DL, Libutti SK, Skarulis MC, Marx SJ, Simonds WF, et al. Reoperation for hyperparathyroidism in multiple endocrine neoplasia type 1. Surgery 2001;130:991-8.

17. Rosch T, Lightdale CJ, Botet JF, Boyce GA, Sivak MV, Jr., Yasuda K, et al. Localization of pancreatic endocrine tumors by endoscopic ultrasonography. N Engl J Med 1992;326:1721-6.

18. Zimmer T, Stolzel U, Bader M, Koppenhagen K, Hamm B, Buhr H, et al. Endoscopic ultrasonography and somatostatin receptor scintigraphy in the preoperative localisation of insulinomas and gastrinomas. Gut 1996;39:562-8.

19. Brandi ML, Gagel RF, Angeli A, Bilezikian JP, Beck-Peccoz P, Bordi C, et al. Guidelines for diagnosis and therapy of MEN type 1 and type 2. J Clin Endocrinol Metab 2001;86:5658-71.

20. Wolfe MM, Jensen RT. Zollinger-Ellison syndrome. Current concepts in diagnosis and management. N Engl J Med 1987;317:1200-9.

21. Kratz A, Lewandrowski KB. Case records of the Massachusetts General Hospital. Weekly clinicopathological exercises. Normal reference laboratory values. N Engl J Med 1998;339:1063-72.

22. Gibril F, Schumann M, Pace A, Jensen RT. Multiple endocrine neoplasia type 1 and Zollinger-Ellison syndrome: a prospective study of 107 cases and comparison with 1009 cases from the literature. Medicine (Baltimore) 2004;83:43-83.

23. Pipeleers-Marichal M, Somers G, Willems G, Foulis A, Imrie C, Bishop AE, et al. Gastrinomas in the duodenums of patients with multiple endocrine neoplasia type 1 and the Zollinger-Ellison syndrome. N Engl J Med 1990;322:723-7.

24. Norton JA, Fraker DL, Alexander HR, Venzon DJ, Doppman JL, Serrano J, et al. Surgery to cure the Zollinger-Ellison syndrome. N Engl J Med 1999;341:635-44.

25. Brandi ML, Marx SJ, Aurbach GD, Fitzpatrick LA. Familial multiple endocrine neoplasia type I: a new look at pathophysiology. Endocr Rev 1987;8:391-405.

26. Norton JA, Cornelius MJ, Doppman JL, Maton PN, Gardner JD, Jensen RT. Effect of parathyroidectomy in patients with hyperparathyroidism, Zollinger-Ellison syndrome, and multiple endocrine neoplasia type I: a prospective study. Surgery 1987;102:958-66.

27. Skogseid B, Oberg K, Eriksson B, Juhlin C, Granberg D, Akerstrom G, et al. Surgery for asymptomatic pancreatic lesion in multiple endocrine neoplasia type I. World J Surg 1996;20:872-6; discussion 7.

28. Thompson NW. Current concepts in the surgical management of multiple endocrine neoplasia type 1 pancreatic-duodenal disease. Results in the treatment of 40 patients with Zollinger-Ellison syndrome, hypoglycaemia or both. J Intern Med 1998;243:495-500.

29. Bartsch DK, Langer P, Wild A, Schilling T, Celik I, Rothmund M, et al. Pancreaticoduodenal endocrine tumors in multiple endocrine neoplasia type 1: surgery or surveillance? Surgery 2000;128:958-66.

30. Lairmore TC, Chen VY, DeBenedetti MK, Gillanders WE, Norton JA, Doherty GM. Duodenopancreatic resections in patients with multiple endocrine neoplasia type 1. Ann Surg 2000;231:909-18.

31. Norton JA, Doppman JL, Jensen RT. Curative resection in Zollinger-Ellison syndrome. Results of a 10-year prospective study. Ann Surg 1992;215:8-18.

32. Jensen RT. Management of the Zollinger-Ellison syndrome in patients with multiple endocrine neoplasia type 1. J Intern Med 1998;243:477-88.

33. Norton JA, Alexander HR, Fraker DL, Venzon DJ, Gibril F, Jensen RT. Comparison of surgical results in patients with advanced and limited disease with multiple endocrine neoplasia type 1 and Zollinger-Ellison syndrome. Ann Surg 2001;234:495-505; discussion -6.

34. Marks IN, Bank S, Louw JH. Islet cell tumor of the pancreas with reversible watery diarrhea and achylorhydraia. Gastroenterology 1967;52:695-708.

35. DeLellis RA. Pathology and genetics of thyroid carcinoma. J Surg Oncol 2006;94:662-9.

36. Skogseid B, Rastad J, Gobl A, Larsson C, Backlin K, Juhlin C, et al. Adrenal lesion in multiple endocrine neoplasia type 1. Surgery 1995;118:1077-82.

37. Teh BT, Zedenius J, Kytola S, Skogseid B, Trotter J, Choplin H, et al. Thymic carcinoids in multiple endocrine neoplasia type 1. Ann Surg 1998;228:99-105.

38. Gibril F, Chen YJ, Schrump DS, Vortmeyer A, Zhuang Z, Lubensky IA, et al. Prospective study of thymic carcinoids in patients with multiple endocrine neoplasia type 1. J Clin Endocrinol Metab 2003;88:1066-81.

CHAPTER
89

다발내분비선종양 2B형(MEN 2B)
Multiple Endocrine Neoplasia Type 2B

| 연세대학교 의과대학 외과 **정종주**

정상출생아 중에서 약 1 : 500,000~700,000의 발생률을 가지는 다발성내분비선종양 2B형(MEN 2B)는 매우 드물어 희귀병으로 분류된다.[1,2] MEN 2B은 임상증상은 내분비성 및 비내분비성 표현형으로 발현된다. 내분비성은 갑상선 수질암(MTC), 갈색세포종(pheochromocytoma)으로 비내분비성은 혀, 결막 및 장관의 신경절 신경종(ganglioneuromas), 각막 신경 비대(corneal fibers) 및 "Marfanoid" 체질같은 독특한 근골격계 장애로 나타난다. MEN 2B에서는 원발성 부갑상선 기능항진증(Primary hyperparathyroidism)은 필수 임상양상은 아니다.[3,4] MEN 2B는 RET (REarranged during Transfection) 암 원인 유전자(proto-oncogene)의 미스센스 생식세포 계열 돌연변이(missense germline mutations)에 의해 발현되고, 거의 코돈 918에서 발생한다. 그 결과로 생기는 M918T 돌연변이는 영아기와 초기 소아기에서 갑상선 수질암이 조기 발현되는 것이 특징이다. MEN 2B는 일반적으로 MEN증후군의 가장 공격적인 형태로 일반적으로는 상염색체 우성의 유전적 원인에 의해 발생하지만 새롭게 산발적으로(de novo) 발생하기도 한다.[1,4,5]

1. 역사

MEN 2B이라는 용어는 1975년에 MEN 2A에서 흔히

볼 수 있는 고전적인 Sipple 증후군과 달리 "신경종 표현형(neuroma phenotype)"을 설명하기 위해 만들어졌지만,[6] MEN 2B의 임상적 특징이 그보다 훨씬 먼저 기술되었다.[7-12] Walther Burk은 1901년 논문에서 의학 문헌에서 MEN 2B 환자에(갑상선에 아밀로이드 종양이 있는 12세 소년 환자) 대해 기술하여 최초 보고하였다.[7] 일련의 대규모의 증례연구들은 MEN 2B의 내분비성, 비내분비성 구성요소들이 다양하게 발현됨을 발표하였고, 이는 여러 가지 임상적 특징과 결과 양상을 설명하였다.[13-16] 1970년대와 1980년대에는 Mayo Clinic의 병리학자인 J. Aidan Carney이 MEN 2B의 내분비적인 요소와, 특히 비내분비적 구성요소에 대해 자세하게 기술하였다.[13,17-24] 1994년에 MEN 2B의 유전자로서 코돈 918의 암 원인 유전자 미스센스 돌연변이를 처음 기술된 이후,[25] 추가적인 RET 돌연변이(코돈 883,804의 RET 돌연변이)가 더 경한 형태의 MEN 2B 유사 변이로 알려졌다. 대다수의 MEN 2B 환자는 새로 발생하는 질환이기 때문에 유전적 선별검사는 불가능하다. 여러 연구를 통해 최근에는 치료 가능한 병기에서 질병을 진단하는 큰 진보가 이루어졌다. 지난 10년간의 고전적인 "신경종 표현형"의 조기 발견에도 불구하고, 일부 환자는 아직도 수술적 치료를 하기에는 너무 진행된 병기로 진단된다. 신생아 및 유아기에 장관 신경절신경종증(intestinal ganglioneuromatosis)과 눈물 생성의 감소를 조기에 인지하는 것이 MTC의 확실한 수술적 치료의 기회를 보장할 수 있다.[26]

2. 유전학 및 병리학

모든 MEN 2B 환자의 95% 이상이 코돈 918 (M918T)에 이형접합성 미스센스(heterozy-gous missense) RET 돌연변이를 가지고 있다. 이 고전적인 MEN 2B 돌연변이는 리간드의 부재하에 암호화된 티로신키나제 수용체 단백질의 구조적 활성화를 통해 세포 단계에서 매우 높은 형질 전환(transforming activity) 활성을 부여한다.[35-36] 반대로 소수의 환자(5 % 미만)들은 MEN 2B의 비내분비적 구성 요소의 발현이 불완전하여 "비정형 MEN 2B"로 간주되며, A883F,[27-29] V804M/E805K,[33] V804M/Y806C,[30,32] 또는 V804M/S904C[31]와 같은, RET 유전자의 다른 돌연변이로 나타낸다. 이 드문 돌연변이와 관련된 정확한 표현형은 아주 상세하게 보고되지는 않았지만, 진단이 더 고령에서 되고 전신 질환의 비율이 더 낮은 것을 보면 전형적인 M918T돌연변이보다 일반적으로 더 경한 형태의 질환인 것으로 보인다.[34] 이렇게 발견된 차이에도 불구하고 2009년의 미국갑상선협회는 M918T과 A883F RET 돌연변이 모두를 가장 위험성이 높은 D 등급으로 지정했다.[4,37,38] 하지만 2015년 가이드 라인에서는 A883F를 M918T보다는 경한 형태의 질환으로 다시 분류 하였다.

MEN 2B 및 MEN 2A는 MTC 및 갈색세포종의 형태학적 그리고 임상적 양상에서 차이를 보이지 않는다. 종양 세포에서 RET 또는 다른 유전자의 체세포 돌연변이가 증가하면 "두 번째 타격(second hits)"으로 C세포증식증이 다발성, 종종 양측성 MTC로 진행되고, 부신 수질 증식에서 갈색세포종으로 질병의 진행이 급격히 일어난다.[39] C세포의 대부분이 갑상선엽의 후부 기관주위 구획(posterior paratracheal portions)에 위치하기 때문에, MTC는 갑상선 상부 후엽(upper posterior thyroid lobe)에서 원발적으로 주로 발생한다 MEN 2B에서 M918T 돌연변이는 보다 활발한 형질 전환 활동으로 인해 세포 이학적, 형태학적 변화는 MEN 2A보다 훨씬 빠르게 진행된다. 그로 인해 MEN 2A 환자보다 수술적 치료기회가 적어진다.

MEN 2B 환자가 대개 10대에 갑상선 종괴가 있다면,

일측성 또는 양측성 갈색세포종도 동시에 나타날 수 있다.[40] 더 흔하게는 갈색세포종은 MEN 2B 환자에서 더 나중에 발생하여,[2,40] 20대에 흔하다.[41] 지금까지 보고된 갈색세포종을 가진 가장 어린 MEN 2B 환자는 12세였다.[16] 부신외 갈색세포종(Extra-adrenal pheochromo-cytoma)은 MEN 2B에서 드물다. 부신 신경절신경종증(Adrenal ganglioneuromas)은 보기 드물고,[42] 거의 모든 MEN 2B와 연관되는 갈색세포종은 양성질환이다. 신경 비대, 특히 각막 신경의 비대는 이 질환에 특이적이지는 않지만 MEN 2B의 한 구성 요소가 된다. MEN 2B 환자는 상악 신경의 과다증식(neural hyperplasia of the max-illa)[43]과 다른 원심성 신경(spinal ganglia)의 비대에 추가로 비대한 되돌이 후두신경과 척수 신경절을 가지고 있다. 이렇게 비대해진 신경은 감각 신경의 Aa, Ad 및 C 구성 요소 내에서 보다 낮은 활동 전위 진폭으로 인해 신경 전도 속도를 감소시킨다.[21] 이는 전기생리적 이상은 적어도 부분적으로 MEN 2B에서의 근골격 변이 및 눈물 생성 감소와 관련이 있을 것이다.[13] 점막 신경절신경종증은 전체 소화관, 타액선, 췌장 및 담낭을 포함하지만 구강 및 장 점막을 호발한다.

결장에서, 장관 신경절신경종증(intestinal ganglioneu-romatosis)은 장벽의 점막하 및 근육층 신경얼기에 영향을 끼쳐서,[13,18,19,44,45] 결장 운동성을 감소시키고 결장의 팽창을 일으킨다. MEN 2B의 맥락을 벗어나는 장관 신경절신경종증은 매우 드물기 때문에[46,47] 장관 신경절신경종증이 진단되면 MEN 2B의 확인을 위해 RET 유전자 검사를 시행해야 한다.[4]

3. 임상적 특징 및 진단

1) 내분비 표현형

거의 모든 MEN 2B 환자에서 진단 당시 MTC가 발병되

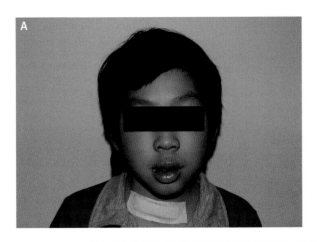

그림 89-1 │ 다발성 내분비 종양 2형 환자에서 특이하게 보이는 입술이 두껍고, 혀에 발생한 다발성 점막성 신경종

어 있기 때문에 이 내분비 악성 종양의 빠른 발병을 설명된다. 4세 이상의 소아에서는 MTC가 매우 진전되어 생화학적 완치는 점점 더 어려워지고 있다.[9] MEN 2B 환자의 50% 이상에서는 다발성 및 양측성인 양성 갈색세포종이 발병한다.[3,4,48] MEN 2A와는 반대로, 원발성 부갑상선 기능항진증은 MEN 2B의 구성 요소는 아니므로 이 질환에 대한 생화학적 검진의 필요성이 배제된다.[41]

MEN 2B 환자에서는 보통 고전적인 MEN 2A 환자보다 MTC와 갈색세포종에 더 빨리 발병한다.[41] 영아기에서 MTC가 빈번하게 발병하기 때문에, 신생(de novo) 돌연변이가 있는 소아에서 MEN 2B의 보인자(carrier)는 종종 MEN 2B의 임상 특징을 인식함으로써 시행한 RET 유전자 검사상 양성을 확인할 경우 진단된다.

2) 비내분비 표현형

MEN 2B의 구강 표현형은 MEN 2B(그림 89-1)의 특징인 혀 앞쪽, 입술 및 볼점막의 신경절신경종을 포함한다.[13,19,20] 임상 진단은 조직 생검을 통해 확진 할 수 있다. 또 다른 특징은 종종 치과 진료와 교정을 필요로

하는 치아 변위다.[13,49] 종종 MEN 2B와 관련이 있는 이러한 치아 이상의 기초적인 병리는 완전히 이해되지는 못하고 있다.[13] 점막 신경종은 MEN 2B 이외의 다른 질환에서도 나타난다.[50]

MEN 2B의 안구 표현형은 결막 신경절신경종, 각막 신경 비대(섬유증) 및 눈꺼풀 가장자리의 속말림 현상(안검내반, entropion)으로 이루어지며 반복적인 결막염을 일으킨다.[8,13,51-53] 증상이 없기 때문에 각막 신경 비대의 조기 진단을 위해서는 특별히 세극등 검사로 조사해야 한다. 그러나 각막 섬유증는 MEN 2A에서도 나타날 수 있다는 것에 유의해야 한다.[54-57] 눈물 분비 감소로 인한 안구 건조증(건성결막염, conjunctivitis sicca)은 MEN 2B의 잘 알려진 특징이다.[13,52] 임상 진단은 쉬르머(Schirmer) 검사 양성으로 진단된다. 어린 아이들의 경우, 눈물 분비 감소가 매우 희귀하여 MEN 2B를 배제해야 한다.[58]

MEN 2B의 장관 표현형, 장관 신경절신경종증은 대장의 직경이 영구적으로 증가된 상태(거대결장)가 특징이다. 이 질환은 가성 Hirschsprung 병이라고도 한다.[13,18,19,44,59,60] 나타나는 임상 증상에는 40~85%의 환자에서의 복부 팽만감, 만성 변비, 복부의 과도한 팽창과 고창, 그리고 재발성 복부 압통이 포함된다.[60]

점막하 및 근육층 신경얼기의 과다 증식으로부터 초래되는 MEN 2B 관련 가성 Hirschsprung 병은 진성 Hirschsprung 병과 혼동되어서는 안 된다. MEN 2A 환자 중 일부에서도 발견되는 Hirschsprung 병은 신경능선 세포들이 대장으로 완전하게 이동하지 못해 장관 원위부의 신경절 세포가 결여됨으로써 초래된다. 감별진단은 직장흡입생검으로 쉽게 할 수 있다.[61]

MEN 2B의 근골격계 표현형은 "Marfanoid" 체질이라는 명칭에 포함되는 일련의 병리적 특징들로 구성된다. 키가 크고 여윈 체구, 길쭉한 얼굴, 과도하게 유연한 관절, 흉부 기형, 척추측만증, 대퇴골두 성장판 분리(골단분리증), 외반슬, 발 기형(요족/ 오목발), 근육 약화 등의 증상을 호소한다.[21,23]

많은 MEN 2B 환자는 별탈 없이 자궁 내 발달을 하고 정상 체중과 신장을 가지게 된다.[62] 전형적인 MEN 2B 표현형은 전개되는데 시간이 걸리므로 많은 병리적 징후 및 증상이 연령에 관계되어 나타난다. 생후 첫 주 이내 또는 몇 달 안에 대부분의 MEN 2B 환자는 약한 흡입력과 만성 변비로 인해 잘 자라지 못한다.[62] 통상적으로 질병특유의 구강 신경종 및 특징적인 골격 이상이 나타나는데 3~4년이 걸린다. 이러한 전조 증상에 대한 즉각적인 인식은 조기 진단 및 선제적 갑상선 절제술을 통한 생화학적 치료의 확률을 향상시킨다.[63]

4. 검진

현재 가이드라인은 모든 MTC 환자에게서 유전자 검사의 시행을 권장한다. MEN 2B에 대한 유전자 검사에는 RET 유전자 15번과 16번 exon이 포함된다.[4] 임상적으로 MEN 2B가 의심되는 경우에는 생식세포 M918T 돌연변이가 대부분 나타나는 반면 A883F 돌연변이는 드물다. 상기 돌연변이들이 모두 발견되지 않으면, RET 유전자의 모든 암호영역(coding region)에 대한 염기서열을 확인하여 RET 유전자 14번 exon에 위치한

804번 codon을 포함하는 double mutation (V804M and Y806C)이 있는지 확인할 것을 권고한다.[4] MEN 2B 환자의 자손은 영유아기부터 해당 질병이 내재되어 있을 수 있으므로 부모의 RET 돌연변이에 대해 가능한 한 빨리 검진을 받아야 한다.[4] 가족성 MEN 2B에 대한 RET 검진의 원칙은 MEN 2A와 동일하다. 가족력이 없는 MEN 2B 환자의 감별은 아직 어렵다. 해당 형질은 매우 드물게 나타나기 때문에 모든 신생아에 대한 무작위 유전자 검사는 허용하지 않고 있다. 따라서 MEN 2B에 해당하는 임상 징후 및 증상이 나타나자마자 이를 알아차리고 확진을 위한 RET 검진을 시작할 수 있도록 하는 것이 중요하다. MEN 2B로 의심되는 환자들을 미리 많이 선별하여 RET 검사를 하는 것이, 모든 신생아를 검사하는 것과 치유 가능한 적은 수의 환자를 놓치는 것 사이의 균형을 유지하는 가장 경제적인 방법일 것이다. MEN 2B 징후와 증상이 모두 나타날 때까지 기다린다면 많은 아동과 청소년이 진행성 MTC로 발전할 수 있다. MEN 2B를 시사하는 주요 전조 징후와 증상으로는 "tearless crying", 만성 변비, 구강 및 결막 신경종이 있다.[62,63] "tearless crying"은 몇 가지 임상 상태에서만 발생하는 드문 현상이다. 그렇기 때문에 의심되는 임상 징후와 증상으로 확진 RET 검사를 앞두고 있는 유아에게서 눈물 분비가 감소된 경우에는 대부분 MEN 2B에 대한 양성 반응을 보일 것으로 예상할 수 있다.[62,63] 임상적인 고찰을 바탕으로 한 표적화된 검사 전략이 무분별한 신생아 검진 프로그램보다 효과적인 방법이다. 만성 변비는, 특히 심한 경우에 감별 진단을 위해 직장 흡입 생검을 통한 정밀 검사를 필요로 한다. MEN 2B를 시사하는 장관 신경절신경종증의 조직 병리학적 소견에는 확진 RET 유전자 검사가 필요하다.[4] 장의 조직 병리결과 없이도 혈청 칼시토닌이 증가한 장관 신경절 신경종증 소아 환자에게서 RET 검사가 권고될 수 있다. 빠른 진단을 위해서라 하더라도 혈청 칼시토닌 검사가 DNA 검사를 대체 할 수는 없다.

5. 외과 치료

MEN 2B를 진단받은 환자들은 MEN 2A를 진단받은 환자들보다 평균적으로 어리다(MTC의 경우 13세 vs 21세, 갈색세포종의 경우 25세 vs 34세).[41] 갈색세포종은 20대 이전의 RET 보유자에서 나타나는 경우가 드물며[4,41] 6 cm 크기의 일측 갈색세포종을 수술받은 8세의 C634Y 보유자의 케이스 단 1건만이 보고 되었다.[64] 조기발견에 의한 보다 효과적인 수술로 인해 생존율이 향상되었기 때문에 MEN 2B의 비내분비적인 징후 및 증상은 병이 진행됨에 따라 더욱 명확하게 발현되며 외과적 치료는 증상을 유발하는 병변에만 필요하다.

1) 갑상선 수질암

외과적 합병증을 최소화하기 위해 MEN 2B 환자에 대한 수술은 소아 경부 수술 경험이 있는 외과의에 의해서 시행되어야 한다. 유아 및 어린이들은 경부 구조물이 연약하며 흉선이 크기 때문에 흉선이 갑상선과 혼동되지 않도록 주의해야 한다.[63] 소아의 부갑상선은 매우 작고 인접 조직과 구별하기가 어려우므로 세심한 박리를 요한다.[4,5,63] 림프절 절제를 동시에 시행해야 하는 경우에는 경험이 많은 외과의가 더욱 요구된다. 모든 C 세포가 동일한 RET 돌연변이를 갖고 있기 때문에, MTC로의 악성 진행 가능성을 없애기 위해, 예방적이든 또는 치료적이든, 갑상선 전 절제술이 필요하다.[4,5] C 세포는 나트륨-요오드 수용체(sodium-iodine symporter)를 발현하지 않기 때문에 방사성 요오드 치료는 MTC에서 효과가 없다.

MEN 2B에서 림프절절제술에 대한 필요성과 그 범위는 환자 개개인에 맞춰 결정되어야 하지만, 만약 수행된다면, 구획을 바탕으로 한 수술 원리를 바탕으로 체계적으로 시행되어야 한다. 체계적 림프절절제술 여부에 대한 결정은 환자의 나이, 수술 전 혈청 칼시토닌 수준, 원발 종양 크기, 목 및 종격동에 대한 양성 영상 결과 등을 기준으로 평가한다.

2) 무증상 갑상선 수질암

모든 MEN 2B 환자들에서 생후 첫해에 MTC가 나타내기 때문에 외과적 절제는 진정 예방적이라고는 할 수 없다. MEN 2A 환자에서와 마찬가지로, 소아 MEN 2B 환자에서 경부 초음파검사는 칼시토닌 혈청 농도와는 달리 갑상선 절제술의 시기를 정하는 데 적합하지 않을 수 있다.[65] 생후 첫 1년 이내에 수술한 일부 MEN 2B 환자는 중심 림프절에 전이를 갖고 있는 잠복 MTC를 갖고 있을 수 있다. 유아에서 림프절 전이가 빈번하지 않다는 점을 감안하여, 출생 1년 이내의 환자에서 관례적인 중앙 림프절절제술의 필요성은 외과적 합병증 때문에 논란이 되어 왔다.

수술 후 부갑상선 기능저하증은 특히 영구적일 경우 성인보다 아동 및 청소년에게 더 심각한 결과를 초래할 수 있다.[4] 정상 초음파 결과라 하더라도 MTC 또는 림프절 전이[66]를 배제할 수 없으므로 예방적 중앙 림프절절제술은 아주 어린 MEN 2B 환자에게 있어서도 경험이 많은 외과의에 의해서라면, 합리적인 선택이 될 수 있다.[4]

3) 임상적으로 명백한 갑상선 수질암 수술

임상적으로 명백히 의심되는 MTC는 산발성 및 유전성의 경우 모두에서 공통적으로 중앙 및 측면 림프절 전이[5,67-70]를 보이므로 종양 관련 합병증을 예방하기 위한 구획 림프절 절제를 필요로 한다.[5,71] 수술 전 기초 혈청 칼시토닌의 수치에 따른 예후를 예측하여 경부 림프절 절제의 정도를 결정할 수 있다.[72] 칼시토닌 수치가 20, 50, 200 및 500 pg/mL(정상 기준 범위 <10 pg/mL) 이상일 때 림프절 전이는 동측 중심 및 측면, 반대측 중심, 반대측 측면, 상부 종격동에 각각 나타난다. 양측 구획

림프절절제술은 1,000 pg/mL 이하의 혈청 칼시토닌 수치를 보인 환자의 절반 이상에서 생화학적 치유에 도달할 수 있지만 10,000 pg/mL 이상의 환자에서는 그렇지 않다.[72] 목의 어느 쪽이든 측면 림프절 전이가 있는 경우에는 종격동 림프절 전이와 원위부 전이가 매우 흔하다.[73-75]

재발성 또는 지속성 MTC에서는 잠재적으로 생명을 위협하는 림프절 전이의 증거가 없는 한 재수술의 필요성과 범위를 결정하는 것이 어려울 수 있다. 재수술의 예상되는 이득과 국소 재발 억제 효과는 최초 수술에서 제거된 림프절의 수와 수술 후 혈청 칼시토닌 수치에 달려 있다.[76] 이전 수술에서 0개 또는 1~5개의 림프절 전이가 제거되었던 경우, 체계적인 중앙 및 측면 림프절절제술을 통한 재수술을 시행하면 각각 44%와 18%의 생화학적 치유를 달성할 수 있다. 재수술 전에 칼시토닌이 1,000 pg/mL 이상(정상 범위 <10 pg/mL)인 경우 생화학적 치유는 드물다(1.5% 미만). 국소 진행성 질환에서는 표적 치료를 포함한 비 외과적 치료 방식이 더 적절할 수 있다.

4) 갈색세포종

MEN 2A에서와 마찬가지로, MEN2B에서는 양측 갈색세포종의 발생 위험성이 높은 것을 감안하여, 영구적인 부신 기능부전과 그로 인한 스테로이드 의존을 예방하기 위해 적어도 한쪽에 가능한 한 많은 정상 부신 조직을 보존하는데 중점을 둔다.[4,77-80] 이 경우의 최적 표준은 복강경 또는 후복막경 접근을 이용한 내시경적 부신 보존 종양 절제술이다.[4,80-83]

유전성 갈색세포종에서 부신 보존 종양 절제술을 시행 시 남아있는 부신 조직에서 종양의 재발이 있을 수 있으며 이는 정량화하기는 힘들지만 최대 30%까지 이를 수 있다.[84] 재발의 위험성은 MEN 2A에서보다 MEN 2B 환자에서 높을 것으로 생각되지만 그 차이는 아직 명확히 보고되지는 않았다.[40,41] 재발 갈색세포종은 또다시 복강경 접근법을 사용하여 제거될 수 있으며 이때

추가적인 합병증은 없으며 때로는 더 적게 남아있는 정상 부신을 보존할 수도 있다.[81,85,86]

5) 가성(Pseudo) Hirschsprung 병

장관 신경절신경종증(가성Hirschsprung 병)의 자연 경과 및 최적의 치료에 대한 자료는 아직 부족한 실정이다. MTC와 갈색세포종의 선제적 진단 및 치료가 증가하면서 MEN 2B 환자는 이전보다 더 오래 살고 더 완전한 삶을 살게 될 것이다. 장관 신경절신경종증의 임상적 증상은 매우 다양할 수 있다. 치료는 환자 개개인에 맞춰 결정되어야 한다. 몇몇 MEN 2B 환자에서는 분절성 장 확장증만이 나타나며 이는 급성 임상 악화를 유발할 수 있다. 이 질병을 가진 많은 유아들과 어린이들이 Hirschsprung병으로 추정되어 응급이 아닌 정규 수술을 받기 때문에 복부 팽창과 결장 확장이 내과적 치료로 어느 정도 치유될 수 있는지는 불분명하다. 간헐적인 설사는 진행된 MTC와 연관된 전형적인 증상이며, 진행된 산발성 MTC에서와 마찬가지로, 높은 혈청 칼시토닌 수준과 관련이 있을 수 있다. 비록 수술이 불가피한 경우도 있겠지만, 가성 Hirschsprung 병에 대해서는 보존적인 치료가 시행되어야 한다.[16] 결장의 길이가 늘어나거나 분절 확장이 있는 환자에서 피할 수 없는 경우라면 모든 확장된 결장을 절제하는 것이 적절한 치료법이 될 수 있지만 이것은 남아 있는 결장의 병은 치유하지는 못한다. 예방적 결장 전절제술은 심각한 임상 결과를 가져오기 때문에 결코 적합한 선택사항이 아니다. 불필요한 복부 수술을 피하기 위해 MEN 2B의 관리에 경험이 있는 전문가를 포함하는 다학제 간의 합의가 필요하다.

6. 임상적 결과

임상 생화학, 영상 및 분자 유전학의 상당한 발전에도

불구하고, MTC는 여전히 MEN 2B 연관 사망률에 대한 단 하나의 가장 중요한 결정요소다.[4,14-16,62,88] MEN 2B의 기대 수명은 일반인에 비해 많이 짧지만 일부 MEN 2B 환자는 40세 이상까지 생존한다.[2] 대체로 광범위한 전이성 MTC를 가진 어린 아이들은 나쁜 예후를 가지는 것으로 보인다.[81] 2000년대 이후, de novo로 발생하는 MEN 2B는 전보다 조기에 진단되고 관련 C 세포 질병은 잘 치유되어 왔다.

이러한 산발성 환자들이, 가족 선별 검사를 통해 확인된 유전성 MEN 2B 가족의 자손과 함께 MEN 2B 생존자 집단에 포함되게 되면서 거의 정상적인 기대 수명을 가진 생존자들이 늘고 있다. MTC 및 갈색세포종으로의 이환이 없는 상태에서는 MEN 2B의 비내분비 징후 및 증상이 나타나게 될 것이며, 이로 인한 삶의 질 저하가 새로운 문제로 대두될 것이다.

REFERENCES

1. Machens A, Lorenz K, Sekulla C, et al. Molecular epidemiology of multiple endocrine neoplasia 2: implications for RET screening in the new millenium. Eur J Endocrinol 2013;168:307-14.
2. Opsahl EM, Mæhle LO, Bjorø T, et al. Clinical presentation and course of patients with de novo MEN 2B in Norway. Eur J Endocrinol. (submitted).
3. Eng C, Clayton D, Schuffenecker I, et al. The relationship between specific RET proto-oncogene mutations and disease phenotype in multiple endocrine neoplasia type 2. International RET mutation consortium analysis. JAMA 1996;276:1575-9.
4. Kloos RT, Eng C, Evans DB, et al. Medullary thyroid cancer: management guidelines of the American Thyroid Association. Thyroid 2009;19:565-612.
5. Dralle H, Machens A, Brauckhoff M. Syndromic medullary thyroid carcinoma: MEN 2A and MEN 2B. In: Randolph G (Ed). Surgery of the Thyroid and Parathyroid Glands, 2nd edition. Saunders; 2012.
6. Chong GC, Beahrs OH, Sizemore GW, et al. Medullary carcinoma of the thyroid gland. Cancer 1975;35:695-704.
7. Burk W. Über einen Amyloidtumor mit Metastasen. Inaugural-Dissertation, Tübingen (Germany): Pietzcker; 1901.
8. Wagenmann A. Multiple Neurome des Auges und der Zunge. Ber Dtsch Ophthal Ges 1922;43:282-5.
9. Froboese C. Das aus markhaltigen Nervenfasern bestehende, ganglienzellose, echte Neurom in Rankenform. Zugleich ein Beitrag zu den nervösen Geschwülsten der Zunge und des Augenlides. Virchows Arch Pathol Anat 1923;240:312-27.
10. Williams ED, Pollock DJ. Multiple mucosal neuromata with endocrine tumours: a syndrome allied to von Recklinghausen's disease. J Pathol Bacteriol 1966;91:71-80.
11. Gorlin RJ, Sedano HO, Vickers RA, et al. Multiple mucosal neuromas, pheochromocytoma and medullary carcinoma of the thyroid—a syndrome. Cancer 1968;22:293-9.
12. Schimke RN, Hartmann WH, Prout TE, et al. Syndrome of bilateral pheochromocytoma, medullary thyroid carcinoma and multiple neuromas. A possible regulatory defect in the differentiation of chromatin tissues. N Engl J Med 1968;279:1-8.
13. Carney JA, Sizemore GW, Hayles AB. Multiple endocrine neoplasia, type 2b. Pathobiol Annu 1978;8:105-53.
14. Vasen HF, Nieuwenhuijzen Kruseman AC, Berkel H, et al. Multiple endocrine neoplasia syndrome type 2: the value of screening and central registration. A study of 15 kindreds in The Netherlands. Am J Med 1987;83:847-52.
15. O'Riordain DS, O'Brien T, Crotty TB, et al. Multiple endocrine neoplasia type 2B: more than an endocrine disorder. Surgery 1995;118:936-42.
16. Skinner MA, DeBenedetti MK, Moley JF, et al. Medullary thyroid carcinoma in children with multiple endocrine neoplasia types 2A and 2B. J Pediatr Surg 1996;31:177-81.
17. Carney JA, Sizemore GW, Lovestedt SA. Mucosal ganglioneuromatosis, medullary thyroid carcinoma, and pheochromocytoma: multiple endocrine neoplasia, type 2b. Oral Surg Oral Med Oral Pathol 1976;41:739-52.
18. Carney JA, Go VL, Sizemore GW, et al. Alimentary-tract ganglioneuromatosis. A major component of the syndrome of multiple endocrine neoplasia, type 2b. N Engl J Med 1976;295:1287-91.
19. Carney JA, Hayles AB. Alimentary tract manifestations of multiple endocrine neoplasia, type 2b. Mayo Clin Proc 1977;52:543-8.
20. Carney JA, Sizemore GW, Hayles AV. C-cell disease of the thyroid gland in multiple endocrine neoplasia, type 2b. Cancer 1979;44:2173-83.
21. Dyck PJ, Carney JA, Sizemore GW, et al. Multiple endocrine neoplasia, type 2b: phenotype recognition; neurological features and their pathological basis. Ann Neurol 1979;6:302-14.
22. Carney JA, Roth SI, Heath H 3rd, et al. The parathyroid glands in multiple endocrine neoplasia type 2b. Am J Pathol 1980;99:387-98.
23. Carney JA, Bianco AJ Jr, Sizemore GW, et al. Multiple endocrine neoplasia with skeletal manifestations. J Bone Joint Surg Am 1981;63:405-10.
24. Carney JA, Hayles AB, Pearse AG, et al. Abnormal cutaneous innervation in multiple endocrine neoplasia, type 2b. Ann Intern Med 1981;94:362-3.
25. Hofstra RM, Landsvater RM, Ceccherini I, et al. A mutation in the RET proto-oncogene associated with multiple endocrine neoplasia type 2B and sporadic medullary thyroid carcinoma. Nature

1994;367:375-6.

26. Brauckhoff M, Machens A, Lorenz K, et al. Surgical curability of medullary thyroid cancer in multiple endocrine neoplasia 2B: a changing perspective. Ann Surg 2014;259:800-6

27. Toogood AA, Eng C, Smith DP, et al. No mutation at codon 918 of the RET gene in a family with multiple endocrine neoplasia type 2B. Clin Endocrinol (Oxf) 1995;43:759-62.

28. Gimm O, Marsh DJ, Andrew SD, et al. Germline dinucleotide mutation in codon 883 of the RET proto-oncogene in multiple endocrine neoplasia type 2B without codon 918 mutation. J Clin Endocrinol Metab 1997;82:3902-4.

29. Smith DP, Houghton C, Ponder BA. Germline mutation of RET codon 883 in two cases of de novo MEN 2B. Oncogene 1997;15:1213-7.

30. Miyauchi A, Futami H, Hai N, et al. Two germline missense mutations at codons 804 and 806 of the RET proto-oncogene in the same allele in a patient with multiple endocrine neoplasia type 2B without codon 918 mutation. Jpn J Cancer Res 1999;90:1-5.

31. Menko FH, van der Luijt RB, de Valk IA, et al. Atypical MEN type 2b associated with two germline RET mutations on the same allele not involving codon 918. J Clin Endocrinol Metab 2002;87:393-7.

32. Kameyama K, Okinaga H, Takami H. RET oncogene mutations in 75 cases of familial medullary thyroid carcinoma in Japan. Biomed Pharmacother 2004;58:345-7.

33. Cranston AN, Carniti C, Oakhill K, et al. RET is constitutively activated by novel tandem mutations that alter the active site resulting in multiple endocrine neoplasia type 2B. Cancer Res 2006;66:10179-87.

34. Jasim S, Ying AK, Waguespack SG, et al. Multiple endocrine neoplasia type 2B with a RET proto-oncogene A883F mutation displays a more indolent form of medullary thyroid carcinoma compared with a RET M918T mutation. Thyroid 2011;21:189-92.

35. Borrello MG, Smith DP, Pasini B, et al. RET activation by germline MEN2A and MEN2B mutations. Oncogene 1995;11:2419-27.

36. Iwashita T, Murakami H, Kurokawa K, et al. A two-hit model for development of multiple endocrine neoplasia type 2B by RET mutations. Biochem Biophys Res Commun 2000;268:804-8.

37. Machens A, Lorenz K, Dralle H. Individualization of lymph node dissection in RET (rearranged during transfection) carriers at risk for medullary thyroid cancer: value of pretherapeutic calcitonin levels. Ann Surg 2009;250:305-10.

38. Machens A, Lorenz K, Dralle H. Constitutive RET tyrosine kinase activation in hereditary medullary thyroid cancer: clinical opportunities. J Intern Med 2009;266:114-25.

39. Machens A, Niccoli-Sire P, Hoegel J, et al. Early malignant progression of hereditary medullary thyroid cancer. N Engl J Med 2003;349:1517-25.

40. Machens A, Brauckhoff M, Holzhausen HJ, et al. Codon-specific development of pheochromocytoma in multiple endocrine neoplasia type 2. J Clin Endocrinol Metab 2005;90:3999-4003.

41. Machens A, Lorenz K, Dralle H. Peak incidence of pheochromocytoma and primary hyperparathyroidism in multiple endocrine neoplasia 2: need for age-adjusted biochemical screening. J Clin Endocrinol Metab 2013;98: E336-45.

42. Lora MS, Waguespack SG, Moley JF, et al. Adrenal ganglioneuromas in children with multiple endocrine neoplasia type 2: a report of two cases. J Clin Endocrinol Metab 2005;90:4383-7.

43. Usami Y, Takenobu T, Kurihara R, et al. Neural hyperplasia in max-illary bone of multiple endocrine neoplasia type 2B patient. Oral Surg Oral Med Oral Pathol Oral Radiol Endod 2011;112:783-90.

44. Smith VV, Eng C, Milla PJ. Intestinal ganglioneuromatosis and multiple endocrine neoplasia type 2B: implications for treatment. Gut 1999;45:143-6.

45. Yin M, King SK, Hutson JM, et al. Multiple endocrine neoplasia type 2B diagnosed on suction rectal biopsy in infancy: a report of 2 cases. Pediatr Dev Pathol 2006;9: 56-60.

46. Ledwidge SF, Moorghen M, Longman RJ, et al. Adult transmural intestinal ganglioneuromatosis is not always associated with multiple endocrine neoplasia or neurofibromatosis: a case report. J Clin Pathol 2007;60:222-3.

47. Feichter S, Meier-Ruge WA, Bruder E. The histopathology of gastrointestinal motility disorders in children. Semin Pediatr Surg 2009;18:206-11.

48. Imai T, Uchino S, Okamoto T, et al. MEN Consortium of Japan. High penetrance of pheochromocytoma in multiple endocrine neoplasia 2 caused by germ line RET codon 634 mutation in Japanese patients. Eur J Endocrinol 2013;168:683-7.

49. Accurso B, Mercado A, Allen CM. Multiple endocrine neoplasia-2B presenting with orthodontic relapse. Angle Orthod 2010;80:585-90.

50. Pujol RM, Matias-Guiu X, Miralles J, et al. Multiple idiopathic mucosal neuromas: a minor form of multiple endocrine neoplasia type 2B or a new entity? J Am Acad Dermatol 1997;37:349-52.

51. Tomida I, Rohrbach JM, Zierhut M, et al. Conjunctival neuromas and prominent corneal nerve fibers as diagnostic indication of multiple endocrine disease. Klin Monbl Augenheilkd 2001;218:463-5.

52. Parker DG, Robinson BG, O'Donnell BA. External ophthalmic findings in multiple endocrine neoplasia type 2B. Clin Experiment Ophthalmol 2004;32:420-3.

53. Puvanachandra N, Aroichane M. Diffuse corneoscleral limbal neuromas with prominent corneal nerves in multiple endocrine neoplasia syndrome type IIB. J Pediatr Ophthalmol Strabismus 2009:1-3.

54. Kinoshita S, Tanaka F, Ohashi Y, et al. Incidence of prominent corneal nerves in multiple endocrine neoplasia type 2A. Am J Ophthalmol 1991;111:307-11.

55. Takai S, Kinoshita S, Tanaka F, et al. Prominent corneal nerves in patients with multiple endocrine neoplasia type 2A: diagnostic implications. World J Surg 1992;16:620-3.

56. Kasprzak L, Nolet S, Gaboury L, et al. Familial medullary thyroid carcinoma and prominent corneal nerves associated with the germline V804M and V778I mutations on the same allele of RET. J Med Genet 2001;38:784-7.

57. Ong DS, Lakhani V, Oates JA Jr, et al. Kindred with prominent corneal nerves associated with a mutation in codon 804 of RET on chromosome 10q11. Arch Ophthalmol 2010;128:247-9.

58. Alves M, Dias AC, Rocha EM. Dry eye in childhood: epidemiological and clinical aspects. Ocul Surf 2008;6:44-51.

59. Cohen MS, Phay JE, Albinson C, et al. Gastrointestinal manifestations of multiple endocrine neoplasia type 2. Ann Surg 2002;235:648-54.

60. Evans CA, Nesbitt IM, Walker J, et al. MEN 2B syndrome should be part of the working diagnosis of constipation of the newborn. Histopathology 2008;52:646-8.

61. Swaminathan M, Kapur RP. Counting myenteric ganglion cells in histologic sections: an empirical approach. Hum Pathol 2010;41:1097-108.

62. Brauckhoff M, Machens A, Hess S, et al. Premonitory symptoms preceding metastatic medullary thyroid cancer in MEN 2B: an exploratory analysis. Surgery 2008;144:1044-50.

63. Brauckhoff M, Machens A, Lorenz K, et al. Surgical curability of medullary thyroid cancer in multiple endocrine neoplasia 2B: a changing perspective. Ann Surg 2014;259:800-6.

64. Rowland KJ, Chernock RD, Moley JF. Pheochromocytoma in an 8-year-old patient with multiple endocrine neoplasia type 2A: implications for screening. J Surg Oncol 2013;108:203-6.

65. Morris LF, Waguespack SG, Edeiken-Monroe BS, et al. Ultrasonography should not guide the timing of thyroidectomy in pediatric patients diagnosed with multiple endocrine neoplasia syndrome 2A through genetic screening. Ann Surg Oncol 2013;20:53-9.

66. Zenaty D, Aigrain Y, Peuchmaur M, et al. Medullary thyroid carcinoma identified within the first year of life in children with hereditary multiple endocrine neoplasia type 2A (codon 634) and 2B. Eur J Endocrinol 2009;160:807-13.

67. Dralle H, Scheumann GF, Kotzerke J, et al. Surgical management of MEN 2. Rec Res Cancer Res 1992;125:167-95.

68. Dralle H, Scheumann GF, Proye C, et al. The value of lymph node dissection in hereditary medullary thyroid carcinoma: a retrospective, European, multicentre study. J Intern Med 1995;238:357-61.

69. Moley JF, DeBenedetti MK. Pattern of nodal metastases in palpable medullary thyroid carcinoma. Ann Surg 1999;229:880-8.

70. Fleming JB, Lee JE, Bouvet M, et al. Surgical strategy for the treatment of medullary thyroid carcinoma. Ann Surg 1999;230:697-707.

71. Chen H, Roberts JR, Ball DW, et al. Effective long-term palliation of symptomatic, incurable metastatic medullary thyroid cancer by operative resection. Ann Surg 1998;227:887-95.

72. Machens A, Dralle H. Biomarker-based risk stratification for previously untreated medullary thyroid cancer. J Clin Endocrinol Metab 2010;95:2655-63.

73. Machens A, Holzhausen HJ, Dralle H. Prediction of mediastinal lymph node metastasis in medullary thyroid carcinoma. Br J Surg 2004;91:709-12.

74. Machens A, Holzhausen HJ, Dralle H. Contralateral cervical and mediastinal lymph node metastasis in medullary thyroid cancer: systemic disease? Surgery 2006;139:28-32.

75. Machens A, Hauptmann S, Dralle H. Prediction of lateral lymph node metastases in medullary thyroid cancer. Br J Surg 2008;95:586-91.

76. Machens A, Dralle H. Benefit-risk balance of reoperation for persistent medullary thyroid cancer. Ann Surg 2013;257:751-7.

77. Inabnet WB, Caragliano P, Pertsemlidis D. Pheochromocytoma: inherited associations, bilaterality, and cortex preservation. Surgery 2000;128:1007-11.

78. Brauckhoff M, Gimm O, Thanh PN, et al. Critical size of residual adrenal tissue and recovery from impaired early postoperative adrenocortical function after subtotal bilateral adrenalectomy. Surgery 2003;134:1020-7.

79. Yip L, Lee JE, Shapiro SE, et al. Surgical management of hereditary pheochromocytoma. J Am Coll Surg 2004;198:525-34.

80. Neumann HP, Reincke M, Bender BU, et al. Preserved adrenocortical function after laparoscopic bilateral adrenal sparing surgery for hereditary pheochromocytoma. J Clin Endocrinol Metab 1999;84:2608-10.

81. Walz MK, Alesina PF, Wenger FA, et al. Laparoscopic and retroperitoneoscopic treatment of pheochromocytomas and retroperitoneal paragangliomas: results of 161 tumors in 126 patients. World J Surg 2006;30:899-908.

82. Lee J, El-Tamer M, Schifftner T, et al. Open and laparoscopic adrenalectomy: analysis of the National Surgical Quality Improvement Program. J Am Coll Surg 2008;206:953-9.

83. Alesina PF, Hinrichs J, Meier B, et al. Minimally invasive cortical-sparing surgery for bilateral pheochromocytomas. Langenbecks Arch Surg 2012;397:233-8.

84. Scholten A, Valk GD, Ulfman D, et al. Unilateral subtotal adrenalectomy for pheochromocytoma in multiple endocrine neoplasia type 2 patients: a feasible surgical strategy. Ann Surg 2011;254:1022-7.

85. Brauckhoff M, Gimm O, Brauckhoff K, et al. Repeat adrenocortical-sparing adrenalectomy for recurrent hereditary pheochromocytoma. Surg Today 2004;34:251-5.

86. Al-Sobhi S, Peschel R, Zihak C, et al. Laparoscopic partial adrenalectomy for recurrent pheochromocytoma after open partial adrenalectomy in von Hippel-Lindau disease. J Endourol 2002;16:171-4.

87. Brauckhoff M, Gimm O, Weiss CL, et al. Multiple endocrine neoplasia 2B syndrome due to codon 918 mutation: clinical manifestation and course in early and late onset disease. World J Surg 2004;28:1305-11.

88. Leboulleux S, Travagli JP, Caillou B, et al. Medullary thyroid carcinoma as part of a multiple endocrine neoplasia type 2B syndrome: influence of the stage on the clinical course. Cancer 2002;94:44-50.

Index

한국어